# CAMPING CAR...
# FRANC...

GW00360763

*Cette publication n'est pas un répertoire de tous les campings existants, mais une liste volontairement limitée de terrains choisis après visites et enquêtes effectuées sur place par nos inspecteurs.*

*Le guide Camping Caravaning France 1992 propose une SELECTION de plus de 3 500 terrains classés en 5 catégories ( ⩘⩘⩘⩘ ... ⋀ ).*

*Le classement que nous attribuons à chaque camp dépend de la nature et du confort de ses installations.*

**Il est indépendant du classement officiel en étoiles établi par les préfectures.**

*Les terrains sont cités par ordre de préférence dans chaque localité.*

*Nos enquêtes continuent. Pour nous aider à améliorer cet ouvrage, rejoignez les nombreux lecteurs qui, régulièrement, nous font part de leurs appréciations et suggestions. Ecrivez-nous. Par avance, merci.*

## Sommaire

1                                                                          3

# Comment utiliser ce guide

## 3 ENTRÉES POSSIBLES

### 1

**Vous désirez connaître
les ressources d'un département**

Le tableau des **localités classées par départements** (page 31) vous permettra dans une région donnée, de choisir, parmi tous les terrains que nous recommandons, ceux qui disposent d'aménagements de loisirs particuliers (✄ ⚊), les camps ouverts en permanence (P), ceux qui proposent des locations (caravanes, mobil home, bungalows) ou une possibilité de restauration, ou bien encore ceux qui bénéficient d'un environnement particulièrement calme (🦢).

### 2

**Vous souhaitez visualiser, sur une carte,
les ressources d'une même région**

**L'atlas** (page 56) en repèrant les localités possédant au moins un terrain sélectionné vous permettra d'établir rapidement un itinéraire. Cet atlas signale aussi les villes possédant un camping ouvert à l'année ou des terrains que nous trouvons particulièrement agréables dans leurs catégories (voir légende page 57).

### 3

**Vous avez choisi la localité
où vous désirez faire étape**

La **nomenclature alphabétique** (page 73) vous permet de vous reporter à la localité de votre choix, aux terrains que nous y avons sélectionnés et au détail de leurs installations.

Dans tous les cas consultez le **chapitre explicatif** (pages 4 à 9)
qui donne la signification des signes conventionnels utilisés
et les précisions complémentaires sur les équipements,
les services et les prestations des terrains que nous recommandons.

# Signes conventionnels
## Abréviations principales

## LOCALITÉS

| | |
|---|---|
| **P** ‹SP› | Préfecture – Sous-Préfecture |
| **23700** | Numéro de code postal |
| 12 73 ② | Numéro de page d'atlas (p. 56 à 72) – N° de la carte Michelin et du pli |
| **G. Bretagne** | Localité décrite dans le guide vert Michelin Bretagne |
| 1 050 h. | Population |
| alt. 675 | Altitude (donnée à partir de 600 m) |
| ⚓ ☜ | Nature de la station : thermale – de sports d'hiver |
| ✉ 05000 Gap | Code postal et nom de la commune de destination |
| ✆ | Indicatif téléphonique |
| ⛴ | Transports maritimes |
| **ℹ** | Information touristique |

## TERRAINS

### CLASSE

| | |
|---|---|
| ⋀⋀⋀⋀ | Terrain très confortable, parfaitement aménagé |
| ⋀⋀⋀ | Terrain confortable, très bien aménagé |
| ⋀⋀⋀ | Terrain bien aménagé, de bon confort |
| ⋀⋀ | Terrain assez bien aménagé |
| ⋀ | Terrain simple mais convenable |

### Sélection particulières

| | |
|---|---|
| M | Terrain d'équipement moderne |
| ❄ ◇ | Caravaneige sélectionné – Parc résidentiel sélectionné |

### AGRÉMENT

| | |
|---|---|
| ⋀⋀⋀⋀ ... ⋀ | Terrains agréables dans leur ensemble |
| ☜ ☜ | Terrain très tranquille, isolé – Tranquille surtout la nuit |
| ≼ ≼ | Vue exceptionnelle – Vue intéressante ou étendue |
| « » | Elément particulièrement agréable |

### SITUATION ET ACCÈS

| | |
|---|---|
| ✆ ✉ | Téléphone – Adresse postale du camp (si différente de la localité) |
| N – S – E – O | Direction : Nord – Sud – Est – Ouest (indiquée par rapport au centre de la localité) |
| **P** | Parking obligatoire pour les voitures en dehors des emplacements |
| 🐕 | Accès interdit aux chiens |

### CARACTÉRISTIQUES GÉNÉRALES

| | |
|---|---|
| 3 ha | Superficie (en hectares) du camping |
| 60 ha/3 campables | Superficie totale (d'un domaine) et superficie du camp proprement dit |
| (90 empl.) | Capacité d'accueil : en nombre d'emplacements |
| ⚷ ⚷ | Camp gardé : en permanence – le jour seulement |
| ⌑ | Emplacements nettement délimités |
| ọ ọọ ọọọ | Ombrage léger – Ombrage moyen – Ombrage fort (sous-bois) |

## ÉQUIPEMENT

### Sanitaires – Emplacements

Installations avec eau chaude : Douches – Lavabos
Eviers ou lavoirs – Postes distributeurs
Cabinets de toilette ou lavabos en cabines (avec ou sans eau chaude)
Installations sanitaires spéciales pour handicapés physiques
Installations chauffées
Branchements individuels pour caravanes : Electricité – Eau – Evacuation

### Ravitaillement – Restauration – Services divers

Super-marché, centre commercial – Magasin d'alimentation
Bar (licence III ou IV) – Restauration (restaurant, snack-bar)
Plats cuisinés à emporter – Machines à laver, laverie

### Loisirs – Distractions

Salle de réunion, de séjour, de jeux...
Tennis – Golf miniature
Jeux pour enfants
Piscine : couverte – de plein air
Bains autorisés ou baignade surveillée
Voile (école ou centre nautique) – Promenades à cheval ou équitation

## LOCATIONS

Location de tentes
Location de caravanes – de résidences mobiles
Location de chambres – de bungalows aménagés

## RÉSERVATIONS – PRIX

**R ⋈**   Réservations acceptées – Pas de réservation
**☆ 8 – 🚗 5**   Redevances journalières : par personne, pour le véhicule
**▣ 10/12**   pour l'emplacement (tente/caravane)
**⚡ 7 (4A)**   pour l'électricité (nombre d'ampères)

# LÉGENDE DES SCHÉMAS

### Ressources camping

**(O)**   Localité possédant au moins un terrain sélectionné dans le guide
**▲**   Terrain de camping situé

### Voirie

Autoroute
Double chaussée de type autoroutier (sans carrefour à niveau)
Echangeurs numérotés : complet, partiel
Route principale
Itinéraire régional ou de dégagement
Autre route
Sens unique – Barrière de péage
Piste cyclable – Chemin d'exploitation, sentier
Pentes (Montée dans le sens de la flèche) 5 à 9 % – 9 à 13 % – 13 % et plus
Col – Bac – Pont mobile
Voie ferrée, gare – Voie ferrée touristique
Limite de charge (indiquée au-dessous de 5 tonnes)
Hauteur limitée (indiquée au-dessous de 3 m)

## Curiosités

Eglise, chapelle – Château
Phare – Monument mégalithique
Ruines – Curiosités diverses
Table d'orientation, panorama – Point de vue

## Repères

Localité possédant un plan
dans le Guide Rouge Michelin

Information touristique – Bureau de poste principal
Eglise, chapelle – Château
Ruines – Monument – Château d'eau
Hôpital – Usine
Fort – Barrage – Phare
Calvaire – Cimetière
Aéroport – Aérodrome – Vol à voile
Stade – Golf – Hippodrome
Zoo – Patinoire
Téléphérique ou télésiège – Forêt ou bois

Chapitre explicatif

# Précisions complémentaires

## SÉLECTION

Le nom des camps est inscrit en **caractères gras** lorsque tous les renseignements demandés, et notamment les prix, nous ont été communiqués par les propriétaires au moment de la réédition.
Toutes les insertions dans ce guide sont entièrement **gratuites** et ne peuvent en aucun cas être dues à une prime ou à une faveur.

## CLASSE

**La classe** ( 𝘼𝘼𝘼 ... 𝘼 ) que nous attribuons à chaque terrain est indiquée par un nombre de tentes correspondant à la nature et au confort de ses aménagements.

**Terrains agréables** ( 𝘼𝘼𝘼 ... 𝘼 ) – Ces camps, signalés dans le texte par des « tentes rouges », sont particulièrement agréables dans leur ensemble et leur catégorie. Ils sortent de l'ordinaire par leur situation, leur cadre, leur tranquillité ou le style de leurs aménagements.

▸ *Voir atlas pages 56 à 72.*

## SÉLECTION PARTICULIÈRES

**Terrains modernes** (Ⓜ) – Leur conception générale, leur style et leurs installations (sanitaires surtout) présentent un caractère rationnel et moderne.

**Caravaneiges** (❄) – Ces camps sont équipés spécialement pour les séjours d'hiver en montagne (chauffage, branchements électriques de forte puissance, salle de séchage etc.).

**Parcs résidentiels** (◇) – Ces terrains, orientés essentiellement vers une forme de caravaning sédentaire, possèdent un confort et des installations au-dessus de la moyenne. Leurs emplacements, vastes et bien aménagés, sont généralement loués (en totalité ou presque) à des caravaniers laissant leur installation sur place (à l'année ou à la saison).

**Location longue durée** – *Places disponibles (ou limitées) pour le passage :* Nous signalons ainsi les camps à vocation résidentielle (P.R.L. ou autres) qui, bien que fréquentés en majorité par une clientèle d'habitués occupant des installations sédentaires, réservent néanmoins des emplacements pour accueillir la clientèle de passage.

**Aires naturelles** – Ces terrains sont généralement aménagés avec simplicité mais se distinguent par l'agrément de leur situation dans un cadre naturel et offrent des emplacements de grande superficie.

## ÉQUIPEMENT ET SERVICES

**Admission des chiens** – En l'absence du signe 🐾, les chiens sont admis sur le camp *mais doivent obligatoirement être tenus en laisse.* En outre, leur admission peut être soumise à une redevance particulière et très souvent à la *présentation d'un carnet de vaccination à jour.*

**Le gardiennage permanent** (⚷) implique qu'un responsable, logeant généralement sur le camp, peut être contacté en cas de besoin en dehors des heures de présence à l'accueil, mais ne signifie pas nécessairement une surveillance effective 24 h sur 24.

**Le gardiennage de jour** (⚷) suppose la présence d'un responsable à l'accueil ou sur le camp au moins 8 h par jour.

**Sanitaire** – *Nous ne mentionnons que les installations avec eau chaude* (🚿⌂☖⌂).

**Branchements électriques pour caravanes** (⊕) – Le courant fourni est en 220 V. Avec les prix, nous indiquons l'ampérage disponible quand cette précision nous est donnée.

**Commodités – Loisirs** – La plupart des ressources ou services mentionnés dans le texte, particulièrement en ce qui concerne le ravitaillement (🛒🍴), la restauration (✕🍴) et certains loisirs de plein air (🏊◊), ne sont généralement accessibles qu'en saison en fonction de la fréquentation du terrain et indépendamment de ses dates d'ouverture.

**Mention** « A proximité » – Nous n'indiquons que les aménagements ou installations qui se trouvent dans les *environs immédiats* du camping (généralement moins de 500 m) et aisément accessibles pour un campeur se déplaçant à pied.

## LOCATIONS

▸ *Voir dans le tableau p. 31 à 54* les localités possédant un ou plusieurs terrains pratiquant la location de **caravanes, bungalows** aménagés etc... La nature de ces locations est précisée au texte de chaque terrain par les signes appropriés (⌂ ⌂⌂ ⌂) ou les mentions littérales : studios, appartements.
S'adresser au propriétaire pour tous renseignements et réservation.

## OUVERTURE – RÉSERVATIONS

**Ouverture** – Les périodes de fonctionnement sont indiquées d'après les dates les plus récentes communiquées par les propriétaires.
Ex. : juin-sept. (début juin à fin septembre).
Faute de précisions, ou en cas de non-réponse de la part du propriétaire, le mot saison signifie ouverture probable en saison – dates non communiquées.
Le mot Permanent signale les terrains ouverts toute l'année.
▸ *Voir atlas p. 56 à 72.*

**Réservation d'emplacements (R ℞).** – Dans tous les cas où vous désirez réserver un emplacement, écrivez directement au propriétaire du terrain choisi (joindre une enveloppe timbrée pour la réponse) et demandez toutes précisions utiles sur les modalités de réservation, les tarifs, les arrhes, les conditions de séjour et la nature des prestations offertes afin d'éviter toute surprise à l'arrivée.
*Des frais de réservation* sont perçus par certains propriétaires sous forme d'une somme forfaitaire non remboursable.

## LES PRIX

Les prix que nous mentionnons sont ceux qui nous ont été communiqués par les propriétaires en septembre au moment de la réédition (nous indiquons s'il s'agit d'un tarif de l'année précédente dans la mesure où cette précision nous est signalée).
Dans tous les cas, ils sont donnés à titre indicatif et susceptibles d'être modifiés si le coût de la vie subit des variations importantes.
Sauf cas particuliers (location annuelle, forfaits longue durée, « garage mort »), les redevances sont généralement calculées par journées de présence effective, décomptées de midi à midi, chaque journée entamée étant facturée intégralement.
Nous n'indiquons que les *prix de base* (tarifs forfaitaires par emplacement ou redevances par personne, pour le véhicule et pour l'emplacement) ainsi que les prix des branchements électriques pour caravanes et de l'eau chaude si ces précisions nous sont communiquées. Il est à noter que, dans la très grande majorité des camps que nous sélectionnons, l'eau chaude (douches, éviers, lavabos) est en général comprise dans les redevances par personne ou par emplacement.
Certaines prestations peuvent être facturées en sus (piscine, tennis) – les visiteurs, les chiens, certaines taxes (séjour, enlèvement des ordures ménagères, etc.) peuvent également donner lieu à une redevance complémentaire.
*De toute façon, les tarifs en vigueur doivent obligatoirement être affichés à l'entrée du camp* (ainsi que son classement officiel en étoiles, sa capacité d'accueil et son règlement intérieur) et *il est vivement conseillé d'en prendre connaissance avant de s'installer.*

*En cas de contestation ou de différend, lors d'un séjour sur un terrain de camping, au sujet des prix, des conditions de réservation, de l'hygiène ou des prestations, efforcez-vous de résoudre le problème directement sur place avec le propriétaire du terrain ou son représentant.*
*Faute de parvenir à un arrangement amiable, et si vous êtes certain de votre bon droit, adressez-vous en premier lieu aux Services compétents de la Préfecture du département concerné et, éventuellement, à une Association de Défense des Consommateurs.*
*En ce qui nous concerne, nous examinons attentivement toutes les observations qui nous sont adressées afin de modifier, le cas échéant, les mentions ou appréciations consacrées aux camps recommandés dans notre guide, mais nous ne possédons ni l'organisation, ni la compétence ou l'autorité nécessaires pour arbitrer et régler les litiges entre propriétaires et usagers.*

# CAMPING CARAVANING FRANCE

*This publication is not a complete list of all camping sites in France but a deliberately limited list of sites chosen on the basis of our Inspectors' on-the-spot enquiries.*

*The Michelin Guide Camping Caravaning France 1992 contains a SELECTION of over 3 500 camping sites classified in 5 categories ( ⋀⋀⋀⋀ ... ⋀ ).*

The classification that we give to each site depends on the type and range of its facilities.

*It is quite independent of the official star ratings set by the Préfectures.*

*The sites under each heading place name are listed in order of preference.*

*Our on-the-spot enquiries continue from year to year. To help us improve this publication many readers regularly send us their comments and suggestions.*
*We would be happy to hear from you.*

# Contents

# How to use this guide

## THREE OPTIONS

### 1

**To find out what facilities are available in a "département"**

The table of **localities, classified by "département"** (administrative district) (p. 31), lists all the camping sites that we recommend in a given area, and shows those which have particular recreational facilities (🏸 ⛱), those which are open throughout the year (P), those which hire out caravans, mobile homes or bungalows, those with eating places, and also those which are in particularly quiet surroundings (🐦).

### 2

**To see the resources of a district on the map**

The **atlas** (p. 56) marks the places with at least one selected site and makes it easy to work out a route. The atlas also shows the towns with sites that are open throughout the year or which we consider above average within a given category (see key p. 57).

### 3

**To see what is available in a particular place**

Under the name of a given place in the **alphabetical section** (p. 73) are listed the sites we have selected and the facilities available.

Always consult the **Explanatory notes** section (pp. 12 to 16) which gives the meaning of the symbols used in this guide and maps and more detailed information on the facilities, services and charges of the sites we recommend.

# Conventional signs
## Abbreviations

### LOCALITIES

| | |
|---|---|
| Ⓟ ⑤ᴾ | Prefecture – Sub-prefecture |
| **23700** | Postal code number |
| ⑫ ⑦⑧ ② | Atlas page number (pp 56 to 72) – Michelin map number and fold |
| **G. Bretagne** | Place described in the Michelin Green Guide Brittany |
| 1 050 h. | Population |
| alt. 675 | Altitude (over 600m) |
| ⚕ 🎿 | Resort: spa – winter sports |
| ⊠ 05000 Gap | Postal number and name of the postal area |
| ☉ | Trunk dialling code |
| ⚓ | Maritime services |
| 🖪 | Tourist Information Centre |

### CAMPING SITES

#### CLASSIFICATION

| | |
|---|---|
| 𝗔𝗔𝗔𝗔 | Very comfortable, ideally equipped |
| 𝗔𝗔𝗔 | Comfortable, very well equipped |
| 𝗔𝗔 | Well equipped, reasonably comfortable |
| 𝗠 | Acceptable |
| 𝗔 | Rudimentary |

#### Special features

| | |
|---|---|
| M | Sites with modern facilities |
| ❄ ◇ | Selected winter caravan sites – Selected residential sites |

#### AMENITIES

| | |
|---|---|
| 𝗔𝗔𝗔𝗔 ... 𝗔 | Pleasant site |
| 🐾 🐾 | Quiet isolated site – Quiet site, especially at night |
| ≼ ≼ | Exceptional view – Interesting or extensive view |
| « » | Particularly attractive feature |

#### LOCATION AND ACCESS

| | |
|---|---|
| 🕿 ⊠ | Telephone – Postal address of camp (if different from name of locality) |
| N – S – E – O | Direction from nearest listed locality : North – South – East – West |
| Ⓟ | Cars must be parked away from pitches |
| 🐕 | No dogs allowed |

#### GENERAL CHARACTERISTICS

| | |
|---|---|
| 3 ha | Area available (in hectares ; 1ha = 2.47 acres) |
| 60 ha/3 campables | Total area of the property and area used for camping |
| (90 empl.) | Capacity (number of spaces) |
| ⚊ ⚊ | Camp guarded: day and night – day only |
| ⊡ | Marked off pitches |
| ọ ọọ ọọọ | Shade – Fair amount of shade – Well shaded |

## FACILITIES

### Sanitary installations – Pitch fitments

Sites with running hot water: showers – wash basins
Laundry or dish washing facilities – Running water
Individual wash rooms or wash basins with or without hot water
Sanitary installations for the physically handicapped
Heating installations
Each caravan bay is equipped with electricity – water – drainage

### Food shops – Restaurants – Other facilities

Supermarket; shopping centre – Food shop
Bar (serving alcohol) – Eating places (restaurant, snack-bar)
Take away meals – Washing machines, laundry

### Recreational facilities

Common room – Games room
Tennis courts – Mini golf
Playground
Swimming pool: covered – open air
Bathing allowed or supervised bathing
Sailing (school or centre) – Pony trekking, riding

## RENTING

Tents
Caravans – Mobile homes
Rooms – Bungalows

## RESERVATION – PRICES

**R R̸** Reservations: accepted – not accepted
**☆ 8 – ⇔ 5** Daily charge: per person, per vehicle
**▣ 10/12** per pitch (tent/caravan)
**⚡ 7 (4A)** for electricity (by no of amperes)

# KEY TO THE LOCAL MAPS

### Camping

**(▲)** Locality with at least one camping site selected in the guide
**▲** Location of camping site

### Roads

Motorway
Dual carriageway with motorway characteristics (no at grade junctions)
Numbered junctions: complete, limited
Major road
Secondary road network
Other road
One-way road – Toll barrier
Cycle track – Cart track, footpath
Gradient (ascent in the direction of the arrow) 1:20 to 1:12; 1:11 to 1:8; + 1:7
Pass – Ferry – Drawbridge or swing bridge
Railway, station – Steam railways
Load limit (given when less than 5t)
Headroom (given when less than 3m)

## Sights of interest

Church, chapel – Castle, château
Lighthouse – Megalithic monument
Ruins – Miscellaneous sights
Viewing table, panoramic view – Viewpoint

## Landmarks

Towns having a plan
in the Michelin Red Guide

Tourist Information Centre – General Post Office
Church, chapel – Castle, château
Ruins – Statue or building – Water tower
Hospital – Factory or power station
Fort – Dam – Lighthouse
Wayside cross – Cemetery
Airport – Airfield – Gliding airfield
Stadium – Golf course – Racecourse
Zoo – Nature reserve – Skating rink
Cable-car or chairlift – Forest or wood

# Additional information

## SELECTION

The names of sites are in **bold type** when the owners have supplied us with all requested details, in particular prices, at the time of revision.

Inclusion in the Michelin Guide is **free** and cannot be achieved by pulling strings or bribery.

## CLASSIFICATION

**The classification** ( ⚞⚞⚞ ... ⚞ ) we give each camping site is indicated by the number of tents corresponding to the nature and comfort of the equipment.

**Pleasant sites** ( ⚞⚞⚞ ... ⚞ ) – These grounds, indicated in the text by red tents, are particularly pleasant as a whole and within their own class. They may be outstanding in situation, setting, quietness or the style of their amenities.

▸ *See the atlas pp 56 to 72.*

## SPECIAL FEATURES

**Camping sites with modern facilities** (Ⓜ) – The general layout, style and installations (sanitary particularly) are convenient and modern.

**Winter caravan sites** (❄) – These sites are specially equipped for a winter holiday in the mountains. Facilities generally include central heating, high power electric points and drying rooms for clothes and equipment.

**Residential sites** (◇) – These sites essentially cater for static caravans and have above average comfort, standards and equipment. The vast majority of the spacious and well equipped pitches on these sites are occupied on an annual or seasonal basis.

Location longue durée – *Places disponibles (ou limitées) pour le passage :* This mention indicates camping sites (residential, country park and other sites) which cater essentially for regular campers using static pitches but nevertheless leave some touring pitches available.

**Aires naturelles** – Camping sites in a rural setting offering minimal facilities. Their chief attraction is their pleasant situation in natural surroundings. They generally offer spacious pitches.

## FACILITIES

**Dogs** – Unless this symbol ✖ is indicated, dogs are allowed on the camping site but *must be on a leash.* Furthermore some sites may charge for dogs. Very often an up-to-date *vaccination card is required.*

**Camping site guarded day and night** (o━▪) – This implies that a warden usually living on the site can be contacted, if necessary outwith the normal reception hours. However, this does not mean round the clock surveillance.

**Camping site guarded by day** (o━▫) – This indicates the presence of someone responsible, on the premises, for at least 8 hours a day.

**Sanitary installations** – *In the text we only mention installations with running hot water* (�🚿⚅⚅⚅).

**Caravan electricity supply points** (⊕) – The electric current is 220 volts. When the information is provided by the proprietor, the power available in amperes is indicated in brackets after the mains electricity supply point rental charge.

**Food shops – Recreational facilities** – Most of the facilities and services indicated in the text, particularly those services concerned with food shops (⚅⚅), eating places (✗⚅) and certain outdoor activities (⚅⚅), are only available in season and even then it may depend on the demand and not the date the camping site opens.

« A proximité » : this mention indicates facilities in the immediate proximity of the camping site (generally less than 500m) and easily accessible for campers on foot.

## RENTING

▸ *See the table pp 31 to 54* for the localities with at least one or more sites which rent **caravans** or **bungalows**. Detailed information of what exactly is available in each case will be found under the relevant site indicated by the appropriate symbol (⌂⌂⌂) or by the French terms *studios, appartements* (meaning studios or flats).
Enquire directly to the proprietor.

## PERIODS OF OPENING – PITCH RESERVATIONS

**Periods of opening** – The periods of opening are the most recent dates supplied by the owner.
The mention, juin-sept, is inclusive (i.e. beginning June through end of September).

**Season** – Due to lack of information or no response from the owner the word saison (season) means likely to be open during the season (unspecified dates).

Permanent – This indicates that the site is open all year round.

▸ *See the atlas pp 56 to 72.*

**Pitch reservations (R R̄)** – Whenever you wish to book a site in advance, write directly to the owner and include an international reply paid stamp coupon and self-addressed envelope. Ask for all details concerning the booking regulations, the prices, the deposits, any special conditions pertaining to the stay and the facilities offered by the site in question, to avoid any unpleasant surprises.
*Booking fees*, charged by some owners, are not refunded.

## CHARGES

The charges we indicate are those that were supplied to us in September at the time of reedition. If and when the information is given to us, we specify when the charges given are those of the previous year.

In any event they should be regarded as basic charges and may alter due to fluctuations in the cost of living.

The charges are generally calculated on the actual number of days counting from midday to midday with each partial day being counted as a full day. Exceptions to the above mentioned are: annual rentals, long stay and residential rates.

We indicate *basic charges* either an all inclusive charge per pitch, or fee charged per person, per vehicle and per pitch. If the information is given, we indicate for caravans, the rental charge for connection to mains electricity supply and the charge for hot water. It should, however, be noted that for the great majority of camping sites which we select, the charge for running hot water (showers, wash basins and laundry or dish washing facilities) is included in the *basic charge* per person or per pitch.

Supplementary fees may be charged for certain facilities (swimming pool, hot water), visitors, dogs and taxes (tourist tax, refuse collection tax etc.).

Without exception *the following information should be posted at the site entrance:* the camp's regulations, its official classification (indicated by stars), its capacity and current charges. *It is advisable to study them well before settling in.*

*If during your stay in a camping site you have grounds for contention concerning your reservation, the prices, standards of hygiene and facilities offered, try in the first place to resolve the problem with the proprietor or the person responsible.*

*If you believe you are quite within your rights, it is possible to take the matter up with the Prefecture of the "département" in question.*

*We welcome all suggestions and comments, be it criticism or praise, relative to camping sites recommended in our guide. We do, however, stress the fact that we have neither the department, the competence, nor the authority to deal with matters of contention between campers and proprietors.*

# CAMPING CARAVANING FRANCE

*Diese Veröffentlichung ist kein Verzeichnis aller existierenden Campingplätze, sondern vielmehr eine bewußt getroffene Auswahl von Plätzen, die von unseren Inspektoren vorher besucht und begutachtet wurden.*

*Der Michelin Camping Caravaning France 1992 bietet Ihnen eine AUSWAHL von mehr als 3 500 Plätzen, die in fünf Kategorien ( ⋀⋀⋀ ... ⋀ ) aufgeteilt sind. Die von uns vorgenommene Klassifizierung ist abhängig von der Art der Einrichtungen und vom Komfort der jeweiligen Plätze.*

*Sie ist unabhängig von der offiziellen Klassifizierung nach Sternen, die von den Präfekturen vorgenommen wird.*

*Die Reihenfolge der Campingplätze innerhalb eines Ortes stellt deren Rangfolge dar.*

*Unsere Untersuchungen gehen weiter. Um uns bei der Verbesserung dieser Veröffentlichung zu helfen, machen Sie es wie zahlreiche Leser, die uns regelmäßig ihre Meinungen und Vorschläge zukommen lassen. Schreiben Sie uns. Im voraus besten Dank!*

# Inhalt

# Benutzung des Führers

## DREI MÖGLICHKEITEN

### 1

**Sie möchten die Campingmöglichkeiten
eines Departements kennenlernen**

Das nach **Departements geordnete Ortsregister** (ab Seite 32) ermöglicht Ihnen, in einer bestimmten Gegend unter den empfohlenen Plätzen eine Wahl zu treffen nach den Freizeiteinrichtungen (✵ ⚓), der Öffnungszeit (P), der Möglichkeit, eine Unterkunft zu mieten (Wohnwagen, Wohnanhänger, Bungalows), ein Restaurant vorzufinden, oder wegen der besonders ruhigen Lage (🕭).

### 2

**Sie möchten die Campingmöglichkeiten
einer Gegend auf einer Karte sehen**

Anhand der **Übersichtskarten** (ab Seite 56) können Sie rasch eine Route zusammenstellen, indem Sie die Orte heraussuchen, welche mindestens einen empfohlenen Campingplatz besitzen. Diese Übersichtskarten enthalten auch Hinweise auf ganzjährig geöffnete oder innerhalb ihrer Kategorie besonders angenehme Plätze (s. Zeichenerklärung S. 57).

### 3

**Sie wollen in einem bestimmten Ort haltmachen**

Mit Hilfe des **alphabetischen Verzeichnisses** (ab S. 73) können Sie direkt auf den von Ihnen gewählten Ort zurückgreifen und finden dort die von uns ausgewählten Plätze sowie nähere Angaben zu deren Ausstattungen.

Beachten Sie in jedem Fall unsere **Erläuterungen** (S. 19 bis S. 23).
Dort finden Sie eine Zeichenerklärung sowie nähere
Angaben zu Ausstattung, Service und Dienstleistungen der von
uns empfohlenen Plätze.

# Zeichenerklärung
## Abkürzungen

## ORTE

| | |
|---|---|
| Ⓟ ◁ⓢⓅ▷ | Präfektur – Unterpräfektur |
| **23700** | Postleitzahl |
| 🔢 🔢 ② | Seitenangabe der Übersichtskarte (S. 56-72) – Nr. der Michelin-Karte und Faltseite |
| G. Bretagne | Im Grünen Michelin-Reiseführer « Bretagne » beschriebener Ort |
| 1 050 h. | Einwohnerzahl |
| alt. 675 | Höhe (wird ab 600 m angegeben) |
| ⚕ ⚘ | Heilbad – Wintersportort |
| ✉ 05000 Gap | Postleitzahl und Name des Verteilerpostamtes |
| ✪ | Ortsnetzkennzahl |
| ⚓ | Schiffsverbindungen |
| 🄹 | Informationsstelle |

## CAMPINGPLÄTZE

### KATEGORIE

| | |
|---|---|
| ⩙⩙⩙⩙ | Sehr komfortabler Campingplatz, ausgezeichnet ausgestattet |
| ⩙⩙⩙ | Komfortabler Campingplatz, sehr gut ausgestattet |
| ⩙⩙ | Gut ausgestatteter Campingplatz mit gutem Komfort |
| ⩙ | Zweckentsprechend ausgestatteter Campingplatz |
| △ | Einfacher, aber ordentlicher Campingplatz |

### Spezielle Einrichtungen

| | |
|---|---|
| Ⓜ | Campingplatz mit moderner Ausstattung |
| ❄ ◇ | Wintercamping – « Parc résidentiel » |

### ANNEHMLICHKEITEN

| | |
|---|---|
| ⩙⩙⩙ ... △ | Angenehme Campingplätze |
| ⚑ ⚐ | Sehr ruhiger, abgelegener Campingplatz – Ruhiger Campingplatz, besonders nachts |
| ⇐ ⇐ | Eindrucksvolle Aussicht – Interessante oder weite Sicht |
| « » | Hervorhebung einer Annehmlichkeit |

### LAGE UND ZUFAHRT

| | |
|---|---|
| ✆ ✉ | Telefon – Postanschrift des Campingplatzes (sofern das zuständige Postamt in einem anderen Ort ist) |
| N – S – E – O | Richtung: Norden – Süden – Osten – Westen (Angabe ab Ortszentrum) |
| Ⓟ | Parken nur auf vorgeschriebenen Parkplätzen außerhalb der Standplätze |
| 🐕 | Hunde unerwünscht |

### ALLGEMEINE CHARAKTERISTIKA

| | |
|---|---|
| 3 ha | Nutzfläche (in Hektar) des Campingplatzes |
| 60 ha/3 campables | Gesamtfläche (eines Geländes) und Nutzfläche für Camping |
| (90 empl.) | Fassungsvermögen: Anzahl der Stellplätze |
| ⚷ ⚷ | Bewachter Campingplatz: ständig – nur tagsüber |
| ⊡ | Abgegrenzte Standplätze |
| ⚬ ⚬⚬ ⚬⚬⚬ | Leicht schattig – ziemlich schattig – sehr schattig |

19

## AUSSTATTUNG

### Sanitäre Einrichtungen

Einrichtungen mit warmem Wasser: Duschen – Waschbecken
Waschgelegenheit (Geschirr oder Wäsche) – Wasserstelle
Individuelle Waschräume (mit oder ohne warmem Wasser)
Sanitäre Einrichtungen für Körperbehinderte
Beheizte Anlagen
Individuelle Anschlüsse für Wohnwagen:
Strom – Wasser – Abwässer

### Verpflegung – Verschiedene Einrichtungen

Supermarkt, Einkaufszentrum – Lebensmittelgeschäft
Bar mit Alkoholausschank – Restaurant, Snack-Bar
Fertiggerichte zum Mitnehmen – Waschmaschinen, Waschanlage

### Freizeitgestaltung

Versammlungsraum, Aufenthaltsraum, Spielhalle ...
Tennisplatz – Minigolfplatz
Kinderspiele
Hallenbad – Freibad
Baden erlaubt, teilweise mit Badeaufsicht
Segeln (Segelschule oder Segelclub) – Reiten

## VERMIETUNG

Zelte
Wohnwagen – besonders große Wohnanhänger
Zimmer – eingerichtete Bungalows

## PLATZRESERVIERUNG – PREISE

**R ℟** Reservierung möglich – keine Reservierung möglich
**⚦ 8 – 🚗 5** Tagespreise: pro Person, für das Auto
**▣ 10/12** Platzgebühr (Zelt/Wohnwagen)
**⚡ 7 (4A)** Stromverbrauch (Anzahl der Ampere)

# KARTENSKIZZEN

### Campingplätze

**(O)** Ort mit mindestens einem ausgewählten Campingplatz
**△** Campingplatz, der Lage entsprechend vermerkt

### Straßen

Autobahn
Schnellstraße (kreuzungsfrei)
Numerierte Anschlußstelle:
Autobahneinfahrt- und/oder -ausfahrt
Hauptverkehrsstraße
Regionale Verbindungsstraße oder Entlastungsstrecke
Andere Straße
Einbahnstraße – Gebührenstelle
Radweg – Wirtschaftsweg, Pfad
Steigungen, Gefälle (Steigung in Pfeilrichtung 5-9 %, 9-13 %, 13 % und mehr)
Paß – Fähre – Bewegliche Brücke
Bahnlinie und Bahnhof – Museumseisenbahn-Linie
Höchstbelastung (angegeben bis 5t)
Zulässige Gesamthöhe (angegeben bis 3m)

### Sehenswürdigkeiten

 Kirche, Kapelle – Schloß, Burg
Leuchtturm – Menhir, Megalithgrab
Ruine – Sonstige Sehenswürdigkeit
Orientierungstafel, Rundblick – Aussichtspunkt

### Orientierungspunkte

 Ort mit Stadtplan im Roten
Michelin-Führer

 Informationsstelle – Hauptpost
Kirche, Kapelle – Schloß, Burg
Ruine – Denkmal – Wasserturm
Krankenhaus – Fabrik, Kraftwerk
Festung – Staudamm – Leuchtturm
Bildstock – Friedhof
Flughafen – Flugplatz – Segelflugplatz
Stadion – Golfplatz – Pferderennbahn
Zoo – Schlittschuhbahn
Seilschwebebahn oder Sessellift – Wald oder Gehölz

Erläuterungen

# Zusätzliche Hinweise

## AUSWAHL

Hat uns der Campingplatzbesitzer Preise und Auskünfte über die Einrichtungen mitgeteilt, so erscheint der Name des Platzes in **Fettdruck**.
Die Aufnahme in diesen Führer ist **kostenlos** und wird auf keinen Fall gegen Entgelt oder eine andere Vergünstigung gewährt.

## KLASSIFIZIERUNG

**Unsere Klassifizierung** ( ⚑⚑⚑ ... ⚑ ) der Campingplätze wird durch Zelte ausgedrückt, deren Anzahl den Annehmlichkeiten und der Ausstattung entspricht.

**Angenehme Campingplätze** ( ⚑⚑⚑ ... ⚑ ) – Diese im Führer durch "rote Zelte" gekennzeichneten Plätze sind ihrer Einstufung entsprechend besonders angenehm. Sie unterscheiden sich von den anderen Campingplätzen durch eine schönere Lage oder Umgebung, die Ruhe oder den Stil ihrer Einrichtung.

▸ *Siehe Kartenteil S. 56-72.*

## SPEZIELLE EINRICHTUNGEN

**Campingplätze mit moderner Ausstattung** (Ⓜ) – Ihre Anlage und Einrichtungen (besonders die sanitären) sind modern und funktionell.

**Wintercamping** (❄) – Diese Gelände sind speziell für Wintercamping in den Bergen ausgestattet (Heizung, Starkstromanschlüsse, Trockenräume usw.).

**« Parcs résidentiels »** (◇) – Diese Campingplätze, die hauptsächlich von Dauercampern benutzt werden, besitzen überdurchschnittliche Annehmlichkeiten und Einrichtungen. Ihre großen und gut ausgestatteten Stellplätze sind meist an Wohnwagenbesitzer vermietet, die ihr Fahrzeug in der Saison oder das ganze Jahr über dort stehen lassen.

**Location longue durée** – *Places disponibles (ou limitées) pour le passage :* Damit weisen wir auf Plätze hin, die zwar größtenteils von Dauercampern benutzt werden (« Parcs Résidentiels et de Loisirs » u. a.), aber auch Standplätze für einen kurzen Aufenthalt freihalten.

**« Aires naturelles »** – Diese Campingplätze zeichnen sich durch ihre reizvolle ländliche Umgebung aus. Sie sind im allgemeinen einfach ausgestattet, besitzen aber besonders große Standplätze.

## AUSSTATTUNG UND DIENSTLEISTUNGEN

**Mitführen von Hunden** – Ist das Zeichen 🐕 nicht angegeben, sind Hunde auf dem Campingplatz zugelassen, *müssen jedoch an der Leine geführt werden.* Außerdem können eine zusätzliche Gebühr und eine *Impfbescheinigung* verlangt werden.

**Campingplatz ständig bewacht** (o⚊) bedeutet, daß eine meist auf dem Campingplatz wohnende Aufsichtsperson im Bedarfsfall auch außerhalb der Dienstzeit erreicht werden kann, besagt jedoch nicht, daß der Campingplatz Tag und Nacht bewacht ist.

**Campingplatz tagsüber bewacht** (o⚊) bedeutet, daß sich eine Aufsichtsperson mindestens 8 Stunden am Tag am Empfang oder auf dem Platz befindet.

**Sanitäre Einrichtung** – *Wir geben im Text nur die Einrichtungen mit warmem Wasser* (🚿⚓⚐🛁) *an.*

**Stromanschluß für Wohnwagen** (⊕) – Die Stromspannung beträgt 220 V. Die vorhandene Leistung ist nur dann mit dem Strompreis angegeben, wenn sie uns vom Campingplatzinhaber mitgeteilt wurde.

**Annehmlichkeiten – Freizeitgestaltung** – Die meisten im Text genannten Einrichtungen, insbesondere die für die Verpflegung (🛒⚏) und die Restaurants (✕🍴) sind im allgemeinen nur während der Saison und nur bei entsprechender Belegung des Platzes in Betrieb. Ihre Öffnungszeiten sind daher nicht unbedingt mit denen des Platzes identisch. Das gleiche gilt für bestimmte Sportanlagen (⚓⚲).

**« A proximité »** : in unmittelbarer Nähe des Campingplatzes (meist in einem Umkreis von weniger als 500 m) gelegene Einrichtungen, die leicht zu Fuß erreicht werden können.

## VERMIETUNGEN

▸ *In der Tabelle S. 32-53* sind die Orte vermerkt, die einen oder mehrere Plätze besitzen, auf denen **Wohnwagen** oder eingerichtete **Bungalows** vermietet werden. Nähere Angaben über die Einrichtung finden Sie in der Beschreibung jedes Campingplatzes in Gestalt der Zeichen (⌂ ⌂ ⌂) oder des Vermerks: Studios (Einzimmerwohnungen), Appartements.

Nähere Auskünfte, auch über eine notwendige Reservierung, erhalten Sie beim Campingplatzbesitzer.

## ÖFFNUNGSZEITEN – PLATZRESERVIERUNG

**Öffnungszeiten** – Die Öffnungszeiten entsprechen den neusten vom Platzbesitzer mitgeteilten Daten.

Beispiel : juin-sept. = Anfang Juni bis Ende September.

Das Wort saison bedeutet, daß der Platzbesitzer nur unvollständig oder gar nicht geantwortet hat. Der Platz wird voraussichtlich während der Ferienzeit geöffnet sein.

Das Wort Permanent weist auf ganzjährig geöffnete Campingplätze hin.

▸ *Siehe Kartenteil S. 56-72.*

**Platzreservierung (R R̄)** – Wenn Sie einen Platz reservieren wollen, schreiben Sie bitte direkt an den Besitzer des Campingplatzes und fügen einen internationalen Antwortschein bei. Erkundigen Sie sich im voraus nach allen Bedingungen wie Reservierung, Preise, Anzahlung, Aufenthaltsbedingungen, gebotene Leistungen usw. Sie ersparen sich so unliebsame Überraschungen bei der Ankunft.

*Bearbeitungsgebühren* können für die Reservierung pauschal in Rechnung gestellt werden. Sie werden nicht zurückerstattet.

## DIE PREISE

Die aufgeführten Preise wurden uns im September, während der Redaktion der Neuauflage des Führers, von den Platzbesitzern mitgeteilt. Falls es sich dabei um einen Preis des Vorjahres handelt, vermerken wir dies, wenn uns der Hinweis ausdrücklich gegeben wurde.

Die Preise sind immer nur als Richtpreise zu betrachten. Sie können sich bei stark schwankenden Lebenshaltungskosten ändern.

Außer in Sonderfällen (Jahresmiete, langfristige Miete, « Garage mort », d. h. Miete eines Abstellplatzes) werden die Gebühren nach der Zahl der auf dem Platz verbrachten Tage von 12 Uhr bis 12 Uhr des nächsten Tages berechnet. Jeder angebrochene Tag wird voll in Rechnung gestellt.

Wir geben nur Grundpreise an (Pauschalen pro Stellplatz oder Person, für das Fahrzeug und den Stellplatz); außerdem vermerken wir die Preise für den Strom- und Warmwasseranschluß der Wohnwagen, wenn sie uns genannt wurden. Hierzu sei jedoch gesagt, daß bei der großen Mehrheit der Plätze die Gebühren für Strom und warmes Wasser (Duschen, Waschgelegenheiten) in den Grundpreisen pro Person oder Stellplatz inbegriffen sind.

Bestimmte Leistungen (Benutzung von Schwimmbad, Tennisplatz u. a. Freizeiteinrichtungen) können zusätzlich in Rechnung gestellt werden. Manchmal werden außerdem Gebühren (für Besucher, Hunde, Müllabfuhr) und Steuern (Kurtaxe) erhoben.

*Auf jeden Fall müssen die Gebührensätze am Eingang jedes Campingplatzes angeschlagen sein* (ebenso wie die Kategorie nach den offiziellen Normen, das Fassungsvermögen sowie die Platzordnung) und *es ist empfehlenswert, sie vor Aufstellen des Zelts oder Wohnwagens anzusehen.*

*Falls Sie bei Ihrem Aufenthalt auf dem Campingplatz Schwierigkeiten bezüglich der Preise, Reservierung, Hygiene o. ä. antreffen, sollten Sie versuchen, diese direkt an Ort und Stelle mit dem Campingplatzbesitzer oder seinem Vertreter zu regeln.*

*Gelingt es Ihnen nicht, zu einer allseits befriedigenden Lösung zu kommen, können Sie sich an die entsprechende Stelle bei der zuständigen Präfektur wenden.*

*Unsererseits überprüfen wir sorgfältig alle bei uns eingehenden Leserbriefe und ändern gegebenenfalls die Platzbewertung im Führer. Wir besitzen jedoch weder die rechtlichen Möglichkeiten noch die nötige Autorität, um Rechtsstreitigkeiten zwischen Platzeigentümern und Platzbenutzern zu schlichten.*

# CAMPING CARAVANING
# FRANCE

**Deze gids bevat niet alle bestaande kampeerterreinen maar een opzettelijk beperkte lijst van terreinen, geselekteerd na onderzoek van onze inspecteurs ter plaatse.**

De Michelingids Camping Caravaning France 1992 biedt u een selektie van meer dan 3 500 terreinen, gerangschikt in 5 categorieën ( ⩜⩜ ... ⩘ ). De classificatie die wij toekennen aan ieder kampeerterrein hangt af van de soort accomodatie en het geboden comfort.

**Onze classificatie staat geheel los van de door de officiële instanties gebruikte classificatie met sterren.**

De terreinen zijn per plaats op volgorde van voorkeur opgegeven.

Wij zetten ons speurwerk voort. Om ons te helpen deze gids te verbeteren, kunt u het voorbeeld volgen van de vele lezers die ons regelmatig hun op- en aanmerkingen en eventuele suggesties toezenden.
Schrijf ons. Bij voorbaat onze dank.

# Inhoud

# Het gebruik van deze gids

## 3 OPZOEK METHODEN

### 1

#### U wenst de mogelijkheden
#### van een departement te kennen

De lijst van de **plaatsen gerangschikt per departement** (blz. 32) zal u in staat stellen in de betreffende streek uw keuze te maken uit alle terreinen die wij aanbevelen : terreinen die beschikken over vrije tijds accomodatie (✻ ⚒), kampeerterreinen die het gehele jaar open zijn (P), terreinen waar men caravans, sta-caravans en bungalows kan huren of die over een eetgelegenheid beschikken, of terreinen in een bijzonder rustige omgeving (⚓).

### 2

#### U wenst de kampeermogelijkheden
#### van een streek op een kaart te zien

Op de **kaarten** (blz. 56) zijn de plaatsen aangegeven met tenminste één geselekteerd kampeerterrein, zodat u snel uw reisroute kunt uitstippelen.
Op deze kaarten zijn ook de plaatsen aangegeven die over een kampeerterrein beschikken dat het gehele jaar geopend is of kampeer-terreinen die wij in hun categorie bijzonder fraai vinden (zie verklaring blz. 57).

### 3

#### U heeft reeds de plaats gekozen
#### waar u wenst te verblijven

De plaats van uw keuze kunt u terugvinden in de **alfabetische plaatsnamenlijst** (blz. 73) met de terreinen die wij er geselekteerd hebben en de details van hun accomodatie.

Lees in elk geval de **verklarende tekst** (bladzijde 25 t/m 30). Daarin vindt u de betekenis van de gebruikte tekens en afkortingen en de aanvullende informatie over de accomodatie en de dienstverlening van de terreinen die wij aanbevelen.

25

# Tekens
## en afkortingen

## PLAATSEN

| | |
|---|---|
| P  ⟨SP⟩ | Prefectuur – Onderprefectuur |
| 23700 | Postcodenummer |
| 12 73 ② | Bladzijdenummer kaart (blz. 56 t/m 72) – Nummer Michelinkaart en vouwbladnummer |
| G. Bretagne | Zie de groene Michelingids Bretagne |
| 1 050 h. | Aantal inwoners |
| alt. 675 | Hoogte (aangegeven boven 600 m) |
| ⚓ ☗ | Soort plaats : badplaats met warme bronnen – wintersportplaats |
| ✉ 05000 Gap | Postcode en plaatsnaam bestemming |
| ✆ | Netnummer telefoondistrict |
| ⛴ | Bootverbinding |
| 🛈 | Informatie voor toeristen |

## TERREINEN

### CATEGORIE

| | |
|---|---|
| ⛺ | Buitengewoon comfortabel terrein, uitstekende inrichting |
| ⛺ | Comfortabel terrein, zeer goede inrichting |
| ⛺ | Goed ingericht terrein, geriefelijk |
| ⛺ | Behoorlijk ingericht terrein |
| ⛺ | Eenvoudig maar behoorlijk terrein |

**Bijzondere kenmerken**

| | |
|---|---|
| M | Terrein met moderne uitrusting |
| ❄ ◇ | Geselekteerd caravaneige terrein – Geselekteerd woonterrein |

### AANGENAAM VERBLIJF

| | |
|---|---|
| ⛺ ... ⛺ | Fraaie terreinen (in het geheel) |
| ⅀ ⅀ | Zeer rustig, afgelegen terrein – Rustig, vooral 's nachts |
| ← ← | Zeldzaam mooi uitzicht – Interessant uitzicht of vergezicht |
| « » | Bijzonder aangenaam gegeven |

### LIGGING EN TOEGANG

| | |
|---|---|
| ✆ ✉ | Telefoon – Postadres van het kamp (indien dit niet hetzelfde is als de plaatsnaam) |
| N – S – E – O | Richting : Noord – Zuid – Oost – West (gezien vanuit het centrum van de plaats) |
| Ⓟ | Verplichte parkeerplaats voor auto's buiten de staanplaatsen |
| 🐕 | Verboden toegang voor honden |

### ALGEMENE KENMERKEN

| | |
|---|---|
| 3 ha | Oppervlakte (in hectaren) van het kampeerterrein |
| 60 ha/3 campables | Totale oppervlakte (van een landgoed) en oppervlakte van het eigenlijke kampeerterrein |
| (90 empl.) | Maximaal aantal staanplaatsen |
| ⚷ ⚷ | Bewaakt terrein : dag en nacht – alleen overdag bewaakt |
| ▱ | Duidelijk begrensde staanplaatsen |
| ♀ ♀♀ ♒ | Weinig tot zeer schaduwrijk |

## UITRUSTING

### Sanitair – Staanplaatsen

Installaties met warm water : Douches – Wastafels

Afwas- of waslokalen – Stromend water

Individuele wasgelegenheid of wastafels (met of zonder warm water)

Sanitaire installaties voor lichamelijk gehandicapten

Verwarmde installaties

Individuele aansluitingen voor caravans : Elektriciteit – Watertoe- en afvoer

### Proviandering – Eetgelegenheden – Diverse diensten

Supermarkt, winkelcentrum – Kampwinkel

Bar (met vergunning) – Eetgelegenheid (restaurant, snack-bar)

Dagschotels om mee te nemen – Wasmachines, waslokaal

### Vrije tijd – Ontspanning

Zaal voor bijeenkomsten, dagverblijf of speelzaal

Tennis – Mini-golf

Kinderspelen

Zwembad : overdekt – openlucht

Vrije zwemplaats of zwemplaats met toezicht

Zeilsport (school of watersportcentrum) – Tochten te paard, paardrijden

### VERHUUR

Verhuur van tenten

Verhuur van caravans – van sta-caravans

Verhuur van kamers – van ingerichte bungalows

### RESERVERINGEN – PRIJZEN

R Ř Reservering mogelijk – Reservering niet mogelijk

♀ 8 – ⇔ 5 Dagtarieven : per persoon, voor het voertuig

Ε 10/12     voor de staanplaats (tent, caravan)

7 (4A)     voor elektriciteit (aantal ampères)


# VERKLARING TEKENS OP SCHEMA'S

### Kampeerterreinen

(O) Plaats met minstens één geselekteerd terrein in de gids

△ Ligging kampeerterrein

### Wegen en spoorwegen

Autosnelweg

Dubbele rijbaan van het type autosnelweg (zonder kruispunten)

❶ ❷ Genummerde knooppunten : volledig, gedeeltelijk

Hoofdweg

Regionale of alternatieve route

Andere weg

Eenrichtingsverkeer – Tol

Fietspad – Bedrijfsweg, voetpad

≫≫≫ Hellingen (pijlen in de richting van de helling) 5 tot 9 %, 9 tot 13 %, 13 % of meer

Pas – Veerpont – Beweegbare brug

Spoorweg, station – Spoorweg toeristentrein

Maximum draagvermogen (aangegeven onder 5 ton)

Vrije hoogte (aangegeven onder 3 m)

## Bezienswaardigheden

Kerk, kapel – Kasteel
Vuurtoren – Hunebed
Ruïnes – Andere bezienwaardigheden
Oriëntatietafel, panorama – Uitzichtpunt

## Ter oriëntatie

Plaats met een plattegrond
in de Rode Michelingids

Informatie voor toeristen – Hoofdpostkantoor
Kerk, kapel – Kasteel
Ruïnes – Monument – Watertoren
Ziekenhuis – Fabriek
Fort – Stuwdam – Vuurtoren
Kruisheuvel – Begraafplaats
Luchthaven – Vliegveld – Zweefvliegen
Stadion – Golf – Renbaan
Dierentuin – Schaatsbaan
Kabelbaan of stoeltjeslift – Bos

# Details

## SELEKTIE

De naam van het kampeerterrein is **dik gedrukt** wanneer de eigenaar ons de gevraagde inlichtingen, en vooral de prijzen, op het moment van de herdruk heeft opgegeven.
Vermelding in deze gids is **kosteloos** en in geen geval te danken aan steekpenningen of gunsten.

## CATEGORIE

De **categorie** ( ⚑⚑⚑⚑ ... ⚑ ) die wij aan een terrein toekennen, wordt aangeduid door een aantal tenttekens dat overeenkomt met aard en comfort van de inrichting.

**Fraaie terreinen** ( ⚑⚑⚑⚑ ... ⚑ ) – Deze in de tekst met "rode tenttekens" aangeduide kampeerterreinen, zijn over het geheel en in hun categorie bijzonder fraai. Zij vallen op door hun ligging, omgeving, rust of door hun wijze van inrichting.

▶ *Zie de kaarten blz. 56 t/m 72.*

## BIJZONDERE KENMERKEN

**Terreinen met moderne uitrusting** (M) – Deze terreinen zijn praktisch en modern van opzet en inrichting (vooral wat het sanitair betreft).

**Caravaneiges** (❄) – Deze terreinen zijn speciaal ingericht voor winterverblijf in de bergen (verwarming, elektriciteitsaansluiting met hoog vermogen, droogkamer, enz.).

**Woon-terreinen** (◇) – Het gaat hier om comfortabele, goed ingerichte terreinen waar hoofdzakelijk een vorm van vast verblijf-kamperen (met caravan) wordt toegepast. De staanplaatsen van deze terreinen zijn ruim en goed ingericht en worden meestal (allemaal of vrijwel allemaal) verhuurd aan kampeerders die hun materiaal voor een jaar of seizoen laten staan.

**Location longue durée** – *Places disponibles (ou limitées) pour le passage :* Zo geven wij de terreinen aan die voornamelijk plaatsen voor langere tijd verhuren (Parcs Résidentiels et de Loisirs, en dergelijke inrichtingen), maar die ondanks de aanwezigheid van een meerderheid van regelmatig terugkomende klanten met een vaste plaats, plaatsen reserveren voor kampeerders op doorreis.

**Aires naturelles** – Deze terreinen zijn meestal eenvoudig ingericht. Zij zijn vooral aantrekkelijk wegens hun ligging in een natuurlijke omgeving ; de staanplaatsen zijn ruim.

## UITRUSTING EN DIENSTEN

**Honden** – Als het teken 🐾 ontbreekt, worden honden op het terrein toegelaten ; *u bent echter verplicht uw hond aan de lijn te houden.* Bovendien geldt op sommige terreinen een tarief voor honden en meestal moet een *geldig bewijs van inenting getoond worden.*

**Dag en nacht bewaakt kamp** (⚷) – Dit betekent dat de beheerder, die meestal op het terrein woont, indien nodig buiten de openingsuren bereikt kan worden ; maar dit wil niet altijd zeggen dat er dag en nacht daadwerkelijk toezicht wordt gehouden.

**Overdag bewaakt kamp** (⚷) – Dit houdt in dat de beheerder minstens 8 uur per dag op het terrein aanwezig is.

**Sanitair** – *In de tekst vermelden wij slechts de installaties met warm water* (🚿 ⟲ 🛁 ⚄).

**Elektriciteitsaansluiting voor caravans** (⊕) – Het voltage bedraagt 220 V. Als de eigenaar ons dit heeft opgegeven, vermelden wij het aantal ampères bij de prijzen.

**Voorzieningen – Ontspanning** – De meeste in de tekst vermelde inrichtingen of diensten, vooral wat betreft proviandering (🛒⚖), eetgelegenheden (✗⚒) en bepaalde recreatieve activiteiten in de open lucht (⚒⚓), zijn over het algemeen alleen in het seizoen van toepassing, naar gelang de drukte op het terrein en afhankelijk van de openingstijden.

*Vermelding* « A proximité » (In de omgeving) : Wij geven alleen die voorzieninge of installaties aan die zich vlakbij het kampeerterrein bevinden (meestal o minder dan 500 m afstand) en die gemakkelijk te voet bereikbaar zijn.

## VERHUUR

▸ *Zie de lijst blz. 32 t/m 53* voor de plaatsen met één of meer terreinen di **caravans** of ingerichte **bungalows** verhuren. De mogelijkheden worden in d tekst over het terrein aangegeven door middel van de bijbehorende teken ( ) of door vermelding voluit : studios (eenkamerwoningen appartements.
Richt u tot de eigenaar voor volledige inlichtingen en reserveringen.

## OPENINGSTIJDEN – RESERVERINGEN

**Openingstijden** – De aangegeven perioden komen overeen met de laatste doo de eigenaar opgegeven data.
Bijv. juin-sept. (van begin juni tot eind september).
Wanneer wij niet over voldoende gegevens beschikken, of wanneer de eigenaa ons niet geantwoord heeft, betekent het woord saison (seizoen) : waarschijnli geopend in het hoogseizoen, periode niet nader opgegeven.
Het woord Permanent duidt de terreinen aan die het hele jaar open zijn.

▸ *Zie de kaarten blz. 56 t/m 72.*

**Reservering van een staanplaats (R R̄)** – De inlichtingen die wij geven ove reserveringsmogelijkheden zijn uitsluitend gebaseerd op de gegevens die c kamphouders ons verstrekken. Schrijf, wanneer u een plaats wilt reservere rechtstreeks aan de eigenaar van het betreffende terrein (sluit een envelop met postzegel in voor het antwoord) en vraag alle nodige gegevens over de mani van reserveren, de tarieven, de aanbetaling, de verblijfsvoorwaarden en w het terrein biedt, om onaangename verrassingen bij aankomst te voorkome Sommige eigenaren brengen *reserveringskosten* in rekening ; deze worden ni terugbetaald.

## DE PRIJZEN

De tarieven die wij vermelden, zijn degene die ons in september, op het momen van de hereditie, door de eigenaren zijn opgegeven (als wij weten dat het ee tarief van het afgelopen jaar is, geven wij dit aan).
In ieder geval zijn de prijzen slechts richtlijnen ; zij zijn onderhevig aa prijsschommelingen en kunnen veranderd zijn sinds de gids verschenen is.
Behalve in bijzondere gevallen (jaarverhuur, lang verblijf-tarieven, zgn. "gara mort"-installaties) worden de tarieven meestal berekend naar het aantal dage dat men aanwezig is (iedere aangebroken dag wordt als een volle dag berekene Wij vermelden slechts *basistarieven* (forfaitaire tarieven per staanplaats tarieven per persoon, voor het voertuig en voor de staanplaats) en verder prijs van elektriciteitsaansluitingen voor caravans en van warm water (indie bekend). Overigens geldt voor de meeste door ons geselecteerde terreinen d het gebruik van warm water (douche, gootsteen, wasgelegenheid) meest inbegrepen is in de tarieven per persoon of per staanplaats.
Sommige voorzieningen kunnen extra kosten met zich meebrengen (zwemba tennisbanen, diverse inrichtingen). Voor *bezoekers, honden,* en *diver belastingen* (verblijfsbelasting, belasting voor het weghalen van huisvuil, en kan een extra vergoeding berekend worden.
In ieder geval *is de eigenaar verplicht zijn tarieven bij de ingang van het terre aan te geven* (evenals de officiële classificatie (sterren), het maximale aant kampeerders en het kampreglement) en *het is aan te raden er kennis van nemen voordat men zich installeert.*

*Indien er tijdens uw verblijf op een kampeerterrein een meningsverschil z ontstaan over prijzen, reserveringsvoorwaarden, hygiëne of dienstverlenin tracht dan ter plaatse met de eigenaar van het terrein of met zijn vervang een oplossing te vinden.*
*Mocht u op deze wijze niet tot overeenstemming komen, terwijl u overtuigd be van uw goed recht, dan kunt u zich wenden tot de prefectuur van het betreffen departement.*
*Van onze kant bestuderen wij zorgvuldig alle opmerkingen die wij ontvange om zo nodig wijzigingen aan te brengen in de omschrijving en waardering va door onze gids aanbevolen terreinen. Onze mogelijkheden zijn echter beper en ons personeel is niet bevoegd om als scheidsrechter op te treden of geschill te regelen tussen eigenaren en kampeerders.*

# Tableau des localités

## Classement départemental

Vous trouverez dans le tableau des pages suivantes un classement par départements de toutes les localités citées dans la nomenclature.

### Légende :

| | |
|---|---|
| 01 – AIN | Numéro et nom du département |
| ▯ à ▯▯ | Pages d'atlas situant les localités citées |
| ♨, ⛷ | Nature de la station (thermale, de sports d'hiver) |
| ▲ | Localité représentée par un schéma dans le guide |
| Le Havre | (Localité en rouge) Localité possédant au moins un terrain agréable sélectionné ( △ ... ◬◬◬ ) |
| P | (Permanent) Localité possédant un terrain ouvert toute l'année |
| ⌂ | Localité possédant au moins un terrain très tranquille |
| Restauration | Localité possédant au moins un terrain proposant une possibilité de restauration |
| Loc. | Localité dont un terrain au moins propose la location de caravanes ou de bungalows |
| ✕ | Localité possédant au moins un terrain avec tennis |
| ⌐, ▣ | Localité possédant au moins un terrain avec piscine (de plein air, couverte) |

Se reporter à la nomenclature (classement alphabétique général des localités pour la description complète des camps sélectionnés et utiliser les cartes détaillées à 1/200 000 pour situer avec précision les localités possédant au moins un terrain sélectionné (**O**).

# Table of localities

## Classified by "départements"

You will find in the following pages a classification by "département" of all the localities cited in the main body of the guide.

### Key :

| | |
|---|---|
| 01 – AIN | Number and name of a « département » |
| ▯ to ▯▯ | Pages of the atlas showing the « département » boundaries and listed localities |
| ♨, ⛷ | Classification of the town (health resort, winter sports resort) |
| ▲ | Locality with a local map in the guide |
| Le Havre | (Name of the locality printed in red) Locality with at least one selected pleasant site ( △ ... ◬◬◬ ) |
| P | (Permanent) Locality with one selected site open all year |
| ⌂ | Locality with at least one selected very quiet, isolated site |
| Restauration | Locality with at least one selected site offering some form of on-site eating place |
| Loc. | Locality with at least one selected site renting caravans or bungalows |
| ✕ | Locality with at least one selected site with tennis courts |
| ⌐, ▣ | Locality with at least one selected site with a swimming pool (open air, indoor) |

Refer to the body of the guide where localities appear in alphabetical order, for a complete description of the selected camping sites. To locate a locality (**O**) with at least one selected camping site, use the detailed maps at a scale of 1 : 200 000.

# Ortstabelle

## Nach Departements geordnet

Auf der Tabelle der folgenden Seiten erscheinen alle im Führer erwähnten Orte nach Departements geordnet.

**Zeichenerklärung :**

| | |
|---|---|
| 01 – AIN | Nummer und Name des Departements |
| ◻ bis ◻◻ | Seite des Kartenteils, auf welcher der erwähnte Ort zu finden ist |
| ⚓, ⚐ | Art des Ortes (Heilbad, Wintersportort) |
| Ⓐ | Ort mit Kartenskizze im Campingführer |
| Le Havre | (Ortsname in Rotdruck) Ort mit mindestens einem besonders angenehmen Campingplatz ( △ ... △△△ ) |
| P | (Permanent) Ort mit mindestens einem das ganze Jahr über geöffneten Campingplatz |
| ⌂ | Ort mit mindestens einem sehr ruhigen Campingplatz |
| Restauration | Mindestens ein Campingplatz am Ort mit Imbiß |
| Loc. | Ort mit mindestens einem Campingplatz mit Vermietung von Wohnwagen oder Bungalows |
| ✕ | Ort mit mindestens einem Campingplatz mit Tennisplatz |
| ⊁, ⊠ | Ort mit mindestens einem Campingplatz mit Frei- oder Hallenbad |

Die vollständige Beschreibung der ausgewählten Plätze finden Sie im alphabetisch geordneten Hauptteil des Führers. Benutzen Sie zur Auffindung eines Ortes mit mindestens einem ausgewählten Campingplatz (◐) die Abschnittskarten im Maßstab 1 : 200 000.

# Lijst van plaatsnamen

## Indeling per departement

In deze lijst vindt u alle in de gids vermelde plaatsnamen, ingedeeld per departement.

**Verklaring der tekens :**

| | |
|---|---|
| 01 – AIN | Nummer en naam van het departement |
| ◻ bis ◻◻ | Bladzijden van de kaarten waarop de betreffende plaatsen te vinden zijn |
| ⚓, ⚐ | Soort plaats (badplaats, wintersportplaats) |
| Ⓐ | Plaats waarvan een schema in de gids staat |
| Le Havre | (Plaatsnaam rood gedrukt) Plaats met minstens één geselekteerd fraai terrein ( △ ... △△△ ) |
| P | (Permanent) Plaats met een terrein dat het hele jaar open is |
| ⌂ | Plaats met minstens één zeer rustig terrein |
| Restauration | Plaats met minstens één kampeerterrein dat over een eetgelegenheid beschikt |
| Loc. | Plaats met minstens één terrein waar caravans of bungalows gehuurd kunnen worden |
| ✕ | Plaats met minstens één terrein met tennisbanen |
| ⊁, ⊠ | Plaats met minstens één terrein met zwembad (openlucht, overdekt) |

Raadpleeg voor een volledige beschrijving van de geselekteerde terreinen de algemene alfabetische opgave van plaatsen en gebruik de deelkaarten schaal 1 : 200 000 om een plaats met minstens één geselekteerd terrein (◐) te lokaliseren.

# 01 - AIN 🔲🔲

| Commune | Permanent | Restauration | Loc. ⛺ ou 🏠 | et autres | ou |
|---|---|---|---|---|---|
| Ambérieux-en-Dombes | — | — | — | ✕ | — |
| Ars-sur-Formans | — | — | — | ✕ | — |
| Bellegarde-sur-Valserine | — | — | • | ✕ | ⛷ |
| Bourg-en-Bresse | — | — | — | — | ⛷ |
| Champfromier | — | 🍲 | — | — | — |
| Châtillon-sur-Chalaronne | — | — | • | — | ⛷ |
| Chavannes-sur-Suran | — | — | — | — | — |
| Cormoranche-sur-Saône | — | — | — | — | — |
| Dompierre-sur-Veyle | — | — | — | ✕ | — |
| Gex | — | — | — | ✕ | ⛷ |
| Hautecourt-Romanèche | — | — | — | — | — |
| Journans | — | 🍲 | — | — | — |
| Mantenay-Montlin | — | — | — | ✕ | — |
| Massignieu-de-Rives | — | — | — | ✕ | — |
| Messimy-sur-Saône | — | 🍲 | — | — | — |
| Montmerle-sur-Saône | — | — | — | ✕ | — |
| Montrevel-en-Bresse | — | — | • | ✕ | — |
| Murs-et-Gelignieux | — | — | — | — | — |
| Niévroz | — | — | — | — | — |
| Le Plantay | — | 🍲 | — | — | — |
| Poncin | — | — | — | ✕ | — |
| St-Maurice-de-Gourdans | P | — | — | — | — |
| St-Nizier-le-Bouchoux | — | — | — | — | — |
| St-Paul-de-Varax | — | — | — | ✕ | — |
| Serrières-de-Briord | — | — | • | — | — |
| Villars-les-Dombes | — | — | — | ✕ | ⛷ |
| Virieu-le-Grand | — | — | — | — | — |
| Vonnas | — | — | — | ✕ | ⛷ |

# 02 - AISNE 🔲🔲🔲

| Commune | Permanent | Restauration | Loc. ⛺ ou 🏠 | et autres | ou |
|---|---|---|---|---|---|
| Berny-Rivière | P | — | • | ✕ | ⛷ |
| Chamouille | — | — | — | — | — |
| Chauny | — | — | — | — | — |
| Fère-en-Tardenois | P | — | — | — | — |
| Guignicourt | — | — | — | ✕ | — |
| Guise | — | — | — | — | — |
| Hirson | — | — | — | — | ⛷ |
| Le Nouvion-en-Thiérache | — | — | — | — | — |
| Presles-et-Boves | — | — | — | ✕ | — |
| Ressons-le-Long | P | — | — | — | — |
| St-Quentin | — | — | — | — | ⛷ |
| Seraucourt-le-Grand | P | — | — | — | — |
| Villers-Hélon | P | 🍲 | • | ✕ | — |

# 03 - ALLIER 🔲🔲

| Commune | Permanent | Restauration | Loc. ⛺ ou 🏠 | et autres | ou |
|---|---|---|---|---|---|
| Arfeuilles | — | 🍲 | — | — | — |
| Bayet | — | — | — | ✕ | — |
| Bourbon-l'Archamb. ♨ | — | — | — | ✕ | ⛷ |
| Châtel-de-Neuvre | — | — | — | — | — |
| Châtel-Montagne | — | — | • | ✕ | — |
| Chouvigny | — | 🍲 | — | — | — |
| Couleuvre | — | — | — | ✕ | — |
| Diou | — | — | — | ✕ | — |
| Dompierre-sur-Besbre | — | — | — | ✕ | ⛷ |
| Le Donjon | — | — | — | — | — |
| Ferrières-sur-Sichon | — | — | — | ✕ | — |
| Gannat | — | — | — | — | — |
| Isle-et-Bardais | — | — | • | ✕ | — |
| Jenzat | — | — | — | — | — |
| Lapalisse | — | — | — | ✕ | — |
| Louroux-de-Bouble | — | — | — | — | — |
| Mariol | — | — | — | ✕ | ⛷ |
| Le Mayet-de-Montagne | — | — | — | ✕ | — |
| Mazirat | — | — | — | ✕ | — |
| Néris-les-Bains ♨ | — | — | • | ✕ | ⛷ |
| Paray-sous-Briailles | — | — | • | ✕ | — |
| St-Bonnet-Tronçais | — | — | — | ✕ | — |
| St-Pourçain-sur-Sioule | — | — | • | ✕ | — |
| St-Victor | — | — | — | ✕ | — |
| St-Yorre | — | — | — | ✕ | — |
| Trézelles | — | — | — | ✕ | — |
| Urçay | — | — | — | — | — |
| Varennes-sur-Allier | — | 🍲 | — | ✕ | ⛷ |
| Vichy ♨ | — | — | • | ✕ | ⛷ |
| Vieure | — | — | • | ✕ | — |

# 04 - ALPES-DE-HAUTE-PROVENCE 🔲🔲

| Commune | Permanent | Restauration | Loc. ⛺ ou 🏠 | et autres | ou |
|---|---|---|---|---|---|
| Annot | — | — | • | — | — |
| Barcelonnette ⛷ | — | — | • | ✕ | ⛷ |
| Barrême | — | — | • | — | — |
| Beauvezer | P | — | — | — | — |
| Castellane | P | — | • | ✕ | ⛷ |
| Château-Arnoux | P | — | • | ✕ | — |
| Clamensane | — | — | • | • | — |
| Condamine-Châtelard | P | — | • | ✕ | — |
| Dauphin | — | — | • | — | — |
| Digne-les-Bains ♨ | — | — | • | ✕ | ⛷ |
| Esparron-de-Verdon | — | — | • | ✕ | — |
| Forcalquier | — | — | • | ✕ | ⛷ |
| Gréoux-les-Bains ♨ | — | — | • | ✕ | ⛷ |
| La Javie | — | — | • | — | — |
| Larche | — | — | • | — | — |
| Manosque | — | — | • | — | — |
| Les Mées | — | — | • | — | — |
| Mézel | — | — | — | ✕ | — |
| Montpezat | — | — | • | ✕ | — |
| Moriez | — | — | • | — | — |
| Moustiers-Ste-Marie | — | — | • | ✕ | — |
| Niozelles | — | — | • | — | — |
| Oraison | — | — | • | ✕ | — |
| Peyruis | — | — | • | ✕ | ⛷ |
| Puimichel | — | 🍲 | — | — | — |
| Puimoisson | — | — | • | — | — |
| St-André-les-Alpes | — | — | • | ✕ | — |
| St-Jean (Col) ⛷ | P | — | • | ✕ | ⛷ |
| St-Julien-du-Verdon | — | — | • | — | — |
| St-Laurent-du-Verdon | — | 🍲 | — | ✕ | — |
| St-Paul | — | — | • | — | — |
| Ste-Tulle | — | — | • | ✕ | ⛷ |
| Seyne ⛷ | P | — | • | ✕ | ⛷ |
| Sisteron | — | — | • | ✕ | ⛷ |
| Le Vernet | P | — | • | — | — |
| Villars-Colmars | — | — | • | ✕ | ⛷ |
| Volonne | — | — | • | ✕ | ⛷ |
| Volx | — | — | • | — | — |

# 05 - HAUTES-ALPES 🔲🔲🔲

| Commune | Permanent | Restauration | Loc. ⛺ ou 🏠 | et autres | ou |
|---|---|---|---|---|---|
| Abriès ⛷ | P | — | • | — | — |
| Ancelle ⛷ | P | 🍲 | • | — | — |
| L'Argentière-la-Bessée | — | 🍲 | • | — | — |
| Barret-le-Bas | — | 🍲 | • | — | — |
| Briançon | P | — | • | ✕ | ⛷ |
| Ceillac ⛷ | — | — | • | — | ⛷ |
| Chorges | P | — | • | ✕ | ⛷ |
| Crots | — | — | • | — | — |
| Embrun | P | 🍲 | • | ✕ | ⛷ |
| Espinasses | — | — | • | — | — |

| | Permanent | Restauration 🍴 | Loc. 🏠 ou 🏕 | Loc. 🏡 et autres | 🎾 ⛷ ou 🏊 |
|---|---|---|---|---|---|
| La Faurie | P | • | — | — | — |
| Gap | P | • | — | — | 🏊 |
| La Grave 🎣 | P | • | — | — | — |
| Guillestre | P | • | — | • | 🎾 🏊 |
| Jarjayes | — | — | — | — | — |
| Orcières 🎣 | P | • | — | • | — |
| Orpierre | — | — | • | — | 🎾 🏊 |
| *Poligny* | — | — | — | — | 🎾 |
| Puy-St-Vincent | — 🐑 | — | — | — | — |
| Reallon | — | — | — | — | 🎾 |
| Réotier | — | — | — | — | — |
| Ribiers | — | — | — | — | — |
| La Roche-de-Rame | P | — | — | — | — |
| La Roche-des-Arnauds | P | • | — | — | 🎾 🏊 |
| St.-Apollinaire | — | — | • | — | — |
| St-Bonnet-en-Champsaur | — | — | • | — | 🎾 🏊 |
| St-Clémént-sur-Durance | — | — | — | — | — |
| St-Disdier | — | — | — | • | — |
| St-Étienne-en-Dévoluy | — | — | — | • | — |
| St Firmin | — | — | — | — | 🎾 🏊 |
| St-Jean-St-Nicolas | — | — | — | — | — |
| St-Léger-les-Mélèzes | — 🐑 | — | — | — | 🎾 |
| St-Maurice-en-Valg. | — | — | — | — | — |
| St-Michel-de-Chaillol | — | — | — | — | — |
| Savines-le-Lac | — | — | — | — | 🏊 |
| Serres | — 🐑 | • | — | • | 🏊 |
| Veynes | — 🐑 | — | — | — | — |
| Villar-d'Arène | — | — | — | • | — |
| Villar-Loubière | — | — | — | — | 🎾 |

## 06 - ALPES-MARITIMES [17]

| | Permanent | Restauration 🍴 | Loc. 🏠 ou 🏕 | Loc. 🏡 et autres | 🎾 ⛷ ou 🏊 |
|---|---|---|---|---|---|
| Antibes 🅿 | P | — | • | • | 🎾 🏊 |
| Auron 🎣 | P | — | — | — | — |
| Le Bar-sur-Loup | — 🐑 | • | — | — | 🏊 |
| Cagnes-sur-Mer 🅿 | P | — | • | • | 🎾 🏊 |
| Cannes | — | — | • | • | 🎾 🏊 |
| La Colle-sur-Loup | — | — | • | — | 🎾 🏊 |
| Entraunes | — | — | — | — | — |
| Gilette | — | — | • | • | 🎾 🏊 |
| Isola | P | — | — | — | 🏊 |
| Mandelieu-la-Napoule | — | — | • | — | 🎾 🏊 |
| Opio | — | — | • | • | 🎾 🏊 |
| Pégomas | — | — | • | — | 🎾 🏊 |
| Peillon | — | — | • | — | 🏊 |
| Puget-Théniers | — | — | • | — | 🎾 🏊 |
| Roquebillière | P | — | • | — | — |
| Roquesteron | — 🐑 | • | — | — | — |
| St-Martin-Vésubie | P | — | • | — | 🎾 |
| St-Sauveur-sur-Tinée | P | — | — | — | 🎾 |
| Séranon | P | • | — | — | 🏊 |
| Sospel | P | — | — | — | 🏊 |
| Touët-sur-Var | P | — | — | — | 🎾 |
| *Vence* | — 🐑 | • | — | — | — |
| Villeneuve-Loubet 🅿 | P | — | • | • | 🏊 |

## 07 - ARDÈCHE [11] [12] [16]

| | Permanent | Restauration 🍴 | Loc. 🏠 ou 🏕 | Loc. 🏡 et autres | 🎾 ⛷ ou 🏊 |
|---|---|---|---|---|---|
| Andance | — | — | — | — | 🎾 🏊 |
| Annonay | P | — | — | — | 🏊 |
| Asperjoc | — 🐑 | • | — | — | 🏊 |
| Aubenas | — | — | • | — | 🎾 🏊 |
| Beauchastel | P | — | — | — | 🏊 |
| Berrias-et-Casteljau | — | — | • | • | 🏊 |
| Bourg-St-Andéol | — | — | • | • | 🏊 |
| Casteljau | — | — | • | • | 🏊 |

| | Permanent | Restauration 🍴 | Loc. 🏠 ou 🏕 | Loc. 🏡 et autres | 🎾 ⛷ ou 🏊 |
|---|---|---|---|---|---|
| Chauzon | — 🐑 | — | • | — | 🎾 🏊 |
| Le Cheylard | — 🐑 | — | — | — | 🏊 |
| Darbres | — 🐑 | • | • | • | 🎾 🏊 |
| Dornas | — | — | — | — | 🏊 |
| Eclassan | — | — | — | — | 🏊 |
| Félines | — | — | — | — | 🏊 |
| Issarlès (Lac d') | — | — | • | — | 🏊 |
| Joannas | — 🐑 | • | • | • | 🎾 🏊 |
| Joyeuse | — | — | • | — | 🎾 🏊 |
| Lablachère | — | — | • | — | 🎾 🏊 |
| Lalouvesc | — | — | — | — | 🏊 |
| Lanas | — | — | — | — | 🏊 |
| Larnas | — | — | • | — | 🎾 🏊 |
| Lavillatte | — | — | — | — | 🏊 |
| Maison-Neuve | — | — | • | — | 🏊 |
| Malarce-sur-la-Thines | — | — | — | — | 🏊 |
| Malbosc | — | — | — | — | 🏊 |
| Marcols-les-Eaux | — | — | — | — | 🏊 |
| Meyras | — | — | • | — | 🎾 🏊 |
| Montpezat-sous-Bauzon | — | — | — | • | 🎾 🏊 |
| Les Ollières-sur-Eyrieux | — | — | • | • | 🎾 🏊 |
| Orgnac-l'Aven | — | — | — | — | 🏊 |
| Payzac | — | — | — | — | 🎾 🏊 |
| Pradons | — | — | — | — | 🎾 🏊 |
| Privas | — | — | — | — | 🎾 🏊 |
| Ribes | — | — | • | — | 🎾 🏊 |
| Rosières | — 🐑 | • | • | • | 🎾 🏊 |
| Ruoms 🅿 | — 🐑 | • | • | • | 🎾 🏊 |
| Sablières | — 🐑 | — | — | — | 🏊 |
| St-Agrève | — | — | — | — | 🏊 |
| St-Alban-Auriolles | — | — | • | • | 🎾 🏊 |
| St-Cirgues-en-Montagne | — | — | — | — | 🏊 |
| St-Fortunat-sur-Eyrieux | — | — | — | — | 🏊 |
| St-Jean-le-Centenier | — | — | — | — | 🏊 |
| St-Julien-en-St-Alban | — | — | — | — | 🏊 |
| St-Lager-Bressac | — | — | — | — | 🏊 |
| St-Laurent-du-Pape | — | — | • | — | 🎾 🏊 |
| St-Martin-d'Ardèche 🅿 | — | — | • | • | 🎾 🏊 |
| St-Martin-de-Valamas | — | — | — | — | 🏊 |
| St-Maurice-d'Ardèche | — 🐑 | — | • | — | 🎾 🏊 |
| St-Maurice-d'Ibie | — | — | • | • | 🎾 🏊 |
| St-Remèze | — | — | • | • | 🎾 🏊 |
| St-Sauveur-de-Cruzières | — | — | • | — | 🎾 🏊 |
| St-Sauveur-de-Montagut | — | — | • | — | 🏊 |
| St-Vincent-de-Barrès | — | — | • | — | 🎾 🏊 |
| Satillieu | — | — | — | — | 🏊 |
| Tournon-sur-Rhône | — | — | • | — | 🎾 🏊 |
| Vagnas | — 🐑 | — | • | • | 🎾 🏊 |
| Vallon-Pont-d'Arc 🅿 | P | 🐑 | • | • | 🎾 🏊 |
| Valvignères | — | — | — | — | 🎾 🏊 |
| Les Vans | P | 🐑 | — | • | 🎾 🏊 |
| Vernoux-en-Vivarais | — | — | — | • | 🏊 |
| Villeneuve-de-Berg | — | — | — | — | 🎾 🏊 |
| Vion | — | — | — | — | 🏊 |
| Viviers | — | — | • | — | 🏊 |
| Vogüé | — | — | • | • | 🎾 🏊 |

## 08 - ARDENNES [2] [7]

| | Permanent | Restauration 🍴 | Loc. 🏠 ou 🏕 | Loc. 🏡 et autres | 🎾 ⛷ ou 🏊 |
|---|---|---|---|---|---|
| Attigny | — | — | — | — | 🎾 🏊 |
| Autry | — | — | — | — | 🏊 |
| Bourg-Fidèle | — | — | • | — | — |
| Buzancy | — | — | — | — | 🎾 🏊 |
| Charleville-Mézières | — 🐑 | — | — | — | 🎾 🏊 |
| Haulmé | P | — | — | — | 🎾 🏊 |
| Les Mazures | P | — | — | — | 🎾 🏊 |
| Monthermé | — | — | — | — | 🏊 |

| | Permanent | Restauration | Loc. 🛏 ou 🛖 | et autres 🏕 | ou 🍴 🏊 |
|---|---|---|---|---|---|
| Mouzon | — | — | — | — | 🍴 ⛵ |
| Revin | — | — | — | — | — |
| Sedan | — | — | — | — | — |
| Signy-l'Abbaye | — | — | — | — | 🍴 |
| Signy-le-Petit | — | — | — | — | — |

## 09 - ARIÈGE 14 15

| | Permanent | Restauration | Loc. ou | et autres | ou |
|---|---|---|---|---|---|
| Albiès | — | — | — | — | — |
| Artigat | — | — | — | — | 🍴 ⛵ |
| Augirein | — | — | — | — | — |
| Aulus-les-Bains | P | — | — | • | 🍴 |
| Ax-les-Thermes ⚓🦢 | P | — | — | — | — |
| Cos | P | — | — | — | 🍴 ⛵ |
| Le Fossat | — | — | — | — | 🍴 ⛵ |
| Fougax-et-Barrineuf | — | — | — | — | — |
| Lavelanet | — | — | — | — | ⛵ |
| Luzenac | P | — | — | — | — |
| Le Mas-d'Azil | — | — | — | — | — |
| Massat | — | — | — | — | — |
| Mazères | — | — | — | — | 🍴 ⛵ |
| Mercus-Garrabet | — | — | — | — | — |
| Montferrier | P | — | — | — | — |
| Oust | P | • | — | — | — |
| St-Girons | — | — | — | • | 🍴 ⛵ |
| Seix | — | — | — | • | — |
| Sorgeat | P | — | — | — | — |
| Tarascon-sur-Ariège | — | • | — | — | ⛵ |
| Vicdessos | P | — | — | — | ⛵ |

## 10 - AUBE 6 7

| | Permanent | Restauration | Loc. ou | et autres | ou |
|---|---|---|---|---|---|
| Arcis-sur-Aube | — | — | — | — | — |
| Bar-sur-Aube | — | — | — | — | — |
| Dienville | P | — | — | • | — |
| Géraudot | — | — | — | — | — |
| Marcilly-le-Hayer | — | — | — | — | 🍴 |
| Radonvilliers | — | — | — | — | 🍴 |
| St-Hilaire-sous-Romilly | P | • | — | — | 🍴 |
| Soulaines-Dhuys | — | — | — | — | 🍴 |
| Troyes | — | — | — | — | — |

## 11 - AUDE 15

| | Permanent | Restauration | Loc. ou | et autres | ou |
|---|---|---|---|---|---|
| Arques | — | — | • | — | — |
| Axat | — | — | • | — | — |
| Belflou | — | 🦢 | • | — | — |
| Brousses-et-Villaret | — | 🦢 | — | — | — |
| Carcassonne 🅰 | — | — | — | — | 🍴 ⛵ |
| Chalabre | — | 🦢 | — | — | ⛵ |
| Lespinassière | — | — | • | — | — |
| Lézignan-Corbières | — | — | • | — | — |
| Mas-Cabardès | — | — | — | — | 🍴 |
| Mirepeisset | — | 🦢 | • | — | 🍴 |
| Montclar | — | 🦢 | • | • | 🍴 |
| Narbonne | — | — | — | • | 🍴 |
| Nébias | — | 🦢 | — | • | 🍴 |
| Rennes-les-Bains ⚓ | — | — | — | — | 🍴 |
| Ste-Colombe-sur-l'Hers | — | — | — | • | — |
| Saissac | — | — | — | — | 🍴 ⛵ |
| Sigean | P | — | • | — | 🍴 |
| Trèbes | — | — | — | — | 🍴 |
| Villemoustaussou | — | — | — | — | ⛵ |

## 12 - AVEYRON 15

| | Permanent | Restauration | Loc. ou | et autres | ou |
|---|---|---|---|---|---|
| Alrance | — | — | — | — | — |
| Aubin | — | — | — | — | 🍴 ⛵ |
| Belcastel | — | — | — | — | 🍴 ⛵ |
| Belmont-sur-Rance | P | • | — | — | 🍴 ⛵ |
| Brusque | — | — | — | — | 🍴 ⛵ |
| Canet-de-Salars | — | — | — | — | 🍴 ⛵ |
| Capdenac-Gare | — | — | • | • | 🍴 ⛵ |
| Cassagnes-Bégonhès | — | — | — | — | 🍴 |
| Conques | — | — | • | — | — |
| Decazeville | P | — | — | — | 🍴 |
| Enguiales | — | — | — | — | 🍴 |
| Entraygues-sur-Truyère | — | — | — | — | 🍴 |
| Firmi | — | — | — | — | 🍴 |
| La Fouillade | — | — | — | — | 🍴 |
| Golinhac | — | 🦢 | — | • | — |
| Lacalm | — | — | — | — | 🍴 |
| Laguiole 🦢 | — | — | — | — | 🍴 |
| Marcillac-Vallon | — | — | — | — | 🍴 |
| Millau | P | • | • | — | 🍴 ⛵ |
| Najac | — | 🦢 | • | — | 🍴 ⛵ |
| Nant | — | 🦢 | • | — | 🍴 ⛵ |
| Naucelle | — | — | — | • | 🍴 |
| Le Nayrac | — | — | — | — | 🍴 |
| Pons | — | — | — | — | — |
| Pont-de-Salars | — | — | — | — | 🍴 ⛵ |
| Rignac | — | — | — | — | 🍴 |
| Rivière-sur-Tarn | — | — | • | — | 🍴 ⛵ |
| Rodez 🅰 | — | — | — | — | 🍴 ⛵ |
| St-Amans-des-Cots | — | — | • | — | 🍴 ⛵ |
| St-Beauzély | — | — | — | — | 🍴 ⛵ |
| St-Geniez-d'Olt | — | — | • | — | 🍴 ⛵ |
| St-Rome-de-Tarn | — | — | • | — | 🍴 ⛵ |
| St-Salvadou 🅰 | — | 🦢 | — | — | — |
| St-Symphorien-de-Th. | — | — | — | — | 🍴 |
| Ste-Eulalie-d'Olt | — | — | — | — | 🍴 |
| Salles-Curan | — | — | • | • | 🍴 ⛵ |
| Sénergues | — | — | — | — | 🍴 |
| Séverac-le-Chateau | — | — | — | — | 🍴 ⛵ |
| Thérondels | — | 🦢 | • | • | 🍴 ⛵ |
| Le Truel | — | — | — | — | — |
| Villecomtal | — | — | — | — | — |
| Villefranche-de-Rouergue | — | — | — | — | ⛵ |

## 13 - BOUCHES-DU-RHÔNE 16

| | Permanent | Restauration | Loc. ou | et autres | ou |
|---|---|---|---|---|---|
| Aix-en-Provence ⚓ | P | — | • | — | ⛵ |
| Arles | — | — | • | • | 🍴 ⛵ |
| Ceyreste | — | — | — | — | 🍴 ⛵ |
| Châteaurenard | — | — | — | — | 🍴 ⛵ |
| La Ciotat | — | — | • | • | 🍴 ⛵ |
| La Couronne | P | — | • | • | 🍴 ⛵ |
| Fontvieille | — | — | — | — | 🍴 ⛵ |
| Gémenos | — | — | • | — | 🍴 ⛵ |
| Istres | P | — | • | — | 🍴 ⛵ |
| Mallemort | — | — | • | — | 🍴 ⛵ |
| Maussane-les-Alpilles | — | — | — | — | 🍴 ⛵ |
| Mouriès | — | 🦢 | — | — | — |
| Peynier | — | 🦢 | — | — | 🍴 |
| Port-St-Louis-du-Rhône | P | — | • | • | 🍴 ⛵ |
| Puyloubier | — | — | — | — | 🍴 |
| La Roque-d'Anthéron | P | 🦢 | • | • | 🍴 ⛵ |
| St-Andiol | — | — | — | — | 🍴 ⛵ |
| St-Étienne-du-Grès | — | — | — | — | 🍴 ⛵ |
| St-Rémy-de-Provence | — | — | • | — | 🍴 ⛵ |
| Stes-Maries-de-la-Mer | P | — | • | — | 🍴 ⛵ |
| Tarascon | — | — | — | — | 🍴 ⛵ |

| | Permanent | Restauration | Loc. ⛺ ou 🚐 | Loc. 🏠 et autres | ✕ | 🚣 ou 🏊 |
|---|---|---|---|---|---|---|
| Pons | — | 🛥 | — | — | — | 🚣 |
| Pont-l'Abbé-d'Arnoult | — | — | — | — | ✕ | 🚣 |
| RÉ (Île de) | | | | | | |
|   Ars-en-Ré ⌂ | P | — | • | • | ✕ | 🚣 |
|   Le Bois-Plage-en-Ré | P | — | • | • | ✕ | 🚣 |
|   La Couarde-sur-Mer | — | — | — | — | ✕ | 🚣 |
|   La Flotte | — | 🛥 | • | • | ✕ | 🚣 |
|   Loix-en-Ré | — | — | • | • | • | ✕ |
|   Les Portes-en-Ré | — | 🛥 | — | — | — | — |
|   Rivedoux-Plage | — | 🛥 | — | — | — | — |
|   St-Clément-des-B. | — | — | • | • | ✕ | — |
|   Ste-Marie-de-Ré | — | — | • | • | — | — |
| Rochefort ⚓ | P | — | — | • | ✕ | — |
| La Rochelle | P | — | — | — | ✕ | — |
| Ronce-les-Bains | — | — | • | — | ✕ | 🚣 |
| Royan ⌂ | — | — | — | — | ✕ | 🚣 |
| St-Augustin-sur-Mer | P | — | • | • | ✕ | 🚣 |
| St-Fort-sur-Gironde | — | — | — | — | — | — |
| St-Georges-de-Didonne | P | — | • | • | ✕ | — |
| St-Jean-d'Angély | — | — | — | — | — | — |
| St-Palais-sur-Mer | — | — | • | • | — | 🚣 |
| St-Sauveur-d'Aunis | — | — | — | — | ✕ | 🚣 |
| St-Savinien | — | — | — | — | ✕ | 🚣 |
| St-Seurin d'Uzet | — | — | — | • | — | — |
| St-Sornin | — | — | — | — | — | — |
| Saintes | — | — | • | — | — | — |
| Semussac | — | 🛥 | — | — | — | — |
| Tonnay-Boutonne | — | — | — | — | ✕ | 🚣 |
| Tonnay-Charente | — | — | — | — | — | — |
| Vergeroux | — | — | — | — | ✕ | — |

## 18 - CHER [6][10][11]

| | Permanent | Restauration | Loc. ⛺ ou 🚐 | Loc. 🏠 et autres | ✕ | 🚣 ou 🏊 |
|---|---|---|---|---|---|---|
| Bessais-le-Fromental | — | — | • | — | — | — |
| Bourges | — | — | — | — | ✕ | 🚣 |
| La Chapelle-d'Angillon | — | — | — | — | ✕ | — |
| La Guerche-sur-l'Aubois | — | — | — | — | — | — |
| Henrichemont | — | — | — | — | — | — |
| Jars | — | — | — | — | — | — |
| Lignières | — | — | — | — | ✕ | — |
| Ménétréol-sur-Sauldre | — | — | — | — | — | — |
| Nançay | P | — | — | — | ✕ | — |
| Preuilly | — | — | — | — | ✕ | — |
| St-Amand-Montrond | — | — | — | — | ✕ | — |
| Ste-Montaine | — | — | — | — | ✕ | — |
| Sidiailles | — | — | — | — | ✕ | — |
| Vesdun | — | — | — | — | ✕ | — |
| Vierzon | — | — | — | — | ✕ | — |

## 19 - CORRÈZE [10][13]

| | Permanent | Restauration | Loc. ⛺ ou 🚐 | Loc. 🏠 et autres | ✕ | 🚣 ou 🏊 |
|---|---|---|---|---|---|---|
| Argentat | — | — | • | • | ✕ | 🚣 |
| Aubazine | — | — | • | — | ✕ | 🚣 |
| Auriac | — | — | — | — | ✕ | 🚣 |
| Beaulieu-sur-Dordogne | — | — | — | — | ✕ | 🚣 |
| Beynat | — | — | • | — | ✕ | — |
| Bort-les-Orgues | — | 🛥 | • | — | — | — |
| Camps-St Mathurin-Léobazel | — | — | • | • | ✕ | — |
| Donzenac | — | — | • | — | ✕ | 🚣 |
| Eygurande | — | — | — | • | ✕ | — |
| Lacelle | — | — | • | — | — | — |
| Lissac-sur-Couze | — | — | • | • | ✕ | — |
| Lubersac | — | — | • | — | ✕ | 🚣 |
| Masseret | — | — | • | — | ✕ | 🚣 |
| Meymac | — | — | • | — | ✕ | — |
| Meyssac | — | — | • | — | ✕ | 🚣 |

| | Permanent | Restauration | Loc. ⛺ ou 🚐 | Loc. 🏠 et autres | ✕ | 🚣 ou 🏊 |
|---|---|---|---|---|---|---|
| Nespouls | — | — | — | — | ✕ | — |
| Neuvic | — | — | • | — | ✕ | — |
| Palisse | — | — | — | — | ✕ | 🚣 |
| St-Pantaléon-de-Lapleau | P | — | • | — | ✕ | 🚣 |
| St-Salvadour | — | — | • | — | ✕ | — |
| Seilhac | — | — | • | — | ✕ | — |
| Servières-le-Château | — | — | • | — | ✕ | — |
| Sornac | — | 🛥 | — | — | ✕ | — |
| Soursac | — | 🛥 | — | • | — | — |
| Tarnac | — | 🛥 | — | — | ✕ | — |
| Treignac | — | — | — | — | ✕ | — |
| Tulle | — | 🛥 | — | — | ✕ | — |
| Ussel | — | — | • | — | ✕ | — |
| Viam | — | 🛥 | • | — | ✕ | — |
| Vigeois | — | 🛥 | • | — | — | — |
| Vitrac-sur-Montane | — | — | — | — | ✕ | — |

## 2A - CORSE-DU-SUD [17]

| | Permanent | Restauration | Loc. ⛺ ou 🚐 | Loc. 🏠 et autres | ✕ | 🚣 ou 🏊 |
|---|---|---|---|---|---|---|
| Aléria | — | — | • | — | • | ✕ |
| Belvédère-Campomoro | P | — | — | — | — | — |
| Bonifacio | — | — | • | • | ✕ | 🚣 |
| Cargèse | — | — | • | • | ✕ | — |
| Évisa | — | — | • | — | — | — |
| Favone | — | — | • | — | — | — |
| La Liscia (Golfe de) | — | — | • | — | — | — |
| Olmeto | — | — | • | • | ✕ | — |
| Osani | — | 🛥 | — | — | — | — |
| Piana | — | — | • | — | — | — |
| Pinarellu | — | 🛥 | • | — | ✕ | 🚣 |
| Porticcio | — | 🛥 | • | • | ✕ | — |
| Portigliolo | — | 🛥 | — | • | ✕ | — |
| Porto | — | — | • | — | — | — |
| Porto-Vecchio ⌂ | P | 🛥 | • | • | — | 🚣 |
| Propriano | — | — | • | — | ✕ | — |
| Ruppione-Plage | — | — | • | — | — | — |
| Ste-Lucie-de-Porto-V. | — | — | • | • | ✕ | — |
| Sotta | P | — | • | — | — | — |
| Suartone | — | 🛥 | • | — | — | 🚣 |
| Tiuccia | — | — | • | — | — | — |

## 2B - HAUTE-CORSE [17]

| | Permanent | Restauration | Loc. ⛺ ou 🚐 | Loc. 🏠 et autres | ✕ | 🚣 ou 🏊 |
|---|---|---|---|---|---|---|
| Algajola | — | — | • | • | ✕ | — |
| Bastia | — | — | • | • | ✕ | — |
| Calvi | — | 🛥 | • | • | ✕ | 🚣 |
| La Canonica | — | — | • | — | — | — |
| Corte | — | — | • | — | — | 🚣 |
| Farinole (Marine de) | — | — | • | — | — | — |
| Figareto | — | — | • | — | — | — |
| Galéria | — | — | • | • | — | — |
| Ghisonaccia | — | — | • | • | ✕ | 🚣 |
| L'Île-Rousse | — | — | • | • | ✕ | — |
| Lozari | — | 🛥 | • | • | ✕ | 🚣 |
| Moriani-Plage | — | — | • | — | — | — |
| Morsiglia | — | — | — | — | — | — |
| St-Florent | — | — | • | — | — | 🚣 |
| Vivario | — | — | • | — | — | — |

## 21 - CÔTE-D'OR [7][11][12]

| | Permanent | Restauration | Loc. ⛺ ou 🚐 | Loc. 🏠 et autres | ✕ | 🚣 ou ◻ |
|---|---|---|---|---|---|---|
| Arnay-le-Duc | P | — | — | — | ✕ | — |
| Auxonne | — | — | — | — | — | 🚣 |
| Beaune | P | — | • | — | ✕ | — |
| Châtillon-sur-Seine | P | — | • | — | — | ◻ |
| Montbard | P | — | • | — | ✕ | ◻ |

| | Permanent | Restauration 🦢 | Loc. 🚐 ou | Loc. et autres | 🍴 | ⛷ |
|---|---|---|---|---|---|---|
| Montigny-sur-Vingeanne | – | – | – | – | – | – |
| La Motte-Ternant | – | – | – | – | – | – |
| Pontailler-sur-Saône | – | – | – | – | – | – |
| Pouilly-en-Auxois | – | – | – | – | – | – |
| Précy-sous-Thil | – | – | – | • | ✗ | – |
| Premeaux-Prissey | – | – | – | – | – | – |
| Riel-les-Eaux | – | – | – | – | – | – |
| Saulieu | – | – | • | – | ✗ | ⛷ |
| Selongey | – | – | – | – | ✗ | – |
| Semur-en-Auxois | – | – | • | – | ✗ | – |
| Vandenesse-en-Auxois | – | – | • | – | – | – |
| Venarey-les-Laumes | P | – | – | – | – | – |

## 22 - CÔTES-D'ARMOR [3][4]

| | Permanent | Restauration 🦢 | Loc. 🚐 ou | Loc. et autres | 🍴 | ⛷ |
|---|---|---|---|---|---|---|
| Binic [A] | – | – | – | • | – | – |
| Bréhec-en-Plouha | P | – | – | – | – | – |
| Broons | P | – | – | – | ✗ | ⛷ |
| Callac | – | – | – | – | ✗ | – |
| Caurel | – | – | • | – | ✗ | ⛷ |
| Chatelaudren | – | – | – | – | ✗ | – |
| Collinée | – | – | – | – | – | – |
| Dinan [A] | – | 🦢 | – | – | ✗ | – |
| Erquy [A] | – | 🦢 | • | • | ✗ | ⛷ |
| Étables-sur-Mer | – | – | – | • | • | – |
| Jugon-les-Lacs | – | – | • | – | ✗ | ⛷ |
| Lancieux | – | – | – | – | ✗ | – |
| Lannion | – | – | – | – | ✗ | – |
| Louargat | – | 🦢 | • | – | ✗ | ⛷ |
| Merdrignac | – | – | – | • | ✗ | ⛷ |
| Mur-de-Bretagne | – | – | – | – | – | – |
| Paimpol | – | – | – | – | – | – |
| Perros-Guirec [A] | – | – | • | • | ✗ | ⛷ |
| Plancoët | – | – | – | – | – | – |
| Planguenoual | – | – | – | – | – | – |
| Pléhédel | – | – | – | – | – | – |
| Plélo | – | – | – | – | ✗ | ⛷ |
| Pléneuf-Val-André | – | – | – | • | ✗ | □ |
| Plestin-les-Grèves | – | – | – | – | – | – |
| Pleubian | – | 🦢 | • | – | – | – |
| Pleumeur-Bodou | – | 🦢 | – | – | – | – |
| Pléven | P | 🦢 | – | – | – | – |
| Ploubazlanec | P | 🦢 | – | – | – | – |
| Plouézec | – | 🦢 | – | – | – | – |
| Plougrescant | – | – | • | – | – | – |
| Plouguernével | P | 🦢 | – | • | – | – |
| Plouha | – | – | • | – | ✗ | ⛷ |
| Plufur | – | – | – | – | – | – |
| Plurien | – | – | – | – | – | – |
| Pontrieux | P | – | – | – | – | – |
| Pordic | – | 🦢 | • | – | – | – |
| St-Alban | – | – | – | – | ✗ | – |
| St-Brieuc | – | – | – | – | – | – |
| St-Cast-le-Guildo | – | – | • | • | – | ⛷ |
| St-Jacut-de-la-Mer | – | – | • | – | – | – |
| St-Lormel | – | – | – | – | ✗ | – |
| St-Michel-en-Grève | – | – | – | – | ✗ | ⛷ |
| St-Nicolas-du-Pélem | – | – | • | – | – | ⛷ |
| St-Quay-Portrieux | – | – | – | – | – | – |
| Trébeurden [A] | – | – | • | • | – | – |
| Tregastel | – | – | – | • | ✗ | – |
| Trélévern | – | 🦢 | • | – | – | ⛷ |
| Trévou-Tréguignec | – | – | • | – | – | – |

*Ce guide n'est pas un répertoire de tous les terrains de camping mais une sélection des meilleurs camps dans chaque catégorie.*

## 23 - CREUSE [10]

| | Permanent | Restauration 🦢 | Loc. 🚐 ou | Loc. et autres | 🍴 | ⛷ |
|---|---|---|---|---|---|---|
| Anzême | – | 🦢 | – | – | ✗ | – |
| Aubusson | – | – | – | – | – | – |
| Le Bourg-d'Hem | – | • | – | – | – | – |
| Bussière-Dunoise | – | – | – | – | – | – |
| La Celle-Dunoise | – | – | – | – | ✗ | – |
| Chambon-sur-Voueize | P | – | – | – | ✗ | – |
| La Chapelle-Taillefert | – | – | – | – | – | – |
| Châtelus-Malvaleix | – | – | – | – | ✗ | – |
| Chénérailles | – | – | – | – | – | – |
| La Courtine | – | 🦢 | – | – | – | – |
| Crozant | – | – | – | – | – | – |
| Dun-le-Palestel | – | – | – | – | – | – |
| Évaux-les-Bains | – | – | – | • | ✗ | □ |
| Gueret | – | – | – | – | – | – |
| Moutier-d'Ahun | P | • | – | – | ✗ | – |
| Royère-de-Vassivière | – | • | – | • | ✗ | ⛷ |
| St-Oradoux-de-Chirouze | – | – | – | – | – | – |
| St-Vaury | – | – | – | – | – | – |
| Vallières | – | 🦢 | – | – | – | – |

## 24 - DORDOGNE [9][10][13][14]

| | Permanent | Restauration 🦢 | Loc. 🚐 ou | Loc. et autres | 🍴 | ⛷ |
|---|---|---|---|---|---|---|
| Abjat-sur-Bandiat | – | 🦢 | • | – | ✗ | ⛷ |
| Angoisse | – | 🦢 | – | – | – | – |
| Antonne-et-Trigonant | – | 🦢 | – | – | – | – |
| Badefols-sur-Dordogne | – | – | • | – | ✗ | ⛷ |
| Beaumont | – | – | • | • | ✗ | ⛷ |
| Belvès | – | 🦢 | • | • | ✗ | ⛷ |
| Bergerac | P | – | – | – | – | – |
| Beynac-et-Cazenac | – | – | • | – | ✗ | ⛷ |
| Biron | – | 🦢 | • | – | ✗ | ⛷ |
| Brantôme | – | – | • | – | ✗ | – |
| Le Bugue | – | – | • | – | ✗ | ⛷ |
| Le Buisson-Cussac | – | – | • | – | ✗ | ⛷ |
| Busserolles | – | – | – | – | ✗ | – |
| Cadouin | – | 🦢 | – | – | – | – |
| Campagne | – | – | • | – | ✗ | – |
| Campsegret | – | – | • | – | ✗ | – |
| Carsac-Aillac | – | 🦢 | • | – | ✗ | – |
| Castelnaud-Fayrac | – | – | – | – | – | ⛷ |
| Cazoulès | – | 🦢 | – | – | – | ⛷ |
| Cénac-et-St-Julien | – | 🦢 | • | – | ✗ | ⛷ |
| Le Change | – | 🦢 | – | – | – | ⛷ |
| La Chapelle-Aubareil | – | 🦢 | • | – | ✗ | ⛷ |
| Coly | – | – | • | – | ✗ | ⛷ |
| Coux-et-Bigaroque | – | – | • | • | ✗ | ⛷ |
| Couze-et-St-Front | – | – | • | – | ✗ | ⛷ |
| Cubjac | – | 🦢 | – | – | – | ⛷ |
| Daglan | – | – | • | • | ✗ | ⛷ |
| Eymet | – | – | • | – | ✗ | – |
| Les Eyzies-de-Tayac | – | 🦢 | – | – | ✗ | ⛷ |
| Fossemagne | – | – | • | – | ✗ | ⛷ |
| Groléjac | – | – | • | – | ✗ | ⛷ |
| Hautefort | – | 🦢 | – | – | – | ⛷ |
| Issigeac | – | – | – | – | – | ⛷ |
| Jumilhac-le-Grand | – | – | – | – | – | – |
| Lalinde | P | – | – | – | ✗ | ⛷ |
| Le Lardin-St-Lazare | – | 🦢 | • | – | ✗ | ⛷ |
| Lisle | – | 🦢 | – | – | – | ⛷ |
| Maison-Jeannette | – | 🦢 | – | – | – | ⛷ |
| Marcillac-St-Quentin | – | 🦢 | • | – | ✗ | ⛷ |
| Mareuil | – | 🦢 | – | – | – | ⛷ |
| Molières | – | 🦢 | • | – | ✗ | ⛷ |
| Monfaucon | – | 🦢 | – | – | – | ⛷ |
| Monpazier | – | 🦢 | – | – | ✗ | ⛷ |
| Montignac | – | 🦢 | – | – | – | – |

| | Permanent | Restauration | Loc. ⛺ ou 🏠 | Loc. 🏠 et autres | ⛺ ou ✗✗ / ☺ |
|---|---|---|---|---|---|
| Mouleydier | — | — | — | — | — ✗ |
| Nabirat | — | — | — | • | ☺ |
| Neuvic | — | — | — | — | ✗✗ ☺☺ |
| Nontron | — | — | — | — | ✗✗ ☺ |
| Parcoul | — | • | — | — | ☺ |
| Périgueux | P | — | • | • | • ☺ |
| Peyrignac | — | 🍴 | — | — | — |
| Peyrillac-et-Millac | — | 🍴 | — | — | ☺ |
| Piégut-Pluviers | — | — | — | — | ✗✗ ☺ |
| Plazac | — | — | — | — | ✗✗ ☺ |
| Pont-St-Mamet | — | — | — | — | ☺ |
| Ribérac | — | — | — | — | ☺ |
| La Roche-Chalais | P | — | — | — | — |
| La Roque-Gageac 🅰 | — | — | • | — | ✗✗ ☺ |
| Rouffignac | — | — | • | • | ✗✗ ☺ |
| Rouffillac | — | — | • | — | ✗✗ ☺ |
| St-Antoine-de-Breuilh | — | — | • | — | ✗✗ — |
| St-Astier | — | — | — | — | ✗✗ ☺ |
| St-Aubin-de-Nabirat | — | 🍴 | — | — | — |
| St-Avit-de-Vialard | — | 🍴 | • | — | ✗✗ ☺ |
| St-Crépin-et-Carlucet | — | — | • | • | ✗✗ |
| St-Cybranet | — | — | • | • | ☺ |
| St-Cyprien | — | — | — | — | — |
| St-Estèphe | — | — | • | — | ✗✗ — |
| St-Geniès | — | — | • | • | ✗✗ ☺ |
| St-Julien-de-Lampon | — | — | • | — | ✗✗ — |
| St-Léon-sur-Vézère | — | — | • | • | ✗✗ ☺ |
| St-Martial-de-Nabirat | — | — | • | • | ✗✗ 🖳 |
| St-Pompont | — | — | • | — | ✗✗ ☺ |
| St-Saud-Lacoussière | — | — | • | • | ✗✗ ☺ |
| St-Seurin-de-Prats | — | — | • | — | — ☺ |
| Salignac-Eyvigues | — | — | • | • | ✗✗ ☺ |
| Sarlat-la-Canéda 🅰 | — | 🍴 | • | • | ✗✗ ☺ |
| Tamnies | — | — | • | — | ✗✗ — |
| Terrasson-la-Villedieu | — | — | — | — | — |
| Thonac | — | — | — | — | — |
| Tocane-St-Apre | — | — | — | — | ✗✗ — |
| Trémolat | — | — | • | • | ✗✗ ☺ |
| Valeuil | — | 🍴 | — | — | — |
| Vergt | — | 🍴 | — | — | — |
| Vézac | — | 🍴 | — | • | ✗✗ ☺ |
| Vieux-Mareuil | — | — | • | — | — |
| Villambard | — | — | — | — | ✗✗ ☺ |
| Villefranche-de-Lonchat | — | — | • | — | ✗✗ — |
| Vitrac | — | — | • | • | — ✗✗ ☺ |

## 25 - DOUBS 7 8 12

| | Permanent | Restauration | Loc. ⛺ ou 🏠 | Loc. 🏠 et autres | ⛺ ou ✗✗ / ☺ |
|---|---|---|---|---|---|
| Arc-et-Senans | — | — | — | — | — |
| Émagny | — | — | — | — | ✗✗ — |
| Gilley | P | — | — | — | — |
| Glère | — | 🍴 | — | — | — ☺ |
| Goumois | — | — | — | — | — |
| Les Hôpitaux-Neufs 🐾 | — | — | — | — | ✗✗ — |
| L'Isle-sur-le-Doubs | — | — | — | — | ✗✗ — |
| Labergement-Ste-Marie | — | — | • | — | ✗✗ — |
| Levier | — | — | — | — | ✗✗ — |
| Lods | — | — | • | — | ✗✗ — |
| Maiche | P | — | — | — | — |
| Malbuisson | — | — | • | • | — |
| Morteau | — | — | — | — | ✗✗ — |
| Mouthe 🐾 | P | — | • | — | — |
| Ornans | — | — | — | • | • ✗✗ ☺ |
| Rougemont | — | — | • | — | — |
| Le Russey | P | — | — | — | — |
| St-Hippolyte | — | — | — | — | — |
| St-Point-Lac | — | — | — | — | ✗✗ — |
| Vaufrey | — | — | — | — | ✗✗ — |
| Vuillafans | — | — | — | • | ✗✗ — |

## 26 - DRÔME 12 16

| | Permanent | Restauration | Loc. ⛺ ou 🏠 | Loc. 🏠 et autres | ⛺ ou ✗✗ / ☺ |
|---|---|---|---|---|---|
| Albon | — | — | — | • | • ✗✗ ☺ |
| Aurel | — | 🍴 | — | — | — ☺ |
| Beaumont-en-Diois | — | 🍴 | — | — | — |
| Bonlieu-sur-Roubion | — | — | • | — | • ✗✗ ☺ |
| Bourdeaux | — | — | • | • | ✗✗ ☺ |
| Bourg-de-Péage | — | — | • | — | ✗✗ ☺ |
| Buis-les-Baronnies | — | 🍴 | • | • | ✗✗ ☺ |
| Chabeuil | — | 🍴 | • | • | ✗✗ ☺ |
| Charmes-sur-L'herbasse | — | — | • | — | ✗✗ ☺ |
| Châteauneuf-du-Rhône | — | — | • | — | — |
| Crest | — | — | • | — | ✗✗ ☺ |
| Die | — | — | • | • | ✗✗ ☺ |
| Dieulefit | — | — | • | — | ✗✗ ☺ |
| Eymeux | — | — | • | — | ☺ |
| Hauterives | — | — | • | — | ✗✗ ☺ |
| Lachau | — | — | — | — | — ☺ |
| Lens-Lestang | — | — | — | — | ✗✗ ☺ |
| Menglon | — | 🍴 | — | — | ☺ |
| Mirabel-aux-Baronnies | — | — | — | — | — |
| Mirabel-et-Blacons | — | — | • | • | — |
| Mirmande | — | — | • | • | — ☺ |
| Miscon | — | 🍴 | — | — | — |
| La Motte-Chalancon | — | — | — | — | — |
| Nyons | P | — | • | — | ✗✗ — |
| Pierrelongue | — | — | • | — | ☺ |
| Le Poët-Laval | — | — | — | — | ✗✗ — |
| Recoubeau-Jansac | — | — | • | — | ✗✗ ☺ |
| Rémuzat | — | — | — | — | — |
| Romans-sur-Isère | — | — | • | — | ✗✗ — |
| St-Agnan-en-Vercors | — | — | — | — | — |
| St-Donat-sur-l'Herbasse | — | — | • | — | — ☺ |
| St-Ferréol-Trente-Pas | — | — | • | — | — |
| St-Jean-en-Royans | — | — | — | — | ✗✗ ☺ |
| St-Martin-en-Vercors | — | — | — | — | — |
| St-Nazaire-en-Royans | — | — | — | — | ✗✗ — |
| St-Nazaire-le-Désert | — | — | • | — | — ☺ |
| St-Paul-Trois-Châteaux | — | — | — | — | — |
| St-Vallier | — | — | — | — | ✗✗ — |
| Saou | — | 🍴 | — | — | — |
| Séderon | — | — | — | — | — |
| Suze-la-Rousse | — | — | — | — | — |
| Tain-l'Hermitage | — | — | — | — | — |
| Tulette | — | — | — | — | ✗✗ ☺ |
| Valence | P | — | • | — | ✗✗ ☺ |
| Vercheny | — | — | • | — | ☺ |
| Vinsobres | P | — | • | — | • ✗✗ — |

## 27 - EURE 5 6

| | Permanent | Restauration | Loc. ⛺ ou 🏠 | Loc. 🏠 et autres | ⛺ ou ✗✗ / ☺ |
|---|---|---|---|---|---|
| Les Andelys | — | 🍴 | — | — | ✗✗ ☺ |
| Bernay | — | — | — | — | ✗✗ 🖳 |
| Bourg-Achard | — | 🍴 | — | — | ✗✗ ☺ |
| Brionne | — | — | — | — | ✗✗ ☺ |
| Fiquefleur-Equainville | — | — | • | — | — |
| Le Gros-Theil | P | 🍴 | • | • | ✗✗ ☺ |
| Louviers | — | — | — | — | ✗✗ — |
| Pont-Authou | — | — | — | — | — |
| Poses | — | — | — | — | ✗✗ — |
| Verneuil-sur-Avre | — | — | • | — | — |

| | Permanent | Restauration 🍴 | 🏠 ou ⛺ | et autres 🏕 | 🎾 ❌ | ⛷ ou 📷 |
|---|---|---|---|---|---|---|

## 28 - EURE-ET-LOIR 5 6

| | Permanent | Restauration | Loc. 🏠 | et autres | 🎾 | ⛷/📷 |
|---|---|---|---|---|---|---|
| Alluyes | — | — | — | — | 🎾 | — |
| Arrou | — | — | — | — | 🎾 | — |
| Bonneval | P | — | — | — | — | 📷 |
| Brou | — | — | — | — | 🎾 | ⛷ |
| Brunelles | P | — | — | — | — | — |
| Châteaudun | — | — | — | — | — | — |
| Cloyes-sur-le-Loir | P | • | — | — | 🎾 | — |
| Fontaine-Simon | — | — | — | — | — | — |
| Guainville | — | 🍴 | — | — | — | — |
| Illiers-Combray | — | 🍴 | • | — | • | ⛷ |
| Maintenon | — | 🍴 | — | — | — | — |
| Nogent-le-Rotrou | — | — | — | — | 🎾 | ⛷ |
| St-Rémy-sur-Avre | — | — | — | — | 🎾 | — |
| Senonches | — | — | — | — | 🎾 | ⛷ |

## 29 - FINISTÈRE 3

| | Permanent | Restauration | Loc. 🏠 | et autres | 🎾 | ⛷/📷 |
|---|---|---|---|---|---|---|
| Arzano | — | — | • | • | • | 🎾 ⛷ |
| Bénodet 🏠 | — | 🍴 | • | • | — | 🎾 ⛷ |
| Botmeur | — | — | — | — | — | — |
| Brignogan-Plages | — | — | — | — | — | — |
| Camaret-sur-Mer | — | 🍴 | — | • | — | ⛷ |
| Carantec | — | — | • | • | — | — |
| Châteaulin | — | — | — | — | 🎾 | 📷 |
| Châteauneuf-du-Faou | — | 🍴 | — | — | — | — |
| Cléden-Cap-Sizun | P | • | — | — | — | — |
| Cléder | — | — | — | — | 🎾 | — |
| Combrit | — | — | • | — | — | — |
| Commana | — | — | — | — | — | — |
| Concarneau | — | 🍴 | • | — | 🎾 | ⛷ |
| Le Conquet | — | 🍴 | • | — | 🎾 | — |
| Crozon 🏠 | — | 🍴 | • | — | • | — |
| Douarnenez | — | 🍴 | • | • | 🎾 | ⛷ |
| Elliant | — | — | — | — | 🎾 | 🎾 |
| La Forêt-Fouesnant 🏠 | P | 🍴 | • | • | — | 🎾 ⛷ |
| Fouesnant 🏠 | P | 🍴 | • | • | 🎾 | ⛷ |
| Guilvinec | — | — | • | • | 🎾 | ⛷ |
| Guimaëc | — | — | — | — | 🎾 | ⛷ |
| Hanvec | — | — | — | — | — | — |
| Henvic | — | — | — | — | 🎾 | — |
| Huelgoat | — | — | — | — | 🎾 | ⛷ |
| Kerlouan | — | — | — | — | — | — |
| Lampaul-Ploudalmézeau | — | — | — | — | — | — |
| Landéda | — | — | • | — | — | — |
| Landerneau | — | — | — | — | 🎾 | 📷 |
| Landudec | — | 🍴 | • | — | 🎾 | ⛷ |
| Lanildut | — | 🍴 | — | — | — | — |
| Lanvéoc | — | — | • | — | — | — |
| Lesconil | — | 🍴 | • | — | — | — |
| Locmaria-Plouzané | — | — | — | — | — | — |
| Locquirec | — | — | • | — | — | — |
| Locronan | — | — | — | — | — | — |
| Loctudy | — | — | — | — | — | — |
| Moëlan-sur-Mer | — | — | • | — | — | — |
| Névez | — | 🍴 | — | — | — | — |
| Penmarch | — | — | — | — | — | — |
| Pentrez-Plage | — | — | — | — | 🎾 | — |
| Plobannalec | — | — | — | — | 🎾 | ⛷ |
| Ploéven | — | — | — | — | — | — |
| Plomeur | — | 🍴 | • | • | — | ⛷ |
| Plomodiern 🏠 | — | • | • | • | — | — |
| Plonéour-Lanvern | — | — | — | — | 🎾 | — |
| Plonévez-Porzay | — | — | • | — | 🎾 | ⛷ |
| Plouarzel | — | — | — | — | — | — |
| Plouescat | — | — | • | — | 🎾 | — |
| Plouézoch | — | — | — | — | — | ⛷ |

| | Permanent | Restauration | Loc. 🏠 | et autres | 🎾 | ⛷/📷 |
|---|---|---|---|---|---|---|
| Plougasnou | — | 🍴 | — | • | — | 🎾 — |
| Plougoulm | — | — | — | — | — | — |
| Plouhinec | — | — | · | — | 🎾 | — |
| Plounévez-Lochrist | — | — | — | — | 🎾 | — |
| Plozévet | — | — | • | • | — | — |
| Pont-Aven | — | — | • | • | 🎾 | ⛷ |
| Pont-Croix | — | — | • | — | — | — |
| Port-Manech | — | — | — | — | — | — |
| Le Pouldu | — | — | • | — | — | ⛷ |
| Primelin | — | — | — | — | 🎾 | — |
| Quimper | — | 🍴 | • | — | 🎾 | ⛷ |
| Quimperlé | — | — | — | — | 🎾 | ⛷ |
| Raguenès-Plage 🏠 | — | — | • | • | — | 🎾 ⛷ |
| Riec-sur-Bélon | — | — | • | — | 🎾 | — |
| Rosporden | — | — | — | — | 🎾 | 📷 |
| St-Pol-de-Léon | — | — | — | — | 🎾 | — |
| St-Renan | — | — | — | — | — | — |
| St-Yvi | — | 🍴 | • | — | 🎾 | ⛷ |
| Sizun | — | — | • | — | 🎾 | ⛷ |
| Telgruc-sur-Mer | — | — | • | • | — | 🎾 ⛷ |
| Treffiagat | — | 🍴 | — | — | — | — |
| Tréflez | — | — | — | — | — | — |
| Tregarvan | — | — | • | — | 🎾 | ⛷ |
| Tregourez | — | — | — | — | 🎾 | — |
| Tréguennec | — | — | • | — | — | — |
| Trégunc | — | — | • | — | — | ⛷ |

## 30 - GARD 15 16

| | Permanent | Restauration | Loc. 🏠 | et autres | 🎾 | ⛷/📷 |
|---|---|---|---|---|---|---|
| Aigues-Mortes | — | — | • | — | 🎾 | ⛷ |
| Aiguèze | — | — | — | — | — | — |
| Aimargues | P | — | • | — | 🎾 | — |
| Alès | — | — | • | • | • | 📷 |
| Anduze 🏠 | — | 🍴 | • | • | — | 🎾 — |
| Bagnols-sur-Cèze | — | — | • | — | 🎾 | ⛷ |
| Barjac | — | 🍴 | • | — | 🎾 | — |
| Beaucaire | — | — | • | — | 🎾 | — |
| Bessèges | — | — | — | — | — | — |
| Bezouce | P | — | • | — | 🎾 | — |
| Boisson | — | 🍴 | • | • | 🎾 | — |
| Chambon | — | 🍴 | — | — | — | — |
| Chamborigaud | — | — | — | — | — | — |
| Collias | — | — | • | — | — | — |
| Comps | P | — | • | — | — | — |
| Crespian | — | — | — | — | — | — |
| Les Fumades | — | — | • | • | 🎾 | ⛷ |
| Gallargues-le-Montueux | — | — | • | • | 🎾 | — |
| Génolhac | — | 🍴 | • | — | — | — |
| Goudargues | — | 🍴 | • | — | — | — |
| Le Grau-du-Roi 🏠 | — | — | • | • | • | 🎾 📷 |
| Junas | — | 🍴 | — | — | — | — |
| Lasalle | — | — | • | • | 🎾 | — |
| Les Plantiers | P | — | — | — | — | — |
| Pont-du-Gard | — | 🍴 | • | — | 🎾 | ⛷ |
| Remoulins | P | — | • | — | 🎾 | — |
| La Roque-sur-Cèze | — | 🍴 | • | — | 🎾 | ⛷ |
| St-Ambroix | — | 🍴 | • | — | 🎾 | — |
| St-André-de-Roquep. | — | — | • | — | — | — |
| St-André-de-Valborgne | — | — | — | — | — | — |
| St-Hippolyte-du-Fort | — | — | • | — | 🎾 | ⛷ |
| St-Jean-de-Maruéjols | — | — | — | — | — | — |
| St-Jean-du-Gard | — | 🍴 | • | — | 🎾 | ⛷ |
| St-Julien-de-Peyrolas | — | — | — | — | 🎾 | — |
| St-Laurent-d'Aigouze | — | — | • | — | — | — |
| Saumane | — | — | — | — | — | — |
| Sauve | — | — | • | • | 🎾 | — |
| Sommières | — | — | • | — | 🎾 | ⛷ |
| Souvignargues | — | — | — | — | — | — |

| | Permanent | Restauration | Loc. caravane ou mobil-home | chalet et autres | 🍴 ou ⛱ |
|---|---|---|---|---|---|
| Uzès | — | 🏊 | • | — • | 🍴 ⛱ |
| Vallabrègues | — | — | — | — | 🍴 ⛱ |
| Valleraugue | — | — | — | — | ⛱ |
| Vauvert | — | — | — | — | ⛱ |
| Le Vigan | — | 🏊 | • | — | 🍴 ⛱ |
| Villeneuve-lès-Avignon | — | — | — | — | 🍴 □ |

## 31 - HAUTE-GARONNE 14 15

| | Permanent | Restauration | Loc. caravane | chalet et autres | 🍴 ou ⛱ |
|---|---|---|---|---|---|
| Aspet | — | — | — | — | 🍴 — |
| Aurignac | — | — | — | — | 🍴 — |
| Avignonet-Lauragais | — | — | — | — | — |
| Boulogne-sur-Gesse | P | — | — | — | 🍴 ⛱ |
| Boussens | — | — | • | — | 🍴 ⛱ |
| Caraman | — | — | — | — | — |
| Cazères | P | — | — | — | ⛱ |
| Fos | P | — | — | — | — |
| Le Fousseret | — | — | • | — • | 🍴 ⛱ |
| Labastide-Clermont | — | — | — | — | — |
| Luchon ⚕🏊 | P | • | — • | • | ⛱ |
| Mane | — | — | — • | — | 🍴 ⛱ |
| Martres-Tolosane | P | — | — | — | ⛱ |
| Nailloux | — | — | • | — • | 🍴 — |
| Peyssies | P | — | • | — | 🍴 ⛱ |
| Revel | — | — | — | — | 🍴 ⛱ |
| St-Béat | P | — | — | — | 🍴 ⛱ |
| St-Ferréol | — | — | • | — • | 🍴 ⛱ |

## 32 - GERS 13 14

| | Permanent | Restauration | Loc. caravane | chalet et autres | 🍴 ou ⛱ |
|---|---|---|---|---|---|
| Auch | P | — | — | — | 🍴 □ |
| Barcelonne-du-Gers | — | — | — | — | — |
| Castéra-Verduzan ⚕ | | | | | |
| Cazaubon ⚕ | | | | | |
| Cezan | — | 🏊 | — | — • | ⛱ |
| Condom | — | 🏊 | — | — • | — |
| Estang | — | — | • • | — | — |
| Fleurance | — | — | • | — | 🍴 ⛱ |
| Lectoure | — | — | • | — | 🍴 ⛱ |
| Masseube | — | — | • | — | 🍴 ⛱ |
| Mirande | — | — | • | — | 🍴 ⛱ |
| Mirepoix | — | — | — | — | — |
| Montesquiou | — | 🏊 | • | • • | ⛱ |
| Pouylebon | P | 🏊 | — | — | — |
| Riscle | — | — | • | — | 🍴 ⛱ |
| Simorre | — | — | • | — | 🍴 ⛱ |
| Thoux | — | — | • | — | 🍴 — |

## 33 - GIRONDE 9 13 14

| | Permanent | Restauration | Loc. caravane | chalet et autres | 🍴 ou ⛱ |
|---|---|---|---|---|---|
| Abzac | — | — | — | — | — |
| ARCACHON (Bassin) | — | — | — | — | — |
| Andernos-les-Bains □ | P | — | • • | • | 🍴 ⛱ |
| Arcachon | — | — | — | — | — |
| Arès | — | — | • | — | ⛱ |
| Cap Ferret | — | — | — | — | — |
| Cassy | — | — | • | — | 🍴 ⛱ |
| Claouey | P | — | • • | — | 🍴 ⛱ |
| Lanton | — | — | • | — • | 🍴 — |
| Lège-Cap-Ferret | P | — | — | — | — |
| Pyla-sur-Mer | — | — | • | — • | 🍴 ⛱ |
| Bayas | — | — | — | — | — |
| Bordeaux | P | — | — | — | — |
| Carcans | — | — | — | — | — |
| Grayan-et-l'Hôpital | P | — | • | — | 🍴 — |
| Gujan-Mestras | — | — | — | — | — |
| Hourtin | — | — | • | — | 🍴 ⛱ |

| | Permanent | Restauration | Loc. caravane | chalet et autres | 🍴 ou ⛱ |
|---|---|---|---|---|---|
| Hourtin-Plage | — | — | • | — | 🍴 ⛱ |
| Lacanau (Étang de) | — | — | • • | — | 🍴 ⛱ |
| Lacanau-Océan | — | — | • • | — | 🍴 ⛱ |
| Lacanau-de-Mios | P | — | — | — | ⛱ |
| Laruscade | — | — | — • | — | ⛱ |
| Mios | — | — | — | — | 🍴 ⛱ |
| Montalivet-les-Bains | — | — | • | — | 🍴 ⛱ |
| Naujac-sur-Mer | — | — | • | — | ⛱ |
| Petit-Palais-et-Cornemps | — | — | • | — | ⛱ |
| Le-Porge | — | — | • | — | ⛱ |
| La Reole | — | — | — | — | 🍴 ⛱ |
| St-Christoly-de-Blaye | P | — | • • | — | — |
| St-Christophe-de-Double | — | — | — | — | — |
| St-Émilion | — | — | — | — | 🍴 ⛱ |
| St-Macaire | — | — | — | — | — |
| St-Palais | P | 🏊 | — • | — • | ⛱ |
| St-Pierre-d'Aurillac | — | — | — • | — | — |
| Salles | P | 🏊 | • | — | — |
| Soulac-sur-Mer □ | P | — | • • | • | 🍴 ⛱ |
| Vendays-Montalivet | — | 🏊 | — • | — | — |
| Vensac | — | — | • • | — | ⛱ |
| Le Verdon-sur-Mer | P | — | — • | — | — |

## 34 - HÉRAULT 15 16

| | Permanent | Restauration | Loc. caravane | chalet et autres | 🍴 ou ⛱ |
|---|---|---|---|---|---|
| Adissan | — | — | — | — | 🍴 ⛱ |
| Agde □ | — | — | • | — | 🍴 ⛱ |
| Balaruc-les-Bains ⚕ | — | — | • | — | 🍴 ⛱ |
| Bouzigues | — | — | — | — | 🍴 — |
| Brissac | — | — | • | — | 🍴 ⛱ |
| Canet | — | — | • | — | 🍴 — |
| Carnon-Plage | — | — | • | — | ⛱ |
| Castries | — | — | • | — | — |
| Colombiers | P | — | — | — | — |
| Creissan | — | — | — • | — | 🍴 ⛱ |
| Frontignan □ | — | — | • • | • | 🍴 ⛱ |
| Ganges | — | — | — | — | — |
| Gigean | — | — | — | — | 🍴 — |
| Gignac | P | 🏊 | — | — | 🍴 — |
| La Grande-Motte □ | — | — | • | — | — |
| Lamalou-les-Bains ⚕ | — | — | — | — | — |
| Lansargues | — | — | • | — | — |
| Lodève | P | — | • | — | 🍴 ⛱ |
| Loupian | — | — | — | — | — |
| Lunel | — | — | • | — | — |
| Marseillan | — | — | • | — | 🍴 — |
| Montagnac | P | — | — | — | 🍴 ⛱ |
| Montblanc | — | — | • | — | — |
| Montpellier | — | — | • | — • | 🍴 ⛱ |
| Palavas-les-Flots | — | — | • | — • | 🍴 ⛱ |
| Pézenas | — | — | • | — | 🍴 ⛱ |
| Pomérols | — | — | • | — | 🍴 ⛱ |
| Portiragnes | — | — | • • | — | 🍴 ⛱ |
| Le Pouget | — | — | • | — | 🍴 ⛱ |
| St-André-de-Sangonis | — | — | — | — | ⛱ |
| St-Bauzille-de-Putois | — | — | • | — | — |
| St-Martin-de-Londres | — | 🏊 | — • | — | ⛱ |
| La Salvetat-sur-Agout | — | — | • | — | — |
| Sauvian | — | — | • | — | — |
| Sérignan | — | — | — • | — | 🍴 ⛱ |
| Sète | — | — | • | — | 🍴 ⛱ |
| La Tour-sur-Orb | — | — | • | — | — |
| Valras-Plage □ | — | — | • • | — | 🍴 ⛱ |
| Valros | — | — | • | — | — |
| Vias □ | P | — | • • | • | 🍴 ⛱ |
| Vic-la-Gardiole | — | — | • | — | — |
| Villeneuve-lès-Béziers | P | — | • • | — | 🍴 ⛱ |
| Viols-le-Fort | — | 🏊 | • | — | 🍴 ⛱ |

## 35 - ILLE-ET-VILAINE [4]

| Commune | Permanent | Restauration | Loc. ou 🏠/🚃 | et autres 🏕 ✂ 🛶 | 📫 ou 🛶 |
|---|---|---|---|---|---|
| Antrain | — | — | — | — | — |
| Bourg-des-Comptes | — | 🥄 | — | — | — |
| Cancale | — | — | • | — | — |
| La Chapelle-aux-Filtzm. | — | 🥄 | • | — | 🛶 |
| Châteaugiron | — | — | — | — | — |
| Châtillon-en-Vendelais | — | — | — | ✂ | — |
| Cherrueix | — | — | — | — | — |
| Dinard | — | • | • | ✂ | 🛶 |
| Dol-de-Bretagne | — | — | — | ✂ | — |
| Fougères | P | — | — | ✂ | — |
| Mézières-sur-Couesnon | — | — | — | ✂ | — |
| Montauban | — | — | — | — | — |
| Pont-Réan | — | — | — | — | — |
| Rennes | — | — | — | ✂ | ▣ |
| St-Aubin-du-Cormier | — | — | — | — | — |
| St-Briac-sur-Mer | — | — | • | ✂ | — |
| St-Coulomb | — | 🥄 | — | — | — |
| St-Guinoux | — | — | — | — | — |
| St-Lunaire | — | — | • | • | — |
| St-Malo | — | • | • | ✂ | 🛶 |
| St-Marcan | — | 🥄 | — | — | — |
| St-Père | P | — | — | — | 🛶 |
| St-Thurial | P | — | — | — | — |
| Sens-de-Bretagne | — | — | • | ✂ | — |
| Tinténiac | — | • | • | ✂ | 🛶 |

## 36 - INDRE [10]

| Commune | Permanent | Restauration | Loc. ou 🏠/🚃 | et autres 🏕 ✂ 🛶 | 📫 ou 🛶 |
|---|---|---|---|---|---|
| Argenton-sur-Creuse | — | — | — | — | — |
| Arpheuilles | — | — | — | — | — |
| Le Blanc | — | — | — | ✂ | 🛶 |
| Buzançais | — | — | — | ✂ | 🛶 |
| Chabris | — | — | — | ✂ | — |
| Chaillac | P | — | — | ✂ | — |
| Châteauroux | — | — | • | ✂ | 🛶 |
| Châtillon-sur-Indre | — | — | — | ✂ | — |
| La Châtre | — | — | — | — | — |
| Éguzon | — | — | — | — | — |
| Fougères | — | — | — | — | — |
| Gargilesse-Dampierre | — | — | — | ✂ | — |
| Issoudun | — | — | — | — | — |
| Mézieres-en-Brenne | — | — | — | — | — |
| Migné | — | — | — | — | — |
| La Motte-Feuilly | — | — | — | — | — |
| Le Pont-Chrétien-Ch. | — | — | — | — | — |
| Poulaines | — | — | — | ✂ | — |
| Rosnay | P | — | — | ✂ | — |
| Ruffec | — | — | — | ✂ | — |
| St-Gaultier | — | — | — | ✂ | — |
| Ste-Sévère-sur-Indre | — | — | — | — | — |
| Valençay | — | — | — | ✂ | 🛶 |
| Vatan | — | — | — | ✂ | 🛶 |
| Vendoeuvres | — | — | — | — | — |

## 37 - INDRE-ET-LOIRE [8][9][10]

| Commune | Permanent | Restauration | Loc. ou 🏠/🚃 | et autres 🏕 ✂ 🛶 | 📫 ou 🛶 |
|---|---|---|---|---|---|
| Abilly | — | — | — | ✂ | — |
| Ballan-Miré | — | — | — | ✂ | 🛶 |
| Barrou | — | — | — | — | — |
| Bléré | — | — | — | ✂ | 🛶 |
| Candes-St-Martin | — | — | — | ✂ | 🛶 |
| Château-Renault | — | — | — | ✂ | 🛶 |
| Chemillé-sur-Indrois | — | — | • | ✂ | — |
| Chenonceaux | — | • | — | — | 🛶 |
| Chinon | — | — | — | ✂ | ▣ |
| Chisseaux | — | — | — | ✂ | — |
| Civray-de-Touraine | — | — | — | ✂ | — |
| Descartes | — | — | — | ✂ | — |
| Genillé | — | — | — | ✂ | — |
| L'Île-Bouchard | — | — | — | ✂ | — |
| Langeais | — | — | — | ✂ | 🛶 |
| Limeray | — | • | — | — | 🛶 |
| Loches | — | — | — | ✂ | ▣ |
| Luynes | — | — | — | — | — |
| Marcilly-sur-Vienne | — | — | — | — | — |
| Montbazon | — | • | — | ✂ | — |
| Montlouis-sur-Loire | — | • | — | ✂ | — |
| Monts | — | — | — | — | — |
| Nazelles-Négron | — | — | — | — | — |
| Preuilly-sur-Claise | — | — | — | ✂ | — |
| Richelieu | — | — | — | — | — |
| Rigny-Ussé | — | — | — | — | — |
| St-Paterne-Racan | — | — | — | ✂ | 🛶 |
| Ste-Catherine-de-F. | — | • | • | — | 🛶 |
| Ste-Maure-de-Touraine | — | • | — | ✂ | — |
| Tours 🅰 | — | — | — | ✂ | ▣ |
| Trogues | — | 🥄 | — | — | — |
| Veigne | — | • | — | — | — |
| Veretz | — | — | — | — | — |
| Villedômer | — | — | — | ✂ | 🛶 |
| Yzeures-sur-Creuse | — | — | — | ✂ | 🛶 |

## 38 - ISÈRE [11][12][16][17]

| Commune | Permanent | Restauration | Loc. ou 🏠/🚃 | et autres 🏕 ✂ 🛶 | 📫 ou 🛶 |
|---|---|---|---|---|---|
| Les Abrets | — | 🥄 | • | — | 🛶 |
| Allemont | P | — | • | ✂ | 🛶 |
| Allevard ♨ 🥄 | P | — | — | • | 🛶 |
| Autrans 🥄 | P | — | — | — | 🛶 |
| Les Avenières | — | — | • | — | 🛶 |
| Beauvoir-en-Royans | — | — | • | — | — |
| Bougé-Chambalud | — | — | • | • | 🛶 |
| Le Bourg-d'Arud | — | — | • | • | 🛶 |
| Le Bourg-d'Oisans | — | — | • | — | 🛶 |
| Chanas | — | — | • | ✂ | — |
| Choranche | — | — | — | ✂ | — |
| Clonas-sur-Vareze | P | — | • | — | — |
| Les Deux-Alpes | — | 🥄 | • | ✂ | — |
| Entre-Deux-Guiers | — | 🥄 | • | — | 🛶 |
| Faramans | — | — | — | ✂ | — |
| Le Freney-d'Oisans | — | — | — | ✂ | — |
| Gresse-en-Vercors 🥄 | — | 🥄 | • | — | 🛶 |
| Lans en Vercors 🥄 | — | — | — | — | — |
| Méaudre | P | — | — | ✂ | 🛶 |
| Monestier-de-Clermont | — | • | — | ✂ | 🛶 |
| Montalieu-Vercieu | — | • | — | ✂ | 🛶 |
| Petichet | — | — | — | — | 🛶 |
| Pommier-de-Beaurepaire | P | — | • | — | ✂ |
| Pont-en-Royans | — | — | — | ✂ | — |
| Renage | — | — | — | ✂ | — |
| Roybon | — | — | — | ✂ | 🛶 |
| St-Christophe-en-Oisans | — | 🥄 | — | — | — |
| St-Étienne-de-Crossey | — | — | — | ✂ | — |
| St-Hilaire-du-Touvet | — | — | — | — | — |
| St-Laurent-en-Beaumont | — | • | — | — | 🛶 |
| St-Martin-de-Clelles | — | — | — | — | 🛶 |
| St-Martin-d'Uriage | — | • | — | ✂ | — |
| St-Pierre-de-Ch. 🥄 | — | — | — | — | 🛶 |
| St-Prim | — | 🥄 | — | — | — |
| Theys | — | 🥄 | — | — | — |
| Trept | — | • | • | ✂ | — |

| | Permanent | Restauration | Loc. 🚲 ou 🚗 | Loc. et autres | ✂ ⛷ ou 🏊 |
|---|---|---|---|---|---|
| Vernioz | – | ✺ | • | – | ✂ ⛷ |
| Villard-de-Lans 🦢 | – | – | – | – | – |
| Vinay | – | – | – | – | – |
| Vizille | – | – | – | – | – |
| Voiron | – | – | – | – | – |

## 39 - JURA [12]

| | Permanent | Restauration | Loc. 🚲 ou 🚗 | Loc. et autres | ✂ ⛷ ou 🏊 |
|---|---|---|---|---|---|
| Arbois | – | – | – | – | ⛷ |
| Blye | – | – | – | – | – |
| Bonlieu | – | – | • | – | – |
| Champagnole | – | – | • | – | ✂ |
| Chancia | – | – | – | – | – |
| Chaux-des-Crotenay | – | – | • | – | ✂ |
| Chissey-sur-Loue | – | – | – | – | – |
| Clairvaux-les-Lacs | – | – | – | – | – |
| Dole | – | – | • | • | ✂ |
| Doucier | – | – | • | – | ✂ |
| Longchaumois | – | – | – | – | – |
| Lons-le-Saunier ⚓ | – | – | – | – | 🏊 |
| Marigny | – | – | • | • | – |
| Moirans-en-Montagne | P | – | – | – | – |
| Monnet-la-Ville | – | – | – | • | – |
| Mouchard | – | – | – | – | – |
| Ounans | – | – | • | – | – |
| Pont-de-Poitte | – | – | • | • | ⛷ |
| St-Claude | – | – | • | – | ⛷ |
| St-Laurent-en-Grandvaux | – | – | – | – | – |
| Salins-les-Bains ⚓ | – | – | – | – | – |
| Les Thévenins | – | ✺ | – | • | ✂ |
| La Tour-du-Meix | – | – | – | – | – |
| Vouglans | – | – | – | – | – |

## 40 - LANDES [13][14]

| | Permanent | Restauration | Loc. 🚲 ou 🚗 | Loc. et autres | ✂ ⛷ ou 🏊 |
|---|---|---|---|---|---|
| Aire-sur-l'Adour | – | – | – | – | – |
| Amou | P | – | – | • | – |
| Aureilhan | P | – | • | • | ✂ ⛷ |
| Azur | – | – | • | • | ✂ ⛷ |
| Bélus | – | – | • | – | ✂ ⛷ |
| Bias | – | – | • | – | ✂ ⛷ |
| Biscarrosse | P | – | • | • | ✂ ⛷ |
| Capbreton | P | – | • | – | ✂ ⛷ |
| Castets | – | – | • | – | ✂ ⛷ |
| Cauneille | – | – | – | • | – |
| Contis-Plage | – | – | • | – | ✂ ⛷ |
| Dax ⚓ | P | ✺ | • | • | ✂ ⛷ |
| Gabarret | – | – | – | • | – |
| Gastes | – | – | • | • | ✂ 🏊 |
| Geaune | – | – | • | – | ✂ |
| Habas | – | ✺ | – | – | ✂ |
| Hagetmau | – | – | – | – | – |
| Hossegor | – | – | – | – | – |
| Labenne | – | – | • | • | ✂ ⛷ |
| Léon | – | – | • | • | – |
| Lesperon | – | ✺ | – | • | ⛷ |
| Linxe | – | – | – | – | – |
| Lit-et-Mixe | – | – | • | – | – |
| Louer | – | – | – | – | – |
| Messanges | – | – | • | • | ✂ 🏊 |
| Mézos | – | – | • | • | ✂ |
| Mimizan | – | – | • | • | ✂ ⛷ |
| Moliets-et-Maa | – | – | • | • | ✂ |
| Montfort-en-Chalosse | – | – | – | – | – |
| Morcenx | – | – | – | – | – |
| Mugron | – | ✺ | – | – | ✂ |
| Ondres | – | – | • | • | – |

| | Permanent | Restauration | Loc. 🚲 ou 🚗 | Loc. et autres | ✂ ⛷ ou 🏊 |
|---|---|---|---|---|---|
| Onesse-et-Laharie | – | – | – | – | – |
| Parentis-en-Born | – | – | • | • | ⛷ |
| Pontenx-les-Forges | – | – | – | – | – |
| St-André-de-Seignanx | P | – | – | – | ⛷ |
| St-Julien-en-Born | – | – | • | – | ✂ |
| St-Justin | – | – | – | – | – |
| St-Martin-de-Seignanx | – | – | – | – | ⛷ |
| St-Michel-Escalus | – | ✺ | • | – | – |
| St-Paul-en-Born | – | – | – | – | – |
| St-Sever | P | – | – | – | ✂ ⛷ |
| Ste-Eulalie-en-Born | – | ✺ | – | • | ✂ ⛷ |
| Sanguinet | P | – | • | • | ✂ ⛷ |
| Sarbazan | – | – | – | – | – |
| Seignosse | – | – | • | – | ✂ ⛷ |
| Soustons | – | – | • | – | ✂ ⛷ |
| Vielle | – | – | • | – | ✂ ⛷ |

## 41 - LOIR-ET-CHER [5][6]

| | Permanent | Restauration | Loc. 🚲 ou 🚗 | Loc. et autres | ✂ ⛷ ou 🏊 |
|---|---|---|---|---|---|
| Bracieux | – | – | – | – | ✂ ⛷ |
| Candé-sur-Beuvron | – | – | • | – | ✂ |
| Cellettes | – | – | – | – | ✂ |
| Châtres-sur-Cher | – | – | • | – | ✂ |
| Chémery | – | – | – | – | – |
| Cheverny | – | – | • | – | ⛷ |
| Chouzy-sur-Cisse | – | – | – | – | ✂ |
| Crouy-sur-Cosson | – | – | – | – | – |
| Fréteval | P | – | – | – | – |
| Lunay | – | – | – | – | ✂ |
| Mareuil-sur-Cher | – | – | – | – | – |
| Mennetou-sur-Cher | – | – | – | – | ✂ |
| Mesland | – | – | – | – | ✂ ⛷ |
| Les Montils | – | – | – | – | – |
| Montoire-sur-le-Loir | – | – | – | – | 🏊 |
| Muides-sur-Loire | – | – | • | – | ✂ |
| Mur-de-Sologne | – | – | – | – | – |
| Neung-sur-Beuvron | – | – | – | – | ✂ |
| Nouan-le-Fuzelier | – | – | – | – | ✂ ⛷ |
| Noyers-sur-Cher | – | – | – | – | ✂ ⛷ |
| Onzain | P | – | • | – | ✂ ⛷ |
| Oucques | – | – | – | – | ✂ ⛷ |
| Pezou | – | – | – | – | ✂ |
| Pierrefitte-sur-Sauldre | – | ✺ | • | – | • |
| Le Plessis-Dorin | P | – | – | – | – |
| Prunay-Cassereau | P | – | – | – | – |
| Romorantin-Lanthenay | – | – | – | – | ✂ ⛷ |
| St-Aignan | – | – | – | – | – |
| Salbris | – | – | – | – | ✂ ⛷ |
| Soings-en-Sologne | – | – | – | – | ✂ |
| Souday | – | – | – | – | – |
| Suèvres | – | – | • | – | ✂ |
| Vernou-en-Sologne | – | – | – | – | ✂ |

## 42 - LOIRE [11]

| | Permanent | Restauration | Loc. 🚲 ou 🚗 | Loc. et autres | ✂ ⛷ ou 🏊 |
|---|---|---|---|---|---|
| Balbigny | – | – | – | – | ✂ |
| Chalmazel 🦢 | P | ✺ | • | – | ✂ |
| Charlieu | – | – | – | – | ✂ ⛷ |
| Cordelle | P | ✺ | – | – | ✂ |
| Estivareilles | – | – | – | – | ✂ |
| Feurs | P | – | – | – | ✂ |
| Leignecq | – | ✺ | – | – | ✂ |
| Montbrison | – | – | – | – | ✂ |
| Noirétable | – | – | – | – | ✂ |
| La Pacaudière | – | – | – | – | ✂ ⛷ |
| Pélussin | – | – | – | – | – |
| Pouilly-sous-Charlieu | – | – | – | – | ✂ |

| | Permanent | Restauration | Loc. (ou) | Loc. (et autres) | ✂ | ⛵ / 🖻 |
|---|---|---|---|---|---|---|
| St-Alban-les-Eaux | — | 🐾 | — | — | — | — |
| St-Bonnet-le-Château | — | — | — | — | ✂ | — |
| St-Galmier | — | — | — | — | — | ⛵ |
| St-Germain-Laval | — | — | — | — | ✂ | — |
| St-Jodard | — | — | — | — | ✂ | — |
| St-Paul-de-Vézelin | — | 🐾 | — | — | ✂ | — |
| St-Pierre-de-Boeuf | — | — | — | — | ✂ | — |
| St-Sauveur-en-Rue | — | — | — | — | — | — |
| Villerest | — | — | — | — | — | — |

## 43 - HAUTE-LOIRE 11 16

| | Permanent | Restauration | Loc. (ou) | Loc. (et autres) | ✂ | ⛵ / 🖻 |
|---|---|---|---|---|---|---|
| Allègre | — | — | — | — | — | — |
| Alleyras | — | — | — | • | ✂ | — |
| Aurec-sur-Loire | — | — | — | — | — | — |
| Blesle | — | — | — | — | — | — |
| Brioude | — | — | • | — | — | — |
| Céaux-d'Allégre | — | — | — | — | ✂ | — |
| La Chaise-Dieu | — | — | — | • | ✂ | — |
| Chamalières-sur-Loire | — | — | • | • | — | ⛵ |
| Le Chambon-sur-Lignon | — | — | • | • | ✂ | — |
| Champagnac-le-Vieux | — | — | • | • | ✂ | — |
| Craponne-sur-Arzon | — | — | — | — | ✂ | ⛵ |
| Goudet | — | — | • | • | — | ⛵ |
| Jullianges | — | — | — | — | ✂ | — |
| Landos | — | — | — | — | ✂ | — |
| Langeac | — | — | — | • | — | — |
| Lavoûte-sur-Loire | — | — | — | — | ✂ | — |
| Lempdes | — | — | — | — | ✂ | ⛵ |
| Mazet-St-Voy | — | — | — | — | ✂ | — |
| Le Monastier-sur-Gazeille | — | — | • | — | ✂ | — |
| Monistrol-sur-Loire | — | — | — | — | ✂ | 🖻 |
| Paulhaguet | — | — | — | • | — | — |
| Pinols | — | — | • | — | • | — |
| Le Puy-en-Velay | — | — | — | • | ✂ | ⛵ |
| St-Didier-en-Velay | — | — | — | • | ✂ | ⛵ |
| St-Julien-Chapteuil | — | — | — | • | ✂ | ⛵ |
| St-Pal-de-Chalencon | — | — | — | — | — | ⛵ |
| St-Privat-d'Allier | — | — | — | • | — | ⛵ |
| Ste-Eugénie-de-Villeneuve | — | — | — | — | — | — |
| Ste-Sigolène | — | — | — | — | — | — |
| Sauges | — | — | — | • | ✂ | 🖻 |
| Sembadel-Gare | — | — | — | — | ✂ | — |
| Solignac-sur-Loire | — | — | — | — | ✂ | — |
| Tence | — | — | — | — | — | ⛵ |
| Vorey | — | — | — | — | ✂ | ⛵ |

## 44 - LOIRE-ATLANTIQUE 4 9

| | Permanent | Restauration | Loc. (ou) | Loc. (et autres) | ✂ | ⛵ / 🖻 |
|---|---|---|---|---|---|---|
| Ancenis | — | — | — | — | ✂ | ⛵ |
| Assérac | — | — | — | — | — | — |
| Batz-sur-Mer | — | — | • | — | — | — |
| La Baule 🅰 | — | — | • | • | ✂ | ⛵ |
| La Bernerie-en-Retz | — | — | — | — | ✂ | ⛵ |
| Beslé | — | — | • | — | — | — |
| Blain | — | — | — | — | — | — |
| Bourgneuf-en-Retz | — | — | • | • | ✂ | ⛵ |
| Le Croisic | — | — | • | • | ✂ | ⛵ |
| Le Fresne-sur-Loire | — | — | • | — | — | — |
| Le Gâvre | — | — | — | — | ✂ | — |
| Guémené-Penfao | P | — | — | — | ✂ | — |
| Guérande | — | — | • | • | ✂ | ⛵ |
| Héric | P | — | — | — | — | — |
| Machecoul | — | — | — | — | ✂ | ⛵ |
| Marsac-sur-Don | — | 🐾 | • | • | — | — |
| Mesquer | — | — | • | — | — | ⛵ |

| | Permanent | Restauration | Loc. (ou) | Loc. (et autres) | ✂ | ⛵ / 🖻 |
|---|---|---|---|---|---|---|
| Les Moutiers-en-Retz | P | — | • | • | ✂ | 🖻 |
| Nantes 🅰 | P | — | • | — | — | 🖻 |
| Nort-sur-Erdre | — | 🐾 | — | — | ✂ | — |
| Nozay | — | — | — | — | — | — |
| Oudon | — | — | — | — | — | — |
| Paimboeuf | — | — | — | • | — | ⛵ |
| Piriac-sur-Mer | — | — | • | • | ✂ | ⛵ |
| La Plaine-sur-Mer | — | — | • | • | — | — |
| Pornic | P | — | • | — | • | ⛵ |
| Pornichet | — | — | — | — | — | 🖻 |
| Port-St-Père | — | — | — | — | — | — |
| Préfailles | — | — | — | — | ✂ | — |
| St-André-des-Eaux | — | — | — | — | ✂ | — |
| St-Brévin-les-Pins | P | — | • | • | ✂ | ⛵ |
| St-Étienne-de-Montluc | P | — | — | — | — | — |
| St-Julien-de-Concelles | — | — | — | — | ✂ | — |
| St-Lyphard | — | — | — | — | ✂ | — |
| St-Michel-Chef-Chef | P | — | — | — | — | — |
| St-Nazaire | — | — | • | — | — | — |
| St-Père-en-Retz | — | — | — | — | ✂ | — |
| Ste-Reine-de-Bretagne | — | 🐾 | • | • | ✂ | ⛵ |
| Savenay | — | — | • | — | — | — |
| La Turballe | — | — | • | — | — | ⛵ |
| Vallet | — | — | — | — | ✂ | — |

## 45 - LOIRET 5 6

| | Permanent | Restauration | Loc. (ou) | Loc. (et autres) | ✂ | ⛵ / 🖻 |
|---|---|---|---|---|---|---|
| Auxy | — | — | — | — | — | — |
| Beaulieu-sur-Loire | — | — | — | — | — | — |
| Châteaurenard | — | — | — | • | — | — |
| Chatenoy | — | — | — | — | — | — |
| Châtillon-Coligny | — | — | — | — | — | — |
| Coullons | — | — | — | — | ✂ | — |
| Courtenay | — | — | — | — | — | — |
| Ferrières | — | — | — | — | — | — |
| Gien | — | 🐾 | • | • | ✂ | ⛵ |
| Lorris | — | — | — | — | — | — |
| Malesherbes | P | — | — | — | — | — |
| Montargis | P | — | — | • | — | — |
| Nibelle | — | — | — | • | ✂ | — |
| Orléans | — | — | — | • | — | — |
| St-Père-sur-Loire | — | — | — | — | — | — |
| Sennely | — | — | — | • | — | — |
| Tigy | — | 🐾 | — | — | ✂ | — |

## 46 - LOT 10 13 14 15

| | Permanent | Restauration | Loc. (ou) | Loc. (et autres) | ✂ | ⛵ / 🖻 |
|---|---|---|---|---|---|---|
| Alvignac | — | — | 🐾 | • | — | ✂ |
| Bagnac-sur-Célé | — | — | — | • | ✂ | ⛵ |
| Brengues | — | — | • | • | ✂ | ⛵ |
| Cajarc | — | — | • | • | ✂ | ⛵ |
| Calviac | — | 🐾 | • | — | ✂ | ⛵ |
| Cassagnes | — | — | — | — | — | ⛵ |
| Castelnau-Montratier | — | — | — | • | — | — |
| Cazals | — | — | — | — | ✂ | — |
| Comiac | — | 🐾 | — | — | — | — |
| Concorès | — | — | — | — | — | ⛵ |
| Condat | — | — | — | — | — | — |
| Crayssac | — | — | • | • | • | ⛵ |
| Cressensac | — | — | — | — | — | — |
| Creysse | — | — | — | — | — | — |
| Dégagnac | — | — | — | — | ✂ | — |
| Duravel | — | — | • | • | ✂ | ⛵ |
| Figeac | — | — | — | — | — | — |
| Frayssinet | — | — | • | — | ✂ | ⛵ |
| Gourdon | — | — | — | — | • | — |
| Gramat | — | — | — | • | ✂ | ⛵ |

| | Permanent | Restauration | Loc. 🏠 ou 📷 | 🏡 et autres 🎾 | 📺 ou 🎿 |
|---|---|---|---|---|---|
| Issendolus | – | – | – | • | – 🎿 |
| Lacapelle-Marival | – | – | – | 🎾 | 🎿 |
| Lalbenque | – | – | – | 🎾 | 🎿 |
| Lamagdelaine | – | – | – | 🎾 | – |
| Larnagol | – | – | – | – | – |
| Leyme | – | – | • | 🎾 | 📺 |
| Limogne-en-Quercy | – | – | – | 🎾 | 🎿 |
| Loubressac | – | • | – | 🎾 | 🎿 |
| Marcilhac-sur-Célé | – | – | – | – | 🎿 |
| Martel | – | • | – | – | – |
| Montbrun | – | – | – | – | – |
| Montcabrier | – | • | – | – | 🎿 |
| Montcuq | – 🍴 | – | – | – | – |
| Padirac | – | • | – | – | 🎿 |
| Payrac | – | • | – | 🎾 | 🎿 |
| Prayssac | – 🍴 | – | • | • | 🎿 |
| Puybrun | – | • | • | • | – |
| Puy-l'Évêque | – | • | – | 🎾 | 🎿 |
| Les Quatre-Routes | – | – | – | – | – |
| Rocamadour | – | • | • | – | 🎿 |
| St-Céré | – | – | – | 🎾 | 🎿 |
| St-Cirq-Lapopie | – 🍴 | • | – | 🎾 | 🎿 |
| St-Germain-du-Bel-Air | – 🍴 | – | – | 🎾 | – |
| St-Pantaléon | – | • | • | 🎾 | – |
| St-Pierre-Lafeuille | – | – | – | 🎾 | 🎿 |
| St-Sulpice | – | – | – | 🎾 | – |
| Salviac | – | – | • | 🎾 | 🎿 |
| Souillac | – 🍴 | • | • | 🎾 | 🎿 |
| Touzac | – | • | • | • | 🎿 |
| Vers | – | • | – | • | 🎿 |
| Le Vigan | – 🍴 | – | – | – | 🎿 |

## 47 - LOT-ET-GARONNE 🄙4

| | Permanent | Restauration | Loc. 🏠 ou 📷 | 🏡 et autres 🎾 | 📺 ou 🎿 |
|---|---|---|---|---|---|
| Agen | P | – | – | – | 🎾 🎿 |
| Aiguillon | – | – | • | – | – |
| Casteljaloux | – | – | – | 🎾 | 🎿 |
| Castillonnès | – | – | – | 🎾 | 🎿 |
| Cuzorn | – | – | – | 🎾 | – |
| Damazan | – | – | • | 🎾 | – |
| Fumel | – | – | • | – | – |
| Lougratte | – | • | – | 🎾 | – |
| Mézin | – | – | – | – | – |
| Miramont-de-Guyenne | – | • | • | 🎾 | – |
| Moncrabeau | – | – | – | 🎾 | 🎿 |
| Monflanquin | – 🍴 | • | – | 🎾 | 🎿 |
| Montauriol | – | – | – | 🎾 | – |
| Parranquet | – | – | – | 🎾 | 🎿 |
| Penne-d'Agenais | – | – | • | 🎾 | 🎿 |
| Puymirol | – | – | – | 🎾 | – |
| St-Sernin | – | – | – | – | – |
| St-Sylvestre-sur-Lot | P | – | – | – | – |
| Ste-Livrade-sur-Lot | – | – | – | 🎾 | 🎿 |
| Sauveterre-la-Lémance | – | – | – | – | 🎿 |
| Tonneins | – | – | – | – | – |
| Tournon-d'Agenais | – | • | • | 🎾 | – |
| Trentels | – 🍴 | • | – | 🎾 | 🎿 |
| Villeréal | – 🍴 | • | – | • | 🎾 🎿 |

## 48 - LOZÈRE 🄙1 🄙5 🄙6

| | Permanent | Restauration | Loc. 🏠 ou 📷 | 🏡 et autres 🎾 | 📺 ou 🎿 |
|---|---|---|---|---|---|
| La Canourgue | – | – | • | – | – |
| Chastanier | – | • | – | – | – |
| Florac | – | – | – | 🎾 | – |
| Grandrieu | – 🍴 | – | – | – | – |
| Ispagnac | – | – | – | 🎾 | – |
| Laubert | P | • | – | – | – |

| | Permanent | Restauration | Loc. 🏠 ou 📷 | 🏡 et autres 🎾 | 📺 ou 🎿 |
|---|---|---|---|---|---|
| Le Malzieu-Ville | – | – | – | – | – |
| Marvejols | – | – | – | 🎾 | – |
| Meyrueis | – | – | • | 🎾 | 🎿 |
| Naussac | – | – | – | – | – |
| Rousses | – | – | – | – | – |
| Le Rozier | – | • | • | 🎾 | 🎿 |
| St-Alban-sur-Limagnole | – | – | – | 🎾 | – |
| St-Germain-du-Teil | – | • | • | 🎾 | – |
| St-Rome-de-Dolan | – 🍴 | – | – | – | – |
| Ste-Énimie | – | – | – | – | – |
| Serverette | – | – | – | – | – |
| Les Vignes | – | – | – | – | – |
| Villefort | – | – | • | – | – |

## 49 - MAINE-ET-LOIRE 🄙4 🄙5 🄙9

| | Permanent | Restauration | Loc. 🏠 ou 📷 | 🏡 et autres 🎾 | 📺 ou 🎿 |
|---|---|---|---|---|---|
| Angers 🅰 | – | – | – | 🎾 | 🎾 |
| Baugé | – | – | – | 🎾 | 🎾 |
| Bouchemaine | – | – | – | 🎾 | 🎾 |
| Brain-sur-l'Authion | P | – | – | 🎾 | – |
| La Breille-les-Pins | – | – | – | – | – |
| Challain-la-Potherie | – | – | – | – | – |
| Chalonnes-sur-Loire | – | – | – | 🎾 | 🎿 |
| Chaumont d'Anjou | – | – | – | – | – |
| Cheffes | – | – | – | 🎾 | – |
| Cholet | P | – | • | 🎾 | 🎾 |
| Coutures | – | – | • | 🎾 | 🎿 |
| Doué-la-Fontaine | – | – | – | 🎾 | 🎾 |
| Durtal | – | – | – | 🎾 | 🎿 |
| Gennes | – | – | – | – | – |
| Grez-Neuville | – 🍴 | – | – | – | – |
| La Jaille-Yvon | – 🍴 | – | – | – | – |
| Le Lion-d'Angers | – | – | – | – | – |
| Montreuil-Bellay | – | • | • | 🎾 | 🎿 |
| Montreuil-Juigné | – | – | – | 🎾 | – |
| Montsoreau | – | – | – | 🎾 | – |
| Morannes | – | – | – | 🎾 | – |
| Mûrs-Érigné | – 🍴 | – | – | – | – |
| Noyant | – | – | – | – | – |
| Noyant-la-Gravoyère | – | • | – | – | – |
| Nueil-sur-Layon | – | – | – | 🎾 | – |
| La Possonnière | – | – | – | – | – |
| Pouancé | – | – | – | – | – |
| Pruillé | – | – | – | – | – |
| Les Rosiers | – | – | – | 🎾 | 🎿 |
| St-Lambert-du-Lattay | – | – | – | – | – |
| St-Martin-de-la-Place | – | – | – | – | – |
| St-Mathurin-sur-Loire | – | – | – | 🎾 | 🎿 |
| Saumur | P 🍴 | • | – | 🎾 | 📺 |
| Seiches-sur-le-Loir | – | – | – | – | – |
| La Tessoualle | – | – | – | – | – |
| Thouarcé | – | – | – | 🎾 | – |
| Tiercé | – | – | – | 🎾 | – |
| Trèves-Cunault | – | – | – | – | – |
| La Varenne | – | – | – | 🎾 | – |
| Varennes-sur-Loire | – | – | • | 🎾 | 🎿 |
| Vernantes | – | – | – | 🎾 | – |
| Vihiers | – | – | – | – | – |

## 50 - MANCHE 🄙4

| | Permanent | Restauration | Loc. 🏠 ou 📷 | 🏡 et autres 🎾 | 📺 ou 🎿 |
|---|---|---|---|---|---|
| Agon-Coutainville | – | – | – | – | 🎾 |
| Annoville | – 🍴 | – | – | – | – |
| Barfleur | – | – | – | – | – |
| Barneville-Carteret 🅰 | – 🍴 | – | • | • | – 🎿 |
| Beaubigny | – 🍴 | – | – | – | – |
| Beauvoir | – | – | • | • | – |

45

| | Permanent | Restauration | Loc. 🚐 ou 🚐 | Loc. et autres 🏠 ✂ 🛶 | ou |
|---|---|---|---|---|---|
| Blainville-sur-Mer | — | — | • | — | ✂ 🛶 |
| Brécey | — | — | — | — | ✂ 🛶 |
| Bréhal | — | — | • | — | 🛶 |
| Carentan | P | — | — | — | 🛶 |
| Cherbourg | P | — | — | — | — |
| Courtils | — | — | — | — | — |
| Coutances | P | — | • | — | ✂ 📷 |
| Créances | — | — | — | — | — |
| La Croix-Avranchin | — | — | — | — | — |
| Denneville | — | — | • | — | ✂ |
| Ducey | — | — | — | — | ✂ |
| Genêts | — | — | • | — | 🛶 |
| Gouville-sur-Mer | — | — | • | — | — |
| Granville | — | — | • | • | ✂ 🛶 |
| Jullouville [A] | — | — | • | — | — |
| Maupertus-sur-Mer | — | — | • | • | — |
| Montfarville | — | — | — | — | — |
| Montmartin-sur-Mer | P | — | — | • | ✂ — |
| Les Pieux | — | — | • | • | ✂ 📷 |
| Ravenoville | — | — | • | — | ✂ 🛶 |
| St-Georges-de-la-Rivière | P | — | • | — | — |
| St-Germain-sur-Ay | — | — | • | — | ✂ 🛶 |
| St-Hilaire-du-Harcouët | — | — | — | — | — |
| St-Jean-le-Thomas | — | — | — | — | — |
| St-Martin-d'Aubigny | — | — | — | — | ✂ |
| St-Pair-sur-Mer | — | — | • | • | 🛶 |
| St-Vaast-la-Hougue | — | — | — | — | — |
| Ste-Marie-du-Mont | — | — | • | — | ✂ |
| Ste-Mère-Église | — | — | • | — | ✂ |
| Servon | — | — | — | — | 🛶 |
| Surtainville | P | — | — | • | — |
| Torigni-sur-Vire | — | — | — | — | ✂ |
| Villedieu-les-Poêles | — | — | — | — | — |

## 51 - MARNE [6][7]

| | Permanent | Restauration | Loc. 🚐 | Loc. autres | ou |
|---|---|---|---|---|---|
| Arrigny | — | — | — | — | — |
| Châlons-sur-Marne | — | — | — | — | ✂ |
| Fismes | — | — | — | — | ✂ |
| Giffaumont-Champaubert | — | — | — | — | — |
| Le Meix-St-Epoing | P | — | • | — | — |
| Ste-Marie-du-Lac-Nuisement | — | — | • | — | — |
| Ste-Menehould | — | — | — | — | 🛶 |
| Sézanne | — | — | — | — | ✂ 🛶 |

## 52 - HAUTE-MARNE [7]

| | Permanent | Restauration | Loc. 🚐 | Loc. autres | ou |
|---|---|---|---|---|---|
| Andelot | — | — | — | — | — |
| Bourbonne-les-Bains ♨ | — | — | • | — | ✂ 🛶 |
| Braucourt | — | — | — | — | — |
| Froncles | — | — | — | — | ✂ |

## 53 - MAYENNE [4][5]

| | Permanent | Restauration | Loc. 🚐 | Loc. autres | ou |
|---|---|---|---|---|---|
| Ambrières-les-Vallées | — | — | — | — | — |
| Andouillé | — | — | — | — | — |
| Bais | — | — | — | — | ✂ 🛶 |
| Château-Gontier | — | — | — | — | ✂ 🛶 |
| Craon | — | — | • | — | ✂ 📷 |
| Daon | — | — | — | — | ✂ 🛶 |
| Ernée | — | — | — | — | ✂ 📷 |
| Évron | P | — | — | • | ✂ 📷 |

| | Permanent | Restauration | Loc. 🚐 | Loc. autres | ou |
|---|---|---|---|---|---|
| Laval | — | — | — | — | — |
| Mayenne | — | — | — | — | — |
| Menil | — | — | — | — | — |
| Meslay-du-Maine | — | — | — | — | — |
| Montsurs | P | — | — | — | — |

## 54 - MEURTHE-ET-MOSELLE [7][8]

| | Permanent | Restauration | Loc. 🚐 | Loc. autres | ou |
|---|---|---|---|---|---|
| Baccarat | P | — | — | — | ✂ 📷 |
| Blamont | — | — | — | — | ✂ |
| Jaulny | — | — | • | — | — |
| Mandres-aux-Quatre-T. | — | 🦢 | — | — | — |
| Nancy [A] | — | — | — | — | — |
| Tonnoy | — | — | — | — | ✂ |

## 55 - MEUSE [7]

| | Permanent | Restauration | Loc. 🚐 | Loc. autres | ou |
|---|---|---|---|---|---|
| Dun-sur-Meuse | — | — | — | — | — |
| Montmédy | — | — | — | — | — |
| Romagne-sous-Montf. | — | — | — | — | — |
| Sivry-sur-Meuse | — | — | — | — | — |
| Varennes-en-Argonne | — | — | — | — | — |

## 56 - MORBIHAN [3][4]

| | Permanent | Restauration | Loc. 🚐 | Loc. autres | ou |
|---|---|---|---|---|---|
| Ambon | — | — | • | — | 🛶 |
| Arradon | — | — | • | — | 🛶 |
| Arzon | — | — | — | — | — |
| Baden | — | — | • | — | 🛶 |
| Baud | — | — | • | — | — |
| BELLE-ÎLE-EN-MER | | | | | |
| Bangor | — | 🦢 | — | — | ✂ |
| Locmaria [A] | — | — | — | — | — |
| Le Palais | — | 🦢 | • | — | ✂ |
| Belz | — | — | — | — | — |
| Carnac [A] | — | — | • | • | ✂ 🛶 |
| Caudan | — | — | — | — | — |
| Crach | P | — | • | • | ✂ 🛶 |
| Damgan | — | — | • | — | 🛶 |
| Erdeven | — | — | • | • | ✂ 🛶 |
| Le Faouët | — | — | — | — | — |
| La Gacilly | — | — | — | — | — |
| Guéméné-sur-Scorff | — | — | — | — | — |
| Le Guerno | — | — | — | — | — |
| Guidel | — | — | • | — | ✂ |
| Ile-aux-Moines | — | — | — | — | — |
| Josselin | P | — | — | — | — |
| Larmor-Plage | P | — | • | — | ✂ |
| Locmariaquer | P | — | • | — | ✂ |
| Locmiquélic | — | — | — | — | — |
| Melrand | — | — | — | — | — |
| Muzillac | — | — | • | — | ✂ |
| Pénestin | — | 🦢 | • | — | ✂ 📷 |
| Ploemel | P | — | — | — | — |
| Ploemeur | — | — | — | — | — |
| Plougoumelen | — | — | — | — | ✂ |
| Plouharnel | — | — | • | • | 🛶 |
| Plouhinec | — | — | • | — | 🛶 |
| Questembert | — | — | — | — | — |
| QUIBERON | | | | | |
| Quiberon [A] | — | — | • | — | ✂ |
| St-Julien | — | — | • | — | — |
| St-Pierre-Quiberon | — | — | • | — | — |
| Réguiny | — | — | — | — | ✂ 🛶 |
| La Roche-Bernard | — | — | — | — | ✂ |
| Rochefort-en-Terre | — | — | — | — | — |

| | Permanent | Restauration | Loc. caravane ou camping-car | tente et autres | ou (tennis / baignade) | |
|---|---|---|---|---|---|---|
| St-Congard | — | — | — | — | — | — |
| St-Gildas-de-Rhuys | — | — | — | — | 🎾 | 🏊 |
| St-Jacut-les-Pins | — | 🍴 | — | — | — | — |
| St-Malo-de-Beignon | — | — | — | — | — | — |
| St-Nicolas-des-Eaux | — | — | — | — | — | — |
| St-Philibert | — | — | • | — | 🎾 | — |
| St-Vincent-sur-Oust | — | 🍴 | — | — | — | — |
| Ste-Anne-d'Auray | — | — | • | — | 🎾 | — |
| Sarzeau ⌂ | — | — | • | — | — | 🏊 |
| Sérent | P | — | — | — | 🎾 | 🏊 |
| Surzur | — | — | — | — | 🎾 | 🏊 |
| Taupont | — | — | • | — | — | 🏊 |
| Theix | — | 🍴 | — | — | 🎾 | — |
| Trédion | — | — | — | — | 🎾 | — |
| La Trinité-Porhoët | — | — | — | — | 🎾 | — |
| La Trinité-sur-Mer | — | 🍴 | • | • | 🎾 | 🏊 |
| Vannes | — | — | — | • | — | — |

## 57 - MOSELLE 7 8

| | Permanent | Restauration | Loc. caravane | tente et autres | tennis | baignade |
|---|---|---|---|---|---|---|
| Baerenthal | — | — | — | • | 🎾 | — |
| Corny-sur-Moselle | — | — | — | — | 🎾 | — |
| Dabo | — | — | — | • | — | — |
| Morhange | — | — | — | • | — | — |
| Phalsbourg | — | — | — | — | — | — |
| St-Avold | P | — | — | — | — | — |

## 58 - NIÈVRE 6 11

| | Permanent | Restauration | Loc. caravane | tente et autres | tennis | baignade |
|---|---|---|---|---|---|---|
| Bazolles | — | — | — | — | — | — |
| Brèves | — | — | — | — | — | — |
| Château-Chinon | — | 🍴 | — | — | — | — |
| Chatillon-en-Bazois | — | — | — | — | 🎾 | 🏊 |
| Clamecy ⌂ | — | — | — | — | — | — |
| Cruz-la-Ville | — | — | • | — | — | — |
| Dornes | — | — | — | — | — | — |
| Entrains-sur-Nohain | — | — | — | — | — | — |
| Luzy | — | 🍴 | • | — | • | 🏊 |
| Montapas | — | — | — | — | — | — |
| Montigny-en-Morvan | — | — | — | — | — | — |
| Moulins-Engilbert | — | — | — | — | 🎾 | — |
| Planchez | — | — | — | — | 🎾 | — |
| Pougues-les-Eaux | — | — | — | — | 🎾 | 🏊 |
| Prémery | — | — | — | — | 🎾 | — |
| St-Honoré-les-Bains ⚕ | — | — | — | • | 🎾 | 🏊 |
| St-Péreuse | — | 🍴 | • | — | 🎾 | 🏊 |
| Les Settons | — | — | • | — | 🎾 | — |
| Varzy | — | — | • | — | 🎾 | — |

## 59 - NORD 1 2

| | Permanent | Restauration | Loc. caravane | tente et autres | tennis | baignade |
|---|---|---|---|---|---|---|
| Aubencheul-au-Bac | — | — | — | — | — | — |
| Avesnes-sur-Helpe | — | — | — | — | 🎾 | — |
| Bavay | P | — | • | — | — | — |
| Bollezeele | — | — | — | — | — | — |
| Bray-Dunes | — | — | • | • | 🎾 | — |
| Brunémont | — | — | — | — | 🎾 | — |
| Coudekerque | P | — | — | — | — | — |
| Felleries | — | — | — | — | — | — |
| Godewaersvelde | — | — | — | — | — | — |
| Grand-Fort-Philippe | — | — | — | — | — | — |
| Hondschoote | — | — | — | — | — | — |
| Lynde | — | — | — | — | — | — |
| Maubeuge | P | — | — | — | — | — |
| Millam | — | — | • | — | — | — |
| Ohain | — | 🍴 | — | — | — | — |

| | Permanent | Restauration | Loc. caravane | tente et autres | tennis | baignade |
|---|---|---|---|---|---|---|
| Prisches | P | — | — | — | — | — |
| Renescure | — | — | — | — | — | — |
| St-Amand-les-Eaux ⚕ | — | 🍴 | — | — | — | — |
| St-Jans-Cappel | — | — | — | • | — | — |
| Sassegnies | — | — | — | — | — | — |
| Solesmes | — | — | • | — | — | — |
| Staple | P | 🍴 | • | — | — | — |
| Steenbecque | — | 🍴 | — | — | — | — |
| Téteghem | — | — | — | — | — | — |
| Warhem | — | — | — | — | — | — |
| Watten | — | — | — | — | — | — |
| Willies | — | — | — | — | — | — |

## 60 - OISE 6

| | Permanent | Restauration | Loc. caravane | tente et autres | tennis | baignade |
|---|---|---|---|---|---|---|
| Attichy | P | — | — | — | 🎾 | 🏊 |
| Beauvais | P | — | — | — | 🎾 | 🏊 |
| Lagny | — | — | — | — | — | — |
| Liancourt | P | — | — | — | — | — |
| Orvillers-Sorel | — | — | — | — | — | — |
| Pierrefonds | — | — | — | — | — | — |
| Salency | P | — | — | — | 🎾 | — |
| Songeons | — | 🍴 | — | — | — | — |

## 61 - ORNE 4 5

| | Permanent | Restauration | Loc. caravane | tente et autres | tennis | baignade |
|---|---|---|---|---|---|---|
| Alençon | — | — | — | — | 🎾 | — |
| Argentan | — | — | — | — | 🎾 | ⌂ |
| Bagnoles-de-l'O. ⚕ | — | — | — | — | — | — |
| Bretoncelles | — | 🍴 | — | — | — | — |
| Essay | — | — | — | — | — | — |
| La Ferrière-aux-Étangs | — | — | • | — | 🎾 | — |
| La Ferté-Macé | — | — | — | — | 🎾 | — |
| Gacé | — | — | — | — | — | — |
| St-Evroult-N.-D.-du-Bois | — | — | — | — | 🎾 | — |
| Vimoutiers | P | — | — | — | 🎾 | — |

## 62 - PAS-DE-CALAIS 1 2

| | Permanent | Restauration | Loc. caravane | tente et autres | tennis | baignade |
|---|---|---|---|---|---|---|
| Amplier | P | — | • | — | — | — |
| Ardres | P | — | — | — | — | — |
| Audinghen | — | — | — | — | — | — |
| Audresselles | — | — | — | — | — | — |
| Audruicq | — | — | — | — | — | — |
| Auxi-le-Château | — | — | — | — | — | — |
| Beaurainville | P | — | — | — | — | — |
| Beauvoir-Wavans | — | — | — | — | — | — |
| Berck-sur-Mer | — | — | • | — | 🎾 | 🏊 |
| Beuvry | — | — | — | — | — | 🎾 |
| Biache-St-Vaast | — | — | — | — | — | — |
| Blendecques | — | — | — | — | — | — |
| Boubers-sur-Canche | — | — | — | — | — | — |
| Camiers | P | — | — | — | — | 🏊 |
| Croix-en-Ternois | — | — | — | — | — | — |
| Cucq | — | — | — | — | — | — |
| Escalles | — | — | — | — | — | — |
| Fillièvres | — | — | — | — | — | — |
| Frévent | — | — | — | — | 🎾 | ⌂ |
| Grigny | — | — | — | — | — | — |
| Guînes | — | — | • | — | • | 🎾 |
| Isbergues | — | — | — | — | — | 🎾 |
| Landrethun-les-Ardres | — | — | — | — | — | — |
| Leubringhen | — | — | — | — | — | — |
| Licques | P | — | — | — | — | — |
| Maisnil-Lès-Ruitz | — | — | • | — | 🎾 | 🏊 |
| Mametz | — | — | — | • | — | — |

| | Permanent | Restauration | Loc. ou ⊞ | et autres ✕ | ⊠ ou |
|---|---|---|---|---|---|
| Marck | — | — | • | — | • — — |
| Merlimont | — | — | • | — | — ✕ ⛵ |
| Montreuil | P | — | — | — | — |
| Oye-Plage | — | — | — | — | — |
| St-Omer | — | — | • | — | — ✕ ⛵ |
| Serques | — | — | — | — | — |
| Tollent | — | — | — | — | — |
| Torquesne | — | — | • | — | — ✕ — |
| Tournehem-sur-la-Hem | P | — | • | — | — |
| Villers-Brûlin | — | — | • | — | — |
| Warlincourt-lès-Pas | — | — | — | — | — ⛵ |

## 63 - PUY-DE-DÔME 10 11

| | Permanent | Restauration | Loc. ou ⊞ | et autres ✕ | ⊠ ou |
|---|---|---|---|---|---|
| Ambert | P | — | • | — | — — ⊠ |
| Les Ancizes-Comps | — | — | — | • | — |
| Arlanc | — | — | — | • | ✕ — |
| Aydat (Lac d') | — | 🍴 | — | — | — |
| Billom | — | — | — | — | ✕ ⊠ |
| Blot-l'Église | — | — | — | — | ✕ |
| La Bourboule | P | — | • | • | ✕ ⊠ |
| Bromont-Lamothe | — | — | — | — | ✕ — |
| Ceyrat | P | — | • | • | — |
| Chambon (Lac) ⊞ | — | — | • | • | ✕ — |
| Châtelguyon | — | — | • | • | — ⛵ |
| Clémensat | — | — | — | — | — |
| Cournon-d'Auvergne | P | — | • | — | ✕ ⛵ |
| Espinchal | — | — | — | — | — |
| Issoire | P | 🍴 | • | — | ✕ ⛵ |
| Labessette | — | 🍴 | — | — | — |
| Loubeyrat | — | — | — | — | — |
| Les Martres-de-Veyre | — | — | — | • | — |
| Miremont | — | — | — | — | ✕ — |
| Montaigut-le-Blanc | — | — | — | — | ✕ — |
| Le Mont-Dore | — | 🍴 | — | — | — |
| Murol | — | — | • | • | ✕ ⛵ |
| Nébouzat | — | — | — | — | — ⊠ |
| Olliergues | — | 🍴 | • | • | — |
| Orcival | — | 🍴 | • | • | — |
| Orléat | — | — | — | — | — |
| Picherande | — | — | — | — | ✕ — |
| Pontaumur | — | — | — | — | ✕ — |
| Pont-de-Menat ⊞ | — | — | — | — | ✕ ⛵ |
| Pontgibaud | — | — | — | — | — |
| Puy-Guillaume | — | — | — | — | — |
| Royat | — | — | — | — | ✕ — |
| St-Alyre-d'Arlanc | — | — | — | — | — |
| St-Amant-Roche-Savine | — | — | — | — | ✕ — |
| St-Clément-de-Valorgue | — | 🍴 | — | — | — |
| St-Donat | — | — | — | — | — |
| St-Éloy-les-Mines | — | — | — | — | — ⛵ |
| St-Gal-sur-Sioule | — | — | — | • | — |
| St-Georges-de-Mons | — | — | — | — | ✕ ⛵ |
| St-Germain-Lembron | — | 🍴 | — | • | — ⛵ |
| St-Germain-l'Herm | — | — | — | — | — |
| St-Gervais-d'Auvergne | — | — | — | — | ✕ — |
| St-Nectaire | — | — | — | — | — |
| St-Priest-des-Champs | — | — | — | — | — |
| St-Rémy-sur-Durolle | — | — | • | — | ✕ ⛵ |
| Singles | — | — | — | — | ✕ — |
| Tauves | — | — | — | — | — |
| La Tour-d'Auvergne | — | 🍴 | — | — | — |
| Vernet-la-Varenne | — | — | — | — | — |
| Vollore-Ville | — | 🍴 | — | — | — |

## 64 - PYRÉNÉES-ATLANTIQUES 13 14

| | Permanent | Restauration | Loc. ou ⊞ | et autres ✕ | ⊠ ou |
|---|---|---|---|---|---|
| Ainhoa | P | — | • | — | — |
| Anglet ⊞ | P | — | • | • | ✕ ⛵ |
| Arette | P | — | — | — | — |
| Arthez-de-Béarn | — | — | — | — | ✕ ⛵ |
| Ascain | — | — | — | • | • ✕ ⛵ |
| Bayonne | — | 🍴 | — | • | ✕ ⛵ |
| Bedous | — | — | — | — | ✕ — |
| Biarritz ⊞ | — | — | • | • | ✕ ⛵ |
| Bidart | — | — | — | • | ✕ ⛵ |
| Bielle | P | — | — | — | — |
| Bruges | P | — | — | — | — |
| Bunus | — | — | — | — | ✕ — |
| Cambo-les-Bains | — | — | • | — | ✕ — |
| Eaux-Bonnes | — | — | — | — | — |
| Escot | — | 🍴 | • | • | ⛵ |
| Féas | P | — | • | — | — |
| Gère-Bélesten | P | — | — | — | — |
| Gourette | — | 🍴 | • | — | — |
| Gurmençon | — | — | • | — | — |
| Hasparren | — | — | — | — | ✕ ⛵ |
| Helette | — | — | — | — | ✕ — |
| Hendaye ⊞ | — | 🍴 | • | • | ✕ ⛵ |
| Iholdy | — | — | — | — | — |
| Irissarry | — | — | — | — | — |
| Izeste | — | — | — | — | ✕ — |
| Laàs | P | 🍴 | — | — | — |
| Larrau | — | — | — | — | — |
| Laruns | P | — | • | • | ✕ ⛵ |
| Lescun | — | — | — | — | — |
| Lestelle-Bétharram | — | — | — | — | ✕ — |
| Louvie-Juzon | — | — | — | — | — |
| Mauléon-Licharre | — | 🍴 | — | — | ✕ — |
| Oloron-Ste-Marie | — | — | — | — | ✕ — |
| Orthez | — | — | — | — | — ⛵ |
| Osses | — | — | — | — | — |
| Pau | P | — | • | • | ✕ ⊠ |
| Pontacq | — | — | — | — | — |
| St-Jean-de-Luz ⊞ | P | — | • | • | ✕ ⛵ |
| St-Jean-Pied-de-Port | — | — | • | — | ✕ ⛵ |
| St-Palais | — | — | — | — | ✕ ⛵ |
| St-Pée-sur-Nivelle | — | 🍴 | • | — | ✕ ⛵ |
| Salies-de-Béarn | — | — | • | — | — |
| Sare | — | — | • | — | ✕ ⛵ |
| Sauveterre-de-Béarn | P | — | — | — | — |
| Souraïde | P | — | • | • | ✕ ⛵ |
| Tardets-Sorholus | — | — | — | — | ✕ — |
| Urdos | — | — | — | — | ✕ — |
| Urrugne | — | — | • | — | ✕ ⛵ |

## 65 - HAUTES-PYRÉNÉES 13 14

| | Permanent | Restauration | Loc. ou ⊞ | et autres ✕ | ⊠ ou |
|---|---|---|---|---|---|
| Aragnouet | — | — | — | — | ✕ — |
| Argelès-Gazost ⊞ | P | 🍴 | • | • | — ⛵ |
| Arreau | — | — | — | — | — |
| Arrens-Marsous | P | 🍴 | — | — | ✕ ⛵ |
| Bagnères-de-B. | P | — | • | — | ✕ ⛵ |
| Bourisp | P | — | — | — | ✕ ⛵ |
| Campan | — | — | — | — | — |
| Cauterets | — | 🍴 | — | — | — |
| Estaing | P | 🍴 | • | — | — |
| Gavarnie | — | — | — | — | — |
| Gèdre | P | — | — | — | — |
| Gouaux | P | — | — | — | — |
| Loudenvielle | P | — | — | — | — |
| Lourdes ⊞ | P | — | — | • | ✕ ⛵ |

| | Permanent | Restauration | Loc. ou | et autres | ou |
|---|---|---|---|---|---|
| Luz-St-Sauveur [A] ⚓ 🏊 | P | 🍽 | • | • | — | 🛷 |
| Mauvezin | — | — | — | — | 🎾 | — |
| Monléon-Magnoac | — | — | — | — | 🎾 | — |
| St-Lary-Soulan 🏊 | — | — | — | — | — | — |
| St-Pé-de-Bigorre | — | — | — | — | — | — |
| Ste-Marie-de-Campan | P | • | • | — | — | 🛷 |
| Vielle-Aure | P | — | — | — | 🎾 | — |
| Vignec | P | — | — | — | — | — |

## 66 - PYRÉNÉES-ORIENTALES 🄯

| | Permanent | Restauration | Loc. ou | et autres | ou |
|---|---|---|---|---|---|
| Alénya | — | — | — | — | — | — |
| Amélie-les-Bains-P. ⚓ | — | • | — | • | — | 🛷 |
| Argelès-sur-Mer [A] | P | • | • | • | 🎾 | 🛷 |
| Arles-sur-Tech | — | • | • | • | 🎾 | 🛷 |
| Banyuls-sur-Mer | — | • | • | • | 🎾 | 🛷 |
| Le Barcarès | P | • | • | • | 🎾 | 🛷 |
| Le Boulou ⚓ | P | 🍽 | — | • | — | — |
| Bourg-Madame | P | — | — | • | 🎾 | 🛷 |
| Canet-Plage [A] | — | • | • | • | 🎾 | 🛷 |
| Céret | P | 🍽 | — | — | — | — |
| Collioure | — | • | • | • | 🎾 | 🛷 |
| Corsavy | — | — | • | — | — | — |
| Egat | P | — | — | — | — | — |
| Elne | — | — | — | — | 🎾 | — |
| Err | P | — | • | • | — | — |
| Fuilla | — | — | • | • | — | — |
| Laroque-des-Albères | — | 🍽 | • | • | 🎾 | 🛷 |
| Llauro | — | — | — | — | — | — |
| Maureillas-las-Illas | P | — | • | • | 🎾 | 🛷 |
| Molitg-les-Bains ⚓ | — | — | — | — | — | — |
| Néfiach | — | — | — | — | — | — |
| Osséja | — | — | — | — | — | — |
| Palau-de-Cerdagne | — | — | — | — | — | — |
| Palau-del-Vidre | P | • | — | • | — | 🛷 |
| Prats-de-Mollo-la-P. ⚓ | — | — | — | — | — | — |
| Ria-Sirach | — | — | — | — | — | — |
| Sahorre | — | — | — | — | — | — |
| Saillagouse | P | — | • | • | 🎾 | 🛷 |
| St-Cyprien | — | • | • | • | 🎾 | 🛷 |
| St-Jean-Pla-de-Corts | — | • | • | • | 🎾 | 🛷 |
| St-Laurent-de-Cerdans | — | — | — | — | — | — |
| Ste-Marie | — | • | • | • | 🎾 | 🛷 |
| Sournia | — | • | • | • | 🎾 | 🛷 |
| Targasonne | — | • | — | — | — | — |
| Tautavel | — | • | — | • | — | 🛷 |
| Torreilles | P | • | • | • | 🎾 | 🛷 |
| Vernet-les-Bains ⚓ | P | • | — | • | — | 🛷 |
| Villelongue-dels-Monts | — | — | — | — | — | — |
| Villeneuve-de-la-Raho | P | — | — | — | — | — |
| Villeneuve-des-Escaldes | — | — | — | — | — | — |
| Vinça | — | — | — | — | 🎾 | — |

## 67 - BAS-RHIN 🄯

| | Permanent | Restauration | Loc. ou | et autres | ou |
|---|---|---|---|---|---|
| Dambach-la-Ville | — | — | — | — | 🎾 | — |
| Gersheim | — | — | — | — | 🎾 | — |
| Haguenau | — | — | — | — | 🎾 | 🛷 |
| Harskirchen | P | — | — | — | 🎾 | 🛷 |
| Le Hohwald 🏊 | P | — | — | — | 🎾 | 🛷 |
| Keskastel | P | — | — | — | 🎾 | 🛷 |
| Lauterbourg | — | — | — | — | — | — |
| Niederbronn-les-B. ⚓ | P | 🍽 | • | — | 🎾 | 🛷 |
| Oberbronn | — | — | — | • | 🎾 | 🛷 |
| Rhinau | — | — | • | — | 🎾 | 🛷 |

## 68 - HAUT-RHIN 🄯

| | Permanent | Restauration | Loc. ou | et autres | ou |
|---|---|---|---|---|---|
| Rothau | — | — | — | — | — | — |
| St-Pierre | — | — | — | — | 🎾 | — |
| Saverne | — | — | — | — | 🎾 | — |
| Sélestat [A] | — | — | — | — | 🎾 | 🛷 |
| Wasselonne | — | — | — | — | 🎾 | 🛷 |
| Aubure | — | — | — | — | — | — |
| Bendorf | — | 🍽 | — | — | — | — |
| Burnhaupt-le-Haut | — | — | — | — | — | — |
| Cernay | — | — | • | — | 🎾 | 🛷 |
| Colmar | — | — | — | — | — | — |
| Éguisheim | — | — | — | — | — | — |
| Fréland | — | — | — | — | — | — |
| Guewenheim | — | — | — | — | 🎾 | 🛷 |
| Gunsbach | P | — | — | — | — | — |
| Heimsbrunn | P | — | — | — | — | — |
| Kaysersberg | — | — | — | — | 🎾 | — |
| Kruth | — | 🍽 | — | — | — | — |
| Labaroche | — | 🍽 | — | — | — | — |
| Lapoutroie | — | — | — | — | — | — |
| Lautenbach-Zell | P | — | — | — | 🎾 | 🛷 |
| Masevaux | — | 🍽 | — | — | 🎾 | 🛷 |
| Mittlach | — | 🍽 | — | — | — | — |
| Moosch | — | 🍽 | — | — | — | — |
| Mulhouse | — | — | • | — | 🎾 | 🛷 |
| Munster | — | — | — | — | — | 🛷 |
| Neuf-Brisach | P | — | • | — | — | 🛷 |
| Orbey | P | — | • | — | 🎾 | — |
| Ranspach | — | — | — | — | 🎾 | 🛷 |
| Ribeauvillé | — | — | — | — | 🎾 | 🛷 |
| Riquewihr | — | — | — | — | — | — |
| Rombach-le-Franc | — | — | — | — | — | — |
| Rouffach | — | — | — | — | — | — |
| Ste-Marie-aux-Mines | P | — | — | — | 🎾 | 🛷 |
| Seppois-le-Bas | — | — | — | — | 🎾 | 🛷 |
| Turckheim | — | — | — | — | 🎾 | 🛷 |
| Urbès | — | — | — | — | — | — |
| Wattwiller | — | — | • | — | 🎾 | 🛷 |
| Wihr-au-Val | — | — | — | — | — | — |
| Willer-sur-Thur | — | — | — | — | — | — |

## 69 - RHÔNE 🄯 🄯

| | Permanent | Restauration | Loc. ou | et autres | ou |
|---|---|---|---|---|---|
| L'Arbresle | — | — | — | — | 🎾 | 🛷 |
| Bessenay | — | — | — | — | — | — |
| Condrieu | — | — | • | — | — | — |
| Cublize | — | — | • | — | 🎾 | — |
| Fleurie | — | — | — | — | 🎾 | — |
| Haute-Rivoire | — | 🍽 | — | — | — | — |
| Lyon | P | • | — | — | — | 🛷 |
| Mornant | — | — | — | — | — | — |
| Poule-les-Echarmeaux | — | — | — | — | 🎾 | 🛷 |
| St-Jean-la-Bussière | — | — | — | — | — | — |
| St-Symphorien-sur-Coise | — | 🍽 | — | — | 🎾 | 🛷 |
| Ste-Catherine | — | 🍽 | — | — | — | — |
| Villefranche-sur-Saône | — | — | • | — | — | — |

## 70 - HAUTE-SAÔNE 🄯 🄯

| | Permanent | Restauration | Loc. ou | et autres | ou |
|---|---|---|---|---|---|
| Autrey-le-Vay | — | — | — | — | — | — |
| Les Aynans | — | — | — | — | — | — |
| Champagney | P | — | — | — | — | — |
| Luxeuil-les-Bains ⚓ | — | — | — | — | — | — |
| Mélisey | P | — | — | — | — | — |

| | Permanent | Restauration | Loc. 🚐 ou 🚐 | 🏠 et autres | ou 🎾 / ⛷ |
|---|---|---|---|---|---|
| Port-sur-Saône | — | — | • | — | 🎾 — |
| Preigney | — | — | — | — | — — |
| Rioz | — | — | — | — | 🎾 — |
| Vesoul | P | — | — | — | 🎾 — |
| Villersexel | — | — | — | — | — — |

## 71 - SAÔNE-ET-LOIRE [11][12]

| | Permanent | Restauration | Loc. 🚐 | 🏠 et autres | 🎾 / ⛷ |
|---|---|---|---|---|---|
| Autun | — | — | • | — | — — |
| Bourbon-Lancy 🏊 | — | — | • | • | 🎾 — |
| Chagny | — | — | • | — | 🎾 — |
| Chambilly | — | — | — | — | — — |
| Charolles | — | — | — | — | — ⛷ |
| Chauffailles | P | — | — | — | 🎾 ⛷ |
| La Clayette | P | — | — | — | 🎾 ⛷ |
| Cluny | — | — | • | — | 🎾 ⛷ |
| Crêches-sur-Saône | — | — | • | — | — — |
| Digoin | — | — | — | — | — ⛷ |
| Épinac | — | — | — | • | — — |
| Gibles | — | 🏊 | — | — | — ⛷ |
| Gigny-sur-Saône | — | 🏊 | • | — | — — |
| Issy-l'Evêque | — | 🏊 | — | — | — ⛷ |
| Louhans | — | — | • | — | 🎾 ⛷ |
| Mâcon | — | — | • | — | — — |
| Matour | — | — | — | — | 🎾 ⛷ |
| Mervans | P | — | — | — | — — |
| Paray-le-Monial | P | — | • | — | — — |
| St-Bonnet-de-Joux | — | — | — | — | 🎾 — |
| St-Cyr | P | — | — | — | — ⛷ |
| St-Germain-du-Bois | — | — | — | — | 🎾 — |
| Salornay-sur-Guye | — | 🏊 | — | — | — — |
| Toulon-sur-Arroux | — | — | — | — | — — |
| Varenne-sur-le-Doubs | — | — | — | — | — — |
| Volesvres | — | — | — | — | 🎾 — |

## 72 - SARTHE [5]

| | Permanent | Restauration | Loc. 🚐 | 🏠 et autres | 🎾 / ⛷ |
|---|---|---|---|---|---|
| Avoise | P | — | — | — | — — |
| Bessé-sur-Braye | — | — | — | — | 🎾 ⛷ |
| Bouloire | — | — | — | — | 🎾 — |
| Brûlon | — | — | — | — | 🎾 — |
| Chartre-sur-le-Loir | — | — | — | — | — — |
| Conlie | — | — | — | — | — — |
| Connerré | — | — | — | — | 🎾 — |
| Écommoy | — | — | — | — | 🎾 — |
| La Flèche | P | — | — | — | 🎾 🎾 |
| Fresnay-sur-Sarthe | — | — | — | — | 🎾 ⛷ |
| Luché-Pringé | — | — | — | — | 🎾 — |
| Le Lude | — | — | — | — | — — |
| Malicorne-sur-Sarthe | — | — | — | — | 🎾 — |
| Mamers | — | — | — | — | 🎾 ⛷ |
| Mansigné | — | — | — | — | 🎾 ⛷ |
| Marçon | — | — | — | — | 🎾 ⛷ |
| Mayet | — | — | — | — | — — |
| Précigné | — | — | — | — | — — |
| Ruillé-sur-Loir | — | — | — | — | 🎾 — |
| Sablé-sur-Sarthe | — | — | — | — | 🎾 — |
| St-Calais | — | — | — | — | 🎾 ⛷ |
| Sillé-le-Guillaume | — | 🏊 | • | • | — — |
| Tennie | — | — | — | — | 🎾 — |

*L'accueil et la bonne tenue sont les deux critères essentiels d'un bon terrain.*

*La courtoisie et la propreté sont les deux qualités principales d'un bon campeur.*

## 73 - SAVOIE [12]

| | Permanent | Restauration | Loc. 🚐 | 🏠 et autres | 🎾 / ⛷ |
|---|---|---|---|---|---|
| AIGUEBELETTE (Lac d') | — | — | — | — | — — |
| Novalaise-Lac [A] | — | — | — | — | — — |
| St-Alban-de-Montbel | — | — | • | — | — — |
| Aigueblanche | — | — | — | — | 🎾 [🏊] |
| Aillon-le-Jeune 🐿 | P | — | — | — | 🎾 — |
| Aime | — | — | — | — | — — |
| Aix-les-Bains 🏊 | P | • | • | • | 🎾 [🏊] |
| Albens | — | — | — | — | — — |
| Albertville | — | — | — | — | — — |
| Aussois 🐿 | P | 🏊 | — | — | 🎾 — |
| La Bâthie | — | — | — | — | — — |
| Beaufort | — | — | — | — | — — |
| Bourg-St-Maurice 🐿 | — | 🏊 | — | — | 🎾 [🏊] |
| Bozel | — | 🏊 | — | — | 🎾 — |
| Challes-les-Eaux 🏊 | — | — | — | — | — — |
| Chanaz | — | — | — | — | — — |
| Le Châtelard | — | — | — | — | — — |
| Entremont-le-Vieux | — | — | • | — | — — |
| Landry | — | — | — | — | — — |
| Lanslevillard 🐿 | — | — | — | — | — — |
| Lescheraines | — | — | — | — | — — |
| Les Marches | — | — | — | — | — — |
| Modane 🐿 | P | — | — | — | 🎾 — |
| Montchavin | — | — | — | — | — — |
| Orelle | — | — | — | — | — — |
| Peisey-Nancroix | — | 🏊 | • | • | 🎾 ⛷ |
| Pralognan-la-V. 🐿 | — | 🏊 | — | — | 🎾 ⛷ |
| Queige | — | — | — | — | — — |
| La Rochette | — | — | — | — | — — |
| La Rosière de Montvalezan 🐿 | — | — | • | — | 🎾 — |
| Ruffieux | — | — | — | — | — — |
| St-Avre | — | 🏊 | • | — | — ⛷ |
| St-Jean-de-Couz | — | 🏊 | — | — | — — |
| St Pierre d'Albigny | — | — | — | — | — — |
| St-Pierre-de-Curtille | — | — | — | — | 🎾 — |
| St-Rémy-de-Maurienne | — | — | — | — | — — |
| Ste-Hélène-du-Lac | — | — | — | — | 🎾 — |
| Col des Saisies 🐿 | P | • | — | — | — — |
| Séez | P | — | — | — | — — |
| Sollières-Sardières | — | — | — | — | — — |
| Termignon | — | — | — | — | 🎾 — |
| Tignes 🐿 | — | — | — | — | — — |
| La Toussuire 🐿 | — | — | — | • | — — |
| Val-d'Isère 🐿 | — | — | — | — | — — |
| Valloire | — | — | — | — | 🎾 ⛷ |
| Villarembert | — | — | — | — | — — |

## 74 - HAUTE-SAVOIE [12]

| | Permanent | Restauration | Loc. 🚐 | 🏠 et autres | 🎾 / ⛷ |
|---|---|---|---|---|---|
| Abondance 🐿 | — | — | — | • | 🎾 — |
| Amphion-les-Bains | — | — | — | — | — — |
| ANNECY (Lac d') | — | — | — | — | — — |
| Alex [A] | — | — | — | — | — — |
| Bout-du-Lac | — | — | • | — | — — |
| Doussard | — | — | • | — | — — |
| Duingt | — | — | — | — | — — |
| Lathuile | — | — | — | — | 🎾 ⛷ |
| Menthon-St-Bernard | — | — | — | — | — — |
| St-Jorioz | — | 🏊 | • | — | 🎾 ⛷ |
| Sévrier | — | — | • | — | 🎾 — |
| Talloires | — | — | • | — | — — |
| Argentière 🐿 | — | — | — | — | — — |
| La Balme-de-Sillingy | — | — | — | — | — — |
| La Baume | — | — | — | — | — — |
| Bonneville | — | — | — | — | — — |

| | Permanent | Restauration | Loc. ⛺ ou 🚐 | et autres | 🛏 ou / 🍽 🎾 ⛵ |
|---|---|---|---|---|---|
| Chamonix [▲] 🛶 | — | — | • | • | — 🎾 — |
| Châtel 🛶 | — | — | — | • | — 🎾 ⬛ |
| Chedde | — | — | — | — | — — — |
| Chêne-en-Semine | — | — | • | — | — 🎾 ⛵ |
| Choisy | — 🐎 | — | — | — | — — |
| Les Contamines-Montjoie 🛶 | — | — | — | • | — — — |
| Cruseilles | — | — | • | — | — 🎾 ⛵ |
| Cusy | — | — | • | — | — — |
| Excenevex | — | — | — | • | — — |
| Les Gets 🛶 | — | — | — | — | — — |
| Le Grand-Bornand 🛶 | — | — | — | • | 🎾 ⛵ |
| Les Houches 🛶 | — | — | — | • | — — |
| Lugrin | — | — | — | • | — — |
| Maxilly-sur-Léman | — | — | • | • | — — |
| Megève 🛶 | P | — | — | — | — ⛵ |
| Le Petit-Bornand-les-G. | — | — | — | — | — 🎾 — |
| Praz-sur-Arly 🛶 | P | — | — | — | — — — |
| Présilly | — | — | — | — | — — |
| Le Reposoir | — | — | • | — | — — |
| Rumilly | — | — | • | • | — — |
| St-Ferréol | — | — | — | — | — — |
| St-Gervais-les-Bains ⚓ 🛶 | — | — | • | — | — — |
| St-Jean-d'Aulps | P | — | — | — | — — |
| St-Jean-de-Sixt | — | — | — | — | — — |
| Sallanches [▲] 🛶 | — | — | • | • | — — |
| Samoëns 🛶 | — | — | • | • | 🎾 ⛵ |
| Sciez | — | — | • | — | — — |
| Serraval | — | — | — | — | — — |
| Servoz | — | — | • | — | 🎾 — |
| Seyssel | — | — | — | — | — — |
| Sillingy | — | — | — | — | — — |
| Sixt-Fer-à-Cheval | — 🐎 | — | — | — | — — |
| Taninges | P | — | — | — | 🎾 — |
| Thônes | — 🐎 | — | — | • | 🎾 — |
| Thonon-les-Bains ⚓ | — | — | — | — | — — |
| Verchaix | P | — | — | — | 🎾 — |

## 76 - SEINE-MARITIME ⑤ ⑥

| | Permanent | Restauration | Loc. ⛺ ou 🚐 | et autres | 🛏 ou / 🍽 🎾 ⛵ |
|---|---|---|---|---|---|
| Aumale | — | — | — | — | 🎾 — |
| Bazinval | — | — | — | — | 🎾 — |
| Bourg-Dun | — | — | — | — | 🎾 — |
| Dieppe | P | — | • | — | 🎾 ⬛ |
| Étretat | — | — | — | — | 🎾 — |
| Fécamp [▲] | — | — | — | — | — — |
| Gueures | — | — | — | — | — — |
| Le Havre | — | — | — | — | — — |
| Incheville | — | — | — | — | — — |
| Jumièges | — | — | — | — | 🎾 — |
| Les Loges | — | — | — | — | 🎾 — |
| Martigny | — 🐎 | — | — | — | — — |
| Neufchâtel-en-Bray | — 🐎 | — | • | • | 🎾 — |
| Offranville | — | — | • | • | 🎾 — |
| Omonville | — | — | — | — | — — |
| Pierreval | — | — | — | — | 🎾 — |
| Rouen | — | — | — | — | — — |
| St-Aubin-sur-Mer | — | — | • | — | — — |
| St-Pierre-en-Port | — | — | — | — | — — |
| St-Valéry-en-Caux | P | — | — | • | — — |
| Sassetot-le-Mauconduit | — 🐎 | • | — | — | — — |
| Touffreville-sur-Eu | — | — | — | — | — — |
| Toussaint | — | — | — | — | — — |
| Le Tréport | — | — | — | — | 🎾 — |
| Veules-les-Roses | — | — | — | — | 🎾 — |
| Vittefleur | — | — | — | — | — — |
| Yport | P | — | — | — | 🎾 — |

## 77 - SEINE-ET-MARNE ⑥

| | Permanent | Restauration | Loc. ⛺ ou 🚐 | et autres | 🛏 ou / 🍽 🎾 ⛵ |
|---|---|---|---|---|---|
| Bagneaux-sur-Loing | — | — | — | — | 🎾 — |
| Episy | P | — | — | — | 🎾 — |
| Euro Disney | P | — | — | — | — — |
| La Ferté-Gaucher | P | — | — | — | 🎾 — |
| La Ferté-sous-Jouarre | P 🐎 | — | — | — | 🎾 — |
| Hermé | — 🐎 | — | — | — | 🎾 — |
| Jablines | — | — | — | — | — — |
| Louan | — | — | — | — | — — |
| Marne-la-Vallée | P | — | • | • | 🎾 ⬛ |
| Melun | — | — | — | — | 🎾 ⬛ |
| Varreddes | — | — | — | — | 🎾 ⬛ |
| Veneux-les-Sablons | — | — | — | — | 🎾 ⬛ |
| Verdelot | — | — | — | — | 🎾 — |

## 78 - YVELINES ⑤ ⑥

| | Permanent | Restauration | Loc. ⛺ ou 🚐 | et autres | 🛏 ou / 🍽 🎾 ⛵ |
|---|---|---|---|---|---|
| Condé-sur-Vesgre | — 🐎 | — | — | — | — — |
| Maisons-Laffitte | P | • | — | — | — — |
| Rambouillet | P | — | — | — | — — |
| St-Illiers-la-Ville | — 🐎 | — | — | — | — ⛵ |

## 79 - DEUX-SÈVRES ⑨

| | Permanent | Restauration | Loc. ⛺ ou 🚐 | et autres | 🛏 ou / 🍽 🎾 ⛵ |
|---|---|---|---|---|---|
| Arçais | — | — | — | — | — — |
| Argenton-Château | — | — | — | — | 🎾 — |
| Argenton-l'Église | — | — | — | — | 🎾 — |
| Azay-sur-Thouet | — | — | — | — | 🎾 — |
| Le Beugnon | — | — | — | — | — — |
| Celles-sur-Belle | P | — | — | — | 🎾 ⛵ |
| Coulon | — | — | — | • | 🎾 ⛵ |
| Coulonges-sur-l'Autize | — | — | — | — | 🎾 — |
| Mauzé-sur-le-Mignon | — | — | — | — | 🎾 — |
| Melle | P | — | — | — | 🎾 — |
| Niort | P | — | — | — | — — |
| Pamproux | — | — | — | — | 🎾 — |
| Parthenay | P | • | — | — | 🎾 ⛵ |
| Prailles | — | — | • | • | 🎾 ⛵ |
| Puihardy | — 🐎 | — | — | — | — — |
| St-Aubin-le-Cloud | — | — | — | — | 🎾 ⛵ |
| St-Maixent-l'École | P | — | — | — | 🎾 ⬛ |
| St-Varent | — | — | — | — | 🎾 — |
| Sauzé-Vaussais | — | — | — | • | 🎾 ⬛ |
| Secondigny | — | — | • | — | 🎾 ⛵ |
| Le Vert | — | — | — | — | 🎾 — |

## 80 - SOMME ① ②

| | Permanent | Restauration | Loc. ⛺ ou 🚐 | et autres | 🛏 ou / 🍽 🎾 ⛵ |
|---|---|---|---|---|---|
| Ault | P | — | — | — | — — |
| Bertangles | — | — | — | — | — — |
| Cayeux-sur-Mer | P | • | — | — | — — |
| Le Crotoy | — 🐎 | — | — | — | — — |
| Forest-Montiers | — | — | • | — | — — |
| Fort-Mahon-Plage | — | — | — | — | — — |
| Friaucourt | — | — | — | — | — — |
| Ham | — | — | — | — | — — |
| Lanchères | P | — | — | — | — — |
| Loeuilly | — | — | — | — | — — |
| Lucheux | — | — | — | — | — — |
| Montdidier | P | — | • | — | 🎾 — |
| Noyelles-sur-Mer | — | — | — | — | — — |
| Pendé | — | — | — | — | — — |
| Péronne | P | — | — | — | — — |
| Poix-de-Picardie | — | — | — | — | — — |
| Port-le-Grand | — | — | — | — | — ⬛ |

Column headers (both sides): **Permanent** | **Restauration** | **Loc.** (🏠 ou 🚐 / et autres) | **ou** (🍴 / 🏊)

| Localité | Permanent | Restauration | Loc. 🏠/🚐 | et autres | ou |
|---|---|---|---|---|---|
| Quend | — | 🦢 | — | • | — ✕ |
| Rue | — | — | — | — | — |
| St-Blimont | — | — | — | — | — |
| St-Quentin-en-Tourmont | — | — | — | — | — |
| St-Valery-sur-Somme | — | — | • | — | ✕ 🏊 |
| Villers-sur-Authie | — | — | — | — | — |
| Vironchaux | — | — | — | — | — |

## 81 - TARN 16

| Localité | Permanent | Restauration | Loc. 🏠/🚐 | et autres | ou |
|---|---|---|---|---|---|
| Alban | — | 🦢 | — | • | — ✕ |
| Anglès | — | — | • | — | ✕ 🏊 |
| Brassac | — | — | — | — | — |
| Cahuzac-sur-Vère | — | — | — | — | ✕ — |
| Castelnau-de-Montmiral | — | — | — | — | — |
| Castres | — | — | — | — | — |
| Cordes | — | — | • | • | — 🏊 |
| Damiatte | — | • | — | • | — |
| Gaillac | — | — | — | — | ✕ 🏊 |
| Labastide-Rouairoux | — | — | — | • | — |
| Larroque | — | — | — | — | — |
| Mazamet | — | — | — | — | — 📭 |
| Mirandol-Bourgnounac | — | 🦢 | — | • | — 🏊 |
| Monestiés | — | — | — | • | ✕ — |
| Nages | — | — | • | — | — |
| Pampelonne | — | — | — | — | — |
| Puylaurens | — | — | — | — | ✕ 🏊 |
| Rabastens | — | — | — | — | — 📭 |
| Rivières | — | — | • | — | • ✕ 🏊 |
| Roquecourbe | — | — | — | — | ✕ — |
| Rouquié | P | — | — | — | — |
| Sorèze | — | — | — | — | ✕ — |

## 82 - TARN-ET-GARONNE 14

| Localité | Permanent | Restauration | Loc. 🏠/🚐 | et autres | ou |
|---|---|---|---|---|---|
| Beaumont-de-Lomagne | — | — | — | — | ✕ — |
| Caussade | — | — | — | — | ✕ 🏊 |
| Lafrançaise | — | — | — | — | ✕ — |
| Laguépie | — | — | — | — | ✕ — |
| Lauzerte | — | — | — | — | ✕ — |
| Moissac | — | — | — | — | — |
| Monclar-de-Quercy | — | — | — | • | ✕ — |
| Montauban | — | — | — | — | 🏊 |
| Montpezat-de-Quercy | — | — | — | • | ✕ 🏊 |
| Négrepelisse | — | — | — | — | — |
| St-Antonin-Noble-Val | — | — | • | — | ✕ 🏊🏊 |
| St-Nicolas-de-la-Grave | — | — | — | — | ✕ 🏊 |
| Touffailles | — | — | — | — | ✕ — |

## 83 - VAR 17

| Localité | Permanent | Restauration | Loc. 🏠/🚐 | et autres | ou |
|---|---|---|---|---|---|
| Agay | — | 🦢 | • | • | ✕ 🏊 |
| Artignosc-sur-Verdon | P | 🦢 | • | • | 🏊 |
| Aups | P | 🦢 | • | • | 🏊 |
| Bauduen | — | — | • | — | 🏊 |
| Belgentier | — | — | • | — | ✕ 🏊 |
| Bormes-les-Mimosas | P | — | — | — | ✕ 🏊 |
| Brignoles | — | — | — | — | ✕ 🏊 |
| La Cadière-d'Azur | — | — | • | — | 🏊 |
| Callas | — | — | • | • | — |
| Le Camp-du-Castellet | P | — | • | — | • ✕ 🏊 |
| Carqueiranne | — | — | • | • | ✕ 🏊 |
| Cavalaire-sur-Mer | — | — | • | • | ✕ 🏊 |
| Cavalière | — | — | • | — | — |
| Cogolin | — | — | • | • | ✕ 🏊 |
| Comps-sur-Artuby | — | — | • | • | — |
| La Croix-Valmer | — | • | — | • | — |
| Fayence | — | • | • | — | ✕ 🏊 |
| Fréjus | — | • | — | • | ✕ 🏊 |
| La Garde-Freinet | — | • | — | • | ✕ 🏊 |
| Giens | — | • | — | — | 🏊 |
| Grimaud 🅰 | — | • | — | • | 🏊 |
| Hyères 🅰 | P | — | • | • | ✕ 🏊 |
| Le Lavandou 🅰 | — | • | — | • | ✕ 🏊 |
| La Londe-les-Maures 🅰 | — | • | — | • | ✕ 🏊 |
| Le Luc | — | • | — | • | — |
| Le Muy | P | — | • | — | ✕ 🏊 |
| Nans-les-Pins | — | 🦢 | • | • | ✕ 🏊 |
| Le Pradet 🅰 | — | • | — | • | ✕ 🏊 |
| Puget-sur-Argens | P | — | — | • | • ✕ 🏊 |
| Ramatuelle | — | • | — | • | ✕ 🏊 |
| Régusse | — | 🦢 | • | • | 🏊 |
| Roquebrune-sur-Argens | — | • | • | • | ✕ 🏊 |
| La Roque-Esclapon | P | — | • | — | — |
| St-Aygulf | — | • | — | • | ✕ 🏊 |
| St-Cyr-sur-Mer | — | • | — | • | ✕ 🏊 |
| St-Mandrier-sur-Mer | — | • | — | • | — |
| St-Maximin-la-Ste-B. | — | 🦢 | • | — | ✕ — |
| St-Paul-en-Forêt | P | 🦢 | • | • | ✕ 🏊 |
| St-Raphaël | P | — | • | • | ✕ 🏊 |
| Ste-Anastasie-sur-Issole | P | 🦢 | • | • | ✕ 🏊 |
| Salernes | — | • | — | • | ✕ 🏊 |
| Les Salles-sur-Verdon | — | • | — | — | — |
| Sanary-sur-Mer | — | • | • | — | ✕ 🏊 |
| Signes | P | — | • | — | — |
| Sillans-la-Cascade | P | — | • | — | — 📭 |
| Six-Fours-les-Plages 🅰 | — | • | — | — | — |
| La Verdière | — | • | — | • | 🏊 |
| Vidauban | — | • | — | • | ✕ 🏊 |
| Vinon-sur-Verdon | — | • | — | — | — |

## 84 - VAUCLUSE 16

| Localité | Permanent | Restauration | Loc. 🏠/🚐 | et autres | ou |
|---|---|---|---|---|---|
| Apt | — | 🦢 | • | — | ✕ 🏊 |
| Aubignan | — | • | — | • | — |
| Avignon | P | — | • | — | ✕ 🏊 |
| Beaumes-de-Venise | — | • | — | • | — |
| Bédoin | — | • | — | • | — |
| Bollène | P | — | • | • | 🏊 |
| Bonnieux | — | 🦢 | — | • | — |
| Cadenet | — | • | • | — | — |
| Caromb | — | • | — | • | — |
| Châteauneuf-du-Pape | — | 🦢 | — | — | — |
| Cucuron | — | 🦢 | — | — | — |
| L'Isle-sur-la-Sorgue | — | • | — | • | ✕ 🏊 |
| Jonquières | — | • | — | — | ✕ 🏊 |
| Lourmarin | — | • | — | • | 🏊 |
| Malaucène | — | — | — | — | — |
| Malemort-du-Comtat | — | • | — | • | ✕ 🏊 |
| Maubec | — | 🦢 | — | • | — |
| Mazan | P | — | • | — | 🏊 |
| Mondragon | P | — | • | — | — |
| Monteux | — | • | — | — | — |
| Mornas | P | 🦢 | • | • | ✕ 🏊 |
| Murs | — | 🦢 | — | — | — |
| Orange | — | • | • | — | ✕ — |
| Pertuis | — | 🦢 | — | • | ✕ 🏊 |
| Roussillon | — | 🦢 | — | • | — |
| Rustrel | — | • | — | • | 🏊 |
| Sarrians | — | • | — | — | — |
| Sault | — | • | — | • | ✕ 🏊 |
| Le Thor | — | • | — | • | ✕ 🏊 |
| La Tour-d'Aigues | — | • | — | — | ✕ 🏊 |
| Vacqueyras | — | • | — | — | ✕ — |

| Localité | Permanent | Rest. | Loc. ⛺ou🚐 | Loc. 🏠 et autres | 🍴 | 🏊 ou 📺 |
|---|---|---|---|---|---|---|
| Vaison-la-Romaine | – | 🛎 | • | – | – | 🏊 |
| Valréas | – | – | – | – | – | 🏊 |
| Vedène | – | – | • | – | – | 🏊 |
| Villes-sur-Auzon | – | – | • | – | 🍴 | 🏊 |
| Visan | – | – | – | – | – | 🏊 |

### 85 - VENDÉE [9]

| Localité | Permanent | Rest. | Loc. ⛺ou🚐 | Loc. 🏠 et autres | 🍴 | 🏊 ou 📺 |
|---|---|---|---|---|---|---|
| L'Aiguillon-sur-Mer | – | – | • | • | 🍴 | 🏊 |
| Aizenay | – | – | – | • | 🍴 | – |
| Angles | – | – | • | • | – | 🏊 |
| Apremont | – | – | – | • | – | 🏊 |
| Avrillé | – | – | – | • | • | – |
| La Barre-de-Monts | – | 🛎 | – | – | – | 🏊 |
| Bois-de-Céné | – | – | – | • | 🍴 | – |
| La Boissière-de-Montaigu | – | 🛎 | – | • | 🍴 | 🏊 |
| Brem-sur-Mer | – | – | • | • | 🍴 | 🏊 |
| Brétignolles-sur-Mer | – | – | • | • | 🍴 | 🏊 |
| Champagné-les-Marais | – | – | • | – | – | – |
| Damvix | – | – | • | – | 🍴 | 🏊 |
| Les Essarts | – | – | • | • | 🍴 | 🏊 |
| La Faute-sur-Mer | – | – | • | • | 🍴 | 🏊 |
| Fontenay-le-Comte | – | – | – | – | – | – |
| Grand'Landes | P | – | – | – | – | 🏊 |
| Grosbreuil | – | – | – | – | – | 🏊 |
| Jard-sur-Mer [A] | – | – | • | • | 🍴 | 🏊 |
| Lairoux | P | – | – | – | – | – |
| Landevieille | – | 🛎 | • | • | 🍴 | 🏊 |
| Le Langon | – | – | • | – | 🍴 | – |
| Longeville-sur-Mer [A] | – | – | • | • | 🍴 | 🏊 |
| Luçon | – | – | • | • | • | 🍴 |
| Maillé | – | – | – | – | – | 🏊 |
| Maillezais | – | – | – | – | 🍴 | – |
| Le Mazeau | – | – | – | – | – | – |
| Mervent | P | – | • | • | – | 🏊 |
| Mesnard-la-Barotière | – | – | – | • | – | 🏊 |
| Montaigu | – | – | – | – | – | – |
| La Mothe-Achard | – | – | – | • | • | – |
| Mouchamps | – | – | – | – | – | – |
| Nalliers | – | – | – | • | 🍴 | – |
| Nieul-le-Dolent | – | – | – | – | – | 🏊 |
| Nieul-sur-l'Autise | – | – | – | – | 🍴 | – |
| NOIRMOUTIER (Île de) | – | – | – | – | – | – |
| Barbâtre | – | – | – | • | 🍴 | 🏊 |
| Noirmoutier-en-l'Île | – | – | – | • | – | – |
| Notre-Dame-de-Monts [A] | – | – | – | • | – | 🏊 |
| Le Perrier | – | – | – | • | – | 🏊 |
| Le Poiré-sur-Velluire | P | – | – | – | – | – |
| La Pommeraie-sur-Sèvre | – | – | – | • | 🍴 | – |
| Pouzauges | – | – | – | – | – | – |
| Les Sables-d'Olonne [A] | – | – | • | • | • | 🍴 🏊 |
| St-Denis-du-Payré | – | – | – | – | – | – |
| St-Gervais | – | 🛎 | – | – | – | – |
| St-Gilles-Croix-de-Vie | – | – | • | • | • | 🍴 🏊 |
| St-Hilaire-de-Riez [A] | P | 🛎 | • | • | • | 🍴 🏊 |
| St-Hilaire-la-Forêt | – | – | – | • | 🍴 | – |
| St-Jean-de-Monts [A] | – | 🛎 | • | • | • | 🍴 🏊 |
| St-Julien-des-Landes | – | 🛎 | • | – | – | 🏊 |
| St-Malô-du-Bois | – | 🛎 | – | – | – | – |
| St-Michel-en-l'Herm | – | – | – | – | – | – |
| St-Révérend | – | – | – | – | – | 🏊 |
| St-Vincent-sur-Jard | – | – | • | • | 🍴 | 🏊 |
| Sallertaine | – | – | – | – | – | – |
| Soullans | – | – | – | – | – | – |
| Talmont-St-Hilaire | – | – | • | • | 🍴 | 🏊 |
| La Tranche-sur-Mer [A] | – | 🛎 | • | • | • | 🍴 📺 |
| Triaize | – | – | – | – | – | – |
| Vairé | – | – | – | • | 🍴 | – |
| Vouille-les-Marais | – | – | – | • | 🍴 | – |

### 86 - VIENNE [9] [10]

| Localité | Permanent | Rest. | Loc. ⛺ou🚐 | Loc. 🏠 et autres | 🍴 | 🏊 ou 📺 |
|---|---|---|---|---|---|---|
| Availles-Limouzine | – | – | – | – | 🍴 | 🏊 |
| La Bussière | – | – | – | – | 🍴 | 🏊 |
| Chauvigny | P | – | – | – | 🍴 | 🏊 |
| Couhé | – | – | • | – | – | 🏊 |
| Coulombiers | P | – | – | – | 🍴 | 🏊 |
| Dangé-St-Romain | – | – | – | – | – | – |
| Ingrandes | – | – | • | – | 🍴 | 🏊 |
| L'Isle-Jourdain | – | – | – | – | 🍴 | 🏊 |
| Lusignan | – | – | – | – | – | 🏊 |
| Montmorillon | P | – | – | – | – | 🏊 |
| Les Ormes | – | – | – | – | – | – |
| Poitiers | – | – | – | – | 🍴 | 🏊 |
| La Roche-Posay ⚓ | – | – | – | – | 🍴 | 🏊 |
| St-Cyr | – | – | • | • | – | 🏊 |
| St-Pierre-de-Maillé | – | – | – | – | – | 🏊 |
| St-Savin | – | – | – | – | – | 🏊 |
| Sanxay | – | – | – | – | – | – |
| Vicq-sur-Gartempe | – | – | – | – | – | 🏊 |
| Vouillé | – | – | – | – | 🍴 | 🏊 |

### 87 - HAUTE-VIENNE [10]

| Localité | Permanent | Rest. | Loc. ⛺ou🚐 | Loc. 🏠 et autres | 🍴 | 🏊 ou 📺 |
|---|---|---|---|---|---|---|
| Aixe-sur-Vienne | – | – | – | – | – | 📺 |
| Ambazac | – | – | – | – | – | – |
| Beaumont-du-Lac | – | – | – | – | – | – |
| Bellac | P | – | – | – | 🍴 | 🏊 |
| Bessines-sur-Gartempe | – | – | – | – | 🍴 | 🏊 |
| Bonnac-la-Côte | – | – | – | – | 🍴 | 🏊 |
| Bujaleuf | – | – | • | – | – | – |
| Châlus | – | – | – | – | 🍴 | 🏊 |
| Châteauneuf-la-Forêt | – | – | – | – | 🍴 | 🏊 |
| Châteauponsac | – | – | – | • | – | – |
| Compreignac | – | – | – | • | – | – |
| Coussac-Bonneval | – | – | – | – | – | – |
| La Croisille-sur-Briance | – | 🛎 | – | – | – | – |
| Eymoutiers | – | 🛎 | – | – | – | – |
| Ladignac-le-Long | – | – | – | – | 🍴 | – |
| Laurière | – | 🛎 | – | • | – | – |
| Limoges | P | – | – | – | 🍴 | – |
| Magnac-Bourg | – | – | – | – | – | – |
| Morterolles-sur-Semme | P | – | – | • | – | – |
| Nexon | – | – | – | • | – | – |
| Peyrat-le-Château | – | – | • | – | 🍴 | – |
| Razès | – | – | • | – | 🍴 | 🏊 |
| Rochechouart | – | – | • | – | 🍴 | – |
| St-Germain-les-Belles | – | – | • | – | 🍴 | 🏊 |
| St-Hilaire-les-Places | – | – | – | – | 🍴 | 🏊 |
| St-Laurent-les-Églises | – | – | – | – | 🍴 | – |
| St-Léonard-de-Noblat | P | – | – | – | 🍴 | – |
| St-Pardoux | – | – | – | – | 🍴 | 🏊 |
| St-Sulpice-les-Feuilles | – | – | – | • | – | – |
| St-Victurnien | – | – | – | • | – | – |
| St-Yrieix-la-Perche | – | – | • | – | – | – |
| Sussac | – | – | – | • | – | – |

### 88 - VOSGES [7] [8]

| Localité | Permanent | Rest. | Loc. ⛺ou🚐 | Loc. 🏠 et autres | 🍴 | 🏊 ou 🎿 |
|---|---|---|---|---|---|---|
| Anould | P | – | – | – | – | – |
| La Bresse 🚡 | P | – | – | – | 🍴 | – |
| Bussang | P | – | – | – | 🍴 | 🎿 |
| Celles-sur-Plaine | – | – | – | – | – | – |
| La Chapelle-Devant-B. | – | – | – | • | 🍴 | 🏊 |
| Contrexéville ⚓ | – | – | – | – | – | – |
| Corcieux | – | – | – | • | 🍴 | 🏊 |
| Épinal | P | – | • | • | 🍴 | – |

| | Permanent | Restauration | Loc. caravane ou | et autres | ou | |
|---|---|---|---|---|---|---|
| Ferdrupt | – | – | – | – | – | – |
| Fontenoy-le-Château | – | – | – | – | ⚔ | – |
| Gemaingoutte | – | – | – | – | – | – |
| Gérardmer 🅰 🐦 | P | – | • | – | • | ⚔ – |
| Granges-sur-Vologne | P | – | – | – | • | – |
| Herpelmont | – | – | – | – | – | – |
| Plombières-les-Bains ⚕ | – | – | – | – | – | – |
| Rehaupal | – | – | – | – | – | – |
| St-Dié | P | – | – | • | – | – |
| St-Maurice-sur-Mos. 🐦 | – | – | • | – | • | ⚔ ⚓ |
| Senones | – | – | – | – | – | – |
| Le Thillot | P | – | – | – | ⚔ | ▨ |
| Le Tholy | – | – | • | – | • | ⚔ ⚓ |
| Vagney | – | 🐦 | – | – | – | – |
| Vittel ⚕ | – | – | • | – | – | – |
| Xonrupt-Long. 🅰 🐦 | P | – | • | – | – | – |

## 89 - YONNE 6 7

| | Permanent | Restauration | Loc. | et autres | ou | |
|---|---|---|---|---|---|---|
| Accolay | – | – | – | – | – | – |
| Ancy-le-Franc | – | – | – | – | ⚔ | – |
| Andryes | P | 🐦 | • | – | – | ⚓ |
| Auxerre | – | – | – | – | ⚔ | ⚔ ▨ |
| Bléneau | – | – | – | – | – | – |
| Champignelles | – | – | – | – | ⚔ | – |
| L'Isle-sur-Serein | – | – | – | – | ⚔ | – |
| Ligny-le-Châtel | – | – | – | – | ⚔ | – |

| | Permanent | Restauration | Loc. caravane ou | et autres | ou | |
|---|---|---|---|---|---|---|
| St-Fargeau | – | 🐦 | • | – | – | – |
| Vermenton | – | – | – | – | ⚔ | – |
| Vézelay | – | – | – | – | ⚔ | – |
| Villeneuve-les-Genêts | P | 🐦 | • | • | – | ⚔ – |

## 90 - TERRITOIRE-DE-BELFORT 8

| | Permanent | Restauration | Loc. | et autres | ou | |
|---|---|---|---|---|---|---|
| Delle | – | 🐦 | – | – | – | – |

## 91 - ESSONNE 6

| | Permanent | Restauration | Loc. | et autres | ou | |
|---|---|---|---|---|---|---|
| Étampes | – | – | – | – | ⚔ | – |
| Milly-la-Forêt | – | 🐦 | – | – | – | ⚓ |
| Monnerville | – | 🐦 | – | – | – | ⚓ |
| St-Chéron | – | 🐦 | • | – | – | ⚔ – |

## 94 - VAL-DE-MARNE 6

| | Permanent | Restauration | Loc. | et autres | ou | |
|---|---|---|---|---|---|---|
| Champigny-sur-Marne | P | – | • | – | – | ⚔ – |
| Choisy-le-Roi | – | – | • | – | – | ⚔ – |

## PRINCIPAUTÉ-D'ANDORRE 14

| | Permanent | Restauration | Loc. | et autres | ou | |
|---|---|---|---|---|---|---|
| Canillo 🅰 | – | – | • | – | ⚔ | ⚓ |
| Encamp | – | – | • | – | – | ⚔ ⚓ |
| La Massana | P | – | – | – | – | ⚓ |

**1**

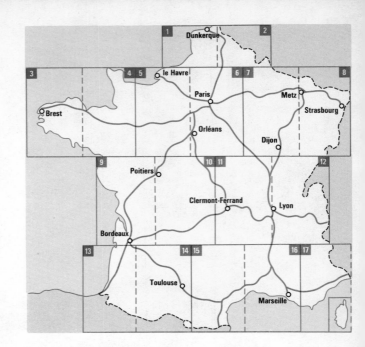

TABLEAU
D'ASSEMBLAGE

ATLAS KEY MAP

SEITENEINTEILUNG

OVERZICHTSKAART

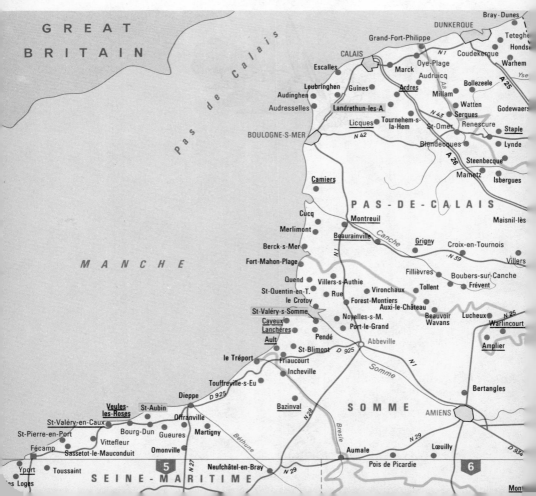

## LÉGENDE

Localité possédant au moins un terrain de camping sélectionné — ● Apt

Localité possédant un schéma dans le guide — ■ Carnac

Région possédant un schéma dans le guide — *Ile de Ré*

Localité possédant au moins un terrain agréable sélectionné — Moyaux

Localité possédant au moins un terrain sélectionné ouvert toute l'année — Lourdes

Localité repère — LILLE

## LEGEND

Town with at least one selected camping site — ● Apt

Town with a plan in the guide — ■ Carnac

Region with a local map in the guide — *Ile de Ré*

Town with at least one selected camping site classified as pleasant — Moyaux

Town with at least one selected camping site open all the year round — Lourdes

Town appearing as reference point only — LILLE

## ZEICHENERKLÄRUNG

Ort mit mindestens einem ausgewählten Campingplatz — ● Apt

Ort mit Stadtplan oder Übersichtskarte im Führer — ■ Carnac

Gebiet mit Übersichtskarte im Führer — *Ile de Ré*

Ort mit mindestens einem ausgewählten und besonders angenehmen Campingplatz — Moyaux

Ort mit mindestens einem ganzjährig geöffneten Campingplatz — Lourdes

Orientierungspunkt — LILLE

## VERKLARING

Plaats met tenminste één geselekteerd kampeerterrein — ● Apt

Plaats met schema in de gids — ■ Carnac

Gebied met schema in de gids — *Ile de Ré*

Plaats met tenminste één fraai geselekteerd kampeerterrein — Moyaux

Plaats met tenminste één gedurende het gehele jaar geopend kampeerterrein — Lourdes

Plaats ter oriëntering — LILLE

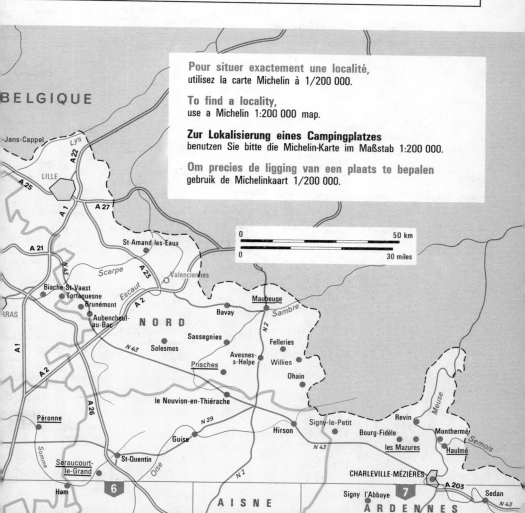

Pour situer exactement une localité, utilisez la carte Michelin à 1/200 000.

To find a locality, use a Michelin 1:200 000 map.

**Zur Lokalisierung eines Campingplatzes** benutzen Sie bitte die Michelin-Karte im Maßstab 1:200 000.

Om precies de ligging van een plaats te bepalen gebruik de Michelinkaart 1/200 000.

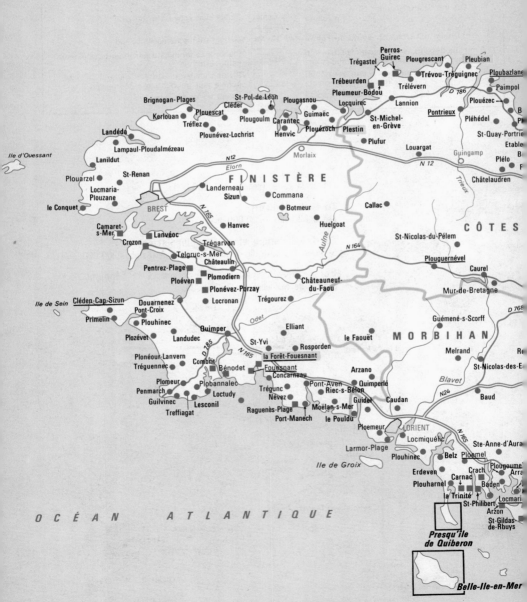

M A N C H E

Trégastel
Perros-Guirec
Ploumanac'h
Plougrescant
Pleubian
Ploubazlane
Trébeurden
Pleumeur-Bodou
Trélévern
Trévou-Tréguignec
Paimpol
Lannion
D 786
Plouézec
Brignogan-Plages
St-Pol-de-Léon
Plougasnou
Locquirec
Pontrieux
Pléhédel
B
Kerlouan
Plouescat
Cléder
Guimaëc
St-Michel-en-Grève
St-Quay-Portrie
Tréflez
Plougoulm
Carantec
Plouézoch
Plestin
Etable
Landéda
Plounévez-Lochrist
Henvic
Plufur
Louargat
Plélo
Lampaul-Ploudalmézeau
Morlaix
Guingamp
B
Lanildut
N 12
Châtelaudren
Plouarzel
St-Renan
Elorn
FINISTÈRE
N 12
Tréguier
Ile d'Ouessant
Landerneau
Sizun
Commana
Locmaria-Plouzane
BREST
Botmeur
Callac
CÔTES
le Conquet
N 165
Hanvec
Huelgoat
St-Nicolas-du-Pélem
Camaret-s-Mer
Lanvéoc
Trégarvon
Aulne
N 164
Plouguernével
Crozon
Telgruc-s-Mer
Châteaulin
Caurel
Pentrez-Plage
Plomodiern
Ile de Sein
Cléden-Cap-Sizun
Ploéven
Plonévez-Porzay
Châteauneuf-du-Faou
Mur-de-Bretagne
Douarnenez
Locronan
Trégourez
D 768
Pont-Croix
Guémené-s-Scorff
Primelin
Plouhinec
Elliant
MORBIHAN
Plozévet
Landudec
Quimper
Odet
St-Yvi
le Faouët
Melrand
St-Nicolas-des-E
Plonéour-Lanvern
D 785
Rosporden
Tréguennec
N 165
la Forêt-Fouesnant
Arzano
Blavet
Combrit
Bénodet
Fouesnant
Plomeur
Plobannalec
Concarneau
Pont-Aven
Quimperlé
Baud
Penmarch
Trégunc
Riec-s-Bélon
Caudan
N 24
Guilvinec
Loctudy
Névez
Guidel
Treffiagat
Lesconil
Raguenès-Plage
Moëlan-s-Mer
Ploemeur
Ste-Anne-d'Aura
Port-Manech
le Pouldu
LORIENT
Locmiquélic
N 165
Larmor-Plage
Plouhinec
Belz
Ploemel
Plougoume
Ile de Groix
Erdeven
Crach
Arra
Carnac
Béden
O C É A N    A T L A N T I Q U E
Plouharnel
Locmari
la Trinité
St-Philibert
Presqu'île de Quiberon
Arzon
St-Gildas-de-Rhuys
Belle-Ile-en-Mer

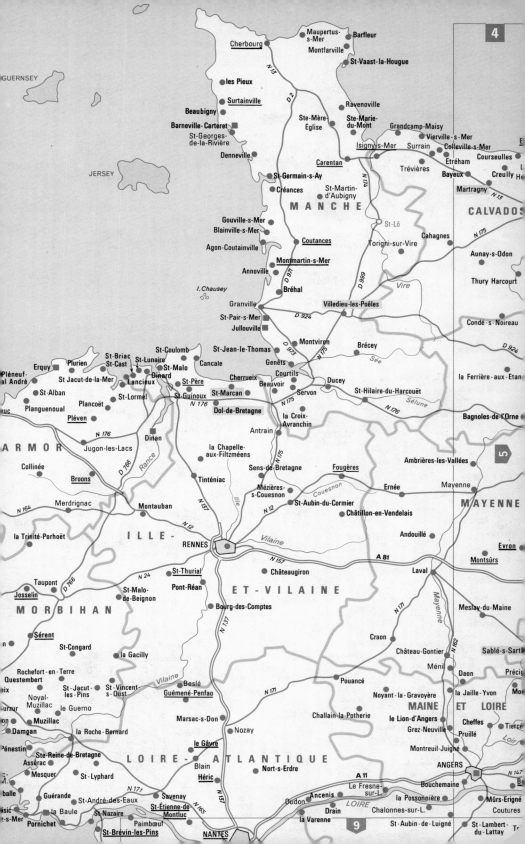

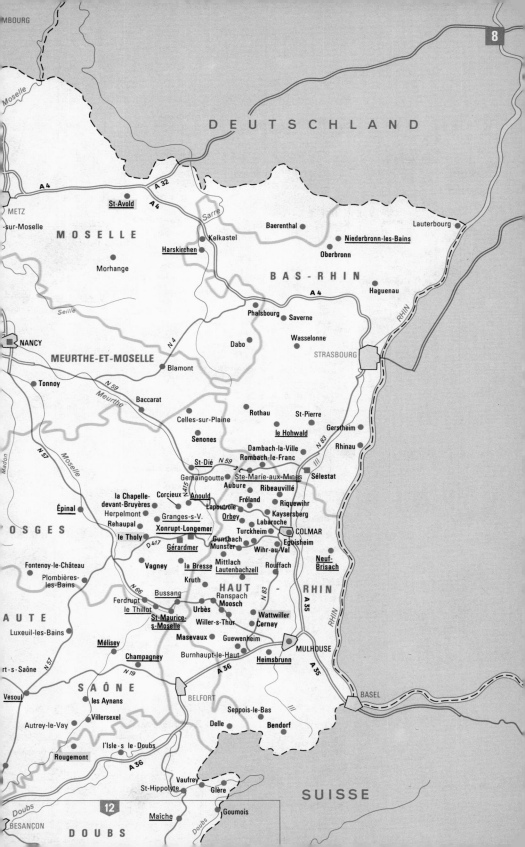

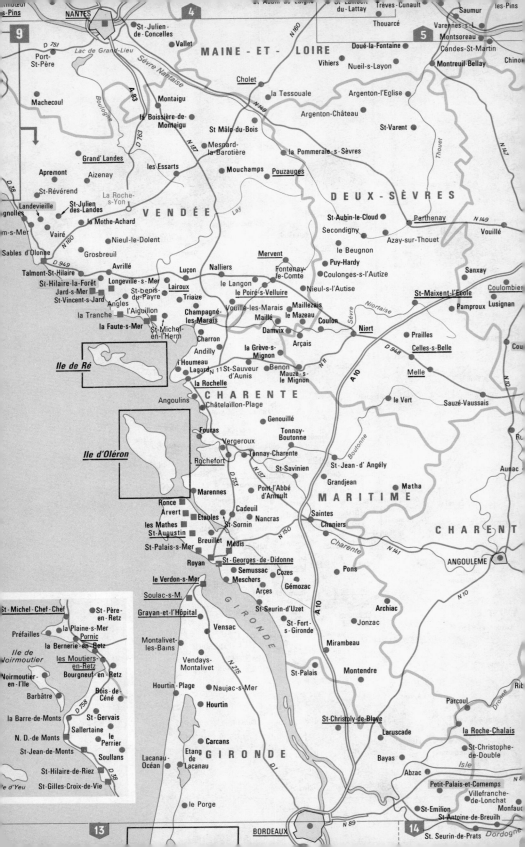

INDRE-ET-LOIRE

INDRE

CHER

BOURGES

Nançay
Henrichemont
Chémery
Roméorantin-Lantenay
Noyers-s-Cher
Châtres-s-Cher
Mennetou
Vierzon
Ballan-Miré
Véretz
Bléré
Chisseaux
Montbazon
Veigné
Mareuil-s-Cher
St Aignan
Chabris
igny-Ussé
Monts
Genillé
Poulaines
Ste-Catherine-de-Fierbois
Loches
Chemillé-s-Indrois
Valençay
Trogues
l'Ile-
uchard
Ste-Maure-de-Touraine
Vatan
Preuilly
rcilly-s-Vienne
Châtillon-s-Indre
Issoudum
nelieu
Descartes
Abilly
les Ormes
Arpheuilles
Dangé-St-Romain
Barrou
Buzançais
Châteauroux
Ingrandes
Preuilly-s-Claise
Lignières
la Roche-Posay
Yzeures-s-Creuse
Mézières-en-Brenne
Vendœuvres
St-Amand-Montrond
St-Cyr
Vicq-s-Gartempe
Rosnay
Migné
St-Pierre-de-Maillé
Ruffec
St-Gaultier
la Bussière
le Blanc
Creuse
le Pont-Chrétien-Chabenet
la Châtre
POITIERS
N 151
Chauvigny
St-Savin
Argenton-s-Creuse
la Motte-Feuilly
Vesdun
VIENNE
Gargilesse-Dampierre
Ste-Sévère-s-Indre
Sidiailles
Montmorillon
Chaillac
Eguzon
Fougères
Montluço
St-Sulpice-les-Feuilles
Crozant
la Celle-Dunoise
Châtelus-Malvaleix
l'Isle-Jourdain
Dun-le-Palestel
le Bourg-d'Hem
Anzême
Bussière-Dunoise
St-Vaury
N 145
Chambon-s-Voueize
Availles-Limouzine
HAUTE-VIENNE
Morterolles-s-Semme
Guéret
Evaux-les-Bai
Bellac
Châteauponsac
Bessines-s-Gartempe
la Chapelle-Taillefert
CREUSE
Chénérailles
Laurière
Moutier-d'Ahun
St-Pardoux
Razès
Aubusson
Compreignac
Ambazac
Vallières
Bonnac-la-Côte
St-Laurent-les-Eglises
Taurion
D 941
St-Victurnien
Vienne
Royère-de-Vassivière
Rochechouart
LIMOGES
St-Léonard-de-Noblat
Peyrat-le-Ch au
St-Oradoux-de-Chirouze
Montembœuf
Aixe-s-Vienne
Bujaleuf
Beaumont-du-Lac
la Courtine
Busserolles
Châteauneuf-la-Forêt
Vienne
Eymoutiers
Tarnac
Piegut-Pluviers
Châlus
Nexon
Sussac
Lacelle
St-Estèphe
St-Hilaire-les-Places
Magnac-Bourg
la Croisille-s-Briance
Viam
Sornac
Eygurande
Nontron
Abjat-s-Bandiat
Ladignac-le-Long
St-Germain-les-Belles
Singles
St-Saud-Lacoussière
St-Yrieix-la-Perche
Masseret
Treignac
Meymac
Ussel
Labessette
Mareuil
Jumilhac-le-Grand
Coussac-Bonneval
Vézère
Bort-les-Orgues
Vieux-Mareuil
Angoisse
Lubersac
CORRÈZE
Palisse
Neuvic
Madic
Brantôme
Vigeois
St-Salvadour
Vitrac-s-Montane
Saignes
Valeuil
Hautefort
Seilhac
Corrèze
St-Pantaléon-de-Lapleau
Trizac
Lisle
Auvézère
St-Martin-Valmeroux
Tocane-St-Apre
Antonne-et-Trigonant
Peyrignac
Tulle
Soursac
Auriac
Fontanges
astier
Cubjac
le Change
Terrasson-la-Villedieu
Donzenac
Salers
Périgueux
le Lardin
Aubazine
Dordogne
Serviéres-le-Château
Pleaux
St-Martin-Cantalès
vic
Fossemagne
St-Lazare
Coly
Brive-la-Gaillarde
Beynat
Argentat
Jussac
Maison-Jeannette
Montignac
Lissac-s-Couze
DORDOGNE
Camps
St-Gérons
Arnac
Lacapelle-Viescamp
Aurillac
nt-St-Mamet
Vergt
Beaulieu
Comiac
Siran
ubard
Campsegret
Vézère
Puybrun
Calviac
Pers
Arpajon-s-Cère
Cer
Mouleydier
Lalinde
Couze-et-St-Front
Sarlat-la-Canéda
Dordogne
Loubressac
St-Céré
CANTAL

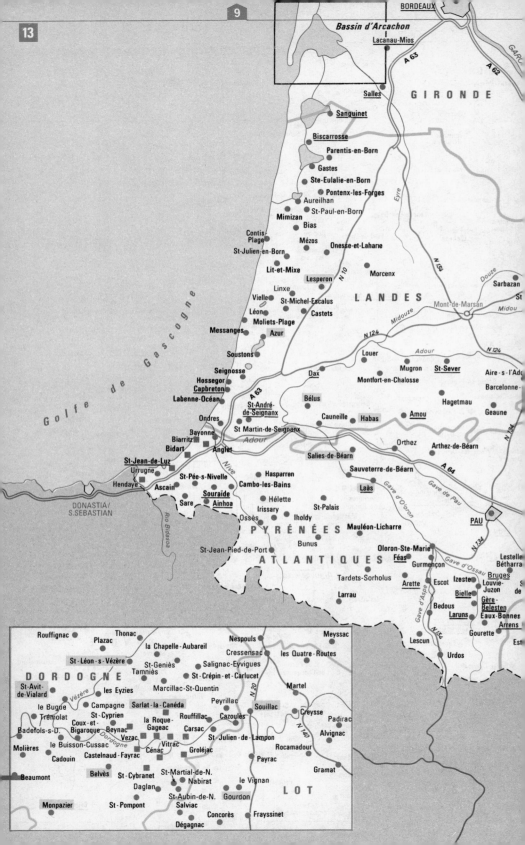

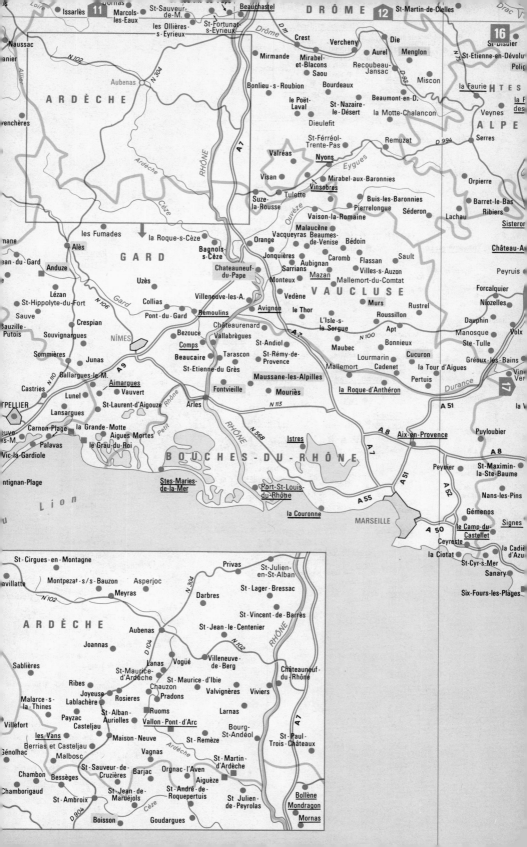

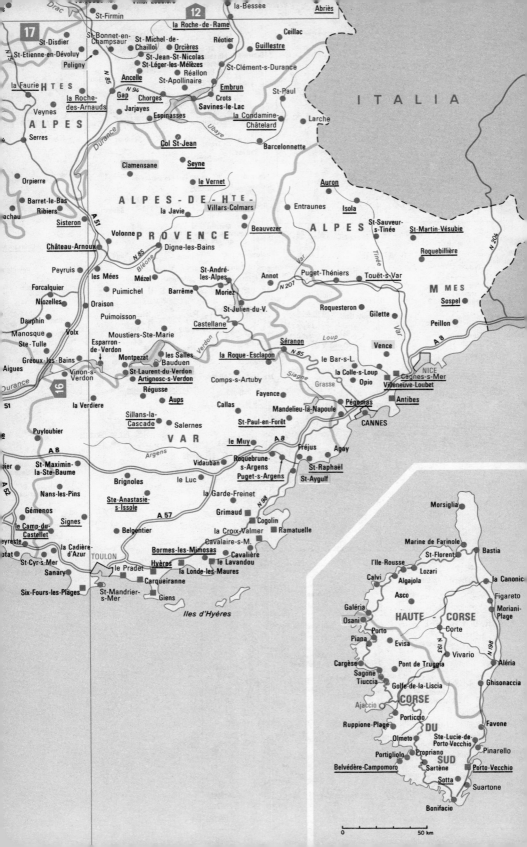

# Renseignements
## sur les terrains sélectionnés

# Particulars
## of selected camping sites

# Beschreibung
## der ausgewählten Campingplätze

# Gegevens
## over de geselekteerde terreinen

**MICHELIN**

## ABILLY

**37160** I.-et-L. – 1 145 h. 10 – 68 ⑤

⚠ **Municipal,** au bourg, par sortie S rte de Leugny, dans une île de la Claise
1 ha (33 empl.) plat, herbeux ♀ – 🛖 ⇄ 🛁 ⊕ – ✻ 🚗
mai-15 sept. – **R** juil.-août – �★ 4,80 🚗 2,65 🅔 5,30 🛱 5,60

## ABJAT-SUR-BANDIAT

**24300** Dordogne – 693 h. 10 – 72 ⑮ ⑯

🛖🛖🛖 **Le Moulin de Masfrolet** 🦢 « Cadre pittoresque », ℘ 53 56 82 70, N :
2,4 km, bord du Bandiat et d'un étang
12 ha/6 campables (200 empl.) ◗━ plat, incliné, en terrasses, herbeux 🗔 ♀♀ –
🛖 ⇄ 🛁 🖻 ⊕ ⚱ ✲ 🏊 ▼ ☀ ✻ 🛥 – 🛶 ✻ 🚗 🛶
juin-15 sept. – **R** conseillée – ☆ 20 piscine et tennis compris 🅔 25 🛱 12,50 (5A)

⚠ **La Ripole** 🦢, ℘ 53 56 86 85, S : 0,8 km par D 96 rte de St-Saud-Lacousière
puis à droite 2 km par rte de Chabanas
1,35 ha (32 empl.) ◗━ peu incliné et plat, terrasse, herbeux, étang 🗔 – 🛖 ⇄
🛁 ♿ ⊕
juin-15 sept. – **R** conseillée – ☆ 15 🅔 12 🛱 10

## ABONDANCE

**74360** H.-Savoie – 1 251 h. alt. 930
– 🐟.

🛈 Office de Tourisme, Mairie
℘ 50 73 02 90

12 – 170 ⑱ G. Alpes du Nord

🛖🛖🛖 **Le Pré** ◁, ℘ 50 73 00 93, au bourg, bord de la Dranse (rive gauche)
0,6 ha (50 empl.) ◗━ plat, herbeux, pierreux – 🛖 ⇄ 🛁 🖻 ♿ 🏧 ⊕ 🅹 garderie
– 🛶 – A proximité : ✻
20 déc.-avril, 15 juin-sept. – **R** conseillée – 🅔 2 pers. 45 (hiver 52), pers. suppl.
15 (hiver 20) 🛱 14 (2A) 24 (4A)

▶ *Don't get lost, use* **Michelin Maps** *which are kept up to date.*

## ABREST **03** Allier – **73** ⑤ – rattaché à Vichy

## Les ABRETS

**38490** Isère – 2 804 h. 12 – 74 ⑭

🛖🛖🛖 **Le Coin Tranquille** 🦢 ◁ « Cadre agréable », ℘ 76 32 13 48, E : 2,3 km par
N 6 rte du Pont-de-Beauvoisin et rte à gauche
4 ha (180 empl.) ◗━ plat, herbeux 🗔 ♀ – 🛖 ⇄ 🛁 🖄 🖻 ♿ ⊕ 🅹 ▼ ✘ ✻
🅹 – 🛶 🚗 🛶
avril-oct. – **R** conseillée juil-août – 🅔 piscine comprise 2 pers. 82, pers. suppl.
22 🛱 8 (2A) 12 (3A)

## ABRIÈS

**05460** H.-Alpes – 297 h. alt. 1 547
– 🐟.

12 – 77 ⑲ G. Alpes du Sud

🛖🛖🛖 **Queyras-Caravaneige** ❄ ◁, ℘ 92 46 71 22, sortie S rte de Ristolas, bord
du Guil
1,5 ha (109 empl.) ◗━ non clos, plat, pierreux, herbeux – 🛖 ⇄ 🛁 🏧 ⊕ ▼
✘ ☆ 🅹 – 🛖
Permanent – **R** hiver – ☆ 18,40 🚗 9,20 🅔 18,40-hiver : 2 pers. 71, 3 pers.
83, 4 pers. 91 🛱 9,50 (3A) 25 (6A) 38 (10A)

## ABZAC

**33230** Gironde – 1 472 h. 9 – 75 ②

🛖🛖🛖 **Le Paradis,** ℘ 57 49 05 10, SE : 1,5 km par D 227, à 300 m de la N 89, bord
de l'Isle et d'un étang
5 ha (60 empl.) ◗━ plat, herbeux – 🛖 ⇄ 🛁 🖻 ⊕ 🅹 – 🛶 🛴 🚗 vélos
mars-nov. – **R** – ☆ 15 🚗 8 🅔 17 🛱 15 (6 ou 10A)

## ACCOLAY

**89460** Yonne – 377 h. 6 – 65 ⑤

⚠ **Municipal Moulin Jacquot** 🦢, sortie O rte de Mailly-la-Ville, près du canal
du Nivernais
0,7 ha (60 empl.) ◗━ plat, herbeux ♀ – 🛖 🖄 ⊕ 🅹 – 🚗
avril-sept. – **R** juil.-août – Tarif 91 : ☆ 5,80 🚗 4 🅔 3,80 🛱 6 (3A) 8 (6A) 10
(10A)

## ADÉ **65** H.-Pyr. – **85** ⑧ – rattaché à Lourdes

## ADISSAN

**34230** Hérault – 706 h. 15 – 83 ⑤ ⑮

🛖🛖🛖 **Les Clairettes** 🦢 ◁, ℘ 67 25 01 31 ✉ Fontès 34320, NO : 1,4 km par
D 128 rte de Péret
1,3 ha (50 empl.) ◗━ plat, pierreux, herbeux 🗔 – 🛖 ⇄ 🖄 🖻 ♿ 🅹 ▼ 🖻 – 🛶
juin-15 sept. – **R** conseillée 15 juil.-20 août – 🅔 piscine comprise 2 pers. 58 (73
avec élect.), pers. suppl. 13

# AGAY

**83** Var – ✉ 83700 St-Raphaël.
🛈 Office de Tourisme, bd de la Plage,
N 98 ✆ 94 82 01 85

**Esterel Caravaning**, réservé aux caravanes ⌘ ≼ Massif de l'Esterel « Site
et cadre agréables », ✆ 94 82 03 28, NO : 4 km
12,5 ha (495 empl.) ⚡ en terrasses, peu incliné, pierreux ⌂ ♀ – ⚄ ♨ ⏚ 🗔
- 18 empl. avec sanitaires individuels (⚄ ♨ wc) ☺ ⚖ ⩊ ☲ ❣ ✗ ⚘ – 🗔 – 🖼
✗ 🏋 🔰 ⚐ squash – Location : 🚐
14 mars-sept. – **R** conseillée 15 juin-août – 🔲 élect. (4A), piscine et tennis
compris 2 pers. 128

**Vallée du Paradis** ≼ « Belle entrée fleurie », ✆ 94 82 01 46, NO : 1 km, bord
de l'Agay
3 ha (213 empl.) ⚡ plat, herbeux ⌂ ♀♀ (2 ha) – ⚄ ♨ ⚖ ⏚ ☺ ❣ ❢ ✗ ⚘ –
🖼 – 🗔 🔰 – Location : 🏠
15 mars-15 oct. – **R** indispensable juil.-août – 🔲 2 pers. 75, 3 pers. 85, 4 pers
110 🔌 16 (10A)

**Les Rives de l'Agay** « Entrée fleurie », ✆ 94 82 02 74, NO : 0,7 km, bord
de l'Agay et à 500 m de la plage
1,4 ha (120 empl.) ⚡ plat, herbeux, sablonneux ⌂ ♀♀ – ⚄ ♨ ⚖ ⩕ 🖼 ⚘ ⚙
☺ ⚖ ⩊ ⚖ ✗ ⚘ 🖼 – 🗔 🔰 – Location : 🚐, studios
15 fév.-3 nov. – **R** indispensable juil.-août – Tarif 91 : ❋ 19 🔲 23 🔌 15 (6A)

**International du Dramont**, ✆ 94 82 07 68, à 2 km au sud de la localité,
bord de mer
7,5 ha (400 empl.) ⚡ accidenté, herbeux, pierreux, rocheux ♀♀ pinède – ⚄ ♨
⏚ 🖼 ⚙ ⚙ ⚖ ❢ snack ⚘ 🖼 – 🗔 ✗ 🔰 – Location : 🏠, bungalows
toilés
15 mars-15 oct. – **R** conseillée juil.-août – 🔲 3 pers. 143, pers. suppl. 29 🔌 17
(4A)

**Azur Rivage**, ✆ 94 44 83 12, à Anthéor-Plage, E : 5 km, près de la plage
1 ha (73 empl.) ⚡ plat, en terrasses, peu incliné, pierreux ♀♀ – ⚄ ♨ ⏚ 🖼 ⚖
☺ ⚖ – 🗔 – A l'entrée : ❢ ✗ ⚘
Pâques-sept. – **R** indispensable juil.-août – 🔲 4 pers. 148,50 🔌 18 (3 à 6A)

**Agay-Soleil** ≼ « Entrée fleurie », ✆ 94 82 00 79, E : 0,7 km, bord de plage
– ✂ juil.-août
0,7 ha (65 empl.) ⚡ plat, peu incliné, sablonneux ⌂ ♀♀ – ⚄ ♨ ⩕ 🖼 ☺ ⚖
❢ ✗ ⚘ – 🗔 – A proximité : 🔰
15 mars-15 nov. – **R** – Tarif 91 : 🔲 1 à 3 pers. 115 🔌 15 (2A) 19 (6A)

**le Viaduc**, ✆ 94 44 82 31, à Anthénor-Plage E : 5 km, à 100 m de la plage
1,1 ha (69 empl.) ⚡ plat, en terrasses, peu incliné, herbeux, pierreux ♀ – ⚄ ♨
⏚ 🖼 ⚖ ☺ – 🗔 – A proximité : ⚖ ❢ ✗ ⚘
Pâques-fin sept. – 🔲 3 pers. 108, pers. suppl. 24 🔌 18 (6A)

**Royal-Camping**, ✆ 94 82 00 20, S : 1,5 km, bord de plage – ✂
0,7 ha (70 empl.) ⚡ plat, herbeux, gravier ♀♀ – ⚄ ♨ ⏚ 🖼 ☺ – 🗔 –
A proximité : ⚖ ❢ ✗ ⚘
4 avril-4 oct. – **R** – 🔲 3 pers. 85 🔌 14 (3A) 18 (6A)

**Le Rastel**, ✆ 94 82 06 93, NO : 1,5 km
1 ha (78 empl.) ⚡ plat et terrasses, pierreux ⌂ ♀ – ⚄ ⩕ 🖼 ⚖ ☺ snack 🖼 –
🔰 – Location : 🚐
avril-sept. – Places disponibles pour le passage – **R** conseillée – 🔲 piscine
comprise 2 pers. 67/100 🔌 16 (10A)

▶ *Informieren Sie sich über die gültigen Gebühren,*
*bevor Sie Ihren Platz beziehen. Die Gebührensätze*
*müssen am Eingang des Campingplatzes angeschlagen sein.*
*Erkundigen Sie sich auch nach den Sonderleistungen.*
*Die im vorliegenden Band gemachten Angaben*
*können sich seit der Überarbeitung geändert haben.*

---

# AGDE

**34300** Hérault – 17 583 h.
🛈 Office de Tourisme, espace Molière
✆ 67 94 29 68

**International de l'Hérault**, ✆ 67 94 12 83, S : 1,5 km, à 80 m de l'Hérault
10 ha (417 empl.) ⚡ plat, herbeux ♀ – ⚄ ⩕ 🖼 ☺ ❢ ❢ snack ⚘ 🖼 – 🗔
salle d'animation ✗ 🔰 – Location : 🏠 🚐
Pâques-sept. – **R** indispensable juil.-août – 🔲 piscine et tennis compris 2 pers.
96, 3 ou 4 pers. 126, 5 ou 6 pers. 156 🔌 16,50 (10A)

**La Pinède** ≼ « Sur le versant nord du Mt St Loup », ✆ 67 21 25 00, SE : 2,5 km
par D 32E rte du Cap d'Agde et 0,6 km par chemin à gauche (hors schéma)
5 ha (247 empl.) ⚡ en terrasses et incliné, pierreux, herbeux ⌂ ♀ – ⚄ ♨ ⏚
🖼 ⚖ ☺ ⚖ ⩊ ❢ ✗ ⚘ 🖼 – 🔰
juin-15 sept. – **R** – 🔲 piscine comprise 2 à 6 pers. 100 à 181 🔌 18 (4A)

**Les Sablettes** ⌘, ✆ 67 94 36 65 ✉ 34309 Agde Cedex, S : 3,5 km
2,6 ha (218 empl.) ⚡ plat, sablonneux, herbeux – ⚄ ⩕ ⚖ ☺ ⚖ ❢ – 🗔
mai-15 sept. – **R** – 🔲 2 pers. 60, pers. suppl. 15 🔌 13 (3A) 18 (6A)

**Les Romarins**, ✆ 67 94 18 59 ✉ 34309 Agde Cedex, S : 3 km, près de
l'Hérault
1,8 ha (130 empl.) ⚡ plat, herbeux ♀ – ⚄ ♨ ⩕ 🖼 ☺ 🖼 – ✂ 🔰
juin-sept. – **R** conseillée – 🔲 1 à 2 pers. 57, pers. suppl. 13 🔌 12 (6A)

**La Pépinière**, ✆ 67 94 10 94 ✉ 34309 Agde Cedex, S : 2,5 km, à 200 m
de l'Hérault
1,9 ha (100 empl.) ⚡ plat, herbeux, sablonneux – ⚄ ☺ ⚖ ❢ – 🔰 🔰 – Location :
🏠
12 avril-oct. – **R** conseillée – 🔲 piscine comprise 2 pers. 65 🔌 13 (3A)

## AGEN ⓟ

14 – 79 ⑮ G. Pyrénées Aquitaine

**47000** L.-et-G. – 30 553 h.
🛈 Office de Tourisme, 107 bd.
Carnot ☎ 53 47 36 09

**Château Lamothe-d'Allot,** ☎ 53 96 75 15 ✉ 47550 Boé, SE : 6,5 km par
D 305 rte d'Auch et D 443 rte de St-Pierre-de-Gaubert, bord de la Garonne
et d'un plan d'eau
12ha/1,5 campable (90 empl.) ⚡ (saison) plat, herbeux, gravillons ⬜ ⚲ – 🔥 ⚰
🔲 ⊕ 🛱 ⚲ ⛄ – 🍴 ⛵ 🎣 ➠ (toboggan aquatique) ⚓
Permanent – **R** conseillée juil.-août – 🏕 18 piscine comprise ▣ 18 ⚡ 13 (3A)

## AGON-COUTAINVILLE

4 – 54 ⑫ G. Normandie Cotentin

**50230** Manche – 2 510 h.
🛈 Office de Tourisme, pl. 28 Juillet
1944 (saison) ☎ 33 47 01 46

**Municipal le Marais,** ☎ 33 47 25 72, sortie NE, près de l'hippodrome
2 ha (150 empl.) ⚡ plat, herbeux – 🔥 ⚰ ⚲ 🔲 ⚰ ⊕ ⚲ – À proximité : ⛱ ⚓ ✖
🏛

## AGOS-VIDALOS 65 H.-Pyr. – 85 ⑰ ⑱ – rattaché à Argelès-Gazost

## AIGUEBELETTE (Lac d')

12   74 ⑮ G. Alpes du Nord

**73** Savoie

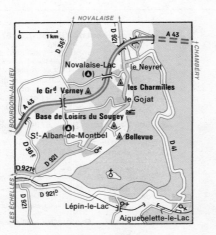

**Novalaise-Lac** – 1 234 h. – ⊠ 73470 Novalaise

⋀⋀⋀ **Les Charmilles** ⬕, ℘ 79 36 04 67, à 150 m du lac
1,1 ha (100 empl.) ⊶ en terrasses, gravillons – ⛺ ⬕ 🖃 ⅙ ☺ 🖳 – ⊏▱ 🖾
– A proximité : ✂ 🕳
juil.-août – **R** conseillée – 🖃 3 pers. 76, pers. suppl. 18 🅑 14 (3A) 18 (6A)

⋀⋀⋀ **Le Grand Verney** ☙, ⬕, ℘ 79 36 02 54, O : 1,2 km, au Neyret
2 ha (83 empl.) ⊶ plat, peu incliné et en terrasses, herbeux ⚲ – ⛺ ⬕ 🖃 ⅙ ☺
🚣 ▽
avril-1er nov. – Places limitées pour le passage – **R** conseillée – 🚶 8 🖃 12 🅑 10
(2A) 12 (3A) 15 (4A)

**St-Alban-de-Montbel** – 418 h. – ⊠ 73610 St-Alban-de-Montbel

⋀⋀⋀ **Base de Loisirs du Sougey** ⬕, ℘ 79 36 01 44, NE : 1,2 km, à 300 m du
lac
3 ha (175 empl.) ⊶ plat et incliné, herbeux, gravillons – ⛺ ⬄ ⬕ 🖃 ☺ – ⊏▱
🖾 – A proximité : 🚲 🖡 ✕ ✂ 🕳
15 avril-15 oct. – **R** conseillée – Tarif 91 : 🚶 17 🖃 16 ou 29 🅑 13,60 (2A) 19
(4A)

⋀ **Bellevue** ☙, ⬕ montagne de l'Épine, ℘ 79 36 01 48, NE : 1,2 km, bord du
lac
1 ha (75 empl.) ⊶ en terrasses, herbeux ⚲ – ⛺ 🖃 ☺ 🖡 – A proximité : 🚲 ✕
✂ 🕳
avril-oct. – **R** conseillée juil.-août – 🚶 15 🖃 19

---

# AIGUEBLANCHE
**73260** Savoie – 2 665 h.

⋀ **Piscine du Morel,** ℘ 79 24 05 25, à Bellecombe NO : 1,7 km par rte de la
Lèchère, bord d'un canal et à 250 m de l'Isère
0,6 ha (40 empl.) ⊶ (saison) peu incliné et plat, pierreux, gravillons ⊏▱ ⦰ – ⛺
⬄ 🖕 🖃 ⅙ 🏭 ☺ – A proximité : 🖡 sauna ✂ 🖟 🖾 🏊 toboggan aquatique,
parcours sportif
avril-oct. – **R** indispensable – 🚶 12 🖃 22 🅑 11

12 – 74 ⑰

---

# AIGUES-MORTES
**30220** Gard – 4 999 h.
🚩 Office de Tourisme, porte de la
Gardette ℘ 66 53 73 00

⋀⋀⋀ **La Petite Camargue** « Entrée fleurie », ℘ 66 53 84 77, O : 3,5 km par D 62
rte de Montpellier – ✂ dans locations
10 ha (420 empl.) ⊶ plat, herbeux, sablonneux ⚲ (5 ha) – ⛺ ⬄ 🖕 🖃 ⅙ ☺ 🚣
▽ 🚲 snack 🛒 – 🖟 🏊 – Location : 🖾
18 avril-19 sept. – **R** conseillée juil.-août – 🖃 piscine comprise 1 ou 2 pers. 90
ou 105 (107 à 135 avec élect. 5A), pers. suppl. 25

16 – 83 ⑧ **G. Provence**

---

# AIGUÈZE
**30760** Gard – 215 h.
Schéma à St-Martin-d'Ardèche

⋀ **Les Cigales,** ℘ 66 82 18 52, au SE du bourg, sur D 141, avant le pont de
St-Martin
0,5 ha (36 empl.) ⊶ plat et terrasse, herbeux ⚲ – ⛺ ⬕ 🖃 ☺ – 🏊
mars-oct. – **R** conseillée juil.-août – Tarif 91 : 🖃 piscine comprise 2 pers. 52
🅑 8 (2A)

16 – 80 ⑨ **G. Provence**

---

# AIGUILLON
**47190** L.-et-G. – 4 169 h.

⋀⋀ **Municipal du Vieux Moulin,** ℘ 53 79 61 43, sortie NE sur D 666 rte de
Villeneuve-sur-Lot, bord du Lot
0,7 ha (57 empl.) ⊶ plat, herbeux ⊏▱ ⚲ – ⛺ ⬄ ⬕ ☺ – 🖾 – A proximité :
✕
15 juin-15 sept. – **R** conseillée – Tarif 91 : 🚶 7 🚗 2,60 🖃 2,60 🅑 3,50 (2A)
7 (6A)

14 – 79 ⑭

---

# L'AIGUILLON-SUR-MER
**85460** Vendée – 2 175 h.
Schéma à la Tranche-sur-Mer

⋀⋀⋀ Bel Air, ℘ 51 56 44 05, NO : 1,5 km par D 44 et rte à gauche
7 ha (350 empl.) ⊶ plat, herbeux, sablonneux ⚲⚲ (4 ha) – ⛺ ⬄ 🖕 ⬕ 🖃 ⅙
☺ 🚣 ▽ 🚲 🖡 ✂ – 🏊 – A proximité : ✂ – Location : 🖾
mai-sept. – **R** conseillée

⋀⋀ **Le Pré des Sables** ☙, ℘ 51 27 13 88, au nord de la ville
1,6 ha (104 empl.) ⊶ plat, herbeux – ⛺ ⬄ 🖕 🖃 ⅙ ☺ 🖡 🖳 – 🖾
avril-15 oct. – **R** conseillée 15 juil.-août – 🖃 2 pers. 65/80 avec élect.

9 – 171 ⑪ **G. Poitou Vendée Charentes**

---

# AILLON-LE-JEUNE
**73340** Savoie – 261 h. alt. 1 000 –
🏔
🚩 Office de Tourisme ℘ 79 54 63 65

⋀ **C.C.D.F. Jeanne et Georges Cher** Ⓜ ❄ ⬕, ℘ 79 54 60 32, SE : 1,8 km par D 32,
à l'entrée de la station, à 50 m d'une rivière
1 ha (40 empl.) ⊶ non clos, plat, pierreux, herbeux – ⛺ ⬄ 🖕 🖃 ⅙ 🏭 ☺
– 🖾 – A proximité : ✂ 🐎
Permanent – **R** conseillée hiver – Adhésion obligatoire

12 – 74 ⑯ **G. Alpes du Nord**

---

## AIMARGUES
**30470** Gard – 2 988 h.

▲▲ **Bellevue,** ℰ 66 88 63 75, au SE du bourg, accès par D 979
3,5 ha (181 empl.) ⟶ plat, herbeux, verger – 🔟 ⬥ 🔟 🔟 🔟 🔟 🔟 🔟 🔟 snack
🔟 – 🔟 🔟
Permanent – **R** conseillée – 🔟 16 piscine comprise 🔟 30/40 avec élect. (6A)

---

## AIME
**73210** Savoie – 2 963 h. alt. 690.
🔟 Office de Tourisme, av. Tarentaise
ℰ 79 09 79 79

▲▲ **Le Tuff** ⬱, ℰ 79 55 67 32, SO : 5 km par N 90 rte de Moûtiers, à 0,7 km au
S de Centron, bord de l'Isère et d'un petit plan d'eau
2 ha (150 empl.) ⟶ plat, herbeux, gravier – 🔟 ⬥ 🔟 🔟 🔟 🔟 🔟 🔟 – 🔟
juin-15 sept. – **R** – 🔟 16 🔟 7 🔟 13 🔟 13 (3A) 20 (6A) 32 (10A)

▲▲ **la Glière** ⬱, ℰ 79 09 77 61, SO : 3,5 km par N 90 rte de Moutiers et à Villette,
D 85 à droite, bord d'un ruiseau
1,5 ha (50 empl.) ⟶ en terrasses, pierreux, herbeux 🔟 🔟 – 🔟 ⬥ 🔟 🔟 🔟 🔟
🔟
15 mai-15 sept. – **R** conseillée 10 juil.-20 août – 🔟 12 🔟 5 🔟 6 à 10/11 à
15 🔟 12 (5A) 20 (10A)

---

## AINHOA
**64250** Pyr.-Atl. – 539 h.

▲▲ **Xokoan** ⬱, ℰ 59 29 90 26, **à Dancharia**, SO : 2,5 km, puis à gauche avant la
douane, bord d'un ruisseau (frontière)
0,6 ha (35 empl.) ⟶ plat, peu incliné, herbeux – 🔟 ⬥ 🔟 🔟 🔟 🔟 🔟 🔟 🔟
🔟 – Location : 🔟 (hôtel)
Permanent – **R** conseillée juil.-août – 🔟 13 🔟 6,80 🔟 12,50/14,60 🔟 13 (10A)

---

## AIRE-SUR-L'ADOUR
**40800** Landes – 6 205 h.
🔟 Office de Tourisme ℰ 58 71 64 70

▲ **S.I. les Ombrages de l'Adour** « Entrée fleurie », ℰ 58 71 75 10, près du
pont, derrière les arènes, bord de l'Adour
2 ha (100 empl.) ⟶ plat, herbeux 🔟 – 🔟 ⬥ 🔟 🔟
mai-sept. – **R** – 🔟 10,50 🔟 11,50 🔟 8

---

## AIX-EN-PROVENCE ⟨SP⟩
**13100** B.-du-R. – 123 842 h. –
🔟 (fermé pour travaux).
🔟 Office de Tourisme, pl. du Général-
de-Gaulle ℰ 42 26 02 93

▲▲▲ **Chantecler,** ℰ 42 26 12 98, Par centre ville : SE : 2,5 km, accès par cours
Gambetta – av. Malicrida et chemin du Val St. André à gauche – Par A8 (direction
Nice) : Sortie Aix Est
8 ha (240 empl.) ⟶ plat, peu incliné et en terrasses, herbeux 🔟 🔟 – 🔟 ⬥ 🔟
🔟 sauna 🔟 🔟 🔟 🔟 🔟 🔟 🔟 🔟 🔟 🔟 – 🔟 🔟 – Location : 🔟 🔟
Permanent – **R** conseillée – 🔟 25 piscine comprise 🔟 30 🔟 15,50 (5A)

---

## AIXE-SUR-VIENNE
**87700** H.-Vienne – 5 566 h.

▲ **Municipal les Grèves,** ℰ 55 70 12 98, av. des Grèves, bord de la Vienne
3 ha (120 empl.) ⟶ plat et peu incliné, herbeux – 🔟 🔟 🔟 – A proximité : 🔟
(découverte l'été)
juin-sept. – **R** conseillée juil.-août – Tarif 91 : 🔟 10 🔟 5 🔟 6 🔟 9 (5A) 24 (10A)
39 (16A)

---

## AIX-LES-BAINS
**73100** Savoie – 24 683 h. –
🔟 6 janv.-15 déc. et Marlioz.
🔟 Office de Tourisme, pl. Maurice-
Mollard ℰ 79 35 05 92 et Résidence
les Belles Rives au Grand Port
(juin-sept.) ℰ 79 34 15 80

▲▲▲ **International du Sierroz,** ℰ 79 61 21 43, NO : 2,5 km, bd Robert-Barrier,
à 100 m du lac
5 ha (300 empl.) ⟶ plat, herbeux, pierreux 🔟 🔟 (2,5 ha) – 🔟 ⬥ 🔟 🔟 🔟 🔟 🔟
🔟 🔟 🔟 🔟 🔟 🔟 – 🔟 – A proximité : 🔟 🔟
15 mars-14 nov. – **R** – Tarif 91 : 🔟 13 🔟 24/29 (36 ou 50 avec élect.)

▲▲▲ **Alp'Aix,** ℰ 79 88 97 65, NO : 2,5 km, 20 bd du Port-aux-Filles, à 150 m du
lac
1,2 ha (90 empl.) ⟶ plat, herbeux, pierreux 🔟 🔟 – 🔟 ⬥ 🔟 🔟 🔟 🔟 🔟 🔟 🔟
– 🔟 – A proximité : 🔟 🔟 🔟 – Location : 🔟
5 avril-8 oct. – **R** conseillée 15 juin-août – 🔟 2 pers. 59 🔟 10 (4A) 15 (6A)

**à la Biolle** N : 7 km par N 201 – ✉ 73410 la Biolle :

▲ **Le Clos des Fourches** ⬱, ℰ 79 54 77 77, sur N 201, accès par centre bourg
1 ha (50 empl.) ⟶ plat à incliné, herbeux 🔟 – 🔟 (🔟 avril-oct.) 🔟 🔟 🔟 – 🔟
🔟 🔟 – Location : 🔟 🔟
Permanent – **R** conseillée juil.-20 août – 🔟 piscine comprise 2 pers. 40, pers.
suppl. 8 🔟 8 (2,5A)

**à Brison-St-Innocent** N : 4 km par D 991 – ✉ 73100 Brison-St-Innocent :

▲ **Le lac des Berthets** ⬱, ℰ 79 54 36 66, chemin des Berthets
1,6 ha (100 empl.) ⟶ – 🔟 ⬥ 🔟 🔟 🔟 🔟 🔟 – 🔟
mai-15 oct. – **R** sauf juil.-août – 🔟 13 🔟 24 🔟 11 (4A)

▲ **La Rolande** ⬱, ℰ 79 35 39 72, chemin des Berthets
1,5 ha (100 empl.) ⟶ peu incliné, herbeux 🔟 – 🔟 🔟 🔟 🔟 🔟 – 🔟
mai-sept. – **R** conseillée juil.-août – Tarif 91 : 🔟 3 pers. 59,80, pers. suppl. 11,90
🔟 9,80 (2A)

à *Grésy sur Aix* NE : 4 km par N 201 et D 911
⊠ 73100 Grésy-sur-Aix :
🔺 **Municipal Roger Milési** ≤, 𝒫 79 88 28 21, O : 2 km, à Antoger
0,6 ha (38 empl.) ⊶ (juil.-août) plat, herbeux, gravillons ⊑ – 🗂 🖰 ᒣ ⊕ – ✕
juin-sept. – **R** – *Tarif 91 :* ᶠ *8* ⇔ *7* 🖭 *10 (21 pour la 1ère nuit)* 🔌 *11 (3A)*
*13 10A)*

---

## AIZENAY                                                    🔟 – 🗓 ⑬

**85190** Vendée – 5 344 h.
🗓 Syndicat d'Initiative, pl. Mutualité
(juil.-août) 𝒫 51 94 62 72

🔺 **Municipal la Forêt,** 𝒫 51 34 78 12, SE : 1 km par D 948, rte de la
Roche-sur-Yon et chemin à gauche
0,7 ha (50 empl.) ⊶ plat, herbeux, bois attenant ♀ – 🗂 ⇔ 🖰 🖭 ⊕ – ✕ 🏹
5 juin-21 sept. – **R** *conseillée juil.-août* – ᶠ *8,20* ⇔ *4* 🖭 *5,50* 🔌 *9,80 (5A)*

---

## ALBAN                                         🗓 – 🗓 ⑫ G. Gorges du Tarn

**81250** Tarn – 904 h. alt. 614

🔺 **Municipal la Franquèze** 📶 ≤, sortie O rte d'Albi puis 0,5 km par chemin
à droite, à 100 m d'un plan d'eau
0,5 ha (36 empl.) plat et peu incliné, terrasses, herbeux – 🗂 ⇔ 🖰 🖭 ⊕
juin-sept. – **R** – ᶠ *7,50* 🖭 *6* 🔌 *7,50 (3A)*

---

## ALBENS                                                 🗓 – 🗓 ⑮

**73410** Savoie – 2 439 h.

🔺 **Beauséjour** ≤, 𝒫 79 54 15 20, sortie SO par rte de la Chambotte
1,9 ha (100 empl.) ⊶ vallonné, prairie – 🗂 ⊕
15 juin-15 sept. – **R** – ᶠ *8,50* 🖭 *17* 🔌 *10 (6A)*

---

## ALBERTVILLE 🔄                         🗓 – 🗓 ⑰ G. Alpes du Nord

**73200** Savoie – 17 411 h.
🗓 Office de Tourisme, 1 r. Bugeaud
𝒫 79 32 04 22

à *Venthon* NE : 3 km par D 925 rte de Beaufort – ⊠ 73200 Venthon :
🔺 **Les Marmottes** 📶 ≤, 𝒫 79 32 57 40, au bourg
1,3 ha (60 empl.) ⊶ plat et peu incliné, herbeux ♀ – 🗂 🖰 ⊕ – 🛶
Pâques-11 nov. – ℟ – ᶠ *16* ⇔ *5* 🖭 *10* 🔌 *10 (3A)*

---

## ALBIÈS                                                  🗓 – 🗓 ⑤

**09310** Ariège – 141 h.

🔺 Municipal la Coume ≤, 𝒫 61 64 98 99, au bourg
1 ha (50 empl.) peu incliné, en terrasses, herbeux – 🗂 ⇔ 🖰 🖭 ᒣ 🎹 ⊕ ⚁ ☇
– 🛶
Permanent – **R** *conseillée août*

---

## ALBON                                      🗓 – 🗓 ① ② G. Vallée du Rhône

**26140** Drôme – 1 543 h.

🔺 **Senaud** « Cadre agréable », 𝒫 75 03 11 31, S : 1 km par D 122, au château
30 ha/3 campables (140 empl.) ⊶ plat et peu incliné, herbeux, pierreux ♀♀ –
🗂 ⇔ 🕂 🖭 ᒣ ⊕ ⚁ ☇ 🍴 🍷 🖭 – 🛶 ✕ 🔭 🏊 half-court, golf – Location :
🏠 🏡 – Garage pour caravanes
mars-oct. – *Places disponibles pour le passage* – **R** *conseillée juil.-20 août* –
ᶠ *19,50 piscine comprise* 🖭 *28* 🔌 *14 (6A)*

---

## ALENÇON 🅿                               ⑤ – 🗓 ③ G. Normandie Cotentin

**61000** Orne – 29 988 h.
🗓 Office de Tourisme, Maison d'Ozé
𝒫 33 26 11 36

🔺 **Municipal de Guéramé** « Cadre agréable », 𝒫 33 26 34 95, au SO de la
ville, par bd périphérique rte de Guéramé, bord de la Sarthe
1,5 ha (60 empl.) ⊶ plat et en terrasses, herbeux – 🗂 ⇔ 🖰 ᒣ ⊕ ⚁ ☇ – 🛶
🏹
mai-oct. – **R** – *Tarif 91 :* ᶠ *7* ⇔ *8* 🖭 *8,10* 🔌 *6,15 à 18,30 (4 à 15A)*

---

## ALÉNYA                                                 🗓 – 🗓 ⑳

**66200** Pyr.-Or. – 1 562 h.

🔺 **Municipal,** 𝒫 68 22 17 26, sortie E vers St-Cyprien par av. de la Mer
1 ha (50 empl.) ⊶ plat, herbeux ♀ – 🗂 ⊕
15 juin-15 sept. – **R** *conseillée* – ᶠ *14* 🖭 *23,50* 🔌 *8,50 (6A)*

---

**ALÉRIA** **2B** H.-Corse – 🗓 ⑥ – voir à Corse

---

## ALÈS 🔄                                      🗓 – 🗓 ⑱ G. Gorges du Tarn

**30100** Gard – 41 037 h.
🗓 Office de Tourisme, 2 r. Michelet
(Chambre de Commerce)
𝒫 66 78 49 10 et pl. Gabriel-Péri
(Pâques-Toussaint) 𝒫 66 52 32 15

🔺 Municipal les Châtaigniers, 𝒫 66 52 53 57, S par av. Jules-Guesde et chemin
des Sports, face au stade
1 ha (75 empl.) ⊶ plat, herbeux ♀ – 🗂 ⇔ 🖰 ⊕ – 🏹 – A proximité : ✕
🔲
juin-sept. – ℟

à *Cendras* NO : 5 km par D 916 – ⊠ 30480 Cendras :

▲▲▲ **La Croix Clémentine** ⑤ ≤, ℰ 66 86 52 69, NO : 2 km par D 916 et D 32 à gauche
12 ha/3 campables (234 empl.) ⊶ plat et en terrasses, pierreux, herbeux ▭ ፬፬
– 涮 ᦕ ᗒ 🏷 ⊕ 📐 ▽ 🏋 ✕ ⊰ 🍴 – ☐ discothèque ፠ ⛓ ⟿ ⏀ vélos
– Location : ⟁ ⏠
avril-sept. – **R** *conseillée juil.-août* – ☐ *piscine comprise 2 pers. 86, pers. suppl.*
*22* ⑨ *12 (6A) 20 (12A)*

---

## ALEX **74** H.-Savoie – **74** ⑥ – voir à Annecy (Lac d')

---

## ALGAJOLA **2B** H.-Corse – **90** ⑬ – voir à Corse

---

## ALLANCHE                                                          **11** – **76** ③ G. Auvergne

**15160** Cantal – 1 220 h. alt. 985

▲▲ **Municipal Parc du Pont Valat** ⑤ ≤, ℰ 71 20 45 87, S : 1 km sur D 679 rte de St-Flour, à 50 m de l'Allanche
3,4 ha (100 empl.) ⊶ plat, peu incliné, herbeux – 涮 ᦕ ᗒ ⊕ – ⟑ ፠
15 juin-15 sept. – **R** – ⛓ *6,35* ⟿ *2,80* ☐ *4,35* ⑨ *12 (5A)*

---

## ALLÈGRE                                                           **11** – **76** ⑥ G. Auvergne

**43270** H.-Loire – 1 176 h. alt. 1 021

▲ **Municipal la Pinède** ⑤ ≤ « Agréable pinède », ℰ 71 00 76 79, N : 0,8 km par D 13 et D 21 rte de Vorey et chemin à gauche, près du terrain de sports
2,5 ha (33 empl.) plat, herbeux ፬፬ – 涮 ᗫ ⊕
juin-sept. – **R** – ⛓ *8* ⟿ *5* ☐ *5* ⑨ *7 (3 ou 5A) 13 (6 ou 10A)*

---

## ALLEMONT                                                          **12** – **77** ⑥

**38114** Isère – 600 h. alt. 820

▲▲ **Le Grand Calme** ≤, ℰ 76 80 70 03, au sud du bourg, sur D 526, près de l'eau d'Olle – alt. 720
2 ha (100 empl.) ⊶ plat, herbeux ፬፬ (1 ha) – 涮 ᦕ ᗒ ▥ ⊕ – A proximité :
⛓ ✕ ፠ ⛓ ⟿ ⏀ – Location : ⟝(hotel)
Permanent – **R** – ☐ *2 pers. 36 (hiver 45)* ⑨ *9,50 (4A)*

▲ **Municipal le Pian** ≤, ℰ 76 80 76 88, au pied du barrage du Verney, près de l'eau d'Olle – alt. 730
1,5 ha (101 empl.) ⊶ plat, gravier, pierreux, herbeux – 涮 ᗫ ᗭ ▥ ⊕ 📐 ▽ –
⟑ – A proximité : ፠ ⏀
Permanent – **R** *conseillée juil.-août* – ☐ *2 pers. 29/37* ⑨ *6,75 (15A)*

▲ **Les Grandes Rousses** ≤, ℰ 76 80 78 52, sortie SO par D 526, près du pont sur l'eau d'Olle – alt. 710
0,6 ha (34 empl.) ⊶ plat, herbeux, pierreux ፬ (0,3 ha) – 涮 ᦕ ᗒ ᗭ ⊕ – ⟑
– A proximité : vélos
juin-15 sept. – **R** *conseillée 14 juil.-20 août* – ☐ *2 pers. 36* ⑨ *8,50 (5A)*

---

## ALLEREY **21** Côte-d'Or – **65** ⑰ ⑱ – rattaché à Semur-en-Auxois

---

## ALLEVARD                                                          **12** – **74** ⑯ G. Alpes du Nord

**38580** Isère – 2 558 h. –
⚑ 21 mai-29 sept. – ⟿.
🇧 Office de Tourisme, pl. de la Résistance ℰ 76 45 10 11

▲▲ **Clair Matin** ⑤ ≤ « Décoration florale », ℰ 76 97 55 19, sortie SO rte de Grenoble et à droite
3,5 ha (150 empl.) ⊶ incliné et en terrasses, herbeux ፬፬ – 涮 ᗒ ᦕ ᗭ ⊕ ▣
– ⟑ ⟿
14 mai-sept. – **R** *indispensable juil.-août* – ☐ *2 pers. 60, pers. suppl. 11,50* ⑨
*8,85 à 16,50 (2 à 6A)*

▲ **Idéal Camping** ≤, ℰ 76 97 50 23, sortie N sur D 525 rte de Chambéry, à 100 m du Bréda
1 ha (60 empl.) ⊶ plat, peu incliné, herbeux ፬ verger – 涮 ᦕ 🏷 ⊕ – ⟑ –
A proximité : ፠ ⏀ – Location : ⏠
20 mai-23 sept. – **R** *conseillée juil.-15 août* – *Tarif 91 :* ☐ *1 pers. 29, pers. suppl.*
*7* ⑨ *9 (2A) 12 (4A) 15 (6A)*

---

## ALLEYRAS                                                          **11** – **76** ⑯

**43570** H.-Loire – 232 h. alt. 750

▲▲ **Municipal** ⑤ ≤, ℰ 71 57 56 86, NO : 2,5 km, à Pont-d'Alleyras, accès direct à l'Allier – alt. 660
0,9 ha (60 empl.) ⊶ (saison) plat et peu incliné, terrasse, herbeux – 涮 ᦕ ᗒ
⊕ – ⟿ – Location : huttes
mai-sept. – **R** *conseillée 14 juil.-15 août* – ⛓ *7* ⟿ *3,50* ☐ *5* ⑨ *7 (6A)*

---

## ALLUYES                                                           **5** – **60** ⑰

**28800** E.-et-L. – 577 h.

▲ **Municipal,** sortie NO par D 28¹ rte d'Illiers Combray, attenant au stade et près du Loir
0,5 ha (33 empl.) plat, herbeux – 涮 ᦕ ᗒ ᗭ ⊕ – ⟿ vélos – A proximité :
፠
mai-sept. – **R** – ⛓ *7* ⟿ *7* ☐ *7* ⑨ *8 (6A) 10 (10A)*

## ALRANCE

**12430** Aveyron – 468 h. alt. 760

⑪ – 🕸 ⑫ ⑬

ᐃᐃ **Les Cantarelles** ≤, ℘ 65 46 40 35, S : 3 km sur D 25, bord du lac de Villefran-che-de-Panat
2,5 ha (120 empl.) ⌁ plat, peu incliné, herbeux – 🗂 ⇔ 🚻 🖼 ⊕ ⚥ 🏋 ▾ – 🍴
🛥 🛶
mai-sept. – **R** *conseillée – Tarif 91 :* 🔲 *2 pers. 50, pers. suppl. 17* [⚡] *10 (6A)*

## ALVIGNAC

**46500** Lot – 473 h.
🅱 Bureau de Tourisme, r. Centrale (juil.-août) ℘ 65 33 66 42

⑬ – 🕸 ⑲

ᐃ **Municipal**, sortie E rte de Padirac
0,6 ha (35 empl.) peu incliné et en terrasses, herbeux – (🗂 juin à sept.) ⊕ – 🍴
– A proximité : 🏋 ✗
15 avril-sept. – **R** *conseillée août –* 🛠 *6* 🔲 *10* [⚡] *6 (5A)*

ᐃ **La Chataigneraie** (aire naturelle) 🐾, ℘ 65 33 72 11 ⊠ Rocamadour 46500, SO : 1,5 km par D 20, rte de Rignac et chemin de Varagne à droite
3 ha (25 empl.) peu incliné, herbeux – 🗂 ⇔ 🛶
juin-sept. – **R** – 🛠 *11* 🔲 *11*

## AMBARES-ET-LAGRAVE 33 Gironde – 🕮 ⑨ – rattaché à Bordeaux

## AMBAZAC

**87240** H.-Vienne – 4 889 h.

⑩ – 🕸 ⑧ G. Berry Limousin

ᐃᐃ **Municipal de Jonas** 🐾 ≤, ℘ 55 56 60 25, NE : 1,8 km par D 914 rte de Laurière et chemin à gauche, près d'un plan d'eau
1,7 ha (70 empl.) ⌁ (juil.-août) en terrasses, herbeux – 🗂 🛶 ⊕ – 🛥 (plage)
juin-15 sept. – **R** *conseillée juil.-15 août –* 🛠 *6,30* 🚗 *3,15* 🔲 *3,15* [⚡] *8,40 (5A) 13,10 (5 à 10A)*

## AMBÉRIEUX-EN-DOMBES

**01330** Ain – 1 156 h.

⑫ – 🕸 ① ②

ᐃ **Municipal le Cerisier** ≤, ℘ 74 00 83 40, S : 0,8 km par D 66 rte de Lyon et à gauche, près d'un plan d'eau
2 ha (80 empl.) ⌁ plat, herbeux, gravier 🌳 – 🗂 ⇔ 🚻 🛆 ⊕ – A proximité : ✗
avril-oct. – **R** *conseillée – Tarif 91 :* 🛠 *9* 🚗 *4* 🔲 *9* [⚡] *9*

## AMBERT 🚃

**63600** P.-de-D. – 7 420 h.
🅱 Office de Tourisme, 4 pl. de l'Hôtel-de-Ville ℘ 73 82 61 90 et pl. Georges-Courtial (saison) ℘ 73 82 14 15

⑪ – 🕸 ⑯ G. Auvergne

ᐃᐃ **Municipal les Trois Chênes**, ℘ 73 82 34 68, S : 1,5 km par D 906 rte de la Chaise-Dieu, bord de la Dore (rive gauche)
1,2 ha (120 empl.) ⌁ plat, herbeux 🏊🏊 – 🗂 🛶 🖼 ⊕ ⚥ ▾ – 🍴 🔲 – A proximité : 🏊
mai-sept. – **R** *conseillée juil.-août – Tarif 91 :* 🛠 *12* 🚗 *7* 🔲 *9* [⚡] *13*

ᐃᐃ **La Biourne**, ℘ 73 95 63 86 ⊠ 63940 Marsac-en-Livradois, S : 7 km par D 57ᴱ, bord de la Dore et d'un étang
2 ha (50 empl.) ⌁ plat, herbeux – 🛶 (🗂 🚻 Pâques-oct.) ⊕ ⚥ 🏋 ✗
Permanent – **R** – 🛠 *12* 🔲 *12* [⚡] *14*

## AMBON

**56190** Morbihan – 1 006 h.

④ – 🕸 ⑬

ᐃᐃ **Les Peupliers**, ℘ 97 41 12 51, sortie par D 140 rte de Damgan puis O : 0,8 km par chemin à droite
2,8 ha (100 empl.) ⌁ plat, herbeux – 🗂 🛶 ⊕ 🖼 – 🛝 – Location : 🏠
juin-sept. – **R** *conseillée 15 juil.-15 août –* 🛠 *12 piscine comprise* 🚗 *6* 🔲 *7*

## AMBRIÈRES-LES-VALLÉES

**53300** Mayenne – 2 841 h.

④ – 🕸 ⑳

ᐃᐃ **Municipal de Vaux** 🐾 « Situation agréable », ℘ 43 04 00 67, SE : 2 km par D 23 rte de Mayenne et à gauche, à la piscine, bord de la Varenne (plan d'eau)
0,75 ha (61 empl.) ⌁ plat et en terrasses, herbeux, gravillons 🌳 – 🗂 🚻 ⊕ 🛆
▾ – A l'entrée : ✗ 🏋 🛝 tir à l'arc
mai-sept. – **R** *conseillée juil.-août –* 🔲 *1 pers. 22, pers. suppl. 10* [⚡] *7 (10A)*

## AMÉLIE-LES-BAINS-PALALDA

**66110** Pyr.-Or. – 3 239 h. – ♨ 20 janv.-19 déc.
🅱 Office de Tourisme et du Thermalisme, quai du 8 Mai 45 ℘ 68 39 01 98

⑮ – 🕸 ⑱ G. Pyrénées Roussillon

ᐃᐃ **Hollywood Camping** 🐾 ≤, ℘ 68 39 08 61, sortie NE par rte de Céret et, à la Forge, chemin à droite
2 ha (40 empl.) ⌁ en terrasses, pierreux, herbeux 🌳 ♀ – 🗂 🛶 🚻 🖼 🛆 ⊕ 🛆
▾ ✗ 🛝 🛝 (bassin)
15 avril-15 nov. – **R** *conseillée juin et sept., indispensable juil.-août –* 🔲 *piscine comprise 2 pers. 54, pers. suppl. 17,50* [⚡] *14 (4A) 17 (6A)*

## L'AMÉLIE-SUR-MER 33 Gironde – 🕮 ⑯ – rattaché à Soulac-sur-Mer

## AMOU

**40330** Landes – 1 481 h.
🅱 Syndicat d'Initiative, Mairie ℘ 58 89 00 22

⑬ – 🕸 ⑦

ᐃ **Municipal la Digue** 🐾, sortie S par rte de Bonnegarde et à droite, au stade, bord du Luy
0,6 ha (33 empl.) plat, herbeux 🌳 ♀ (0,4 ha) – 🗂 🚻 ⊕ 🛆 – parcours sportif
Permanent – **R** – *Tarif 91 :* 🛠 *6,50* 🚗 *4* 🔲 *8/17 avec elect.*

## AMPHION-LES-BAINS

**74** H.-Savoie – ⌧ 74500 Évian-les-Bains.

🛈 Syndicat d'Initiative, r. du Port (10 juin-sept.) ☏ 50 70 00 63

⋀⋀⋀ **La Plage,** ☏ 50 70 00 46, à 200 m du lac Léman
1,5 ha (83 empl.) ⊶ plat, herbeux ⬤ – 🔊 ⬥ ⩘ 🔲 ⬥ 🏛 ⬤ ⩙ ⬥ ♈ ▤ – ⟐
A proximité : ✕ ⚡ ⤢ 🛶 parcours sportif – Location : 🛏 🏠
avril-1er nov. – **R** conseillée juil.-août – Tarif 91 : ⋆ 17,50 🔲 26,50 ⒤ 9 à 25 (1 à 10A)

---

## AMPLIER

**62760** P.-de-C. – 271 h.

⋀⋀⋀ **Le Val d'Authie,** ☏ 21 48 57 07, au sud du bourg par D 24, 93 r. des Marais, bord de l'Authie et d'un étang
2,4 ha (75 empl.) ⊶ plat, herbeux ⟏ – 🔊 ⩘ 🔲 sauna ⬤ ⚡ ✕ – ⟐ ⅄
Permanent – **R** – ⋆ 12 🔲 20 ⒤ 12 (3A) 20 (10A)

---

## ANCELLE

**05260** H.-Alpes – 600 h. alt. 1 327 – ⬤

⋀⋀⋀ **Les Auches** ⬥ <, ☏ 92 50 80 28, sortie N par rte de Pont du Fossé et à droite
1,8 ha (90 empl.) ⊶ peu incliné, terrasses, herbeux – 🔊 ⬥ ⩘ 🔲 ⬤ ▤ – ⟐ ⅄
Permanent – Places disponibles pour le passage – **R** conseillée juil.-août – ⋆ 20 piscine comprise 🔲 20 ⒤ 11,50 (2A)

---

## ANCENIS ⬟

**44150** Loire-Atl. – 6 896 h.

🛈 Office de Tourisme, pl. Millénaire ☏ 40 83 07 44

⋀⋀⋀ **Municipal de l'Ile Mouchet,** ☏ 40 83 08 43, sortie O par bd Joubert et à gauche avant le stade, accès direct à la Loire
3 ha (150 empl.) ⊶ plat, herbeux ⬤ – 🔊 ⩘ 🔲 ⬤ – ⟐ – A proximité : ✕ ⅄ ⅄
15 avril-15 oct. – **R** – ⋆ 7,30 ⤢ 6,25 🔲 7,30 ⒤ 10,40 (10 ou 16A)

---

## Les ANCIZES-COMPS

**63770** P.-de-D. – 1 910 h. alt. 710

⋀⋀⋀ **Municipal Comps-les-Fades,** ☏ 73 86 81 64, N : 1,8 km par D 62 et rte de Comps à gauche
4,3 ha (90 empl.) ⊶ peu incliné, herbeux ⟏ ⬤ – 🔊 ⩘ 🔲 ⬥ ⬤ – ⟐ – Location : chalets
juin-15 sept. – **R** – ⋆ 9 🔲 12 ⒤ 10 (5A)

---

## ANCY-LE-FRANC

**89160** Yonne – 1 174 h.

⋀ **Municipal,** sortie S par D 905 rte de Montbard (face au chateau), bord d'un ruisseau et près d'un étang
0,5 ha (33 empl.) plat, herbeux ⟏⟏ – 🔊 ⩘ ⩘ ⬥ ⬤ – A proximité : ✕
15 juin-15 sept. – **R** – ⋆ 8 ⤢ 3 🔲 4/6

---

## ANDANCE

**07340** Ardèche – 1 009 h.

⋀⋀⋀ **Les Sauzets** <, ☏ 75 34 20 20, N : 2 km par N 86 rte de Serrières et à droite, bord du Rhône et d'un plan d'eau – ⬥
14 ha/9 campables (60 empl.) ⊶ plat, gravier, pierreux, herbeux – 🔊 ⩘ ⩘ 🔲 ⬥ ⩙ ♈ ▤ – ⤢ ⅄
avril-oct. – **R** conseillée – Tarif 91 : 🔲 élect. et piscine comprises 4 pers. 90

---

## ANDELOT

**52700** H.-Marne – 1 024 h.

⋀ **Municipal du Moulin,** N : 1 km par D 147 rte de Vignes-la-Côte, bord du Rognon
0,45 ha (23 empl.) plat, herbeux ⟏ – 🔊 ⩘ ⩘ ⬤
juin-15 sept. – **R** – ⋆ 5,10 ⤢ 3,40 🔲 3,40 ⒤ 11,30

---

## Les ANDELYS ⬟

**27700** Eure – 8 455 h.

🛈 Syndicat d'Initiative, 24 r. Philippe-Auguste (fermé matin hors saison) ☏ 32 54 41 93

à *Bernières-sur-Seine* SO : 6 km par D 135
⌧ 27700 Bernières-sur-Seine :

⋀⋀⋀ **Château-Gaillard** ⬦ ⬥, ☏ 32 54 18 20, SO : 0,8 km rte de la Mare, à 200 m de la Seine
22 ha/13 campables (150 empl.) ⊶ plat et peu incliné, herbeux, pierreux, sablonneux ⟏ ⬤ – 🔊 ⩘ ⩘ 🔲 ⬤ ⩙ ♈ ⚡ ▤ – ⟐ ⤢ 🛶 tir à l'arc – A proximité : ⬤
fermé 6 au 31 janv. – Location longue durée – Places limitées pour le passage – **R** conseillée – ⋆ 25 🔲 16,50/36 avec élect. (6A)

à *Bouafles* S : 4 km par D 313 – ⌧ 27700 Bouafles :

⋀⋀⋀ **Château de Bouafles** ⬦, réservé aux caravanes ⬥, ☏ 32 54 03 15, sortie N par D 313, bord de la Seine
9 ha (191 empl.) ⊶ plat, herbeux, gravier ⟏ ⬤ – 🔊 ⩘ ⩘ 🔲 solarium ⬥ ⬤ – ⤢ ♈ – ⟐ ✕ ⅄ – A proximité : ⤢ – Location : 🛏
fermé fév. – Location longue durée (6 100 F à 9 000 F) – **R** conseillée – ⋆ 17,50 🔲 23,50 ⒤ 9,20 (16A)

---

**ANDERNOS-LES-BAINS 33** Gironde – ⱤⱧⱰ ⑲ – voir à Arcachon (Bassin d')

## ANDILLY

**17230** Char.-Mar. – 1 481 h.

9 – 171 ⑫

⚲ **Municipal** (aire naturelle), NO : 3,8 km par D 20, rte de Villedoux et chemin à droite après le pont, bord du canal du Curé – croisement difficile pour caravanes
1 ha (24 empl.) ⚬⇥ plat, herbeux – 🛖
mai-sept. – **ℝ** - ⚶ 5 🔳 8

## ANDORRE (Principauté d')

14 – 86 ⑭ ⑮ G. Pyrénées Roussillon

57 770 h. – ☎ 628 (interurbain avec la France)
🄸 Syndicat d'Initiative à Andorre-la-Vieille, r. du Dr-Vilanova 🖉 20 2 14

**Canillo** – alt. 1 531

⚲ **Santa-Creu** ≤, 🖉 51 4 62, au bourg, bord du Valira del Orient (rive gauche)
0,5 ha ⚬⇥ peu incliné et terrasse, herbeux – 🛖 ⊕
15 juin-sept. - **ℝ** - ⚶ 9 ⇔ 9 🔳 9 élect. comprise

⚲ **Janramon** ≤, 🖉 51 4 54, NE : 0,4 km par rte de Port d'Envalira, bord du Valira del Orient (rive gauche)
0,6 ha ⚬⇥ plat, herbeux – 🛖 ⊕ ⚱
15 juin-sept. - **ℝ** - ⚶ 9 ⇔ 9 🔳 9 élect. comprise

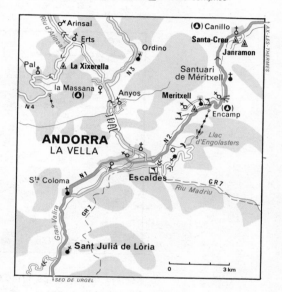

**Encamp** – alt. 1 313

⚹⚹ **Meritxell** ≤, 🖉 31 1 00, à l'ouest du bourg, bord du Valira del Orient (rive droite)
2 ha ⚬⇥ plat et peu incliné, herbeux ⚱⚱ – 🛖 ⇔ ⛺ 🍴 ⊕ ⚑ ⚱ ✗ ⚵ – A proximité :
✗ ⚵ fermé oct. – **ℝ** - ⚶ 19,80 ⇔ 19,80 🔳 19,80

**La Massana** – alt. 1 241

⚹⚹ **La Xixerella** ≤, 🖉 36 6 13, NO : 3,5 km par rte de Pal, bord d'un ruisseau – alt. 1 450
5 ha ⚬⇥ plat, peu incliné, pierreux, herbeux – (🛖 ⇔ ⛺ ⚴ juin-sept.) 🔳 ⊕ ⚵
⚱ ⚱ 🔳 ⚴ – A proximité : ⚵
Permanent – **ℝ** conseillée juil.-août – ⚶ 19,50 piscine comprise ⇔ 19,50 🔳 19,50 ⚿ 19,50 (3A)

## ANDOUILLÉ

**53240** Mayenne – 1 926 h.

4 – 59 ⑳

⚲ **Municipal,** sortie SO par D 104 rte de St-Germain-le-Foulloux, attenant au jardin public, bord de l'Ernée
1 ha (31 empl.) plat, herbeux – 🛖 ⇔ ⛺ 🔳 ⚓ ⊕ – A proximité : ⚴ parcours sportif
mars-oct. – **ℝ** - ⚶ 4,75 ⇔ 2,50 🔳 2,55 ⚿ 3,50

## ANDRYES

**89480** Yonne – 406 h.

6 – 65 ⑮

⚹⚹ **Au Bois Joli** ⚲, 🖉 86 81 70 48, SO : 0,6 km par rte de Villeprenoy
5 ha (65 empl.) ⚬⇥ incliné, pierreux, herbeux ⚱⚱ – 🛖 ⇔ ⚴ 🔳 ⚑ ⊕ ⚵ ⚱ ⚵
– ⚴ 🔳 vélos
Permanent – **ℝ** conseillée juil.-août – ⚶ 17,70 piscine comprise ⇔ 8,20 🔳 9,30/10,80 ⚿ 14,20 (4A)

**30140** Gard – 2 913 h.

🔲 Syndicat d'Initiative, Plan de Brie
🖋 66 61 98 17

🔺🔺🔺 **Malhiver,** 🖋 66 61 76 04, SE : 2,5 km, accès direct au Gardon
2,26 ha (102 empl.) ⊶ plat, herbeux 🛇🛇 – 🗚 ⛀ ⊕ 🗚 🕿 – 🛐 – 🗶 ⚒️ 📥
mai-sept. – **R** *conseillée juil.-août* – 🔲 *élect. (6A) comprise 3 pers. 109, pers. suppl.*
*18*

🔺🔺🔺 **L'Arche** 🛉 ≮, 🖋 66 61 74 08, NO : 2 km, bord du Gardon
5 ha (200 empl.) ⊶ plat, peu incliné et terrasses, herbeux 🛇🛇 – 🗚 🖺 🛐 🕭 🔲
🛋 ▽ 🖳 🍽 🕿 🔲 – 🛒 ⚒️ 🏌️ half-court
avril-sept. – **R** *conseillée juil.-août – Tarif 91 :* 🔲 *2 pers. 49* 🛢 *13 (6A)*

🔺🔺 **Le Pradal,** 🖋 66 61 81 60, N : 0,8 km par D 129 rte de Générargues, bord du
Gardon
3,5 ha (133 empl.) ⊶ plat, herbeux 🛇🛇 – 🗚 🔗 🛐 🛐 ⊕ 🖳 🍽 🕭 🔲 – 🛋
🗶 🏊 🔗
15 mai-sept. – **R** *conseillée juil.-août* – 🔲 *piscine comprise 2 pers. 75* 🛢 *16 (6A)*

🔺🔺 **Les Fauvettes** ≮, 🖋 66 61 72 23, NO : 1,7 km
3,2 ha (60 empl.) ⊶ plat, peu incliné et en terrasses, herbeux 🔳 🛇🛇 – 🗚 🔗 🖻
🛐 ⊕ 🖳 🍽 🔲 – ⚒️ 🏊 toboggan aquatique
Pâques-sept. – **R** *conseillée* – 🔲 *piscine comprise 2 pers. 65, pers. suppl. 14*
🛢 *13 (6A)*

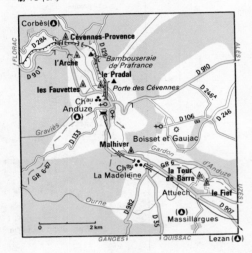

à *Corbès* NO : 5 km – ✉ 30140 Corbès :

🔺🔺 **Cévennes-Provence** 🛉 ≮, 🖋 66 61 73 10, au Mas-du-Pont, bord du Gardon
de Mialet et près du Gardon de St-Jean
30 ha/10 campables (200 empl.) ⊶ plat, accidenté et en terrasses, herbeux 🔳
🛇🛇 – 🗚 🔗 ⊕ 🖳 🗶 🍽 🕿 🔲 – 🛋 ⚒️ 🏊 – Location : 🛖
avril-15 oct. – **R** *conseillée juil.-août* – 🔲 *2 pers. 56 ou 70, pers. suppl. 12 ou*
*15* 🛢 *9,60 ou 12 (3A) 11,20 ou 14 (6A)*

à *Lézan* SE : 9 km par D 907 (hors schéma) – ✉ 30350 Lézan :

🔺🔺 **Mas des Chênes** 🛉, 🖋 66 83 80 68, N : 1,3 km par D 24 rte d'Alès et D 98
rte d'Anduze à gauche, près du Gardon d'Anduze (accès direct)
13 ha/4 campables (180 empl.) ⊶ plat, pierreux, herbeux, bois 🍴 – 🗚 🔗 🖻
🛐 🕭 ⊕ 🔲 – ⚒️ 🏊 – A proximité : 🎿 ⚒️ – Location : 🛖
Pâques-sept. – **R** – 🔲 *piscine comprise 2 pers. 65* 🛢 *14*

à *Massillargues* SE : 7,5 km – ✉ 30140 Massillargues :

🔺🔺 **La Tour de Barre** 🛉, 🖋 66 61 60 43 et 66 61 62 43, N : 1,5 km, à Attuech,
bord du Gardon d'Anduze
3,5 ha (80 empl.) ⊶ plat, herbeux, pierreux 🍴 – 🗚 🔗 ⛀ 🔲 🕭 ⊕ 🖳 🕿
– 🗶 🏊 ⚒️
15 juin-août. – **R** *conseillée* – 🔲 *piscine comprise 2 pers. 67, pers. suppl. 13*
*14,50 (6A)*

🔺🔺 **Le Fief** 🛉, 🖋 66 61 81 71, N : 1,5 km, à Attuech, à 250 m du Gardon d'Anduze
4 ha (80 empl.) ⊶ plat, herbeux 🍴 – 🗚 ⛀ ⊕ 🖳 🔲 – 🛋 ⚒️ 🏊 vélos
A proximité : 🎿 ⚒️
Pâques, juin-sept. – **R** *conseillée juil.-août* – 🔲 *1 ou 2 pers. 65* 🛢 *13 (6A)*

▶ *Zoekt u in een bepaalde streek*
- *een fraai terrein (🔺 … 🔺🔺🔺 )*
- *een terrein dat het hele jaar open is (*Permanent *)*
- *of alleen een terrein op uw reisroute of een terrein voor een langer verblijf,*

*raadpleeg dan de lijst van plaatsnamen in de inleiding van de gids.*

# ANGERS P

**49000** M.-et-L. – 141 404 h.
🏢 Office de Tourisme, pl. Kennedy
📞 41 88 69 93

🔺 **Lac de Maine** M ⚲ ⬦, 📞 41 73 05 03, SO : 4 km par D 111 rte de Pruniers, près du lac (accès direct) et à proximité de la Base de Loisirs
4 ha (163 empl.) ⚊ plat, herbeux, gravillons 🏕 – 🔥 ⇆ 🍴 🔥 ⚑ 🚿 ⊕ ⚲ ▽
snack ⚂ ⚂ – 🔥 ⚘ – A proximité : ⚱ ♪
10 fév.-20 déc. – **R** *conseillée juil.-août* – 📋 *3 pers. 57* ⚡ *10,30 (4A) 15,50 (6A) 25,80 (10A)*

*aux Ponts-de-Cé* S : 6,5 km (hors schéma) – ✉ 49130 les Ponts-de-Cé :

🔺 Municipal de l'Ile, 📞 41 44 62 05, dans l'île du château, près de la Loire
2,3 ha (145 empl.) ⚊ plat, herbeux, jardin public attenant 🏕 ♀ – 🔥 ⇆ 🔥 ⊕
⚲ ▽ ⚘ – 🔥 – A proximité : ✗

---

▸ *Pour une meilleure utilisation de cet ouvrage,*
*LISEZ ATTENTIVEMENT LE CHAPITRE EXPLICATIF.*

---

# ANGLÈS

**1260** Tarn – 588 h. alt. 745

🔺 **Le Manoir** ⚲ « Cadre agréable », 📞 63 70 96 06, au sud du bourg, rte de Lacabarède
3,3 ha (178 empl.) ⚊ plat et peu incliné, terrasse, herbeux 🏕 ♀ – 🔥 ⇆ 🍴 🔥
🔥 ⊕ ⚲ ▽ ♀ ✗ ⚂ ⚂ 📦 – 🔥 discothèque ⚱ – A proximité : ✗ – Location :
🏨 (hôtel)
Pâques-oct. – **R** *conseillée* – 📋 *elect. comprise 2 pers. 82, pers. suppl. 15*

---

# ANGLES

**750** Vendée – 1 314 h.

🔺 **Moncalm** M, 📞 51 97 55 50, au bourg, sortie vers la Tranche-sur-Mer et rue à gauche – (en 2 parties)
4,3 ha (260 empl.) ⚊ (saison) plat, herbeux, pierreux 🏕 – 🔥 ⇆ 🍴 🔥 🔥 ⊕ ⚲
▽ ⚱ ♀ ⚂ ⚂ 📦 sauna – 🔥 🔥 ⇆ ⚱ half-court – Location : 🚗 🚐
avril-sept. – **R** *conseillée* – 📋 *piscine comprise 3 pers. 98* ⚡ *11 (3A) 15 (6A) 20 (10A)*

🔺 **Le Port de Moricq,** 📞 51 97 54 02, SE : 3 km sur rte de Grues, bord d'un canal
1 ha (50 empl.) ⚊ plat, herbeux – 🔥 ⇆ 🔥 ⊕ – 🔥 – A l'entrée : ♀ ✗
15 juin-15 sept. – **R** – ✦ *11,30* ⚘ *6,30* 📋 *9 (19,50 avec élect.)*

🔺 **le Troussepoil,** 📞 51 97 51 50 ✉ 85560 Longeville-sur-Mer, O : 1,3 km par D 70, rte de Longeville-sur-Mer
0,6 ha (40 empl.) ⚊ plat, herbeux – 🔥 ⇆ 🔥 🔥 ⊕ – ⚱
juin-sept. – **R** *conseillée* – 📋 *piscine comprise 2 pers. 40, pers. suppl. 10* ⚡ *11 (3A)*

---

# ANGLET

**600** Pyr.-Atl. – 33 041 h.
Office de Tourisme, 1 av. de la Chambre-d'Amour 📞 59 03 77 01
Schéma à Biarritz

🔺 **Parme,** 📞 59 23 03 00, SO : 3 km par N 10 et rte à gauche
3 ha (200 empl.) ⚊ plat, en terrasses et peu incliné, herbeux ♀♀ – 🔥 ⇆ 🔥 🔥
🔥 ⊕ ⚲ ▽ ♀ ✗ ⚂ ⚂ 📦 – 🔥 ⚱ – A proximité : ✗ – Location : 🚗 🚐
Permanent – **R** *conseillée* – ✦ *17 piscine comprise* 📋 *30* ⚡ *17 (3A) 34 (6A)*

## ANGOISSE

**24270** Dordogne – 559 h.

**△△△ Rouffiac en Périgord** 🏕 « Site agréable », 🞗 53 52 68 79, SE : 4 km pa
D 80 rte de Payzac, à 150 m d'un plan d'eau (accès direct)
54 ha/6 campables (100 empl.) ⚮ en terrasses et peu incliné, herbeux 🔄 🔅
(3,5 ha) – 🗂 🔅 🛁 🗃 🛉 🅰 🛋 🔄 🟰 – 🖾 – A proximité : 🍴 ✗ 🞌 🖾 (plage
🛷 toboggan aquatique
15 juin-15 sept. – **R** – 🞌 17 🗉 18 🛠 11 ou 20 (15 à 25A)

---

## ANGOULÊME Ⓟ

**16000** Charente – 42 876 h.
🅱 Office de Tourisme, 2 pl. St-Pierre
🞗 45 95 16 84

**△△△ Municipal de Bourgines,** 🞗 45 92 83 22, sortie NO vers rte de la Rochelle
quartier St-Cybard, bord de la Charente
2,3 ha (150 empl.) ⚮ plat, herbeux 🔄 🔅 – 🗂 🔅 🛋 🗃 🛉 🏵 🔄 🟰 – 🖾 –
A proximité : 🛷
mars-1er nov. – **R** conseillée – 🞌 9,50 piscine comprise 🗉 22,50 🛠 13 (5A) 2(
(15A)

---

## ANGOULINS

**17690** Char.-Mar. – 2 908 h.

**△△△ les Chirats,** 🞗 46 56 94 16, O : 1,7 km par rue des Salines et rte de la douane
à 100 m de la plage
2 ha (147 empl.) ⚮ (saison) plat et peu incliné, herbeux, pierreux 🔄 – 🗂 🔅
🛁 🗃 🛉 🏵 🛋 🍴 snack 🖾 – 🛷 🟰 – Location : 🚐
30 mars-sept. – **R** conseillée juil.-août – 🗉 piscine comprise 2 pers. 60, per
suppl. 16 🛠 13 (6A)

---

## ANNECY (Lac d')

**74** H.-Savoie
🅱 Office de Tourisme, Clos Bonlieu,
1 r. Jean-Jaurès 🞗 50 45 00 33

**Alex** – 574 h. – ✉ 74290 Alex

**△△ Les Ferrières** ≤, 🞗 50 02 87 09, O : 1,5 km par D 909 rte d'Annecy et chemi
à droite
2 ha (50 empl.) ⚮ peu incliné à incliné, herbeux – 🗂 🛁 🛉 🏵 🍴 – 🖾
juin-sept. – **R**

**△△ Le Fier** ≤, 🞗 50 02 89 11, E : 2 km par D 909 rte de Thones (hors schéma
1,5 ha (100 empl.) ⚮ plat, herbeux 🔅 – 🗂 🛋 🏵
juin-15 sept. – **R** conseillée – 🞌 9 🚙 5 🗉 9 🛠 12 (3A)

**Bout-du-Lac** – ✉ 74210 Faverges

**△△△ International du Lac Bleu** Ⓜ ≤, 🞗 50 44 30 18, rte d'Albertville, bord d
lac (plage) – 🞌 juil.-août
3,2 ha (234 empl.) ⚮ (saison) plat, herbeux, pierreux 🔅🔅 – 🗂 🛁 🗃 🛉 🏵 🍴 snac
🖾 – 🖾 🟰 – A proximité : 🛋 ✗ 🞌 – Location : 🚐, studios et appartement
5 avril-14 oct. – **R** – Tarif 91 : 🗉 3 pers. 79, pers. suppl. 13 🛠 14 (4A)

**Doussard** – 2 070 h. – ✉ 74210 Doussard

**△△ La Serraz** ≤ « Cadre agréable », 🞗 50 44 30 68, au bourg, sortie E, près d
la poste
2,5 ha (187 empl.) ⚮ plat, herbeux 🔅 – 🗂 🔅 🛁 🗃 🛉 🏵 🟰 🍴 🛷 🖾 – 🖾
🛷 vélos
15 mai-sept. – **R** conseillée juil.-août – 🗉 3 pers. 83, pers. suppl. 18 🛠 14 (3A
20 (6A)

**△ Simon de Verthier** ≤, 🞗 50 44 36 57, NE : 1,6 km, à Verthier, près de l'Ea
Morte – 🞌
0,5 ha (26 empl.) ⚮ plat, herbeux – 🗂 🛋 🗃 🛉 🏵
mai-sept. – **R** juin-15 juil. – 🞌 10 🚙 10 🗉 10 🛠 10 (4A)

**Duingt** – 635 h. – ✉ 74410 Duingt

**△△ Municipal les Champs Fleuris** ≤, 🞗 50 68 57 31, O : 1 km
1,3 ha (123 empl.) ⚮ plat et en terrasses, herbeux 🔅 – 🗂 🔅 🗃 🛉 🏵
15 juin-15 sept. – 🗉 3 pers. 62, pers. suppl. 15,50 🛠 7,50 (3A) 12,5(
(6A)

**△ le Familial** ≤, 🞗 50 68 69 91, SO : 1,5 km
0,5 ha (25 empl.) ⚮ plat, herbeux – 🗂 🔅 🛁 🗃 🏵
juin-15 sept. – **R** – 🗉 3 pers. 52, pers. suppl. ·10 🛠 12 (6A)

**△ la Ferme** ≤, 🞗 50 68 58 12, SO : 1,8 km
0,65 ha (35 empl.) ⚮ peu incliné, herbeux – 🗂 🔅 🛁 🏵 – 🖾
15 juin-15 sept. – **R** – 🗉 1 pers. 32, 2 pers. 47, 3 pers. 53, pers. suppl. 13 🛠
9 (3A)

**Lathuile** – 668 h. – ✉ 74210 Lathuile

**△△△ La Ravoire** Ⓜ ≤, 🞗 50 44 37 80 ✉ 74210 Doussard, N : 2,5 km
1,3 ha (90 empl.) ⚮ plat, herbeux – 🗂 🔅 🛁 🗃 🛉 🏵 🛋 🔄 🟰 🖾 – 🖾 🛷
15 avril-sept. – **R** conseillée juil.-août – 🞌 27 piscine comprise 🗉 75 avec élec

**△△ L'Idéal** 🏕 ≤, 🞗 50 44 32 97, N : 1,5 km
3 ha (300 empl.) ⚮ plat et peu incliné, herbeux 🔅 – 🗂 🛁 🗃 🏵 🛋 🍴 🛷 – 🖾
– 🖾 🛷 🛷 🟰
15 mai-15 sept. – **R** – Tarif 91 : 🗉 piscine comprise 2 pers. 51 🛠 11 (4A)

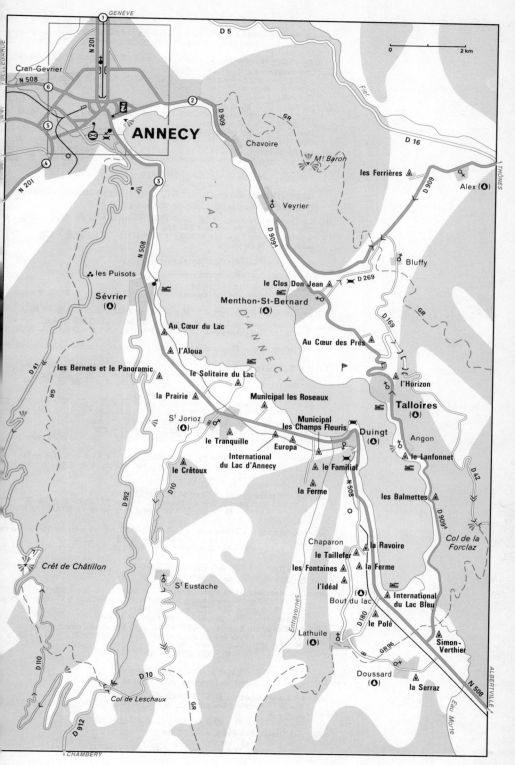

GENÈVE

D 5

Cran-Gevrier

N 201

N 508

ANNECY

Chavoire

Mt Baron

les Ferrières

Alex (⚲)

THÔNES

D 909

D 16

Veyrier

LAC

D 909A

Bluffy

D 269

les Puisots

le Clos Don Jean

Sévrier
(⚲)

Menthon-St-Bernard
(⚲)

D 169

GR

Au Cœur du Lac

D'ANNECY

Au Cœur des Prés

l'Aloua

les Bernets et le Panoramic

le Solitaire du Lac

la Prairie

Municipal les Roseaux

l'Horizon

Talloires
(⚲)

St Jorioz
(⚲)

Municipal
les Champs Fleuris

Duingt

Angon

le Tranquille

Europa

le Lanfonnet

International
du Lac d'Annecy

le Familial

les Balmettes

le Crétoux

N 508

la Ferme

D 912

D 10

Crêt de Châtillon

St Eustache

Chaparon

la Ravoire

Col de la
Forclaz

D 909A

D 42

le Taillefer

la Ferme

les Fontaines

l'Idéal

International
du Lac Bleu

Bout du lac

Entravernes

D 180

le Polé

Lathuile
(⚲)

Simon-
Verthier

GR 96

D 110

D 10

Doussard
(⚲)

la Serraz

N 508

ALBERTVILLE

Col de Leschaux

GR

D 912

Eau Morte

CHAMBÉRY

2 km

▵▵▵ **Le Polé** ≤, ℰ 50 44 32 13, NE : 1,4 km sur D 180, à 500 m du lac (Plage)
1 ha (60 empl.) ⚬━ plat, pierreux ⌚ – 🛖 🍴 🚻 🖼 ⊕ – 🚙 – A proximité : 🍽
🔥
juin-sept. – **R** *conseillée juil.-août –* 🖼 *2 pers. 48* [¢] *9,50 (2A) 12,50 (4A)*

▵▵▵ **Les Fontaines** ≤, ℰ 50 44 31 22, N : 2 km, à Chaparon
2,2 ha (135 empl.) ⚬━ plat, herbeux 🌳 – 🛖 🍴 🚻 ⊕ 🚿 🍴 🖼 – 🏊
juin-sept. – **R** *conseillée sauf 10 juil.-10 août – Tarif 91 :* 🌟 *14,50 piscine comprise*
🖼 *19* [¢] *11,50 (3A)*

▵▵▵ **La Ferme,** ℰ 50 44 33 10, N : 2 km, à Chaparon
2,5 ha (180 empl.) ⚬━ plat, incliné et en terrasses, herbeux 🌳 – 🛖 🏊 🍴 ⊕ 🚿
🔻 🍴 🖼 – 🏊 – A proximité : 🔥
juin-15 sept. – **R** – 🖼 *piscine comprise 2 pers. 40, pers. suppl. 11* [¢] *9 (3A) 12*
*(6A) 16 (10A)*

▵▵ **Le Taillefer** ≤, ℰ 50 44 30 34 ✉ 742 10 Doussard, N : 2 km, à Chaparon
1 ha (32 empl.) ⚬━ peu incliné, en terrasses, herbeux – 🛖 🍴 🚻 🍴 ⊕ 🍴 – 🚙
🚤
mai-sept. – **R** – 🖼 *2 pers. 50* [¢] *15 (4A)*


## Menthon-St-Bernard – 1 517 h. – ✉ 74290 Menthon-St-Bernard.

🅸 Syndicat d'Initiative (fermé après-midi oct.-mai) ℰ 50 60 14 30

▵▵▵ Le Clos Don Jean 🦢 ≤, ℰ 50 60 18 66, sortie par rte de Veyrier-du-Lac et
chemin à droite, au sud des Moulins
0,8 ha (76 empl.) ⚬━ peu incliné, herbeux 🌳 – 🛖 🏊 🖼 ⊕ 🍴 – 🚙
juin-sept. – **R** *conseillée*


## St-Jorioz – 4 178 h. – ✉ 744 10 St-Jorioz.

🅸 Syndicat d'Initiative (fermé matin hors saison) ℰ 50 68 61 82

▵▵▵ **Europa** ≤, ℰ 50 68 51 01, SE : 1,4 km
3 ha (150 empl.) ⚬━ plat, herbeux, pierreux – 🛖 🍴 🏊 🖼 🍴 ⊕ 🚿 🍴 snack 🖼
– 🏊
juin-20 sept. – **R** – *Tarif 91 :* 🖼 *piscine comprise 3 pers. 77* [¢] *14 (4A)*

▵▵▵ **International du Lac d'Annecy** ≤, ℰ 50 68 67 93, SE : 1 km
2,5 ha (133 empl.) ⚬━ plat, herbeux, pierreux 🌳 (1,5 ha) – 🛖 🍴 🏊 🍴 ⊕ 🚿 🚿 🖼
– 🚙 🏊
18 juin-5 sept. – **R** *conseillée juil.-août –* 🖼 *piscine comprise 2 ou 3 pers. 80*
[¢] *14 (4A)*

▵▵▵ **Le Solitaire du Lac** 🦢 ≤, ℰ 50 68 59 30, N : 1 km, accès direct au lac
1,9 ha (182 empl.) ⚬━ plat, herbeux 🌳 – 🛖 🏊 🍴 ⊕ 🖼 – 🚙 🚤
avril-oct. – **R** *conseillée juil.-août –* 🖼 *2 pers. 50, 3 pers. 60* [¢] *15 (5A)*

▵▵▵ **Le Tranquille** ≤, ℰ 50 68 63 50, sortie SE
1 ha (80 empl.) ⚬━ plat, herbeux 🌳 – 🛖 🏊 🍴 ⊕ 🚿 🍴 🖼 – 🚙 🍽 – Location : 🚚
avril-sept. – **R** – 🖼 *1 ou 2 pers. 29, pers. suppl. 8* [¢] *7 (2A) 13 (4A) 19 (6A)*

▵▵▵ **La Prairie** ≤, ℰ 50 68 63 51, sortie NO rte d'Annecy
2 ha (150 empl.) ⚬━ plat, herbeux 🌳 – 🛖 🖼 ⊕ – 🚙
juin-15 sept. – **R** *conseillée juil.-25 août – Tarif 91 :* 🖼 *2 pers. 30, pers. supp.*
*8* [¢] *7 (3A) 12 (6A)*

▵▵▵ **L'Aloua** ≤, ℰ 50 52 60 06 ✉ 74320 Sévrier, NO : 1,5 km, à 300 m du lac – 🍽
2,3 ha (185 empl.) ⚬━ plat, herbeux 🌳 (1 ha) – 🛖 🏊 🖼 🍴 ⊕ – A proximité
🦢 🚿
21 juin-4 sept. – **R**

▵▵▵ **Le Crêtoux** 🦢 ≤, ℰ 50 68 61 94, SO : 2,5 km
6 ha (80 empl.) ⚬━ incliné, en terrasses, herbeux 🌳 (1 ha) – 🛖 🍴 ⊕ 🖼 – 🚙
15 juin-15 sept. – **R** *14 juil.-10 août –* 🖼 *2 pers. 53* [¢] *11,50 (3A) 12,50 (4A)*
*14,50 (6A)*

▵▵ **Municipal les Roseaux** 🦢, ℰ 50 68 66 59, NE : 1,5 km, à 150 m du lac
0,6 ha (49 empl.) ⚬━ plat, herbeux, pierreux 🌳 – 🛖 🍴 ⊕
20 juin-12 sept. – **R** *conseillée –* 🌟 *11* 🖼 *15* [¢] *6,50 (4A)*


## Sévrier – 2 980 h. – ✉ 74320 Sévrier.

🅸 Office de Tourisme ℰ 50 52 40 56

▵▵▵ **Les Bernets et le Panoramic** ≤, ℰ 50 52 43 09, S : 3,5 km
2,5 ha (220 empl.) ⚬━ (saison) plat et peu incliné, herbeux 🌳 (1 ha) – 🛖 🍴 🍴
🖼 ⊕ 🍴 🍴 snack 🖼 – 🚙 🚤 – Location : 🚚
15 mai-sept. – **R** – 🖼 *jusqu'à 3 pers. 68* [¢] *12 (3A)*

▵▵▵ **Au Cœur du Lac** ≤, ℰ 50 52 46 45, S : 1 km, accès direct au lac
1,7 ha (100 empl.) ⚬━ en terrasses et peu incliné, herbeux 🌳 – 🛖 🍴 🍴 🖼
🍴 🖼 – 🚙 – A proximité : 🍽
15 avril-1er oct. – **R** – 🖼 *2 pers. 75* [¢] *14 (5A)*


## Talloires – 1 287 h. – ✉ 74290 Talloires.

🅸 Office Municipal de Tourisme ℰ 50 60 70 64

▵▵▵ **Le Lanfonnet** ≤, ℰ 50 60 72 12, SE : 1,5 km
1,9 ha (170 empl.) ⚬━ plat, peu incliné, herbeux 🌳 (0,5 ha) – 🛖 🍴 ⊕ 🍴
🗙 🍴 🖼
mai-25 sept. – **R** – 🖼 *2 pers. 83,10* [¢] *13 (3A) 17 (6A)*

▵▵▵ **Au Cœur des Prés** ≤, N : 2 km
1 ha (100 empl.) ⚬━ peu incliné, herbeux 🌳 – 🛖 🏊 🖼 🍴 ⊕
juin-15 sept. – **R** *conseillée – Tarif 91 :* 🖼 *3 pers. 45* [¢] *11 (3A) 17 (6A)*

▲▲ **L'Horizon** ≤ lac et montagnes « Site agréable », ℰ 50 60 78 71, N : 1 km
2 ha (165 empl.) ⊶ (saison) incliné, herbeux ⚲ – 🛖 ⚂ 🖪 🕭 ☺
15 mai-sept. – **R** – 🔳 *2 pers. 49,50* 🅗 *9,50 (3 ou 6A)*

▲ **Les Balmettes** ≤, ℰ 50 60 73 61, SE : 2 km, près du lac
0,8 ha (60 empl.) ⊶ en terrasses, incliné, herbeux – 🛖 ╘ ☺
mai-sept. – **R** *indispensable* – *Tarif 91 :* 🔳 *3 pers. 49* 🅗 *9 (3A)*

---

# ANNONAY

**7100** Ardèche – 18 525 h.
🏢 Office de Tourisme, pl. des
Cordeliers ℰ 75 33 24 51

🔟🔟 – 🔢🔢 ① G. Vallée du Rhône

▲▲ **Municipal de Vaure** ≤, ℰ 75 33 46 54, N : par sortie ④ rte de St-Étienne,
attenant à la piscine et près d'un parc
2,5 ha (78 empl.) ⊶ plat et peu incliné, herbeux – 🛖 ╩ ╘ 🖪 🕭 ☺ ⟂ ⟋
– 🚐 A l'entrée – A proximité : 🏐 🍽
Permanent – **R** *conseillée juin-15 sept.* – 🌲 *9* 🚗 *3* 🔳 *10/13* 🅗 *8 ou 11 (10A)*

---

# ANNOT

**4240** Alpes de H.-Pr. – 1 053 h.
alt. 700.
🏢 Syndicat d'Initiative, pl. de la
Mairie (saison) ℰ 92 83 23 03

🔟🔢 – 🔢🔢 ⑯ G. Alpes du Sud

▲ **La Ribière** ≤, ℰ 92 83 21 44, NO : 1 km par D 908 rte d'Allos, bord de la Vaïre
1 ha (60 empl.) ⊶ (saison) plat, en terrasses, pierreux, herbeux – 🛖 ⚂ 🞑 ☺
🚿
15 fév.-15 nov. – **R** *conseillée juil.-août* – 🌲 *10* 🔳 *11* 🅗 *10 (5A)*

---

# ANNOVILLE

**50660** Manche – 474 h.

🔢 – 🔢🔢 ⑫

▲▲ **Municipal les Peupliers** 🦮, ℰ 33 47 67 73, SO : 3 km par D 20 et chemin
à droite, à 500 m de la plage
2 ha (100 empl.) ⊶ plat, sablonneux, herbeux – 🛖 ╩ ╘ 🖪 ☺
15 juin-15 sept. – **R** *conseillée 15 juil.-16 août* – 🌲 *9,45* 🔳 *10,70* 🅗 *8,25 (2A)*
*et 3,05 par ampère suppl.*

---

# ANOULD

**88650** Vosges – 2 960 h.

🔢 – 🔢🔢 ⑰

▲ **Les Acacias,** ℰ 29 57 11 06, sortie E par N 415 rte de Colmar et chemin à
droite
0,8 ha (50 empl.) ⊶ (15 mai-sept.) plat, herbeux – 🛖 ⚂ ☺ 🞑 – 🚐 🛟 (bassin)
Permanent – **R** – 🌲 *13* 🚗 *7* 🔳 *14*

---

# ANTIBES

**06600** Alpes-Mar. – 70 005 h.
🏢 Maison du Tourisme, 11 pl. du
Général-de-Gaulle ℰ 93 33 95 64

🔟🔢 – 🔢🔢 ⑨ G. Côte d'Azur

▲▲▲ **Le Pylone,** ℰ 93 74 94 70, N : 4,5 km par N 7, à 300 m de la plage et au bord
de la Brague – 🌿
10 ha (800 empl.) ⊶ plat, herbeux ▨ ⚲⚲ – 🛖 ╩ ╘ 🞑 ☺ ⟂ ⟋ 🟊 🏐 🍽 ✗ 🏌
🖪 – 🚐 🚛 🛟
Permanent – *Places disponibles pour le passage* – **R** *juil.-août* – *Tarif 91 :* 🌲 *30*
🚗 *15* 🔳 *15 (20 avec élect.)*

▲▲▲ **Antipolis,** ℰ 93 33 93 99, N : 5 km par N 7 et chemin à gauche, bord de la
Brague – 🌿 juil.-août
4,5 ha (260 empl.) ⊶ plat, herbeux ▨ ⚲⚲ – 🛖 ╩ ╘ ⚂ 🖪 🕭 ☺ ⟂ ⟋ 🚣
🍽 snack 🛒 🖪 – 🚐 ⛳ 🛟 – Location : 🛖
Pâques-fin sept. – **R** *conseillée juil.-août* – 🔳 *élect. (10A) et piscine comprises*
*2 ou 3 pers. 130*

▲▲▲ **Le Rossignol,** ℰ 93 33 56 98, N : 3 km par N 7 et av. Jules-Grec à gauche
1,3 ha (88 empl.) ⊶ plat et en terrasses, herbeux, gravier ▨ ⚲⚲ – 🛖 ╘ 🖪 ☺
⟋ ⟂ 🖪 – 🚐 🚛 – Location : 🛖
4 avril-19 sept. – **R** *conseillée juil.-août* – 🔳 *piscine comprise 3 ou 4 pers. 79*
*ou 103/85 ou 107, pers. suppl. 21* 🅗 *12 (3A) 16 (6A)*

▲▲▲ **les Frênes,** ℰ 93 33 36 52, N : 4,9 km par N 7 et chemin à gauche
2,5 ha (110 empl.) ⊶ plat, herbeux ⚲⚲ – 🛖 ╩ ╘ 🖪 ☺ ⟂ ⟋ 🚣 🍽 snack 🛒
🖪 – Location : 🛖 🛖
15 juin-15 sept. – **R** – 🔳 *élect. (5A) comprise 2 ou 3 pers. 145*

▲▲▲ **Le Logis de la Brague,** ℰ 93 33 54 72, N : 4 km sur N 7, bord de la Brague,
à proximité de la mer
1,7 ha (130 empl.) ⊶ plat, herbeux ⚲⚲ – 🛖 ⚂ 🖪 ☺ 🚛 🍽 self 🛒 🖪 –
A proximité : 🍽
début mai-29 sept. – **R** – 🔳 *1 à 3 pers. 70, pers. suppl. 17* 🅗 *13 (10A)*

▲ **Les Treilles,** ℰ 93 74 14 31, N : 5 km par N 7, D 4 à gauche rte de Biot puis
chemin des Groules
0,8 ha (40 empl.) ⊶ plat, herbeux ⚲ – 🛖
juin-3 sept. – **R** *conseillée* – 🌲 *20* 🚗 *8* 🔳 *6/10*

**à Biot :** NO : 8 km – ✉ 06410 Biot.

🏢 Office de Tourisme, pl. de la Chapelle ℰ 93 65 05 85

▲ **Les Oliviers,** réservé aux tentes 🦮 ≤ « Cadre et situation agréables »,
ℰ 93 65 02 79, N : 2 km, 274 chemin des Hautes-Vignasses – (rampe 20%) –
🅿
1 ha (50 empl.) ⊶ en terrasses, pierreux, herbeux ⚲⚲ – 🛖 ⚂ 🕭 – 🚐 🚛
juin-sept. – **R** *conseillée juil.-août* – 🔳 *2 pers. 60*

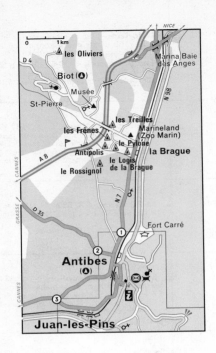

## ANTONNE-ET-TRIGONANT
10 – 75 ⑥

**24420** Dordogne – 1 050 h.

⚐ **Au Fil de l'Eau**, ℰ 53 06 17 88, sortie NE et rte d'Escoire à droite, bord de l'Isle
1,5 ha (50 empl.) ⚬— plat, herbeux – 🏠 ⇔ ◻ & ☺
15 juin-15 sept. – **R** *conseillée juil.-août* – ⚑ 13 ⇔ 8 ▣ 11 ⟨½⟩ 10 (5A)

## ANTRAIN
4 – 59 ⑰ G. Bretagne

**35560** I.-et-V. – 1 489 h.

⚐ **Municipal** ≤, à l'ouest du centre ville, accès par D 155 vers rte de Dol-de-Bretagne
0,4 ha (25 empl.) incliné, herbeux – 🏠 ⇔ ◻ & ☺ – A proximité : 🏒
juin-sept. – **R** – ⚑ 8 ⇔ 4 ▣ 4 ⟨½⟩ 10

## ANZÊME
10 – 72 ⑨

**23000** Creuse – 519 h.

⚐ **Municipal de Péchadoire** ⌂ ≤ « Belle situation dominante », SE : 2 km par rte de Péchadoire puis 0,7 km par chemin à gauche, à 150 m de la Creuse (plan d'eau)
1 ha (30 empl.) plat et peu incliné, en terrasses, herbeux ⚲ (0,2 ha) – 🏠 ⇔ ◻ ☺ ⚄ ⚥ – A proximité : 🍴 ✗ ⇐ (plage)
avril-oct. – **R** – ⚑ 7 ⇔ 5 ▣ 5 ⟨½⟩ 11

## APCHON
11 – 76 ③ G. Auvergne

**15400** Cantal – 257 h. alt. 1 052

⚐ **Municipal** ≤, au sud du bourg sur D 49 rte de Cheylade
0,7 ha (22 empl.) plat à incliné, herbeux – 🏠 ⇔ ◻ ☺
juil.-sept. – **R** – ⚑ 6 ⇔ 4 ▣ 3,50/5,50 ⟨½⟩ 10 (15A)

## APREMONT
9 – 67 ⑫ G. Poitou Vendée Charentes

**85220** Vendée – 1 152 h.

⚐ **Les Prairies** ⌂ « Cadre agréable, entrée fleurie », ℰ 51 55 70 58, NE : 2 km, sur D 40, rte de Maché
1,5 ha (90 empl.) ⚬— plat, herbeux ⌂ ⚲ – 🏠 ⇔ ◻ 🖪 ☺ 🍴 ▣ – ⚥ 🎣
mai-sept – **R** *conseillée* – *Tarif 91 :* ⚑ 13,65 piscine comprise ⇔ 3,70 ▣ 9,50
⟨½⟩ 9,50 (4A) 12,50 (6A)

▶ *Ihre Meinung über die von uns empfohlenen Campingplätze interessiert uns.*
*Teilen Sie uns Ihre Erfahrungen mit und schreiben Sie uns auch,*
*wenn Sie eine gute Entdeckung gemacht haben.*

## APT  ⬛

**84400** Vaucluse – 11 506 h.
🅱 Office de Tourisme, av. Philippe-de-Girard ☎ 90 74 03 18

ᴍᴍ **Les Chênes Blancs** ⌇, ☎ 90 74 09 20 ⊠ 84490 St-Saturnin-d'Apt, NO : 8 km par N 100 rte d'Avignon et D 101 à droite, par Gargas
3,4 ha (190 empl.) ⊶ plat, pierreux ♀♀ – 🗠 ⚊ 🖻 ⊕ 🛒 ⅋ ⅄ ⅋ 🖭 – ⅃ vélos – Location : 🚐
15 mars-oct. – **R** conseillée juil.-août – 🛉 16 piscine comprise 🔲 17 🚿 11 (3A) 16 (6A)

ᴍᴍ **Moulin des Ramades,** ☎ 90 74 03 67 ⊠ 84750 Casaneuve, E : 5 km par N 100 rte de Forcalquier et D 35 à gauche, bord du Calavon
2 ha (67 empl.) ⊶ plat, pierreux, herbeux – 🗠 ⚊ 📛 ⊕ 🚋 ⅋ snack ⊱ 🖭 – ⅋ ⅃

ᴍ **Le Lubéron** ⌇ ≼, ☎ 90 04 85 40, SE : 2 km par D 48 rte de Saignon
3,5 ha (90 empl.) ⊶ peu incliné, terrasses, herbeux ♀ – 🗠 ⚊ 🖻 ⊕ 🛒 🖭 ⅃ ⊱ – ⅃ – Location : 🚐
Pâques-oct. – **R** – 🛉 14 piscine comprise 🔲 14,50 🚿 11 (6A) 15 (10A)

ᴍ **La Clé des Champs** (aire naturelle) ⌇ ≼, ☎ 90 74 41 41, N : 3 km, accès par rte de la Cucuronne (près de la poste) et quartier St-Michel
1 ha (25 empl.) ⊶ plat, herbeux, pierreux ♀ verger – 🗠 ⚊ ⚊ 🖻 ⊕ 🛒 ⅄
avril-sept. – **R** conseillée juil.-août – 🛉 12 🚐 6 🚿 10/12 🚿 8 (4A) 14 (6A)

---

## ARAGNOUET

**65170** H.-Pyr. – 336 h. alt. 1 000

ᴍ **Municipal du Pont du Moudang** ❄ ≼ « Situation agréable », ☎ 62 39 62 84, E : 2 km sur D 929 rte de St-Lary-Soulan, au confluent de deux torrents
1,5 ha (100 empl.) ⊶ plat, peu incliné et en terrasses, pierreux, herbeux et goudronné ♀♀ – 🗠 ⚊ ⚊ 📛 ⊕ 🛒 ⅄ – 🚐 – A proximité : ✂
fermé oct. – **R** conseillée pour caravanes juil.-août – 🛉 11 🔲 13 🚿 16 (4A) 29 (6A) 47 (plus de 6A)

▶ *Terrains agréables :*
*Ces terrains sortent de l'ordinaire par leur situation,*
*leur tranquillité, leur cadre et le style de leurs aménagements.*
*Leur catégorie est indiquée dans le texte par les*
*signes habituels mais en rouge ( ᴍᴍᴍ ... ᴍ ).*

---

## ARBOIS

**39600** Jura – 3 900 h.
🅱 Office de Tourisme, Mairie ☎ 84 37 47 37

ᴍᴍ **Municipal les Vignes** ≼ « Cadre agréable », ☎ 84 66 14 12, sortie E par D 107 rte de Mesnay, au stade
2,3 ha (139 empl.) ⊶ plat, peu incliné et en terrasses, herbeux, gravillons ♀ – 🗠 ⚊ 🖻 ⅃ ⊕ 🛒 ⅄ – 🚐 – A proximité : ⅃
avril-sept. – **R** conseillée

---

## L'ARBRESLE

**69210** Rhône – 5 199 h.

ᴍᴍᴍ Municipal, ☎ 74 01 11 50, O par N 7 rte de Tarare, bord de la Turdine
1 ha (95 empl.) ⊶ plat, herbeux, gravillons 🏛 ♀ – 🗠 ⚊ ⚊ 🖻 ⊕ 🛒 ⅄ – ✂ ⅃
– *Places limitées pour le passage*

---

## ARCACHON (Bassin d')

**33** Gironde

### Andernos-les-Bains – 7 176 h. – ⊠ 33510 Andernos-les-Bains.
🅱 Office de Tourisme, esplanade du Broustic ☎ 56 82 02 95

ᴍᴍᴍ **Fontaine-Vieille,** ☎ 56 82 01 67, SE : 2,5 km, au Mauret, bord du Bassin
13 ha (855 empl.) ⊶ plat, sablonneux, herbeux ♀♀ – 🗠 ⚊ 🖻 ⊕ 🛒 ⅋ ⅄ ✕ ⅄ 🖭 – 🚐 ✂ 🚤 ⅃ vélos – Location : 🚐 🏠
15 mai-15 sept. – **R** conseillée juil.-août – 🔲 2 pers. 70 (90 avec élect. 5A), pers. suppl. 15

ᴍᴍᴍ **Pleine Forêt,** ☎ 56 82 17 18, NE : 2,5 km par D 215
6 ha (300 empl.) ⊶ plat, sablonneux ♀♀ pinède – 🗠 ⚊ ⚊ 🖻 ⊕ 🛒 ⅄ 🖭 ⅋ ⅄ ⊱ 🖭 – 🚐 🚤 ⅃ – A proximité : ✂ – Location : 🚐 🚐
Permanent – **R** conseillée – 🛉 15 piscine comprise 🚐 5 🔲 35 🚿 15 (6A)

ᴍᴍ **Camping Confort,** ☎ 56 82 03 27, NE : 87 av. de Bordeaux
1,5 ha (65 empl.) ⊶ plat, sablonneux ♀♀ – 🗠 ⚊ ⚊ 🖻 ⊕ 🛒 🚤 ⅃ – Location : 🚐
mai-sept. – **R** conseillée – 🛉 17 piscine comprise 🔲 35

### Arcachon – 11 770 h. – ⊠ 33120 Arcachon.
🅱 Office de Tourisme, pl. F.-Roosevelt ☎ 56 83 01 69 et Château Deganne

ᴍᴍᴍ **Municipal les Abatilles** « Cadre agréable », ☎ 56 83 24 15, au sud de la ville, allée de la Galaxie
4,2 ha (480 empl.) ⊶ vallonné, sablonneux 🏛 ♀♀ – 🗠 ⚊ 🖻 ⅃ ⊕ 🛒 ⅄ – 🚐 🚤 – A proximité : 🍽
Pâques-15 oct. – **R** indispensable juil.-août – 🔲 1 pers. 36/2 pers. 68,50 avec élect. 10A, pers. suppl. 16,70

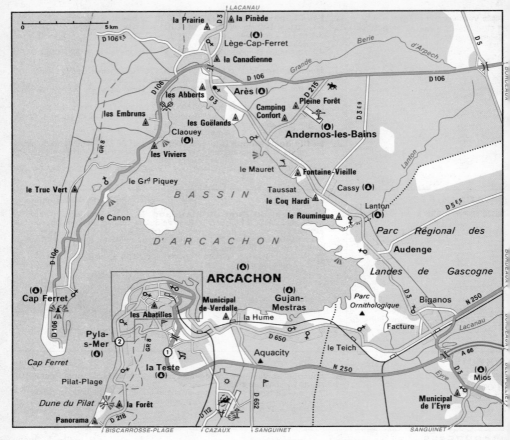

**Arès** – 3 911 h. – ⊠ 33740 Arès

▲▲▲ **La Canadienne** « Cadre agréable », ℰ 56 60 24 91, N : 1 km
2 ha (100 empl.) ⚬━ plat, herbeux ௸ – 🛆 ⊕ 🖵 🖸 ⊕ 🖳 🛒 🖲 – 🛖 ⚞
⚞
mai-sept. – **R** conseillée juil.-août – 🔳 2 pers. 70, pers. suppl. 16 🖋 12
(5A)

▲▲▲ **Municipal les Goëlands,** ℰ 56 82 55 64, SE : 1,7 km, près d'étangs et à
500 m du Bassin
10 ha (350 empl.) ⚬━ plat et vallonné, sablonneux ௸௸ – 🛆 ⊕ 🖵 🖸 ⚮ ⊕ 🛆 🖳
🍷 🖲 – ⚞ – A proximité : 🏊 (étang)
avril-sept. – **R** conseillée juil.-août – 🎣 13 🔳 37/44 avec élect. (6A)

▲▲ **Les Abberts,** ℰ 56 60 26 80, sortie N puis r. des Abberts à gauche
2 ha (125 empl.) ⚬━ plat, sablonneux, herbeux ௸௸ – 🛆 ⊕ 🖵 🖸 ⊕ 🍷 snack 🛒
🖲 – 🛖 ⚞
15 mai-sept. – **R** conseillée juil.-août – 🔳 2 pers. 60, pers. suppl. 15,50 🖋 15
(6A)

**Cap Ferret** – ⊠ 33970 Lège-Cap-Ferret-Océan.
🅱 Office de Tourisme, 12 av. de l'Océan (saison) ℰ 56 60 63 26

▲▲▲ **Le Truc Vert** « Entrée fleurie et cadre agréable », ℰ 56 60 89 55 et
56 60 86 40, N : 7,5 km par D 106 et RF à gauche, à 500 m de la plage
10,5 ha (480 empl.) ⚬━ plat, incliné, accidenté, sablonneux ௸௸ pinède – 🛆 ⊕
🖵 🖸 ⚮ ⊕ 🖳 🍷 🗡 🛒 🖲 – 🛖 ⚞ vélos – A proximité : 🍽
15 mai-sept. – **R** conseillée juil.-août – 🎣 21 🔳 51 🖋 20 (6A)

**Cassy** – ⊠ 33138 Lanton

▲▲ **Le Coq Hardi,** ℰ 56 82 01 80, sortie NO, bord du Bassin
8,5 ha (425 empl.) ⚬━ plat, herbeux, sablonneux ௸௸ (2 ha) – 🛆 ⚞ 🖸 ⊕ 🍷 🖲
🛖 ⚞ – A proximité : 🍽
15 mai-15 sept. – **R** conseillée 14 juil.-20 août – Tarif 91 : 🔳 2 pers. 65, pers.
suppl. 14 🖋 15 (3 ou 5A)

**Claouey** – ⊠ 33950 Lège-Cap-Ferret

▲▲▲ **Les Viviers** « Agréable situation au bord des viviers, îles », ℘ 56 60 70 04, SO : 1,5 km, près du Bassin
33 ha (1 100 empl.) ⚬━ plat, sablonneux 👤👤 pinède – 🚿 ♨ ♿ 🗒 sauna, solarium
♿ ☺ 🛒 🍴 grill 🧺 – 🏪 – 🔲 🔥 🛏️ 🏊 – Location : 🏕️ 🏚️
mai-sept. – **R** conseillée juil.-août – 🅙 3 pers. 130/140 🔌 19 (3A) 23 (6A)

▲▲▲ **Municipal les Embruns** 🏊 « Cadre agréable », ℘ 56 60 70 76, O : 0,7 km
18 ha (800 empl.) ⚬━ plat, accidenté, incliné, sablonneux 👤👤 pinède – 🚿 ♨ ♿
🏊 🗒 ♿ ☺ 🏪 – 🔲 – A proximité : 🍽️
Permanent – **R** conseillée juil.-août – 🅙 2 pers. 52,05, 3 pers. 62,70 🔌 6

**Lanton** – 3 734 h. – ⊠ 33138 Lanton

▲▲▲ **Le Roumingue,** ℘ 56 82 97 48, NO : 1 km, bord du Bassin
33 ha/10 campables (300 empl.) ⚬━ plat, herbeux, sablonneux 👤👤 – 🚿 ♨ ♿
🗒 ♿ ☺ ♨ 🏊 🛒 🍴 🍽️ 🧺 – 🏪 – 🔲 🔥 🛏️ 🏊 – Location : 🏕️ 🏚️ 🛏️
🏚️
juin-18 sept. – **R** conseillée – 🅙 2 pers. 82, pers. suppl. 20 🔌 13 (4A) 19 (6A)

**Lège-Cap-Ferret** – 5 564 h. – ⊠ 33950 Lège-Cap-Ferret.
🅘 Office Municipal de Tourisme, le Canon ℘ 56 60 86 43

▲▲ **La Pinède** 🏊, ℘ 56 60 16 23, NE : 1,5 km par D 3 rte du Porge
2,7 ha (100 empl.) ⚬━ plat, sablonneux, herbeux 🍴 – 🚿 ♿ ♿ ☺ 🏪 – 🔲 –
Location : 🏕️
avril-oct. – **R** conseillée – 🏕️ 14 🚐 12,50 🅙 14,50 🔌 12,50 (3A)

▲▲ **La Prairie,** ℘ 56 60 09 75, NE : 1 km par D 3 rte du Porge
1,5 ha (65 empl.) ⚬━ plat, herbeux – (🚿 ♨ 🏊 avril-15 oct.) 🗒 ☺ 🏪 – 🔲
Permanent – **R** conseillée juil.-août – Tarif 91 : 🅙 2 pers. 40, pers. suppl. 10 🔌 11 (16A)

**Pyla-sur-Mer** – ⊠ 33115 Pyla-sur-Mer.
🅘 Office de Tourisme, rond-point du Figuier ℘ 56 54 02 22 et Grande Dune de Pyla (juin-sept.) ℘ 56 22 12 85

▲▲▲ **La Forêt,** ℘ 56 22 73 28 ⊠ 33260 La Teste, S : 5 km rte de Biscarrosse – accès piétons à la plage par escalier abrupt et chemin
16 ha/9 campables (520 empl.) ⚬━ plat et incliné, sablonneux 👤👤 – 🚿 ♿ 🗒 ♿
☺ 🏊 🛒 🍴 🍽️ 🧺 – 🏪 – 🍽️ 🏊 – Location : 🏕️ 🏚️
18 avril-27 sept. – **R** conseillée 4 juil.-25 août – Tarif 91 : 🅙 piscine comprise 1 à 4 pers. 79 à 115 (104 à 145 avec élect. 6A), pers. suppl. 22 ou 25

▲▲▲ **Panorama** ◁, ℘ 56 22 10 44, S : 7 km rte de Biscarrosse – accès piétons à la plage par escalier abrupt et chemin
15 ha/10 campables (450 empl.) ⚬━ (saison) accidenté, incliné, en terrasses, plat et sablonneux 👤👤 pinède – 🚿 ♨ ♿ 🗒 ♿ 🏊 sauna ♨ 🛒 🍴 🏪 garderie –
🔲 🍽️ 🔥 🏊 – A proximité : 🐎 – Location : 🏕️ 🏚️ 🏚️
15 avril-15 oct. – **R** – 🅙 piscine comprise 2 pers. 110/130 🔌 18 (6A)

**La Teste** – 20 331 h. – ⊠ 33260 la Teste.
🅘 Office de Tourisme, pl. J.-Hameau et pl. Marché (juil.-août) ℘ 56 66 45 59

▲▲▲ **la Pinède** Ⓜ, ℘ 56 22 23 24, S : 9 km sur D 112, rte de Cazaux, bord du canal (hors schéma)
5 ha (200 empl.) ⚬━ plat, sablonneux, herbeux 🍴 – 🚿 ♨ ♿ 🗒 ♿ ☺ 🏊 🛒 🍴 🍽️
🧺 🏪 – 🔲 🏊 – Location : 🏕️
avril-oct. – **R** conseillée juil.-août

**Voir aussi à** Gujan-Mestras, Mios

---

## ARÇAIS 　　　　　　　　　　　　　　　　　　　　　　　　　9 – 171 ②
**79210** Deux-Sèvres – 560 h.

▲ Municipal 🏊, ℘ 49 35 42 11, sortie NO rte de Damvix, près de la Sèvre Niortaise
1 ha (30 empl.) plat, herbeux 🔲 🍴 – 🚿 ☺ – 🏊

---

## ARCES 　　　　　　　　　　　　　　　　　　　　　　　　　　9 – 171 ⑮
**17120** Char.-Mar. – 485 h.

▲▲ **La Ferme de chez Filleux** 🏊, ℘ 46 90 84 33, NO : 3,5 km sur D 244 rte de Semussac
1,5 ha (150 empl.) ⚬━ (juil.-août) peu incliné, herbeux, étang – 🚿 ♨ ♿ 🗒 ♿
☺ ♨ 🛒 🍴 – 🏪 🍽️ 🔥 🏊 – Location : 🏕️ 🏚️, bungalows toilés
juin-15 sept. – **R** conseillée – Tarif 91 : 🅙 piscine comprise 3 pers. 48 🔌 13 (5A)

---

## ARC-ET-SENANS 　　　　　　　　　　　　　　　　　　　12 – 170 ④ G. Jura
**25610** Doubs – 1 277 h.

▲ **Bords de la Loue** 🏊, SE : 1 km, près d'un ruisseau
0,5 ha (28 empl.) plat, herbeux 🔲 – 🚿 ♨ ♿ 🗒 ♿ ☺
18 mai-15 sept. – **R** – 🏕️ 10 🚐 10 🅙 10/15 🔌 8 (16A)

## ARCHIAC

**17520** Char.-Mar. – 837 h.

⑨ – ⑫ ⑫

△△ **Municipal,** 🗺 46 49 10 46, près de la piscine
1 ha (48 empl.) plat, en terrasses, herbeux, pierreux 🗀 – 🏠 ⇆ 🔏 🖼 ⊕ –
A proximité : 🍴 🏊
15 juin-15 sept. – **R** – 🏕 7 🚗 4 🗐 4 🔌 10

## ARCIS-SUR-AUBE

**10700** Aube – 2 855 h.

⑦ – ⑥① ⑦ G. Champagne

△△ **l'Île** « Cadre agréable dans une île », 🗺 25 37 98 79, sortie N rte de Châlons-
sur-Marne, bord de l'Aube
1,3 ha (80 empl.) ⊶ plat, herbeux, gravillons 🗀 ⚤ – 🏠 ⇄ 🖼 ⊕ ♨ ⚐ –
🛶
15 avril-sept. – **R** conseillée – Tarif 91 : 🏕 12 🚗 4,50 🗐 5 🔌 6,50 (5A) 7,80
(10A)

## ARCIZANS-AVANT **65** H.-Pyr. – ⑧⑤ ⑰ – rattaché à Argelès-Gazost

## ARDRES

**62610** P.-de-C. – 3 936 h.

① – ⑥① ② G. Flandres Artois Picardie

△△ **St-Louis** 🔉 « Belle décoration arbustive », 🗺 21 35 46 83, à **Autingues**, S : 2 km
par D 224 rte de Licques et D 227 à gauche
1,5 ha (72 empl.) ⊶ plat, herbeux ⚤ ⚲ – 🏠 🍴 ⊖ 🖼 🖧 ⊕ ♨ – 🛥 🏄
Permanent – **R** conseillée juil.-août – 🏕 12 🗐 12,50 🔌 9 (4A)

## ARÈS **33** Gironde – ⑦① ⑲ – voir à Arcachon (Bassin d')

## ARETTE

**64570** Pyr.-Atl. – 1 137 h.

⑬ – ⑧⑤ ⑤ ⑮ G. Pyrénées Aquitaine

△ **Municipal Pont de l'Aroue,** sortie NO par D 918 rte de Lanne, bord du
Vert d'Arette
0,5 ha (35 empl.) plat, herbeux 🗀 ⚲ – 🏠 ⊖ ⊕
Permanent – **R** – 🗐 1 à 6 pers. 14 à 38 🔌 9 (hiver 18)

## ARFEUILLES

**03640** Allier – 843 h.

⑪ – ⑦③ ⑥

△ **Municipal** 🔉 ⚡, sortie NE par rte de St-Pierre-Laval et chemin à droite
1,5 ha (66 empl.) incliné, herbeux ⚲ – 🏠 ⇆ ⊖ ⊕
mai-1er oct. – **R** – 🏕 10 🚗 5 🗐 5 🔌 10 (jusqu'à 6A) 11 (jusqu'à 10A)

## ARGELÈS-GAZOST ⊗

**65400** H.-Pyr. – 3 229 h. –
⚜ 10 mai-20 oct.
🅱 Office de Tourisme, Grande
Terrasse 🗺 62 97 00 25

⑭ – ⑧⑤ ⑰ G. Pyrénées Aquitaine

△△△ **Les Trois Vallées** Ⓜ ⚡, 🗺 62 90 35 47, sortie N
3 ha (133 empl.) ⊶ plat, herbeux – 🏠 ⇆ ⊖ 🖼 🎬 ⊕ 🖼 – 🛥 🎿 🏊 🐎 toboggan
aquatique
vac. de printemps, mai-sept. – **R** conseillée – 🏕 18,50 piscine comprise 🗐 18,50
🔌 10 (2 ou 6A)

△△ **Le Bordeleau,** sortie S, bord du Gave d'Azun
0,9 ha (87 empl.) ⊶ plat, herbeux ⚤ – 🏠 ⊖ ⊕ – A proximité : 🎣
juin-sept. – **R** conseillée 12 juil.- 20 août – 🏕 9,30 🗐 9,30 🔌 13,20 (3A)

△ **Deth Potz,** 🗺 62 90 37 23, SE : 2 km par D 100, rte de Beaucens et à gauche
rte de Boo-Silhen (D 100ᴬ)
1,5 ha (100 empl.) ⊶ (juil.-août) peu incliné à incliné, herbeux – 🏠 🔏 ⊕ 🖼
Permanent – **R** – 🏕 10 🗐 10 🔌 8,90 (2A) 24,30 (6A)

*à Agos-Vidalos* NE : 5 km par ① – ✉ 65400 Agos-Vidalos :

△△△ **La Tour** ⚡, 🗺 62 97 55 59, sur la N 21, à Vidalos
2 ha (130 empl.) ⊶ plat, herbeux ⚤ – 🏠 ⇆ ⊖ 🖼 🖧 🎬 ⊕ 🖼 – 🛥 🏄 🏊
fermé nov. – **R** 14 juil.-15 août – Tarif 91 : 🏕 16,50 piscine comprise 🔌 18

△△ **Le Soleil du Pibeste** Ⓜ ❀ ⚡, 🗺 62 97 53 23, sortie Sud sur la N 21
1,5 ha (52 empl.) ⊶ plat et peu incliné, en terrasses, herbeux, pierreux – 🏠 ⇆ ⊖
🖼 🖧 🎬 ⊕ 🖼 – 🛥 🏊
Permanent – **R** conseillée – 🏕 16 piscine comprise 🗐 15 🔌 4,75 par ampère
(3, 6 ou 10A)

△△ **La Châtaigneraie** ⚡, 🗺 62 97 07 40, sur N 21, à Vidalos
1,5 ha (100 empl.) ⊶ plat, peu incliné, herbeux – 🏠 ⊖ 🖼 ⊕ 🖼 – 🛥 🏊
– Location : studios
Permanent – 🏕 13 piscine comprise 🚗 7,50 🗐 5,50 🔌 8,50 (2A)

*à Arcizans-Avant* S : 5 km par St-Savin alt. 630
✉ 65400 Arcizans-Avant :

△△△ **Le Lac** 🔉 « Site agréable ⚡ lac, château et montagnes », 🗺 62 97 01 88,
sortie O, à proximité du lac
2 ha (66 empl.) ⊶ peu incliné, prairie ⚲ – 🏠 ⇆ ⊖ 🖼 ⊕ 🖼 – 🛥
juin-sept. – **R** conseillée – Tarif 91 : 🏕 16 🗐 14 🔌 14 (3A)

△ **Les Châtaigniers** (aire naturelle) 🔉 ⚡, 🗺 62 97 01 97, à 200 m au sud du
bourg
1,5 ha (25 empl.) ⊶ peu incliné, terrasse, herbeux ⚲ – 🏠 🗐 ⊕ 🖼
juin-1er oct. – **R** conseillée 15 juil.-août – 🏕 9 🚗 4 🗐 4 🔌 8,70 (2A) 23 (6A)

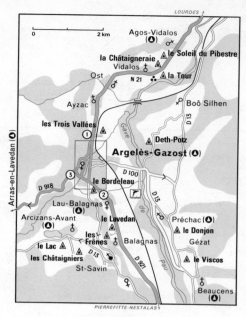

*à Arras-en-Lavedan* SO : 3 km par ③ (hors schéma) alt. 630
☒ 65400 Arras-en-Lavedan :

**⚠ Relais de l'Aubisque** ≤, ℰ 62 97 02 11, sortie SO
1 ha (50 empl.) ⊶ incliné, herbeux ♉ – (🔥 ♻ 🎿 saison) 🗓 ⊕ 🛢 – 🛒
– Location : 🚐
juin-sept. – **R** *juil.-août* – ⚡ 10 🔲 10 🕪 10 (2 ou 3A)

**⚠ Le Picourlet** ≤, ℰ 62 97 02 11, sortie SO et à droite
0,7 ha (40 empl.) ⊶ en terrasses, plat, peu incliné, herbeux – 🔥 ♻ 🎿 🗓 ⊕
🛢
juil.-août – **R** – ⚡ 10 🔲 10 🕪 10 (2 ou 3A)

*à Beaucens* SE : 5,5 km par D 100 et nouvelle route à droite – 🎋 18 mai-
10 oct. – ☒ 65400 Beaucens :

**⚠ Le Viscos** ⛵ ≤, ℰ 62 97 05 45, N : 1 km par D 13 rte de Préchac
2 ha (100 empl.) ⊶ (juil.-août) plat et incliné, terrasse, herbeux ♉ – 🔥 🎿 🗓
⊕ 🛢 – 🎋 – À proximité : ✕
juin-25 sept. – **R** *conseillée juil.-août* – ⚡ 11 🔲 11 🕪 12 (2A) 19 (4A) 25
(6A)

*à Lau-Balagnas* par ② SE : 1 km – ☒ 65400 Lau-Balagnas :

**⚠ Le Lavedan** ❄ ≤, ℰ 62 97 18 84, SE : 1 km
1,6 ha (140 empl.) ⊶ plat, herbeux – 🔥 ♻ 🛁 🎿 🗓 🎋 ⊕ ♨ 🛥 🏐 🍽 🛢 – 🛒
🏊 (couverte l'hiver)
20 déc.-10 oct. – **R** *conseillée juil.-août* – ⚡ 17 piscine comprise 🔲 19 🕪 5 par
ampère

**⚠ Les Frênes** Ⓜ ❄ ≤, ℰ 62 97 25 12, SE : 1,2 km
3 ha (165 empl.) ⊶ plat, herbeux ♀ (1 ha) – 🔥 ♻ 🛁 🎿 ♿ 🍽 ⊕ ♨ 🏐 🛢 –
🛒
Permanent – **R** *conseillée hiver et juil.-août* – ⚡ 14 🔲 16 🕪 5 par ampère
(2 à 10A)

*à Préchac* SE : 3 km par D 100 et nouvelle route à droite
☒ 65400 Préchac :

**⚠ Le Donjon** ≤, ℰ 62 90 31 82, sortie SE par D 13 rte de Beaucens
0,5 ha (40 empl.) ⊶ plat, herbeux ♀ – 🔥 ♻ 🛁 🗓 ⊕
fermé sept. – **R** – ⚡ 10 🔲 10 🕪 9,50 (2A) 20 (6A)

*Sie suchen in einem bestimmten Gebiet*
  *- einen besonders angenehmen Campingplatz ( ⚠ ... ⚠⚠⚠ )*
  *- einen das ganze Jahr über geöffneten Platz*
  *- einfach einen Platz für einen mehr oder weniger langen Aufenthalt ...*
*In diesem Fall ist die nach Departements geordnete Ortstabelle*
*im Kapitel « Erläuterungen » ein praktisches Hilfsmittel.*

## ARGELÈS-SUR-MER

**66700** Pyr.-Or. – 7 188 h.

🛈 Office de Tourisme à Argelès-Plage,
pl. de l'Europe 🕿 68 81 15 85

15 – 86 ⑳ G. Pyrénées Roussillon

*Centre :*

**La Massane** « Cadre agréable », 🕿 68 81 06 85
2,7 ha (184 empl.) ⌁ plat, herbeux 🔲 ᑋᑋ (1,6 ha) – 🏕 ⇆ ⩙ 🖻 & ⊕ ♨ ⩊
⩗ 🖻 – ⛴ 🔜 🏊 – A proximité : ✗
15 mars-15 oct. – **R** *conseillée juil.-août* – 🔳 *piscine comprise 2 pers. 82, pers.*
*suppl.15* 🔌 *15 (4A) 19 (6A)*

**Pujol**, 🕿 68 81 00 25
3,3 ha (220 empl.) ⌁ plat, herbeux, sablonneux ᑋᑋ – 🏕 ⩙ 🖻 & ⊕ ♨ snack
⩗ 🖻 – 🏊
juin-sept. – **R** *conseillée juil.-août* – 🔳 *piscine comprise 2 pers. 120, pers. suppl.*
*20* 🔌 *18 (3A)*

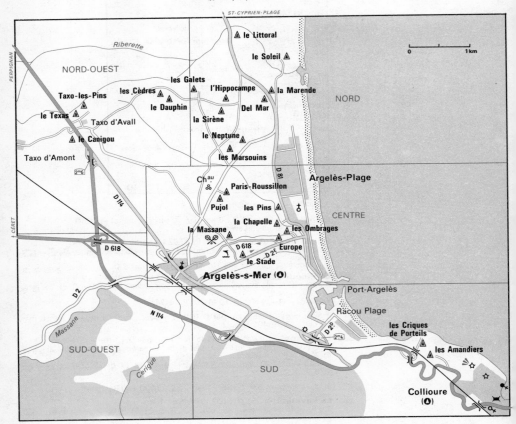

**Les Ombrages** ⩚ « Entrée fleurie », 🕿 68 81 29 83, à 400 m de la
plage
3,2 ha (250 empl.) ⌁ plat, herbeux 🔲 ᑋᑋ – 🏕 ⇆ ⩙ 🖻 & ⊕ ⩊ 🖻 – 🏕 🔜
half-court
juin-sept. – **R** *conseillée juil.-août* – 🔳 *2 pers. 77, pers. suppl. 17* 🔌 *16*
*(6A)*

**La Chapelle,** 🕿 68 81 28 14 ✉ 66702 Argelès-sur-Mer Cedex, av. du Tech,
à 300 m de la plage
5 ha (350 empl.) ⌁ plat, herbeux 🔲 ᑋᑋ – 🏕 ⇆ ⛺ 🖻 ⊕ 🖻 – A proximité :
🥤
25 mai-26 sept. – **R** *conseillée 10 juil.-20 août* – 🔳 *2 pers. 79, pers. suppl. 18*
🔌 *15 (3A) 18 (6A)*

**Les Pins** ⩚, 🕿 68 81 10 46 ✉ 66702 Argelès-sur-Mer Cedex, av. du Tech,
à 500 m de la plage
4,5 ha (326 empl.) ⌁ plat, herbeux, sablonneux ᑋᑋ – 🏕 ⩙ 🖻 & ⊕ 🖻 – 🏚
– A proximité : 🥤
juin-15 sept. – **R** *conseillée* – ⚓ *25* 🔳 *33* 🔌 *17 (3A)*

**Le Stade,** 🕿 68 81 04 40, rte de la plage
2,4 ha (188 empl.) ⌁ plat, herbeux ᑋᑋ – 🏕 ⇆ ⩙ 🖻 ⊕ ♨ ⩗ 🖻 – 🏚
A proximité : ✗ 🔜 – Location : 🚐
mai-sept – **R** *conseillée juil.-août* – 🔳 *2 pers. 67* 🔌 *15 (3A) 16 (6A)*

⚠ **Europe**, ☎ 68 81 08 10 ✉ 66701 Argelès-sur-Mer Cedex, à 500 m de la plage
1 ha (100 empl.) ⊶ plat, herbeux 🗇🗇 – 🗐 🖎 🖼 ☺ 🙎 🗐
avril-oct. – **R** *conseillée juil.-août* – 🗐 *2 pers. 58* 🛱 *12 (3A) 15 (6A)*

⚠ **Paris-Roussillon** ⚞, ☎ 68 81 19 71 ✉ 66702 Argelès-sur-Mer Cedex
2,8 ha (200 empl.) ⊶ plat, herbeux 🗇🗇 – 🗐 🗅 🖎 🖼 ☺ 🙎 snack 🖳 – 🗐
– Location : ⊨
30 avril-sept. – **R** *conseillée juil., indispensable 1er au 15 août* – 🗐 *2 pers. 70, pers.*
*suppl. 17* 🛱 *15,50 (2 ou 3A)*

*Nord :*

⚠⚠ La Sirène « Cadre agréable », ☎ 68 81 04 61 ✉ 66702 Argelès-sur-Mer Cedex
16 ha (666 empl.) ⊶ plat, herbeux 🗊 🗇🗇 (9 ha) – 🗐 🗅 🖎 🖼 ☺ 🙎 🖎 ♈ 🗐
🍴✕🖳 🗐 – 🗐 discothèque 🦌 🗡 🚴 🏹 tir à l'arc, piste de bi-cross – Location :
🚐 🏠

⚠⚠ **Le Soleil** « Cadre agréable », ☎ 68 81 14 48 ✉ 66702 Argelès-sur-Mer
Cedex, bord de la plage et de la Riberette – ❀
15 ha (750 empl.) ⊶ plat, herbeux, sablonneux 🗇🗇 – 🗐 🖎 🖼 ☺ 🙎 🍴 ✕
🖳 – ❀ 🗡 🏹 – Garage pour caravanes à proximité
15 mai-sept. – **R** *conseillée* – ♣ *30 piscine comprise* 🗐 *50* 🛱 *15 (10A)*

⚠⚠ **Les Marsouins**, ☎ 68 81 14 81 ✉ 66702 Argelès-sur-Mer Cedex
10 ha (587 empl.) ⊶ plat, herbeux 🗇🗇 – 🗐 🖎 🖼 🕭 ☺ 🏹 snack 🖳 – 🗏
🚴 vélos – A proximité : 🗡 🦌 – Location : 🚐
20 avril-sept. – **R** *conseillée 6 juil.-20 août* – 🗐 *2 pers. 80, pers. suppl. 18,50*
🛱 *15 (3A)*

⚠⚠ **Les Galets** ⚞, ☎ 68 81 08 12
3,4 ha (245 empl.) ⊶ plat, herbeux 🗊 🗇🗇 (1 ha) – 🗐 🗅 🕭 ☺ 🙎 ✕ 🖳 🗐
– 🗏 🚴 🏹 – A proximité : 🗡 tir à l'arc – Location : 🚐 🏠
Permanent – **R** *conseillée juil.-août* – 🗐 *piscine comprise 2 pers. 94* 🛱 *18*
*(6A)*

⚠⚠ **L'Hippocampe** « Cadre agréable », ☎ 68 81 10 10
1,7 ha (140 empl.) ⊶ plat, herbeux 🗊 🕈 – 🗐 🗄 🗅 🖎 🖼 ☺ 🙎 🍴 🖳 🗐 –
juin-15 sept. – **R** *conseillée* – 🗐 *piscine comprise 2 pers. 80, pers. suppl 20*
🛱 *16 (4A)*

⚠⚠ **Le Neptune**, ☎ 68 81 02 98 ✉ 66702 Argelès-sur-Mer Cedex
3 ha (180 empl.) ⊶ plat, herbeux 🕈 (1,5 ha) – 🗐 🖎 ☺ ♈ snack 🖳 – 🗐 –
🚴 toboggan aquatique – A proximité : 🗡
Pâques-fin sept. – **R** *conseillée saison* – *Tarif 91 :* 🗐 *2 pers. 87, pers. suppl. 25*
🛱 *17 (6A)*

⚠⚠ **Del Mar**, ☎ 68 81 10 38 ✉ 66701 Argelès-sur-Mer Cedex, à 500 m de la
plage
4,5 ha (273 empl.) ⊶ plat, herbeux, sablonneux 🗊 🗇🗇 – 🗐 🗄 🗅 🕭 ☺ 🙎
🍴 snack 🖳 🗐 – 🗏 ❀ 🗡 🏹 – Location : 🚐, bungalows toilés
11 mai-sept. – **R** *conseillée 15 juil.-15 août* – 🗐 *piscine et tennis compris 3 pers.*
*142* 🛱 *17 (3A)*

⚠ **La Marende** ⚞, ☎ 68 81 12 09, à 400 m de la plage
2,7 ha (177 empl.) ⊶ plat, herbeux 🗊 🗇🗇 – 🗐 🗄 🗅 🖼 ☺ ✕ 🖳 🗐 – 🚴
– A proximité : ❀ 🗡
15 juin-15 sept. – **R** *conseillée* – ♣ *20* 🗐 *36* 🛱 *15 (6A)*

⚠ **Le Littoral**, ☎ 68 81 17 74
4,5 ha (274 empl.) ⊶ plat, herbeux 🗇🗇 – 🗐 🗄 🖼 🕭 ☺ 🙎 🖳 🗐 – 🗏 🚴
– Location : 🚐 🚐
juin-20 sept. – **R** *conseillée juil.-août* – 🗐 *2 pers. 65* 🛱 *15 (2A)*

*Nord-Ouest :*

⚠⚠ **Le Dauphin** ⚞ « Entrée fleurie », ☎ 68 81 17 54 ✉ 66701 Argelès-sur-Mer
Cedex
5,5 ha (300 empl.) ⊶ plat, herbeux 🗊 🗇🗇 – 🗐 🗄 🗅 🖎 – 93 empl. avec sanitaires
individuels (🗐 🗄 🗅 wc) 🕭 ☺ 🙎 🍴 ✕ 🖳 🗐 – 🚐 ❀ 🚴 🏹 half-court, tir
à l'arc – A proximité : 🗡 – Location : 🚐
juin-sept. – **R** *conseillée juil.-août* – 🗐 *piscine comprise 2 pers. 115 (supplément*
*pour sanitaires individuels 45), pers. suppl. 25* 🛱 *20 (5A)*

⚠⚠ **Taxo-les-Pins** ⚞, ☎ 68 81 06 05 ✉ 66702 Argelès-sur-Mer Cedex, à Taxo
d'Avall
6 ha (300 empl.) ⊶ plat, herbeux 🗊 🗇🗇 – 🗐 🗄 🖎 🖼 🕭 ☺ ♈ 🙎 ✕ 🖳
🗐 – 🚴 🏹 vélos – Location : 🚐
15 fév.-15 nov. – *Places disponibles pour le passage* – **R** *conseillée* – ♣ *24 piscine*
*comprise* 🗐 *34/53 avec élect. (3A)*

⚠ **Les Cèdres** ⚞, ☎ 68 81 03 82
3 ha (170 empl.) ⊶ plat, herbeux 🗇🗇 – 🗐 🖎 🖼 🕭 ☺ 🗐
juin-sept. – **R** *conseillée août* – 🗐 *2 pers. 70, pers. suppl. 18* 🛱 *14,50*
*(3A)*

⚠ **Le Canigou**, ☎ 68 81 02 55 ✉ 66701 Argelès-sur-Mer Cedex, à Taxo
d'Amont
1,2 ha (110 empl.) ⊶ plat, herbeux 🗇🗇 – 🗐 🖎 🖼 ☺ 🗐 – Location : 🚐
Pâques-sept. – **R** *juil.-août* – 🗐 *2 pers. 63, pers. suppl. 17* 🛱 *14 (4A) 18*
*(10A)*

⚠ **Le Texas** « Cadre boisé », ☎ 68 81 00 17 ✉ 66702 Argelès-sur-Mer Cedex,
à Taxo d'Avall
2,5 ha (180 empl.) ⊶ plat, herbeux 🗊 🗇🗇 – 🗐 ☺ – 🗐
29 juin-août – **R** *conseillée août* – *Tarif 91 :* 🗐 *2 pers. 49, pers. suppl. 15* 🛱 *12*
*(3A) 20 (6A)*

*Sud :*

ᐁ **Les Criques de Porteils** « Situation dominante ≤ mer et Argelès »,
    𝄟 68 81 12 73, SE : 5 km
5 ha (230 empl.) ⊶ en terrasses et peu incliné, pierreux ⚲ - ⌂ ⩙ ⩘ ⟨ ⊙ ⩙
✗ cases réfrigérées ⩙ ⊟ - ⊞ ⟞
15 avril-sept. – **R** – ⸙ *23* ⇔ *13* 🅴 *15/20* 🅷 *15 (6 ou 10A)*

Voir aussi à *Collioure*

---

# ARGENTAN ⬤

                5 – 60 ③ G. Normandie Cotentin

**61200** Orne – 16 413 h.
🛈 Office de Tourisme, pl. du Marché
𝄟 33 67 12 48

ᐁ **Municipal du Parc de la Noë** « Situation agréable près d'un parc et d'un plan d'eau », 𝄟 33 36 05 69, au sud de la ville, r. de la Noë, à proximité de l'Orne
0,3 ha (25 empl.) ⊶ plat, herbeux ⊏⊐ ⚲ - ⌂ ⩙ ⩘ 🅶 ⩙ - ⊞ - A proximité :
✗ ⟞ ⬛
avril-sept. – **R** – ⸙ *8,20 et 5,50 pour douches chaudes* ⇔ *6,20* 🅴 *7,20* 🅷 *9,30 (4A)*

---

# ARGENTAT

                10 – 75 ⑩ G. Berry Limousin

**19400** Corrèze – 3 189 h.
🛈 Office de Tourisme, av. Pasteur (15 juin-15 sept.) et Mairie (hors saison) 𝄟 55 28 16 05

ᐁᐁ **Le Gibanel** ⬤ ≤ « Situation agréable près d'un château (XVIᵉ) et au bord de la Dordogne » 𝄟 55 28 10 11, NE : 4,5 km par D 18 rte d'Egletons puis chemin à droite
6 ha (250 empl.) ⊶ plat et en terrasses, herbeux ⚲⚲ - ⌂ ⩙ ⩘ ⩙ 🅶 ⊙ ⩙
⸙ ✗ ⩙ ⊟ - ⊞ - Location : ⬛
juin-15 sept. – **R** *conseillée juil.-15 août* – *Tarif 91 :* ⸙ *17,50* ⇔ *8* 🅴 *12* 🅷 *13 (6A)*

ᐁᐁ **Saulou** ≤ « Cadre agréable », 𝄟 55 28 12 33 ✉ 19400 Monceaux-sur-Dordogne, sortie S rte d'Aurillac puis 6 km par D 116 à droite, à Vergnolles, bord de la Dordogne
5,5 ha (240 empl.) ⊶ plat, herbeux, sablonneux ⊏⊐ ⚲⚲ (2,5 ha) - ⌂ ⩙ ⩘ ⩙
🅶 ⊙ ⩙ ⸙ ⸙ ⊟ - ⊞ ⟞ ⩙ vélos
mai-15 sept. – **R** *conseillée juil.-août* – ⸙ *19 piscine comprise* 🅴 *29* 🅷 *9 (2A) 14 (6A)*

ᐁ **Au Soleil d'Oc** ⬤ 𝄟 55 28 84 84 ✉ 19400 Monceaux-sur-Dordogne, SO : 4,2 km par D 12 rte de Beaulieu puis D 12ᴱ rte de Vergnolles et chemin, bord de la Dordogne
3,5 ha (75 empl.) ⊶ plat et terrasse, herbeux ⚲ (1 ha) - ⌂ ⩙ 🅶 ⩙ ⊙ ⊟ - ⊞
⟞ ⩙ vélos - Location : ⬛
avril-1ᵉʳ nov. – **R** *conseillée juil.-août* – ⸙ *13 piscine comprise* 🅴 *15* 🅷 *9,50 (5A)*

ᐁ **Le Vaurette** ≤, 𝄟 55 28 09 67 ✉ 19400 Monceaux-sur-Dordogne, SO : 9 km par D 12 rte de Beaulieu, bord de la Dordogne
3,5 ha (120 empl.) ⊶ plat et peu incliné, herbeux ⚲⚲ (1 ha) - ⌂ ⩙ 🅶 ⊙ ⩙
⸙ ⊟ - ⊞ ✗ ⟞ ⩙ vélos
mai-1ᵉʳ oct. – **R** *conseillée* – ⸙ *20 piscine comprise* 🅴 *20* 🅷 *12 (6A)*

ᐁ **Municipal le Longour**, 𝄟 55 28 13 84, N : 1 km par D 18 rte d'Egletons, près de la Dordogne
1,8 ha (92 empl.) ⊶ plat, herbeux ⚲⚲ (1 ha) - ⌂ ⩙ ⩘ 🅶 ⩙ ⊙ - A proximité :
✗ ⩙
juin-15 sept. – **R** *conseillée juil.-août* – *Tarif 91 :* ⸙ *11* 🅴 *11* 🅷 *11 (11A)*

ᐃ **Le Vieux Port** (aire naturelle) ⬤, 𝄟 55 28 19 55 ✉ 19400 Monceaux-sur-Dordogne, SO : 4 km par D 12 rte de Beaulieu puis D 12ᴱ rte de Vergnolles et chemin, bord de la Dordogne
1 ha (25 empl.) ⊶ plat et terrasse, herbeux ⚲ (0,5 ha) - ⌂ ⩙ ⊙
juil.-août – **R** – ⸙ *8* 🅴 *9* 🅷 *8 (5A)*

---

# ARGENTIÈRE

                12 – 74 ⑨ G. Alpes du Nord

**74** H.-Savoie – alt. 1 253 – ⬤
✉ 74400 Chamonix-Mont-Blanc

ᐁ **Le Glacier d'Argentière** ≤, 𝄟 50 54 17 36, S : 1 km par rte de Chamonix, aux Chosalets, à 200 m de l'Arve
1 ha (70 empl.) ⊶ incliné, herbeux - ⌂ ⩙ ⩘ ⊙ - ⊟
8 juin-25 sept. – **R** – ⸙ *17* ⇔ *6,50* 🅴 *7,50/10* 🅷 *9,50 (2A) et 2,80 par ampère suppl.*

---

# L'ARGENTIÈRE-LA-BESSÉ

                17 – 77 ⑱ G. Alpes du Sud

**05120** H.-Alpes – 2 191 h. alt. 970

ᐁ **Municipal les Ecrins** ≤, 𝄟 92 23 03 38, S : 2,3 km par N 94 rte de Gap près de la Durance et d'un petit plan d'eau
1 ha (60 empl.) ⊶ non clos, plat, herbeux, pierreux - ⌂ ⩙ ⩘ 🅶 ⊙ ⩙ - ⊞
- A proximité : ⩙
juin-sept. – **R** *conseillée* – 🅴 *2 pers. 50, pers. suppl. 13,50* 🅷 *10,50 (5A)*

---

# ARGENTON-CHÂTEAU

                9 – 67 ⑦ G. Poitou Vendée Charentes

**79150** Deux-Sèvres – 1 078 h.
🛈 Syndicat d'Initiative, r. Porte Virèche (mi juin-mi sept.)
𝄟 49 65 96 56

ᐁ **Municipal du lac d'Hautibus** ≤, 𝄟 49 65 95 08, au NO du bourg, rue de la Sablière, à 150 m du Ouère (accès direct)
0,7 ha (60 empl.) ⊶ peu incliné à incliné, herbeux - ⌂ ⩘ ⊙ - ⟞ - A proximité :
✗ ⩘ ⩙
15 juin-15 sept. – **R** – ⸙ *8,50* 🅴 *7* 🅷 *7 (3A)*

## ARGENTON-L'ÉGLISE

**79290** Deux-Sèvres – 1 491 h.

🔟 – 🔠 ①

🔺 **Municipal les Planches,** N : 0,6 km rte du Grand-Sault, bord de l'Argenton
0,5 ha (30 empl.) plat, herbeux – 🗴 🖒 ④ – A proximité : 🕮
15 mai-sept. – **R** 15 juil.-août – 🕇 5 🚗 2,50 🗉 2,50 🗷 5

---

## ARGENTON-SUR-CREUSE

**36200** Indre – 5 193 h.
🖪 Office de Tourisme, pl. de la
République 🖉 54 24 05 30

🔟 – 🔠 ⑰ ⑱ G. Berry Limousin

🔺🔺 **Les Chambons,** 🖉 54 24 15 26, sortie NO par D 927 rte du Blanc et à gauche,
37 rue des Chambons, à St-Marcel, bord de la Creuse
1,5 ha (75 empl.) ⊶ plat, herbeux 🎍 – 🗴 🖒 🗓 🕹 ④
15 mai-15 sept. – **R** conseillée juil.-août – 🕇 12 🚗 7 🗉 7 🗷 11,50 (5A)

---

## ARLANC

**63220** P.-de-D. – 2 085 h.

🔟 – 🔠 ⑥ G. Auvergne

🔺🔺 **Municipal le Metz,** 🖉 73 95 15 62, O : 1 km sur D 999A rte de St-Germain-
l'Herm, bord de la Dolore, plan d'eau et plage à 100 m
1,5 ha (65 empl.) plat, herbeux, pierreux 🎍 – 🗴 🚾 🖒 🗴 🗓 🕹 ④ – A proximité :
🕈 🎿 🏊 🛥 🚾 – Location : huttes
juin-15 sept. – **R** – 🕇 8 🚗 5 🗉 6 🗷 8 (5A)

---

## ARLES 🟦

**13200** B.-du-R. – 52 058 h.
🖪 Office de Tourisme, esplanade des
Lices 🖉 90 96 29 35 et à la Gare
SNCF 🖉 90 49 36 90

🔠 – 🔠 ⑩ G. Provence

🔺 **Les Rosiers,** 🖉 90 96 02 12, E : 2 km par N 453 rte de Raphèle-les-Arles, à
Pont de Crau – interdit aux caravanes de plus de 5,50 m
3 ha (150 empl.) ⊶ plat, herbeux 🎍 – 🗴 🗓 ④ – 🚾 🏊
15 mars-oct. – **R** conseillée – 🕇 12 piscine comprise 🚗 4 🗉 12 🗷 11 (2A)
14 (4A) 16 (6A)

O : 14 km par N 572 rte de St-Gilles et D 37 à gauche
✉ 13200 Arles :

🔺🔺🔺 **Crin Blanc,** 🖉 66 87 48 78, au SO de Saliers
4,5 ha (183 empl.) ⊶ plat, herbeux – 🗴 🚾 🖒 🗓 🕹 ④ 🚣 🛥 🏊 🖳 – cases
réfrigérés 🕮 🏊 vélos, half-court – Location : 🕮 🖾
15 avril-oct. – **R** – Tarif 91 : 🗉 élect. (10A) et piscine comprises 1 ou 2 pers.
99 à 114, 3 pers. 105 à 124, pers. suppl. 19

---

## ARLES-SUR-TECH

**66150** Pyr.-Or. – 2 837 h.
🖪 Syndicat d'Initiative, r. Barjau
🖉 68 39 11 99

🔠 – 🔠 ⑱ G. Pyrénées Roussillon

🔺🔺 Le Vallespir ⩺, 🖉 68 39 05 03, NE : 2 km rte d'Amélie-les-Bains-Palalda, près
du Tech (accès direct)
2 ha (135 empl.) ⊶ plat, herbeux 🚾 🎍 – 🗴 🗴 🗓 🕹 ④ 🚣 🛥 🖳 – 🚾 🕮
🏊 – Location : 🕮 🖾

🔺🔺 La Rive ⥁ ⩺, 🖉 68 39 15 54, NE : 2 km rte d'Amélie-les-Bains-Palalda, bord du
Tech
2,5 ha (90 empl.) ⊶ plat et peu incliné, herbeux 🎍 – 🗴 🗴 ④ 🚣 – 🚾

---

## ARNAC

**15150** Cantal – 203 h.

🔟 – 🔠 ①

🔺🔺🔺 **Municipal de la Gineste** ⥁ ⩺ « Site agréable », 🖉 71 62 91 90, NO : 3 km
par D 61 rte de Pleaux puis 1,2 km par chemin à droite, à la Gineste, bord du
lac d'Enchanet
3 ha (94 empl.) ⊶ en terrasses, herbeux 🚾 – 🗴 🚾 🖒 🗓 🕹 ④ 🚣 🕈 🗴 🖳
– 🚾 🕮 🏊 🛥 – Location : 🖾
Permanent – **R** conseillée – 🗉 élect. et piscine comprises 2 pers. 62, 4 pers.
105, pers. suppl. 22

---

## ARNAY-LE-DUC

**21230** Côte-d'Or – 2 040 h.

🔠 – 🔠 ⑱ G. Bourgogne

🔺🔺 Municipal de Fouché ⥁ ⩺, 🖉 80 90 02 23, E : 0,7 km par D 17C, rte de
Longecourt
5 ha (190 empl.) ⊶ plat, peu incliné, herbeux 🚾 – 🗴 🚾 🖒 🗓 🕹 ④ 🚣 🛥 🖳
🖳 – 🚾 🎿 – A proximité : 🕮 🛥 (plage)
Permanent – **R** conseillée

---

## ARPAJON-SUR-CÈRE

**15130** Cantal – 5 296 h. alt. 600

🔟 – 🔠 ⑫

🔺🔺 Municipal de la Cère, 🖉 71 64 55 07, au sud de la ville, accès sur D 920, face
à la station Esso, bord de la rivière
2 ha (106 empl.) ⊶ plat, herbeux 🚾 – 🗴 🖒 🗓 🕹 ④ – 🚾 – A proximité : 🕮

---

## ARPHEUILLES

**36700** Indre – 273 h.

🔟 – 🔠 ⑦

🔺 **Municipal** (aire naturelle) ⥁, au bourg, derrière l'église, bord d'un étang et
du Rideau
0,6 ha (8 empl.) peu incliné, herbeux – 🗴 🚾
Pâques-Toussaint – **R** conseillée juil.-août – Gratuit

---

4

## ARQUES
**11190** Aude – 210 h.

▲ Le Lac 🏕 ≤, ℰ 68 69 88 30, sortie E par D 613 rte de Narbonne et 0,8 km par chemin à droite, à 150 m d'un plan d'eau
0,6 ha (30 empl.) o–ℷ peu incliné, herbeux, pierreux – 🔲 🔲 🔲 ⊕ 🔲 – A proximité :
🍴 snack 🔲 🔲 🔲

## ARRADON
**56610** Morbihan – 4 317 h.

🔲 – 🔲 ③

▲▲▲ **Penboch** 🏕, ℰ 97 44 71 29, SE : 2 km par rte de Roguedas, à 200 m de la plage
3,5 ha (175 empl.) o–ℷ (saison) plat, herbeux 🔲 – 🔲 🔲 🔲 🔲 🔲 ⊕ 🔲 🔲 🔲 🔲 – 🔲 – 🔲 🔲 🔲 – Location : 🔲
20 avril-20 sept. – **R** conseillée juil.-août – ⚡ 18 piscine comprise 🔲 52 🔲 13 (6A)

▲▲ **L'Allée** 🏕 « Verger », ℰ 97 44 01 98, O : 1,5 km par rte du Moustoir et à gauche
2 ha (100 empl.) o–ℷ plat et peu incliné, herbeux 🔲 🔲 – 🔲 🔲 🔲 🔲 🔲 ⊕ 🔲 – 🔲 🔲
Pâques-15 oct. – **R** conseillée 15 juil.-15 août – Tarif 91 : ⚡ 12 🔲 18 🔲 8 (3A) 11 (6A) 15 (10A)

## ARRAS-EN-LAVEDAN **65** H.-Pyr. – 🔲 ⑰ – rattaché à Argelès-Gazost

## ARREAU
**65240** H.-Pyr. – 853 h. alt. 704

🔲 – 🔲 ⑲ G. Pyrénées Aquitaine

▲▲▲ Municipal ≤, ℰ 62 98 65 56, au SO de la localité, bord de la Neste d' Aure
0,6 ha (40 empl.) o–ℷ plat et peu incliné, en terrasses, herbeux, pierreux – 🔲 🔲 🔲 🔲 ⊕

## ARRENS-MARSOUS
**65400** H.-Pyr. – 721 h. alt. 878.
🔲 Office de Tourisme ℰ 62 97 02 63

🔲 – 🔲 ⑰ G. Pyrénées Aquitaine

▲▲▲ **La Hèche** 🔲 🏕 ≤ « Situation agréable », ℰ 62 97 02 64, E : 0,8 km par D 918 rte d'Argelès-Gazost, bord du Gave d'Arrens
5 ha (166 empl.) o–ℷ plat, herbeux 🔲🔲 (1 ha) – 🔲 🔲 🔲 ⊕ 🔲 – 🔲 🔲
A proximité : 🔲 🔲 🔲 🔲
Permanent – 🔲 – ⚡ 9 🔲 10 🔲 10 (3A)

▲ **Le Moulian** 🏕 ≤, ℰ 62 97 41 18, à Marsous, à 500 m au SE du bourg, bord du Gave d'Azun
1,2 ha (100 empl.) o–ℷ plat, herbeux – 🔲 🔲 🔲 🔲 ⊕ 🔲 – 🔲
22 juin-8 sept. – **R** 15 juil.-15 août – ⚡ 10,80 🔲 11,80 🔲 11 (3A) 22 (6A)

▲ **Municipal le Tech** 🏕 ≤ lac et montagnes « Site agréable », SO : 7 km par D 105 rte d'Aste, à 50 m du lac du Tech et bord d'un torrent – alt. 1 230 – Croisement peu facile pour caravanes
1,2 ha (33 empl.) o–ℷ accidenté et en terrasses, pierreux, herbeux – 🔲 🔲
juil.-août – **R** – Tarif 91 : ⚡ 12 🔲 4 🔲 11

## ARRIGNY
**51290** Marne – 284 h.

🔲 – 🔲 ⑧ ⑨ G. Champagne

▲▲▲ **La Forêt** 🏕, ℰ 26 72 63 17, S : 2,7 km par D 13 rte de Montier-en-Der et à gauche rte de la presqu'île de Larzicourt, à 250 m du lac du Der-Chantecoq
4 ha (100 empl.) o–ℷ en terrasses, herbeux, gravier 🔲🔲 – 🔲 🔲 ⊕ – 🔲
A proximité : 🔲
juin-sept. – **R** conseillée 14 juil.-15 août – ⚡ 10 🔲 10 🔲 10 🔲 11 (4A)

## ARROU
**28290** E.-et-L. – 1 777 h.

🔲 – 🔲 ⑱

▲▲▲ **Municipal**, sortie O par D 111 rte du Gault-Perche, près de l'Yerre et d'un plan d'eau (accès direct)
1,4 ha (75 empl.) plat, peu incliné, herbeux – 🔲 🔲 🔲 🔲 ⊕ 🔲 🔲 – 🔲 🔲
avril-oct. – **R** – ⚡ 4,60 🔲 6,30/7,80 🔲 7,80 (6A) 15,60 (10A)

## ARS-EN-RÉ **17** Char.-Mar. – 🔲 ⑫ – voir à Ré (Ile de)

## ARS-SUR-FORMANS
**01480** Ain – 851 h.

🔲 – 🔲 ① G. Vallée du Rhône

▲▲▲ **Municipal le Bois de la Dame** 🏕, ℰ 74 00 77 23, O : 0,4 km, près d'un étang – Interdit aux caravanes 2 essieux
1 ha (104 empl.) o–ℷ peu incliné et terrasse, herbeux, pierreux – 🔲 🔲 🔲 🔲 ⊕ – 🔲 🔲
mai-sept. – **R** conseillée juil.-août – 🔲 tennis compris 2 pers. 33 🔲 7 (3A) 12 (6A)

## ARTHEZ-DE-BÉARN
**64370** Pyr.-Atl. – 1 640 h.

🔲 – 🔲

▲▲ Municipal du Lac 🏕, ℰ 59 67 71 61, S : 2,5 km par D 31 rte de Lacq et chemin à gauche, bord d'un étang
0,6 ha (50 empl.) o–ℷ plat et terrasse, herbeux 🔲🔲 – 🔲 🔲 🔲 ⊕ – A proximité 🔲 🔲

## ARTIGAT
**09130** Ariège – 416 h.

    ▲▲ **Municipal les Eychecadous** ⌂, ☎ 61 68 98 24, NE : 0,5 km par D 9 rte de Toulouse et chemin à droite, bord de la Lèze
0,4 ha (39 empl.) plat, herbeux – 🛉 🛁 ⊕ 🏊 ▽ – 🏊 – A proximité : ✂
15 juin-15 sept. – **R** – 🛉 *11 piscine comprise* 🔲 *9/10* 🔌 *12*

## ARTIGNOSC-SUR-VERDON
**83630** Var – 201 h.

    ▲▲ **L'Avelanède** ⌂, ☎ 94 80 71 57, SE : 3 km, à l'intersection de la D 471 et de la D 71
8 ha (40 empl.) ⚬–⚬ plat et peu incliné, terrasses, pierreux, herbeux – 🛉 ⇄ 🗂 ⊕ – 🚗 🏊 – **R** *conseillée* – 🛉 *21 piscine comprise* 🔲 *25* 🔌 *12 (6A)*

    ▲ **Municipal l'Eouvière Verte** ⌂, ☎ 94 80 71 06, N : 3 km par D 411 rte de St-Laurent-du-Verdon et chemin à droite, à 500 m du Verdon
30 ha/12 campables (199 empl.) ⚬–⚬ peu incliné et accidenté, pierreux, herbeux 🌳🌳 chênaie – 🛉 ⇄ 🗂 ⊕ 🛎 🏊 – 🚗 A proximité : snack 🚤 🏊
Permanent – **R** *conseillée juil.-août* – 🛉 *11* 🔲 *11* 🔌 *9*

## ARVERT
**17530** Char.-Mar. – 2 734 h.

    Schéma aux Mathes

    ▲▲ **Municipal du Bois Vollet,** ☎ 46 36 81 76, au nord du bourg, à 150 m de la D 14
0,8 ha (33 empl.) ⚬–⚬ plat, herbeux, sablonneux ⚲ – 🛉 ⇄ 🛁 🗂 ⊕ – A proximité : ✂
15 juin-15 sept. – **R** *conseillée* – Tarif 91 : 🔲 *3 pers. 33*

    ▲ **Le Petit Pont,** ☎ 46 36 07 20, NO : 2,5 km sur D 14
0,6 ha (33 empl.) ⚬–⚬ (saison) plat, herbeux, pierreux – 🛉 🌊 ⊕ – Location : 🚐 🚗 – Garage pour caravanes et bateaux
Pâques-15 sept. – **R** *conseillée juil., indispensable août* – Tarif 91 : 🔲 *1 à 3 pers. 41,50* 🔌 *11,20 (4A) 16,80 (6A)*

## ARZANO
**29130** Finistère – 1 224 h.

    ▲▲▲ **Ty-Nadan** ⌂ « Cadre et site agréables », ☎ 98 71 75 47 ✉ 29310 Locunolé, O : 3 km par rte de Locunolé, bord de l'Ellé
7 ha/3 campables (200 empl.) ⚬–⚬ (saison) plat et peu incliné, herbeux 🛏 ⚲ – 🛉 ⇄ 🛁 🗂, sauna 🛎 ⊕ 🏊 ▽ 🛎 🍽 ✖ crêperie 🍴 🔲 garderie – 🚗 discothèque ✂ 🔭 🚗 🏊 – Location : 🚐, gîte d'étape
Pâques-10 sept. – **R** *conseillée juil.-août* – 🛉 *24 piscine comprise* 🔲 *48* 🔌 *12 (10A)*

## ARZON
**56640** Morbihan – 1 754 h.

    Schéma à Sarzeau

    ▲▲ Municipal du Tindio ⩽, ☎ 97 53 75 59, NE : 0,8 km, à Kerners, bord de mer
5 ha (220 empl.) ⚬–⚬ plat et peu incliné, herbeux – 🛉 🛁 🌊 🗂 🛎 ⊕ 🔲

## ASCAIN
**64310** Pyr.-Atl. – 2 653 h.
🛈 Syndicat d'Initiative (saison) ☎ 59 54 00 84

    ▲▲▲ **Zélaïa** « Cadre agréable », ☎ 59 54 02 36, O : 2,5 km sur D 4 rte d'Ibardin
2,4 ha (170 empl.) ⚬–⚬ plat, herbeux 🛏 ⚲⚲ – 🛉 🛁 🗂 ⊕ 🏊 🚗 🛎 🍴 🔲 – 🚗
🏊 🏊 – **R** *conseillée juil.-août* – 🔲 *piscine comprise 2 pers. 65* 🔌 *12 (4A)*

    ▲▲ **La Nivelle,** ☎ 59 54 01 94, NE : 1,7 km par D 918 rte de St-Pée, bord de la Nivelle
3 ha (150 empl.) ⚬–⚬ plat, herbeux ⚲⚲ – 🛉 🌊 🗂 ⊕ – 🚗 – A proximité : 🍴 ✖ ✂ – Location : 🚐
15 juin-15 sept. – **R** – 🛉 *12,40* 🔲 *20* 🔌 *12 (3 ou 5A)*

    ▲▲ **Les Truites** ⌂ ⩽, ☎ 59 54 01 19, NO : 2 km par la vieille route de Ciboure et à droite, bord de la Nivelle
1,2 ha (110 empl.) ⚬–⚬ plat, herbeux ⚲⚲ – 🛉 🌊 🗂 ⊕ – 🚗
15 juin-15 sept. – **R** – 🛉 *13* 🔲 *19* 🔌 *12,50 (6A)*

## ASPERJOC
**07600** Ardèche – 370 h.

    ▲ **Vernadel** ⌂ ⩽ montagnes « Belle situation dominante », ☎ 75 37 55 13 – alt. 500 – accès par pente assez forte, croisement difficile pour caravanes
4 ha/2 campables (22 empl.) ⚬–⚬ en terrasses, peu incliné, herbeux, pierreux 🛏 – 🛉 🌊 🍴 snack – 🏊 – Location : 🚐
avril-oct. – **R** *conseillée* – 🔲 *piscine comprise 1 pers. 34*

## ASPET
**31160** H.-Gar. – 986 h.

    ▲ **Municipal le Cagire,** ☎ 61 88 51 55, sortie S par rte du col de Portet-d'Aspet, bord du Ger
1,5 ha (42 empl.) ⚬–⚬ (saison) plat et incliné, herbeux ⚲ – 🛉 ⇄ 🌊 🗂 ⊕ – 🚗 – A proximité : ✂
avril-sept. – **R** *conseillée 15 juil.-15 août* – 🛉 *9* 🔲 *8* 🔌 *8 (5A)*

## ASSÉRAC
**44410** Loire-Atl. – 1 239 h.

⚠ **La Baie** ⟩ ⩻, 🅟 40 01 71 16, O : 6 km rte de la pointe de Pen-Bé, à Keravélo, à proximité de la mer
2 ha (68 empl.) ⊶ plat, herbeux – 🗐 ⛺ ⊕ – 🚐
vac. de printemps, week-ends de mai et 15 juin-15 sept. – **R** – ⚹ *10,80* 🚗 *7,30* 🅴 *13,80* 🅗 *12 (5A)*

⚠ **Le Traverno** ⟩, 🅟 40 01 73 35, sortie O par D 82 puis chemin à droite
2 ha (100 empl.) ⊶ plat et peu incliné, herbeux – (🗐 ⛺ juil.-août) ⊕
juin-sept. – **R** – ⚹ *12* 🚗 *4,30* 🅴 *7,40* 🅗 *10 (3A) 13,60 (5A)*

## ATTICHY
**60350** Oise – 1 651 h.

⚠ **Municipal** « Entrée fleurie », 🅟 44 42 15 97, au SE du bourg, près de la piscine, r. de la Fontaine Aubier, bord d'un étang et près de l'Aisne
1,5 ha (60 empl.) ⊶ plat, herbeux 🖾 – 🗐 ⛺ ⛺ 🕮 ⊕ ⚲ ⟿ – A proximité : ⚹ 🏊
Permanent – *Places limitées pour le passage* – **R** *conseillée* – ⚹ *6,50* 🅴 *9* 🅗 *9 (5A) 18 (10A)*

## ATTIGNY
**08130** Ardennes – 1 216 h.

⚠ Municipal le Vallage, 🅟 24 71 23 06, sortie N rte de Charleville-Mézières et rue à gauche après le pont sur l'Aisne, près d'un étang
1,2 ha (100 empl.) ⊶ plat, herbeux ⚲ – 🗐 ⚲ ⊕ – ⚹
Pâques-sept. – **R**

---

**ATUR** 24 Dordogne – 🔲 ⑤ – rattaché à Périgueux

---

## AUBAZINE
**19190** Corrèze – 788 h.

⚠ **Centre Touristique du Coiroux,** 🅟 55 27 21 96, E : 5 km par D 48 rte de Chastang, près d'un plan d'eau
165 ha/5 campables (143 empl.) ⊶ peu incliné, herbeux 🖾 ⚲⚲ (1 ha) – 🗐 ⛺ ⛺ 🕮 ⚲ ⊕ ⚲ ⚲ 🔲 – 🚐 🚗 – A proximité : golf, tir à l'arc ⛴ ⚹ 🏊 ⚲ (plage)
15 juin-15 sept. – **R** *conseillée juil.-août* – 🅴 *2 pers. 41 ou 44 (58 ou 64 avec élect.), pers. suppl. 12*

## AUBENAS
**07200** Ardèche – 11 105 h.
🅱 Office de Tourisme, 4 bd Gambetta 🅟 75 35 24 87

⚠ **La Chareyrasse** ⟩, 🅟 75 35 14 59, SE : 3,5 km par rte à partir de la gare, à St-Pierre-sous-Aubenas, bord de l'Ardèche
2,3 ha (100 empl.) ⊶ plat, herbeux, pierreux ⚲⚲ – 🗐 ⚲ 🕮 ⊕ ⚲ 🔲 – 🚐 🚗 ⚲ – A proximité : 🏊
Pâques-sept. – **R** *conseillée* – *Tarif 91 :* 🅴 *piscine comprise 2 pers. 54* 🅗 *12 (5A)*

⚠ Municipal les Pins ⟩ « Situation et cadre agréables », 🅟 75 35 18 15, NO : 2,5 km sur D 235 rte de Lazuel
4,5 ha (200 empl.) ⊶ accidenté et en terrasses, pierreux ⚲⚲ – 🗐 ⛺ ⛺ ⊕ ⚲ ⟿ ⚲ – ⚲
vac. de printemps-vac. de Toussaint – **R**

*à St-Privat* NE : 4 km par N 104 rte de Privas – ✉ 07200 St-Privat :

⚠ **Le Plan d'Eau** ⟩, 🅟 75 35 44 98, SE : 2 km par D 259 rte de Lussas, bord de l'Ardèche
1 ha (100 empl.) ⊶ (juil.-août) plat, pierreux, herbeux ⚲ – 🗐 ⛺ ⚲ 🕮 ⚲ ⊕ ⚲ ⛴ 🔲 – ⚲ ⚲ – Location : 🚐
Pâques, juin-15 sept. – **R** *conseillée 10 juil.-15 août* – 🅴 *piscine comprise 2 pers. 57, pers. suppl. 13* 🅗 *12 (4A)*

## AUBENCHEUL-AU-BAC
**59265** Nord – 516 h.

⚠ **Municipal Les Colombes,** 🅟 27 89 25 90, sortie S par N 43 rte de Cambrai puis 0,5 km par D 71 à gauche, bord d'un étang et près du canal de la Sensée
2,5 ha (101 empl.) ⊶ plat, herbeux 🖾 – 🗐 ⚲ ⚲ ⊕
avril-oct. – **R** – ⚹ *15* 🅴 *15* 🅗 *8 (4A) 16 (6A)*

## AUBIGNAN
**84810** Vaucluse – 3 347 h.

⚠ **Intercommunal du Brégoux** ⩻ « Cadre agréable », 🅟 90 62 62 50, SE : 0,8 km par D 55 rte de Caromb et chemin à droite
3,5 ha (197 empl.) ⊶ plat, herbeux ⚲ – 🗐 ⚲ 🕮 ⊕ ⚲ 🔲 – 🚐 ⚹ 🚗
15 mars-oct. – **R** – *Tarif 91 :* ⚹ *11* 🅴 *9* 🅗 *6,80 (6A)*

## AUBIN
**12110** Aveyron – 4 846 h.

⚠ **Municipal le Gua,** 🅟 65 63 03 86, sortie E rte de Cransac et chemin à droite attenant à la piscine et à 100 m d'un étang
0,3 ha (18 empl.) plat, gravillons 🖾 ⚲ – 🗐 ⛺ ⛺ 🕮 ⊕ – A proximité : ⚹ 🏊
15 avril-15 sept. – **R** – *Tarif 91 :* ⚹ *6* 🚗 *3,40* 🅴 *3,70* 🅗 *6,40 (5A) 16 (10A)*

102

## AUBURE

**68150** H.-Rhin – 372 h. alt. 800

⚠ – ⬚⬚ ⑱ G. Alsace Lorraine

🔺 **Municipal la Ménère** ⚲ <, ℘ 89 73 92 99, au bourg, près de la poste –
Accès conseillé par sortie S rte de Ribeauvillé et chemin à droite
0,9 ha (60 empl.) en terrasses, herbeux, sablonneux – 🗇 🗇 🗇 ⊛
15 juin-sept. – **R** – 🔆 *6,40* 🚐 *5,30* 🔲 *4,20/6,40* 🔌 *16 (15A)*

---

## AUBUSSON ◇⑤P◇

**23200** Creuse – 5 097 h.
🗓 Syndicat d'Initiative, r. Vieille
℘ 55 66 32 12

🔟 – ⬚⬚ ① G. Berry Limousin

🔺 **Municipal,** ℘ 55 66 18 00, S : 1,5 km sur D 982 rte de Felletin, bord de la
Creuse
3 ha (95 empl.) ⊶ plat, herbeux 🗏 ⚵⚵ (0,5 ha) – 🗇 🗇 🗇 🗇 ⊛ – 🗇 🗇
tir à l'arc
vac. de printemps, Pentecôte, juin-sept. – **R** – *Tarif 91 :* 🔆 *5,90* 🚐 *5,90*
🔲 *5,90* 🔌 *7,40 (10A)*

---

## AUCH ℗

**32000** Gers – 23 136 h.
🗓 Office de Tourisme, pl. de la
Cathédrale ℘ 62 05 22 89

⬚⬚ – ⬚⬚ ⑤ G. Pyrénées Aquitaine

🔺 **Municipal de l'Ile Saint-Martin,** ℘ 62 05 00 22, sortie S par N 21 rte de
Tarbes, au Parc des Expositions, dans une île du Gers
1,5 ha (48 empl.) ⊶ plat, herbeux, gravier 🗏 ⚵⚵ – 🗇 🗇 🗇 🗇 🗇 ⊛ 🗇 🗇 –
🗇 – A proximité : 🗇 🗇 🗇
Permanent – **R** – 🔆 *11,50* 🔲 *7* 🔌 *7,10 (5A) 20 (6 à 10A)*

---

## AUDINGHEN

**62179** P.-de-C. – 503 h.

⬚ – ⬚⬚ ①

🔺 **Municipal du Musée** ⚲, ℘ 21 32 97 22, SO : 1,3 km par D 940 et rte à
droite, près du musée de la 2ᵉ guerre mondiale
2,7 ha (157 empl.) ⊶ plat, herbeux 🗏 🗇 🗇 🗇 🗇 ⊛ – 🗇
15 mars-15 oct. – **R** – 🔆 *10,50* 🔲 *11,70* 🔌 *7,40 (2A) 14,80 (4A) 22,60
(6A)*

---

## AUDRESSELLES

**62164** P.-de-C. – 587 h.

⬚ – ⬚⬚ ①

🔺 **Municipal les Ajoncs,** ℘ 21 32 97 40, sortie SE par D 940 rte de Boulogne-
sur-Mer et à gauche, à 300 m de la plage
2,5 ha (179 empl.) ⊶ plat, herbeux, sablonneux – 🗇 🗇 🗇 🗇 ⊛
avril-oct. – **R** – 🔆 *12,40* 🚐 *4,90* 🔲 *14* 🔌 *11 (4A)*

---

## AUDRUICQ

**62370** P.-de-C. – 4 586 h.

⬚ – ⬚⬚ ③

🔺 **Municipal les Pyramides,** ℘ 21 35 59 17, N : bord d'un canal
2 ha (90 empl.) ⊶ plat, herbeux – 🗇 🗇 🗇 🗇 ⊛ 🗇 🗇 🗇 – 🗇 🗇
avril-sept. – **R** *conseillée* – 🔲 *2 pers. 32, pers. suppl. 9* 🔌 *10 (6A)*

---

## AUGIREIN

**09800** Ariège – 73 h.

⬚⬚ – ⬚⬚ ②

🔺 **Bellongue** ⚲ <, ℘ 61 96 82 66, au bourg, bord de la Bouigane
0,3 ha (22 empl.) ⊶ plat, herbeux – 🗇 🗇 🗇 🗇 ⊛ – 🗇 – A proximité :
🗇
avril-oct. – **R** *conseillée juil.-août*

---

## AULT

**80460** Somme – 2 054 h.

⬚ – ⬚⬚ ⑤ G. Flandres Artois Picardie

🔺 **Municipal la Cavée Verte** ⚲, ℘ 22 60 48 77, S : 1 km rte d'Eu, à 400 m
du D 940
2 ha (100 empl.) ⊶ incliné et en terrasses, herbeux 🗏 – (🗇 🗇 🗇 mars-sept.)
🗇 ⊛ – 🗇
Permanent – **R** – 🔆 *8,50* 🚐 *6,50* 🔲 *13* 🔌 *10 (3A) 21 (6A)*

---

## AULUS-LES-BAINS

**09140** Ariège – 210 h. alt. 762.
🗓 Syndicat d'Initiative, résidence de
l'Ars ℘ 61 96 01 79

⬚⬚ – ⬚⬚ ③ ④ G. Pyrénées Aquitaine

🔺 **Le Coulédous** Ⓜ ⚶ <, ℘ 61 96 02 26, sortie NO par D 32 rte de St-Girons,
près du Garbet
1,9 ha (72 empl.) ⊶ plat, herbeux, pierreux ⚵ – 🗇 🗇 🗇 🗇 🗇 🗇 🗇 🗇 ⊛ 🗇 🗇
🗇 – 🗇 – A proximité : 🗇 🗇 parcours de santé – Location : gîtes
Permanent – **R** – *adhésion obligatoire pour séjour supérieur à 4 jours* – 🔆 *13*
🔲 *13,65*

---

## AUMALE

**76390** S.-Mar. – 2 690 h.

⬚ – ⬚⬚ ⑯ G. Normandie Vallée de la Seine

🔺 **Municipal le Grand Mail** <, par centre ville
0,4 ha (60 empl.) plat, herbeux – 🗇 🗇 ⊛
mai-sept. – **R** – 🔆 *6* 🚐 *3,50* 🔲 *3,50* 🔌 *8,50 (6A)*

---

## AUNAC

**16460** Charente – 292 h.

⬚ – ⬚⬚ ④

🔺 **Municipal** (aire naturelle) ⚲ « Situation agréable au bord de la Charente »,
à 1 km au SE du bourg
1,2 ha (25 empl.) plat, herbeux ⚵ – 🗇 🗇 🗇 ⊛ 🗇 – 🗇
15 juin-15 sept. – **R** – 🔆 *5,70* 🚐 *4,20* 🔲 *4,20/5,50* 🔌 *8*

103

## AUNAY-SUR-ODON

**14260** Calvados – 2 878 h.
🏢 Office de Tourisme, pl. de l'Hôtel-de-Ville ℰ 31 77 60 32

⚠ **Municipal la Closerie,** NE : 0,7 km par D 8 rte de Caen, près du terrain de sports
0,8 ha (59 empl.) peu incliné, herbeux – 🗟 ⊛ ♨ ⚍ – ⚡ – A proximité : parcours sportif
15 juin-15 sept. – **R** – ⚸ 8 ⇔ 4 🗉 8 ⚡ 8

## AUPS

**83630** Var – 1 796 h.
🏢 Office de Tourisme, pl. F.-Mistral ℰ 94 70 00 80

🏕 **International Camping** ⚘, ℰ 94 70 06 80, O : 0,5 km par D 60 rte de Fox-Amphoux
4 ha (150 empl.) ⊶ plat, pierreux, herbeux ⚲ (2 ha) – 🗟 ⊛ ♨ ⊕ – discothèque ⚡ ⤳ – Location : ⌂
Pâques-sept. – **R** conseillée juil.-août – ⚸ 17 🗉 12 ⚡ 10,50 (9A)

🏕 **St-Lazare,** ℰ 94 70 12 86, NO : 1,5 km sur D 9 rte de Régusse
2 ha (56 empl.) ⊶ plat, peu incliné, pierreux, herbeux ⛺ – 🗟 ⊛ ♨ 🗟 ♿ ⊕ ▾ – ⌂ ⤳ – Location : ⌂
avril-sept. – **R** conseillée – ⚸ 15 piscine comprise 🗉 11 ⚡ 12 (10A)

🏕 **Les Prés** ⚘ ≼, ℰ 94 70 00 93, sortie SE rte de Tourtour et chemin à droite – Croisement difficile
1,2 ha (90 empl.) ⊶ plat, herbeux ⚲⚲ – 🗟 ⊛ ♨ 🗟 ▥ ⊕ snack ⤳ ▾ – A proximité : ⚡ ⤳
Permanent – Places disponibles pour le passage – **R** conseillée juil.-août – ⚸ 13 🗉 17 ⚡ 12 (4A) 17 (6A)

## AUREC-SUR-LOIRE

**43110** H.-Loire – 4 510 h.
🏢 Syndicat d'Initiative, r. du Monument (20 juin-15 sept.) ℰ 77 35 42 65

🏕 **Port-Buisson** ≼, ℰ 77 35 24 65, SO : 1,5 km par D 46 rte de Bas-en-Basset, à 100 m de la Loire (accès direct)
3,5 ha (168 empl.) ⊶ en terrasses, peu incliné et plat, herbeux ⛺ – 🗟 ⊛ ♨ 🗟 ♿ ⊕ ⚍ ⚡ ▾ – ⤳ – A proximité : ▾ ⚍
mai-sept. – **R** conseillée – 🗉 2 pers. 38, pers. suppl. 11 ⚡ 15 (6A)

## AUREILHAN

**40200** Landes – 562 h.

🏕 **Eurolac** « Cadre agréable », ℰ 58 09 02 87, sortie N, près du lac – ⚡ juil.-août
13 ha (475 empl.) ⊶ plat, herbeux, sablonneux ⛺ ⚲⚲ – 🗟 ⊛ ♨ 🗟 🗟 ♿ ⊕ ⚍ ⚡ ▾ ▾ ╳ ⤳ ▾ – ⌂ ⚍ ⤳ ⚍ ⚍ ⤳ parcours sportif – Location : ⌂ ⌂, studios
11 avril-oct. – **R** conseillée 4 juil.-22 août – 🗉 piscine comprise 2 pers. 99/125 avec élect. 6A

🏕 **Municipal,** ℰ 58 09 10 88, NE : 1 km, près du lac
6 ha (440 empl.) ⊶ plat, herbeux, sablonneux ⚲⚲ – 🗟 ⊛ ♨ 🗟 ♿ ⊕ ⚍ ▾ – ⌂ ⚍
juin-sept. – **R** conseillée – ⚸ 10 ⇔ 3 🗉 8/18 avec élect. (6A)

🏕 **La Route des Lacs** ⚘, ℰ 58 09 01 42, E : 1,5 km par rte de St-Paul-en-Born et chemin à gauche
2,5 ha (100 empl.) ⊶ plat, herbeux ⚲ (annexe ⚲⚲) – 🗟 ⊛ ♨ 🗟 ⊕
Permanent – **R** conseillée 15 juil.-août – ⚸ 11 ⇔ 3 🗉 10 ⚡ 10 (4 ou 6A)

## AUREL

**26340** Drôme – 204 h.

⚠ Municipal la Colombe ⚘ ≼ « Site agréable », à 500 m au nord du bourg, bord d'un torrent
0,6 ha (50 empl.) non clos, en terrasses, pierreux ⚲ – 🗟 ⊛ ♨ ⊕ – ⤳
A proximité : ╳

## AURIAC

**19220** Corrèze – 250 h. alt. 605

🏕 Municipal ⚘ ≼ « Site agréable, entrée fleurie », ℰ 55 28 25 97, sortie SE par D 65 rte de St-Privat, près d'un plan d'eau et d'un parc boisé
1,7 ha (85 empl.) ⊶ peu incliné, plat, herbeux ⛺ ⚲ (1 ha) – 🗟 ⊛ ♨ ⊕ ▾ 🗟 – ╳ ⤳ ⚍ (plage)
15 juin-15 sept. – **R** – Tarif 91 : ⚸ 8,40 ⇔ 2,62 🗉 2,62/3,15 ⚡ 6,30 (6A)

## AURIGNAC

**31420** H.-Gar. – 983 h.
🏢 Syndicat d'Initiative, pl. de la Mairie (juil.-août) ℰ 61 98 70 06

🏕 **Municipal,** ℰ 61 98 70 08, sortie SE par D 635 rte de Boussens et à droite près du stade
0,9 ha (48 empl.) peu incliné et plat, herbeux ⛺ – 🗟 ⊛ ♨ ⊕ – A proximité : ╳ ⤳
juin-sept. – **R** – ⚸ 8 🗉 6 ⚡ 10 (16A)

## AURILLAC 🅿

**15000** Cantal – 30 773 h. alt. 631.
🏢 Office de Tourisme, pl. du Square ℰ 71 48 46 58

🏕 **Municipal l'Ombrade** « Décoration florale », ℰ 71 48 28 87, N : 1 km par D 17 et chemin du Gué-Bouliaga à droite, de part et d'autre de la Jordanne
5 ha (200 empl.) ⊶ plat et en terrasses, herbeux ⛺ ⚲ – 🗟 ⊛ ♨ 🗟 ⊕ ⚍ ▾ – ⤳ – A proximité : ⚍
mai-sept. – **R** juil.-août – ⚸ 7,20 ⇔ 5,20 🗉 5,20 ⚡ 6 (6A)

## AURON

17 – 81 ⑨ G. Alpes du Sud

**06** Alpes-Mar. – alt. 1 608 – 🚠
✉ 06660 St-Étienne-de-Tinée.
🛈 Office de Tourisme, Immeuble de
la Ruade ℰ 93 23 02 66

▲▲▲ **Caravaneige la Ferme** ❄, réservé aux caravanes 🏊 ≤, ℰ 93 23 01 68,
sortie O par D 39 rte de Nabinas
1 ha (60 empl.) ⊶ plat et peu incliné, pierreux, herbeux – 🗊 ⬳ ⌂ 🖽 ▥ ☺ ▽
▣ – �
Permanent – *Places limitées pour le passage* – **R** *conseillée juil.-août et hiver* –
*Tarif 91 :* ▣ *2 pers. 76, 3 pers. 86, 4 pers. 92, pers. suppl. 14* [⚡] *8 (2A) 15 (3A)*
*35 (8A)*

## AUSSOIS

12 – 77 ⑧ G. Alpes du Nord

**73500** Savoie – 530 h. alt. 1 489 –
🛈 Office de Tourisme ℰ 79 20 30 80

▲▲▲ **Municipal la Buidonnière** Ⓜ ❄ 🏊 ≤ Parc de la Vanoise « Site
agréable », ℰ 79 20 35 58, sortie S rte d'Avrieux et à gauche
4 ha (190 empl.) ⊶ en terrasses et peu incliné, pierreux, herbeux ⊡ – 🗊 ⬳
⌂ 🗊 🖽 🅟 ▥ ☺ ▣ – � 🍴 ♣ 🚣 – A proximité : tir à l'arc, parcours sportif
Permanent – **R** – *Tarif 91 :* ▣ *1 pers. 20 (hiver 21)* [⚡] *9 (2A) 22 (6A) 31*
*(10A)*

## AUTRANS

12 – 77 ④

**38880** Isère – 1 406 h. alt. 1 050 –
🚠.
🛈 Office de Tourisme, route de
Méaudre ℰ 76 95 30 70

▲▲▲ **Au Joyeux Réveil** ❄ ≤, ℰ 76 95 33 44, sortie NE par rte de Montaud et
à droite
1,5 ha (100 empl.) ⊶ (saison) plat, herbeux – 🗊 ⬳ ⌂ 🆘 🗊 🖽 ☺ – � 🖳
– Location : chalets
Permanent – **R** *conseillée* – ▣ *2 pers. 50* [⚡] *11,50 à 48 (2 à 10A)*

▲▲▲ **Caravaneige du Vercors** ❄ ≤, ℰ 76 95 31 88, S : 0,6 km par D 106c rte
de Méaudre
1 ha (90 empl.) ⊶ en terrasses, herbeux, pierreux – 🗊 ⬳ ⌂ 🗊 🖽 🅟 ☺ ▣ –
� – A proximité : ♣
Permanent – **R** *conseillée été, indispensable hiver* – ▣ *2 pers. 47 (hiver 53), pers.*
*suppl. 13 (hiver 15,50)* [⚡] *2 à 10A : 11,50 à 26 (hiver 15 à 53)*

## AUTREY-LE-VAY

8 – 166 ⑥

**70110** H.-Saône – 69 h.

▲ **Municipal,** à l'Est du bourg, près du D 9, bord de l'Ognon
0,8 ha (20 empl.) plat, herbeux – 🗊 ▨ ☺
15 avril-15 oct. – **R** – *Tarif 91 :* ♣ *5,50* � *4* ▣ *11* [⚡] *10 (5A)*

## AUTRY

7 – 56 ⑨

**08250** Ardennes – 133 h.

▲ **Municipal le Paquis,** sortie S par D 21, bord de l'Aisne
0,5 ha (30 empl.) plat, herbeux – 🗊 ⬳ ⌂ ☺
15 avril-sept. – **R** – ♣ *5,20* � *3,10* ▣ *3,10* [⚡] *9,40 (16A)*

## AUTUN ◁▷

11 – 69 ⑦ G. Bourgogne

**71400** S.-et-L. – 17 906 h.
🛈 Office de Tourisme, 3 av. Charles-
de-Gaulle ℰ 85 52 20 34 et pl.
Terreau (juin-sept.) ℰ 85 52 56 03

▲▲▲ **Municipal du Pont d'Arroux,** ℰ 85 52 10 82, sortie N par D 980 rte de
Saulieu, faubourg d'Arroux, bord du Ternin
2,8 ha (104 empl.) ⊶ plat, herbeux ⊡ ♣ – 🗊 ⌂ 🗊 ☺ ♥ 🍴 snack 🍴 – � 🖳
🖳
Rameaux-oct. – **R** *conseillée juil.-août* – ♣ *10* � *5,50* ▣ *9,50* [⚡] *10,50 (2A)*

## AUXERRE ℙ

6 – 65 ⑤ G. Bourgogne

**89000** Yonne – 38 819 h.
🛈 Office de Tourisme, 1 et 2 quai de
la République ℰ 86 52 06 19

▲▲▲ **Municipal,** ℰ 86 52 11 15, au SE de la ville, près du stade, 8 rte de Vaux, à
150 m de l'Yonne – Interdit aux caravanes de plus 5 m.
4,5 ha (220 empl.) ⊶ plat, herbeux ♣♣ – 🗊 ⬳ ⌂ 🗊 🆘 🖽 ☺ ⚓ ▽ 🚲 ▣ –
� 🖳 – A proximité : 🍴 🎣 🏊
avril-sept. – **R** – ♣ *10* � *6* ▣ *5* [⚡] *9 (3 ou 6 A)*

## AUXI-LE-CHÂTEAU

1 – 52 ⑦ G. Flandres Artois Picardie

**62390** P.-de-C. – 3 051 h.

▲▲ **Municipal des Peupliers,** ℰ 21 41 10 79, sortie SO vers Abbeville et 0,6 km
par rte à droite, au stade, bord de l'Authie
1,6 ha (82 empl.) ⊶ plat, herbeux ⊡ – 🗊 ⬳ ⌂ 🗊 🆘 ☺ – � – A proximité :
🍴
avril-sept. – **R** *conseillée* – ♣ *10* � *5,50* ▣ *10* [⚡] *8,80 (3A) 13,20 (6A)*

## AUXONNE

12 – 166 ⑬ G. Bourgogne

**21130** Côte-d'Or – 6 781 h.
🛈 Office de Tourisme, 23 pl. d'Armes
(juin-sept.) ℰ 80 37 34 46

▲▲ Municipal l'Arquebuse, ℰ 80 37 34 36, sortie NO par rte de Dijon et D 24 rte
d'Athée à droite, à 50 m de la Saône
2 ha (100 empl.) ⊶ plat, herbeux – 🗊 ⬳ ⌂ ☺ – � 🚣 – A proximité : 🏊
🎣

## AUXY

6 – 61 ⑪

**45430** Loiret – 682 h.

▲▲ La Presse, S : 3,8 km par D 975, rte de Bellegarde et D 165 à gauche, près
de l'ancienne gare
1 ha (48 empl.) ⊶ plat, herbeux ⊡ – 🗊 ⬳ ⌂ 🗊 🆘 ☺ 🚲 ▽ – Garage pour
caravanes

## AVAILLES-LIMOUZINE
10 – 72 ⑤

**86460** Vienne – 1 324 h.

▲▲ **Municipal le Parc** ⌂, ℰ 49 48 51 22, sortie E par D 34, à gauche après le pont, bord de la Vienne
2,7 ha (100 empl.) ⊶ (saison) plat, herbeux ⚩ – 🕿 ⇔ ⛐ 🔳 ⊕ ☔ – ⟟ 🚣
mai-15 sept. – **R** *conseillée* – 🛉 *5* ⇔ *3* 🔳 *3,50* (🛉) *6,50 (6A)*

## Les AVENIÈRES
12 – 74 ⑭

**38630** Isère – 3 933 h.

▲▲▲ **Municipal les Épinettes**, ℰ 74 33 92 92, à 0,8 km du centre bourg par D 40 rte de St-Genix-sur-Guiers puis à gauche
2,2 ha (84 empl.) ⊶ plat et peu incliné, herbeux, gravier ⊡ ♀ – 🕿 ⇔ ⛱ 🔳 🏢
⊕ ☔ ⚐ – 🚗 ✖ – À proximité : 🏊
avril-oct. – **R** *conseillée* – 🛉 *8,60* ⇔ *4* 🔳 *8*

## AVESNES-SUR-HELPE ⬙
2 – 53 ⑥ G. Flandres Artois Picardie

**59440** Nord – 5 108 h.
🅱 Syndicat d'Initiative, 41 pl. du Général Leclerc ℰ 27 57 92 40

▲▲ **Municipal le Champ de Mars,** ℰ 27 57 99 04, à Avesnelles, r. Léo Lagrange
1 ha (40 empl.) ⊶ peu incliné, herbeux ⊡ – 🕿 ⇔ ⛱ ⊕ 🔳 – À proximité : ✖ ⟟
avril-oct. – **R** – *Tarif 91 :* 🛉 *8* ⇔ *6,50* 🔳 *7,50* (🛉) *6,50 (6A)*

## AVIGNON 🅿
16 – 81 ⑪ ⑫ G. Provence

**84000** Vaucluse – 86 939 h.
🅱 Office de Tourisme et Accueil de France, 41 cours Jean-Jaurès ℰ 90 82 65 11 et au Châtelet, Pont d'Avignon ℰ 90 85 60 16

▲▲▲ **Municipal du Pont St-Bénézet** ≼ Palais des Papes et le pont, ℰ 90 82 63 50, sortie NO rte de Villeneuve-lès-Avignon, par le pont Edouard-Daladier et à droite, dans l'île de la Barthelasse
8 ha (300 empl.) ⊶ plat, herbeux ♀ – 🕿 ⇔ ⛱ ⊕ 🚗 ☕ snack ⚐ 🔳 – 🚗
✖
mars-oct. – **R** – 🛉 *13/19* 🔳 *13 (6A)*

▲▲▲ **Bagatelle** ≼, ℰ 90 86 30 39, sortie NO rte de Villeneuve-lès-Avignon par le pont Édouard Daladier et à droite, dans l'île de la Barthelasse, près du Rhône
4 ha (360 empl.) ⊶ plat, herbeux ⊡ ⚨ – 🕿 ⇔ ⛱ 🔳 🏢 ⊕ ☔ ⚐ ☕ self ⚐
🔳 – 🚗 – À proximité : 🏊 – Location : ⇔
Permanent – **R** *conseillée* – *Tarif 91 :* 🛉 *12,50* ⇔ *6* 🔳 *6* (🛉) *11 ou 21 (3 à 6A)*

*au Pontet* NE : 4 km par rte de Carpentras – ✉ 84130 le Pontet :

▲▲ **Le Grand Bois,** ℰ 90 31 37 44, NE : 3 km par D 62 rte de Vedène et rte à gauche, au lieu-dit la Tapy – Par A 7 : sortie Avignon-nord
1,5 ha (134 empl.) ⊶ plat, herbeux – 🕿 ⇔ ⛐ ⚘ ⊕ ☔ 🚗 ☕ ✖ 🔳 – 🚗 ⛴
– Location : ⇔ (hôtel)
avril-15 oct. – **R** *conseillée juil.-août* – 🛉 *15* ⇔ *7* 🔳 *7/12* (🛉) *10 (5A)*

Voir aussi à *Vedène*

## AVIGNONET-LAURAGAIS
14 – 82 ⑲

**31290** H.-Gar. – 954 h.

▲ **Municipal le Radel** (aire naturelle), SO : 2,2 km par N 113 rte de Villefranche-de-Lauragais et chemin à gauche, bord du canal du Midi
0,9 ha (25 empl.) plat, herbeux – 🕿
avril-15 oct. – **R** – 🛉 *10* 🔳 *12*

## AVOISE
5 – 64 ②

**72430** Sarthe – 495 h.

▲ **Municipal,** au bourg, sur D 57, bord de la Sarthe
1,8 ha (30 empl.) plat, herbeux ⊡ ♀ – 🕿 ⇔ ⛱ 🔳 ⊕ ☔ ⚐ – 🚣
Permanent – **R** – *Tarif 91 :* 🔳 *élect. comprise 1 ou 2 pers. 33, pers. suppl. 10*

## AVRILLÉ
9 – 67 ⑪ ⑫

**85440** Vendée – 1 004 h.

▲▲ **Les Mancelières,** ℰ 51 90 35 97, S : 1,7 km par D 105 rte de Longeville-sur-Mer
2,6 ha (140 empl.) ⊶ plat et peu incliné, herbeux ⊡ ♀ (1 ha) – 🕿 ⇔ ⛱ 🔳 🔳
⊕ 🚗 🔳 – 🚣 – Location : 📞
mai-sept. – **R** *conseillée*

▲▲ **Municipal de Beauchêne,** ℰ 51 22 30 49, sortie SE par D 949 rte de Luçon, bord d'un petit étang
2 ha (180 empl.) ⊶ plat et peu incliné, herbeux ♀ – 🕿 ⇔ ⛱ ⊕ ☔ ⚐
15 juin-15 sept. – **R** *conseillée 1ᵉʳ au 15 août* – 🛉 *8,50* ⇔ *2,50* 🔳 *6,50*
(🛉) *10 (6A)*

## AXAT
15 – 86 ⑦

**11140** Aude – 919 h.

▲▲ **Pont d'Aliès** (ex Station des Pyrénées) ≼ « Site et cadre agréables », ℰ 68 20 53 27, N : 1 km, carrefour des D 117 et D 118, bord de l'Aude
1,8 ha (98 empl.) ⊶ (saison) plat et peu incliné, herbeux ⚨ (1 ha) – 🕿 ⛐ 🔳
⊕ 🚗 ☕ – ⛴ Centre de documentation touristique
avril-oct. – **R** *conseillée juil.-août* – 🔳 *2 pers. 55, pers. suppl. 13* (🛉) *12 (4 ou 6A)*

## AX-LES-THERMES

15 – 86 ⑮ G. Pyrénées Roussillon

**09110** Ariège – 1 489 h. alt. 720 –
⚒ – 🚡 au Saquet.
🅘 Office de Tourisme, pl. du Breilh
✆ 61 64 20 64

⩙ **Municipal Malazéou** ≤, ✆ 61 64 22 21, NO : 1,5 km sur N 20 rte de Foix, bord de l'Ariège
5 ha (300 empl.) ⊶ plat, peu incliné à incliné, herbeux ⚭⚭ – 🛖 ⊷ 🛁 🖽 🎮 ⊕
Permanent – *Places limitées pour le passage en hiver* – **R** – 🛪 *10* ▣ *10* [电] *8 à 25 (2 à 10A)*

⩙ **Fournil** ≤, ✆ 61 64 24 40, NO : 2 km sur N 20, après Savignac-les-Ormeaux
2,4 ha (168 empl.) ⊶ plat, herbeux – 🛖 ⊷ 🗟 🛖 ⊕ 🖵
Permanent – **R** – *Tarif 91 :* 🛪 *7* ▣ *7* [电] *5,70 (2A) 7,30 (3A) 15,50 (6A)*

## AYDAT (Lac d')

11 – 73 ⑭ G. Auvergne

**63** P.-de-D. – 1 322 h. alt. 825
✉ 63970 Aydat

⩙ **La Clairière** ⚐, ✆ 73 79 31 15, à Rouillas-Bas
1 ha (48 empl.) ⊶ en terrasses, herbeux ⊡ ⚭⚭ – 🛖 ⊷ 🛁 🗟 ⊕ – 🖵
15 juin-15 sept. – **R** – 🛪 *12* ▣ *18,70* [电] *12 (5A)*

⩙ **Les Volcans** ⚐ ≤, ✆ 73 79 33 90, à la Garandie – alt. 1 020
1,3 ha (54 empl.) ⊶ peu incliné, herbeux – 🛖 🛁 ⊕
15 juin-5 sept. – **R** – 🛪 *9* ▣ *12 et 6,90 pour eau chaude (jusqu'à 3 pers.)* [电] *12 (4A)*

## Les AYNANS

8 – 166 ⑦

**70200** H.-Saône – 303 h.

⩘ **Municipal** ⚐, au bourg, bord de l'Ognon
0,7 ha (33 empl.) plat, herbeux ⚒ – 🛖 🗟 ⊕
15 mars-oct. – *Places limitées pour le passage* – **R** – 🛪 *4,80* ▣ *4,80* [电] *12,50 (3A)*

## AZAY-SUR-THOUET

9 – 67 ⑰

**79130** Deux-Sèvres – 1 013 h.

⩘ **Municipal les Peupliers** ⚐, sortie S par D 139 rte de St-Pardoux, bord du Thouet
0,6 ha (28 empl.) plat, herbeux – 🛖 ⊷ 🗟 ⊕ – A proximité : ✗
juin-sept. – **R** – 🛪 *5* 🚗 *2,50* ▣ *2,50* [电] *8,50*

## AZUR

13 – 78 ⑯

**40140** Landes – 377 h.

⩗ **La Paillotte** ⚐ ≤, ✆ 58 48 12 12, SO : 1,5 km, bord du lac de Soustons – ⚐
7 ha (310 empl.) ⊶ plat, sablonneux, herbeux ⊡ ⚭⚭ – 🛖 ⊷ 🛁 🗟 🎮 ⊕ ♨
⚏ 🏊 🗙 🏪 🖳 – 🖵 ✗ ⚓ 🛶 ≋ (plage surveillée) ♨ salle de musculation – A proximité : tir à l'arc 🏹 – Location : 🚐 – Garage pour caravanes et bateaux
juin-15 sept. – **R** conseillée juil.-août – Tarif 91 : ▣ *piscine comprise 2 pers. 83/98 à 156 avec élect. (4 à 10A), pers. suppl. 24*

⩗ **Municipal** Ⓜ ⚐, ✆ 58 48 30 72, S : 2 km, à 100 m du lac de Soustons
6,5 ha (200 empl.) ⊶ plat, sablonneux, pierreux, herbeux ♀ – 🛖 ⊷ 🛁 🗟 🎮 ⚐ ⊕
⚏ 🏊 🖳 – 🖵 – A proximité : tir à l'arc ✗ 🏹 ≋ (plage surveillée)
15 juin-15 sept. – **R** conseillée – Tarif 91 : 🛪 *13,50* ▣ *25* [电] *10,50 (6A)*

## BACCARAT

8 – 62 ⑦ G. Alsace Lorraine

**54120** M.-et-M. – 5 022 h.
🅘 Syndicat d'Initiative, pl. des Arcades (15 juin-sept.) ✆ 83 75 13 37

⩗ **La Rive,** ✆ 83 75 37 43, sortie NO sur N 59 rte de Nancy, face au garage Peugeot, bord de la Meurthe
1,5 ha (50 empl.) ⊶ plat et peu incliné, herbeux, gravier ⊡ – 🛖 ⊷ 🛁 ⊕ 🚐 ⚐
🌂
Permanent – **R** conseillée – 🛪 *8* ▣ *12* [电] *8 (3A) 12 (6A)*

⩘ **Municipal** ⚐, sortie SE par D 158 rte de Lachapelle et à gauche, bord de la Meurthe
0,7 ha (50 empl.) plat, herbeux ♀ – 🛖 ⊷ 🛁 ⊕ – A proximité : 🛝 ✗ 🔲
mai-sept. – **R** juil.-août – Tarif 91 : 🛪 *4,50* 🚗 *3,50* ▣ *4,50/6,70* [电] *7 (10A)*

## BADEFOLS-SUR-DORDOGNE

13 – 75 ⑮ ⑯ G. Périgord Quercy

**24150** Dordogne – 188 h.

⩗ **les Bö-Bains,** ✆ 53 22 51 89, sortie O, par D 29, rte de Lalinde, bord de la Dordogne
3 ha (68 empl.) ⊶ (saison) plat, terrasse, herbeux ⊡ – 🛖 ⊷ 🛁 🗟 ⊕ 🌂 snack
⚏ 🖳 – 🏹 🏊 vélos – A proximité : ✗
mai-sept. – **R** conseillée – 🛪 *20 piscine comprise* ▣ *25* [电] *15 (6A)*

## BADEN

3 – 63 ②

**56870** Morbihan – 2 844 h.

⩗ **Mané Guernehué** ⚐, ✆ 97 57 02 06, SO : 1 km par rte de Mériadec et à droite
5,3 ha (135 empl.) ⊶ (saison) plat, peu incliné à incliné et en terrasses, herbeux – 🛖 ⊷ 🛁 🗟 ⚐ ⊕ ⚏ 🌂 🖳 – 🖵 🛶 – Location : 🚐 🚐
20 avril-sept. – **R** conseillée – 🛪 *16,50 piscine comprise* ▣ *38,50* [电] *13 (6A)*

107

## BAERENTHAL

**57230** Moselle – 723 h.

8 – 57 ⑱

🏔 **Municipal de Ramstein-Plage** « Site agréable », 𝒫 87 06 50 73, à l'ouest du bourg par r. du Ramstein, bord d'un plan d'eau
3 ha (300 empl.) ⊶ (saison) plat et peu incliné, herbeux ⚲ – 🛖 ⊕ 🍸 – ❌ 🏊 ≈ – Location : huttes
avril-sept. – *Places limitées pour le passage* – **R** *conseillée juil.-août* – 👤 *8,60* 📧 *4,80* 🔌 *15 (5A)*

## BAGNAC-SUR-CÉLÉ

**46270** Lot – 1 582 h.

15 – 76 ⑪

🏔 **Municipal du Pont Neuf**, 𝒫 65 34 94 31, au SE du bourg, derrière la gare, bord du Célé
1 ha (66 empl.) ⊶ plat, herbeux – 🛖 🚻 ⊕ – A proximité : ❌ 🏊
15 juin-sept. – **R** *conseillée* – *Tarif 91 :* 👤 *10* 📧 *10* 🔌 *12 (6 ou 10A)*

## BAGNEAUX-SUR-LOING

**77167** S.-et-M. – 1 516 h.

6 – 61 ⑫

🏔 **Municipal de Pierre le Sault**, 𝒫 64 29 24 44, au NE de la ville, près du terrain de sports, entre le canal et le Loing, à 200 m d'un plan d'eau
3 ha (130 empl.) ⊶ plat, herbeux, bois attenant ⚲ – 🛖 ⇔ 🚻 🖸 🚿 ▥ ⊕ – 🍴 ❌ 🏊 ≈
avril-oct. – *Places disponibles pour le passage* – **R** – 👤 *12* 📧 *9* 🔌 *9,50 (3A) 23 (10A)*

▶ *Pour choisir et suivre un itinéraire*
*Pour calculer un kilométrage*
*Pour situer exactement un terrain (en fonction des indications fournies dans le texte) :*
*Utilisez les **cartes Michelin** détaillées à 1/200 000, compléments indispensables de cet ouvrage.*

## BAGNÈRES-DE-BIGORRE ⟨S⟩

**65200** H.-Pyr. – 8 424 h. –
⊕ 6 avril-oct.
🛈 Office du Tourisme et du Thermalisme, 3 allée Tournefort
𝒫 62 95 50 71

14 – 85 ⑱ G. Pyrénées Aquitaine

🏔 **Les Tilleuls**, 𝒫 62 95 26 04, sortie NO rte de Labassère, av. Alan-Brooke
2 ha (100 empl.) ⊶ plat et peu incliné, herbeux ⚲ – 🛖 ⇔ 🚻 ⩘ 🖸 ⊕ – 🚗
mai-sept. – **R** *conseillée juil.-août*

🏔 **Le Monlôo** ⑤ <, 𝒫 62 95 19 65, sortie N, par D 938 rte de Toulouse puis 1,5 km par D 8 et chemin à droite
1,5 ha (35 empl.) ⊶ peu incliné et plat, herbeux ⚲ – 🛖 ⩘ 🖸 🚿 ⊕ – 🚗 ❌
Permanent – **R** *conseillée juil.-août* – 👤 *16 piscine comprise* 📧 *16* 🔌 *10 (2A) 20 (5A)*

🏔 **Les Fruitiers** < Pic du Midi, 𝒫 62 95 25 97, 91 route de Toulouse
1,5 ha (100 empl.) ⊶ plat, herbeux ⚲ – 🛖 ⇔ 🚻 🖸 ⊕ ▥ – 🚗 – A proximité : 🏊
mai-25 oct. – **R** *conseillée 14 juil.-20 août* – *Tarif 91 :* 👤 *14,50* 📧 *15* 🔌 *10 (2A) 20 (4A) 30 (6A)*

🏔 **Les Palomières** ⑤ < Pic du Midi, 𝒫 62 95 59 79, NE : 2 km par D 938 rte de Toulouse et 0,6 km par D 784 à droite – alt. 650
0,75 ha (39 empl.) ⊶ en terrasses, peu incliné, herbeux ⚲ – 🛖 ⇔ ⩘ 🖸 ⊕ ⟐ 🖸 – Location : 🏕
mai-août – **R** *conseillée* – 👤 *11,90* 📧 *13,90* 🔌 *10 (2 ou 3A) 30 (6A) 45 (10A)*

*à Beaudéan SE : 4 km par D 935 –* ✉ *65710 Beaudéan :*

🏔 **L'Arriou** <, 𝒫 62 91 74 04, à l'est du bourg par D 935 et chemin, bord de l'Adour
2,8 ha (100 empl.) ⊶ plat, herbeux, terrasse – 🛖 ⇔ ⩘ 🖸 ▥ ⊕ 🖸 – 🚗
Permanent – **R** – 👤 *15 piscine comprise* 📧 *12* 🔌 *12 (2A)*

*à Pouzac NO : 2,5 km par D 955 rte de Tarbes –* ✉ *65200 Pouzac :*

🏔 **Bigourdan**, 𝒫 62 95 13 57, S : sur D 935
0,6 ha (33 empl.) ⊶ (saison) plat, herbeux ⚲⚲ – 🛖 ⩘ 🖸 ⊕ – 🚗 – A proximité : 🏹
Pâques-sept. – **R** *conseillée juil.-août* – *Tarif 91 :* 👤 *14* 📧 *15,50* 🔌 *10 (2A)*

## BAGNOLES-DE-L'ORNE

**61140** Orne – 875 h. –
⊕ 5 mai-28 oct.
🛈 Office de Tourisme, pl. de la République (8 avril-28 oct.)
𝒫 33 37 85 66

5 – 60 ① G. Normandie Cotentin

🏔 **Intercommunal de la Vée** ⑤, 𝒫 33 37 87 45, SO : 1,3 km, près de Tessé-la-Madeleine, à 30 m de la Vée
2,8 ha (265 empl.) ⊶ plat, herbeux 🗔 – 🛖 ⇔ 🚻 ⩘ ⊕ 🖸 – 🚗 🏊
avril-sept. – **R** – 🔌 *15 (5A)*

🏔 **Le Clos Normand**, 𝒫 33 37 92 43 ✉ 61410 Couterne, SE : 2,5 km par D 916 rte de Couterne
1 ha (33 empl.) ⊶ plat, herbeux – 🛖 🚻 ⩘ 🖸 ⊕ – 🚗 🏊
Pentecôte-fin sept. – **R** – *Tarif 91 :* 📧 *2 pers. 28,50* 🔌 *12,50 (5A) 18 (10A)*

## BAGNOLS-SUR-CÈZE

**30200** Gard – 17 872 h.

**B** Office de Tourisme, esplanade du Mont-Cotton *℘* 66 89 54 61

16 – 81 ① ⑪ G. Provence

⋀⋀ **Les Genêts d'Or,** *℘* 66 89 58 67, sortie N rte de Pont-St-Esprit puis 2 km par D 360 à droite – ❀ juil.-20 août
3,5 ha (95 empl.) ⚬ plat, herbeux ♨♨♨ – ⌂ ⇌ 🛁 🗑 🕭 ☻ 🛒 ♀ ✗ 🖪 – 🛶
🛝 – Location : 🏠
avril-sept. – **R** *conseillée juil.-août* – 🏃 *17 piscine comprise* 🚗 *20* 🖪 *30* 🚿 *12*
*(3A)*

⋀⋀ **La Coquille** ⏾, *℘* 66 89 03 05, sortie N par N 86 rte de Pont-St-Esprit puis 2 km par D 360 à droite, bord de la Cèze
1,2 ha (30 empl.) ⚬ plat, herbeux, sablonneux ♀ – ⌂ ⇌ 🗑 🕭 ☻ 🛝 –
🛝
15 mars-15 oct. – **R** *conseillée juil.-août* – 🖪 *piscine comprise 2 pers. 65* 🚿 *10*
*(3A)*

## BAIS

**53160** Mayenne – 1 571 h.

5 – 60 ⑪

⋀ **Municipal Claires Vacances,** sortie O par D 241 rte d'Hambers, près d'un plan d'eau
1 ha (22 empl.) plat, herbeux – ⌂ ⇌ 🛁 ☻ – 🛝 – A proximité : ❀ 🛶
15 mai-15 sept. – **R** – 🏃 *5* 🚗 *2,60* 🖪 *2,60* 🚿 *3,30*

## BALARUC-LES-BAINS

**34540** Hérault – 5 013 h. –
✚ 24 fév.-12 déc.

**B** Office de Tourisme, 6 av. du Port
*℘* 67 48 50 07

15 – 83 ⑯ G. Gorges du Tarn

⋀⋀ **les Vignes,** *℘* 67 48 04 93, N : 1,5 km par D 129 puis à droite, rte de Sète et chemin à gauche
2 ha (128 empl.) ⚬ plat, herbeux, pierreux ⌂ – ⌂ ⇌ 🛁 🗑 🕭 ☻ 🛝 ⚐ 🛝
🖪 – 🛝
avril-oct. – **R** *conseillée juil.-août* – 🖪 *piscine comprise 1 ou 2 pers. 60, pers. suppl. 9* 🚿 *10 (4A) 12 (6A) 15 (10A)*

⋀⋀ **Municipal Chemin des Bains,** *℘* 67 48 51 48, sortie N par D 129 rte de Montpellier
1,7 ha (125 empl.) ⚬ plat, herbeux, pierreux ⌂ ♀ – ⌂ ☻
19 avril-10 oct. – **R** *indispensable* – 🏃 *11,10* 🖪 *8,50/12,50* 🚿 *11,50*
*(5A)*

## BALBIGNY

**42510** Loire – 2 415 h.

**B** Syndicat d'Initiative, Mairie
*℘* 77 28 14 12

11 – 73 ⑱

⋀⋀ La Route Bleue ⏾, *℘* 77 27 24 97, NO : 2,5 km par D 56 rte de Pinay et à gauche, bord de la Loire
2 ha (70 empl.) ⚬ plat, peu incliné, herbeux – ⌂ ⇌ 🛁 🗑 🕭 ☻ ⚐ ❀ ♀ 🖪
– 🖽

## BALLAN-MIRÉ

**37510** I.-et-L. – 5 937 h.

5 – 64 ⑭ ⑮

⋀⋀ **La Mignardière,** *℘* 47 53 26 49, à 2,5 km au NE du bourg, à proximité du plan d'eau de Joué-Ballan
2,5 ha (120 empl.) ⚬ plat, herbeux, petit bois attenant ⌂ – ⌂ ⇌ 🛁 🗑 🕭
🎱 ☻ 🛝 ⚐ 🛝 🖪 – ❀ 🛝 vélos – A proximité : ♀ grill 🛝 🛝 🛶 poneys
mai-sept. – **R** *conseillée* – 🏃 *22* 🖪 *30* 🚿 *18 (6A)*

## La BALME-DE-SILLINGY

**74330** H.-Savoie – 3 075 h.

12 – 74 ⑥

⋀ La Vieille Ferme (aire naturelle) ⏾, *℘* 50 68 74 61, NO : 1,3 km par N 508 rte de Frangy puis 2 km par rte à gauche
3 ha (25 empl.) ⚬ plat et peu incliné, prairie – ⌂ ☻ – 🖽 🛶
juin-sept. – **R**

⋀ La Bergerie (aire naturelle) ⏾ ≼, *℘* 50 68 73 05, NO : 1,3 km par N 508 et rte à droite, à Lompraz
1 ha (25 empl.) ⚬ plat, herbeux – ⌂ ☻
juil.-août – **R** *conseillée août*

## BANGOR **56** Morbihan – 63 ⑪ ⑫ – voir à Belle-Ile-en-Mer

## BANYULS-SUR-MER

**66650** Pyr.-Or. – 4 662 h.

**B** Office de Tourisme, av. de la République *℘* 68 88 31 58

15 – 86 ⑳ G. Pyrénées Roussillon

⋀⋀ Le Stade, *℘* 68 88 31 70, SO : 1,5 km par D 86 et chemin à droite
0,6 ha (32 empl.) ⚬ en terrasses, pierreux ⌂ ♀♀ – ⌂ ⇌ 🗑 🕭 ☻ – 🛶 –
A proximité : 🍴
15 avril-sept. – **R** *juil.-août* – 🏃 *17* 🖪 *23* 🚿 *12 (6A) 14 (10A)*

## BARATIER **05** H.-Alpes – 77 ⑰ ⑱ – rattaché à Embrun

## BARBÂTRE **85** Vendée – 67 ① – voir à Noirmoutier (Ile de)

## BARBIÈRES **26** Drôme – 77 ② – rattaché à Bourg-de-Péage

## Le BARCARÈS

**66420** Pyr.-Or. – 2 422 h.

🛈 Office de Tourisme, Front de Mer
𝄐 68 86 16 56 et Centre Culturel
Cocteau-Marais (mai-sept.)
𝄐 68 86 18 23

⚠ **California,** 𝄐 68 86 16 08 ✉ 66423 Le Barcarès Cedex, SO : 1,5 km par
D 90
5 ha (170 empl.) o— plat, herbeux, verger ⌧ ♀ – 🔊 ⇆ ⇌ ⬚ ♿ ☺ ⵣ ⴹ 🛢
🍴 ⵣ 🔳 – ⛶ ✗ ⤳ ⤳ vélos – Location : ⛺ ⛺ 🏠
mai-28 sept. – **R** *conseillée saison* – 🔳 *piscine comprise 2 pers. 84, pers. suppl.*
*24* 🔌 *13 (10A)*

⚠ **Le Pré Catalan,** 𝄐 68 86 12 60, SO : 1,5 km par D 90 puis 0,6 km par chemin
à droite
4 ha (220 empl.) o— plat, sablonneux, herbeux ⌧ ♀ – 🔊 ⇆ ⇌ 🔊 ☺ 🛢 🍴 ✗
ⵣ 🔳 – ⛶ ✗ ⤳ ⤳ – Location : ⛺
30 mars-sept. – **R** *conseillée juil.-août* – 🔳 *piscine et tennis compris 2 pers.*
*95, pers. suppl.21* 🔌 *16 (6A)*

⚠ **L'Europe,** 𝄐 68 86 15 36, SO : 2 km par D 90, à 200 m de l'Agly
6 ha (371 empl.) o— plat, herbeux – Plates-formes am. et sanit. individuels (🔊 ⇆
wc) ♿ 🛢 🍴 snack ⵣ 🔳 – ⛶ ✗ ⤳ – Location : ⛺ ⛺ 🏠
Permanent – **R** *indispensable juil.-août* – 🔳 *élect. (10A), piscine et tennis compris*
*2 pers. 99, pers. suppl. 25*

⚠ **La Salanque,** loc. exclusive de bungalows, 𝄐 68 86 14 86, O : 1 km par
chemin de l'Hourtou
2 ha (107 empl.) o— plat, sablonneux, herbeux ⌧ – Sanitaires individuels (🔊 ⇆
wc) ♿ 🛢 🍴 snack ⵣ 🔳 Sauna – 🏋 salle de musculation ✗ ⤳ ⤳ –
Location : 🏠
2 mai-26 sept. – **R** *conseillée, indispensable juil.-août* – 🔳 *élect., piscine et tennis*
*compris 2 625 à 3 570 F la semaine*

---

## BARCELONNE-DU-GERS

**32720** Gers – 1 312 h.

⚠ **Municipal les Rives de l'Adour** ⊗, S : 1,5 km par D 107 rte de Lembeye
et à gauche avant le pont, bord de la rivière
0,5 ha (50 empl.) plat, herbeux, pierreux ♀ – 🔊 ⇌ ☺
15 juin-15 sept. – **R** *conseillée 14 juil.-20 août* – ⚥ *7* 🔳 *10* 🔌 *5 (6 ou 10A,*

---

## BARCELONNETTE ⊗

**04400** Alpes-de-H.-Pr. – 2 976 h.
alt. 1 132 – 🚡 au Sauze SE :
4 km, à Super-Sauze SE : 10 km et à
Pra-Loup SO : 8,5 km.

🛈 Office de Tourisme, pl. F.-Mistral
𝄐 92 81 04 71

à l'Ouest sur D 900 rte du Lauzet-Ubaye :

⚠ **L'Ubaye** ⪦, 𝄐 92 81 01 96 ✉ 04340 Meolans-Revel, à 9 km de
Barcelonnette, bord de l'Ubaye – alt. 1 073
5 ha (219 empl.) o— en terrasses, peu incliné, pierreux, herbeux, petit plan d'eau
⌧ ♀♀ – 🔊 ⇆ ⇌ 🔊 🔳 ♿ ☺ ⵣ 🛢 snack 🔳 – ⛶ ✗ ⤳ – Location : ⛺
⛺ 🏠, chalets
20 janv.-20 déc. – **R** *conseillée* – 🔳 *piscine comprise 2 pers. 70, pers. suppl.*
*18 ou 20* 🔌 *été : 13 (6A) hiver : 20 (10A)*

⚠ **le Rioclar** ⊗, ⪦, 𝄐 92 81 10 32 ✉ 04340 le Lanzet-Ubaye, à 11 km de
Barcelonnette, bord d'un petit plan d'eau et accès direct à l'Ubaye – alt. 1 073
8 ha (110 empl.) o— accidenté et en terrasses, pierreux, herbeux ⌧ ♀♀ (pinède
– 🔊 ⇆ ⇌ ♿ ☺ 🍴 snack ⵣ 🔳 – ⛶ 🐎 tir à l'arc, vélos – A proximité : ⵤ
– Location : ⛺
juil.-août – **R** *conseillée juil.-août* – 🔳 *2 pers. 50, pers. suppl. 15* 🔌 *15 (6 ou 10A*

⚠ **le Fontarache** ⪦, 𝄐 92 81 90 42 ✉ 00440 les Thuiles, à 7 km de
Barcelonnette, près de l'Ubaye – alt. 1 108
4 ha (250 empl.) o— plat et peu accidenté, pierreux, gravier, herbeux ♀ – 🔊 ⇆
⇌ 🔊 ♿ ☺ ⵣ 🛢 – ✗ – Location : ⛺
juin-sept. – **R** *conseillée août* – 🔳 *2 pers. 42, pers. suppl. 13* 🔌 *13 (3 ou 6A*

---

## BARFLEUR

**50760** Manche – 599 h.

🛈 Office de Tourisme, rond-point
Guillaume le Conquérant (avril-sept.)
𝄐 33 54 02 48

⚠ **Municipal la Blanche Nef** ⊗, ⪦, 𝄐 33 23 15 40, à 500 m au NO de la ville
près de la mer
2 ha (73 empl.) o— plat et peu incliné, herbeux – 🔊 ⇆ ⇌ ♿ 🏢 ☺ – ⛶
A proximité : ♨
avril-sept. – **R** *conseillée juil.-août* – 🔳 *2 pers. 37, pers. suppl. 10* 🔌 *6 (3A) 8,5*
*(6A) 11 (10A)*

---

## BARJAC

**30430** Gard – 1 361 h.

⚠ **La Buissière** ⊗ « Cadre sauvage », 𝄐 66 24 54 52, NE : 2,5 km sur D 176
rte d'Orgnac-l'Aven
1,6 ha (40 empl.) o— (saison) accidenté, pierreux ⌧ ♀ – 🔊 ⇆ 🔊 🔳 ☺ 🔳 – ⛺
🏠 ⤳
avril-sept. – **R** *conseillée juil.-août* – 🔳 *piscine comprise 2 pers. 64* 🔌 *10 (2A*
*15 (4A) 19 (6A)*

⚠ **La Combe** ⊗, 𝄐 66 24 51 21, O : 3 km par D 901 rte de Mende et D 384
à droite rte de Mas Reboul
2 ha (100 empl.) o— plat et peu incliné, herbeux – 🔊 ⇆ 🔳 ☺ – ⛺ ✗
Pâques-sept. – **R** *conseillée juil.-août* – 🔳 *piscine comprise 2 pers. 55, pers. supp*
*15* 🔌 *11 (10A)*

110

**50270** Manche – 2 222 h.

🏢 Office de Tourisme, r. des Écoles
✆ 33 04 90 58

🏕 Municipal les Bosquets 🦌 « Cadre sauvage », ✆ 33 04 73 62, SO : 2,5 km par rte de Barneville-Plage et rue à gauche, à 450 m de la plage
10 ha/6 campables (240 empl.) ⚡ plat et accidenté, sablonneux, herbeux, dunes boisées – 🍴 ⚡ 🚿 ⚬ – 🛒 – A proximité : 🐎
Pâques-sept. – **R** conseillée 14 juil.-20 août

🏕 **Le Relais de Gerfleur,** ✆ 33 04 38 41, sortie NO par rte de Carteret, bord d'un ruisseau
1,5 ha (75 empl.) ⚡ plat et peu incliné, herbeux, petit étang 🛒 – 🍴 ⚡ 🚿 🖬
🚿 ⚬ 🍷 – 🛒
15 avril-19 sept. – **R** conseillée – 🏕 15 🅴 15 🚿 10 (3A) 15 (6A)

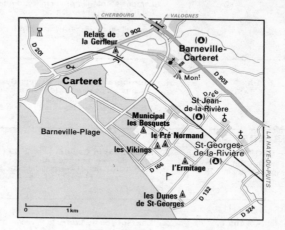

à *St-Jean-de-la-Rivière* SE : 2,5 km – ✉ 50270 St-Jean-de-la-Rivière :

🏕 **Les Vikings** 🦌, ✆ 33 53 84 13, par D 166 et chemin à droite
7 ha (200 empl.) ⚡ plat, herbeux, sablonneux – 🍴 ⚡ 🚿 🖬 ⚬ 🍷 ✗ 🚿 🖬 –
🛒 🚿 ⚓ – A proximité : 🏐 🐎 golf toboggan aquatique
mars-15 nov. – *Places disponibles pour le passage* – **R** conseillée – 🏕 19 piscine et tennis compris 🅴 20 🚿 13 (4A)

🏕 L'Ermitage 🦌, ✆ 33 04 78 90, O : 2 km par D 166 et chemin à gauche
3 ha (100 empl.) ⚡ plat, herbeux, sablonneux 🛒 – 🍴 ⚡ 🚿 🖬 ⚬ 🚿 🍷 🖬 –
🛒 🚿 half-court, tir à l'arc - A proximité : 🐎 golf, toboggan – Location : 🚐
mai-15 sept. – **R** conseillée

🏕 **Le Pré Normand** 🦌, ✆ 33 53 85 64, sur D 166
1,4 ha (90 empl.) ⚡ légèrement accidenté, herbeux, sablonneux 🛒 – 🍴 ⚡ 🚿
🖬 ⚬ 🍷 🚿 🖬 – 🛒 - A proximité : 🏐 🐎 golf, toboggan aquatique – Location :
🚐
Pâques-15 sept. – *Places disponibles pour le passage* – **R** conseillée 10 juil.-20 août – 🏕 15,50 piscine comprise 🅴 18,50 🚿 12 (3A) 20 (6A)

**85550** Vendée – 1 727 h.

🏕 **Le Marais Neuf,** ✆ 51 49 05 02, S : 1,3 km par rte de N.-D.-de-Monts puis 0,6 km par rte à droite
1,5 ha (100 empl.) ⚡ plat, sablonneux, herbeux 🛒 – 🍴 ⚡ 🚿 🖬 🚿 ⚬ 🚿 ⚓
🖬 – 🛒 🚿 🚿 – Location : 🚐
avril-sept. – **R** conseillée juil.-août – 🅴 piscine comprise 3 pers. 74 (84 avec élect. 5A)

🏕 **la Grande Côte,** ✆ 51 68 51 89, à Fromentine, O : 2 km par D 38A rte de la Grande Côte, bord de la plage
21 ha (945 empl.) ⚡ (saison) plat et accidenté, sablonneux 🐚 pinède – 🍴 🏖
🚿 ⚬ 🚿 – 🚿
17 avril-28 sept. – **R** conseillée juil.-août – 🅴 piscine comprise 2 pers. 55, pers. suppl. 17 🚿 12 (3A) 16 (5A) 20 (10A)

🏕 **La Corsive** 🦌, ✆ 51 68 50 06, O : 1,2 km par D 38A rte de la Grande Côte puis 0,8 km par rte à gauche
1 ha (100 empl.) ⚡ plat, herbeux, sablonneux 🐚 – 🍴 🖬 ⚬ – 🚿 – A proximité :
🍷
juin-15 sept. – **R** conseillée – 🅴 2 pers. 38, pers. suppl. 9 🚿 13 (8A)

🏕 **Le Marais,** ✆ 51 68 53 12, SE : 0,6 km par rue face à l'église, vers St-Urbain
1,3 ha (85 empl.) ⚡ plat, herbeux, sablonneux – 🍴 🏖 🖬 🚿 ⚬
Pâques-sept. – **R** – 🏕 7,80 🚗 3,95 🅴 7,80

*Consultez le tableau des localités citées,*
*classées par départements, avec indication éventuelle*
*des caractéristiques particulières des terrains sélectionnés.*

## BARRÊME
**04330** Alpes-de-H.-Pr. – 473 h. alt. 720

⛺ **Napoléon** ⌂ ≤, 𝄞 92 34 22 70, sortie SE par rte de Castellane et 0,6 km par chemin à gauche après le pont, bord de rivière
2,5 ha (130 empl.) ⊶ plat et terrasse, herbeux ♀ – ⌂ ⇌ ⊟ ⊕ – ⌂ ⚓
🛶
15 juin-15 sept. – **R** conseillée – ▣ 2 pers. 34, pers. suppl. 8 ⚡ 8 (10A)

17 – 81 ⑰ G. Alpes du Sud

---

## BARRET-LE-BAS
**05300** H.-Alpes – 237 h. alt. 649

⛺ **Les Gorges de la Méouge** ⌂ ≤, 𝄞 92 65 08 47, sortie E par D 942 rte de Laragne-Montéglin et chemin à droite, près de la Méouge
0,4 ha (23 empl.) ⊶ plat, herbeux ♀ – ⌂ ⇌ ⊟ ⊕ ⚥ ⚑ – ⌂ ⚓ – Location : 🏠 ⌂
15 avril-sept. – **R** conseillée – ▣ piscine comprise 2 pers. 51, pers. suppl. 13,60 ⚡ 9,90 à 18,90 (2 à 10A)

16 – 81 ⑤

---

## BARROU
**37350** I.-et-L. – 511 h.

⛺ **Municipal** ⌂, sortie NO vers Descartes puis 0,8 km par petite route à gauche, accès direct à la Creuse – Croisement difficile pour caravanes
0,5 ha (40 empl.) plat, peu incliné, herbeux – ⌂ ⚓ & ⊕
15 juin-15 sept. – **R** juil.-août – ⚤ 6 ▣ 6 ⚡ 7 (2A)

10 – 68 ⑤

---

## BAR-SUR-AUBE ⊗
**10200** Aube – 6 707 h.
🅸 Syndicat d'Initiative, bd Gambetta (15 mai-15 sept.) 𝄞 25 27 24 25

⛺ **Municipal la Gravière,** 𝄞 25 27 12 94, sortie NO par N 19 rte de Troyes et av. du Parc, bord de l'Aube
1,25 ha (62 empl.) ⊶ plat, herbeux ♀♀ – ⌂ ⇌ ⊟ ⊕ – A proximité : ⚐
avril-15 oct. – **R** – Tarif 91 : ⚤ 4,50 ⇔ 2,60 ▣ 2,70 ⚡ 11 (6A) 20 (10A)

7 – 61 ⑲ G. Champagne

---

## Le BAR-SUR-LOUP
**06620** Alpes-Mar. – 2 465 h.

⛺ **Les Gorges du Loup** ⌂ ≤ vallée et montagne « Agréable cadre boisé, belle situation dominante », 𝄞 93 42 45 06, NE : 1 km par D 2210 puis 1 km par chemin des Vergers à droite – Accès aux emplacements difficile (forte pente), véhicule tracteur disponible – 🅿
1,6 ha (33 empl.) ⊶ en terrasses, pierreux, herbeux ♀♀ – ⌂ ⚓ ⊟ ⊕ ⚑ ⚥
⚤ – ⌂ ⌂
avril-sept – **R** conseillée juil.-août – ▣ piscine comprise 4 pers. 108 ⚡ 9 (2A) 12 (4A) 15 (6A) 20 (10A)

17 – 84 ⑨ G. Côte d'Azur

---

## BAS-RUPTS **88** Vosges – 62 ⑰ – rattaché à Gérardmer

---

## BASTIA **2B** H.-Corse – 90 ③ – voir à Corse

---

## La BÂTHIE
**73540** Savoie – 1 880 h.

⛺ **Le Joli Mont** ≤, 𝄞 79 89 61 13, au bourg
1,6 ha (65 empl.) ⊶ plat, herbeux ♀ verger – ⌂ ⇌ ⊟ ⊕ – ⌂
15 juin-1er sept. – **R** conseillée – ⚤ 15 ⇔ 4,50 ▣ 8 ⚡ 10 (9A)

12 – 74 ⑰

---

## BATZ-SUR-MER
**44740** Loire-Atl. – 2 734 h.

⛺ **La Govelle,** 𝄞 40 23 91 63, SE : 2 km par D 45, bord de l'océan
0,8 ha (50 empl.) ⊶ plat, herbeux, sablonneux ⚥ – ⌂ ⇌ ⊟ ⊕ ⚐ – ⌂ – ⌂
half-court, vélos
avril-sept. – **R** conseillée juil.-août – Tarif 91 : ▣ 3 pers. 116 ⚡ 17 (6A)

4 – 63 ⑭ G. Bretagne

---

## BAUD
**56150** Morbihan – 4 658 h.

⛺ **Municipal de Pont-Augan** ⌂, 𝄞 97 51 04 74, O : 7 km par D 3 rte de Bubry, bord du Blavet et d'un bassin
0,9 ha (32 empl.) ⊶ plat, herbeux, pierreux ⚥ – ⌂ ⇌ ⊟ ⊕ – vélos – Location : gîtes
15 juin-15 sept. – **R** conseillée

3 – 63 ② G. Bretagne

---

## BAUDUEN
**83630** Var – 240 h.

⛺ **les Vallons de Bauduen** Ⓜ ⌂, 𝄞 94 70 09 13, SE : 2,4 km sur D 71 rte de Baudinard, à 300 m du lac de Ste-Croix
0,9 ha (30 empl.) plat et en terrasses, pierreux – ⌂ ⇌ ⊟ ⊕ & ⊕ ⚥ ⚑ ⚤ –
⌂ 🛶

17 – 84 ⑥ G. Alpes du Sud

## BAUGÉ

**49150** M.-et-L. – 3 748 h.

🛈 Syndicat d'Initiative Château de Baugé (15 juin-15 sept.)
𝄽 41 89 18 07 et à la Mairie
𝄽 41 89 12 12

**Municipal du Pont des Fées** 🏊 « Cadre agréable », 𝄽 41 89 14 79, E par D 766 rte de Tours, bord du Couasnon
1 ha (100 empl.) plat, herbeux 🗺 ⵌ (0,5 ha) – 🏕 ⛟ 🚻 🔥 ⊕ 🔲 – A proximité : ✂ 🚣 🏊
15 mai-15 sept. – **R** – 🏕 7,50 🚗 4,20 🔲 4,20 (🅟) 7,50

## La BAULE

**44500** Loire-Atl. – 14 845 h.

🛈 Office de Tourisme et Accueil de France, 8 pl. de la Victoire
𝄽 40 24 34 44

**La Roseraie** Ⓜ « Décoration florale et arbustive », 𝄽 40 60 46 66, sortie NE de la Baule-Escoublac
4 ha (240 empl.) ⊶ plat, herbeux, sablonneux 🗺 – 🏕 ⛟ 🚻 🔥 🔥 ⊕ 🔲 📡 ♥
✖ 🚲 🔲 – 🛖 🏊 🏄 toboggan aquatique, half-court
avril-sept. – **R** conseillée juil.-20 août – 🏕 25 piscine comprise 🔲 60 (🅟) 20 (3A) 30 (6 ou 10A)

**L'Eden** « Cadre agréable », 𝄽 40 60 03 23, à 1 km au NO de la Baule-Escoublac, vers Guérande
4,5 ha (180 empl.) ⊶ peu incliné, herbeux 🗺 ⵌ – 🏕 ⛟ 🚻 🔥 🔥 ⊕ 🔲 📡 ⎕
🔲 – 🛖 🏊
Pâques-sept. – **R** juil. – 🏕 26 piscine comprise 🔲 29 (🅟) 14 (3A) 18 (6A) 20 (10A)

**Les Ajoncs d'Or** 🏊 « Décoration arbustive », 𝄽 40 60 33 29, chemin du Rocher
2,9 ha (200 empl.) ⊶ plat, peu incliné, herbeux 🗺 ⵌⵌ – 🏕 ⛟ 🚻 🔥 ⊕ 🔲 ♥
🚲 🔲 – 🚣 🏊 vélos – Location : 🚐
Pâques-15 oct. – **R** Tarif 91 : 🏕 20 piscine comprise 🔲 27 (🅟) 12 (3A) 16 (5A)

**Municipal** « Cadre agréable », en 2 parties distinctes : av. Rémy-Flandin 𝄽 40 60 17 40 (caravaning) et av. Paul-Minot 𝄽 40 60 11 48 (camping), à la Baule-les-Pins
5 ha (350 empl.) ⊶ (saison) plat, accidenté et terrasses, sablonneux 🗺 ⵌ (caravaning) ♨♨♨ (camping) – 🏕 ⛟ 🚻 🔥 🔥 ⊕ – 🚣 – A proximité : 🚲
avril-sept. – **R** conseillée juil.-août – Tarif 91 : 🔲 élect. comprise 2 pers. 50/77, pers. suppl. 15

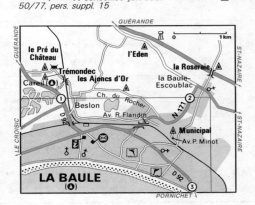

à *Careil* NO : 2 km par D 92 – ✉ 44350 Guérande :

**Le Pré du Château**, réservé aux caravanes « Cadre agréable autour d'un château du 14ᵉ siècle », 𝄽 40 60 22 99
2 ha (48 empl.) ⊶ plat, herbeux, gravier ⵌⵌ – 🏕 ⛟ 🚻 🔥 ⊕ 📡 🚣 🔲 sauna
– 🛖 🏊
avril-sept. – **R** conseillée – 🔲 élect. (6A) et piscine comprises 2 pers. 102, pers. suppl. 21

**Trémondec** 🏊, 𝄽 40 60 00 07
2 ha (40 empl.) ⊶ peu incliné et en terrasses, herbeux 🗺 – 🏕 ⛟ 🏊 🔥 ⊕ 🔲
– 🛖 vélos
Pâques-sept. – **R** – 🏕 19 🔲 23 (🅟) 12 (3A) 16 (5A)

## La BAUME

**74430** H.-Savoie – 191 h.

**Municipal** ≤, N : 1,2 km sur D 902 rte de Thonon-les-Bains
1 ha (25 empl.) plat et en terrasses, pierreux, herbeux – 🏕 🏊 ⊕
juil.-août – **R** – 🏕 12 🚗 4 🔲 6/8 (🅟) 10 (3A) 15 (6A) 20 (9A)

## BAVAY

**59570** Nord – 3 751 h.

à *Hon-Hergies* NE : 4 km par D 84 – ✉ 59570 Bavay :

**La Jonquière**, 𝄽 27 66 95 17, NO : 2 km, à Hergies
3 ha (140 empl.) ⊶ plat, herbeux, petit étang 🗺 ⵌ – 🏕 ⛟ 🚻 🔥 ⊕ ♥ brasserie
🚣 🔲 🚣
Permanent – *Places disponibles pour le passage* – **R** – 🏕 7,90 🔲 10,20 (🅟) 5,50 (2A) 10,50 (4A)

## BAYAS
**33230** Gironde – 447 h.

⛰ **Le Chêne** ⬥, ✆ 57 69 13 78, N : 2,2 km par D 247 rte de Laruscade et chemin à droite, sur D 133, bord d'un plan d'eau
2,3 ha (80 empl.) ⟶ plat, herbeux ♀ – 🏠 🖼 ⟁ ⊕ – 🚗 🐟 ⚡ vélos – Location : 🚐
juin-sept. – **R** *conseillée juil.-août* – **ȶ** *9,90* 🔲 *13,80* ⚡ *9,60 (4A)*

9 – 75 ②

---

## BAYET
**03500** Allier – 556 h.

⛰ Municipal L'Ile des Grottes, ✆ 70 45 42 61, S : 0,4 km par D 219, à 150 m de la Sioule et bord d'un bief
1,5 ha (40 empl.) ⟶ plat, herbeux – 🏠 🔥 ⟁ 🏢 ⊕ ⚘ – ✗

11 – 73 ⑤

---

## BAYEUX ⬤
**14400** Calvados – 14 704 h.
🚩 Office de Tourisme, 1 r. des Cuisiniers ✆ 31 92 16 26

⛰ **Municipal** « Décoration arbustive », ✆ 31 92 08 43, N : sur bd périphérique d'Eindhoven
2,5 ha (225 empl.) ⟶ plat, herbeux, goudronné 🔲 ♀ – 🏠 🔥 🖼 ⟁ ⊕ – 🏠 🐟 ⟐ (couverte l'hiver) – A proximité : ⚘
15 mars-15 nov. – **R** *conseillée juil.-août* – *Tarif 91 :* **ȶ** *11,10* 🔲 *13,60* ⚡ *11,30 (5A)*

4 – 54 ⑮ G. Normandie Cotentin

---

## BAYONNE ⬤
**64100** Pyr.-Atl. – 40 051 h.
🚩 Office de Tourisme, pl. de la Liberté ✆ 59 59 31 31

⛰ **La Chêneraie** ⬥ « Cadre agréable », ✆ 59 55 01 31, NE : 4 km par N 117 rte de Pau et chemin à droite
10 ha/6 campables (200 empl.) ⟶ plat et incliné, herbeux, étang ♀♀ – 🏠 ⟐ 🔥 🖼 ⊕ ⚘ ⚰ ✗ 🍴 🔲 – 🏠 ⚘ 🐟 ⚡
15 mars-15 oct. – **R** *conseillée juil.-août* – **ȶ** *18 piscine comprise* 🔲 *32/35 (52 avec plate-forme am.)* ⚡ *15*

**Voir aussi à** *St Martin de Seignanx*

13 – 78 ⑱ G. Pyrénées Aquitaine

---

## BAZINVAL
**76340** S.-Mar. – 335 h.

⛰ **Municipal de la Forêt,** sortie SO par D 115 et rte à gauche
0,4 ha (20 empl.) plat et peu incliné, herbeux 🔲 – 🏠 ⚘ 🔥 🏢 ⊕ – ✗
mars-nov. – **R** – **ȶ** *7* 🚗 *6* 🔲 *6* ⚡ *10 (10A)*

1 – 52 ⑥

---

## BAZOLLES
**58110** Nièvre – 260 h.

⛰ **Base de Plein Air et de Loisirs** ⬥, ✆ 86 38 90 33, N : 5,5 km par D 958 rte de Corbigny et D 135 à gauche, près de l'étang de Baye (accès direct)
1,5 ha (80 empl.) ⟶ plat, gravier 🔲 – 🏠 ⚘ 🔥 🖼 ⟁ ⊕ – A proximité : ⚡ ◊
avril- oct. – **R** *conseillée juil.-août* – **ȶ** *7* 🔲 *15* ⚡ *12 (16A)*

11 – 65 ⑮

---

## BEAUBIGNY
**50270** Manche – 174 h.

⛰ **Bel Sito** ⬥ ⬥, ✆ 33 04 32 74, au bourg
6 ha (50 empl.) ⟶ plat et incliné, herbeux, sablonneux – 🏠 ⚘ 🔥 🖼 ⊕
Pâques-sept. – **R** – **ȶ** *12* 🔲 *16* ⚡ *10 (3A)*

4 – 54 ①

---

## BEAUCAIRE
**30300** Gard – 13 400 h.
🚩 Maison du Tourisme, 24 cours Gambetta ✆ 66 59 26 57

⛰ **S.I. le Rhodanien,** ✆ 66 59 25 50, au champ de foire, à 50 m du Rhône
1 ha (60 empl.) ⟶ (saison) plat, herbeux, gravier 🔲 ♀♀ – 🏠 ⚘ 🔥 🖼 ⊕ ⚰ ⚘ – ⚡ (bassin) – A proximité : ⚘
28 mars-3 nov. – **R** *conseillée* – 🔲 *2 pers. 44/53* ⚡ *11 (3A) 19 (6A) 26 (9A)*

16 – 81 ⑪ G. Provence

---

## BEAUCENS 65 H.-Pyr. – 85 ⑱ – rattaché à Argelès-Gazost

---

## BEAUCHASTEL
**07800** Ardèche – 1 462 h.

⛰ **Municipal les Voiliers** ⬥, ✆ 75 62 24 04, E : 1,5 km par rte de l'usine hydro-électrique, bord du Rhône
1,5 ha (114 empl.) ⟶ (saison) plat, herbeux 🔲 ♀♀ – 🏠 ⚘ 🔥 🖼 ⟁ 🏢 ⊕ – 🍴 – A proximité : ⚘ 🔲 ◊
Permanent – **R** *conseillée* – **ȶ** *10* 🚗 *6,50* 🔲 *7* ⚡ *12 (5A)*

16 – 77 ⑪

---

## BEAUDÉAN 65 H.-Pyr. – 85 ⑱ – rattaché à Bagnères-de-Bigorre

---

## BEAUFORT
**73** Savoie – 1 996 h. alt. 743
✉ 73270 Beaufort-sur-Doron.
🚩 Office de Tourisme, pl. de la Mairie ✆ 79 38 37 57

⛰ **Municipal Domelin** Ⓜ ⬥ ⬥, ✆ 79 38 33 88, N : 1,2 km par rte d'Albertville et rte à droite
2 ha (100 empl.) ⟶ plat, herbeux ♀ – 🏠 ⚘ 🔥 ⊕
juin-sept. – **R** *conseillée* – **ȶ** *13* 🚗 *6,30* 🔲 *10,50* ⚡ *10*

12 – 74 ⑰ ⑱ G. Alpes du Nord

---

## BEAULIEU-SUR-DORDOGNE

10 – 75 ⑲ G. Berry Limousin

**19120** Corrèze – 1 265 h.
🛈 Syndicat d'Initiative, pl. Marbot (avril-sept.) 🖉 55 91 09 94

▲▲▲ Camp V.V.F. 🌲, 🖉 55 91 10 62, NE : 2 km par rte de St-Céré et D 41 à gauche après le pont, dans une île de la Dordogne (accès direct au bourg par passerelle piétons) – ℗ – 🍽
1 ha (42 empl.) ⚡ plat, herbeux 🏕🏕 – 🗟 ⇌ 🚽 ⊛ 🖹 garderie – 🚐 🛶 –
A proximité : 🎾 🏊
28 mai-sept. – **R** conseillée (V.V.F. 3 av. d'Aiguilhe 43000 le Puy 🖉 71 09 58 09) – Adhésion V.V.F. indispensable

## BEAULIEU-SUR-LOIRE

6 – 66 ⑫

**45630** Loiret – 1 644 h.

▲▲▲ **Municipal Touristique du Canal,** sortie E par D 926 rte de Bonny-sur-Loire, près du canal
0,6 ha (37 empl.) plat, herbeux 🗟 – 🗟 ⇌ 🚽 ⊛ –
Pâques-Toussaint – **R** – 🏕 9 🖹 4,50 🔌 12,50 (6A) 18 (10 à 16A)

## BEAUMES-DE-VENISE

16 – 81 ⑫ G. Provence

**84190** Vaucluse – 1 784 h.
🛈 Syndicat d'Initiative Intercommunal, cours Jean Jaurès (fermé après-midi hors saison) 🖉 90 62 94 39

▲▲▲ **Municipal** ≤, 🖉 90 62 95 07, sortie N par D 90 rte de Malaucène et à droite, bord de la Salette
1,5 ha (100 empl.) peu incliné et plat, herbeux, pierreux 🗟 – 🗟 🔏 🚿 ⊛ 🚽 –
🍽
avril-oct. – **R** – Tarif 91 : 🏕 7 🚗 3,50 🖹 5,50 ou 7,50 🔌 7

## BEAUMONT

13 – 75 ⑮ G. Périgord Quercy

**24440** Dordogne – 1 155 h.
🛈 Syndicat d'Initiative (juin-sept.)
🖉 53 22 39 12

▲▲▲ **Les Remparts,** 🖉 53 22 40 86, sortie SO par D 676 rte de Villeréal, près du stade
1,5 ha (66 empl.) ⚡ (saison) en terrasses, herbeux, pierreux 🏕🏕 – 🗟 ⇌ 🚽 🗟
⊛ 🖹 – 🏊 – A proximité : 🎾 practice de golf – Location : 🚐
mai-15 oct. – **R** conseillée juil.-août – 🏕 16 piscine comprise 🖹 18 🔌 11 (4A)

## BEAUMONT-DE-LOMAGNE

14 – 82 ⑥ G. Pyrénées Aquitaine

**82500** T.-et-G. – 3 488 h.

▲▲▲▲ **Municipal du Lac** ≤, 🖉 63 65 26 43, E : 0,8 km, accès par la déviation et chemin, bord d'un plan d'eau
1,2 ha (100 empl.) ⚡ plat, herbeux 🗟 – 🗟 🚽 🗟 ⊛ 🚽 🌊 🚿 🖹 – 🚐 🎾 🏓 🛶
🚤 🕯 toboggan aquatique
Pâques-sept. – **R** conseillée juil.-août – 🏕 9,30 🖹 9,80 🔌 9,50 (6A) 18 (10A)

## BEAUMONT-DU-LAC

10 – 72 ⑲

**87120** H.-Vienne – 129 h. alt. 650

▲▲▲ Beaumont-du-Lac ≤, 🖉 55 69 22 40, NE : 3,5 km par D 43 rte de Royère-de-Vassivière, près du lac de Vassivière (accès direct)
2 ha (112 empl.) ⚡ incliné, en terrasses, herbeux 🗟 🕯 (1 ha) – 🗟 🚽 🚿 ⊛

## BEAUMONT-EN-DIOIS

16 – 77 ⑭

**26310** Drôme – 58 h. alt. 657

▲ **Municipal St-Martin** 🌲 ≤, S : 0,5 km, bord d'un ruisseau
0,8 ha (24 empl.) plat, herbeux, pierreux 🕯 – 🗟 🗟 – 🚐
avril-sept. – **R** – 🏕 9 🚗 5,50 🖹 5,50/8,50

## BEAUNE 🚉

11 – 69 ⑨ G. Bourgogne

**21200** Côte-d'Or – 21 289 h.
🛈 Office de Tourisme, pl. Halle face à l'Hôtel Dieu 🖉 80 22 24 51

▲▲▲▲ **Municipal les Cent Vignes** « Belle délimitation des emplacements et entrée fleurie », 🖉 80 22 03 91, sortie N par r. du Faubourg-St-Nicolas et D 18 à gauche, 10 r. Auguste-Dubois – interdit aux caravanes de plus de 5,80 m
2 ha (116 empl.) ⚡ plat, herbeux, gravillons 🕯 🕯 – 🗟 🚽 🗟 🗟 🚿 ⊛ 🚿 🚿
🚤 🕯 🖹 – 🚐 🛶
15 mars-oct. – **R** conseillée – 🏕 11 🖹 16,50 🔌 16,50 (6A)

*à Savigny-lès-Beaune* NO : 6 km par sortie rte de Dijon et D 18 à gauche
✉ 21420 Savigny-lès-Beaune :

▲ **Municipal,** NO : 1 km par D 2 rte de Bouilland, bord d'un ruisseau
1,5 ha (55 empl.) ⚡ (saison) plat et peu incliné, herbeux – 🗟 🚽 🗟 ⊛
mai-sept. – **R** juil.-août – 🏕 7,55 🚗 3,90 🖹 5,05 🔌 7,55

*à Vignoles* E : 3 km rte de Dole puis D 20 H à gauche
✉ 21200 Vignoles :

▲ **Les Bouleaux,** 🖉 80 22 26 88, à Chevignerot, bord d'un ruisseau
1 ha (17 empl.) ⚡ plat, herbeux 🕯 – (🗟 🔏 avril-nov.) 🗟 ⊛ – 🚐 – A proximité :
🍽 🐎
Permanent – **R** – Tarif 91 : 🏕 7 🚗 4 🖹 6 🔌 7 (3A)

## BEAURAINVILLE

1 – 51 ⑫

**62990** P.-de-C. – 2 093 h.

▲▲▲ **Municipal de la Source** 🌲, 🖉 21 81 40 71, SE : 1,5 km par D 130 rte de Loison et chemin à droite après le pont, entre la Canche et le Fliez
1,5 ha (120 empl.) ⚡ plat, herbeux, étang – 🗟 ⇌ 🚽 🗟 🚿 🖹 – 🚐 🛶
Permanent – *Places disponibles pour le passage* – **R** juil.-août – 🏕 13,40 🖹 13,40
🔌 10,40 (4A)

## BEAUVAIS Ⓟ

**7 – 55** ⑨ ⑩ G. Flandres Artois Picardie

**60000** Oise – 54 190 h.
🅘 Office de Tourisme, r. Beauregard
🕾 44 45 08 18

*à St-Paul* O : 6 km par N 31 rte de Rouen – ✉ 60650 St-Paul :

🔺 **Le Clos Normand** ॐ, 🕾 44 82 27 30, au SO du bourg, à 0,5 km de la N 31
2 ha (70 empl.) ⚬━ plat et en terrasses, herbeux ⊏⊐ ♀ – 🗐 ⊕ – 🔟
Permanent – *Places disponibles pour le passage* – **R** – ⚚ 8,75 🚗 3,25 🔲 8
🔋 7,50 (3A) 15 (6A)

## BEAUVEZER

**17 – 81** ⑧ G. Alpes du Sud

**04370** Alpes-de-H.-P. – 226 h.
alt. 1 150

🔺 **Municipal les Relarguiers** ॐ ◁, 🕾 92 83 47 73, au S du bourg, sur D 908,
près du Verdon
1 ha (100 empl.) ⚬━ (mai-oct.) plat, gravillons, pierreux ⊏⊐ – 🗐 ⊛ 🔆 🔆 ♿ 🎗 ⊕
🔆 – 🔟
Permanent – **R** – ⚚ 12 🔲 15 🔋 7 (6A) 10 (10A)

## BEAUVOIR

**4 – 59** ⑦

**50** Manche – 426 h.
✉ 50170 Pontorson

🔺 **Sous les Pommiers,** 🕾 33 60 11 36, au bourg sur D 976, à 200 m du
Couesnon
2,5 ha (100 empl.) ⚬━ plat, herbeux – 🗐 🔆 🔆 🔟 ⊕ 🎗 🎗 – 🔟 – Location :
🔟 🔟
avril-sept. – **R** *conseillée 1er au 17 août* – ⚚ 11 🚗 8,50 🔲 9,50/12,50 🔋 11
(6A)

## BEAUVOIR-EN-ROYANS

**12 – 77** ③ G. Alpes du Nord

**38160** Isère – 59 h.

🔺 **Château de Beauvoir** ◁, 🕾 76 38 40 74, au bourg
0,6 ha (20 empl.) ⚬━ plat, herbeux ♀ verger – 🗐 🔆 🔆 ⊕ 🎗 ♀ ✗ – discothèque
avril-oct. – **R** *conseillée juil.-août* – ⚚ 15 🚗 5 🔲 13 🔋 8 (10 à 20A)

## BEAUVOIR-WAVANS

**1 – 52** ⑧

**62390** P.-de-C. – 409 h.

🔺 **L'Eau Vive,** 🕾 21 04 00 67, sortie S par D 117 vers Beauvoir-Rivière, bord de
l'Authie
2 ha (92 empl.) ⚬━ plat, herbeux ⊏⊐ – 🗐 🔆 🔆 🔟 🔆 ♿ – 🔟 🔜
saison – *Places disponibles pour le passage* – **R** – ⚚ 10 🔲 15 🔋 10 (3A)

## BÉDOIN

**16 – 81** ⑬ G. Provence et Alpes du Sud

**84410** Vaucluse – 2 215 h.
🅘 Syndicat d'Initiative, espace
Marie-Louis Gravier 🕾 90 65 63 95

🔺 **Municipal la Pinède** ॐ, 🕾 90 65 61 03, sortie O par rte de Crillon-le-Brave
et chemin à droite
7 ha (130 empl.) ⚬━ en terrasses, pierreux ⊏⊐ ♀♀ pinède – 🗐 🔆 ⊕ 🎗 ▽ – 🔟
– A proximité : 🎯
avril-sept. – **R** *conseillée saison* – *Tarif 91* : ⚚ 15 *piscine comprise* 🚗 8 🔲 10
🔋 11

🔺 **Pastory** ◁, 🕾 90 65 60 79, NO : 1 km par D 19 rte de Malaucène
1,2 ha (100 empl.) ⚬━ plat et peu incliné, pierreux, herbeux ♀♀ (0,7 ha) – 🗐 ♿
⊕
16 mars-oct. – **R** *conseillée* – ⚚ 11 🚗 6,50 🔲 6,50 🔋 11 (6A) 20 (10A)

🔺 **Belle-Vue** (aire naturelle) ॐ ◁ Mt Ventoux et plaine de Carpentras
« Situation dominante », 🕾 90 62 42 29 ✉ 84410 Crillon-le-Brave, SO : 4 km
par D 974, rte de Carpentras puis 0,7 km par chemin à gauche – Croisement
difficile pour caravanes
1 ha (25 empl.) ⚬━ peu accidenté, pierreux ⊏⊐ ♀ – 🗐 ⊕ – 🔟
avril-1er sept. – **R** *conseillée* – ⚚ 12 *piscine comprise* 🚗 11 🔲 11 🔋 12
(5A)

## BEDOUS

**13 – 85** ⑯

**64490** Pyr.-Atl. – 554 h.

🔺 **Municipal de Carolle** ॐ ◁, sortie O rte d'Osse-en-Aspe et chemin à
gauche après le passage à niveau, à 150 m du Gave d'Aspe
0,7 ha (46 empl.) plat, herbeux ♀ – 🗐 🔆 ⊕ –
mars-nov. – **R** – ⚚ 10,50 🚗 4 🔲 5 🔋 10,50 (4A)

## BEG-MEIL **29** Finistère – **58** ⑮ – rattaché à Fouesnant

## BELCASTEL

**15 – 80** ① G. Gorges du Tarn

**12390** Aveyron – 245 h.

🔺 **Municipal** ॐ ◁ « Situation agréable », au bourg, bord de l'Aveyron
0,8 ha (32 empl.) plat, herbeux ♀ – 🗐 ♿ ⊕ 🔟 – 🔜 – A proximité : 🎯
mai-15 oct. – **R** *conseillée juil.-août* – ⚚ 15 🚗 6 🔲 13/24 avec élect.

## BELFLOU

**15 – 82** ⑲

**11410** Aude – 85 h.

🔺 **Le Cathare** (aire naturelle) ॐ ◁, 🕾 68 60 32 49, E : 2,5 km par D 33 et
chemin à gauche, au château de la Barthe, à 250 m d'un plan d'eau
1,2 ha (25 empl.) ⚬━ peu incliné, terrasse, herbeux, pierreux ♀ – 🗐 🔆 ⊕ ✗ 🔆
– 🔟 🔆 – Location :
mars-nov. – **R** *conseillée juil.-août* – ⚚ 10 🔲 10 🔋 6,50 (3A)

## BELGENTIER

**83210** Var – 1 442 h.

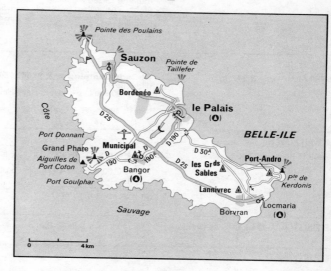

△△ **Les Tomasses,** 🖉 94 48 92 70, SE : 1,5 km par rte de Toulon puis 0,7 km par chemin à droite, bord du Gapeau
2 ha (91 empl.) ⊶ plat, pierreux, herbeux ⊠ ⬤ – 🗟 ⬤ ⬤ 📺 ⬤ ⬤ ⬤ 🛒 ⬤ ▣ –
⬤ 🍴 – A proximité : 🐎
15 mars-15 oct. – **R** conseillée – 🛖 15 piscine comprise ▣ 17/19 [₤] 12 (3A)
16 (6A) 20 (10A)

---

## BELLAC 〈⊗〉

**87300** H.-Vienne – 4 924 h.
🛈 Office de Tourisme, 1 bis r.
L.-Jouvet 🖉 55 68 12 79

**10 – 72** ⑦ G. Berry Limousin

△△ **Municipal les Rochettes** « Cadre agréable », 🖉 55 68 13 27, sortie N par
D 675 vers le Dorat et à gauche
1,2 ha (100 empl.) ⊶ plat et en terrasses, herbeux – 🗟 ⬤ ⬤ ⬤ – A proximité :
⬤ 🍴 – A proximité :
Permanent – **R** – 🛖 6,70 ⬤ 4,10 ▣ 4,10 - redevance pour la 1ère nuit 34
[₤] 7,60 (2A) 15,20 (4A) 22,80 (6A)

---

## BELLEGARDE-SUR-VALSERINE

**01200** Ain – 11 153 h.
🛈 Syndicat d'Initiative, 24 pl. Victor-
Bérard 🖉 50 48 48 68

**12 – 74** ⑤ G. Jura

△△△ **Municipal du Crêt d'Eau** ⬉ « Entrée fleurie », 🖉 50 48 23 70, N : 3 km par
rte de Nantua et à gauche
2 ha (70 empl.) ⊶ plat et peu incliné, incliné, herbeux ⊠ – 🗟 ⬤ ⬤ 📺 ⬤ ⬤
⬤ ▽ ▣ – ⬤ ⬤ – A proximité : 🛒 ✕ ⬤ 🔲 (toboggan aquatique) ⬤ ⬤
– Location : bungalows toilés
15 juin-6 sept. – **R** conseillée – 🛖 19 ▣ 19,50 [₤] 13,50 (10A)

---

## BELLE-ÎLE-EN-MER

**56** Morbihan ⬌ - En été
réservation indispensable pour le
passage des véhicules et des
caravanes. Départ de **Quiberon**
(Port-Maria), arrivée au **Palais** – En
1991 : Pâques-sept, 8 à 14 services
quotidiens ; hors saison, 5 services
quotidiens - Traversée 45 mn -
Voyageurs 77 F (AR), autos 355 à
780 F (AR), caravanes 923 à 1
694 F (AR) – Renseignements : Cie
Morbihannaise et Nantaise de
Navigation, 56360 Le Palais (Belle-
Ile-en-Mer) 🖉 97 31 80 01

**3 – 63** ⑪ ⑫ G. Bretagne

**Bangor** – 735 h. – ⊠ 56360 Bangor

△△ **Municipal de Kernest** ⬉, 🖉 97 31 81 20, O : 1,2 km
4,5 ha ⊶ plat, herbeux, gravillons – 🗟 ⬤ ⬤ ⬤ ⬤ – ⬤ 🍴
20 avril-1er oct. – **R** conseillée juil.-août – Tarif 91 : 🛖 15 ⬤ 6,50 ▣ 12,60
[₤] 5,80

△ **Municipal** ⬉, à l'ouest du bourg
0,8 ha (65 empl.) plat et peu incliné, herbeux – 🗟 – A proximité : 🍴
mai-sept. – **R** juil.-août – 🛖 9 ⬤ 5 ▣ 6,30

*[Carte de Belle-Île avec Pointe des Poulains, Sauzon, Pointe de Taillefer, Bordenéo, le Palais (Ⓞ), BELLE-ILE, Côte, Port Donnant, Grand Phare, Municipal, Aiguilles de Port Coton, Bangor (Ⓞ), Port Goulphar, Sauvage, les Grds Sables, Port-Andro, Pte de Kerdonis, Lannivrec, Borvran, Locmaria (Ⓞ), échelle 0 - 4 km]*

**Locmaria** – 618 h. – ⊠ 56360 Locmaria

△ **Les Grands Sables** ⬉, 🖉 97 31 84 46, NO : 3 km par rte des Grands Sables,
à 400 m de la plage
2 ha (30 empl.) ⊶ peu incliné, pierreux, herbeux – 🗟 ⬤ sans électricité
juil.-5 sept. – **R** conseillée – 🛖 9,50 ⬤ 4 ▣ 7

**Le Palais** – 2 435 h. – ⊠ 56360 le Palais

△△△ **Bordenéo** ⬉ « Décoration florale et arbustive », 🖉 97 31 88 96, NO : 1,7 km
par rte de Port Fouquet, à 500 m de la mer
3 ha (165 empl.) ⊶ plat, herbeux ⊠ – 🗟 ⬤ ⬤ 📺 ⬤ ⬤ ⬤ 🛒 ▣ – 🔲 ✕ vélos
– Location : 🏠
20 avril- sept. – **R** conseillée – 🛖 15,75 ⬤ 7 ▣ 18 [₤] 9 (5A)

## BELLERIVE-SUR-ALLIER 03 Allier – 🗗🗗 ⑤ – rattaché à Vichy

## BELMONT-SUR-RANCE
🗗🗗 – 🗗🗗 ⑬

**12370** Aveyron – 1 021 h.

⋀⋀ Le Val Fleuri ≤, 𝒫 65 99 95 13, sortie SO par rte de Lacaune et chemin à droite, bord du Rance
1 ha (59 empl.) ⊶ plat, herbeux, pierreux – 🗐 ⇄ ⇌ 🗐 ⊛ ✗ ⤜ – ⤜ –
A proximité : ✗ ⤒
Permanent – **R** conseillée

## BÉLUS
🗗🗗 – 🗗🗗 ⑦ ⑰

**40300** Landes – 400 h.

⋀⋀⋀ L'Escarbillat ⤧ « Cadre agréable », 𝒫 58 57 69 07, NO : 2,5 km par D 75 et rte à droite, bord d'un ruisseau et d'un étang
5 ha (111 empl.) ⊶ plat, herbeux ⊡ ᵒᵒ (1,5 ha) – 🗐 ⇄ ⇌ 🗐 ⅙ ⊛ ⤜ 🗐
🏂 ✗ 🖲 – 🚗 ⤒
15 juin-15 sept. – **R** conseillée août – ⚶ 15,50 🗉 26 🗐 12 (3A) 20 (10A)

## BELVEDERE-CAMPOMORO 2A Corse-du-Sud – 🗗🗗 ⑱ – voir à Corse

## BELVÈS
🗗🗗 – 🗗🗗 ⑯ G. Périgord Quercy

**24170** Dordogne – 1 553 h.

⋀⋀⋀ **Les Hauts de Ratebout** ⤧ ≤, 𝒫 53 29 02 10, SE : 7 km par D 710 rte de Fumel, D 54 et rte à gauche – ✗ juil.-août
10 ha/6 campables (135 empl.) ⊶ plat, incliné, terrasses, herbeux – 🗐 ⇄ ⇌
🗐 ⅙ ⊛ ⤜ ⤤ ⤒ 🏂 ✗ ⤜ 🖲 – 🚗 ✗ ⤒ 🖤 ⤜ – Location : appartements
mai-20 sept. – **R** conseillée juil.-août – Tarif 91 : ⚶ 20 piscine comprise 🗉 40
🗐 14 (6A)

⋀⋀⋀ **Le Moulin de la Pique,** 𝒫 53 29 01 15, SE : 3 km sur D 710 rte de Fumel, bord de la Nauze, d'un étang et d'un bief
12 ha/1,5 campable (110 empl.) ⊶ plat, herbeux ⊡ ᵠ – 🗐 ⇄ ⇌ 🗐 ⊛ ⤜ ⤤
🖤 🏂 ✗ ⤜ 🖲 – 🚗 ✗ ⤒ – Location : 🚐
mai-sept. – **R** conseillée juil.-août – Tarif 91 : ⚶ 23,50 piscine comprise 🗉 53,50
avec élect. 6A

⋀⋀⋀ **Les Nauves** ⤧, 𝒫 53 29 12 64, SO : 4,5 km par D 53 rte de Monpazier et route de Larzac à gauche
40 ha/5 campables (80 empl.) ⊶ (saison) peu incliné, herbeux ⊡ ᵒᵒ (0,5 ha)
– 🗐 ⇄ ⅏ 🗐 ⅙ ⊛ 🖤 snack ⤜ 🖲 🏂 ✗ ⤒ half-court – Location : 🚐
20 mai-sept. – **R** conseillée 15 juil.-15 août – ⚶ 19,75 piscine comprise 🗉 28,60
🗐 13 (6A)

## BELZ
🗗 – 🗗🗗 ①

**56550** Morbihan – 3 372 h.

⋀⋀⋀ **St-Cado Camping** ≤, 𝒫 97 55 33 54, NO : 2 km, à St-Cado, près de la Rivière d'Etel (mer)
2 ha (100 empl.) ⊶ plat et peu incliné, herbeux ᵠ (0,5 ha) – 🗐 ⇌ 🖲 – ✗
⤒
juin-15 sept. – **R** – Tarif 91 : 🗉 2 pers. 35 🗐 9,30 (3 à 6A)

## BENDORF
🗗 – 🗗🗗🗗 ⑨

**68480** H.-Rhin – 202 h.

⋀⋀ **Les Hêtres** ⤧ « Cadre agréable », 𝒫 89 40 34 72, O : 1 km, en forêt – alt. 625
3,5 ha (100 empl.) ⊶ (15 juin-15 oct.) incliné, accidenté, herbeux ᵠᵠ – 🗐 ⊛
– 🚗
mai-15 oct. – Places disponibles pour le passage – **R** conseillée – ⚶ 10 ⇆ 7
🗉 7 🗐 10 (3A) 15 (6A)

## BÉNIVAY-OLLON 26 Drôme – 🗗🗗 ③ – rattaché à Buis-les-Baronnies

## BÉNODET
🗗 – 🗗🗗 ⑮ G. Bretagne

**29950** Finistère – 2 436 h.

🅱 Office de Tourisme, av. Plage
𝒫 98 57 00 14

⋀⋀⋀ **Le Letty** ⤧ « Agréable situation en bordure de plage », 𝒫 98 57 04 69
10 ha (511 empl.) ⊶ plat, herbeux ᵠ – 🗐 ⇄ ⇌ 🗐 sauna ⅙ ⊛ ⤜ ⤤ 🖤 🏂 🖲
🖤 solarium, nurserie – 🚗 salle de musculation ✗ ⤒ – A proximité : ⤒
21 juin-6 sept. – **R** – Tarif 91 : ⚶ 18 ⇆ 9 🗉 28 🗐 9 à 23 (1 à 10A)

⋀⋀⋀ **La Pointe St-Gilles** ⤧ « Entrée fleurie », 𝒫 98 57 05 37, près de la mer –
✗
7 ha (486 empl.) ⊶ plat, herbeux ⊡ ᵠ – 🗐 ⇄ ⇌ ⅏ 🗐 ⅙ ⊛ 🖤 🏂 ✗ ⤜ 🖲 –
🚗 ✗ ⤒ half-court – A proximité : ⤒ – Location : 🚐
mai-sept. – **R** – ⚶ 21 piscine comprise ⇆ 10 🗉 34 🗐 15 (6 ou 10A)

⋀⋀ **Port de Plaisance** ⤧, 𝒫 98 57 02 38, sortie N rte de Quimper
3,5 ha (242 empl.) ⊶ plat et peu incliné, herbeux ᵠ – 🗐 ⇄ ⇌ 🗐 ⅙ ⊛ 🖲
🏂 ✗ crêperie ⤜ ⤤ 🖤 ⤒ ⤜ – A proximité : 🖤 – Location : 🚐 🚐
15 avril-sept. – **R** conseillée 15 juil.-15 août – Tarif 91 : ⚶ 18 piscine comprise
⇆ 8 🗉 27 🗐 13 (2 ou 3A) 15 (5 ou 6A) 20 (10A)

118

⋀⋀⋀ **La Plage,** ♤ 98 57 00 55, r. du Poulquer, à 150 m de la mer
5 ha (300 empl.) plat, peu incliné et en terrasses, herbeux ♀ (2 ha) – 🛖 ⊕ ⏚
🏊 🖳 🛠 🚻 snack 🍴 🔄 – 🏠 🏓 🏊 (toboggan aquatique) – A proximité :
🏇 – Location : 🏕 🛖
15 mai-sept. – **R** juil.-août – ♣ 18 piscine comprise ⟵ 8 🗉 20 🔌 10 (4 à 10A)

⋀⋀ **Le Poulquer,** ♤ 98 57 04 19, r. du Poulquer, à 150 m de la mer
3 ha (250 empl.) ⚬ plat et peu incliné, herbeux ⊡ – 🛖 ⊕ ⏚ 🏠 🖳 ⊕ 🔄 –
🏠 🏓 🏊 – A proximité : 🏇
15 mai-sept. – **R** conseillée juil.-août – Tarif 91 : ♣ 17 piscine comprise ⟵ 7,50
🗉 20 🔌 11 (3A)

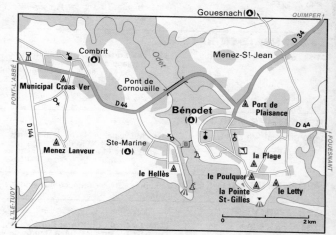

à *Gouesnach* N : 5 km par D 34 rte de Quimper et rte à gauche (hors schéma)
✉ 29118 Gouesnach :

⋀ **Pors-Kéraign** 🏊, ♤ 98 54 61 37, O : 2,5 km, à 250 m de l'Odet
1 ha (75 empl.) ⚬ peu incliné, herbeux ♀ verger – 🛖 🏊 🏊
15 juin-15 sept. – **R** conseillée – ♣ 12 ⟵ 6 🗉 8 🔌 11 (10A)

à *Ste-Marine* O : 5 km par le pont de Cornouaille
✉ 29120 Pont-l'Abbé :

⋀⋀ **Le Hellès** 🏊, ♤ 98 56 31 46, r. du Petit-Bourg, à 400 m de la plage
3 ha (150 empl.) ⚬ plat et peu incliné, herbeux – 🛖 🏊 ⏚ 🖳 ⊕ 🔄
juin-sept. – **R** conseillée – Tarif 91 : ♣ 10,50 ⟵ 6 🗉 12 🔌 9 (6A)

Voir aussi à *Combrit*

▶ *Demandez à votre libraire le catalogue des publications Michelin.*

---

# BENON

**17170** Char.-Mar. – 426 h.

🗓 – 🔟🔳 ②

⋀⋀ **Municipal du Château** « Parc », au bourg
1 ha (70 empl.) plat, herbeux ♀♀ – 🛖 ⊕ ⏚ 🖳 ⊕ – ⚘ 🏓
mai-sept. – **R** conseillée août – ♣ 10 ⟵ 5 🗉 5 🔌 10 (5A)

---

# BÉNOUVILLE

**14970** Calvados – 1 258 h.

🗓 – 🔳 ⑯ G. Normandie Cotentin

⋀⋀⋀ Les Hautes Coutures, ♤ 31 44 73 08, sortie N rte de Ouistreham, accès direct
au canal maritime
3,3 ha (222 empl.) ⚬ peu incliné, herbeux ⊡ – 🛖 ⊕ ⏚ 🖳 ⊕ 🔄 🏊 ⚘ 🖳
🚻 🔄 – ⚘ 🏊 🏓 **R**

---

# BERCK-SUR-MER

**62600** P.-de-C. – 14 167 h.
🗓 Office Municipal de Tourisme, pl.
Entonnoir ♤ 21 09 50 00

🗓 – 🔳 ⑪ G. Flandres Artois Picardie

⋀⋀⋀ Hameau de Vacances « Les Garennes », ♤ 21 84 24 46, NE : 2 km, à **Rang-du-
Fliers**, r. du chemin Blanc
8 ha (505 empl.) ⚬ plat, sablonneux, herbeux ⊡ – 🛖 ⊕ ⏚ 🖳 ⊕ 🔄 🏊 ⚘ 🖳
– ⚘ 🏊 🏓 🏊 – A proximité : 🖳 🚻 ✗ – *Places limitées pour le passage*

⋀⋀⋀ **L'Orée du Bois,** ♤ 21 84 28 51, NE : 2 km, à **Rang-du-Fliers**
18 ha/8 campables (200 empl.) ⚬ plat, sablonneux, herbeux, étang ⊡ ♀ – 🛖
⊕ ⏚ 🖳 ⊕ 🚻 🔄 – 🏠 🏓 – A proximité : 🏇
avril-oct. – *Places disponibles pour le passage en juil. et août* – **R** – 🗉 2 pers.
42, pers. suppl. 16 🔌 16 (3A) 27 (6A)

## BERGERAC

**24100** Dordogne – 26 899 h.

⊞ Office de Tourisme, 97 r. Neuve-d'Argenson ℰ 53 57 03 11

🔟 – 🗗🗗 ⑭ ⑮ G. Périgord Quercy

▲▲▲ **Municipal la Pelouse,** ℰ 53 57 06 67, r. J.J. Rousseau, par rte de Bordeaux et r. Boileau à droite, bord de la Dordogne
1,5 ha (70 empl.) ⊶ plat et peu incliné, herbeux ⚲ – 🗟 ⇄ 🗂 ▥ ⊛ – 🛥
Permanent – **R** – ⚹ 10 ⟚ 4,50 🗉 3,20/6 🔌 3A : 10,40 (hiver 28,80)

---

## BERNAY ◁▣▷

**27300** Eure – 10 582 h.

⊞ Syndicat d'Initiative, 29 r. Thiers ℰ 32 43 32 08

🗟 – 🗗🗗 ⑲ G. Normandie Vallée de la Seine

▲▲▲ **Municipal,** ℰ 32 43 30 47, SO : 2 km par N 138 rte d'Alençon et rue à gauche
1 ha (50 empl.) ⊶ plat, herbeux 🖾 – 🗟 ⇄ 🗂 ⊛ ⚲ ▽ – 🛒 – A proximité :
🛱 🍴
15 mai-15 sept. – **R** conseillée juil-août – Tarif 91 : ⚹ 10,50 ⟚ 11,50
🗉 11,50/18 🔌 13 (10A)

---

## La BERNERIE-EN-RETZ

**44760** Loire-Atl. – 1 828 h.

🗟 – 🗗🗗 ① ②

▲▲▲ **les Écureuils,** ℰ 40 82 76 95, sortie NE rte de Nantes et à gauche après le passage à niveau, av. Gilbert-Burlot
4,5 ha (317 empl.) ⊶ plat et peu incliné, herbeux, sablonneux – 🗟 ⇄ 🗂 🗓 ⚕
🖾 ⊛ – 🍴 🔦 🛥
18 avril-13 sept. – **R** conseillée juil.-août – 🗉 piscine comprise 1 pers. 70, 2 pers.
90, pers. suppl. 25 🔌 10 (3A) 14 (6A) 20 (10A)

---

## BERNIÈRES-SUR-MER

**14990** Calvados – 1 563 h.

🗟 – 🗗🗗 ⑮ G. Normandie Cotentin

▲▲▲ Municipal le Hâvre de Bernières, ℰ 31 96 67 09, à l'ouest de la station sur D 514, à 400 m de la plage
6 ha (180 empl.) ⊶ plat, herbeux – 🗟 ⇄ 🗂 🔨 🗓 ▥ ⊛ 🖾 – 🛱 🛥
A proximité : 🍴 – *Places limitées pour le passage*

---

## BERNIÈRES-SUR-SEINE 27 Eure – 🗗🗗 ⑰ – rattaché aux Andelys

---

## BERNY-RIVIÈRE

**02290** Aisne – 528 h.

🗟 – 🗗🗗 ③

▲▲▲ **La Croix du Vieux Pont** ◇ ▤ « Installations originales », ℰ 23 55 50 02, S : 1,5 km sur D 91, à l'entrée de Vic-sur-Aisne, bord de l'Aisne et d'un étang
15,5 ha (280 empl.) ⊶ plat et incliné, herbeux 🖾 ⚲ – 🗟 ⇄ 🗂 🗓 ▥ ⊛ 🝙 ▽
🍴 ✗ ♨ – 🛱 🍴 🔦 🛥
Permanent – Location longue durée (8 500 à 11 000 F) – *Places disponibles pour le passage* – **R** conseillée – 🗉 élect. (4 à 6A) et piscine comprises 1 à 5 pers.
50 à 150

---

## BERRIAS ET CASTELJAU

**07460** Ardèche – 541 h.

🔟 – 🗗🗗

▲▲▲ **Les Cigales** ▤, ℰ 75 39 30 33, NE : 1 km, à la Rouvière
3 ha (70 empl.) ⊶ (saison) peu incliné à incliné, pierreux, herbeux – 🗟 🔨
⚕ ⊛ – 🍴 🛥
avril-15 oct. – **R** conseillée – 🗉 piscine comprise 2 pers. 40 🔌 10 (5A)

---

## BERTANGLES

**80260** Somme – 700 h.

🗟 – 🗗🗗 ⑧ G. Flandres Artois Picardie

▲▲▲ **Le Château** ▤ « Verger », ℰ 22 93 37 73
0,9 ha (33 empl.) ⊶ plat, herbeux ⚲ – 🗟 ⇄ 🗂 ⊛ – 🛱
18 avril-13 sept. – **R** conseillée juil.-août – ⚹ 12 ⟚ 7,20 🗉 10,50 🔌 9
(3A)

---

## BESLÉ

**44** Loire-Atl.
✉ 44290 Guéméné Penfao

🗗 – 🗗🗗 ⑥

▲▲▲ le Port, ℰ 40 87 23 18, sortie N par D 59, rte de Pipriac et à droite après le passage à niveau, bord de la Vilaine – 🍴
0,5 ha (35 empl.) plat, herbeux, pierreux – 🗟 ⇄ 🗂 ⚕ ⊛ – 🔦 🛥 – Location :
🏠
juin-oct. – **R**

---

## BESSÈGES

**30160** Gard – 3 635 h.

⊞ Office de Tourisme, r. A.-Chambonnet (fermé après-midi 16 sept-14 juin) ℰ 66 25 08 60

🔟 – 🗗🗗 ⑧

▲▲▲ **Les Drouilhèdes** ▤ ⩽, ℰ 66 25 04 80 ✉ 30160 Peyremale, O : 2 km par D 17 rte de Génolhac puis 1 km par D 386 à droite, bord de la Cèze
1,5 ha (90 empl.) ⊶ plat, pierreux, herbeux 🖾 ⚲⚲ – 🗟 ⇄ 🔨 ⚕ ⊛ ⚲ 🖾 ⚖
🖾 – 🔦
mars-oct. – **R** conseillée – 🗉 2 pers. 70, pers. suppl. 15 🔌 15 (6A)

---

## BESSAIS-LE-FROMENTAL

**18210** Cher – 361 h.

🔟 – 🗗🗗 ②

▲ **L'Étang de Goule** ▤ ⩽ « Situation agréable », ℰ 48 60 82 66, SE : 2,4 km par D 110, rte de Valigny puis à gauche, 1,8 km par D 110ᴱ, près de l'étang
0,8 ha (50 empl.) ⊶ plat et peu incliné, herbeux 🖾 – 🗟 ⇄ ⊛ snack – 🛥
toboggan aquatique – A proximité : ◗
juin-sept. – **R** – ⚹ 6 🗉 11 🔌 6 (10A)

## BESSENAY

**69690** Rhône – 1 611 h.

⛰ **St-Cry,** ℰ 74 70 83 20, S : 3,5 km sur N 89 rte de Montbrison, bord de la Brévenne – 🐾
3 ha (110 empl.) ⊶ plat, herbeux – 🎪 🖼 ☺ ⚑ – 🛒 ⤳ – Garage pour caravanes
avril-oct. – **R** – 🔥 9 🚐 6 🄴 6 🔌 10,50 (3A)

🔟🔟 – 🔢73 ⑲

## BESSÉ-SUR-BRAYE

**72310** Sarthe – 2 815 h.

🄯 Syndicat d'Initiative, r. Val-de-Braye (saison) ℰ 43 35 31 13 et Mairie (hors saison) ℰ 43 35 30 29

⛰ **Municipal** « Cadre agréable », ℰ 43 35 31 13, sortie vers Savigny-sur-Braye et à droite, bord de la Braye
2 ha (120 empl.) ⊶ plat, herbeux ⚑ (1 ha) – 🎪 ⤳ 🗑 🖼 ⅄ ☺ – 🛒 ✂ 🛴
15 avril-15 sept. – **R** conseillée – 🔥 6,20 🚐 4,10 🄴 4,10 🔌 6,50 (moins de 5A) 9,50 (5A et plus)

🔢5 – 🔢64 ⑤

## BESSINES-SUR-GARTEMPE

**87250** H.-Vienne – 2 988 h.

⛰ **Municipal de Sagnat** ⩹ « Situation agréable », ℰ 55 76 17 69, SO : 1 km par D 27, rte de St-Pardoux et à gauche, près de l'étang
1 ha (50 empl.) ⊶ peu incliné et plat 🏕 – 🎪 🏔 ☺ 📺 – 🏖 (plage)
15 juin-15 sept. – **R** conseillée – 🔥 7,50 🚐 4 🄴 7 🔌 7,50 (5A)

🔟🔟 – 🔢72 ⑧

## Le BEUGNON

**79130** Deux-Sévres – 355 h.

⛰ **Municipal** (aire naturelle) 🦶, sortie O par D 128, rte de Scillé, au stade
0,4 ha (6 empl.) peu incliné, herbeux – 🎪 🗑 🖼 ☺
avril-oct. – **R** – 🔥 5,20 🄴 6,25 🔌 7,75

🔢9 – 🔢67 ⑰

## BEUVRY

**62660** P.-de-C. – 8 744 h.

⛰ **Municipal,** ℰ 21 65 08 00, au NE du bourg, accès par r. Alfred-Gosselin, bord d'un canal
1 ha (80 empl.) ⊶ plat, herbeux 🏕 ⚑ – 🎪 ☺ – A proximité : ✂
avril-oct. – **R** – Tarif 91 : 🔥 6,10 🄴 8,30 🔌 5,55 (1A) 7,15 (2A) 8,80 (3A)

🔢2 – 🔢51 ⑭ ⑮

## BEYNAC-ET-CAZENAC

**24220** Dordogne – 498 h.

Schéma à La Roque Gageac

⛰ **Le Capeyrou** ⩹, ℰ 53 29 54 95, S : en face de la station essence, au bord de la Dordogne
2,5 ha (60 empl.) ⊶ plat, herbeux ⚑ – 🎪 ⤳ 🏔 ⅄ ☺ 📺 – 🛒 📺 – A proximité :
🍖 ✂ 🛴
juin-sept. – **R** conseillée juil.-août – 🔥 18 🄴 18 🔌 10 (3A) 15 (6A)

🔢13 – 🔢75 ⑰ G. Périgord Quercy

## BEYNAT

**19190** Corrèze – 1 068 h.

⛰ **L'Etang de Miel** ⩹ « Situation agréable », ℰ 55 85 50 66, E : 4 km par N 121 rte d'Argentat, bord de l'étang
50 ha/9 campables (200 empl.) ⊶ vallonné, peu incliné, herbeux ⚑⚑ – 🎪 🗑 🏔 ⚑ 🛒 ✂ 🛴 📺 (plage) poneys – A proximité : 🍖
juin-15 sept. – **R** conseillée – 🄴 2 pers. 60, pers. suppl. 14 🔌 11 (6A)

🔟🔟 – 🔢75 ⑨

## BEZOUCE

**30320** Gard – 1 625 h.

⛰ **Les Cyprès,** ℰ 66 75 24 30, au bourg, 5 r. de la Bastide
0,6 ha (45 empl.) ⊶ plat, herbeux, pierreux ⚑ – 🎪 🗑 ☺ 🛢 ⊻ 🍖 ✂ 🛒 – 🛴
Permanent – **R** juil.-août – 🄴 piscine comprise (à partir de 2 nuitées) 1 à 4 pers.
30 à 65 🔌 12 (6A)

🔢16 – 🔢80 ⑲

## BIACHE-ST-VAAST

**62118** P.-de-C. – 3 981 h.

⛰ **Municipal les Étangs** 🦶, ℰ 21 50 15 02, SO : 1 km par la r. du 19 Mars-1962, bord de la Scarpe et près d'un étang – Par A 1 : sortie Fresnes-lès-Montauban
1,5 ha (100 empl.) ⊶ plat, herbeux 🏕 – 🎪 ☺ – 🛴
avril-oct. – **R** – 🔥 8 🄴 11 🔌 18 (16A)

🔢2 – 🔢53 ③

## BIARRITZ

**64200** Pyr.-Atl. – 28 742 h.

🄯 Office de Tourisme, square d'Ixelles ℰ 59 24 20 24

⛰ Biarritz-Camping, ℰ 59 23 00 12, 28 rue d'Harcet – 🐾
3 ha (267 empl.) ⊶ plat et incliné, herbeux ⚑ – 🎪 ⤳ 🗑 🖼 ⅄ ☺ 🛢 ⊻ ✂ 🍖 🛒
🖼

Voir aussi à *Anglet* et *Bidart*

🔢13 – 🔢78 ⑪ ⑱ G. Pyrénées Aquitaine

121

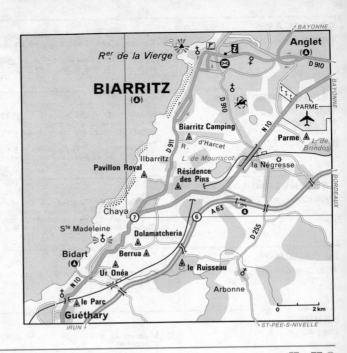

## BIAS

**40170** Landes – 505 h.

⑬ – ⑦⑧ ⑭

**Municipal le Tatiou** ⚏, ℰ 58 09 04 76, O : 2 km par rte de Lespecier
10 ha (505 empl.) ⊶ plat, sablonneux ⚏⚏ pinède – ⌂ ⇌ ⊟ ⊛ ⚏ ⚑ snack ▣
– ⚏ – A proximité : ✗
Pâques-oct. – **R** conseillée – Tarif 91 : ▣ 1 ou 2 pers. 42, 3 pers. 55, 4 pers.
65, 5 pers. 74 ⚇ 10 (2A) 13 (4A) 16 (10A)

## BIDART

**64210** Pyr.-Atl. – 4 123 h.
🛈 Office de Tourisme, r. Grande-Plage
(fermé oct.-déc. et après-midi
janv.-juin) ℰ 59 54 93 85

Schéma à Biarritz

⬚ – ⑦⑧ ⑪ ⑱ G. Pyrénées Aquitaine

**Le Ruisseau** ⚏ « Agréable cadre boisé près d'un plan d'eau »,
ℰ 59 41 94 50, E : 2 km sur rte d'Arbonne, bord de l'Ouhabia et d'un
ruisseau
14 ha/7 campables (400 empl.) ⊶ plat, incliné et en terrasses, herbeux ⚏ ⚏⚏
– ⌂ ⇌ ⊟ ⚏ ▣ sauna ⊛ ⚏ ⚑ ✗ ⚏ – ▣ cases réfrigérées – ⚏ ✗ ⚏ ⚏
⚏ vélos, salle de musculation, practice de golf – Location : ⚏ ⚏ ⚏
25 mai-sept. – **R** conseillée juil.-août – ▣ piscine comprise 2 pers. 80, pers. suppl.
20 ⚇ 14 (6A)

**Pavillon Royal** Ⓜ ⚏ ≼, ℰ 59 23 00 54, N : 2 km, av. Prince-de-Galles, bord
de la plage – ✗
5 ha (355 empl.) ⊶ plat et en terrasses, sablonneux, herbeux ⚏ (1,7 ha) – ⌂
⇌ ⊟ ⊟ sauna ⚏ ⊛ ⚏ ▽ ⚏ ⚑ ✗ ⚏ ▣ – ⚏ ⚏ – A proximité : ⚏ golf (18
trous) – Location : ⚏
15 mai-25 sept. – **R** conseillée juil.-août – ▣ élect. et piscine comprises 2 pers.
105/130, pers. suppl. 20

**Résidence des Pins** « Belle décoration florale », ℰ 59 23 00 29, N : 2 km
6 ha (370 empl.) ⊶ en terrasses, herbeux, sablonneux ⚏⚏ – ⌂ ⇌ ⊟ ⊛
⚏ ⚑ ✗ ⚏ ▣ – ⚏ ⚏ – A proximité : ⚏ – Location : ⚏
25 mai-sept. – **R** conseillée juil.-août – ▣ piscine comprise 2 pers. 80, pers. suppl.
17 ⚇ 15 (10A)

**Berrua** « Entrée fleurie », ℰ 59 54 96 66, E : 0,5 km rte d'Arbonne
5 ha (300 empl.) ⊶ (saison) peu incliné et en terrasses, herbeux ⚏ (1,5 ha) –
⌂ ⇌ ⊟ ⊛ ⚏ ⚏ ⚑ ✗ ⚏ ⚏ ▣ – Location : ⚏
26 avril-11 oct. – **R** conseillée saison – ▣ piscine comprise 2 pers. 75, pers. suppl.
16 ⚇ 13 (6A)

**Ur-Onéa,** ℰ 59 26 53 61, E : 0,3 km, r. de la Chapelle
2,5 ha (120 empl.) ⊶ (saison) en terrasses, peu incliné, herbeux – ⌂ ⇌ ⊟ ▣
⚏ ⊛ ⚑ ⚏ ⚏ ▣ – ⚏ ⚏ – Location : ⚏ ⚏
25 avril-sept. – **R** conseillée – ▣ piscine comprise 2 pers. 62 ⚇ 11 (10A)

**Le Parc,** ℰ 59 26 54 71, S : 1,2 km, à 400 m de la plage
2,4 ha (200 empl.) ⊶ en terrasses, herbeux ⚏ – ⌂ ⇌ ⚏ ⚏ ▣ ⊛ ⚑ ⚏
juin-21 sept. – **R** conseillée juil.-août – ▣ 2 pers. 45 ⚇ 10 (3A) 12 (4A) 15
(6A)

**Dolamatcheria,** ℰ 59 54 96 74, E : 0,5 km rte d'Arbonne
2,5 ha (150 empl.) ⊶ peu incliné, herbeux – ⌂ ⇌ ⊟ ⚏ ▣ ⊛ ▣ – ⚏ ⚏
15 juin-15 sept. – **R** conseillée

## BIELLE

**64260** Pyr.-Atl. – 470 h.

⚠ **l'Ayguelade** ≤, 𝒫 59 82 60 62, N : 1 km par N 134 bis rte de Pau, bord du Gave d'Ossau
1,2 ha (80 empl.) ⊶ plat, herbeux, pierreux ⚲ – 🐿 ⟲ 🛖 ☺ – 🏠 – A proximité : ⛲ ✗
Permanent – **R** *conseillée juil.-août* – ⚑ *11* 🔲 *13* 🔋 *8 (3A) 13 (6A)*

---

## BILLIERS **56** Morbihan – 🔢 ⑭ – rattaché à Muzillac

---

## BILLOM

**63160** P.-de-D. – 3 968 h.
🛈 Syndicat d'Initiative, r. Carnot (juin-15 sept.) 𝒫 73 68 39 85

⚠ **Municipal le Colombier,** 𝒫 73 68 91 50, au NE de la localité par rte de Lezoux et allées des tennis
1 ha (40 empl.) ⊶ plat et peu incliné, herbeux ⛁ – 🐿 ⟲ 🛖 🔲 🔥 ☺ – 🏠 ⟲ – A proximité : ✂ ▣
15 mai-15 oct. – **R** – *Tarif 91 :* ⚑ *8,70* 🚗 *4,40* 🔲 *6,30* 🔋 *8 (4A) 15 (10A)*

---

## BINIC

**22520** C.-d'Armor – 2 798 h.
🛈 Office de Tourisme, esplanade de la Banche (fermé après-midi hors saison) 𝒫 96 73 60 12

⚠ **Kerviarc'h les Palmiers** ≤ « Plantations décoratives », 𝒫 96 73 72 59, O : 1,5 km
1,2 ha (70 empl.) ⊶ en terrasses et peu incliné, herbeux – 🐿 🛖 🔲 ☺ ⛲ – Location : 🔁
juin-sept. – **R** *conseillée séjour minimum 3 semaines* – ⚑ *14* 🚗 *8* 🔲 *12* 🔋 *12 (3A)*

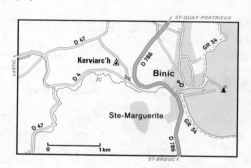

---

## La BIOLLE **73** Savoie – 🔢 ⑮ – rattaché à Aix-les-Bains

---

## BIOT **06** Alpes-Mar. – 🔢 ⑨ – rattaché à Antibes

---

## BIRON

**24540** Dordogne – 132 h.

⚠ **Étang du Moulinal** ⟿ ≤ « Situation agréable au bord de l'étang », 𝒫 53 40 84 60, S : 4 km rte de Lacapelle-Biron puis 2 km par rte de Villeréal à droite
10 ha/5 campables (200 empl.) ⊶ plat, herbeux ⚲ ⚑ – 🐿 ⟲ 🛖 🔲 ☺ ⚱ ⛲ ▵ ⚲ ✗ ⚑ 🔲 – 🏠 ⚲ ⛲ 🔥 ⚲ – half-court – Location : 🔁 🔁 bungalows toilés
11 avril-sept. – **R** *conseillée juil.-août* – ⚑ *27 piscine comprise* 🔲 *39 à 54* 🔋 *15,50 (3A) 19 (6A)*

---

## BISCARROSSE

**40600** Landes – 9 054 h.
🛈 Office de Tourisme, pl. Marsan (juil.-août) 𝒫 58 78 80 92

⚠ **Mayote** ⟿ « Cadre agréable », 𝒫 58 78 00 00, N : 6 km par rte de Sanguinet puis, à Goubern, 2,5 km par rte à gauche, à 150 m de l'étang de Cazaux (accès direct)
8 ha/5 campables (480 empl.) ⊶ plat, sablonneux, herbeux ⛁ ⚲ ⚲ pinède – 🐿 ⟲ 🛖 🔲 🔥 ⛲ ⚲ ⚱ ⚑ 🔥 – 🏠 ✗ ⚑ ⚲ – A proximité : ⚱ – Location : 🔁
mars-29 oct. – **R** *conseillée* – 🔲 *élect. (6A) et piscine comprises 3 pers. 150*

⚠ **Les Écureuils** Ⓜ, 𝒫 58 78 10 00, N : 4,2 km par rte de Sanguinet et rte de Navarrosse à gauche, à 400 m de l'Étang de Cazaux
6 ha (150 empl.) ⊶ plat, sablonneux, herbeux ⚲ – 🐿 ⟲ 🛖 🔲 🔥 ☺ ⛲ 🔲 – 🏠 🔥 ⚲ vélos – A proximité : ⚱ ⚲
Permanent – **R** *conseillée* – ⚑ *25 piscine comprise* 🔲 *34* 🔋 *18 (3A)*

⚠ **Municipal de Navarrosse** Ⓜ, 𝒫 58 78 14 32, N : 4,5 km par rte de Sanguinet et rte à gauche, bord de l'étang de Cazaux et du canal Transaquitain
16 ha/7 campables (500 empl.) ⊶ plat, sablonneux ⛁ ⚲ – 🐿 ⟲ 🛖 🔲 🔥 ☺ ⚲ ⚑ 🔲 – ⚲ ⚲ – A proximité : ⚲ 🏠

&#9650;&#9650; **Bimbo,** &#8455; 58 09 82 33, N : 3,5 km par rte de Sanguinet et rte de Navarrosse à gauche
5 ha (120 empl.) &#9135; plat, sablonneux &#9707; &#9792; pinède – &#8962; &#10003; &#9971; &#128247; &#9855; &#9737; &#9917; &#128368; &#128247;
– &#9747; &#128690; vélos – A proximité : &#9968; – Location : &#128664; &#128665;
vac. de printemps, juin-15 sept. – **R** conseillée juil.-août – &#9942; 18 &#9081; 10 &#128247; 15
&#128247; 17 (4A)

&#9650;&#9650; **Municipal de Latécoère,** &#8455; 58 78 13 01, SO : 1,5 km, bord de l'étang de Biscarrosse
2,7 ha (160 empl.) &#9135; plat, sablonneux &#9707; &#9792;&#9792; pinède – &#8962; &#10003; &#9971; &#128247; &#9737; &#9917; &#128247;
– &#9747; &#9855; – A proximité : &#128247; &#10005; &#9968; – Location : &#128664;
avril-oct. – **R** – Tarif 91 : &#9942; 13 &#9081; 6,60 &#128247; 14/16,30 &#128247; 10,90 (10A)

&#9650;&#9650; **Lou Galip,** &#8455; 58 09 81 81, N : 4,5 km par rte de Sanguinet et rte de Navarrosse à gauche, à 200 m de l'étang de Cazaux (accès direct)
4 ha (200 empl.) &#9135; plat, sablonneux &#9792; – &#8962; &#10003; &#9971; &#9737; &#9917; &#128247; – A proximité : &#9747;
– Location : &#128664; &#128665;
avril-sept. – Places limitées pour le passage – **R** – &#9942; 16 &#128247; 22/25 &#128247; 14 (3A)
20 (6A) 24 (10A)

à Biscarrosse-Plage NO : 9,5 km par D 146
&#9993; 40520 Biscarrosse-Plage :
&#128712; Office de Tourisme, av. Plage &#8455; 58 78 20 96

&#9650;&#9650;&#9650; Municipal le Vivier &#9410; &#9758;, &#8455; 58 78 25 76, au nord de la station
16 ha (416 empl.) &#9135; plat, sablonneux &#9792;&#9792; pinède – &#8962; &#10003; &#9971; &#128247; &#9855; &#9737; &#9917; &#128247; –
&#128664; &#9747; – A proximité : &#128716;

---

## BLAIN
&#9636; – &#127383; &#9426; G. Bretagne

**44130** Loire-Atl. – 7 434 h.
&#128712; Office de Tourisme, pl. Jean-Guihard &#8455; 40 87 15 11

&#9650;&#9650; **Municipal le Château,** &#8455; 40 79 11 00, sortie SO par N 171 rte de St-Nazaire, près du château (14&#7497; siècle) et à 250 m du canal de Nantes à Brest
1 ha (44 empl.) plat, herbeux – &#8962; &#10003; &#9971; &#9737; &#9855; – &#128704;
mai-sept. – **R** – &#9942; 6,50 &#9081; 6,50 &#128247; 6,50 &#128247; 6,50 (3 à 10A)

---

## BLAINVILLE-SUR-MER
&#9636; – &#127380; &#9424; G. Normandie Vallée de la Seine

**50910** Manche – 1 113 h.

&#9650;&#9650;&#9650; **Village de Vacances le Senéquet,** &#8455; 33 47 23 11, NO : 2 km sur D 651
– &#9747;
5 ha (100 empl.) &#9135; plat et peu incliné, herbeux, gravillons &#9707; – &#8962; &#10003; &#9971; &#128247; &#9855;
&#9737; &#9917; &#9968; &#10005; &#9855; &#128247; garderie – &#128664; salle omnisports, salle de spectacles &#9747;
&#128704; &#128692;
juil.-août – **R** conseillée – Adhésion obligatoire pour séjour supérieur à 1 semaine
– Tarif 91 : &#9942; 11 piscine comprise &#128247; 18/34 avec élect.

&#9650;&#9650; **La Mélette,** &#8455; 33 47 14 84, O : 1 km, sur D 651
5 ha (115 empl.) &#9135; plat, herbeux, sablonneux – &#8962; &#10003; &#9971; &#128247; &#9737; – &#128664; &#9747; &#128690;
15 juin-15 sept. – **R** – Tarif 91 : &#9942; 9,80 &#128247; 14 &#128247; 8,50 (3A)

---

## BLAMONT
&#9635; – &#127382; &#9312;

**54450** M.-et-M. – 1 318 h.

&#9650; **Municipal de la Vezouze,** sortie E par D 993 rte de Cirey-sur-Vezouze, au terrain de sports, près de la Vezouze et d'un étang
0,8 ha (66 empl.) – &#8962; &#9971; &#9737; – A proximité : &#9747; &#9855;
15 mai-sept. – **R** juil.-août – &#9942; 9 &#128247; 5,50/8,50 &#128247; 7 (3A) 10 (6A) 15 (10A)

---

## Le BLANC &#9414;
&#128290; – &#127384; &#9426; G. Berry Limousin

**36300** Indre – 7 361 h.
&#128712; Office de Tourisme, pl. de la Libération (juin-sept.) &#8455; 54 37 05 13

&#9650;&#9650; **Municipal,** &#8455; 54 37 88 22, E : 2 km sur N 151 rte de Châteauroux, bord de la Creuse – &#9747;
1 ha (82 empl.) &#9135; plat, herbeux &#9707; &#9792; – &#8962; &#9971; &#9737; – &#128664; &#128690; – A proximité :
&#9747; &#128704;
15 mai-sept. – **R** juil.-août – &#9942; 7,90 &#128247; 7,90 &#128247; 7,90

---

## BLANGY-LE-CHÂTEAU
&#9637; – &#127380; &#9427;

**14130** Calvados – 618 h.

&#9650;&#9650;&#9650; **Le Brévedent** &#9758; &#9666;, &#8455; 31 64 72 88, SE : 3 km par D 51, au château, bord d'un étang – &#9747;
21 ha/3,5 campables (130 empl.) &#9135; plat et incliné, herbeux &#9792;&#9792; verger – &#8962; &#10003;
&#9971; &#128247; &#9737; &#9855; &#9968; &#10005; &#9855; &#128247; – &#128664; &#128690; &#128704; – A proximité : &#9747; &#128052;
15 mai-15 sept. – **R** conseillée – &#9942; 25 &#128247; 30 &#128247; 16 (4A)

&#9650;&#9650; **le Domaine du Lac,** &#8455; 31 64 62 00, sortie NO par D 140 rte du Mesnil-sur-Blangy, bord d'un plan d'eau et du Chaussey
7 ha/3 campables (100 empl.) &#9135; plat et peu incliné, herbeux &#9707; &#9792; – &#8962; &#10003; &#9971;
&#128247; &#9737; &#9968; &#10005; – &#9855; half-court – A proximité : &#9747;
avril-oct. – **R** conseillée juil.-août – &#9942; 20 &#128247; 20 &#128247; 15 (3A) 18 (5A)

---

**BLAVOZY** **43** H.-Loire – &#127382; &#9312; – rattaché au Puy-en-Velay

## BLENDECQUES

**62570** P.-de-C. – 5 210 h.

⛰ **Le Parfum des Sapins** (Municipal de Liévin), ℘ 21 93 48 85, SO : 2 km par D 210ᴱ rte d'Helfaut
1,15 ha (60 empl.) plat, herbeux – 🚿 ⛲ 🚽 🖼 ♿ ⊕ – 🚗 – A proximité : 🍷
mars-oct. – 🍴 8 🖃 12 🔌 18 (6A) 20 (10A) 22 (plus de 10A)

---

## BLÉNEAU

**89220** Yonne – 1 585 h.

⛰ **Municipal la Pépinière** « Cadre agréable », sortie N par D 64 rte de Champcevrais
1,3 ha (50 empl.) ⟶ (saison) plat, herbeux 🚻 🛎 – 🚿 🛀 ⊕ – 🚗 – A l'entrée :
✂ 🛶
Pâques-15 oct. – 🍴 – 🍴 5,10 🖃 7,45 🔌 7,90 (10A)

---

## BLÉRÉ

**37150** I.-et-L. – 4 388 h.
🛈 Office de Tourisme, r. J.-J.-Rousseau (15 juin-sept.) ℘ 47 57 93 00

⛰ **Municipal la Gatine** « Entrée fleurie », ℘ 47 57 92 60, à l'Est de la ville, r. du Commandant-Lemaître, près du Cher
4 ha (270 empl.) ⟶ plat, herbeux 🌳 – 🚿 ⛲ 🚽 🛀 🖼 ♿ ⊕ – 🚗 🛒 – A proximité : ✂ 🛶
Pâques-mi oct. – 🍴 – Tarif 91 : 🖃 1 ou 2 pers. 34, pers. suppl. 8 🔌 11 (4A)

---

## BLESLE

**43450** H.-Loire – 703 h.

⛰ **Municipal la Bessière** 🏖 ⪡, ℘ 71 76 25 82, SE : 1,5 km par D 8 et chemin à droite, bord de la Sianne
0,6 ha (42 empl.) ⟶ plat et peu incliné, terrasse, herbeux 🚻 – 🚿 ⛲ ⊕ 🔥
15 juin-15 sept. – 🍴 – 🍴 8 🚗 8 🖃 8 🔌 8 (15A)

---

## BLOT-L'ÉGLISE

**63440** P.-de-D. – 392 h. alt. 639

⛰ **Municipal,** S : 0,5 km par D 50 rte de Manzat
0,5 ha (50 empl.) plat, herbeux 🚻 – 🚿 🚽 ⊕ – ✂
15 juin-15 sept. – 🍴 – Tarif 91 : 🍴 4,60 🚗 2,60 🖃 2,70 🔌 6

---

## La BOCCA **06** Alpes-Mar. – 84 ⑨ – rattaché à Cannes

---

## BLYE

**39130** Jura – 110 h.

⛰ **Les Claies,** ℘ 84 48 30 55, sortie S par D 151 rte de Pont-de-Poite
1 ha (25 empl.) ⟶ plat, herbeux – 🚿 🛀 ♿ ⊕
15 juin-15 sept. – 🍴 – 🍴 9 🚗 4 🖃 5 🔌 9 (5A)

---

## La BOCCA **06** Alpes-Mar. – 84 ⑨ – rattaché à Cannes

---

## BOIS-DE-CÉNÉ

**85710** Vendée – 1 232 h.

⛰ **Le Bois Joli** 🏖, ℘ 51 68 20 05, sortie S par D 58 rte de Challans et D 28 à droite
3 ha (120 empl.) ⟶ plat, herbeux 🚻 🌳 – 🚿 🛀 🖼 ♿ ⊕ 🍷 – 🚗 ✂ 🚗
juin-1ᵉʳ sept. – 🍴 conseillée – Tarif 91 : 🍴 6 🚗 4 🖃 3 🔌 8 (4A)

---

## Le BOIS-PLAGE-EN-RÉ **17** Char.-Mar. – 170 ⑫ – voir à Ré (Ile de)

---

## La BOISSIÈRE-DE-MONTAIGU

**85600** Vendée – 1 584 h.

⛰ **L'Eden** 🏖, ℘ 51 41 62 32, SO : 2,3 km par D 62 rte de Chavagnes-en-Paillers puis à droite
15 ha/8 campables (100 empl.) ⟶ plat, pierreux, herbeux, prairies, étang et sous-bois 🌿 – 🚿 ⛲ 🚽 🖼 ♿ ⊕ 🔥 ✂ 🍷 🍴 – 🚗 ✂ 🎾 🛶 🐎 – Location : 🏠
mai-oct. – 🍴 conseillée – 🖃 élect. (4A), piscine et tennis compris 3 pers. 96

---

## BOISSON

**30** Gard – ⌧ 30500 St-Ambroix

⛰ **Château de Boisson** 🏖, ℘ 66 24 82 21 et 66 24 85 61, au bourg – ✂
5 ha (90 empl.) ⟶ plat, herbeux, pierreux 🚻 🌳 – 🚿 ⛲ 🚽 🖼 ♿ ⊕ 🍷 snack 🍴 – 🚗 ✂ 🚗 🛶 vélos – A proximité : 🚗 – Location : 🏠 🛏, appartements
mai-sept. – 🍴 conseillée juil.-août – 🍴 22 piscine comprise 🖃 45 🔌 17 (4A)

## BOLLÈNE

16 - 81 ① G. Provence

**84500** Vaucluse - 13 907 h.

Office de Tourisme, pl. Reynaud-de-la-Gardette ✆ 90 30 14 43

**Le Barry** « Cadre agréable », ✆ 90 30 13 20, N : 3,5 km par D 26 rte de Pierrelatte et rte à droite, par St-Pierre
3 ha (100 empl.) peu incliné et en terrasses, pierreux, herbeux - discothèque - Location :
Permanent - **R** *conseillée juil.-août - 18 piscine comprise 21 14 (6A)*

**Municipal du Lez,** ✆ 90 30 16 86, accès par pl. du 18-Juin-1940, bord du Lez
1,2 ha (70 empl.) plat et terrasse, pierreux, herbeux
avril-sept. - **R** *conseillée juin à août - 8,20 2,55 2,55 5,80 (4A) 6,95 (6A)*

**la Simioune** « Agréable cadre boisé », ✆ 90 30 44 62, NE : 5 km par rte de Lambisque (ancienne rte de Suze-la-Rousse longeant le Lez) et à gauche
1,5 ha (80 empl.) accidenté, sablonneux, bois - poneys
Permanent - **R** *conseillée juil.-août - 18 piscine comprise 15/20 12,50 (6A)*

## BOLLEZEELE

1 - 51 ③

**59470** Nord - 1 476 h.

**St. Antoine**, ✆ 28 68 84 18, sortie S par D 246 rte de Volckerinckhove et chemin à gauche
1,2 ha (39 empl.) plat et peu incliné, herbeux
avril-oct. - **R** - *10 5 10 7 (2A) 10 (4A)*

## BONIFACIO **2A** Corse-du-Sud - 90 ⑨ - voir à Corse

## BONLIEU

12 - 170 ⑮ G. Jura

**39130** Jura - 206 h. alt. 785

**L'Abbaye** <, ✆ 84 25 57 04, E : 1,5 km par N 78 rte de St-Laurent-en-Grandvaux
2 ha (120 empl.) plat et incliné, herbeux
mai-sept. - **R** *conseillée - Tarif 91 : 10,50 9 8 (3 ou 5A)*

## BONLIEU-SUR-ROUBION

16 - 77 ⑫

**26160** Drôme - 286 h.

**Les Chênes**, ✆ 75 46 71 81, NO : 1,5 km par D 74 et chemin à droite
1,2 ha (33 empl.) plat
juil.-août - **R** *conseillée 12 juil.-20 août - élect. et piscine comprises 2 pers. 56*

## BONNAC-LA-CÔTE

10 - 72 ⑦

**87270** H.-Vienne - 998 h.

**Leychoisier** « Beau parc boisé près du château », ✆ 55 39 93 43, S : 1 km, au château - Depuis N 20, prendre la rte de Bonnac-la-Côte à partir de Beaune-les-Mines
8 ha/2 campables (80 empl.) plat, herbeux (étang)
mai-sept. - **R** *conseillée juil.-août - 23 piscine comprise 6 36 17 (4A)*

## BONNAL **25** Doubs - 166 ⑥ - rattaché à Rougemont

## BONNEVAL

5 - 60 ⑰ G. Châteaux de la Loire

**28800** E.-et-L. - 4 420 h.

**Municipal** « Cadre boisé », ✆ 37 47 54 01, S : 1,5 km par rte de Conie et rte de Vouvray à droite, bord du Loir
2,6 ha (122 empl.) plat et peu incliné, herbeux, gravier, bois attenant - A proximité : (découverte l'été)
Permanent - **R** *conseillée juil.-août - Tarif 91 : 9 9/13 10 (6A)*

## BONNEVILLE

12 - 74 ⑦ G. Alpes du Nord

**74130** H.-Savoie - 9 998 h.

Syndicat d'Initiative, pl. Hôtel de Ville ✆ 50 97 38 37

**Municipal du Bois des Tours** M <, ✆ 50 97 04 31, NE : r. des Bairiers
1,3 ha (70 empl.) peu incliné, plat, herbeux -
16 juin-15 sept. - **R** *conseillée 15 juil.- 15 août - 9,20 6,50 7,50 10,20 (5A)*

## BONNIEUX

16 - 84 ② G. Provence

**84480** Vaucluse - 1 422 h.

Syndicat d'Initiative Intercommunal, pl. Carnot ✆ 90 75 91 90

Municipal du Vallon <, ✆ 90 75 86 14, sortie S par D 3 rte de Ménerbes et chemin à gauche
1,3 ha (80 empl.) plat et en terrasses, pierreux, herbeux (0,3 ha) -

## BORDEAUX

🖫 – 🚰 ⑨ G. Pyrénées Aquitaine

**33000** Gironde – 210 336 h.
🅱 Office de Tourisme et Accueil de France, 12 cours 30-Juillet
🖉 56 44 28 41, Gare St-Jean
🖉 56 91 64 70 et à l'Aéroport, hall arrivée 🖉 56 34 39 39

*à Ambarès-et-Lagrave* NE : 14 km par D 911 (ex N 10)
✉ 33440 Ambarès-et-Lagrave :

⚠ **Clos Chauvet** « Cadre agréable et entrée fleurie », 🖉 56 38 81 08, SO : 1 km sur D 911, rte de Bordeaux – Par A 10, sortie 32[1]
0,8 ha (35 empl.) ⊶ plat, peu incliné, herbeux 🔾🔾 – 🗊 🍴 🖘 🖼 🖻 ⊛ – 🛥 – A proximité : 🏋
mai-oct. – **R** – *Exclusivement pour passage touristique* – 🏋 *17* 🖻 *15* 🚿 *12 (10A)*

*à Villenave-d'Ornon* SE : 9 km par N 113 et D 108 à gauche
✉ 33140 Villenave-d'Ornon :

⚠ **Les Gravières,** 🖉 56 87 00 36, NE : 2 km rte de Bègles, bord et près d'étangs – Par rocade A 630 : sortie Bègles-Caminasse (20a)
10 ha/3,5 campables (150 empl.) ⊶ plat, herbeux 🔾🔾 – 🗊 🖘 🗀 🖼 🖻 🕹 ▥ ⊛ 🏊 ▽ 🏊 🍴 🛒 – 🛥
Permanent – **R** *conseillée juil.-août* – *Tarif 91 :* 🏋 *16* 🖻 *21 ou 28* 🚿 *9 (3A) 13 (5A)*

## BORMES-LES-MIMOSAS

🚰 – 🞉 ⑯ G. Côte d'Azur

**83230** Var – 5 083 h.
🅱 Office de Tourisme, pl. Gambetta
🖉 94 71 03 28, NO : 5 km, sur N 98 rte de Cogolin – 🚲 15 juin-15 sept.
3,5 ha (120 empl.) ⊶ en terrasses, pierreux 🖵 🔾🔾 – 🗊 🗀 🏊 ⊛ 🏊 🍴 🖻
Permanent – **R** *conseillée 15 juin-15 sept.* – 🖻 *3 pers. 70* 🚿 *18 (6A) 24 (10A)*

⚠ **Manjastre** 🌿 ⩽ « Cadre agréable », 🖉 94 71 03 28, NO : 5 km, sur N 98 rte de Cogolin – 🚲 15 juin-15 sept.

Voir aussi *au Lavandou*

## BORT-LES-ORGUES

🔟 – 🞕 ② G. Auvergne

**19110** Corrèze – 4 208 h.
🅱 Office de Tourisme, pl. Marmontel
🖉 55 96 02 49

⚠ **Les Aubazines** 🌿 ⩽ monts du Cantal « Belle situation au bord du lac », 🖉 55 96 08 38, N : 2,5 km par D 979 rte d'Ussel et chemin à droite
26 ha/4,5 campables (139 empl.) ⊶ en terrasses, plat, herbeux, pierreux, sablonneux 🖵 🔾🔾 (1 ha) – 🗊 🖘 🗀 🏊 🖼 🕹 ⊛ 🍴 🗙 🛒 – 🛥 🛒 🍴 – A proximité : 🚲
15 juin-15 sept. – **R** *conseillée juil.-août* – *Tarif 91 :* 🏋 *10* 🚗 *6* 🖻 *8* 🚿 *11 (5A)*

⚠ **Municipal Beausoleil** 🌿 ⩽, 🖉 55 96 00 31, SO : 2 km par D 979 et rte de Ribeyrolles
4 ha (200 empl.) ⊶ plat, peu incliné, herbeux 🔾🔾 – 🗊 🗀 🖼 ⊛ ▽ 🖻 – 🛥
juin-15 sept. – **R** – *Tarif 91 :* 🏋 *8* 🚗 *4,10* 🖻 *4,10* 🚿 *5,20 (moins de 10A) 12,70 (plus de 10A)*

⚠ **Municipal le Tourlourou** 🌿 ⩽, SO : 4,5 km par D 979 et rte de Ribeyrolles, près de la Dordogne
1,6 ha (130 empl.) ⊶ plat, herbeux 🔾 (1 ha) – 🗊
Pâques-sept. – **R** – *Tarif 91 :* 🏋 *5,20* 🚗 *3,25* 🖻 *2,45*

⚠ **Outre-Val** 🌿 ⩽ « Belle situation au bord du lac », 🖉 55 96 05 82, N : 12 km par D 979 rte d'Ussel et rte à droite – Accès difficile pour caravanes (pente à 17 %), véhicule tracteur disponible
3,2 ha (70 empl.) ⊶ en terrasses, herbeux, sablonneux, pierreux 🔾 – 🗊 ⊛ 🍴 🗙 – 🛒
Pentecôte-oct. – **R** *conseillée juil.-août* – 🏋 *10* 🚗 *5* 🖻 *10* 🚿 *11 (3A)*

⚠ **Le Bois d'Enval** 🌿 « Belle situation dominante ⩽ monts du Cantal », 🖉 55 96 06 62, N : 11,5 km par D 979 rte d'Ussel et rte à droite – alt. 650
2 ha (33 empl.) incliné, plat, herbeux – 🗊 ⊛
15 juin-sept. – **R** *conseillée* – 🏋 *8* 🚗 *4,50* 🖻 *7,50* 🚿 *10 (5A)*

## Les BOSSONS 74 H.-Savoie – 🞤 ⑧ – rattaché à Chamonix-Mont-Blanc

## BOTMEUR

🞓 – 🞝 ⑥

**29128** Finistère – 191 h.

⚠ Municipal 🌿 ⩽, au bourg, près de la mairie
0,4 ha (33 empl.) non clos, en terrasses, herbeux – 🗊 🖘 🗀

## BOUAFLES 27 Eure – 🞝 ⑰ – rattaché aux Andelys

## BOUBERS-SUR-CANCHE

🞓 – 🞒 ⑬

**62270** P.-de-C. – 604 h.

⚠ **La Flore,** sortie E par D 340 rte de Frévent
1 ha (50 empl.) ⊶ peu incliné, herbeux – 🗊 🖼 ⊛
avril-oct. – **R** *conseillée* – 🖻 *3 pers. 38* 🚿 *10 (3A)*

## BOUCHEMAINE

④ – 🞒 ⑳

**49080** M.-et-L. – 5 799 h.

⚠ **Municipal le Château** « Entrée fleurie », 🖉 41 77 11 04, S par D 111, bord de la Maine
1 ha (100 empl.) ⊶ plat, herbeux 🔾🔾 – 🗊 🖘 🏊 ⊛ – A proximité : 🚲 🏊
mai-sept. – 🏋 *8* 🚗 *6* 🖻 *6* 🚿 *7,30 (3A)*

## BOUGÉ-CHAMBALUD
**38150** Isère – 814 h.

ᴧᴧᴧ **Le Temps Libre** ◇ 𝕊, 𝒫 74 84 04 09, sortie SE par D 131 rte d'Épinouze puis 0,7 km par rte à droite, bord du Dolon – Par autoroute A 7 : sortie Chanas
4 ha (150 empl.) ⚬━ en terrasses, herbeux, pierreux ⊡ ⚲ – 🕆 ⇆ 🛁 🗊 ▥ ☺
🏕 ▽ 🍴 🛒 🖧 📧 – 🖵 ✗ 🔥 ⚡ 🟰
mars-oct. – *Location longue durée – Places disponibles pour le passage* – **R**
🏃 *20 piscine et tennis compris* 🚗 *7* ▣ *22* ⓗ *15 (10A)*

      ⑫ – ⑦⑦ ②

## BOULOGNE-SUR-GESSE
**31350** H.-Gar. – 1 531 h.

ᴧᴧᴧ **Municipal du Lac** 𝕊, « Cadre agréable », 𝒫 61 88 20 54, SE : 1 km par D 633 rte de Montréjeau et rte à gauche, à 300 m du lac
2 ha (165 empl.) ⚬━ plat et peu incliné, herbeux ⚲ – 🕆 ⇆ 🛁 🗊 ☺ – 🖵 –
A proximité : 🍴 🛒 🖧 🔥 🟰
Permanent – **R** *conseillée* – 🏃 *8,20* ▣ *7,60* ⓗ *10 (6A)*

      ⑭ – ⑧② ⑮

## BOULOIRE
**72440** Sarthe – 1 829 h.

ᴧ **Municipal,** sortie E rte de St-Calais
1,3 ha (33 empl.) plat, peu incliné et terrasse, herbeux – 🕆 ⇆ 🛁 ▥ ☺ –
A proximité : 🖧
18 avril-sept. – **🅡** – 🏃 *7,80* 🚗 *3,40* ▣ *3,40* ⓗ *6,80 (5A) 12,90 (20A)*

      ⑤ – ⑥④ ④

## Le BOULOU
**66160** Pyr.-Or. – 4 436 h. –
🔱 fév.-nov.
🅱 Office de Tourisme, r. des Écoles
𝒫 68 83 36 32

ᴧ **Le Mas Llinas** 𝕊 ≼ Chaîne des Albères « Agréable situation », 𝒫 68 83 25 46, N : 3 km par N 9 rte de Perpignan et chemin à gauche, devant l'Intermarché
3 ha (100 empl.) ⚬━ en terrasses, gravier – 🕆 ⇆ ⚖ 🗊 🛁 ☺ 📧 – 🖵 – Location :
🛖
Permanent – **R** *conseillée juil.-août – Tarif 91 :* ▣ *1 à 3 pers. 40 à 66, pers. suppl. 11* ⓗ *10 (5A)*

ᴧ **L'Olivette,** 𝒫 68 83 48 08, S : 2 km par N 9, aux Thermes du Boulou, bord de la Rome
2,7 ha (190 empl.) ⚬━ plat et terrasse, herbeux ⚲⚲ – 🕆 ⇆ 🛁 ⚖ 🛁 ☺
avril-oct. – **R** *conseillée juil.-août* – ▣ *2 pers. 65* ⓗ *8 (6A)*

      ⑮ – ⑧⑥ ⑲ G. Pyrénées Roussillon

## BOURBON-LANCY
**71140** S.-et-L. – 6 178 h. –
🔱 2 avril-21 oct.
🅱 Office de Tourisme, pl. d'Aligre (fermé matin nov.-mars)
𝒫 85 89 18 27

ᴧᴧᴧ **Municipal du Plan d'Eau,** 𝒫 85 89 34 27, sortie O par rte de Moulins et chemin à gauche, bord du plan d'eau
1,8 ha (64 empl.) ⚬━ peu incliné, herbeux ⊡ – 🕆 ⇆ 🛁 🗊 🛁 ☺ 🟰 – 🖵 poneys, toboggan aquatique – A proximité : 🍴 ✗ 🛒 🔥 🟰 – Location : chalets
juin-sept. – **R** – *Tarif 91 :* 🏃 *7,90* 🚗 *4,75* ▣ *4,75/5,80* ⓗ *6,85*

ᴧᴧᴧ **Municipal de Saint-Prix** « Cadre agréable », 𝒫 85 89 14 85, vers sortie ③ rte de Digoin, à la piscine, à 200 m d'un plan d'eau
2,5 ha (128 empl.) ⚬━ plat, incliné et en terrasses, herbeux ⊡ – 🕆 ⇆ 🛁 ☺ 🟰
▽ – 🖵 🔥 – A proximité : ✗ 🔥 🟰
15 avril-15 oct. – **R** – *Tarif 91 :* 🏃 *7,90* 🚗 *4,75* ▣ *4,75/5,80* ⓗ *6,85*

      ⑪ – ⑥⑨ ⑯ G. Bourgogne

## BOURBON-L'ARCHAMBAULT
**03160** Allier – 2 630 h. –
🔱 15 janv.-14 déc.
🅱 Office de Tourisme, 1 pl. des Thermes (avril-oct.) 𝒫 70 67 09 79

ᴧ **Municipal Parc Jean Bignon** 𝕊, 𝒫 70 67 08 83, sortie SO par rte de Bourges et rue à droite
3 ha (157 empl.) ⚬━ (avril-sept.) plat et peu incliné, herbeux ⚲ – 🕆 ⇆ 🛁 ☺ 🟰
▽ 📧 – A proximité : ✂ 🔥 🟰
mars-oct. – **🅡** – *Tarif 91 :* 🏃 *9,70* 🚗 *4* ▣ *5,50* ⓗ *9 (moins de 5A) 10,50 (plus de 5A)*

      ⑪ – ⑥⑨ ⑬ G. Auvergne

## BOURBONNE-LES-BAINS
**52400** H.-Marne – 2 764 h. –
🔱 mars-nov.
🅱 Office de Tourisme, Centre Borvo, pl. des Bains (mars-nov.)
𝒫 25 90 01 71

ᴧ **Le Montmorency** ≼, 𝒫 25 90 08 64, sortie O par rte de Chaumont et rte à droite, à 100 m du stade
1,5 ha (60 empl.) ⚬━ peu incliné, herbeux – 🕆 ⇆ 🛁 🗊 ☺ 🟰 ▽ – A proximité : ✗ 🔥 – Location : 🛖
avril-oct. – **R** *conseillée* – 🏃 *9,25* ▣ *8,30/9,25* ⓗ *8,30 (6A)*

      ⑦ – ⑥② ⑬ G. Alsace Lorraine

## La BOURBOULE
**63150** P.-de-D. – 2 113 h. alt. 852 –
🔱.
🅱 Office de Tourisme, pl. de l'Hôtel-de-Ville 𝒫 73 81 07 99

ᴧᴧᴧ **Les Clarines** ❄ ≼, 𝒫 73 81 02 30, E : 1,5 km, par av. du Maréchal Leclerc et D 996 rte du Mont-Dore
3 ha (150 empl.) ⚬━ peu incliné et en terrasses, herbeux, gravier ⚲⚲ (2 ha) – 🕆
⇆ 🛁 🗊 ▥ ☺ 🟰 ▽ ⚖ 🍴 🛒 📧 – 🖵 🔥 🟰 – Location : 🛖
Permanent – **R** *conseillée juil.-août* – 🏕 *piscine comprise 2 pers. 58, pers. suppl. 16* ⓗ *11,50 (3A) 22 (6A) 29 (10A)*

ᴧᴧᴧ **Municipal les Vernières** ≼, 𝒫 73 81 10 20, sortie E par D 130 rte du Mont-Dore, près de la Dordogne
1,5 ha (165 empl.) ⚬━ plat et terrasse, herbeux ⊡ ⚲ – 🕆 🛁 🛁 🛁 ▥ ☺ 📧 –
🖵 🔥 – A proximité : ✗ 🟰 🟰
mars-sept. – **🅡** – *Tarif 91 :* 🏃 *12,50* ▣ *9* ⓗ *10,50 (3A) 21 (6A) 31,50 (10A)*

      ⑪ – ⑦③ ⑬ G. Auvergne

*à Murat-le-Quaire* N : 2,5 km par D 88 – ⊠ 63150 Murat-le-Quaire :

⚠ **Municipal les Couderts** ⬕, *℘* 73 65 54 81, sortie N rte de la Banne d'Ordanche, bord d'un ruisseau – alt. 1 040
1,7 ha (45 empl.) ⊶ (saison) plat, peu incliné, en terrasses, herbeux ⊡ – ⋔ ⬥
⛺ 🖼 ⊕ 🏠 – ⚘
20 mai-25 sept. – **R** conseillée juil.-août – ¶ 9,50 ⬕ 4 ▣ 6 ⅍ 8,50 (3A) 17 (6A) 26 (10A)

---

# BOURCEFRANC-LE-CHAPUS
**17560** Char.-Mar. – 2 851 h.
Schéma à Oléron

⑨ – 𝟙𝟟𝟙 ⑭ G. Poitou Vendée Charentes

⚠⚠ **Municipal la Giroflée** ⬳, *℘* 46 85 06 43, S : 2 km, près de la plage
3,2 ha (100 empl.) ⊶ (juil.-août) plat, herbeux, sablonneux ♀ (2 ha) – ⋔ ⬥ ⌁
⬥ ⊕ – A proximité : ¶ 🔨 ⬙
15 mai-15 sept. – **R** conseillée août – ¶ 9,80 ▣ 8,45 ⅍ 9,80 (3 ou 5A)

---

# BOURDEAUX
**26460** Drôme – 562 h.
🅱 Syndicat d'Initiative, pl. de la Lève
*℘* 75 53 35 90

𝟙𝟞 – 𝟟𝟟 ⑬

⚠ **Municipal le Gap des Tortelles** ⬳, ⬕, *℘* 75 53 30 45, sortie SE par D 70 rte de Nyons et chemin à droite, bord du Roubion
0,7 ha (44 empl.) ⊶ plat et terrasse, herbeux, pierreux ♀ – ⋔ ⛺ 🖼 ⊕ – A proximité : ✻ 🔨
mai-sept. – **R** conseillée juin à août – ▣ 2 pers. 33,30 ⅍ 10,50 (3A)

*au Poët-Célard* NO : 4 km par D 328 – ⊠ 26460 Bourdeaux :

⚠⚠⚠ **Le Couspeau** ⬳ ⬕ « Site agréable », *℘* 75 53 30 14, SE : 1,3 km par D 328A – alt. 600
2 ha (50 empl.) ⊶ en terrasses et peu incliné, herbeux ⊡ – ⋔ ⬥ ⛺ 🖼 ⊕ 🏬 snack ⚘ 🏠 – 🍴 ✻ 🔨 ⬙ tir à l'arc, vélos – Location : chalets
mai-sept. – **R** conseillée – ▣ piscine comprise 2 pers. 80, pers. suppl. 20 ⅍ 14 (3A) 17 (6A)

---

# BOURG-ACHARD
**27310** Eure – 2 255 h.

⑤ – 𝟝𝟝 ⑤ G. Normandie Vallée de la Seine

⚠⚠ **Le Vanneau**, réservé aux caravanes ⬳ « Cadre normand », *℘* 32 56 42 93, S : 5 km par D 83, à Bosc-Bénard-Crescy – 🅿
2,5 ha (40 empl.) ⊶ plat et peu incliné, herbeux – ⋔ ⬥ ⌁ 🖼 ⊕ – 🍴 ✻ ⚘
avril-1er oct. – **R** – ¶ 7,30 et 7,30 pour eau chaude ▣ 7,30 ⅍ 7,30

⚠ **Le Clos Normand,** *℘* 32 56 34 84, sortie O rte de Pont-Audemer
1,4 ha (85 empl.) ⊶ plat et peu incliné, herbeux, bois attenant – ⋔ ⟋ ⊕ ¶ – ⚘
avril-sept. – **R** – ¶ 13 ⬕ 6 ▣ 12 ⅍ 14 (5A)

---

# Le BOURG-D'ARUD
**38** Isère – alt. 950 – ⊠ 38143 Venosc

𝟙𝟚 – 𝟟𝟟 ⑥ G. Alpes du Nord

⚠⚠⚠ **Le Champ du Moulin** ⬳ ⬕ « Site agréable », *℘* 76 80 07 38, sortie O par D 530, bord du Vénéon
1 ha (51 empl.) ⊶ plat, herbeux, pierreux – ⋔ ⬥ ⌁ 🏬 ⊕ 🏠 ¶ snack, pizzeria 🖼 – tir à l'arc – A proximité : ✻ 🔨 🍴 – Location : 🚃, appartements, gîte d'étape
30 nov.-10 mai et juin-sept. – **R** conseillée fév. et juil.-août – ▣ 2 pers. 76,50 (hiver 80,90), 3 pers. 82,50 (hiver 87,65), pers. suppl. 18,50 (hiver 20,25) ⅍ 10 (3A) 18 (6A) 25 (10A)

⚠ **La Cascade** ⬕, *℘* 76 80 04 77, au SO du bourg, près d'une cascade
0,5 ha (41 empl.) peu incliné, herbeux ♀♀ (0,5 ha) – ⋔ ⬥ ⌁ ⊕
juin-1er oct. – **R** conseillée – ¶ 9 ⬕ 5 ▣ 5 ou 9 ⅍ 8,50

⚠ **Le Savet** ⬕, *℘* 76 80 06 91, au bourg, à 50 m du Vénéon
0,25 ha (15 empl.) plat, herbeux, pierreux – ⋔ ⬥ ⌁ ⊕ – 🍴 – A proximité : ✻ 🔨 ⬙ tir à l'arc
juin-20 oct. – **R** conseillée – ¶ 10 ⬕ 7 ▣ 12/20 ⅍ 10 (3A)

---

# BOURG-DE-PÉAGE
**26300** Drôme – 9 248 h.

𝟙𝟚 – 𝟟𝟟 ②

*à Barbières* SE : 15 km par D 149 – ⊠ 26300 Barbières :

⚠⚠⚠ **le Gallo-Romain,** *℘* 75 47 44 07, SE : 1,2 km par D 101 rte du Col de Tourniol, bord de la Barberolle
3 ha (35 empl.) ⊶ plat et peu incliné, pierreux, herbeux ⊡ – ⋔ ⬥ ⌁ 🖼 ⬥ ⊕ ¶ ✗ 🍴 🖼 – 🚃 ⬙ vélos – Location : 🛏
mai-sept. – **R** conseillée juil.-août – ¶ 13 piscine comprise ▣ 55 ⅍ 10 (15A)

---

# BOURG-DES-COMPTES
**35580** I.-et-V. – 1 727 h.

④ – 𝟞𝟛 ⑥

⚠ **Municipal la Courbe** ⬳, O : 2 km par rte de Guichen et rte à gauche avant le pont, à 100 m de la Vilaine et d'un étang
1 ha (60 empl.) plat, herbeux – ⋔ ⟋ ⊕
avril-oct. – **R** – Tarif 91 : ¶ 6,70 ⬕ 3,90 ▣ 3,90 ⅍ 7,20 (3A) et 1,30 par ampère suppl.

## Le BOURG-D'HEM

⑩ – ⑫ ⑨ G. Berry Limousin

**23220** Creuse – 278 h.

⚠️ **Municipal** ⚐ ≤ « Site agréable », 𝒫 55 62 84 36, à 1,7 km à l'ouest du bourg par D 48 rte de Bussière-Dunoise et chemin à droite, bord de la Creuse
0,33 ha (36 empl.) ⊶ en terrasses, herbeux ⊡ ⚱ – 🕮 ⚶ ⊟ 🗊 ⚹ ⊛ ⚘ –
🏖 (plage) – A proximité : 🍴 snack ⟷
juin-sept. – **R** *conseillée juil.-août* – 🚶 10 ⇆ 6 🅴 6 🈁 7 (4A)


## Le BOURG-D'OISANS

⑫ – ⑰ ⑥ G. Alpes du Nord

**38520** Isère – 2 911 h. alt. 719.
🅱 Office de Tourisme, quai Girard
𝒫 76 80 03 25

⚠️ **A la Rencontre du Soleil** ≤, 𝒫 76 80 00 33, NE : 1,7 km rte de l'Alpe-d'Huez, bord de la Sarennes
1,6 ha (73 empl.) ⊶ plat, herbeux ⊡ ⚱ – 🕮 ⚶ ⊟ 🗊 🛒 ⊛ ✕ ⚘ 🖽 – 🖼
✂ ⟷ 🏊
20 mai-10 sept. – **R** *conseillée juil.-août* – 🅴 *piscine comprise 3 pers. 96, pers. suppl. 21* 🈁 13 (2A)

⚠️ **La Cascade** ❀ ≤, 𝒫 76 80 02 42, NE : 1,5 km rte de l'Alpe-d'Huez, près de la Sarennes
2,4 ha (140 empl.) ⊶ plat, herbeux, pierreux – 🕮 ⚶ ⊟ 🗊 🛒 ⊛ 🖽 – 🖼 –
A proximité : 🏊
fév.-sept. – **R** *indispensable juil.-août* – 🅴 *piscine comprise 2 pers. 75, 3 pers. 90, pers. suppl. 18* 🈁 9 (6A)

⚠️ **Caravaneige le Vernis** ❀, interdit aux camping-cars, 𝒫 76 80 02 68, SE : 2,5 km sur N 91 rte de Briançon et près de la Romanche – ✂
1,2 ha (60 empl.) ⊶ plat, herbeux – 🕮 ⚶ ⚝ 🗊 🈁 ⊛
fermé oct. – **R** *conseillée hiver* – 🅴 *2 pers. 50, pers. suppl. 11*

*à la Garde* NE : 4 km par N 91 et D 211 à gauche – ✉ 38520 la Garde :

⚠️ **Le Préoula** ⚐ ≤, 𝒫 76 80 11 19, au bourg – alt. 970
0,2 ha (12 empl.) ⊶ plat, herbeux, pierreux – 🕮 ⚶ ⊟ ⊛ – A proximité : ✂
25 juin-25 août – **R** – 🅴 *2 pers. 42, pers. suppl. 12* 🈁 12 (2A) 20 (6A)

*à Rochetaillée* N : 7 km par N 91 rte de Grenoble et rte d'Allemont à droite ✉ 38520 le Bourg-d'Oisans :

⚠️ **Belledonne** ≤, 𝒫 76 80 07 18
3,5 ha (150 empl.) ⊶ plat, herbeux ⚱ – 🕮 ⚶ ⚝ 🗊 ⚹ ⊛ ⚘ 🍴 ⚘ 🖽 – 🖼
⟷ 🏊 – A proximité : ✂
15 juin-9 sept. – **R** *conseillée juil.-août* – 🅴 *piscine comprise 3 pers. 81, pers. suppl. 18,50* 🈁 10 (3A) 16 (6A)


## BOURG-DUN

① – �52 ③ ④ G. Normandie Vallée de la Seine

**76740** S.-Mar. – 481 h.

⚠️ **Municipal Les Garennes** ⚐, 𝒫 35 83 10 44, S : 0,8 km par D 101 rte de Luneray, au stade
1,5 ha (70 empl.) ⊶ (saison) plat, peu incliné, herbeux – 🕮 ⚶ ⊟ 🗊 ⊛ – ✂
avril-sept. – *Places limitées pour le passage* – **R** *juil.-août* – 🚶 9,10 🅴 8,40 🈁 8 (10A) 11,95 (15A) 15,90 (20A)


## BOURG-EN-BRESSE 🅿

⑫ – ⑭ ③ G. Bourgogne

**01000** Ain – 40 972 h.
🅱 Office de Tourisme, 6 av. Alsace-Lorraine 𝒫 74 22 49 40 et bd de Brou (juil.-août) 𝒫 74 22 27 76

⚠️ **Municipal de Challes** « Entrée fleurie », 𝒫 74 45 37 21, sortie NE par rte de Lons-le-Saunier, à la piscine
1,3 ha (125 empl.) ⊶ plat, goudronné, herbeux ⚱ – 🕮 ⚶ ⊟ 🗊 ⊛ ⚘ ⚝ ⚞
🖽 – 🖼 ⟷ – A proximité : 🏊
avril-15 oct. – **R** – 🚶 10 🅴 18/30 avec élect. 6A


## BOURGES 🅿

⑩ – �69 ① G. Berry Limousin

**18000** Cher – 75 609 h.
🅱 Office de Tourisme et Accueil de France, 21 r. V. Hugo 𝒫 48 24 75 33

⚠️ **Municipal** « Entrée fleurie », 𝒫 48 20 16 85, au S de la ville, Bld de l'Industrie (périphérique), près de l'Avron
2 ha (117 empl.) ⊶ plat et peu incliné, herbeux, gravier ⊡ ⚱ – 🕮 ⊟ ⚝ 🗊 ⚹
🛒 ⊛ ⚘ ⚞ – 🖼 ⟷ – A proximité : ✂ 🏊
15 mars-15 nov. – **R** – 🚶 11,50 🅴 14/20 🈁 10 (6A) 20 (10A)


## BOURG-FIDÈLE

② – �53 ⑱

**08230** Ardennes – 732 h.

⚠️ **La Murée** ⚐, 𝒫 24 54 24 45, N : 1 km par D 22 rte de Rocroi, bord de 2 étangs
0,4 ha (23 empl.) ⊶ plat, herbeux – 🕮 ⚶ ⊟ 🗊 🛒 🗊 ⊛ ⚝ ⚞ 🍴 ✕ ⚘ 🖽
– ⟷
fermé fév. – **R** – 🚶 18 ⇆ 9 🅴 25 🈁 18 (15A)


▶ *Dans ce guide*
*un même symbole, un même mot,*
*imprimés en **noir** ou en rouge, en maigre ou en **gras**,*
*n'ont pas tout à fait la même signification.*
*Lisez attentivement les pages explicatives.*

## BOURG-MADAME

66760 Pyr.-Or. – 1 238 h. alt. 1 130.
🔲 Syndicat d'Initiative, pl. de
Catalogne ☎ 68 04 55 35

🔳 – 🔳🔳 ⑯ G. Pyrénées Roussillon

⚠ **Mas Piques** ≤, ☎ 68 04 62 11, au nord de la ville, rue du Train Jaune, près
du Rahur (frontière)
1,5 ha (103 empl.) •━ plat, herbeux – 🛖 ⚍ 🔏 🔳 ⚒ 🏠 ⊕ ⚍ ⚐ 🔳 – 🔳 –
A proximité : ⚓
Permanent – **R** conseillée juil.-août – 🔳 2 pers. 55, pers. suppl. 18 🔳 15 (3A)
29 (6A) 37 (10A)

⚠ **Le Sègre** « Cadre agréable », ☎ 68 04 65 87, sortie N par N 20, bord du Sègre
1 ha (60 empl.) •━ plat, herbeux 🔲 ⚘⚘ – 🛖 ⚍ 🔏 🔳 ⚒ 🔳 ⊕ ⚐ 🔳 – 🔳 ⚙
– A proximité : ✗ 🔻
fermé oct. – **R** conseillée juil.-août

⚠ **La Gare,** ☎ 68 04 80 95 ✉ 66760 Ur, N : 2,5 km par N 20
1 ha (70 empl.) •━ plat, herbeux ⚘ – 🛖 🔏 🔳 ⊕ – 🔳
mai-sept. – **R** conseillée – ✦ 8,50 🔳 13,50 🔳 11 (2A) 13 (3A)

## BOURGNEUF-EN-RETZ

44580 Loire-Atl. – 2 346 h.

🔳 – 🔳🔳 ② G. Poitou Vendée Charentes

⚠ Parc Résidentiel de la Guérivière Ⓜ, ☎ 40 21 91 12, NO : 1,3 km par D 13 rte
de Pornic puis 0,8 km par rte à droite
6 ha/1,7 campable (100 empl.) •━ plat, herbeux 🔲 – (🛖 ⚍ 🔲 saison) 🔳 ⚒
⊕ ⚍ ⚐ 🔳 – 🔳 ✗ 🔻 – Location : 🔳 🔳

## BOURG-ST-MAURICE

73700 Savoie – 6 056 h. alt. 840 –
🚡 aux Arcs.
🔲 Office de Tourisme, pl. de la Gare
☎ 79 07 04 92

🔳 – 🔳🔳 ⑱ G. Alpes du Nord

⚠ **Le Versoyen** ❄ ⚘ ≤, ☎ 79 07 03 45, sortie NE par N 90 rte de Séez puis
0,5 km par rte des Arcs à droite, près d'un torrent
3,5 ha (200 empl.) •━ plat, herbeux, bois attenant – 🛖 ⚍ ⚍ 🔳 🔳 ⊕ – 🔳 –
A proximité : ⚓ ✗ 🔻 🔻
fermé oct. – **R** conseillée vac. scol. – ✦ 15,80 (hiver 16,40) 🔳 14,20 (hiver 14,70)
🔳 4 à 10A : 14,60 à 38,50 (hiver 16 à 39,90)

## BOURG-ST-ANDEOL

07700 Ardèche – 7 795 h.
🔲 Syndicat d'Initiative, pl. Champs-
de-Mars ☎ 75 54 54 20

🔳 – 🔳🔳 ⑨ ⑩ G. Vallée du Rhône

⚠ **Le Lion** ⚘ « Cadre agréable », ☎ 75 54 53 20, sortie N par N 86 puis 0,5 km
par chemin à droite, près du Rhône (accès direct) – Sur N 86, prendre direction
centre ville
5 ha (140 empl.) •━ plat, herbeux ⚘⚘ – 🛖 🔏 🔳 ⊕ ☂ snack 🔳 – 🔻 ⚙ 🔻
avril-15 sept. – **R** conseillée juil.-15 août – 🔳 piscine comprise 2 pers. 68 🔳 14
(6A)

## BOURISP

65170 H.-Pyr. – 103 h. alt. 800

🔳🔳 – 🔳🔳 ⑲

⚠ **Le Rioumajou** Ⓜ ❄ ⚘ ≤, ☎ 62 39 48 32, NO : 1,3 km par D 929 rte
d'Arreau et chemin à gauche, bord de la Neste d'Aure
5 ha (135 empl.) •━ plat, gravillons, pierreux 🔲 ⚘⚘ – ⚍ 🔳 🔳 ⚒ 🔳 ⊕ ⚍ ⚐
☂ 🔳 – 🔳 ✗ 🔻 – Location : 🔳
Permanent – **R** conseillée fév., indispensable juil.-août – 🔳 piscine comprise
1 pers. 35 🔳 14 à 36 (2 à 10A)

⚠ **La Mousquere** ≤, ☎ 62 39 44 99, à l'ouest du bourg sur D 116, à 50 m du
D 929, près d'un ruisseau
0,8 ha (45 empl.) •━ incliné, pierreux, herbeux – 🛖 ⚍ ⚍ ⚒ 🔳 ⊕ ⚍ ⚐ – 🔳
– A proximité : ✗
20 déc.-2 sept. – **R** conseillée – ✦ 13 🔳 15 🔳 12 (3A) 24 (6A)

## BOUSSENS

31360 H.-Gar. – 797 h.

🔳🔳 – 🔳🔳 ⑯

⚠ **Municipal du Lac** ≤, ☎ 61 90 03 60, à l'est du bourg, près de la Garonne
(plan d'eau)
0,3 ha (18 empl.) •━ (saison) plat, herbeux, gravillons 🔲 ⚘ – 🛖 ⚍ ⊕ ⚍ ⚐ –
🔻 – A proximité : ✗ ✗
Permanent – **R** conseillée – 🔳 3 pers. 36

## BOUT-DU-LAC 74 H.-Savoie – 🔳🔳 ⑯ – voir à Annecy (Lac d')

## BOUZIGUES

34140 Hérault – 907 h.

🔳 – 🔳🔳 ⑯

⚠ **Lou Labech** ⚘ ≤, ☎ 67 78 30 38, à 0,7 km à l'est du bourg, chemin du stade,
à 100 m du bassin de Thau
0,6 ha (36 empl.) •━ peu incliné, en terrasses, pierreux, herbeux 🔲 – 🛖 ⚍ ⚍
🔳 ⚒ ⊕ – A proximité : ✗
juin-sept. – **R** conseillée – 🔳 1 à 5 pers. 72 à 100 🔳 13 (5A)

## BOZEL

73350 Savoie – 1 690 h. alt. 861

🔳🔳 – 🔳🔳 ⑱

⚠ **Municipal le Chevelu** ⚘ ≤ « Cadre boisé », ☎ 79 22 04 80, E : 1 km par
rte de Pralognan-la-Vanoise à droite, bord du Doron
3 ha (200 empl.) •━ (juil.-août) accidenté et en terrasses, pierreux, herbeux ⚘⚘
– 🛖 ⚍ ⚒ ⊕ – A proximité : ✗
juin-15 sept. – ✦ 9,50 🔳 3,20 🔳 4,20 🔳 9,50 (3A) 13,60 (6A) 22
(10A)

5

## BRACIEUX

**41250** L.-et-Ch. – 1 157 h.

5 – 64 ⑱ G. Châteaux de la Loire

⚠ **Municipal les Châteaux** ⚞, ℰ 54 46 41 84, sortie N rte de Blois, bord du Beuvron
8 ha (300 empl.) ⟿ plat, herbeux, sablonneux ♋ – 🗐 ⚲ ⊕ 🖼 – 🛱 ⤳
avril-15 oct. – **R** – *Tarif 91 :* ⚦ *8,80* 🖃 *5,70* 🔌 *10,30 (5A)*

---

## BRAIN-SUR-L'AUTHION

**49800** M.-et-L. – 2 622 h.

5 – 64 ⑪

⚠ **Municipal Caroline,** ℰ 41 80 42 18, sortie S par D 113 rte de la Bohalle, à 100 m de l'Authion
3,5 ha (125 empl.) ⟿ plat, herbeux ⊡ – 🗐 ⚲ ⚲ 🖸 ᗘ 🏓 ⊕ 🖼 – 🛱 ⤳
– A proximité : ✖
Permanent – **R** *conseillée* – ⚦ *9,50* ⇐ *6,50* 🖃 *7,50* 🔌 *12 (6A)*

---

## BRANTÔME

**24310** Dordogne – 2 080 h.
🮱 Syndicat d'Initiative, Pavillon Renaissance (Pâques-fin oct.)
ℰ 53 05 80 52

10 – 75 ⑤ G. Périgord Quercy

⚠ **Municipal,** ℰ 53 05 75 24, E : 0,8 km par D 78 rte de Thiviers, bord de la Dronne
1,6 ha (57 empl.) ⟿ plat, herbeux ♀ – 🗐 ᗘ ⚲ ⊕ – ✖ ⤳
juin-sept. – **R** – ⚦ *9* 🖃 *10* 🔌 *6*

---

## BRASSAC

**81260** Tarn – 1 539 h.

15 – 83 ② G. Gorges du Tarn

⚠ **Municipal de la Lande** ⚞, ℰ 63 74 09 11, sortie SO vers Castres et à droite après le pont, près de l'Agout et au bord d'un ruisseau – Pour caravanes, faire demi-tour au rond-point
0,6 ha (48 empl.) ⟿ (saison) plat, herbeux ♀ – 🗐 ᗘ ⊕ – 🛱
avril-oct. – **R** *conseillée juil.-août* – ⚦ *7* ⇐ *3* 🖃 *7* 🔌 *9 (5A)*

---

## BRAUCOURT

**52** H.-Marne
✉ 52290 Eclaron-Braucourt

7 – 61 ⑨

⚠ **Presqu'île de Champaubert** ⚞ ≤ « Situation agréable au bord du lac du Der-Chantecoq », ℰ 25 04 13 20, NO : 3 km par D 153
3,5 ha (195 empl.) ⟿ plat et peu incliné, herbeux ⊡ – 🗐 ⚲ ᗘ 🖸 ⊕ ⚲ 🍴
🖼 – ✖ – A proximité : ⤳ ⚲ ◭
avril-15 oct. – **R** *conseillée* – ⚦ *17* ⇐ *11* 🖃 *15* 🔌 *10 (10A)*

---

## BRAY-DUNES

**59123** Nord – 4 755 h.

2 – 51 ④ G. Flandres Artois Picardie

⚠ **Le Perroquet,** ℰ 28 58 37 37, NE : 3 km par rte de la Panne, avant la douane française, bord de plage
28 ha (800 empl.) ⟿ plat et accidenté, dunes ⊡ – 🗐 ⚲ ⚲ 🖸 sauna ⊕ 🍴 🍴
✖ ᗘ 🖼 – 🛱 ✖ ⤳ ◭ tir à l'arc, arbalette, practice de golf – Location 🏚 🏚
avril-15 oct. – *Places disponibles pour le passage* – **R** – ⚦ *21 tennis compris* ⇐
*7,50* 🖃 *7,50/9* 🔌 *12,50 (4A) 20 (10A) 25 (20A)*

---

## BRÉCEY

**50370** Manche – 2 029 h.

4 – 59 ⑧

⚠ **Municipal le Pont Roulland,** ℰ 33 48 60 60, E : 1,1 km par D 911 rte de Cuves, près d'un plan d'eau
1 ha (50 empl.) ⟿ plat et peu incliné, herbeux – 🗐 ᗘ ᗘ 🖸 ⊕ – 🛱 ⤳ ⤳
– A proximité : ✖ ⚲
juin-sept. – **R** *conseillée* – *Tarif 91 :* ⚦ *11* 🖃 *12* 🔌 *8*

---

## La BRÉE-LES-BAINS **17** Char.-Mar. – 171 ⑬ – voir à Oléron (Ile d')

---

## BRÉHAL

**50290** Manche – 2 351 h.

4 – 59 ⑦

⚠ **Intercommunal de la Vanlée,** ℰ 33 61 63 80, à St-Martin, O : 5 km, près du golf, bord de la plage
11 ha (405 empl.) ⟿ plat, accidenté, herbeux, sablonneux – 🗐 ᗘ 🖸 ᗘ ⊕ 🍴
🍴 ✖ 🖼 – 🛱 ⤳
20 avril-sept. – **R** *conseillée juil.-août* – ⚦ *15* 🖃 *15* 🔌 *9 (4A) 16 (6A)*

---

## BRÉHEC-EN-PLOUHA

**22** C.-d'Armor – ✉ 22580 Plouha

3 – 59 ② ③ G. Bretagne

⚠ **Les Tamaris** ⚞ ≤ baie, ℰ 96 22 60 01, au vieux Bréhec, à 400 m de la plage
1,3 ha (66 empl.) ⟿ plat, peu incliné, en terrasses, herbeux – 🗐 ⚲ ⊕ 🍴 – 🖼
15 juin-15 sept. – *Tarif 91 :* ⚦ *10,80* ⇐ *7,50* 🖃 *10* 🔌 *10 (3A) 1*
*(6A)*

---

## La BREILLE-LES-PINS

**49390** M.-et-L. – 345 h.

5 – 64 ①

⚠ **Municipal les Loges** « Site agréable », ℰ 41 52 81 66, E : 3 km par D 15 puis aux Loges 1 km vers le sud par D 58, près d'un plan d'eau
5,2 ha (52 empl.) ⟿ (saison) peu incliné et accidenté ♀♀ – 🗐 ⊕ – ⤳
Pâques-sept. – **R** *saison* – *Tarif 91 :* ⚦ *5* ⇐ *2,50* 🖃 *3* 🔌 *5 (10A)*

## BREM-SUR-MER

**85470** Vendée – 1 709 h. 〚9〛 – 〚67〛 ⑫

🔺🔺🔺 **Le Chaponnet** M 🏊, ℰ 51 90 55 56, à l'ouest du bourg
5 ha (288 empl.) ⊶ plat, herbeux 🖵 ♀♀ (2 ha) – 🍴 ⊖ 🛁 ⚕ ⚙ 🏊 ☂ ♀
snack 🍴 – 🖼 ✗ ⚓ 🎾 – Location : 🚐
avril-sept. – **R** *indispensable juil.-août* – 🔲 *piscine et tennis compris 3 pers. 105*
[⚡] *10,50 (3A) 14,50 (6A)*

🔺🔺 **L'Océan** 🏊, ℰ 51 90 59 16, O : 1 km
2,7 ha (173 empl.) ⊶ plat, herbeux 🖵 – 🍴 ⊖ 🏊 🖼 ⚕ ⚙ ✗ 🎾 🖼 – 🖼
⚓
juin-15 sept. – 🔲 *2 pers. 45,80* [⚡] *11,40 (6A)*

🔺🔺 **Le Brandais** 🏊, ℰ 51 90 55 87, sortie NO par D 38 et rte à gauche
2 ha (200 empl.) ⊶ (saison) plat et peu incliné, herbeux 🖵 ♀♀ – 🍴 ⊖ 🛁 🖼
⚕ ⚙ 🖼 – 🖼
avril-oct. – **R** *conseillée juil.-août* – 🔲 *2 pers. 50, pers. suppl. 12,50* [⚡] *12 (4A)*

🔺🔺 **le Littoral** 🏊, ℰ 51 90 92 76, sortie NO par D 38 et à gauche
3,8 ha (292 empl.) ⊶ (saison) plat et peu incliné, herbeux 🖵 ♀♀♀ – 🛁 🏊
🖼 ⚕ ⚙ ♀ snack 🍴 – 🖼
mai-sept. – **R** *conseillée 1er-20 août* – 🔲 *2 pers. 40, pers. suppl. 11* [⚡] *10 (4A)*
*20 (6A)*

---

## BRENGUES

**46320** Lot – 159 h. 〚15〛 – 〚79〛 ⑨ G. Périgord Quercy

🔺🔺🔺 **Le Moulin Vieux** 🏊 ≤, ℰ 65 40 00 41, N : 1,5 km par D 41 rte de Figeac,
bord du Célé
1,5 ha (83 empl.) ⊶ plat, herbeux, pierreux ♀ – 🍴 🛁 🖼 ⚕ ⚙ 🏊 ✗ ✗ 🎾
🖼 – 🎾 ⚓ 🎾 🏊 – A proximité : 🖼 – Location : 🚐 🚐
mai-oct. – **R** *conseillée juil.-août* – 🎣 *20 piscine comprise* 🔲 *20* [⚡] *12 (10A)*

🔺🔺 **Municipal,** ℰ 65 40 06 82, sortie S par D 38, rte de Carayac et à droite, avant
le pont, bord du Célé
0,5 ha (50 empl.) ⊶ (saison) plat, herbeux ♀♀ – 🍴 🏊 🖼 ⚕ ⚙ ♀ – ✗ 🚐
15 avril-15 oct. – **R** *conseillée juil.-août* – 🎣 *11* 🔲 *12* [⚡] *7 (2A)*

---

## La BRESSE

**88250** Vosges – 5 191 h. alt. 636 – 🏊.
🚩 Office de Tourisme, 21 quai
...ranées ℰ 29 25 41 29 〚8〛 – 〚62〛 ⑰ G. Alsace Lorraine

🔺🔺🔺 **Belle Hutte** M ❄ ≤ « Dans un site agréable », ℰ 29 25 49 75, NE : 9 km par
D 34 rte du col de la Schlucht, bord de la Moselotte – alt. 900
2 ha (100 empl.) ⊶ en terrasses, pierreux 🖵 – 🍴 ⊖ 🛁 🖼 ▥ ⚙ 🖼 – 🖼 🎿
(bassin) – A proximité : ✗
Permanent – **R** *conseillée 15 juil.-15 août, indispensable Noël et fév.* – 🎣 *11,50*
*(hiver 18)* 🚐 *6,50 (hiv 8,50)* 🔲 *7/8,50 (hiver 10,50)* [⚡] *2 à 10A : 9,50 à 25*
*(hiver 12,50 à 37)*

🔺🔺 **S.I. les Écorces** ❄ 🏊 ≤, E : 1,7 km par D 34 rte de la Schlucht et chemin
à droite, bord de la Moselotte
1,5 ha (150 empl.) ⊶ plat et incliné, herbeux – 🍴 ⊖ 🛁 🖼 ▥ ⚙ – 🖼
Permanent – **R** *conseillée hiver* – 🏨 *été* – *Tarif 91 :* 🎣 *10,20 (hiver 12,50)* 🚐
*5,50 (hiv 5,20)* 🔲 *6/7,50 (hiver 8,50)*

---

## BRÉTIGNOLLES-SUR-MER

**85470** Vendée – 2 165 h. 〚9〛 – 〚67〛 ⑫

🔺🔺🔺 **Les Dunes,** ℰ 51 90 55 32, S : 2,5 km par D 38 et rte à droite, accès direct
à la plage
12 ha (760 empl.) ⊶ plat, sablonneux 🖵 ♀♀ (3 ha) – 🍴 ⊖ 🛁 🖼 ⚕ ⚙ 🏊 ☂
♀ ♀ ✗ 🎾 🖼 garderie – 🖼 ✗ ⚓ 🎾 – A proximité : 🖼 – Location : 🚐
Pâques-Toussaint – **R** *conseillée juil.-août* – 🎣 *16,80 piscine comprise* 🔲 *94,50*
*avec élect. (10A)*

🔺🔺🔺 **La Motine** « Cadre agréable », ℰ 51 90 04 42, par av. de la Plage et à droite,
r. des Morinières
1,1 ha (68 empl.) ⊶ peu incliné, herbeux 🖵 ♀ – 🍴 ⊖ 🛁 🖼 ⚕ ⚙ 🏊 ☂ ♀ ✗
crêperie – A proximité : 🎾
Pâques-sept. – **R** *conseillée* – *Tarif 91 :* 🎣 *14* 🔲 *54/59 (68 avec élect.)*

🔺🔺🔺 **Les Vagues,** ℰ 51 90 19 48, au nord du bourg, sur D 38 vers St-Gilles-Croix-
de-Vie
2,8 ha (185 empl.) ⊶ plat, peu incliné, herbeux ♀♀ – 🍴 ⊖ 🛁 🖼 ⚕ ⚙ 🏊 ☂
🖼 – 🖼 ✗ ⚓ 🎾 – A proximité : ✗
juin-15 sept. – **R** *conseillée* – 🔲 *piscine comprise 3 pers. 78* [⚡] *12,25 (4 ou 5A)*

🔺 **L'Eden,** ℰ 51 90 16 43, av. de la Plage
0,8 ha (55 empl.) ⊶ plat, herbeux 🖵 ♀ – 🍴 🛁 🖼 ⚙ – A proximité : ♀ ✗ 🎾

🔺 **La Trévillère** 🏊, ℰ 51 90 09 65, sortie N par la rte du stade et à gauche –
❄
3 ha (100 empl.) ⊶ plat, herbeux – 🍴 🏊 🖼 ⚙ 🖼
20 juin-10 sept. – **R** *conseillée août* – 🔲 *2 pers. 45* [⚡] *10 (4A)*

---

## BRETONCELLES

**1110** Orne – 1 221 h. 〚5〛 – 〚60〛 ⑤ ⑥

🔺 **Le Paradis** (aire naturelle) 🏊 ≤, ℰ 37 37 25 08, sortie SO par D 38 rte de
Rémalard puis 2 km par chemin à gauche
1 ha (25 empl.) ⊶ plat et peu incliné, herbeux, petit étang – 🍴 🛁 🖼 ⚙ – 🖼
15 avril-15 oct. – **R** *conseillée juil.-août* – 🎣 *8* 🚐 *5,50* 🔲 *6,50* [⚡] *10 (2A)*

## BREUILLET
**17920** Char.-Mar. – 1 863 h.                              9 – 171 ⑮

  ▲▲▲ **Transhumance** ⮢, 𝒫 46 22 72 15, S : 1,5 km par D 140 puis 0,5 km par chemin à gauche
    10 ha/5 campables (360 empl.) o⊸ plat, herbeux ᎗᎗ (1 ha) – ⌂ ⇄ ⇆ ⎗ ☺ ⬓
    🍴 ✗ ⚲ ⬛ – ⛆ ⚙ ⬎ – Location : ⌂, chalets, bungalows toilés
    mai-15 sept. – **R** *conseillée juil.-août* – 🁢 *piscine comprise 3 pers. 60, pers. suppl. 15* (⚡) *15 (10A)*

  ▲▲ **Le Relax** ⮢, 𝒫 46 22 75 11, S : 2 km par D 140, à Taupignac
    1,7 ha (100 empl.) o⊸ plat, herbeux ᎗ – ⌂ ⇄ ⇆ ☺ ⬓ 🍴 ⛆ – ⬅✗ ⮮ (bassin)
    mai-sept. – **R** *conseillée juil.-août* – 🁢 *3 pers. 49, pers. suppl. 12* (⚡) *12 (6A)*

## BRÈVES
**58530** Nièvre – 286 h.                             6 – 65 ⑮

  ▲ **Municipal les Fontaines** ⮢, au sud du bourg, bord de l'Yonne
    1,2 ha (66 empl.) plat, herbeux – ⌂ ⇄ ☺ – ⬓
    15 juin-15 sept. – **R** – ✗ *9* ⬅ *3* 🁢 *5* (⚡) *5 (10A)*

## BRÉVILLE-SUR-MER **50** Manche – 59 ⑦ – rattaché à Granville

## BRIANÇON ⦿
**05100** H.-Alpes – 11 041 h.                  12 – 77 ⑱ G. Alpes du Sud
alt. 1 321.

**🛈** Office de Tourisme, au Prorel et Porte de Pignerol 𝒫 92 21 08 50

  ▲▲ **L'Iscle de Prelles** ⮢ ⬓, 𝒫 92 20 28 66 ✉ 05120 St-Martin-de-Queyrières, à Prelles, SO : 6,5 km par N 94 rte de Gap et à gauche, bord de la Durance – alt. 1 150
    3 ha (150 empl.) o⊸ plat, pierreux, herbeux, gravillons ᎗᎗ – ⌂ ⇄ ⎗ & ☺ 🍴 snack
    ⬛ – ⛆ ⬅✗ ⬎ – A proximité : ✗
    mai-sept. – **R** – ✗ *17 piscine comprise* 🁢 *20* (⚡) *11 (3 ou 4A) 14 (6A)*

  ▲ **les Gentianes** ⬓, 𝒫 92 21 21 41 ✉ 05100 Val des Prés, à **la Vachette**, NE : 3,8 km par N 94 rte de Turin et D 994ᵍ à gauche, bord de la Clarée – alt. 1 368
    1,6 ha (90 empl.) o⊸ plat, herbeux, pierreux – ⌂ ⇄ ⇆ ⎗ ⬛ ☺ snack – ⮮ (bassin)
    Permanent – **R** *conseillée* – ✗ *19* 🁢 *19* (⚡) *15 (6A) 22 (10A)*

  à *Chantemerle* NO : 6 km par N 91 alt. 1 350 – ✉ 05330 St-Chaffrey :
  **🛈** Office de Tourisme 𝒫 92 24 71 88

  ▲▲▲ **Caravaneige Serre-Chevalier** ❄ ⬓ « Cadre et site agréables »,
    𝒫 92 24 01 14, près de la N 91, bord de la Guisane
    3 ha (170 empl.) o⊸ plat, herbeux, pierreux, étang – ⌂ ⇄ ⇆ ⎗ ▥ ☺ ⬓ ▽ 🍴
    ✗ pizzeria ⮮ – ⛆ ✗ ⬅✗ ⬎ – **R** *conseillée hiver* – **R** *été* – *Tarif 91 :* 🁢 *piscine comprise 3 pers. 99 (hiver 95), pers. suppl. 20 (hiver 17)* (⚡) *12 (hiver 31,50 à 44)*
    20 déc.-20 avril, 15 juin-9 sept.

## BRIGNOGAN-PLAGES
**29890** Finistère – 836 h.                  3 – 58 ④ G. Bretagne

**🛈** Syndicat d'Initiative, r. de l'Église 𝒫 98 83 41 08

  ▲▲ **Le Phare** ⮢, 𝒫 98 83 45 06, NO : 2,2 km rte de la Pointe de Pontusval, accès direct à la plage
    3,5 ha (144 empl.) o⊸ (saison) plat, sablonneux, herbeux – ⌂ ⇄ ⇆ ☺ ⬓ – ⛆
    ⬎ – Location : bungalows toilés
    Pâques-sept. – **R** *conseillée juil.-août* – ✗ *10* 🁢 *18* (⚡) *10 (3 ou 5A)*

  ▲▲ **Les Nymphéas**, 𝒫 98 83 52 57, sortie S par D 770 rte de Lesneven
    1,2 ha (75 empl.) o⊸ plat, herbeux ⛆ – ⌂ ⇆ ☺ – ⬎
    15 juin-15 sept. – **R** *conseillée* – ✗ *9,50* ⬅ *5* 🁢 *11* (⚡) *8,50 (3A)* (*6A)*

## BRIGNOLES
**83170** Var – 11 239 h.                 17 – 84 ⑮ G. Côte d'Azur

**🛈** Office de Tourisme, parking des Augustins 𝒫 94 69 01 78

  ▲▲ **Municipal**, 𝒫 94 69 20 10, E : 0,8 km par N 7 rte de Nice
    1 ha (90 empl.) o⊸ plat et peu incliné, herbeux ⛆ – ⌂ ⇄ ⇆ ☺ – ⬅✗
    A proximité : ✗ ✗
    15 mars-15 oct. – **R** *conseillée juil.-août* – 🁢 *élect. (5A) comprise 2 pers. 50, pers. suppl. 10*

## BRIONNE
**27800** Eure – 4 408 h.                 5 – 55 ⑮ G. Normandie Vallée de la Seine

**🛈** Syndicat d'Initiative, pl. de l'Église (juil.-1ᵉʳ sept.) 𝒫 32 45 70 51

  ▲ Municipal la Vallée, 𝒫 32 44 80 35, sortie N par D 46 rte d'Authou, au stade
    1,5 ha (33 empl.) o⊸ plat, herbeux – ⌂ ⇄ ⎗ ▥ ☺ – A proximité : ✗

## BRIOUDE ⦿
**43100** H.-Loire – 7 285 h.              11 – 76 ⑤ G. Auvergne

**🛈** Office de Tourisme, pl. Champanne 𝒫 71 74 97 49 et Maison de Mandrin, r. du 4 Septembre 𝒫 71 74 94 59

  ▲▲ **Intercommunal de la Bageasse**, 𝒫 71 50 07 70, SE : 2 km par rue des Olliers et avenue de la Bageasse, près de l'Allier (plan d'eau)
    2 ha (85 empl.) o⊸ plat et en terrasses, herbeux – ⌂ ⇄ ⇆ ⎗ ☺ – ⬅✗
    A proximité : 🍴 ⮮ – Location : huttes
    juin-sept. – **R** *conseillée juil.-août* – *Tarif 91 :* 🁢 *2 pers. 25, pers. suppl. 10* (⚡) *9 (6A)*

## BRISON-ST-INNOCENT **73** Savoie – 74 ⑮ – rattaché à Aix-les-Bains

## BRISSAC

**34190** Hérault – 365 h.

ᗡᗡᗡ **Le Val d'Hérault** ⚲, ≼, ℘ 67 73 72 29, S : 4 km par D 4 rte de Causse-de-la-Selle, à 250 m de l'Hérault (accès direct)
3,4 ha (135 empl.) ⊶ peu incliné et en terrasses, pierreux ⚲⚲ – 🏕 ⇆ 🖈 🖼 ᵺ
✦ ⚲ ♨ ⛺ ⚑ ⚱ – 🖼 – 🔲 – Location : 🔲
15 mars-15 oct. – **R** *conseillée juil.-août* – 🔳 *2 pers. 58, pers. suppl. 13* 🔋 *13 (5A)*

---

## BRIVES-CHARENSAC 43 H.-Loire – 🔲 ⑦ – rattaché au Puy-en-Velay

---

## BROMONT-LAMOTHE

**63230** P.-de-D. – 779 h. alt. 765

ᗡᗡᗡ **Municipal Préguda,** sortie O par D 941 rte de Pontaumur, bord d'un étang
1 ha (50 empl.) plat et peu incliné, herbeux 🔲 ⚲ – 🏕 🖈 ⊕ – A proximité :
✖
mai-sept. – **R** *conseillée juil.-août* – ✦ *8* ⬟ *9* 🔳 *9* 🔋 *9,70 (6A)*

---

## BROONS

**22250** C.-d'Armor – 2 327 h.

� **Municipal la Planchette,** sortie S par D 19 rte de Plumaugat, à la piscine
0,6 ha (34 empl.) plat et peu incliné, herbeux 🔲 – 🏕 ⇆ ⛺ ⊕ – 🖈 ⛱ –
A proximité : ✖
Permanent – ✦ *8,40* ⬟ *3,15* 🔳 *3,15* 🔋 *11 ou 15,75 (10A)*

---

## BROU

**28160** E.-et-L. – 3 803 h.
🖪 Syndicat d'Initiative, r. de la
Chevalerie (Pâques-sept.)
℘ 37 47 01 12

ᗡᗡᗡ **Parc de Loisirs** ≼ « Décoration florale et arbustive », ℘ 37 47 02 17, O :
1,5 km par D 13 rte d'Authon-du-Perche, à la Base de Plein Air – ✖
18 ha/4 campables (250 empl.) ⊶ plat, herbeux 🏕 ⇆ ⛺ 🖼 ⊕ – ✖
🏕 🖈 ⛱ (plage) ᗩ toboggan aquatique – A proximité :
fermé 16 déc. au 14 fév. – *Places limitées pour le passage* – **R** *conseillée* – *Tarif*
*91 :* ✦ *13* 🔳 *12* 🔋 *11 (5A) 20 (10A)*

---

## BROUSSES-ET-VILLARET

**11390** Aude – 254 h.

ᗡᗡᗡ **Le Martinet-Rouge** ⚲, ℘ 68 26 51 98, S : 0,5 km par D 203 et chemin à
droite, à 200 m de la Dure
1 ha (30 empl.) ⊶ plat et peu accidenté, herbeux, pierreux, rochers 🔲 ⚲⚲ – 🏕
🖼 ᵺ ⇆ ♨ ⚑ – 🖈 – A proximité : ✖
mai-oct. – **R** – ✦ *13* 🔳 *17,50* 🔋 *13 (3A) 18 (6A)*

---

## BRUGES

**64** Pyr.-Atl. – 833 h.
✉ 64800 Bruges-Capbis-Mifaget

ᗡ **Landistou** ⚲, ℘ 59 71 06 98, sortie SO par D 35 rte de Louvie-Juzon, bord
de rivière et d'un petit étang
2 ha (25 empl.) ⊶ plat, herbeux – 🏕 ⇆ 🖈 🖼 ⊕ 🖼 – 🔲 – Location : gîte
d'étape
Permanent – **R** *conseillée juil.-août* – ✦ *9,20 (hiver 10,20)* 🔳 *10,60* 🔋 *été : 9,20*
*(3A) 11,60 (6A) 19 (10A) – hiver : 11,50 (3A) 17,80 (6A) 29 (10A)*

---

## BRÛLON

**72350** Sarthe – 1 296 h.

ᗡᗡᗡ **Municipal** ⚲, ≼ « Agréable situation », ℘ 43 95 68 96, à 1 km au SE du
bourg, bord d'un plan d'eau
3 ha (53 empl.) ⊶ (juil.-août) plat, herbeux – 🏕 ⇆ ⛺ ᵺ ⊕ – ✖ 🖈 ⛱
– A proximité : ᗩ
juin-15 sept. – **R** – *Tarif 91 :* ✦ *7* ⬟ *4,50* 🔳 *6* 🔋 *9*

---

## BRUNELLES

**28400** E.-et-L. – 468 h.

ᗡ **Le Bois Jahan** ⚲, ≼, ℘ 37 52 14 73, E : 2,5 km par D 110 et chemin, sur
D 351-7
3 ha (40 empl.) ⊶ en terrasses, peu incliné, herbeux, bois attenant (5 ha) 🔲 –
🏕 ⇆ ⛺ ⊕ ✦ – 🖈
Permanent – *Places limitées pour le passage* – *Tarif 91 :* 🔳 *2 pers. 32, 3 pers.*
*39, pers. suppl.15* 🔋 *10 (5A)*

---

## BRUNÉMONT

**59151** Nord – 376 h.

ᗡᗡᗡ Parc Municipal de Plein-Air de la Sensée ⚲, ℘ 27 80 91 28, sortie S par D 247
puis chemin à droite, bord d'un étang
6 ha (330 empl.) ⊶ plat, herbeux ⚲ – 🏕 🖈 ⊕ 🖼 – 🔲 ✖ ᗩ – *Places limitées*
*pour le passage*

## BRUSQUE

**12360** Aveyron – 422 h.

▲▲ **V.A.L. le Ceras** ⌂ ≤ «Agréable situation », ℰ 65 49 50 66, S : 1,5 km par D 92, bord du Dourdou et d'un petit plan d'eau
1 ha (40 empl.) ⊶ (saison) plat et peu incliné, herbeux, gravier ⚷⚷ (0,5 ha) – 🔥
🍴 🖥 🗲 ⊕ - 🚙 🛥 - Au village-vacances : 🍸 ✕ 🗲 garderie 🛒 💥
juin-sept. – **R** conseillée – Adhésion obligatoire pour séjour supérieur à une nuit
– 🅴 jusqu'à 4 pers. 43 à 100 selon durée du séjour, pers. suppl. 11 à 15 🅷 12

---

## Le BUGUE

**24260** Dordogne – 2 764 h.

▲▲▲ Le Rocher de la Granelle ⌂, ℰ 53 07 24 32, SO : 1,5 km par D31ᵉ, rte du Buisson et chemin à droite, bord de la Vézère
8 ha (100 empl.) ⊶ plat, herbeux ⚷ – 🔥 🛥 🖥 🗲 ⊕ 🙇 🛥 🍸 🗲 🖥 – 🛒 💥
🔥 vélos
avril-sept. – **R** conseillée

▲▲ Municipal du Port, ℰ 53 07 24 60, SE : 1 km par D 703 rte de Sarlat-la-Canéda et chemin à droite, à 80 m de la Vézère
1,5 ha (116 empl.) ⊶ plat, herbeux ⚷ – 🔥 🛥 🛥 ⊕ – A proximité : 🔥
juin-sept. – **R**

---

## BUIS-LES-BARONNIES

**26170** Drôme – 2 030 h.
🚹 Syndicat d'Initiative, pl. du Champ-de-Mars ℰ 75 28 04 59

▲▲▲ **Les Éphélides** ⌂ ≤, ℰ 75 28 10 15, SO : 1,4 km par av. de Rieuchaud, bord de l'Ouvèze
2 ha (70 empl.) ⊶ plat, herbeux, pierreux – 🔥 🛥 🛏 🖥 🗲 ⊕ snack – 🔥 vélos
– A proximité : 💥 – Location : 🚐, bungalows toilés
11 avril- 4 nov.- **R** - 🔥 12 🚗 10 🅴 20 🅷 10 (3A) 13 (6A) 15 (10A)

▲▲ Municipal du Jalinier ≤, ℰ 75 28 04 96, au NE du bourg vers rte de Séderon, près de la piscine et à 50 m de l'Ouvèze
1,2 ha (55 empl.) plat, herbeux, gravier ⚷ – 🔥 🛥 🛏 🖥 ⊕ – 🔥 – A proximité : 💥 🔥

à Bénivay-Ollon O : 9 km par D 5, D 147 et D 347
✉ 26170 Benivay-Ollon :

▲ **L'Écluse** ⌂ ≤ « Verger », ℰ 75 28 07 32, S : 1 km sur D 347, bord d'un ruisseau
0,9 ha (20 empl.) ⊶ plat, pierreux 🛏 ⚷ – 🔥 🛥 ⊕ 🍸 – 🔥
Pâques-sept. – **R** conseillée juil.-août – 🔥 14 piscine comprise 🚗 6 🅴 13 🅷 12 (6A) 16 (8A)

---

## Le BUISSON-CUSSAC

**24** Dordogne – 2 003 h.
✉ 24480 le Buisson-de-Cadouin

▲ **Municipal de Vicq,** ℰ 53 22 01 73, N : 0,8 km par D 51E rte du Bugue, à droite avant le pont de Vicq, bord de la Dordogne
3 ha (80 empl.) ⊶ plat, herbeux ⚷⚷ (1,5 ha) – 🔥 🛏 ⊕ – 🚙 🛥
juin-15 sept. – **R** conseillée juil.-août – Tarif 91 : 🔥 13,20 🅴 6,70 🅷 9,25 (8A)

---

## BUJALEUF

**87460** H.-Vienne – 999 h.

▲▲ Municipal du Lac ⌂ ≤ « Belles terrasses dominant le lac », N : 1 km par D 16 et rte à gauche, près du lac
2 ha (110 empl.) ⊶ en terrasses, herbeux ⚷ – (🔥 🛥 🛏 juil.-août) ⊕ – A proximité 🍸 snack 🛥 (plage)
juin-15 sept. – **R**

---

## BUNUS

**64120** Pyr.-Atl. – 151 h.

▲▲ Inxauseta ⌂ ≤, ℰ 59 37 81 49, au bourg, près de l'église
0,8 ha (40 empl.) ⊶ peu incliné, en terrasses, herbeux ⚷ – 🔥 🛥 🛏 ⊕ – 🛒
juil.-15 sept. – **R** - 🔥 10 🅴 10 🅷 10 (5A)

---

## BURNHAUPT-LE-HAUT

**68520** H.-Rhin – 1 426 h.

▲▲ **les Castors** ⌂, ℰ 89 48 78 58, NO : 2,5 km par D 466 rte de Guewenheim, bord de la Doller et d'un étang
2,5 ha (165 empl.) ⊶ plat, herbeux 🛏 ⚷ – 🔥 🛥 ⊕ 🍸 – 🛒
avril-sept. – **R** - 🔥 10 🅴 11 🅷 11 (3A) 16 (5A) 25 (6A)

---

## BUSSANG

**88540** Vosges – 1 809 h.
🚹 Syndicat d'Initiative, r. d'Alsace ℰ 29 61 50 37

▲▲ **Domaine de Champé** ≤, ℰ 29 61 61 51, au NE de la localité, accès par rte à gauche de l'église, bord de la Moselle et d'un ruisseau
2,5 ha (40 empl.) ⊶ (saison) plat, herbeux – 🔥 🛥 🛏 🖥 🗲 🛍 ⊕ 🍸 – 🛒 💥
🔥
Permanent – **R** conseillée – 🔥 14 piscine comprise (hiver 15 ) 🅴 15 🅷 11,50 ou 14,50 (3 à 10A)

## BUSSEROLLES
**24360** Dordogne – 569 h.

    10 – 72 ⑮

  ▲ **Municipal St-Martial** ⑤, au NO du bourg, bord d'un ruisseau et près d'un plan d'eau
1 ha (28 empl.) plat et peu incliné, herbeux ⊏⊐ – 司 ⇔ 台 – 🖵 – A proximité :
⚪ 🗮
15 juin-15 sept. – **R** – ☩ 9 ⇔ 10 🔲 9

## La BUSSIÈRE
**86310** Vienne – 395 h.

    10 – 68 ⑮

  ▲▲ **Camp V.V.F.** ⑤, ℰ 49 48 03 77, N : 1,8 km par D 11 rte de St-Pierre-de-Maillé, à 300 m de la Gartempe – ⚘
1 ha (30 empl.) ⊶ plat, herbeux ⊏⊐ – 司 ⇔ 台 ₺ ⊛ 옷 garderie – 🖳 ⚪ 🐎
6 juil.-8 sept. – **R** *conseillée (V.V.F Dourdan ℰ 64 59 78 18) – Adhésion V.V.F. obligatoire* – 🔲 *2 pers. 46, pers. suppl. 18* 🔩 *16 (3A)*

## BUSSIÈRE-DUNOISE
**23320** Creuse – 1 139 h.

    10 – 72 ⑨

  ▲ **Municipal de la Vergne** ⑤ ≼, ℰ 55 81 68 90, S : 1,5 km par D 47 rte de Guéret et chemin à gauche, près d'un plan d'eau
1 ha (40 empl.) plat, herbeux ⊏⊐ ♀♀ (0,5 ha) – 司 ⇔ 台 ⊛
15 juin-15 sept. – **R** *conseillée* – ☩ 7 ⇔ 4 🔲 4,50 🔩 7,50

## BUZANÇAIS
**36500** Indre – 4 749 h.

    10 – 68 ⑦

  ▲▲ **Municipal la Tête Noire** ⑤, ℰ 54 84 17 27, au NO de la ville par la r. des Ponts, bord de l'Indre
2,5 ha (166 empl.) ⊶ (saison) plat, herbeux ♀ – 司 ⇔ 台 🗟 ⊛ – 🖵 –
A proximité : ⚪ ⊐
mai-sept. – **R** *conseillée juil.-août – Tarif 91 :* ☩ 7 🔲 5,80 🔩 7 (6A) 10 (10A)

## BUZANCY
**08240** Ardennes – 446 h.

    7 – 56 ⑨

  ▲▲ **Municipal la Samaritaine** ⑤, ℰ 24 30 08 88, sortie NO rte de Vouziers puis 1 km par chemin à gauche, à 150 m d'un étang
1,9 ha (100 empl.) ⊶ (saison) plat, herbeux – 司 ⇔ 台 ⊛ – A proximité : 🗮
vac. de printemps-sept. – **R** – ☩ 4,90 ⇔ 2,60 🔲 2,60 🔩 10 (3A) 12,60 (6A) 16,80 (10A)

## Le CABELLOU 29 Finistère – 58 ⑮ – rattaché à Concarneau

## CABOURG
**14390** Calvados – 3 355 h.
🄴 Office de Tourisme, Jardins du Casino ℰ 31 91 01 09

    5 – 55 ② G. Normandie Vallée de la Seine

  ▲▲ **Le Vert Pré** ◇, réservé aux caravanes, ℰ 31 91 41 68, SO : 2 km sur D 513 rte de Caen – ⚘
5,5 ha (240 empl.) ⊶ plat, herbeux, sablonneux ⊏⊐ ♀ – 司 ⇔ ⚰ 🗟 ⊛ 옷 ☵
⚑ – ⚪ ⚐ ⊐ – A proximité : 🐎
avril-sept. – *Places limitées pour le passage* – **R** *conseillée* – 🔲 *élect. comprise (4A) 2 pers. 76*

## CADENET
**84160** Vaucluse – 3 232 h.

    16 – 81 ⑭ G. Provence

  ▲▲ **Val de Durance** ⑤ ≼, ℰ 90 68 37 75, SO : 2,7 km par D 943 rte d'Aix, D 59 à droite et chemin à gauche, bord d'un plan d'eau et à 300 m de la Durance
10 ha/2,4 campables (180 empl.) ⊶ plat, herbeux, pierreux – 司 ⇔ 台 🗟 ₺
⊛ 옷 ☵ ⚒ ⋛ ⚑ – 🖵 ⚐ 🗮 – Location : 🚐
avril-oct. – **R** *conseillée juil.-août* – 🔲 *2 pers. 65, pers. suppl. 20* 🔩 *17 (10A)*

## CADEUIL
**17250** Char.-Mar.

    9 – 171 ⑭

  ▲ **Lac Jamica,** ℰ 46 22 90 99 ✉ 17250 Ste-Gemme, à l'est du hameau sur D 728 rte de Saintes, bord d'un étang
12 ha/2 campables (100 empl.) ⊶ plat et peu incliné, herbeux ♀♀ (1 ha) – 司
⇔ 台 ⊛ – 🗮
mai-15 oct. – **R** *conseillée juin à août* – 🔲 *3 pers. 45, pers. suppl. 10* 🔩 *12 (3A) 15 (5A) 20 (15A)*

## La CADIÈRE-D'AZUR
**83740** Var – 3 139 h.
🄴 Syndicat d'Initiative, rond-point Roger-Salengro (saison)
ℰ 94 90 12 56

    17 – 84 ⑭ G. Côte d'Azur

  ▲▲ **La Malissonne** ≼, ℰ 94 90 10 60, NO : 1,8 km sur D 66 rte de la Ciotat
4,5 ha (200 empl.) ⊶ en terrasses, peu incliné, pierreux, herbeux ⊏⊐ ♀ – 司 🗟
⊛ ⚒ ⚑ snack ⋛ 🔲 – 🖵 ⚪ ⌂ ☵ ⊐ half-court – Location : 🚐 ⌂
mars-11 nov. – *Places disponibles pour le passage* – **R** *conseillée juil.-août* –
🔲 *piscine comprise 2 pers. 73, pers. suppl. 15* 🔩 *17 (5A)*

## CADOUIN
**24480** Dordogne
✉ 24480 le Buisson-de-Cadouin

    13 – 75 ⑯ G. Périgord Quercy

  ▲ **Municipal Panoramique,** sortie S par D 2 rte de St-Avit-Rivière
1 ha (37 empl.) en terrasses, herbeux ♀ – 司 ⇔ 台 ⊛
15 juin-15 sept. – **R** *conseillée 14 juil.-15 août* – ☩ 11,60 🔲 6,10 🔩 8,20

## CAGNES-SUR-MER

**06800** Alpes-Mar. – 40 902 h.
🏢 Office de Tourisme, 6 bd
Maréchal-Juin ✆ 93 20 61 64

⛰️ **La Rivière** ⬟, ✆ 93 20 62 27, N : 3,5 km par r. J.-Feraud et chemin des Salles,
bord de la Cagne
1 ha (90 empl.) ⊶ plat, herbeux ⊡ 👭 – 🗑 ⩟ 🎬 ⊕ 🥤 ⚒ ▦ – 🏠 ⚓
🛝 – Location : 🚐
Permanent – **R** conseillée 15 juin-15 sept. – ▣ piscine comprise 2 pers. 55, pers.
suppl. 11 🔌 8,50 (2A) 12 (4A) 14 (6A)

⛺ **Léouvé**, réservé aux caravanes ⬟ ≼, ✆ 93 20 53 87, NO : 2,5 km, chemin
de Léouvé
0,3 ha (24 empl.) ⊶ (saison) plat, herbeux – 🗑 ⛲ ⩟ ⊕ 🥤 ▽ – 🏠 🛝 –
Location : 🚐
avril-sept. – **R** conseillée juil.-août – 👤 12 piscine comprise 🚗 10,50 ▣ 32
🔌 10 (16A)

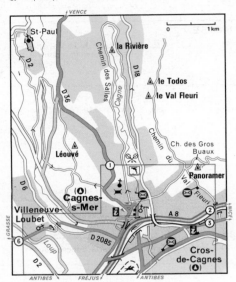

à *Cros-de-Cagnes* SE : 2 km – ✉ 06800 Cagnes-sur-Mer :
🏢 Syndicat d'Initiative, 20 av. des Oliviers (transfert sur la plage en été)
✆ 93 07 67 08

⛰️ **Panoramer** ≼ Baie des Anges, ✆ 93 31 16 15, N : 2,5 km, chemin des Gros
Buaux – 🖾
1,4 ha (96 empl.) ⊶ en terrasses, pierreux ⊡ 👤 – 🗑 ⛲ ⩟ 🎬 ⊕ 🥤 ▽ pizzeria
🥤 ▦ – 🏠 ⚓
Pâques-sept. – **R** conseillée juil.-août – ▣ 3 pers. 116/122 🔌 11 (2A) 14
(6A)

⛰️ **le Todos** ⬟, ✆ 93 31 20 05, N : 3,8 km, chemin du Vallon des Vaux
1,6 ha (56 empl.) ⊶ plat et terrasses, herbeux, pierreux 👤 – 🗑 ⩟ ⊕ snack 🗑
– 🏠 🛝 – A proximité : 🎾 ♞
avril-oct. – **R** conseillée juil.-août – 👤 15,50 🚗 16 ▣ 39,50 ou 46,50/38,50
ou 46,50 🔌 12 (3A) 16,50 (5A)

⛰️ **le Val Fleuri** ⬟, ✆ 93 31 21 74, N : 3,5 km, chemin du Vallon des Vaux
1,5 ha (75 empl.) ⊶ plat et terrasses, herbeux, pierreux 👭 (0,4 ha) – 🗑 ⩟ 🎬
♿ ⊕ 🍴 🥤 – 🛝
Permanent – **R** conseillée juil.-août – ▣ piscine comprise 2 pers. 90 🔌 12 (5A)
15 (10A)

## CAHAGNES

**14240** Calvados – 934 h.

⛰️ **Municipal de la Vallée de Craham** ⬟, ✆ 31 77 57 71, E : 2,3 km par
D 193 rte de Villers-Bocage et chemin à gauche, à 200 m d'un plan
d'eau
1 ha (82 empl.) peu incliné et en terrasses, herbeux – 🗑 ⛲ 🛁 🎬 ⊕ 🥤 ▽ –
parcours sportif
20 avril-20 oct. – **ℝ** – ▣ 2 pers. 30 🔌 10 (6A)

## CAHUZAC-SUR-VÈRE

**81140** Tarn – 1 074 h.

⛺ Municipal, ✆ 63 33 91 94, sortie NE par D 122 rte de Cordes, près de la Vère
1 ha (50 empl.) ⊶ (juil.-août) plat et peu incliné, herbeux – 🗑 ⊕ – 🎾 – A l'entrée
🛝
15 juin-15 sept. – **R** conseillée juil.-août

## CAJARC

**46160** Lot – 1 033 h.

🅱 Syndicat d'Initiative, pl. du Foirail
(15 juin-15 sept.) ℘ 65 40 72 89

15 – 79 ⑨ G. Périgord Quercy

▲▲ Municipal le Terriol ≼, sortie SO par D 662 rte de Cahors et à gauche
0,8 ha (45 empl.) ⊶ plat, herbeux 🗆 – 🖈 ⇆ 📛 ☺ – A proximité : 💥 ⅃

---

## CALLAC

**22** C.-d'Armor – 2 592 h.

✉ 22160 Callac-de-Bretagne

3 – 58 ⑦ G. Bretagne

▲▲ **Municipal Verte Vallée** �それ, ℘ 96 45 58 50, sortie O par D 28 rte de Morlaix
et av. Ernest-Renan à gauche, à 50 m d'un plan d'eau
1 ha (65 empl.) ⊶ peu incliné, herbeux 🗆 – 🖈 ⇆ 📛 🏊 ☺ – 💥 ⅃ – A proximité :
🍴 ☎
15 juin-15 sept. – **R** – Tarif 91 : ✸ 7,40 ⇔ 2,60 🅴 3,90 🅿 7,30

---

## CALLAS

**83830** Var – 1 276 h.

17 – 84 ⑦ G. Côte d'Azur

▲▲ **Les Blimouses** �はい, ℘ 94 47 83 41, S : 3 km par D 25 et D 225 rte de
Draguignan
2,5 ha (74 empl.) ⊶ plat à incliné, en terrasses, pierreux, herbeux 🗆 ♀ – 🖈 🏊
🏃 ☺ 🅿 – Location : 🏠 🏚
Pâques-10 nov. – **R** conseillée – 🅴 2 pers. 55 🅿 10 (5A)

---

## CALVI **2B** H.-Corse – 90 ⑬ – voir à Corse

---

## CALVIAC

**46190** Lot – 230 h.

10 – 75 ⑳

▲▲▲ **Les 3 Sources** � « Agréable cadre boisé », ℘ 65 33 03 01, N : 2,3 km par
D 25 rte de Lamativie bord de l'Escaumels
3,5 ha (150 empl.) ⊶ peu incliné à incliné, pierreux, herbeux ♀♀ – 🖈 ⇆ 📛 🅿
☺ ☺ 🖈 💥 🏃 🏊 – 🅿
15 mai-sept. – **R** conseillée – 🅴 piscine comprise 2 pers. 100, pers. suppl. 22
🅿 12 (6A)

---

## CAMARET-SUR-MER

**29129** Finistère – 2 933 h.

🅱 Syndicat d'Initiative, quai Toudouze
℘ 98 27 93 60

Schéma à Crozon

3 – 58 ③ G. Bretagne

▲▲ **Lambézen** �は ≼ Camaret, mer et côte, ℘ 98 27 91 41, NE : 3 km par D 355
et rte à droite, à 400 m de la plage
1,8 ha (89 empl.) ⊶ plat et peu incliné, herbeux 🗆 – 🖈 ⇆ 📛 🅿 ☺ 🏃 🏊 🏊
🍴 🅿 – 🚌 ⅃ – Location : 🏚
avril-sept. – **R** – ✸ 22 piscine comprise 🅴 37 🅿 15 (4A)

▲▲ **Plage de Trez Rouz** ≼ Anse de Camaret, ℘ 98 27 93 96 ✉ 29160 Crozon,
NE : 3,5 km par D 355, près de la plage
1 ha (80 empl.) ⊶ peu incliné, herbeux – 🖈 ⇆ 📛 🅿 ☺ 🅿
Pâques-sept. – **R** conseillée – ✸ 20 ⇔ 6 🅴 16 🅿 10 (10A)

---

## CAMBO-LES-BAINS

**64250** Pyr.-Atl. – 4 128 h. –
♨ 3 fév.-29 nov.

🅱 Office de Tourisme, parc
Saint-Joseph ℘ 59 29 70 25

13 – 85 ③ G. Pyrénées Aquitaine

▲▲ **Bixta-Eder,** ℘ 59 29 94 23, SO : 1,3 km par D 918 rte de St-Jean-de-Luz
1,5 ha (100 empl.) ⊶ (saison) plat et peu incliné, herbeux ♀♀ – 🖈 📛 🅿 ☺ 🅿
– A proximité : 💥
Pâques-1er nov. – 🅴 1 ou 2 pers. 50 🅿 11 (5A)

---

## CAMIERS

**62176** P.-de-C. – 2 176 h.

1 – 51 ⑪

▲▲▲ **C.C.D.F. Les Sables d'Or,** ℘ 21 84 95 15, S : 0,5 km sur ancienne rte
d'Étaples
10 ha (336 empl.) ⊶ accidenté, sablonneux 🗆 ♀♀ – 🖈 ⇆ 📛 🅿 🏭 ☺ 🍴 🅿
– 🏃 ⅃
Permanent – **R** – Adhésion obligatoire – ✸ 11 piscine comprise ⇔ 11 🅴 11
🅿 9 (3A) 10 (4 ou 5A) 15 (6A)

---

## CAMPAGNE

**24260** Dordogne – 281 h.

13 – 75 ⑯ G. Périgord Quercy

▲▲ **Municipal le Val de la Marquise** Ⓜ, ℘ 53 54 74 10, E : 0,5 km par D 35,
rte de St-Cyprien, bord d'un étang
2,6 ha (110 empl.) ⊶ plat et en terrasses, herbeux 🗆 – 🖈 ⇆ 📛 🅿 🏃 ☺ – 🚌
15 juin-15 sept. – **R** – ✸ 15 🅴 20 🅿 10

---

## CAMPAN

**65710** H.-Pyr. – 1 390 h. alt. 656

14 – 85 ⑱ G. Pyrénées Aquitaine

▲ St-Roch ≼, S : 1 km par D 935 rte de la Mongie, bord de l'Adour
1,5 ha (50 empl.) ⊶ plat, peu incliné, herbeux – 🖈 🏊 ☺ – A proximité : 💥
juil.-août – **R**

139

## Le CAMP-DU-CASTELLET

**83** Var – ⊠ 83330 le Beausset     🔲🔲 – 🔲🔲 ①

    ▲▲ **Les Grands Pins,** 𝒫 94 90 71 44, SE : 0,6 km par D 26 rte du Brulat
4,5 ha (200 empl.) ⊶ plat, pierreux 𝄃𝄃𝄃 – (🔲 mars-oct.) 🔲 ⊕ 🔲 ✕ 🔲 – ✕
🔲 🔲 – Location : 🔲
Permanent – *Places disponibles pour le passage* – **R** *conseillée* – 🔲 2 pers
45/48, pers. suppl. 14 🔲 15 (6A)

---

## CAMPSEGRET

**24140** Dordogne – 403 h.     🔲🔲 – 🔲🔲 ①

    ▲▲ **Le Bourg,** 𝒫 53 24 22 36, sur N 21, bord de la Seyse
1,3 ha (50 empl.) ⊶ plat, herbeux 🔲 – 🔲 🔲 🔲 🔲 ⊕ 🔲 – 🔲 – A proximité
🔲 🔲 ✕ ✕
juin-sept. – **R** *conseillée juil.-août* – 🔲 10 🔲 5 🔲 5 🔲 9 (8A)

---

## CAMPS-ST MATHURIN-LEOBAZEL

**19430** Corrèze – 293 h.     🔲🔲 – 🔲🔲 ②

    ▲▲ **Municipal la Châtaigneraie** 🔲 <, 𝒫 55 28 53 15, au SO de la commune
à Camps, sur D 13, rte de Bretenoux, bord d'un étang
1 ha (10 empl.) ⊶ (juil.-août) peu incliné, herbeux – 🔲 🔲 🔲 🔲 ⊕ 🔲 – ✕ 🔲
🔲 – A proximité : ✕ 🔲 – Location : huttes
juin-sept. – **R** *conseillée juil.-août* – 🔲 5 🔲 10 🔲 10

---

## CANCALE

    🔲 – 🔲🔲 ⑥ G. Bretagne

**35260** I.-et-V. – 4 910 h.
🔲 Office de Tourisme, r. du Port
𝒫 99 89 63 72

    ▲▲ **Notre-Dame du Verger** 🔲, 𝒫 99 89 72 84, NO : 3 km sur D 201, à 500 m
de la plage (accès direct par sentier)
1,8 ha (67 empl.) ⊶ en terrasses et peu incliné, herbeux – 🔲 🔲 🔲 🔲 ⊕ 🔲
🔲 🔲 – Location : 🔲 🔲
fin mars-fin sept. – **R** *conseillée* – 🔲 1 ou 2 pers. 52 🔲 10,40 (6A)

    ▲▲ **Port-Mer Plage** <, 𝒫 99 89 63 17, N : 3,5 km par D 201 rte de la Pointe du
Grouin, près de la mer, à 120 m de la plage (accès direct)
2,4 ha (83 empl.) ⊶ en terrasses et peu incliné, herbeux – 🔲 🔲 🔲 ⊕ 🔲 🔲
A proximité : 🔲
17 avril-27 sept. – **R** *juil.-août* – 🔲 2 pers. 51, pers. suppl. 14,80 🔲 10 (5A)

    ▲ **Les Genêts** 🔲, 𝒫 99 89 76 17, O : 1,3 km par D 355 puis 0,5 km par rte à
droite après la zone artisanale
1,3 ha (85 empl.) ⊶ plat, herbeux – 🔲 🔲 🔲 🔲 ⊕
fin mars-fin sept. – **R** *conseillée* – 🔲 1 ou 2 pers. 43 🔲 10,40 (6A)

---

## CANDES-ST-MARTIN

**37500** I.-et-L. – 244 h.     🔲 – 🔲🔲 ⑬

    ▲ **Intercommunal Bellerive,** 𝒫 47 95 98 11, SE : 0,6 km par D 751 rte de
Chinon, bord de la Vienne
2 ha (66 empl.) ⊶ plat, herbeux – 🔲 🔲 🔲 ⊕ – 🔲 – A proximité : ✕
15 juin-15 sept. – **R** *conseillée* – 🔲 6 🔲 3 🔲 4,50

---

## CANDÉ-SUR-BEUVRON

**41120** L.-et-C. – 1 134 h.     🔲 – 🔲🔲 ⑰

    ▲▲▲ **La Grande Tortue** 🔲, 𝒫 54 44 15 20, sortie S par rte de Chaumont-sur-Loire
et rte de la Pieuse, à 300 m du Beuvron
5 ha (208 empl.) ⊶ plat et peu incliné, sablonneux, herbeux 🔲 🔲 – 🔲 🔲
🔲 🔲 ⊕ 🔲 🔲 🔲 🔲 – 🔲 🔲 🔲 (bassin) half-court – Location : 🔲
20 avril-15 sept. – **R** *conseillée juil.-août* – 🔲 2 pers. 70, pers. suppl. 20 🔲 15
(6A)

---

## CANET

**34800** Hérault – 1 402 h.     🔲🔲 – 🔲🔲 ⑤ ⑥

    ▲▲ **Les Rivières** 🔲, 𝒫 67 96 75 53, N : 1,8 km par D 134E, à la Sablière, près
de l'Hérault (accès direct)
2 ha (66 empl.) ⊶ plat, pierreux, herbeux 🔲 🔲 – 🔲 ⊕ 🔲 🔲 – 🔲 🔲
20 juin-1er sept. – **R** *conseillée 10 juil.-8 août* – 🔲 2 pers. 60, pers. suppl. 13
🔲 13 (5A)

---

## CANET-DE-SALARS

**12290** Aveyron – 440 h. alt. 850     🔲🔲 – 🔲🔲 ③

    ▲▲▲ **Le Caussanel** < « Situation agréable au bord du lac de Pareloup »
𝒫 65 46 85 19, SE : 2,7 km par D 538 et à droite
3,5 ha (150 empl.) ⊶ (saison) plat, peu incliné, terrasses, herbeux – 🔲 🔲 🔲 ⊕
🔲 🔲 🔲 🔲 🔲 – 🔲 🔲 ✕ 🔲 🔲 🔲
avril-oct. – **R** *conseillée juil.-août* – 🔲 piscine comprise 3 pers. 75 ou 95, pers.
suppl. 18 🔲 12 (1,5 à 6A)

    ▲ **Municipal les Fontanelles,** SO : 0,5 km par D 176 rte d'Arvieu
1 ha (30 empl.) plat, herbeux – 🔲 🔲 ⊕
15 juin-15 sept. – **R** – 🔲 2 pers. 40, pers. suppl. 13 🔲 11

---

▶ *Ne voyagez pas aujourd'hui avec une carte d'hier.*

# CANET-PLAGE

**66** Pyr.-Or.
✉ 66140 Canet-en-Roussillon.
🛈 Office de Tourisme, pl. de la Méditerranée (saison) ☎ 68 73 25 20

15 – 86 ⑳ G. Pyrénées Roussillon

**Le Brasilia**, ☎ 68 80 23 82, bord de la Têt et accès direct à la plage
15 ha (1 000 empl.) ⚬ plat, sablonneux, herbeux ⌂ 99 (6 ha) – 🚿 ⏚ 🚽 🏪 ⏚ ⊕ ⚂ ☂ 🛒 ☎ 🍴 ✗ self 🎣 🏖 – 🛖 discothèque ✤ ⚓ ⚓ ⚓ – A proximité :
🐎 – Location : 🚐 🏠
15 avril-15 oct. – **R** conseillée juil.-août – Tarif 91 : 🔲 1 ou 2 pers. 85, pers. suppl. 21 (ⅰ) 13 (5A)

**Les Peupliers**, ☎ 68 80 35 87, à 500 m de la mer
4 ha (220 empl.) ⚬ plat, herbeux ⌂ 99 – 🚿 ⏚ 🚽 🏪 ⚄ ⏚ ⊕ ⚂ ☂ 🛒 🎣 🏖
– 🛖 ⚓ ✗ ☂ half-court – A proximité : 🐎 – Location : 🚐
juin-sept. – **R** conseillée juil.-août – 🔲 2 pers. 78, pers. suppl. 21 (ⅰ) 13 (6A)

**Ma Prairie**, ☎ 68 80 24 70, O : 2,5 km, à Canet-Village (hors schéma) - sortir par D 11 rte d'Elne et chemin à droite – ✤ 10 juil.-20 août
4 ha (270 empl.) ⚬ plat, herbeux ⌂ 99 (2 ha) – 🚿 ⏚ 🚽 🏪 ⚄ ⏚ ⊕ ⚂ ☂ 🛒 ✗
🎣 🏖 – 🛖 ✗ ☂ – Location : 🚐 🏠
mai-20 sept. – **R** conseillée 20 juin-20 août – 🔲 piscine comprise 2 pers. 107, pers. suppl. 28 (ⅰ) 18 (3A) 24 (6A)

**Domino**, ☎ 68 80 27 25, r. des Palmiers, à 250 m de la plage et du port
0,7 ha (63 empl.) ⚬ plat, herbeux ⌂ 99 – 🚿 ⏚ 🚽 🏪 ⚄ ⏚ ⊕ ⚂ ☂ 🏖 – 🛖
avril-sept. – **R** conseillée – 🔲 2 ou 3 pers. 110, pers. suppl. 23 (ⅰ) 13,50 (3A) 16 (6A) 20 (10A)

**Le Bosquet**, ☎ 68 80 23 80, bord de la Têt, à 500 m de la mer
1,5 ha (130 empl.) ⚬ plat, herbeux ⌂ 99 – 🚿 ⊕ 🎣 – 🛖 – A proximité :
juin-25 sept. – **R** conseillée juil.-août – ♣ 19 🔲 24 (ⅰ) 13,50 (6A)

▶ Si vous recherchez :
un terrain effectuant la location de caravanes,
de résidences mobiles ou de bungalows
Consultez le tableau des localités citées, classées par départements.

---

# CANILLO Principauté d'Andorre – 86 ⑭ – voir à Andorre

---

# CANNES

**06400** Alpes-Mar. – 68 676 h.
🛈 Direction Générale du Tourisme et des Congrès et Accueil de France, espl. Prés. G.-Pompidou
☎ 93 39 01 01 et à la Gare SNCF
☎ 93 79 19 77

17 – 84 ⑨ G. Côte d'Azur

à la Bocca O : 3 km – ✉ 06150 Cannes-la Bocca :

**Ranch-Camping** ≼, ☎ 93 46 00 11 ✉ 06110 le Cannet, NO : 1,5 km par D 9 puis bd de l'Esterel à droite
2 ha (136 empl.) ⚬ peu incliné, en terrasses, herbeux, pierreux ⌂ 99 – 🚿 ⏚ 🏪 🎣 ⊕ ⚂ ⚓ – Location : 🛖
avril-15 oct. – **R** juil.-août

**Le Grand Saule**, ☎ 93 47 07 50 ✉ 06110 le Cannet, NO : 2 km, sur D 9 – ✤ juil-août
1 ha (55 empl.) ⚬ plat, herbeux 99 – 🚿 🚽 🏪 sauna ⊕ ⚂ ☂ 🛒 snack 🏖 – 🛖 ⚓ – A proximité : ✗ – Location : studios
avril-15 oct. – **R** conseillée juil.-août – 🔲 piscine comprise 2 pers. 132, 3 pers.169, 4 pers. 183 (ⅰ) 17 (4 à 10A)

---

# La CANONICA 2B H.-Corse – 90 ③ – voir à Corse

---

# La CANOURGUE

**48500** Lozère – 1 817 h.
🛈 Syndicat d'Initiative (15 juin-15 sept.) ☎ 66 32 83 67 et à la Mairie ☎ 66 32 81 47

15 – 80 ④ ⑤ G. Gorges du Tarn

**l'Urugne**, ☎ 66 32 88 73, E : 3,6 km par D 998 rte de Ste-Enimie, bord de l'Urugne et près d'un golf (9 trous)
2 ha (50 empl.) ⚬ plat, herbeux – 🚿 ⏚ 🚽 🏪 ⚄ ⏚ ⊕ ⚂ ☂ 🏖 – 🛖 ⚓
Location : gîtes
15 juin-15 sept. – **R** conseillée juil.-août – 🔲 2 pers. 55, pers. suppl. 18 (ⅰ) 12,50 (3A)

141

## CAPBRETON

**40130** Landes – 5 089 h.
🅸 Office de Tourisme, av. Georges-Pompidou ℘ 58 72 12 11

🔺🔺🔺 **Municipal de la Civelle,** ℘ 58 72 15 11, sortie S et r. des Biches à droite à 50 m du Boudigau
6 ha (600 empl.) o━ plat, peu incliné, sablonneux, pierreux, herbeux ♀♀ – 🗊 🗳
≋ 🗟 ⊛ 🖳 ᠘ 🖭 – 🖵
15 mai-15 sept. – **R** *conseillé* – 🕇 *14* 🔲 *19* 🛱 *9*

🔺🔺🔺 **La Pointe** ♤, ℘ 58 72 14 98, S : 2 km par D 652 rte de Labenne et av Lartigau à droite, bord du Boudigau
3 ha (228 empl.) o━ plat, sablonneux, herbeux ♀♀ – 🗊 🗳 ≋ 🗟 ⊛ 🖳 ᠘ ✗
🗟 🖭 – 🖵 ᠘ m
juin-sept. – **R** – 🕇 *15* 🔲 *28* 🛱 *12 (6A)*

🔺🔺 **Municipal Bel Air** Ⓜ, ℘ 58 72 12 04, av. du Bourret, près du parc des sports
1,5 ha (100 empl.) o━ plat, sablonneux ♀ – 🗊 🗳 ≋ 🗟 ᠘ ⊛ 🖭 – A proximité : ✗
Permanent – **R** *conseillée* – *Tarif 91 :* 🕇 *14* 🔲 *19* 🛱 *9 (10A)*

---

## CAP-COZ 29 Finistère – 🕔🕗 ⑮ – rattaché à Fouesnant

---

## CAPDENAC-GARE

**12700** Aveyron – 4 818 h.

🔺🔺 **La Diège,** ℘ 65 64 61 25, S : 7,5 km par D 86 rte de Cajarc et D 558 à gauche bord de la Diège
2,5 ha (50 empl.) o━ plat et terrasse, herbeux ♀♀ – 🗊 ≋ 🗟 ⊛ 🖳 ᠘ snack – discothèque ≋ – Location : 🛏
27 mars-2 nov. – **R** *conseillée 10 juil.-10 août* – 🕇 *13* ⇔ *5* 🔲 *13* 🛱 *10 (6A*

🔺🔺 **Municipal les Rives d'Olt** Ⓜ, ℘ 65 80 88 87, sortie O par D 994 rte de Figeac et bd P.-Ramadier à gauche avant le pont, près du Lot, jardin public attenant
0,9 ha (53 empl.) o━ plat, herbeux ☲ ♀ – 🗊 🗳 ᠘ 🗟 ⊛ ᠘ – vélos – A proximité ✗
vac. de printemps, juin-sept. – **R** – *Tarif 91 :* 🕇 *9* ⇔ *5,25* 🔲 *5,25/12,45 avec* *élect.*

---

## CAP FERRET 33 Gironde – 🔟🔷🔟 ⑳ – voir à Arcachon (Bassin d')

---

## CARAMAN

**31460** H.-Gar. – 1 765 h.

🔺🔺 **Municipal de l'Orme Blanc** ♤, ℘ 61 83 25 77, SO : 1,5 km par D 11 rte de Villefranche-de-Lauragais et rte de Baziège, près d'un lac – ⓟ (tentes)
0,4 ha (30 empl.) o━ plat, peu incliné à incliné, herbeux ☲ ♀♀ – 🗊 🗳 ᠘ 🗟
⊛ ᠘ ᠕ – A proximité : ✗
15 juin-15 sept. – **R** *conseillée* – 🔲 *2 pers. 20/30* 🛱 *10*

---

## CARANTEC

**29226** Finistère – 2 609 h.
🅸 Office de Tourisme, r. Pasteur ℘ 98 67 00 43

🔺🔺🔺 **Les Mouettes** ♤ « Cadre agréable », ℘ 98 67 02 46, SO : 1,5 km par rte de St-Pol-de-Léon et rte à droite, à la Grande Grève, près de la mer – ✗
3 ha (220 empl.) o━ plat et en terrasses, herbeux, étang ☲ ♀♀ – 🗊 🗳 ᠘ 🗳
🗟 ᠘ ⊛ ᠕ ᠘ 🖳 ᠘ pizzeria ᠘ 🖭 – 🖵 m ⚓ ᠘ toboggan aquatique –
Location : 🛏
vac. de printemps-sept. – **R** *conseillée* – 🕇 *22 piscine comprise* 🔲 *58* 🛱 *14 (6A*

---

## CARCANS

**33121** Gironde – 1 503 h.

🔺 **Le Chêne Vert,** ℘ 56 03 37 12, S : 1 km par D 3 rte de Lacanau
2 ha (99 empl.) o━ plat, sablonneux, herbeux ♀♀ pinède – 🗊 ᠘ ⊛
20 juin-10 sept. – **R** – 🕇 *10* 🔲 *18* 🛱 *12 (6A)*

🔺 **les Arbousiers,** ℘ 56 03 35 04, O : 2,3 km par D 207, rte de Carcans-plage et à droite
2,3 ha (63 empl.) o━ plat, sablonneux, herbeux ♀♀ – 🗊 🗟 ᠘ ⊛
juin-sept. – **R** *conseillée* – 🕇 *8,50* 🔲 *18* 🛱 *10 (3A)*

---

## CARCASSONNE ℗

**11000** Aude – 43 470 h.
🅸 Office de Tourisme et Accueil de France, 15 bd Camille-Pelletan ℘ 68 25 07 04 et Porte Narbonnaise (Pâques-nov.) ℘ 68 25 68 81

🔺🔺🔺 **La Cité** Ⓜ ⩻, ℘ 68 25 11 77, sortie E par N 113 rte de Narbonne puis 1,8 km par D 104, rte de Cavérac, près d'un bras de l'Aude
7 ha (199 empl.) o━ plat, herbeux, verger ☲ – 🗊 🗳 ᠘ 🗟 ᠘ ▥ ⊛ 🖭 – ✗ ᠘
3 mars-27 oct. – **R** – 🔲 *2 pers. 65, pers. suppl. 21* 🛱 *15 (10A)*

🔺🔺 **Les Lavandières** « Cadre agréable », ℘ 68 25 41 66 ✉ 11610 Pennautier, **à Pennautier,** NO : 4 km rte de Toulouse et D 203 à droite, bord du Fresquel –
Par A 61 : sortie Carcassonne-Ouest
1 ha (36 empl.) o━ plat, herbeux ☲ ♀ – 🗊 🗳 ᠘ 🗟 ⊛ – ⚓
avril-oct. – **R** *conseillée* – 🕇 *17* ⇔ *8* 🔲 *12* 🛱 *16 (10A)*

🔺 **La Bastide de Madame** (aire naturelle) ⩻, ℘ 68 26 80 06 ✉ 11090 Carcassonne, SO : 6 km par D 118 rte de Limoux et chemin à droite après le passage à niveau
1 ha (25 empl.) o━ plat, en terrasses et peu incliné, herbeux – 🗊 🗳 ≋ 🗟 ᠘ ⊛ – ᠘
juil.-août – **R** *conseillée 15 juil.-15 août* – 🔲 *piscine comprise 2 pers. 48, pers. suppl. 13*

142

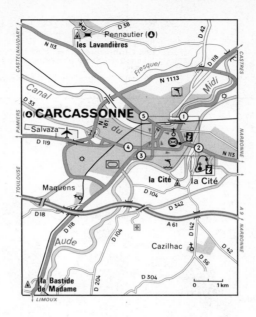

---

**CAREIL** **44** Loire-Atl. – 🖫🖫 ⑭ – rattaché à la Baule

---

**CARENTAN**                                                    ④ – 🖫🖫 ⑬ G. Normandie Cotentin

**50500** Manche – 6 300 h.
🛈 Office de Tourisme, bd Verdun
🖉 33 42 74 01

🔺🔺 **Municipal le Haut Dyck** 🖐 « Plantations décoratives », 🖉 33 42 16 89, au bord du canal, près de la piscine
2,5 ha (104 empl.) ⊶ plat, herbeux ⊏⊐ – 🕭 ⇆ ⏚ 🗔 ⅋ ☺ – 🖴 ⚲⛴ –
A proximité : 🏊
Permanent – **R** *conseillée* – 🛉 *9,30* ⚗ *6,50* 🗉 *10,50* 🕯 *10 (6A)*

---

**CARGÈSE** **2A** Corse-du-Sud – 🖫🖫 ⑯ – voir à Corse

---

**CARNAC**                                                      ③ – 🖫🖫 ⑫ G. Bretagne

**56340** Morbihan – 4 243 h.
🛈 Office de Tourisme, av. des Druides 🖉 97 52 13 52 et pl. de l'Église (Pâques-sept.)

🔺🔺🔺 **La Grande Métairie** « Site et cadre agréables », 🖉 97 52 24 01, NE : 2,5 km, bord de l'étang de Kerloquet
15 ha (352 empl.) ⊶ plat et peu incliné, herbeux, rocheux ⊏⊐ ⚲ – 🕭 ⇆ ⏚ 🗔
⅋ ☺ ⚱ 🏐 🍴 ⚲⛴ 🏊 – ⚲⛴ 🏊 – Location : 🚐
23 mai-12 sept. – **R** *conseillée juil.-août* – 🛉 *20 piscine comprise* 🗉 *90 (100 avec élect. 6A)*

🔺🔺🔺 **Rosnual** 🖐 « Cadre agréable, belles plantations », 🖉 97 52 14 57, NE : 2,5 km, à l'orée d'un bois – ⚘
8,5 ha (160 empl.) ⊶ plat, herbeux, petit étang ⊏⊐ ⚲ – 🕭 ⇆ ⏚ 🗔 ☺ ⚱ 🏐
⚲ 🍴 ✗ ⚲ 🗔 – ⚲⛴ 🏊 – A proximité : 🏏 – Location : 🚐 bungalows toilés
mai-sept. – **R** *conseillée* – 🛉 *20 piscine comprise* 🗉 *75* 🕯 *12 (3A) 16 (6A) 20 (10A)*

🔺🔺 **Moulin de Kermaux** 🖐, 🖉 97 52 15 90, NE : 2,5 km
2,5 ha (120 empl.) ⊶ plat et peu incliné, herbeux ⊏⊐ ⚲ – 🕭 ⇆ ⏚ 🏐 🗔 ☺ ⚱
🔁 🗔 – 🏏 ⚲⛴ 🏊 – Location : 🚐
11 avril-12 sept. – **R** *conseillée* – 🛉 *17 piscine comprise* 🗉 *50* 🕯 *9 (3A)*

🔺🔺 **Le Moustoir** 🖐, 🖉 97 52 16 18, NE : 3 km
5 ha (165 empl.) ⊶ peu incliné, plat, herbeux ⚲⚲ pinède – 🕭 ⇆ ⏚ 🏐 🗔 ☺
🍴 🗔 – 🖴 ⚲⛴ 🏊 – Location : 🚐
avril-15 sept. – **R** *conseillée juil.-août* – 🛉 *16* 🗉 *42* 🕯 *8,70 (6 ou 10A)*

🔺 **Les Bruyères** 🖐, 🖉 97 52 30 57, N : 3 km
2 ha (105 empl.) ⊶ plat, herbeux – 🕭 ⇆ ⏚ 🗔 ☺ 🔁 🗔 – ✗ ⚲⛴ – Location :
🚐
11 avril-25 oct. – **R** *conseillée juil.-août* – 🛉 *13,50* 🗉 *25,50* 🕯 *10 (4A) et 2 par ampère suppl.*

🔺 **L'Étang** 🖐, 🖉 97 52 14 06, N : 2 km, à Kerlann, à 50 m de l'étang
2,5 ha (165 empl.) ⊶ plat, herbeux ⊏⊐ – 🕭 ⇆ ⏚ (🏊 juil.-août) 🗔 ☺ 🍴 🗔 –
⚘ ⚲⛴
avril-oct. – **R** – 🛉 *19* ⚗ *6* 🗉 *26* 🕯 *9 (3A)*

**Kérabus** ⚲, ℘ 97 52 24 90, NE : 2 km
0,8 ha (70 empl.) ⚡ plat, herbeux ♀ – 🎨 ⚕ 🛶 🗂 ⊕ – 🚣 – A proximité : ✖
juin-14 sept. – **R** – ✱ *10* 🔲 *13* 🔟 *9 (4A) 11 (6A)*

**Les Ombrages** ⚲, ℘ 97 52 16 52, N : 2,5 km, à Kerlann
1 ha (80 empl.) ⚡ plat, herbeux 🔲 ♀ – 🎨 ⚕ 🛁 🛶 🗂 ⚕ – A proximité :
🛶 ✖
15 juin-15 sept. – **R** – ✱ *15* 🔲 *22* 🔟 *9 (3A) 11 (6A)*

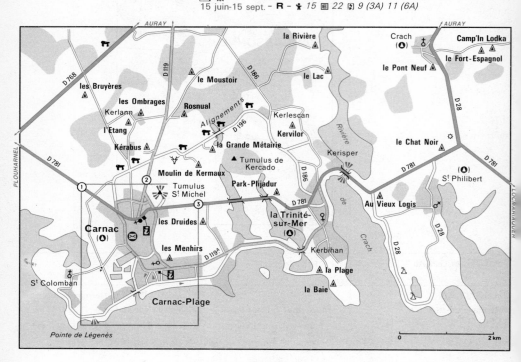

à *Carnac-Plage* S : 1,5 km :

**Les Menhirs,** ℘ 97 52 94 67, allée St-Michel, à 400 m de la plage
6 ha (360 empl.) ⚡ plat, herbeux 🔲 – 🎨 ⚕ 🛁 🛶 🗂 ⚕ 🛶
✖ 🍴 🖼 garderie – 🔲 salle de remise en forme et d'animation ✖ 🔟 🚣 🛶
🚴 toboggan aquatique, vélos – Location : 🚐
26 avril-sept. – **R** indispensable 25 juin-août – ✱ *26 piscine comprise* 🔲 *120*

**Les Druides,** ℘ 97 52 08 18, E : quartier Beaumer, à 500 m de la plage –
✖ juil.-août
1,5 ha (90 empl.) ⚡ plat, peu incliné, herbeux 🔲 ♀ – 🎨 ⚕ 🛁 🗂 ⚕ 🖼 –
🛶 🚣
17 avril-10 mai et 27 mai-10 sept. – **R** – 🔲 *3 pers. 95* 🔟 *12,50 (3A) 16 (6A)*

Voir aussi à *Crach, St-Philibert, la Trinité-sur-Mer*

---

## CARNON-PLAGE

**34** Hérault – ✉ 34280 la
Grande-Motte

🔟 – 🔟 ⑦ G. Gorges du Tarn

**Intercommunal les Saladelles,** ℘ 67 68 23 71, par D 59, à 80 m de la plage
7,6 ha (384 empl.) ⚡ plat, sablonneux – 🎨 ⚕ 🛁 ⚕ ⊕ 🛶 ✇
Pâques-oct. – **R** conseillée juil.-août – 🔲 *2 pers. 49,60 (62,50 ou 65 avec élect.), pers. suppl. 14,10*

---

## CAROMB

**84331** Vaucluse – 2 640 h.

🔟 – 🔟 ⑬

Municipal le Bouquier, N : 1,5 km par D 13 rte de Malaucène
1,5 ha (35 empl.) ⚡ en terrasses, plat, gravier, pierreux 🔲 – 🎨 ⚕ 🛶 🗂 ⚕ ⊕
🛶

---

▶ 🎨 ⚕ 🛁
*Douches, lavabos et lavoirs avec* **eau chaude,**
*Si ces signes ne figurent pas dans le texte, les installations ci-dessus existent*
*mais fonctionnent à l'eau froide seulement.*

## CARQUEIRANNE

17 - 84 ⑮

**83320** Var - 7 118 h.

Office de Tourisme, pl. de la Libération ✆ 94 58 60 78

Schéma au Pradet

**Le Beau-Vezé** « Cadre agréable », ✆ 94 57 65 30, NO : 2,5 km par D 559 rte de Toulon puis 1 km par D 76 à droite
7 ha (150 empl.) plat, peu incliné, en terrasses, pierreux pinède - - Location : studios
juin-20 sept. - **R** *conseillée juil.-20 août - piscine comprise 2 pers. 95, pers. suppl. 32 19 (6A)*

## CARSAC-AILLAC

13 - 75 ⑰ **G. Périgord Quercy**

**24200** Dordogne - 1 219 h.

Schéma à la Roque-Gageac

**Le Plein Air des Bories**, ✆ 53 28 15 67, S : 1,3 km par D 703 rte de Vitrac et chemin à gauche, près de la Dordogne (accès direct) -
2,8 ha (90 empl.) plat, sablonneux, herbeux - - A proximité :
juin-15 sept. - **R** *conseillée - Tarif 91 : piscine comprise 2 pers. 58, pers. suppl. 18 13 (6A)*

## CASSAGNES

14 - 79 ⑦

**46700** Lot - 212 h.

**Municipal du Lac,** NO : 1,5 km sur D 673 rte de Fumel, près du lac
1,5 ha (25 empl.) non clos, peu incliné à incliné, accidenté, pierreux, herbeux -
juin-sept. - **R** - *9 10 7*

► *Use this year's Guide.*

## CASSAGNES-BÉGONHÈS

15 - 80 ⑫

**12120** Aveyron - 1 040 h.

**Municipal le Glandou,** S : 1 km par D 902 rte de Réquista, bord d'un étang
1,5 ha (38 empl.) en terrasses, pierreux, herbeux -
15 juin-15 sept. - **R** - *8 15 8*

## CASSY **33** Gironde - 71 ⑳ - voir à Arcachon (Bassin d')

## CASTELJALOUX

14 - 79 ⑬ **G. Pyrénées Aquitaine**

**47700** L.-et-G. - 5 048 h.

**Municipal de la Piscine,** ✆ 53 93 54 68, sortie NE par D 933 rte de Marmande, bord d'un ruisseau
1 ha (65 empl.) plat, herbeux -
28 mars-25 sept. - **R** - *9 7,50 10 (5A)*

**Municipal du Lac de Clarens,** ✆ 53 93 07 45, SO : 2,5 km par D 933 rte de Mont-de-Marsan, bord du lac
4 ha (240 empl.) (saison) plat et accidenté, herbeux (3 ha) - (plage) - A proximité : golf, parcours sportif
début avril-fin sept. - **R** *conseillée - 13 8 10 (5A)*

## CASTELJAU

16 - 80 ⑧

**07** Ardèche
✉ 07460 Berrias-et-Casteljau

**La Rouveyrolle**, ✆ 75 39 00 67, à l'est du bourg, à 100 m du Chassezac
2,5 ha (92 empl.) (saison) plat, herbeux, pierreux - snack - - A proximité : - Location :
avril-sept. - **R** *conseillée juil.-août - piscine comprise 2 pers. 85, pers. suppl. 21 12 (5A)*

**Mazet-Plage** <, ✆ 75 39 32 56, SO : 1 km par rte du Bois de Païolive, bord du Chassezac
2 ha (100 empl.) plat, en terrasses, herbeux, pierreux - - vélos - Location :
mars-oct. - **R** *conseillée juil.-août - 2 pers. 58 13,50 (6A)*

**les Tournaires,** ✆ 75 39 36 39, N : 0,5 km rte de Chaulet plage, au lieu-dit les Tournaires, à 300 m du Chassezac
1,5 ha (35 empl.) plat, herbeux - snack -
mai-sept. - **R** *conseillée - piscine comprise 2 pers. 68, pers. suppl 10 10 (5A)*

**Les Blaches** « Site agréable et cadre sauvage », ✆ 75 39 05 26, N : 0,6 km rte de Chaulet-Plage, accès direct au Chassezac
2 ha (80 empl.) (saison) en terrasses, accidenté, rocheux, pierreux, herbeux - - - A proximité : snack - Location :
Pâques-sept. - **R** *conseillée juil.-août - 2 pers. 46 8,50 (2A) 10,50 (4A) 13 (6A)*

**La Vignasse** « Site agréable », ✆ 75 39 30 27, N : 0,6 km rte de Chaulet-Plage, accès direct au Chassezac
3 ha (95 empl.) en terrasses, pierreux, herbeux - snack - - Location :
Pâques-sept. - **R** *conseillée juil.-août - Tarif 91 : 2 pers. 42, pers. suppl. 10 8 (2A) 10 (4A) 12 (6A)*

## CASTELLANE ⟨SP⟩

**04120** Alpes-de-H.-Pr. – 1 349 h. alt. 724.

🅱 Office de Tourisme, r. Nationale
✆ 92 83 61 14

**Le Verdon** ⟨⟩ ≤ « Cadre et situation agréables », ✆ 92 83 61 29, Domaine de la Salaou, SO : 2 km par D 952 rte de Moustiers-Ste-Marie, bord du Verdon (petits plans d'eau)
14 ha/9 campables (421 empl.) ○⇥ plat, herbeux, pierreux ⊏⊐ ⚤ – 🕌 ⇔ 🛁 📺 ⚄ ⊕ ⚲ ☂ 🛒 ⚓ ▼ ✗ pizzeria ⚄ 🔲 cases réfrigérées – ⊏⊐ 🛌 ⚄ 🛒 ⚞ ⚓ – Location : 🏠 🚐 🛖
15 mai-15 sept. – **R** conseillée juil.-août – Tarif 91 : 🔲 piscine comprise 3 pers. 96 (110 à 142 avec élect. 2 ou 6A), pers. suppl. 25

**Gorges du Verdon** ≤ « Site et cadre agréables », ✆ 92 83 63 64, SO : 9,5 km par D 952 rte de Moustiers-Ste-Marie, bord du Verdon – alt. 666
7 ha (195 empl.) ○⇥ plat et peu incliné, accidenté, pierreux, herbeux ⚤⚤ pinède – 🕌 ⚄ 🛁 ⚄ ⊕ ⚲ ▼ snack ⚄ ⚄ – ⊏⊐ ⚞ – Location : studios
avril-sept. – **R** conseillée juil.-août – 🔲 piscine comprise 3 pers. 80 (92 avec élect. 3A), pers. suppl. 17

**Le Clavet** ⟨⟩ ≤, ✆ 92 83 68 96, à **La Garde**, SE : 7 km par N 85 rte de Grasse – alt. 1 000 – Accès aux emplacements par pente à 12 %
7 ha (160 empl.) ○⇥ en terrasses, peu incliné, pierreux, herbeux, bois attenant ⊏⊐ – 🕌 ⇔ 🛁 ⚄ ⊕ ⚲ ⚄ ⚄ – ⊏⊐ ⚞ ⚓ ⚞ 🐎 vélos – Location : bungalows toilés
15 avril-sept. – **R** conseillée – ♦ 25 piscine comprise 🔲 23 🔌 16 (10A)

**International** ⟨⟩ ≤, ✆ 92 83 66 67, NO : 1,7 km par rte de Digne et rte de la Palud à droite
12 ha/8 campables (200 empl.) ○⇥ plat, peu incliné, herbeux, pierreux ⊏⊐ – 🕌 ⇔ 🛁 ⚄ ⚄ ⊕ ⚲ ⚲ ⚄ ✗ ⚄ 🔲 – ⊏⊐ ⚞ ⚞ – Location : 🚐 studios
avril-sept. – **R** conseillée – 🔲 piscine comprise 2 pers. 85, pers. suppl. 19 🔌 20 (6A)

**Les Lavandes** ≤, ✆ 92 83 68 78, SO : 0,3 km par D 952 rte de Moustiers-Ste-Marie
0,6 ha (60 empl.) ○⇥ plat, herbeux – 🕌 🛁 ⚄ sauna ⚄ ⊕
23 mars-sept. – **R** conseillée juil.-août – ♦ 12 ⚞ 8 🔲 12 🔌 12 (3A) 14 (6A) 18 (10A)

**Provençal** ≤, ✆ 92 83 65 50, NO : 2 km par N 85 rte de Digne
0,8 ha (45 empl.) ○⇥ plat et peu incliné, herbeux, pierreux – 🕌 ⚄ 🛁 ⊕ 🔲
juin-15 sept. – **R** conseillée juil.-août – 🔲 2 pers. 42 🔌 12 (3A) 19 (6A)

**Frédéric Mistral** ≤, ✆ 92 83 62 27, sortie SO par D 952 rte de Moustiers-Ste-Marie
1 ha (60 empl.) ○⇥ plat, herbeux – 🕌 ⇔ ⚄ ⚄ ⚄ ⊕ – A proximité : ✗ ⚞
Permanent – **R** conseillée 15 juin-15 sept. – ♦ 14 🔲 12 🔌 15 (6A)

**Notre-Dame** ≤, ✆ 92 83 63 02, SO : 0,5 km par D 952 rte de Moustiers-Ste-Marie, bord d'un ruisseau
0,6 ha (40 empl.) ○⇥ plat, herbeux ⚲ – 🕌 🛁 ⊕ – ⚞ – Location : 🚐
avril-20 oct. – **R** conseillée juil.-août – Tarif 91 : 🔲 3 pers. 56 🔌 13,50 (3A) 17,50 (6A)


## CASTELNAU-DE-MONTMIRAL

**81140** Tarn – 910 h.

**Le Rieutort** ⟨⟩ ≤, ✆ 63 33 16 10, NO : 3,5 km par D 964, rte de Caussade et D 87, rte de Penne, à droite
10 ha/0,5 campable (35 empl.) ○⇥ peu accidenté, plat et peu incliné, herbeux, pierreux, bois attenant ⚤⚤ – 🕌 ⚄ 🔲 – ⊏⊐ – A la Base de Loisirs (800 m) : ▼ snack ✗ ⚞ ⚞
15 mai-sept. – **R** conseillée – 🔲 2 pers. 35, pers. suppl. 10,50


## CASTELNAUD-FAYRAC

**24** Dordogne – 408 h.
✉ 24250 Domme

Schéma à la Roque-Gageac

**Maisonneuve** ⟨⟩ ≤ « Ferme fleurie », ✆ 53 29 51 29, SE : 1 km par D 57 et chemin à gauche, bord du Céou
3 ha (110 empl.) ○⇥ plat, prairie ⊏⊐ ⚲ (1 ha) – 🕌 ⇔ 🛁 ⚄ ⚄ ⚄ ⊕ ▼ ⚄ – ⊏⊐ ⚞ ⚞ – avril-sept. – **R** conseillée juil.-août – ♦ 18 piscine comprise 🔲 28 🔌 12 (3A) (6A)


## CASTELNAU-MONTRATIER

**46170** Lot – 1 820 h.

**Municipal des 3 Moulins** ≤, sortie NO par D 19 rte de Lauzette
1 ha (50 empl.) en terrasses, herbeux, pierreux ⚲ (0,5 ha) – 🕌 ⇔ 🛁 ⊕ – A l'entrée : ✗ ⚞
juin-sept. – **R** – ♦ 5,30 🔲 5,90 🔌 4,70


## CASTÉRA-VERDUZAN

**32410** Gers – 794 h. – ♨ mai-oct

**Municipal Plage de Verduzan**, ✆ 62 68 12 23, à l'entrée N du bourg, bord de l'Aulone et d'un plan d'eau
2 ha (100 empl.) ○⇥ plat, herbeux – 🕌 ⇔ 🛁 ⚄ ⊕ ⚲ ⚄ – ⊏⊐ – A proximité : ⚞
avril-oct. – **R** conseillée – 🔲 élect. comprise 1 à 3 pers. 85, pers. suppl. 15

## CASTETS

**40260** Landes – 1 719 h.

ᗯ Municipal de Galan ॐ, ℘ 58 89 43 52, E : 1 km par D 42 et à droite
4 ha (220 empl.) ⊶ plat, peu incliné, sablonneux, herbeux ᛘᛘ – 🔟 ❤ 🚽 🖪 ᕶ
⊕ ᗏ 🖈 🖪 – 🔲 ❤ – Location : ☎
15 juin-15 sept. – **R**

---

## CASTILLONNÈS

**47330** L.-et-G. – 1 424 h.

ᗯ **Municipal la Ferrette,** ℘ 53 36 94 68, sortie N par N 21 rte de Bergerac
1 ha (64 empl.) plat et peu incliné, herbeux ᛘᛘ – 🔟 ❤ 🚽 🖪 ⊕ – A proximité :
❤ 🔳
juin-sept. – **R** *conseillée* – 🕻 *10* 🖪 *9* 🖪 *7,50 (2A) 20 (4A) 25 (8A)*

---

## CASTRES ⊕

**81100** Tarn – 44 812 h.
🖪 Service du Tourisme, Théâtre
Municipal, pl. République
℘ 63 71 56 58 et Gare Routière
pl. Soult (juil.-août)

ᗯ **Parc de Loisirs de Gourjade** ॐ, ℘ 63 59 56 49, NE : 2 km par D 89 rte
de Roquecourbe, bord de l'Agout
53 ha/4 campables (80 empl.) ⊶ plat et terrasse, herbeux – 🔟 ❤ 🚽 🖪 ᕶ ⊕
🔳 – 🔲 – A proximité : practice de golf 🏌 ⛳ golf
Pâques-sept. – **R** *– Tarif 91 :* 🖪 *2 pers. 21/29* 🖪 *10 (6A)*

---

## CASTRIES

**34160** Hérault – 3 992 h.

ᗯ **Le Galipot** ॐ, ℘ 67 70 19 75, N : 0,9 km par D 26 rte de Guzargues, av. des
Pins à droite et r. du Romarin à gauche
1,3 ha (31 empl.) ⊶ plat et peu incliné, pierreux, herbeux ᛘᛘ 🔟 – 🔟 ❤ 🖪 ᕶ
⊕ ᗏ 🖈 – Location : ☎
15 mai-15 oct. – **R** *conseillée juil.-août* – 🖪 *2 pers. 44, pers. suppl. 10* 🖪 *11*
*(10A)*

---

## CAUDAN

**56850** Morbihan – 6 674 h.

ᗯ **Municipal de Kergoff** ॐ, ℘ 97 05 73 87, à l'ouest du bourg, près du stade,
à 200 m d'un plan d'eau
0,6 ha (55 empl.) ⊶ plat et peu incliné, herbeux – 🔟 🔊 ⊕ – A proximité : ❤
mai-sept. – **R** – 🕻 *5,80* 🚗 *3,20* 🖪 *5,80* 🖪 *7 (6A)*

---

## CAUNEILLE

**40300** Landes – 679 h.

ᗯ **Les Sources,** ℘ 58 73 04 40, sortie N, à 200 m de la N 117
1 ha (50 empl.) ⊶ en terrasses, plat, herbeux, pierreux – 🔟 ❤ 🔊 🖪 ⊕ 🍹 🍴 – ⛳
🔳 (bassin) – Location : ☎
mai-1er sept. – **R** *conseillée juil.-août* – 🕻 *15* 🖪 *16* 🖪 *10 (6A)*

---

## CAUREL

**22530** C.-d'Armor – 384 h.

ᗯ **Nautic International** ॐ « Situation et cadre agréables », ℘ 96 28 57 94,
SO : 2 km, au lieu-dit Beau-Rivage, bord du lac de Guerlédan
2,6 ha (80 empl.) ⊶ plat, en terrasses, herbeux – 🔟 ❤ 🚽 🖪 ᕶ ⊕ ᗏ 🖈 🔳
🖪 – 🔲 ❤ ⛳ 🔳 🔳 – A proximité : 🍹 🍴 crêperie 🏌
avril-sept. – **R** *juil.-août* – 🕻 *20 piscine comprise* 🚗 *8* 🖪 *22* 🖪 *12 (6A)*

---

## CAUSSADE

**82300** T.-et-G. – 6 009 h.

ᗯ **Municipal la Piboulette** ॐ, ℘ 63 93 09 07, NE : 1 km par D 17, rte de
Puylaroque et à gauche, au stade, à 200 m d'un étang
1,5 ha (120 empl.) ⊶ plat, herbeux 🔟 – 🔟 🔊 🖪 ⊕ – 🔲 – A proximité : ❤
🔳
mai-oct. – **R** *conseillée juil.-août* – 🕻 *6,20* 🖪 *6,60* 🖪 *6,60 (3A)*

---

## CAUTERETS

**65110** H.-Pyr. – 1 201 h. alt. 930 –
⛷ – ❄.
🖪 Office de Tourisme, pl. de l'Hôtel-
de-Ville ℘ 62 92 50 27

ᗯ **Le Cabaliros** ≼, ℘ 62 92 55 36, N : 1,6 km par rte de Lourdes et au pont à
gauche, bord du Gave de Pau
1,5 ha (50 empl.) ⊶ peu incliné, accidenté, herbeux – 🔟 🔊 🖪 ⊕ 🔳
15 mai-15 oct. – **R** *juil.-août – Tarif 91 :* 🕻 *11,80* 🖪 *10,20* 🖪 *9,20 (2A)*

ᗯ **Le Péguère** ≼, ℘ 62 92 52 91, N : 1,5 km par rte de Lourdes, bord du Gave
de Pau
2,5 ha (83 empl.) ⊶ peu incliné, herbeux – 🔟 🔊 🖪 ⊕ 🔳
20 avril-sept. – **R** *conseillée juil.-août* – 🕻 *13* 🖪 *10* 🖪 *8 (jusqu'à 6A)*

ᗯ **Les Bergeronnettes** ≼, N : 1,3 km par rte de Lourdes et chemin à gauche,
à 50 m du Gave – ॐ
0,4 ha (50 empl.) ⊶ plat et peu incliné, herbeux – 🔟 🔊 🖪 ⊕
15 juin-sept. – **R** – 🕻 *10* 🚗 *5,25* 🖪 *5,25* 🖪 *15 (4A) 21,50 (6A)*

147

## CAVALAIRE-SUR-MER

**83240** Var – 4 188 h.
🅸 Office de Tourisme, square de Lattre-de-Tassigny ℰ 94 64 08 28

🔺 **La Baie,** ℰ 94 64 08 15, sortie SO par rte du Lavandou et à gauche, à 400 m de la plage
5,5 ha (480 empl.) ⊶ plat, peu incliné et en terrasses, herbeux ☐ ♀♀ – 🗑 ⇔
🖵 🖪 ⊕ 🍴 ✗ 🍴 – 🖵 🚶 – Location : 🖵
15 mars-15 oct. – **R** conseillée 15 juin-août – 🅴 piscine comprise 3 pers. 84 ou 115, pers. suppl. 26 ⒜ 15 (3A) 25 (10A)

🔺 **Les Canissons** « Cadre agréable », ℰ 94 64 31 81, sortie SO par rte du Lavandou et rte à droite – ✖
3 ha (150 empl.) ⊶ peu incliné et en terrasses, herbeux ☐ ♀♀ – 🗑 ⇔ 🖵 🖵
🕹 ⊕ 🚉 🍴 🖪 – 🖵 🚶
15 mars-sept. – **R** indispensable juil.- août – Autorisation parentale obligatoire pour les mineurs – 🅴 3 pers. 89, pers. suppl. 20 ⒜ 12 (5A) 15 (10A)

🔺 **Cros de Mouton** 🚶 ≤ « Situation agréable », ℰ 94 64 10 87, NO : 1,5 km
4,2 ha (160 empl.) ⊶ en terrasses, pierreux ☐ ♀♀ – 🗑 ⇔ 🖵 ⊕ 🚉 🍴 ✗ 🍴
– Location : 🖵 🖵
15 mars-oct. – **R** conseillée saison – ⭐ 19,50 🅴 21,50 ⒜ 12 (10A)

🔺 **Bonporteau** 🚶, ℰ 94 64 03 24, SO : 1 km par rte du Lavandou, à 200 m de la plage
3 ha (240 empl.) ⊶ incliné et en terrasses, pierreux ♀♀ – 🗑 ⇔ 🖵 🖵 ⊕ 🚉 ✗
🚶 🖪 cases réfrigérées – 🚶 vélos – Location : 🖵 🖵
20 mars-15 oct. – **R** – 🅴 3 pers. 90 ⒜ 13 (5A)

🔺 **La Pinède,** ℰ 94 64 11 14, sortie SO par rte du Lavandou et rte à droite
2 ha (180 empl.) ⊶ plat, herbeux ☐ ♀♀ – 🗑 ⇔ 🖵 🚉 🕹 🕹 ⊕ 🚉 🚶 🖪
🖵 🚶
8 mars-15 oct. – **R** conseillée 15 juin-août – 🅴 2 ou 3 pers. 80, pers. suppl. 20 ⒜ 15 (5A)

🔺 **Roux** 🚶 « Entée fleurie », ℰ 94 64 05 47, NE : 3 km par D 559 rte de Ste-Maxime et à gauche, rue du Docteur Pardigon
4 ha (245 empl.) ⊶ peu incliné, en terrasses, pierreux ☐ ♀♀ – 🗑 ⇔ 🖵 🖪
⊕ 🚉 snack 🖪 – 🖵 🚶 vélos – Location : studios, appartements

## CAVALIÈRE

**83** Var – ✉ 83980 le Lavandou

🔺 **Parc-Camping de Pramousquier** 🚶 ≤ « Site et cadre agréables »
ℰ 94 05 83 95, E : 2 km par D 559 rte de Cavalaire, **à Pramousquier**
3 ha (180 empl.) ⊶ en terrasses, pierreux, rocheux ☐ ♀ – 🗑 🚉 ⊕ 🚉 snack
🚶 🖪
mai-10 oct. – **R** conseillée juil.-août – ⭐ 19 🅴 27 ⒜ 13 (3A) 18 (6A)

## CAYEUX-SUR-MER

**80410** Somme – 2 856 h.

🔺 Municipal de Brighton les Pins, réservé aux caravanes, ℰ 22 26 71 04, NE : 2 km par D 102 rte littorale, à Brighton, à 500 m de la mer
4 ha (163 empl.) ⊶ plat, herbeux ☐ – 🗑 ⇔ 🖵 🕹 🔲 ⊕ 🚉 🚶 🚉 🚶 🖪
🖵 🚶
Permanent – **R** conseillée juil.-août

## CAZALS

**46250** Lot – 538 h.

🔺 Municipal du Plan d'Eau ≤, ℰ 65 22 84 45, sortie S par D 673 rte de Fumel, bord d'un plan d'eau
0,7 ha (55 empl.) plat, herbeux ♀ – 🗑 🚉 ⊕ – ✖ 🚶
juin-sept. – **R** conseillée juil.-août – ⭐ 10 🅴 10 ⒜ 10

## CAZAUBON

**32150** Gers – 1 605 h. –
♨ 24 fév.-28 nov. à Barbotan

🔺 **Municipal du Lac de l'Uby** ≤ « Situation et cadre agréables »
ℰ 62 09 53 91, NE : 2,5 km par D 656 rte de Barbotan-les-Thermes et rte à droite, bord du lac
6 ha (308 empl.) ⊶ plat et peu incliné, gravillons, herbeux ♀♀ – 🗑 ⇔ 🖵 🖪
🚉 – 🖵 – A proximité : ✖ 🚶 🚶 ▷ 🚶
15 mars-nov. – **R** conseillée juil.-août – Tarif 91 : ⭐ 13,70 🚗 4,40 🅴 9,30/12,10 ⒜ 6,90 (4A) 12,40 (5A) 20,25 (10A)

## CAZÈRES

**31220** H.-Gar. – 3 155 h.

🔺 **Intercommunal le Plantaurel** ◇ 🚶 « Cadre agréable, entrée fleurie »
ℰ 61 97 03 71, SO : 2 km par D 7 et D 62, près de la Garonne
3,5 ha (150 empl.) ⊶ plat, herbeux ♀♀ – 🗑 ⇔ 🖵 ✖ – 🖵 🚶
Permanent – Places disponibles pour le passage – **R** – Tarif 91 : 🅴 élect. et piscine comprises 3 pers. 58, 4 pers. 72

## CAZOULÈS

**24370** Dordogne – 397 h.

🔺 **Municipal la Borgne,** ℰ 53 29 81 64, à 1,5 km au SO du bourg, bord de la Dordogne
5 ha (100 empl.) ⊶ plat, herbeux ♀ – 🗑 ⇔ 🖵 🚉 🕹 ⊕ 🖪 – 🖵 🚶
🚶
15 juin-15 sept. – **R** conseillée 15 juil.-15 août – ⭐ 15 piscine comprise 🚗 6 🅴 12

## CEAUX-D'ALLEGRE

**43270** H.-Loire – 428 h. alt. 905

**⬜ – 🔲** ⑥

🛆 **Municipal** ⚲, ☎ 71 00 79 66, NE : 1,1 km par D 134, rte de Bellevue-la-Montagne et chemin à gauche, bord de la borne et près d'un plan d'eau 0,5 ha (35 empl.) ⚬➞ plat, pierreux, herbeux – 🏠 ⚙ 🛆 ⊙ 🛆 ▽ – A proximité : ✂ 🐟 🛶
juil.-août – **R** – ✴ 6 ⇔ 6 🔲 5/6 🌓 6 (5A) 12 (10A)

## CEILLAC

**05600** H.-Alpes – 289 h. alt. 1 643 – 🏂.
🏛 Syndicat d'Initiative, Mairie (saison) ☎ 92 45 05 74

**⬜ – 🔲** ⑱ ⑲ **G. Alpes du Sud**

🏔 **Les Mélèzes** ⚲, ≤ « Site agréable », ☎ 92 45 21 93, SE : 1,8 km, bord du Mélezet
3 ha (100 empl.) ⚬➞ peu incliné, accidenté et terrasses, pierreux, herbeux – 🏠 ⚙ 🗞 🍴 ⊙ 🖲 – ⚲
juin-15 sept. – **R** – ✴ 18 ⇔ 10 🔲 11 🌓 7 (2A) 12 (4A) 15 (6A)

## La CELLE-DUNOISE

**23800** Creuse – 589 h.

**⬜ – 🔲** ⑱

🛆 **Municipal de la Baignade,** à l'est du bourg, par D 48ᴬ rte du Bourg d'Hem, près de la Creuse
1,4 ha (30 empl.) plat et en terrasses, herbeux – 🏠 ⚙ ⊙ 🛆 ▽ – 🛖 ✂
A proximité : 🐟 🐎 poneys
mai-sept. – **R** – ✴ 8 ⇔ 6,50 🔲 6,50 🌓 7 (5A)

## CELLES-SUR-BELLE

**79370** Deux-Sèvres – 3 425 h.
🏛 Syndicat d'Initiative, aux Halles (juil.-août) et Mairie ☎ 49 79 80 17

**⬜ – 🔲** ② **G. Poitou Vendée Charentes**

🏔 **Municipal la Boissière,** sortie S par rte de Melle
1,2 ha (40 empl.) peu incliné, plat, herbeux ⚲⚲ – 🏠 🍴 ⚙ 🎿 – ⚲ – A proximité :
Permanent – **R** conseillée juil.-août – 🔲 2 pers. 20,90, pers. suppl. 7,80 🌓 7,70 (4A)

## CELLES-SUR-PLAINE

**88110** Vosges – 843 h.

**⬜ – 🔲** ⑦

🏔 **le Lac** ≤, au S du bourg, bord d'un ruisseau
3 ha (114 empl.) ⚬➞ plat, herbeux, goudronné – 🏠 ⚙ ⊙ 🍴 ▥ ⊙ 🛆 ▽ – 🛖
avril-sept. – **R** juil.-août – 🔲 1 pers. 26, pers. suppl. 14 🌓 10 (10A)

🏔 **la Plaine** ≤ ✉ Pierre-Percée 54540, au S du bourg, bord d'un ruisseau
1 ha (65 empl.) ⚬➞ plat, herbeux – 🏠 ⚙ 🗞 ⊙
mai-sept. – **R** juil.-août – 🔲 1 pers. 22, 2 pers. 32 🌓 18 (5A)

## CELLETTES

**41120** Loir-et-Cher – 1 922 h.
🏛 Syndicat d'Initiative, 2 r. de la Rozelle (juil.-août) ☎ 54 70 30 46

**⬜ – 🔲** ⑰

🏔 **Municipal,** ☎ 54 70 48 41, sortie E par rte de Contres et D 77 à gauche, bord du Beuvron
1 ha (80 empl.) ⚬➞ plat, herbeux – 🏠 🍴 ⊙ – ⚲ 🎿
juin-15 sept. – **R** – ✴ 13 🔲 9 🌓 9 (6A)

## CÉNAC-ET-ST-JULIEN

**24250** Dordogne – 993 h.

Schéma à la Roque-Gageac

**⬜ – 🔲** ⑰ **G. Périgord Quercy**

🏔 **Le Pech de Caumont** Ⓜ ⚲ ≤, ☎ 53 28 21 63, S : 1,8 km
2,2 ha (100 empl.) ⚬➞ (saison) en terrasses, peu incliné, herbeux 🔲 ⚲⚲ (0,5 ha)
– 🏠 ⚙ 🗞 🍴 ⚙ ⊙ 🛆 ▽ 🍴 🖲 – 🛖 🏊 – Location : 🏠
avril-sept. – **R** conseillée juil.-août – 🔲 piscine comprise 2 pers. 58, pers. suppl. 18,50 🌓 11 (6A)

🛆 **Municipal,** ☎ 53 28 31 91, sortie N rte de Vitrac, bord de la Dordogne
2 ha (100 empl.) plat, herbeux ⚲⚲ – 🏠 🍴 🗞 ⚙ ⊙ – 🎿 🛶

## CENDRAS 30 Gard – 🔲 ⑱ – rattaché à Alès

## CÉRET ⟨SD⟩

**66400** Pyr.-Or. – 7 285 h.
🏛 Comité Municipal de Tourisme, 1 av. G.-Clemenceau ☎ 68 87 00 53

**⬜ – 🔲** ⑲ **G. Pyrénées Roussillon**

🛆 **Les Cerisiers** ⚲, ≤ massif du Canigou « Agréable verger », ☎ 68 87 00 08, sortie E par D 618 rte de Maureillas-les-Illas puis 0,8 km par chemin à gauche
2 ha (90 empl.) ⚬➞ plat, herbeux 🌣 – 🏠 🍴 ⚙ ⊙ – 🛖 🛶
Permanent – **R** conseillée juil.-août – ✴ 10,10 🔲 18,55 🌓 6,70 (4A)

🛆 **Municipal Bosquet de Nogarède,** ☎ 68 87 26 72, E : 0,5 km par D 618 rte de Maureillas-les-Illas, bord d'un ruisseau
3 ha (150 empl.) ⚬➞ plat et accidenté, pierreux, herbeux ⚲⚲ – 🏠 🍴 🗞 🍴 ⚙ ⊙
3 juin-sept. – **R** – ✴ 11 ⇔ 4 🔲 10 🌓 9 (10A)

## CERNAY

**68700** H.-Rhin – 10 313 h.
🏛 Office de Tourisme, 1 r. Latouche (fermé matin hors saison) ☎ 89 75 50 35

**⬜ – 🔲** ⑨ **G. Alsace Lorraine**

🏔 **Municipal les Acacias,** ☎ 89 75 56 97, sortie rte de Belfort puis à droite après le pont, r. René-Guibert, bord de la Thur
3,5 ha (133 empl.) ⚬➞ plat, herbeux 🌣 – 🏠 🍴 🗞 🍴 ⚙ ⊙ 🍴 snack – 🛖 🛶
– A proximité : ⚲ 🏊 (découverte l'été)
30 avril-20 sept. – **R** conseillée juil.-août – Tarif 91 : ✴ 11 🔲 12 🌓 18 (5A)

149

## CEYRAT

**63122** P.-de-D. – 5 283 h.

🏛 Syndicat d'Initiative, Mairie
📞 73 61 42 55

⛰ **Municipal Clermont-Ceyrat** ≤ « Site agréable », 📞 73 61 30 73, av. J.-B. Marrou – alt. 600
4 ha (210 empl.) ⚡ (saison) plat et incliné, herbeux 🌳 – 🗊 🤸 🛁 🛒 🔥 ▥ ⊕
⛱ 🚿 🚻 🍴 snack 🛒 – 🖼 – 🔲 – Location : 🏠
Permanent – *Tarif 91 :* 🚶 *7,95 ou 10,05* 🚗 *4,90 ou 5* 🅴 *4 ou 7* 🔌 *4,40 (2A) 9,95 (4A) 16,10 (6A)*

---

## CEYRESTE

**13600** B.-du-R. – 3 004 h.

⛰ **Ceyreste** 🔄 « Cadre agréable », 📞 42 83 07 68, N : 1 km par av. Eugène-Julien
3 ha (150 empl.) ⚡ (saison) en terrasses, pierreux 🔀 🌳 pinède – 🗊 🤸 🛒 🖼
🛁 ▥ ⊕ ⛱ 🚿 🚿 🖼 – 🛥 – Location : 🛖 🏕
Pâques-oct. – *Places disponibles pour le passage* – **R** *conseillée* – *Tarif 91 :* 🚶 *18* 🅴 *18* 🔌 *11 (2A) 18 (6A)*

---

## CEZAN

**32410** Gers – 158 h.

⛰ **Les Angeles** 🔄, 📞 62 65 29 80, SE : 3,6 km par D 303 rte de Réjaumont et à droite rte de Prehac
1 ha (62 empl.) ⚡ peu incliné, terrasses, herbeux – 🗊 🤸 🖼 ⊕ 🛒 🍴 – 🔲 – Location : 🛖
avril-sept. – **R** *conseillée juil.-août* – 🅴 *piscine comprise 2 pers. 54, pers. suppl. 18* 🔌 *12 (6A) 15 (10A)*

---

## CHABEUIL

**26120** Drôme – 4 790 h.

⛰ **Le Grand Lierne** 🔄 ≤ « Cadre agréable », 📞 75 59 83 14, NE : 5 km par D 68 rte de Peyrus, D 125 à gauche et D 143 à droite - Par A 7 sortie Valence sud et direction Grenoble – 〰
3,6 ha (134 empl.) ⚡ plat, pierreux, herbeux 🔀 🌳 – 🗊 🤸 🛁 🖼 🛁 ⊕ 🛒 🛥 snack 🛒 🖼 cases réfrigérées – 🔲 ✂ 🔥 🔲 mini-tennis, vélos – Location : 🏕
bungalows toilés, chalets
18 avril-15 oct. – **R** *conseillée* – 🅴 *élect. (4A) et piscine comprises 2 pers. 98*

---

## CHABRIS

**36210** Indre – 2 672 h.

⛰ **Municipal le Chambon,** 📞 54 40 07 59, sortie NE par rte de Romorantin et à droite, près du Cher
1,8 ha (100 empl.) ⚡ (juil.-août) plat, herbeux 🌳 – 🗊 🤸 🛁 🛒 ⊕ – A proximité : ✂ 🛥
juin-sept. – **R** *juil.-août* – *Tarif 91 :* 🚶 *6,70* 🅴 *3,60* 🔌 *4*

---

## CHAGNY

**71150** S.-et-L. – 5 346 h.

🏛 Syndicat d'Initiative, 2 r. des Halles
📞 85 87 25 95

⛰ **Municipal du Pâquier Fané** « Cadre agréable », 📞 85 87 21 42, à l'Ouest de la ville, rue Pâquier Fané, bord de la Dheune
1,8 ha (85 empl.) ⚡ plat, herbeux 🔀 🌳 – 🗊 🤸 🛁 🖼 ⊕ 🛒 – 🔲 – A proximité : ✂ 🔥
4 mai-8 sept. – **R** – 🚶 *9,60* 🅴 *13,60* 🔌 *9,50 (6A)*

---

## CHAILLAC

**36310** Indre – 1 246 h.

⛰ Municipal les Vieux Chênes « Cadre agréable », 📞 54 25 61 39, au SO du bourg, au terrain de sports, bord d'un plan d'eau
2 ha (40 empl.) ⚡ incliné à peu incliné, herbeux 🔀 – 🗊 🤸 🛁 🖼 ⊕ 🛒 – ✂ 🔥
Permanent – **R**

---

## La CHAISE-DIEU

**43160** H.-Loire – 778 h. alt. 1 082.

🏛 Office de Tourisme, pl. Mairie
📞 71 00 01 16

⛰ **Municipal les Prades** M, 📞 71 00 07 88, NE : 2 km par D 906 rte d'Ambert à 200 m du plan d'eau de la Tour
2,5 ha (100 empl.) ⚡ peu incliné et accidenté, herbeux 🌳 pinède – 🗊 🤸 🛒 🖼 🛁 ⊕ – A proximité : ✂ 🚤 – Location : huttes
juin-sept. – **R** – 🚶 *14* 🚗 *7* 🅴 *7* 🔌 *12 (10A)*

---

## CHALABRE

**11230** Aude – 1 262 h.

⛰ **L'Eden II** 🔄 ≤, 📞 68 69 26 33, SE : 5 km par rte de Puivert, bord du Blea
50 ha/4 campables (104 empl.) ⚡ plat, terrasses, herbeux 🗊 🤸 🛁 🖼 🔥 sanitaires individuels : 🗊 🤸 🛁 wc) 🛁 ⊕ 🛒 🛥 🍴 🖼 – 🔲 practice de gol
mi mars-mi oct. – **R** *conseillée juil.-août* – *Tarif 91 :* 🅴 *piscine comprise 1 ou 2 pers. 50 ou 52 (70 à 115 avec élect.), pers. suppl. 12*

## CHALLAIN-LA-POTHERIE
49440 M.-et-L. – 873 h.

4 – 63 ⑲

⚠ **Municipal de l'Argos** ≤ « Agréable situation au bord d'un étang », au NE du bourg par D 73 rte de Loiré
0,8 ha (20 empl.) plat, herbeux 🔲 – 🗂 🌳 🏚 & ☺
mai-sept. – **R** – 🏕 6 🚗 3 🅴 4 [₫] 8 (7A)

## CHALLES-LES-EAUX
73190 Savoie – 2 801 h. –
♨ 30 mars-29 oct.
🛈 Office de Tourisme, av. Chambéry (saison) ℰ 79 72 86 19

12 – 74 ⑮ G. Alpes du Nord

🔼🔼🔼 Municipal le Savoy ≤ « Belle entrée fleurie », ℰ 79 72 97 31, par r. Denarié, à 100 m de la N 6 – Interdit aux caravanes de plus de 5 m
2,8 ha (100 empl.) 🌊 plat, herbeux, gravillons 🔲 – 🗂 🌳 🏚 🅶 ☺ 🌲 🌿 – 🏚
– A proximité : 🍴 🏊 (plan d'eau)
mai-sept. – **R** indispensable

## CHALMAZEL
42920 Loire – 597 h. alt. 867 – 🎿

11 – 73 ⑰ G. Vallée du Rhône

🔼🔼 **Les Epilobes** ❄ 🌳 ≤ « Situation agréable », ℰ 77 24 80 03, SO : 3,5 km par D 6 rte du col du Béal puis à gauche 2,5 km par rte de la station – alt. 1 150
1,7 ha (60 empl.) en terrasses, herbeux – 🗂 🌳 🏚 🅶 ☺ – A proximité : 🍴 🍴
Permanent – **R** été, indispensable hiver – 🅴 2 pers. 32 [₫] 15 (6A) 27 (10A)

## CHALONNES-SUR-LOIRE
49290 M.-et-L. – 5 354 h.

4 – 63 ⑲ ⑳ G. Châteaux de la Loire

🔼🔼 **Municipal le Candais,** ℰ 41 78 02 27, E : 1 km par D 751 rte des Ponts-de-Cé, bord de la Loire et près d'un plan d'eau
3 ha (219 empl.) 🌊 (saison) plat, herbeux 🌳 – 🗂 🔺 ☺ – 🏚 🚤 – A proximité :
🏹 🍴 🏊 🚣 – 🛶
mai-sept. – **R** – 🏕 5,50 🚗 4 🅴 4 [₫] 9

## CHÂLONS-SUR-MARNE Ⓟ
51000 Marne – 48 423 h.
🛈 Office de Tourisme, 3 quai des Arts ℰ 26 65 17 89

7 – 56 ⑰ G. Champagne

🔼🔼🔼 **Municipal** « Entrée fleurie et cadre agréable », ℰ 26 68 38 00, SE : 2 km vers sortie ④ et D 60 rte de Sarry, bord d'un plan d'eau
3,5 ha (96 empl.) 🌊 (saison) plat, herbeux, gravier 🔲 🌳 (1,5 ha) – 🗂 🌳 🏚 🖌
☺ 🌲 🌿 – 🏚 🏹 🚤
Rameaux-oct. – **R** conseillée – 🏕 18 🚗 11 🅴 16 [₫] 14 (5A)

## CHÂLUS
87230 H.-Vienne – 1 907 h.

10 – 72 ⑯ G. Berry Limousin

⚠ **Municipal** « Entrée fleurie », ℰ 55 78 43 45, parc de la mairie, rte de Périgueux
0,8 ha (25 empl.) plat et incliné, herbeux 🌳🌳 – 🗂 🌳 🏚 🅶 ☺ – A proximité : 🍴
Pâques-oct. – **R** – 🏕 10 🚗 6 🅴 6 [₫] 8 (15A)

## CHAMALIÈRES-SUR-LOIRE
43800 H.-Loire – 385 h.

11 – 76 ⑦ G. Vallée du Rhône

🔼🔼 le Pré Vert ≤, ℰ 71 03 42 45, E : 1 km par rte de Retournac et chemin à gauche, bord de la Loire
2 ha (40 empl.) plat, herbeux, pierreux 🌳 – 🗂 🌳 🏚 ☺ 🌲 🍴 🍴 🚤 – 🏚
🚤 🛶 – Location : 🛖 🚐

## CHAMBILLY
71110 S.-et-L. – 516 h.

11 – 73 ⑦

⚠ **la Motte aux Merles** (aire naturelle) 🌳 ≤, ℰ 85 25 19 84, SO : 5 km par D 990 rte de Lapalisse et chemin à gauche
1 ha (25 empl.) 🌊 peu incliné, herbeux – 🗂 🌳 🏚 &
mars-oct. – **R** saison – 🏕 10 🅴 12

## CHAMBON
30450 Gard – 196 h.

16 – 80 ⑦

⚠ **Aire Naturelle** 🌳 ≤, ℰ 66 61 45 11, E : 3,9 km par D 29 rte de Peyremale et chemin à gauche, au lieu-dit le Chamboredon, bord du Luech – Accès difficile pour caravanes
3 ha (25 empl.) 🌊 peu incliné et en terrasses, herbeux, pierreux – 🗂 🌳 🏚 –
🚐
mai-1ᵉʳ nov. – **R** conseillée – 🅴 1 pers. 16 [₫] 8 (10A)

▶ *Avant de prendre la route, consultez 36.15 MICHELIN sur votre Minitel :*
*votre meilleur itinéraire, le choix de votre hôtel, restaurant, camping,*
*des propositions de visites touristiques.*

## CHAMBON (Lac)

🔟 – 🔟 ⑬ G. Auvergne

**63790** P.-de-D. – alt. 877 – 🐾

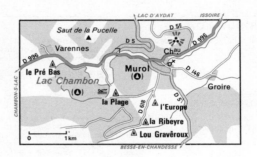

▲▲▲ **La Plage** ≤ « Site et cadre agréables au bord du lac », ℰ 73 88 60 27
7 ha (400 empl.) ⊶ plat, incliné et en terrasses, herbeux, pierreux ⌁ ○○ – 🗑
⛲ 🚻 🞜 🖼 ♿ ⊛ 🍴 ▲ ✕ 🛒 – 🛏 salle de spectacle et d'animation 🎿
🛖 🛶 🏊 (plage)
mai-sept. – 🍴 – 🍴 17 ▣ 20 [⚡] 14 (6A) 20 (10A)

▲▲ **Municipal les Bombes** ≤ vallée de Chaudefour, ℰ 73 88 64 03, à l'est de
Chambon-sur-Lac vers rte de Murol et à droite, bord de la Couze de Chambon
(hors schéma)
1,5 ha (110 empl.) ⊶ plat, herbeux – 🗑 ⛲ 🞜 🖼 ♿ ⊛ – 🛏 – A proximité :
🍴
15 juin-15 sept. – 🍴 – 🍴 13,20 ▣ 17 [⚡] 11,30 (3A) 21,30 (6A)

▲▲ **Le Pré Bas** ≤, ℰ 73 88 63 04, à Varennes, près du lac
3,8 ha (200 empl.) ⊶ plat et peu incliné, herbeux ⌁ ○ (1,5 ha) – 🗑 ⛲ 🞜 🏊
🖼 ♿ ⊛ 🛒 – 🛏 – A proximité : 🏊 – Location : 🏚
15 mai-20 sept. – 🍴 – 🍴 15 ▣ 21,50 [⚡] 13 (4A)

▲ **Serrette** 🏞 ≤ lac et montagnes, ℰ 73 88 67 67, O : 2,5 km par D 996 rte
du Mont-Dore et D 636 (à gauche) rte de Chambon des Neiges (hors schéma)
– alt. 1 050
2 ha (35 empl.) ⊶ en terrasses, incliné, herbeux, pierreux – 🗑 ⛲ 🞜 🖼 ♿ ⊛
🛒 – 🛏
15 juin-15 sept. – R conseillée – Tarif 91 : 🍴 11 ▣ 14

Voir aussi à *Murol*

---

## Le CHAMBON-SUR-LIGNON

🔟 – 🔟 ⑧ G. Vallée du Rhône

**43400** H.-Loire – 2 854 h. alt. 960.
🛈 Office de Tourisme, 1 la Place
ℰ 71 59 71 56

▲▲▲ **Les Hirondelles** 🏞 ≤ « Cadre agréable », ℰ 71 59 73 84, S : 1 km par
D 151 et D 7 à gauche rte de la Suchère – alt. 1 000
1 ha (50 empl.) ⊶ plat, en terrasses, herbeux ⌁ ○ – 🗑 ⛲ 🞜 🖼 ⊛ 🛒 – 🛒
🛏 🛶 – Location : 🚙, chalets
15 juin-15 sept. – R conseillée juil.-août – Tarif 91 : ▣ 2 pers. 60 [⚡] 9 (2A)

---

## CHAMBON-SUR-VOUEIZE

🔟 – 🔟 ② G. Berry Limousin

**23170** Creuse – 1 105 h.
🛈 Syndicat d'Initiative, av.
Clemenceau (juil.-août après-midi
seul.) et Mairie (hors saison)
ℰ 55 82 11 36

▲▲▲ **Municipal la Pouge,** ℰ 55 82 13 21, au stade, SE : 0,7 km par D 915 rte
d'Evaux-les-Bains, bord de la Tardes
1 ha (50 empl.) ⊶ plat, herbeux ○ – 🗑 🏊 🖼 🏢 ⊛ – 🛏 🏊 🛶
Permanent – R conseillée – 🍴 4,10 🚗 2,25 ▣ 2,05 [⚡] 9,10 (hiver 12,50)

---

## CHAMBORIGAUD

🔟 – 🔟 ⑦

**30530** Gard – 716 h.

▲ **La Châtaigneraie,** ℰ 66 61 44 29, N : 0,5 km par D 906 rte de Génolhac,
bord du Luech
0,7 ha (66 empl.) ⊶ en terrasses, pierreux, herbeux ○○ – 🗑 ⊛ 🛒 – 🏊
avril-sept. – 🍴 – 🍴 10,50 🚗 7 ▣ 11 [⚡] 11,50 (3 ou 4A)

---

## CHAMONIX-MONT-BLANC

🔟 – 🔟 ⑧ G. Alpes du Nord

**74400** H.-Savoie – 9 701 h.
alt. 1 037 – 🐾.
🛈 Office de Tourisme, pl. du Triangle
de l'Amitié ℰ 50 53 00 24

▲▲ **Les Rosières** ≤ vallée et massif du Mont-Blanc, ℰ 50 53 10 42, NE : 1,2 km
par N 506, à 50 m de l'Arve (hors schéma)
1,5 ha (120 empl.) ⊶ plat, herbeux – 🗑 ⛲ 🞜 🏢 ⊛ 🛒 – vélos – A proximité :
🏊 – Location : 🏚
15 déc.-10 nov. – R conseillée hiver – 🍴 été ↵ ▣ 2 pers. 57 (hiver 65), pers.
suppl. 19,50 (hiver 28) [⚡] 12 (2A) 14 (4A) 16 (6A)

▲▲ **Les Molliasses** ≤ le Brévent et les Aiguilles Rouges, ℰ 50 53 16 81, S : 1 km
par N 205 et chemin à gauche, bord d'un torrent
2,8 ha (70 empl.) ⊶ en terrasses, herbeux, pierreux ○ – 🗑 ⛲ 🞜 ⊛ 🞜 🛒 🍴
juin-15 sept. – 🍴 – 🍴 19 ▣ 18 [⚡] 13 (3A) 16 (10A)

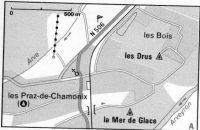

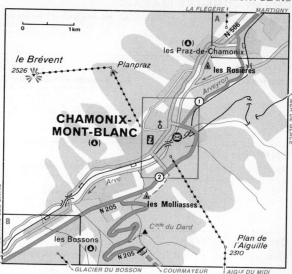

**aux Bossons** SO : 3,5 km alt. 1 005 – ⊠ 74400 Chamonix-Mont-Blanc :

▲▲ **Les Deux Glaciers** ❀ ≼, ℰ 50 53 15 84, rte du tremplin olympique
1,5 ha (100 empl.) ⊶ (saison) en terrasses, herbeux ♫♫ – 🛖 ⇔ 占 🗟 ▥ ☺ 📵
– 🖼
fermé 16 nov.-14 déc. – **R** conseillée hiver – **R** été – ▣ 2 pers. 52, pers. suppl.
15 🛏 9,50 (2A) 11 (3A) 14 (4A)

▲ **Les Marmottes** ≼ massif du Mont-Blanc et glaciers, au bourg, bord de l'Arve
0,8 ha (50 empl.) ⊶ plat, herbeux – 🛖 ⇔ 占 🗟 ☺ – 🚣
15 juin-15 sept. – **R** – 🕇 15 ▣ 14 🛏 9 (3A) 11 (6A)

▲ Les Bossons ≼ massif du Mont-Blanc et glaciers, au bourg, bord du torrent
et à 100 m de l'Arve
0,6 ha (35 empl.) ⊶ plat et peu incliné, herbeux ♫♫ – 🛖 ⇔ 占 🗟 ☺

▲ **Les Cimes** ≼, ℰ 50 53 58 93, rte du tremplin olympique
1 ha (100 empl.) ⊶ peu incliné, herbeux ♫♫ – 🛖 ⇔ 占 🗟 ☺
juin-sept. – **R** – Tarif 91 : 🕇 17 ▣ 15 🛏 10 (3A)

▲ **Le Grand Champ** ≼ massif du Mont-Blanc et glacier du Taconnaz,
ℰ 50 53 04 83, SO : 1,5 km par rte de Vers le Nant, derrière le Novotel, à
100 m d'un torrent – alt. 1 030
1,2 ha (50 empl.) ⊶ en terrasses, herbeux – 🛖 占 ☺ – A proximité : 🍷 ✕
mai-15 oct. – **R** 10 juil. au 20 août – 🕇 14 ⇔ 5 ▣ 10 🛏 9 (3A) 12 (6A) 15
(10A)

**aux Praz-de-Chamonix** NE : 2,5 km alt. 1 060
⊠ 74400 Chamonix-Mont-Blanc :

▲▲ **La Mer de Glace** ⟲ ≼ vallée et massif du Mont-Blanc « Dans une
clairière », ℰ 50 53 08 63, aux Bois, à 80 m de l'Arveyron (accès direct)
2 ha (150 empl.) ⊶ plat et accidenté, pierreux, herbeux ☖ – 🛖 ⇔ 占 🗟 ☺
mai-sept. – **R** – ▣ 2 pers. 62, pers. suppl. 21 🛏 12 (3A)

▲▲ **Les Drus** ❀ ⟲ ≼ vallée et massif du Mont-Blanc, ℰ 50 53 49 20, aux Bois
0,7 ha (70 empl.) ⊶ plat, herbeux – 🛖 ⤠ ▥ ☺
15 mars-15 oct. – **R** conseillée saison – 🕇 16 ▣ 13 🛏 10 (3A) 15 (5A) 20 (10A)

## CHAMOUILLE

**02860** Aisne – 147 h.                                                           🖸 – 🖸🖸 ⑤

▲▲ **Le Parc de l'Ailette** ⟲ ≼ « Site agréable », ℰ 23 24 83 06, SE : 2 km par
D 19, à la Base de Plein Air et de Loisirs, à 200 m du plan d'eau (accès direct)
4,5 ha (196 empl.) ⊶ peu incliné, plat, en terrasses ☖ – 🛖 ⇔ 🗟 & ☺ 🔥
🖼 – 🖼 – A proximité : ✕ 🍖 🚣 🎣 ⚓ (plage) toboggan aquatique
20 avril-sept. – **R** conseillée – Mineurs non accompagnés non admis – 🕇 15 🚗
15 ▣ 20 🛏 15 (10A)

## CHAMPAGNAC-LE-VIEUX

**43440** H.-Loire – 301 h.                                                        🖸🖸 – 🖸🖸 ⑤

▲ le Chanterelle ⟲ ≼ « Site agréable », ℰ 71 76 34 00, N : 1,2 km par D 5 rte
d'Auzon et chemin à droite, près d'un plan d'eau
4 ha (90 empl.) ⊶ peu incliné et en terrasses, sablonneux, pierreux, herbeux ☖
– 🛖 ⇔ 占 & ☺ ☂ ⛲ – 🖼 ✕ 🚣 vélos – A proximité : 🍷 ✕ ⛵ ⚓ – Location :
🏠

153

## CHAMPAGNÉ-LES-MARAIS

**85450** Vendée – 1 257 h.

⚠ **Municipal** ⌂, au bourg, à 100 m du canal de Champagné
1,2 ha (60 empl.) plat, herbeux – 🍴 ⇄ ⛺ ⊕ – A proximité : ✖
15 juin-15 sept. – **R** conseillée 1ᵉʳ au 15 août – 🛉 7,60 ⟵ 3 🔲 4 (🔌) 8,70

9 – 171 ⑪

---

## CHAMPAGNEY

**70290** H.-Saône – 3 283 h.

⚠⚠ **Base de Plein Air de Champagney,** 🏕 84 23 11 22, sortie O par D 4 rte
de Ronchamp, bord d'un lac et d'une rivière
10 ha (200 empl.) ⟿ plat, herbeux, pierreux ♀ (3,5 ha) – 🍴 ⇄ 🅿 🔲 ▥ ⊕ 🔲
– 🔲 – A proximité : ⬌
Permanent – **R** conseillée juil.-août – 🛉 8,50 ⟵ 3,60 🔲 3,60 (16 avec élect.
5A)

8 – 166 ⑦

---

## CHAMPAGNOLE

**39300** Jura – 9 250 h.
🅱 Office de Tourisme, Annexe
Hôtel-de-Ville 🏕 84 52 43 67

⚠⚠⚠ **Municipal de Boyse** ⌂, 🏕 84 52 00 32, sortie NO par D 5 rte de Voiteur
et à gauche, accès direct à l'Ain – ✖
3,7 ha (266 empl.) ⟿ plat, incliné, herbeux ♀ – 🍴 ⛺ 🅿 ⚴ ⊕ ✖ 🔲 – 🔲 🛒 🅿
✖ – A proximité : ✖
15 juin-15 sept. – **R** conseillée – Tarif 91 : 🛉 11 ⟵ 8,50 🔲 8,50 (🔌) 10,50
(10A)

12 – 170 ⑤ G. Jura

---

## CHAMPFROMIER

**01410** Ain – 440 h. alt. 640

⚠ **Municipal les Georennes** ⌂ ⟨, SE : 0,6 km par D 14 rte de Nantua et
chemin à gauche
0,67 ha (30 empl.) plat et terrasse, herbeux, pierreux ♀ – 🍴 ⊕
15 juin-15 sept. – **R** – Tarif 91 : 🛉 7,50 ⟵ 5,50 🔲 7,50 (🔌) 9,50

12 – 74 ⑤

---

## CHAMPIGNELLES

**89350** Yonne – 1 086 h.

⚠⚠ **Le Petit Villars** ⌂, 🏕 86 45 10 40, SO : 3 km par D 14 rte de Champcevrais
et rte à gauche
2 ha (54 empl.) ⟿ peu incliné, herbeux, étang – 🍴 ⇄ ⛺ ⊕ ⚴ ▽ – ✖ ⬌
(bassin) 🚴 vélos – Location : 🏠 – Garage pour caravanes
avril-5 nov. – **R** conseillée juil.-août – 🔲 3 pers. 59 (🔌) 6 (2A) 12 (4A) 18
(6A)

6 – 65 ③

---

## CHAMPIGNY-SUR-MARNE

**94500** Val-de-Marne – 79 486 h.

⚠⚠ **Paris-Est-le-Tremblay** (Touring Club de Paris) « Entrée fleurie »,
🏕 (1) 43 97 43 97 ✉ 94507 Champigny-sur-Marne Cedex, par bd des Alliés,
à la limite de Joinville-le-Pont, près de la Marne – Par A 4 : sortie Pont de Nogent
7 ha (300 empl.) ⟿ plat, herbeux 🔲 (caravaning) ♀ (4 ha) – 🍴 🅿 🔲 ⚴ ▥ ⊕
⚴ ▽ 🔲 🛒 snack 🔲 – A proximité : ✖ 🛒
Permanent – **R** sauf pour groupes – Non accessible aux campeurs résidant dans
les départements de la région parisienne – 🛉 14 🔲 12 (🔌) 10 (4A) 22 (10A)

6 – 101 ㉗ ㉘ G. Ile de France

---

## CHAMPS-SUR-TARENTAINE

**15270** Cantal – 1 088 h.

⚠⚠ **Municipal de la Tarentaine,** 🏕 71 78 71 25, SO : 1 km par D 679 et D 22,
bord de la Tarentaine
3 ha (180 empl.) ⟿ plat, herbeux – 🍴 ⚴ ⊕ – A proximité : ✖ 🛒 🏊 ⚡
15 juin-15 sept. – **R** – 🛉 9 ⟵ 5 🔲 7 (🔌) 10 (5A)

11 – 76 ② G. Auvergne

---

## CHANAS

**38150** Isère – 1 727 h.

⚠⚠ **Les Guyots,** 🏕 74 84 25 36, à l'est du bourg, r. des Guyots, bord d'un ruisseau
1,7 ha (75 empl.) ⟿ plat, herbeux – 🍴 ⚴ 🔲 ⊕ ⚴ ▽ 🔲 – ✖ ⚡
mars-15 nov. – Places limitées pour le passage

⚠⚠ **Beauséjour,** 🏕 74 84 31 01, au sud du bourg, sur D 519, à 300 m du Dolon
0,9 ha (50 empl.) ⟿ plat, herbeux, gravier 🔲 – 🍴 ⚴ 🔲 ⊕ – 🔲 🛒 –
A proximité : ✖
Pâques-sept. – **R**

12 – 77 ①

---

## CHANAZ

**73310** Savoie – 416 h.

⚠⚠⚠ **Municipal des Iles** ⌂ ⟨, 🏕 79 54 58 51, O : 1 km par D 921 rte de Culoz
et chemin à gauche après le pont, près d'un canal et à 300 m du Rhône (plan
d'eau)
1,5 ha (82 empl.) ⟿ plat, gravier, herbeux 🔲 – 🍴 ⇄ ⛺ 🅿 ⚴ ▥ ⊕ ⚴ ▽ –
🔲 ✖ – A proximité : ▼ ⚴
mars-déc. – Places disponibles pour le passage – **R** conseillée – 🛉 16,50 ⟵
8 🔲 16 (🔌) 3A : 12,50 10A : 18 (hiver 36)

12 – 74 ⑮

---

154

## CHANCIA
**39** Jura – 87 h. – ⊠ 01590 Dortan

🔺🔺 **Municipal les Cyclamens** ⚲ ⪡, 🕿 74 75 82 14, SO : 1,5 km par D 60E et chemin à gauche, au confluent de l'Ain et de la Bienne, près du lac de Coiselet
2 ha (105 empl.) ⊶ plat, herbeux – 🏚 ⬟ ☕ ⊕ ⏚ – A proximité : ⚞ ◖
mai-sept. – **R** – Tarif 91 : ⚡ 8 ⬅ 5 🔲 6 [¿] 10 (5A)

## Le CHANGE
**24640** Dordogne – 516 h.

🔺🔺 Auberoche, 🕿 53 06 04 19, N : 1,8 km par D 5 rte de Cubjac, bord de l'Auvézère
3 ha (50 empl.) ⊶ plat, herbeux 🖾 – 🏚 ⬥ 🍽 🔲 ☕ ⊕ ⏚ – 🛒 ⚒ ⤴ ✯
15 juin-15 sept. – **R** conseillée

## CHANIERS
**17610** Char.-Mar. – 3 086 h.

🔺 **Municipal**, au sud du bourg, bord de la Charente
1 ha (80 empl.) plat, herbeux ⚲⚲ peupleraie – 🏚 ⬥ 🍽 ⊕ – A proximité : ⚏
15 juin-15 sept. – **R** – Tarif 91 : ⚡ 7,80 ⬅ 2,60 🔲 5,25 [¿] 4,90 (3A)

## CHANTEMERLE **05** H.-Alpes – 🟦🟦 ⑱ – rattaché à Briançon

## La CHAPELLE-AUBAREIL
**24290** Dordogne – 330 h.

🔺🔺 **La Fage** ⚲, 🕿 53 50 76 50, N : 1,2 km
5 ha (70 empl.) ⊶ en terrasses, incliné, herbeux 🖾 ⚲ – 🏚 ⬥ 🍽 🔲 ☕ ⊕ ⏚ ⚒
⚏ 🔳 – 🛒 ⤴ – Location : 🏠 🏠
15 mai-sept. – **R** conseillée juil.-août – ⚡ 24 🔲 35 [¿] 14 (6A)

## La CHAPELLE-AUX-FILTZMÉENS
**35190** I.-et-V. – 314 h.

🔺🔺 **Le Château** ⚲ « Dans les dépendances d'un château du 17ᵉ siècle », 🕿 99 45 21 55, SO : 0,8 km par D 13 rte de St-Domineuc et à droite
5 ha (200 empl.) ⊶ plat, herbeux – 🏚 ⬥ 🍽 🔲 ☕ ⊕ ⚒ ⚒ ⚏ ⚞ ✗ ⤴ ☕ 🔳 – 🛒 discothèque ⚡ ⤴ ✯
18 mai-13 sept. – **R** conseillée – ⚡ 23 piscine comprise 🔲 48 [¿] 14 (3 à 10A)

## La CHAPELLE-D'ANGILLON
**18380** Cher – 687 h.

🔺 **Municipal des Murailles** ⚲, SE : 0,8 km par D 12 rte d'Henrichemont et chemin à droite, près d'un plan d'eau
2 ha (35 empl.) ⊶ plat, herbeux – 🏚 ⬥ ☕ ⊕ – A proximité : ⚞
juin-sept. – **R** – Tarif 91 : ⚡ 4 ⬅ 3 🔲 4 [¿] 10

## La CHAPELLE-DEVANT-BRUYÈRES
**88600** Vosges – 633 h.

🔺🔺 **Les Pinasses**, 🕿 29 58 51 10, NO : 1,2 km sur D 60 rte de Bruyères
3 ha (140 empl.) ⊶ (saison) plat, herbeux, pierreux 🖾 ⚲⚲ (0,5 ha) – 🏚 ⬥ 🍽
🔲 ☕ ⚒ 🔳 – 🛒 ⚞ ⚒ ⚡ ⤴ – Location : studios
avril-15 sept. – **R** conseillée 15 juil.-15 août – ⚡ 17 piscine comprise 🔲 21 [¿] 13,50 (4A) 16 (6A)

## La CHAPELLE-ST-MESMIN **45** Loiret – 🟦🟦 ⑨ – rattaché à Orléans

## La CHAPELLE-TAILLEFERT
**23000** Creuse – 310 h.

🔺 Municipal ⚲, sortie NO par D 52, rte de St-Victor, bord de la Gartempe
1 ha (33 empl.) peu incliné, herbeux, gravillons 🖾 – 🏚 ⬟ ☕ – ⚡
avril-sept. – **R**

## CHARLEVILLE-MÉZIÈRES 🅿
**08000** Ardennes – 57 008 h.

🅱 Bureau Municipal du Tourisme, 4 pl. Ducale 🕿 24 33 00 17

🔺🔺 Municipal du Mont-Olympe, 🕿 24 33 23 60, au nord de la ville, à Montcy-St-Pierre, accès par av. Forest et chemin à gauche après le pont
2 ha (100 empl.) ⊶ plat, herbeux ⚲⚲ – 🏚 ⬥ 🍽 🔲 ☕ ⊕ 🔳 – 🛒 ⚒ ⚡ –
A proximité : ⚞ 🔳
Pâques-15 oct. – **R** juil.-août

## CHARLIEU
**42190** Loire – 3 727 h.

🅱 Office de Tourisme, pl. St-Philibert (fermé janv.) 🕿 77 60 12 42

🔺🔺 Municipal, 🕿 77 69 01 70, à l'est de la ville, au stade, bord du Sornin
2,7 ha (100 empl.) ⊶ plat, herbeux 🖾 – 🏚 🍽 ☕ ⏚ ⚡ – A proximité : ⚞ ⤴

## CHARMES-SUR-L'HERBASSE
15 – 77 ②

**26260** Drôme – 631 h.

⚠ **Municipal les Falquets** ⤸, ℘ 75 45 75 57, sortie SE, sur D 121 rte de Margès, bord de l'Herbasse
1 ha (75 empl.) ⊶ (saison) plat, herbeux ⚏⚏ (0,4 ha) – 🔟 ⌂ ⊕ – ⛵ 🏊
mai-sept. – **R** *conseillée juil.-août* – 🛉 *10* ⇔ *7* 🅴 *7* 🄵 *10 (5A)*

## CHAROLLES ⊛
11 – 69 ⑰ G. Bourgogne

**71120** S.-et-L. – 3 048 h.

🏢 Office de Tourisme, Ancien Couvent des Clarisses, r. Baudinot ℘ 85 24 05 95

⚠ **Municipal** « Cadre agréable », ℘ 85 24 04 90, sortie NE rte de Mâcon et D 33 rte de Viry à gauche, bord de l'Arconce
0,6 ha (60 empl.) ⊶ plat, herbeux, gravillons ⚏ – 🔟 ⚹ ⌂ ⊕ 🛆 🐦 ♈ – 🔄
avril-oct. – **R** *conseillée juil.-août* – 🛉 *9* ⇔ *7* 🅴 *14* 🄵 *6 (8A)*

## CHARRON
9 – 171 ⑫

**17230** Char.-Mar. – 1 512 h.

⚠ **Municipal les Prés de Charron,** ℘ 46 01 53 09, sortie N et à gauche, rue du 19 mars 1962
0,4 ha (20 empl.) plat, herbeux – 🔟 ⚹ ⌂ ⊕ 🛆 – A proximité : ✂
juil.-août – **R** – 🅴 *1 à 6 pers. 16 à 66/21 à 70, pers. suppl. 6,70* 🄵 *6,20 (10A)*

## CHARTRE-SUR-LE-LOIR
5 – 64 ④ G. Châteaux de la Loire

**72340** Sarthe – 1 669 h.

⚠ **Municipal le Vieux Moulin,** ℘ 43 44 41 18, à l'Ouest du bourg, bord du Loir
1 ha (90 empl.) ⊶ (saison) plat, herbeux, – 🔟 ⚹ ⌂ 🖼 🛆 ⊕
15 avril-oct. – **R** – 🅴 *élect. comprise 1 pers. 30, 2 pers. 37, pers. suppl. 10*

## CHASSAGNES **07** Ardèche – 80 ⑧ – rattaché aux Vans

## CHASSENEUIL-DU-POITOU **86** Vienne – 67 ⑳ – rattaché à Poitiers

## CHASTANIER
16 – 76 ⑯

**48300** Lozère – 113 h. alt. 1 055

⚠ **Pont de Braye,** ℘ 66 69 53 04, O : 1 km, carrefour D 988 et D 34, bord du Chapeauroux
1,5 ha (32 empl.) ⊶ en terrasses, pierreux, herbeux – 🔟 ⌂ ⊕ 🛆 ♈ –
A proximité : ♈ ✕ – Location : 🛏 (hôtel)
15 mai-15 sept. – **R** – *Tarif 91 :* 🅴 *2 pers. 33, pers. suppl. 10* 🄵 *10 (2A)*

## CHÂTEAU-ARNOUX
17 – 81 ⑯ G. Alpes du Sud

**04160** Alpes-de-H.-Pr. – 5 109 h.

🏢 Office de Tourisme, 1 r. Victorin-Maurel ℘ 92 64 02 64

⚠⚠ **Les Salettes** ⤸ ≼, ℘ 92 64 02 40, E : 1 km, au lac
4 ha (300 empl.) ⊶ plat, herbeux – 🔟 ⚹ 🖾 🖼 🛆 ⊕ 🍽 ⊕ 🛆 ♈ 🔄 snack 🖫
– 🛏 🛆 🎯 tir à l'arc – Location : 🚐
Permanent – **R** *conseillée été* – 🛉 *15,50 piscine comprise* 🅴 *16* 🄵 *9,70 (4A), 13,50 (6A)*

## CHÂTEAU-CHINON ⊛
11 – 69 ⑥ G. Bourgogne

**58120** Nièvre – 2 502 h.

🏢 Office de Tourisme, r. du Champlain (transfert prévu) (vacances scolaires) ℘ 86 85 06 58

⚠ **Municipal du Pertuy d'Oiseau** ⤸ ≼, ℘ 86 85 08 17, sortie S par D 27 rte de Luzy et à droite
1,8 ha (100 empl.) peu incliné à incliné, accidenté, herbeux – 🔟 ⊕ – 🛌
juin-sept. – **R** – 🛉 *8* ⇔ *4* 🅴 *4* 🄵 *5*

*à St-Léger-de-Fougeret* SO : 9,5 km par D 27 rte de St-Léger-sous-Beuvray et D 157 à droite – ✉ 58128 St-Léger-de-Fougeret :

⚠ **L'Etang de Fougeraie** ⤸ ≼, ℘ 86 85 11 85, SE : 2,4 km par D 157 rte d'Onlay, bord d'un étang
0,7 ha (20 empl.) ⊶ plat et valloné, herbeux – 🔟 🖼 🛆 ⊕
mai-oct. – **R** *conseillée juil.-août* – 🛉 *9* ⇔ *8* 🅴 *9* 🄵 *8*

## Le CHÂTEAU-D'OLÉRON **17** Char.-Mar. – 171 ⑭ – voir à Oléron (Ile d')

## CHÂTEAUDUN ⊛
6 – 60 ⑰ G. Châteaux de la Loire

**28200** E.-et-L. – 14 511 h.

🏢 Office de Tourisme, 1 r. de Luynes ℘ 37 45 22 46

⚠ **Municipal du Moulin à Tan,** ℘ 37 45 05 34, sortie NO par D 955 rte de Brou puis 1 km par r. de Chollet à droite, bord du Loir
2,4 ha (120 empl.) ⊶ plat, herbeux – 🔟 ⚹ 🖾 🖼 🛆 ⊕
15 mars-15 oct. – **R** – 🛉 *6* ⇔ *3* 🅴 *5* 🄵 *7 (5A)*

## CHÂTEAUGIRON
4 – 63 ⑦ G. Bretagne

**35410** I.-et-V. – 4 166 h.

⚠ **Municipal les Grands Bosquets,** sortie E par D 34 rte d'Ossé, bord d'un plan d'eau
0,6 ha (33 empl.) plat, herbeux – 🔟 ⚹ ⌂ ⊕ – 🏊
avril-sept. – **R** – 🛉 *7,20* ⇔ *4,30* 🅴 *4,30/6,10* 🄵 *9,60*

## CHÂTEAU-GONTIER ⟨SP⟩

**53200** Mayenne – 11 085 h.
🛈 Syndicat d'Initiative, Hôtel de Ville
(hors saison) ✆ 43 07 07 10 et
Péniche l'Élan quai Alsace (mai-sept.)
✆ 43 70 42 74.

**4 – 63** ⑩ G. Châteaux de la Loire

🔺 **Le Parc,** ✆ 43 07 35 60, N : 0,8 km par N 162 rte de Laval, près du complexe
sportif, bord de la Mayenne
2 ha (55 empl.) plat et peu incliné, herbeux 🖵 – 🗊 🕁 🛏 🖻 🛃 ④ – 🖾
🚣 – A proximité : ❄ 🖳
vac. de printemps-sept. – **R** – 🖻 *1 ou 2 pers. 30, pers. suppl. 10* 🔌 *8 (6A)*

## CHÂTEAULIN ⟨SP⟩

**29150** Finistère – 4 965 h.
🛈 Office de Tourisme, quai Cosmao
✆ 98 86 02 11

**3 – 58** ⑮ G. Bretagne

🔺 **Municipal Rodaven,** ✆ 98 86 32 93, au sud de la ville, bord de l'Aulne (rive
droite)
2 ha (75 empl.) ⌁ plat, herbeux – 🗊 🖄 🖻 🛃 ④ – 🚣 – A proximité : ❄ 🖳
juin-15 sept. – **R** – 🖻 *2 pers. 43,50* 🔌 *7 (3,5A)*

## CHÂTEAUNEUF-DU-FAOU

**29520** Finistère – 3 777 h.
🛈 Office de Tourisme, r. de la Mairie
(fermé après-midi sept.-juin)
✆ 98 81 83 90

**3 – 58** ⑯ G. Bretagne

🔺 **Municipal Penn Ar Pont** ⟨⟩ ⟨, ✆ 98 81 81 25, SE : 1 km par D 36 rte de
Rosporden, à droite après le pont, près de l'Aulne
2 ha (120 empl.) ⌁ en terrasses, herbeux, pierreux 🖵 – (🗊 🖄 15 juin-15 sept.)
🖻 ④ 🖄 – 🚣 A proximité : ❄ 🖳 vélos – Location : gîtes
27 mars-sept. – **R** *conseillée juil.-août* – 🍴 *10* 🚗 *5* 🖻 *14* 🔌 *10 (16A)*

**à St-Goazec** SE : 5,5 km par D 36 rte de Rosporden et rte à gauche
✉ 29163 St-Goazec :

🔺 **Municipal du Goaker,** sortie NE, au lieu-dit Moulin du Pré, à 250 m de
l'Aulne
0,8 ha (70 empl.) plat, herbeux – 🗊 🕁 🛏 🖻 ④
15 juin-15 sept. – **R** – 🍴 *7* 🚗 *2,50* 🖻 *3* 🔌 *9*

## CHÂTEAUNEUF-DU-PAPE

**84230** Vaucluse – 2 062 h.
🛈 Office de Tourisme, pl. Portail
✆ 90 83 71 08

**16 – 81** ⑫ G. Provence

🔺 **L'Islon St-Luc** ⟨, ✆ 90 83 76 77, sortie S par D 17 rte de Sorgues puis
1,5 km par rte à droite, à 100 m du Rhône
1 ha (91 empl.) ⌁ plat, pierreux, gravier 🖵 ⚬⚬ – 🗊 🖄 ④ – 🚣
avril-sept. – **R** *conseillée juil.-août* – 🍴 *16* 🚗 *12* 🖻 *13* 🔌 *12 (2A) 16*
*(6A)*

## CHÂTEAUNEUF-DU-RHÔNE

**26780** Drôme – 2 094 h.

**16 – 81** ① G. Vallée du Rhône

🔺 **Municipal** ⟨⟩ ⟨, ✆ 75 90 80 96, sortie N par D 73 rte de Montélimar puis
chemin à droite
0,6 ha (45 empl.) plat, herbeux ⚬ – 🗊 🕁 🛏 🖻 ④ – A proximité : 🍷 ❄ 🖳
8 juin-août – **R** – 🍴 *7,40* 🚗 *4,60* 🖻 *4,60* 🔌 *7,40*

## CHÂTEAUNEUF-LA-FORÊT

**87130** H.-Vienne – 1 805 h.

**10 – 72** ⑱ ⑲

🔺 **Municipal du Lac,** ✆ 55 69 39 29, à l'ouest de la commune, rte du stade,
à 100 m d'un plan d'eau
1,5 ha (82 empl.) plat, herbeux – 🗊 ④ – ❄ – A proximité : 🚣 🖾 (plage)
juin-15 sept. – **R** *conseillée* – Tarif 91 : 🍴 *6,20* 🚗 *2,30* 🖻 *4,70* 🔌 *9,20*
*(10A)*

## CHÂTEAUPONSAC

**87290** H.-Vienne – 2 409 h.

**10 – 72** ⑦ G. Berry Limousin

🔺 **Municipal la Gartempe,** ✆ 55 76 55 33, sortie SO sur D 711 rte de Nantiat,
à 200 m de la rivière
0,8 ha (48 empl.) ⌁ plat, peu incliné et terrasses, herbeux – 🗊 🕁 🛏 🖻 ④ 🍷
🖬 – 🖾 – A proximité : vélos, tir à l'arc 🏋 🖾 (bassin) 🐎 – Location : gîtes
avril-oct. – **R** *conseillée* – 🖻 *3 pers. 40, pers. suppl. 8* 🔌 *10 (6A)*

## CHÂTEAURENARD

**13160** B.-du-R. – 11 790 h.
🛈 Office de Tourisme, 1 r.
R.-Salengro, les Halles ✆ 90 94 23 27

**16 – 84** ① G. Provence

🔺 **la Roquette,** ✆ 90 94 46 81, E : 1,2 km par D 28 rte de Noves et rte à droite,
près du complexe sportif (à A 7 sortie Avignon Sud)
0,55 ha (39 empl.) ⌁ plat et terrasse, pierreux, herbeux – 🗊 🕁 🖄 🛃 ④ – 🖾
– A proximité : ❄ 🖳
avril-oct. – **R** – 🍴 *14* 🖻 *15* 🔌 *15 (5A)*

## CHÂTEAURENARD

**45220** Loiret – 2 302 h.
🛈 Syndicat d'Initiative, Mairie
✆ 38 95 21 84

**6 – 65** ③ G. Bourgogne

🔺 **Municipal,** sortie E par D 943, rte de Joigny, bord de l'Ouanne
1 ha (45 empl.) plat, herbeux ⚬⚬ – 🗊 🕁 🛏 🖻 🛃 ④
mars-15 oct. – **R** – 🍴 *8,50* 🖻 *15* 🔌 *10,50 (3A) 19 (5A)*

## CHÂTEAU-RENAULT

**37110** I.-et-L. – 5 787 h.
🛈 Syndicat d'Initiative, Parc de
Vauchevrier (saison) ✆ 47 29 54 43

**5 – 64** ⑤ ⑥ G. Châteaux de la Loire

🔺 **Municipal du Parc de Vauchevrier,** ✆ 47 29 54 43, par centre ville,
r. Paul-Louis-Courier, bord de la Brenne
3,5 ha (110 empl.) ⌁ plat, herbeux – 🗊 ④ – ❄ 🚣 🖳
Pâques-sept. – **R** – Tarif 91 : 🍴 *7,50* 🖻 *7,50* 🔌 *6,70 (6A)*

## CHÂTEAUROUX 🅿

**36000** Indre – 50 969 h.
🛈 Office de Tourisme, pl. de la Gare
🅿 54 34 10 74

🔺🔺🔺 **Municipal du Rochat,** 🅿 54 34 26 56, N par av. de Paris et rue à gauche, bord de l'Indre et à 100 m d'un plan d'eau
4 ha (300 empl.) ⊶ plat, herbeux, gravillons ⌂ ♀♀ – 🗐 ⏚ 🖵 🖪 ᱻ 🏛 ⊛ 🏊
🤿 – ⚓ 🖺 – A proximité : ▾ ✕ ✕ ᱻ
avril-nov. – **R** – 🖻 7,80 🖾 6,20

**10 – 68** ⑧ G. Berry Limousin

---

## CHÂTEL

**74390** H.-Savoie – 1 255 h.
alt. 1 235 – 🔂.
🛈 Office de Tourisme 🅿 50 73 22 44

🔺🔺🔺 L'Oustalet Ⓜ ❄ ≤ « Site agréable », 🅿 50 73 21 97, SO : 2 km par la rte du col de Bassachaux, bord de la Dranse – alt. 1 110
3 ha (100 empl.) ⊶ peu incliné, herbeux, pierreux, gravillons – 🗐 ⏚ 🖵 🖪 ᱻ
🏛 ⊛ – ⚓ ✕ ᱻ 🖺 (découverte l'été) – A proximité : ᱻ ▾ ✕ 🔂 ᱻ 🐎
déc.-avril et 20 juin-7 sept. – **R** conseillée été, indispensable hiver

**12 – 170** ⑱ G. Alpes du Nord

---

## CHÂTELAILLON-PLAGE

**17340** Char.-Mar. – 4 993 h.
🛈 Office de Tourisme, 1 allée du Stade 🅿 46 56 26 97

🔺🔺 Le Clos des Rivages, 🅿 46 56 26 09, SE : av. des Boucholeurs
3 ha (150 empl.) ⊶ plat, herbeux, étang ⌂ – 🗐 ⏚ 🖵 🖪 ⊛ 🚿 – ⚓ ✕
15 juin-10 sept. – **R** conseillée

🔺 **les Sables,** 🅿 46 56 86 37, N : 2 km par D 202 rte de la Rochelle et à droite
0,7 ha (50 empl.) ⊶ plat, herbeux ♀ (0,3 ha) – 🗐 🖄 🖪 ᱻ ⊛ – Location : 🚐
15 juin-15 sept. – **R** conseillée – 🖾 jusqu'à 3 pers. 50 🔋 7 (2A) 14 (5A)

**9 – 171** ⑬ G. Poitou Vendée Charentes

---

## Le CHÂTELARD

**73630** Savoie – 491 h. alt. 757

🔺🔺 **Les Cyclamens** Ⓜ 🔂 ≤, 🅿 79 54 80 19, vers sortie NO et chemin à gauche, rte du Champet
0,6 ha (33 empl.) ⊶ plat, herbeux ⌂ – 🗐 ⏚ 🖵 🖪 🏛 ⊛ – 🖺
15 mai-20 sept. – **R** conseillée 14 juil.-20 août – ✱ 16 ⚓ 14 🖾 14 🔋 11 (2A)

**12 – 74** ⑯ G. Alpes du Nord

---

## CHATELAUDREN

**22170** C.-d'Armor – 947 h.

🔺 **Municipal de l'Etang** 🔂 ≤, 🅿 96 74 17 71, au bourg, rue de la gare, bord d'un étang
0,6 ha (17 empl.) plat, herbeux ⌂ – 🗐 ⏚ 🖵 🖪 ᱻ ⊛
mai-15 oct. – **R** – ✱ 15 ⚓ 5 🖾 15 🔋 10 (3A)

**3 – 58** ⑨

---

## CHÂTEL-DE-NEUVRE

**03500** Allier – 512 h.

🔺 **de Neuvre** 🔂, 🅿 70 42 04 51, N : 0,5 km par N 9 et chemin à droite, bord de l'Allier
1,3 ha (80 empl.) ⊶ plat, herbeux – 🗐 ⏚ ⊛ 🖪
Pâques-15 oct. – **R** – ✱ 12,50 🖾 11,50 🔋 10 (3A)

🔺 **La Courtine** 🔂, 🅿 70 42 06 21, sortie E par D 32, avant le pont, à 100 m de l'Allier (accès direct)
1,6 ha (33 empl.) ⊶ plat, herbeux ♀ – 🗐 🖄 🖪 ⊛ ▾ – ⚓ – A proximité : 🚐
juin-15 sept. – **R** – ✱ 10 🖾 10 🔋 10 (4A)

**11 – 69** ⑭ G. Auvergne

---

## CHÂTELGUYON

**63140** P.-de-D. – 4 743 h. –
⚕ 27 avril-10 oct.
🛈 Office de Tourisme, parc Étienne-Clementel (fermé nov.) 🅿 73 86 01 17

🔺🔺🔺 **Clos de Balanède,** 🅿 73 86 02 47, sortie SE par D 985 rte de Riom
3 ha (250 empl.) ⊶ plat et peu incliné, herbeux ♀♀ verger – 🗐 ⏚ 🖵 🖪 ⊛ 🏊
▾ ✕ 🔂 – ⚓ ᱻ 🖺 half-court – Location : 🚐 – Garage pour caravanes
15 avril-15 oct. – **R** conseillée – ✱ 18 piscine comprise ⚓ 7 🖾 13 🔋 10 (3A)
16 (5A)

à **St-Hippolyte** SO : 1,5 km – ✉ 63140 Châtelguyon :

🔺🔺 **Municipal de la Croze** 🔂 ≤, 🅿 73 86 08 27, SE : 1 km par D 227 rte de Riom
3,7 ha (200 empl.) ⊶ (saison) plat, peu incliné et en terrasses, herbeux, pierreux
♀ – 🗐 🖄 ⊛ 🖪 – ⚓
25 avril-12 oct. – **R** – ✱ 9,10 ⚓ 5,10 🖾 5,10/8,40

Voir aussi à **Loubeyrat**

**11 – 73** ④ G. Auvergne

---

## CHÂTEL-MONTAGNE

**03250** Allier – 400 h.

🔺 **La Croix Cognat,** 🅿 70 59 31 38, NO : 0,5 km par D 25 rte de Vichy
1,5 ha (33 empl.) ⊶ peu incliné, en terrasses, herbeux – 🗐 ⏚ 🖵 snack 🔂
🖪 – ᱻ 🚐 (bassin) – A proximité : ✕ – Location : 🏠
avril-1er oct. – **R** conseillée juil.-août – Tarif 91 : 🖾 2 pers. 32 🔋 9 (3A) 15 (6A)

**11 – 73** ⑥ G. Auvergne

---

## CHÂTELUS-MALVALEIX

**23270** Creuse – 558 h.

🔺 **Municipal la Roussille** 🔂, à l'ouest du bourg, bord d'un étang
0,5 ha (33 empl.) peu incliné, herbeux – 🗐 – ✕
juin-sept. – **R** – ✱ 3,80 ⚓ 1,75 🖾 2,25/1,75

**10 – 68** ⑲

## CHATENOY
**45260** Loiret – 295 h.

🔼 **Les Terres Vaines** Ⓜ « Cadre boisé », ℰ 38 59 32 71, S : 1,4 km par D 948, rte de Sully-sur-Loire
1,2 ha (38 empl.) ⊶ plat, herbeux, sablonneux ♀♀ – 🍴 ⇔ 🛁 ᔑ 🏧 ⊕ 🎨 snack
– 🚿
15 mars-15 nov. – **R** *conseillée* – 🔲 *élect. compris 2 pers. 80*

🌀 – 🈁 ①

## CHÂTILLON-COLIGNY
**45230** Loiret – 1 903 h.

🌀 – 🈁 ② G. Bourgogne

🔼 **Municipal de la Lancière,** ℰ 38 92 54 73, au sud du bourg, entre le Loing et le canal de Briare
0,8 ha (55 empl.) ⊶ (saison) plat, herbeux ♀♀ (0,4 ha) – 🍴 🔊 ⊕ cases réfrigérées
– 🚿
avril-oct. – **R** *conseillée juil.-août* – 🛉 *8,40* 🚗 *4,30* 🔲 *6,40* 🔌 *7,90 (3A) 14,90 (6A)*

## CHATILLON-EN-BAZOIS
**58110** Nièvre – 1 161 h.
🚺 Syndicat d'Initiative, Mairie
ℰ 86 84 14 76

🔟 – 🈁 ⑤ G. Bourgogne

🔼 **Municipal,** pl. Pierre Saury, bord de l'Aron et à 300 m du canal du Nivernais
0,8 ha (30 empl.) plat, herbeux – 🍴 ⇔ 🔊 ᔑ ⊕ – A proximité : 🍴 🏊
avril-oct. – **R** – *Tarif 91 :* 🛉 *6* 🚗 *3* 🔲 *3* 🔌 *12 (10A)*

## CHÂTILLON-EN-VENDELAIS
**35210** I.-et-V. – 1 526 h.

🔲 – 🈁 ⑱

🔼 **Municipal du Lac** 🔊 ≼ « Site et cadre agréables », ℰ 99 76 06 32, N : 0,5 km par D 108, bord de l'étang de Châtillon
0,6 ha (50 empl.) ⊶ (saison) peu incliné, herbeux 🏚 ♀ – 🍴 ⇔ 🛁 🔲 ⊕ – 🚿
– A proximité : 🍴 🏊
Pâques-Toussaint – **R** *conseillée* – 🛉 *7* 🚗 *3* 🔲 *4* 🔌 *12 (6A)*

## CHÂTILLON-SUR-CHALARONNE
**01400** Ain – 3 786 h.
🚺 Office de Tourisme, pl. du Champ-de-Foire ℰ 74 55 02 27

🔢 – 🈁 ② G. Vallée du Rhône

🔼 **Municipal du Vieux Moulin** 🔊, ℰ 74 55 04 79, sortie SE par D 7 rte de Chalamont, bord de la Chalaronne
3 ha (140 empl.) ⊶ plat, herbeux – 🍴 ⇔ 🔊 🔲 ⊕ – 🚗 🚿 ᔓ – A proximité :
🏕 🏊 snack
mai-sept. – *Places disponibles pour le passage* – **R** *conseillée* – *Tarif 91 :* 🛉 *17*
🚗 *5* 🔲 *10* 🔌 *9 (6A)*

## CHÂTILLON-SUR-INDRE
**36700** Indre – 3 262 h.
🚺 Syndicat d'Initiative, pl. du Champfoire ℰ 54 38 74 19 et rte de Tours (oct.-mai) ℰ 54 38 81 16

🔟 – 🈁 ⑥ G. Berry Limousin

🔼 **Municipal de la Ménétrie** 🔊, au nord, en direction de la gare, r. du Moulin la Grange
0,5 ha (45 empl.) plat, herbeux ♀ – 🍴 🔲 ⊕ – 🚗 🚿
15 mai-15 sept. – **R** – 🛉 *4,50* 🔲 *4,50* 🔌 *6,50*

## CHÂTILLON-SUR-SEINE
**21400** Côte-d'Or – 6 862 h.
🚺 Office de Tourisme, pl. Marmont ℰ 80 91 13 19

🔢 – 🈁 ⑧ G. Bourgogne

🔼 **Municipal** 🔊, ℰ 80 91 03 05, esplanade St-Vorles par rte de Langres
0,8 ha (66 empl.) ⊶ plat, herbeux, goudronné 🏚 ♀ – 🍴 ⇔ 🛁 ⊕ – vélos –
A proximité : 🍴 ✗ 🔊 🔲 ᔓ
avril-15 oct. – **R** – 🛉 *10* 🚗 *5* 🔲 *6* 🔌 *10 (2A) 20 (4A)*

## La CHÂTRE ⊛
**36400** Indre – 4 623 h.
🚺 Office de Tourisme, square George-Sand ℰ 54 48 22 64

🔟 – 🈁 ⑲ G. Berry Limousin

*à Montgivray* N : 2,5 km – ✉ 36400 Montgivray :

🔼 **Municipal Solange Sand** 🔊 « Cadre agréable », ℰ 54 48 37 83, au château Solange-Sand, bord de l'Indre
1 ha (100 empl.) ⊶ (saison) plat, herbeux, parc attenant – 🍴 🔊 ⊕ – 🚗
15 mars-15 nov. – **R** *juin à août* – 🛉 *8* 🚗 *4* 🔲 *6,50* 🔌 *6,20 (3A) 9,70 (6A) 16,85 (9A)*

## CHÂTRES-SUR-CHER
**41320** L.-et-Ch. – 1 074 h.

🌀 – 🈁 ⑲

🔼 **Municipal des Saules,** ℰ 54 98 04 55, au bourg, près du pont, bord du Cher (plan d'eau)
1 ha (80 empl.) plat, herbeux, sablonneux ♀ – 🍴 🔊 ⊕ – 🚿 – A proximité : 🏊
15 mai-août – 🛉 *5,50* 🔲 *5,50*

## CHAUDES-AIGUES
**15110** Cantal – 1 110 h. alt. 750 –
♨ 26 avril-17 oct.
🚺 Office de Tourisme, 1 av. Georges-Pompidou (saison) ℰ 71 23 52 75

🔢 – 🈁 ⑭ G. Auvergne

🔼 **Municipal le Couffour** 🔊 ≼, ℰ 71 23 57 08, S : 2 km par D 921 rte de Laguiole puis chemin à droite, au stade – alt. 900
2,5 ha (170 empl.) ⊶ (saison ) plat et incliné, herbeux – 🍴 ⇔ 🔊 ⊕ – 🚗 🏊
🚿
mai-15 oct. – **R** – *Tarif 91 :* 🛉 *7,30* 🚗 *3,20* 🔲 *4,20* 🔌 *11,50 (3A)*

## CHAUFFAILLES

**71170** S.-et-L. – 4 485 h.

🅷 Office de Tourisme, r. Gambetta
(15 mai-15 sept.) ℘ 85 26 07 06

▵▵▵ Municipal les Feuilles, ℘ 85 26 48 12, au SO de la ville, par r. du Chatillon, bord du Botoret
1,5 ha (50 empl.) ⟿ plat et peu incliné, herbeux, gravillons ⊏⊐ – ⵚ ⛺ 🗑 ⊕ ⚲ – ⛟ 🚿 – A proximité : ✗ ⊿

---

## CHAUMONT D'ANJOU

**49140** M.-et-L. – 261 h.

▵ **Municipal de Malagué** ⚲ « En forêt, près d'un étang », NO : 1,5 km par rte de Seiches-sur-le-Loir
1 ha (50 empl.) plat ⚑⚑ – ⵚ ⛺ 🗑 ⊕ – A proximité : ⚲
15 juin-15 sept. – **R** conseillée – Tarif 91 : 🗐 élect. comprise 2 pers. 29, pers. suppl. 7

---

## CHAUNY

**02300** Aisne – 12 926 h.

▵▵▵ **Municipal** « Décoration florale et arbustive », ℘ 23 52 09 96, NO : 1,5 km par rte de Noyon et D 56 à droite, près de la déviation
2,7 ha (36 empl.) ⟿ plat et peu incliné, herbeux, gravier ⊏⊐ – ⵚ ⛺ ⊕ – ⚒
avril-oct. – **R** – Tarif 91 : 🛉 7,50 ⨰ 4,50 🗐 4,50 ⚡ 10 (4A) 15,50 (6A) 24,50 (10A)

---

## CHAUVIGNY

**86300** Vienne – 6 665 h.

🅷 Syndicat d'Initiative, Mairie
℘ 49 46 30 21 et 5 r. Saint-Pierre
(juin-15 sept.) ℘ 49 46 39 01

▵ **Municipal de la Fontaine** ⩽ « Jardin public attenant, pièces d'eau », ℘ 49 46 31 94, sortie N par D 2 rte de Tournon-St-Martin et rte à droite, r. de la Fontaine
2,8 ha (120 empl.) ⟿ plat, herbeux – ⵚ ⛺ ⛺ 🗑 ⊕ ⛟ – ⛟
Permanent – **R** – Tarif 91 : 🛉 7,50 ⨰ 4,70 🗐 4,70 ⚡ 9,50 (hiver 15)

---

## CHAUX-DES-CROTENAY

**39150** Jura – 362 h. alt. 750

▵ **Municipal** ⚲ ⩽, ℘ 84 51 50 00, N : 0,7 km, à la piscine
1,2 ha (50 empl.) plat et peu incliné, herbeux – ⵚ ⅋ ⊕ – ⛟ ⊿ – A proximité : ✗
juil.-août – **R** – 🛉 8,75 🗐 13,40 ⚡ 9,80

---

## CHAUZON

**07120** Ardèche – 224 h.

▵▵▵ **La Digue** ⚲, ℘ 75 39 63 57, à 1 km à l'est du bourg, à 100 m de l'Ardèche (accès direct) – accès et croisement difficiles pour caravanes
1,2 ha (100 empl.) ⟿ (saison) plat et en terrasses, herbeux ⚑⚑ – ⵚ ⛺ ⵚ 🗑 ⊕ ⚲ ⛾ 🗑 – ✗ – A proximité : ⚒ – Location : 🚐 🚐
20 mars-sept. – **R** conseillée – 🗐 2 pers. 65, pers. suppl. 16 ⚡ 13 (6A)

▵ **Beaussement** ⚲, ℘ 75 39 72 06, à 0,7 km au nord du bourg, bord de l'Ardèche – Accès et croisement difficiles pour caravanes
1,3 ha (50 empl.) ⟿ (saison) plat et terrasses, pierreux, herbeux ⚍ (0,5 ha) – ⵚ ⛺ ⛺ ⊕ ⚲ – ⛟ ⊿
Rameaux-sept. – **R** conseillée juil.-août – 🗐 2 pers. 51 ⚡ 12

---

## CHAVANNES-SUR-SURAN

**01250** Ain – 419 h.

▵ **Municipal** ⚲, sortie E par D 3 rte d'Arnans, bord du ruisseau
1 ha (25 empl.) plat, herbeux ⊏⊐ – ⵚ ⅋ ⵚ ⊕
mai-oct. – **R** – 🛉 6,50 ⨰ 3 🗐 5 ⚡ 9 (6A)

---

## CHEDDE

**74** H.-Savoie – ✉ 74190 Le Fayet

▵ **Le Moustier** ⩽, ℘ 50 78 30 57, au bourg, r. du lac vert
1 ha (50 empl.) ⟿ plat, herbeux – ⵚ ⅋ ⛺ ⅋ ⊕
juin-sept. – **R** conseillée – 🛉 16 ⨰ 10 🗐 10 ⚡ 13 (6A) 15 (10A) 20 (12A)

---

## CHEFFES

**49125** M.-et-L. – 857 h.

▵▵▵ **Municipal de l'Écluse**, ℘ 41 42 85 52, sortie E par D 74 rte de Tiercé, près de la Sarthe
2 ha (80 empl.) ⟿ plat, herbeux ⚍ – ⵚ ⅋ ⛺ 🗑 ⊕
juin-15 sept. – **R** – Tarif 91 : 🛉 5 ⨰ 2,50 🗐 2,50 ⚡ 6,10 à 20 (2 à 10A)

---

## CHÉMERY

**41700** L.-et-Ch. – 875 h.

▵ **Municipal** ⚲, sortie NO par rte de Couddes, bord d'un ruisseau
1,2 ha (55 empl.) plat, herbeux – ⵚ ⅋ ⛺ ⊕
avril-août – **R** – 🛉 5,95 ⨰ 3 🗐 7 ⚡ 7,60

## CHEMILLÉ-SUR-INDROIS

**37460** I.-et-L. – 207 h.

⬛ 13 – ⬛ 64 ⑯

▲ **Municipal du Plan d'Eau** ⋞ « Agréable situation près d'un plan d'eau », ℱ 47 92 77 83, au SO du bourg
0,8 ha (73 empl.) ⚬⚬ (saison) plat et peu incliné, herbeux – 🔺 ⬧ 🛏 ⊕ –
A proximité : 👤 ✗ ✗ ⬚ ⬚ poneys
Pâques-oct. – **R** *conseillée juil.-août* – 🔸 *8* ⬛ *5* ▣ *8* ⓐ *9 (6A)*

## CHÊNE-EN-SEMINE

**74270** H.-Savoie – 234 h.

⬛ 12 – ⬛ 74 ⑤

▲ La Croisée ⅋ « Cadre boisé », ℱ 50 77 93 52, au Centre de Loisirs de la Semine, N : 2 km, à l'intersection des N 508 et D 14
2,9 ha (160 empl.) ⚬⚬ plat, herbeux, pierreux ⊡ ⬚⬚ – 🔺 ⬧ 🛏 ▣ ⊕ ⬚ ⬚ 👤
✗ ▣ – ⬚ ✗ ⬚⬚ ⬚

## CHÉNÉRAILLES

**23130** Creuse – 794 h.

⬛ 10 – ⬛ 73 ① G. Berry Limousin

▲ **Municipal la Forêt** « Cadre et situation agréables », ℱ 55 62 38 26, SO : 1,3 km par D 55 rte d'Ahun, bord d'un étang
0,5 ha (33 empl.) plat et peu incliné ⬚⬚ – 🔺 ⬧ 🛏 ⬚ ⊕ ⬚ – A proximité : ⬚
⬚⬚ ⬚
15 juin-15 sept. – **R** – 🔸 *8* ⬛ *4* ▣ *5* ⓐ *10 (16A)*

## CHENONCEAUX

**37150** I.-et-L. – 313 h.
⬛ Syndicat d'Initiative, r. du Château
(mai-sept.) ℱ 47 23 94 45

⬛ 5 – ⬛ 64 ⑯ G. Châteaux de la Loire

▲ **Le Moulin Fort,** ℱ 47 23 86 22 ✉ 37150 Francueil, SE : 2 km par rte de Montrichard, rte de Loches à droite et chemin à gauche après le pont, bord du Cher
3 ha (137 empl.) ⚬⚬ plat, herbeux, sablonneux – 🔺 ⬧ 🛏 ▣ ⬚ ⊕ 👤 snack ▣
– ⬚⬚
15 avril-15 sept. – **R** *conseillée 15 juil.-15 août* – 🔸 *22,40 piscine comprise*
▣ *22,60* ⓐ *18,40 (6A)*

## CHERBOURG ⬛⬛

**50100** Manche – 27 121 h.
⬛ Maison du Tourisme, 2 quai
Alexandre III ℱ 33 93 52 02 et à la
Gare Maritime (15 mai-15 sept.
après-midi seul.) ℱ 33 44 39 92

⬛ 4 – ⬛ 54 ② G. Normandie Cotentin

▲ **Les Pins,** ℱ 33 43 00 78 ✉ 50470 la Glacerie, S : 6,5 km par N 13 et chemin à gauche
6 ha (125 empl.) ⚬⚬ plat, peu incliné, herbeux, pierreux, gravier ⬚⬚ – 🔺 ⬧ 🛏
▣ ⬚ ▥ ⊕ ⬚ – ⬚⬚
Permanent – *Places disponibles pour le passage* – **R** – ▣ *élect. comprise (5A)*
*2 pers. 45, pers. suppl. 15*

▲ **Le Clos à Froment,** ℱ 33 54 25 99 ✉ 50470 la Glacerie, S : 4 km par N 13 rte de Valognes et à La Glacerie, à droite, rte de la Loge
1,7 ha (70 empl.) ⚬⚬ peu incliné, pierreux ⊡ – 🔺 ⬧ 🛏 ⬚ ⬚ ⊕ ⬚ ⬚ – ⬚⬚
juin-sept. – **R** – 🔸 *15* ▣ *15/20 avec élect.*

## CHERRUEIX

**35120** I.-et-V. – 983 h.

⬛ 4 – ⬛ 59 ⑦

▲ **L'Aumône,** ℱ 99 48 97 28, S : 0,5 km, sur D 797
1,6 ha (70 empl.) ⚬⚬ (saison) plat, herbeux – 🔺 ⬚ ⊕ 👤 ▣ – ⬚⬚ ⬚⬚ gîte d'étape
avril-sept. – **R** *conseillée* – *Tarif 91* : 🔸 *10* ⬛ *4* ▣ *4* ⓐ *9 (7A)*

## CHEVERNY

**41700** L.-et-Ch. – 900 h.

⬛ 5 – ⬛ 64 ⑰ G. Châteaux de la Loire

▲ **Les Saules,** ℱ 54 79 90 01, S : 2,5 km par D 102 rte de Contres
3 ha (160 empl.) ⚬⚬ plat, herbeux ⊡ – 🔺 ⬧ ⬚ ▣ ⊕ ⬚ ⬚ 👤 ⬚ – ⬚⬚
⬚ ⬚⬚ ⬚
11 avril-sept. – **R** *conseillée juil.-août* – 🔸 *18 piscine comprise* ▣ *30* ⓐ *10 (2A)*
*15 (5A)*

## CHEYLADE

**15400** Cantal – 360 h. alt. 952

⬛ 11 – ⬛ 76 ③ G. Auvergne

▲ **Municipal la Biaugue** ⅋ ⋞, à 400 m au NE du bourg
1 ha (50 empl.) peu incliné à incliné, herbeux – 🔺 ⬚ ▣ ⊕
15 juin-15 sept. – **R** *conseillée 25 juil.-15 août* – *Tarif 91* : 🔸 *6,20* ▣ *3,80*
ⓐ *10 (6A)*

## Le CHEYLARD

**07160** Ardèche – 3 833 h.

⬛ 11 – ⬛ 76 ⑲

▲ **Municipal la Chèze** ⅋ ⋞ le Cheylard et montagnes « Belle situation dominante et cadre agréable », ℱ 75 29 09 53, E : 1,3 km par rte de Privas et à droite, au château
3 ha (100 empl.) ⚬⚬ plat, incliné et en terrasses ⬚⬚ – 🔺 ⬚ ⊕ ⬚
Pâques-11 nov. – **R** *conseillée juil.-août* – ▣ *4 pers. 30/37 avec élect.*

## CHINON ⬛⬛

**37500** I.-et-L. – 8 627 h.
⬛ Office de Tourisme, 12 r. Voltaire
ℱ 47 93 17 85 et route de Tours
(15 juil.-15 août) ℱ 47 93 39 66

⬛ 9 – ⬛ 64 ⑬ G. Châteaux de la Loire

▲ Municipal de l'Île Auger ⋞ ville et château, ℱ 47 93 08 35, quai Danton, bord de la Vienne
3 ha (150 empl.) ⚬⚬ (mai-sept.) plat, herbeux, sablonneux – 🔺 ⬧ 🛏 ⊕ – ⬚⬚
– A proximité : ✗ ⬚ ⬚ ⬚

## CHISSEAUX
**37150** I.-et-L. – 522 h.

🔺 **Municipal de l'Écluse,** au sud du bourg, près du Cher
1,2 ha (72 empl.) plat, herbeux ⚊ – 🍽 ⏚ 📛 ⟨📛⟩ 🕭 ⊕ - ✖
11 avril-sept. – **R** *conseillée 14 juil.-15 août – Tarif 91 :* ♦ 10 ▣ 10 ⟨🏠⟩ 10

5 - 64 ⑯

---

## CHISSEY-SUR-LOUE
**39380** Jura – 336 h.

🔺 **La Joussotte,** 𝒫 84 37 63 17, NO : 0,7 km
1 ha (40 empl.) ⟍ plat et peu incliné, herbeux – 🍽 ⏚ 📛 🕭
mai-sept. – **R** *indispensable* – ♦ 12 ⟍ 6 ▣ 7 ⟨🏠⟩ 12 (5A)

12 - 170 ④ G. Jura

---

## CHOISY
**74330** H.-Savoie – 1 068 h. alt. 626

🔺 **Chez Langin** (aire naturelle) 🌳 ≤ « A l'orée d'un bois », 𝒫 50 77 41 65, NE :
1,3 km par D 3 rte d'Allonzier-la-Caille, – puis 1,3 km par rte des Mégevands
à gauche et chemin - Par autoroute A 41 : sortie Cruseilles et D 3
2 ha (25 empl.) ⟍ peu incliné, herbeux – 🍽 ⩓ 📛 🕭
Pâques-oct. – **R** *conseillée* – ▣ *2 pers. 50, pers. suppl.* 13 ⟨🏠⟩ 13 (3A)

12 - 74 ⑥

---

## CHOISY-LE-ROI
**94600** Val-de-Marne – 34 068 h.

🔺🔺🔺 **Paris-Sud,** 𝒫 (1) 48 90 92 30, 125 av. de Villeneuve-St-Georges (D 38), au
centre international de l'Auberge de Jeunesse, près du parc départemental des
sports – ℗ (tentes)
7,5 ha (165 empl.) ⟍ plat, herbeux, gravier 🗖 (camping) – 🍽 ⏚ 📛 🕭 ▥ 🕭
🕭 ⩔ ⩎, self ⏚ 📛 – 🍴 ✖ ⚓ - A proximité : tir à l'arc ✖ ⚓ 🅹
15 fév.-oct. – **R** – *Non accessible aux campeurs résidant dans les départements
de Seine et Val de Marne – Tarif 91 :* ♦ *16/17,50* ⟍ *7* ▣ *15,50/17,50* ⟨🏠⟩ *12*
(6A) 15 (10A)

5 - 101 ㉖

---

## CHOLET ⟨SP⟩
**49300** M.-et-L. – 55 132 h.

🅱 Office de Tourisme, pl. Rougé
𝒫 41 62 22 35 et aire d'Accueil, rte
d'Angers (juin-août) 𝒫 41 58 66 66

🔺🔺 **S.I. Lac de Ribou** 🌳 « Décoration florale et arbustive », 𝒫 41 58 74 74, SE :
5 km par D 20, rte de Maulevrier et D 600 à droite, à 100 m du lac
5 ha (200 empl.) ⟍ plat et peu incliné, herbeux 🗖 – 🍽 ⏚ 📛 🕭 ▥ ▤ 🕭
⩔ ⩎ 🅹 ✖ ✗ ⏚ 📛 – ⚓ ✖ ⚓ 🅹 toboggan aquatique, vélos - A proximité
🅹 poneys – Location : 🚐 🛏 (gîtes)
Permanent – **R** *conseillée* – ♦ *12 piscine et tennis compris* ▣ 23 ⟨🏠⟩ 12

9 - 67 ⑤ ⑥ G. Châteaux de la Loire

---

## CHORANCHE
**38680** Isère – 132 h.

🔺 **Municipal les Millières** ≤, au SE du bourg, près de la Bourne
0,4 ha (26 empl.) plat et terrasse, herbeux, pierreux 🗖 – 🍽 🕭 🕭
mars-oct. – **R** *conseillée* – ♦ *10,30* ⟍ *3,20* ▣ *6,10* ⟨🏠⟩ *8,60 (16A)*

12 - 77 ③ ④

---

## CHORGES
**05230** H.-Alpes – 1 561 h. alt. 854

🔺🔺🔺 **Le Serre du Lac** ≤, 𝒫 92 50 67 57, SE : 4,5 km par N 94 rte de Briançon et
rte à droite
3,5 ha (80 empl.) ⟍ en terrasses, pierreux, herbeux 🗖 – 🍽 ⏚ ⩎ 📛 🕭 ▥ 🕭
– 🍴 🅹 - Location : 🚐
Permanent – **R** *conseillée* – ▣ *piscine comprise 2 pers. 44, pers. suppl.* 16
⟨🏠⟩ 10 (3 ou 6A) 15 (10A)

17 - 77 ⑰

---

## CHOUVIGNY
**03450** Allier – 240 h.

🔺 **Municipal le Bel** 🌳, SE : 3 km par D 915 rte d'Ébreuil puis 0,6 km par
chemin à droite, à Péraclos, bord de la Sioule
1,2 ha (33 empl.) plat et en terrasses, herbeux, pierreux ⚊ – 🍽 📛 🕭
Pâques-sept. – **R** *conseillée juil.-août – Tarif 91 :* ♦ *6* ⟍ *4* ▣ *4/7* ⟨🏠⟩ *12*

11 - 73 ④ G. Auvergne

---

## CHOUZY-SUR-CISSE
**41150** L.-et-Ch. – 1 619 h.

🔺 **Les Cèdres,** 𝒫 54 20 46 96, sortie S, 21 r. de la Gare, à 150 m de la Loire
0,4 ha (33 empl.) ⟍ plat 🌼 sous-bois – 🍽 ⏚ 🕭 ✖
juin-août – **R** *conseillée* – ♦ *16* ▣ *16* ⟨🏠⟩ *16 (6A)*

5 - 64 ⑰

---

## La CIOTAT
**13600** B.-du-R. – 30 620 h.

🅱 Office Municipal de Tourisme, bd
Anatole-France 𝒫 42 08 61 32

🔺🔺🔺 Les Oliviers, 𝒫 42 83 15 04, E : 5 km par D 559 rte de Toulon
10 ha (533 empl.) ⟍ plat, incliné et en terrasses, pierreux ⚊⚊ (5 ha) – 🍽 ⩎ 🕭
🕭 ⩔ 🅹 self – 🍴 ✖ 🅹 - Location : 🚐 🚐 🗖
mars-sept. – **R** *conseillée*

🔺🔺 **St-Jean,** 𝒫 42 83 13 01, NE : 2 km, av. de St-Jean, vers Toulon, bord de mer
1 ha (90 empl.) ⟍ plat, pierreux, herbeux ⚊⚊ – 🍽 ⩎ 🕭 ⩔ 🅹 ✖ ⏚ 📛 –
Location : studios
avril-sept. – **R** – *Tarif 91 :* ▣ *3 pers. 77 à 101 selon emplacement, pers. suppl*
21 ⟨🏠⟩ 13 (2A) 15 (3A) 20 (6A)

16 - 84 ⑭ G. Provence

---

## CIVRAY-DE-TOURAINE

**37150** I.-et-L. – 1 377 h.

◭ **Municipal de l'Isle,** au S du bourg, par D 81, rte de Francueil, bord du Cher 1,2 ha (50 empl.) plat, herbeux, sablonneux ⚬⚬ (0,6 ha) – 🗑 ⚞ ⚹ ☺ – A proximité : ✂️

15 juin-4 sept. – **R** – Tarif 91 : 🧍 8 🚗 6 📭 6 🛖 8

🔢 5 – 🔢 64 ⑯

---

## CLAIRVAUX-LES-LACS

**39130** Jura – 1 361 h.

◭◭◭ **Municipal En Fayolan** ≼, 🕾 84 25 83 23, SE : 1,2 km par D 118 rte de Châtel-de-Joux et chemin à droite, au bord du lac, pinède attenante 5,5 ha (225 empl.) ⚬⚯ (saison) peu incliné, plat et en terrasses, herbeux, gravillons – 🗑 ⚤ 📭 🖬 ⚹ ☺ ⚞ 🖬 – 🚣

mai-sept. – **R** conseillée – 📭 élect. comprise (6A) 2 pers. 57,50

🔢 12 – 🔢 170 ⑭ G. Jura

---

## CLAMECY 〈SP〉

**58500** Nièvre – 5 284 h.

🅱 Office de Tourisme, r. Grand Marché (Pâques-fin sept.)
🕾 86 27 02 51

◭ **S.I. Pont Picot** 🐎 « Situation agréable », 🕾 86 27 05 97, S : bord de l'Yonne et du canal du Nivernais – Accès conseillé pour caravanes par Beaugy 1 ha (100 empl.) ⚬⚯ (saison) plat, herbeux ⚲ – 🗑 ⚤ 📭 ☺

mai-sept. – **R** – 🧍 10 🚗 7 📭 7 🛖 12 (5A)

🔢 6 – 🔢 65 ⑮ G. Bourgogne

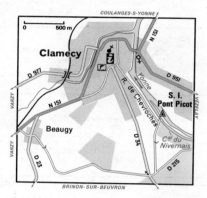

---

## CLAMENSANE

**04250** Alpes de H.-Pr. – 115 h. alt. 690

◭ **Le Clot du Jay** (aire naturelle) 🐎 ≼, 🕾 92 68 32 29, E : 1 km par D 1 rte de Bayons, près du Sasse 100 ha/4 campables (25 empl.) ⚬⚯ plat à incliné, herbeux ⚞⚞ – 🗑 ⚤ ⚞ 🖬 ☺ – 🏊 – Location : 🏠 🏡 studios

Pâques-sept. – **R** conseillée juil.-août – 🧍 19 🚗 7 📭 19 🛖 12 (3A)

🔢 17 – 🔢 81 ⑥ G. Alpes du Sud

---

## CLAOUEY 33 Gironde – 🔢 171 ⑲ – voir à Arcachon (Bassin d')

---

## La CLAYETTE

**71800** S.-et-L. – 2 307 h.

🅱 Syndicat d'Initiative, 6 pl. Fossés (mai-15 sept., fermé matin sauf juil.-août) 🕾 85 28 16 35

◭◭◭ **Municipal les Bruyères** « Entrée fleurie », 🕾 85 28 09 15, E : sur D 79 rte de St-Bonnet-de-Joux, à 100 m de l'étang 2,25 ha (150 empl.) ⚬⚯ plat, peu incliné, herbeux, gravier ⚲ – 🗑 ⚤ 📭 🖬 ⚞ ☺ 🖬 – 🏊 – A proximité : ✂️ 🏊 Permanent – **R** conseillée juil.-août – Tarif 91 : 🧍 6 🚗 4 📭 4 🛖 5

🔢 11 – 🔢 69 ⑰ ⑱ G. Bourgogne

---

## CLÉDEN-CAP-SIZUN

**29113** Finistère – 1 181 h.

◭ **La Baie** ≼, 🕾 98 70 64 28, O : 2,5 km, à Lescleden 0,4 ha (27 empl.) ⚬⚯ peu incliné et terrasse, herbeux – 🗑 ⚤ ☺ ⚞ 🍴 ✗ (dîner seulement) Permanent – **R** – Tarif 91 : 🧍 10 🚗 4,60 📭 11 🛖 9,50 (16A)

🔢 3 – 🔢 58 ⑬

---

## CLÉDER

**29233** Finistère – 3 801 h.

◭◭◭ **Municipal de Roguennic** 🐎 « Au bord d'une belle plage de sable fin », 🕾 98 69 63 88, N : 5 km 8 ha (300 empl.) ⚬⚯ (saison) plat et accidenté, sablonneux, herbeux, dunes, bois attenant – 🗑 ⚤ 📭 ☺ – 🏡 🚣 – A proximité : Au centre de loisirs : ✂️ 🏹 parcours sportif juin-15 sept. – **R** sauf pour groupes – 🧍 8,50 🚗 3,50 📭 4,50 🛖 8,50 (4A)

◭◭ **Municipal de Poulennou** 🐎, 🕾 98 69 48 37, N : 5 km, près de la plage 2,3 ha (80 empl.) ⚬⚯ plat et vallonné, herbeux, sablonneux – 🗑 ⚤ 📭 ☺ – 🚣 15 juin-15 sept. – **R**

🔢 3 – 🔢 58 ⑤

## CLÉMENSAT

**63320** P.-de-D. – 69 h.

⛰ **La Gazelle** ⟋, ☎ 73 71 16 43, sortie SE rte de St-Floret
0,7 ha (30 empl.) ⊶ peu incliné, herbeux – ◫ ⊕ – ⟋
15 juin-15 sept. – **R** – ★ *9* ⟺ *6* ▣ *8* ⊠ *9 (3 à 10A)*

11 – 73 ⑭

---

## CLONAS-SUR-VAREZE

**38550** Isère – 1 056 h.

⛰⛰ **Les Nations,** ☎ 74 84 95 13 ⊠ 38550 Auberives-sur-Varèze, E : 2,7 km, sur N 7
1 ha (40 empl.) plat, herbeux ⊏⟷ – ◫ ⟷ ⊟ ▥ ⊕ – ⟐ ⟋ – A proximité : ▾
✕ – Location : ⊨(hôtel)
Permanent – **R** – ▣ *élect. (5A) comprise 2 pers.* 60

12 – 77 ①

---

## CLOYES-SUR-LE-LOIR

**28220** E.-et-L. – 2 593 h.

⛰⛰⛰ **Parc de Loisirs** ⬦, ☎ 37 98 50 53, sortie N par N 10 rte de Chartres puis D 23 à gauche, bord du Loir
5 ha (100 empl.) ⊶ plat, herbeux ⊏⟷ ⟵ – ◫ ⟷ ⊟ ▣ ⊕ ⩜ ⟛ ⟷ ⟐ ▾ ✕ ⟷
▣ – discothèque ⟅ ⟷ ⟷ (bassin) toboggan aquatique, poneys, vélos –
A proximité : ✕
Permanent – Location longue durée *(6 000 F à 9 500 F) – Places disponibles pour le passage* – **R** – ★ *25* ▣ *30* ⊠ *15 (6A)*

5 – 60 ⑰ G. Châteaux de la Loire

---

## CLUNY

**71250** S.-et-L. – 4 430 h.

🅱 Office de Tourisme, 6 r. Mercière (fermé matin sauf avril-oct.)
☎ 85 59 05 34

⛰⛰⛰ **Municipal St-Vital** ⟨, ☎ 85 59 08 34, sortie E par D 15 rte d'Azé
2 ha (179 empl.) ⊶ plat, peu incliné, herbeux – ◫ ⟷ ⊟ ▣ ⊕ – ⟐
A proximité : ✕ ⟷
juin-sept. – **R** *conseillée juil.-août* – ★ *11* ⟺ *6,50* ▣ *6,50* ⊠ *4,50 par ampère*

11 – 69 ⑲ G. Bourgogne

---

## COGOLIN

**83310** Var – 7 976 h.

🅱 Office de Tourisme, pl. de la République ☎ 94 54 63 18

*Schéma à Grimaud*

⛰ **L'Argentière,** ☎ 94 54 57 86, O : 2,5 km par D 48 et chemin de l'Argentière à gauche
8 ha (183 empl.) ⊶ plat et peu accidenté, en terrasses, sablonneux, herbeux ⟵
– ◫ ⟷ ⊟ ▣ ⊕ ⟷ ▾ snack ▣ – ✕ ⟷ vélos – Location : ⟐ ⟐ ⟐
avril-sept. – **R** *conseillée* – ▣ *piscine comprise 2 pers.* 70, *pers. suppl.* 19 ⊠ 12
*(3A)* 16 *(6A)* 20 *(10A)*

17 – 84 ⑰ G. Côte d'Azur

---

## La COLLE-SUR-LOUP

**06480** Alpes-Mar. – 6 025 h.

⛰⛰⛰ **Les Pinèdes** ⟋, ☎ 93 32 98 94, O : 1,5 km par D 6 rte de Grasse, à 50 m du Loup
3,2 ha (120 empl.) ⊶ en terrasses, pierreux, herbeux ⟵⟵ – ◫ ⟷ ⊟ ▣ ⊕ ⟷
✕ ⟷ ▣ – ⟐ ⟷ – A proximité : ✕ – Location : ⟐ ⟐
mars-20 nov. – **R** *conseillée juil.-août* – ▣ *piscine comprise 2 pers.* 52/55 ⊠ 11
*(3A)* 14 *(6A)* 17 *(10A)*

⛰ **Le Vallon Rouge,** ☎ 93 32 86 12, O : 3,5 km par D 6, rte de Grasse, bord du Loup
3 ha (103 empl.) ⊶ plat, herbeux, pierreux ⟵⟵ – ◫ ⟷ ▣ ⊕ ⟷ ⟷ pizzeria ⟷
▣ – ⟷ vélos – Location : ⟐
15 mars-oct. – *Places disponibles pour le passage* – **R** *conseillée juil.-août* –
▣ *élect. (3A) et piscine comprises 2 pers.* 80, 4 *pers.* 100 à 150

17 – 84 ⑨ G. Côte d'Azur

---

## COLLEVILLE-MONTGOMERY-PLAGE

**14880** Calvados – 1 926 h.

⛰⛰ **Les Salines,** ☎ 31 96 36 85, sur D 514, à 300 m de la plage
6 ha (300 empl.) ⊶ plat, sablonneux, herbeux – ◫ ⟷ ⊟ ▣ ⟷ ⊕ ▾ ⟷ – ⟐
– A proximité : ⟷ ✕ ⟅
15 mars-15 nov. – **R** – *Tarif 91* : ★ *15,50* ▣ *15,50* ⊠ *15,50*

5 – 54 ⑯ G. Normandie Cotentin

---

## COLLEVILLE-SUR-MER

**14710** Calvados – 146 h.

⛰ **Le Robinson,** ☎ 31 22 45 19, NE : 0,8 km par D 514 rte de Port-en-Bessin
1 ha (53 empl.) ⊶ plat, herbeux – ◫ ⟷ ⊟ ⟷ ⊕ – ⟐
15 juin-15 sept. – **R** *conseillée* – ★ *12* ▣ *12* ⊠ *10 (6A)*

4 – 54 ⑭

---

## COLLIAS ·

**30210** Gard – 756 h.

⛰⛰⛰ **Le Barralet** ⟋ ⟨, ☎ 66 22 84 52, NE : 1 km par D 3 rte d'Uzès et chemin à droite
2 ha (90 empl.) ⊶ plat et peu incliné, herbeux – ◫ ⟷ ⊟ ▣ ⟷ ⊕ ▾ ✕ – ⟷
Pâques-sept. – **R** *conseillée* – ▣ *piscine comprise 2 pers.* 55 ⊠ 12

16 – 80 ⑲

---

## COLLINEE

**22330** C.-d'Armor – 894 h.

⛰ **Municipal,** sortie SO par D 792, 14 rue du Baillot
0,3 ha (14 empl.) en terrasses, herbeux – ◫ ⟷ ⊟ ⊕
juin-sept. – **R** – *Tarif 91* : ★ *8,70* ⟺ *4,40* ▣ *4,40* ⊠ *10*

4 – 58 ⑳

## COLLIOURE

66190 Pyr.-Or. – 2 726 h.
🅱 Office de Tourisme, pl. du 18-Juin
🅟 68 82 15 47

Schéma à Argelès

15 – 86 ⑳ G. Pyrénées Roussillon

▲ **Les Amandiers,** 🅟 68 81 14 69, NO : 1,5 km rte d'Argelès-sur-Mer et chemin à droite, à 300 m de la mer **(accès direct)** – Accès par rampe à 12% – **🅟** – 🍴 1,7 ha (92 empl.) ⊶ plat et en terrasses, pierreux 🗙 ∰ – ♿ 🕭 📷 – 🏪 avril-sept. – **🍴**

## COLMAR 🅟

68000 H.-Rhin – 63 498 h.
🅱 Office de Tourisme et Accueil de France, 4 r. Unterlinden
🅟 89 41 02 29

8 – 62 ⑲ G. Alsace Lorraine

🔺🔺 **Intercommunal de l'Ill,** 🅟 89 41 15 94, E : 2 km par N 415 rte de Fribourg, à Horbourg, bord de l'Ill 2,2 ha (180 empl.) ⊶ plat et terrasses, herbeux ⚲ – (🍴 ⇆ 📷 mai-15 oct.) 🏪 ∰ 🔁 🕭 🍴 🗙 🍴 – 🗺 🏃 fév.-nov. – **🍴** juil.-août – 🏃 11 📷 13 🔌 12 (2 ou 3A) 21 (4 ou 5A)

## COLOMBIERS

34440 Hérault – 1 647 h.

15 – 83 ⑭

▲ **Les Peupliers,** 🅟 67 37 05 26, sortie N rte de Montady puis 0,4 km par rte à droite après le pont sur le canal du Midi 2 ha (50 empl.) ⊶ plat, herbeux – 🍴 ♿ 📷 cases réfrigérées – Garage pour caravanes Permanent – **🍴** – 📷 2 pers. 58 🔌 10,50 (4A) 14,50 (6A)

## COLY

24120 Dordogne – 193 h.

10 – 75 ⑦

🔺🔺 **La Grande Prade,** 🅟 53 51 66 13, SE : 2 km par D 62 rte de la Cassagne, près d'un plan d'eau 3,5 ha (100 empl.) ⊶ peu incliné, herbeux, pierreux ⚲ – 🍴 ⇆ 📷 🕭 🍴 🍴 – 🏊 – A proximité : 🍴 🏊 (toboggan aquatique) – Location : 📷 📷 mai-15 oct. – **🍴** conseillée – Tarif 91 : 📷 élect. (5A) et piscine comprises 5 pers. 90, pers. suppl. 14

## COMBRIT

29120 Finistère – 2 673 h.

Schéma à Bénodet

3 – 58 ⑮ G. Bretagne

🔺🔺 **Menez Lanveur** ⚲, 🅟 98 56 47 62, S : 2 km par rte d'Ile-Tudy et rte à gauche 1 ha (80 empl.) ⊶ plat, herbeux – 🍴 🏊 🕭 📷 – Location : 📷 avril-oct. – **🍴** conseillée – Tarif 91 : 🏃 10,50 🚙 6,30 📷 12 🔌 9 (2A)

▲ **Municipal Croas Ver,** 🅟 98 56 38 88, au sud du bourg, près du D 44 et du stade 1,5 ha (80 empl.) ⊶ plat et terrasse, herbeux 🗙 – 🍴 🍴 juil.-août – **🍴** – 🏃 10,50 🚙 5,80 📷 11,45

## COMIAC

46190 Lot – 272 h.

10 – 75 ⑳

▲ **Municipal du Lac des Vergnes** ⚲, « Agréable situation au bord d'un lac », O : 1 km sur D 29 rte de Laval-de-Cère 1,8 ha (33 empl.) plat à incliné, en terrasses, herbeux ⚲ – 🍴 📷 – A proximité : 🍴 🏊 15 juin-août – **🍴** – 🏃 7,50 📷 7,50/9 avec élect.

## COMMANA

29237 Finistère – 1 061 h.

3 – 58 ⑥ G. Bretagne

🔺🔺 **Municipal du Drennec** ⚲, 🅟 98 78 05 57, SO : 4,8 km, à 200 m du plan d'eau 0,8 ha (50 empl.) plat et peu incliné, herbeux, sous bois – 🍴 ⇆ 🏊 🔁 🕭 ♿ 📷 – 📷 – A proximité : 🍴 crêperie 🍴 🏊 🏊 ◊

## COMPREIGNAC

87140 H.-Vienne – 1 280 h.

10 – 72 ⑦ G. Berry Limousin

🔺🔺 **Municipal de Montimbert,** 🅟 55 71 04 49, N : 2,5 km par D 60 rte de St-Pardoux puis rte de St-Symphorien-sur-Couze 0,9 ha (66 empl.) plat et peu incliné, herbeux – 🍴 ⇆ 🍴 📷 – 🗺 🏊 juin-15 sept. – **🍴** – 🏃 8 🚙 5 📷 5 🔌 15

## COMPS

30300 Gard – 1 435 h.

16 – 80 ⑳

▲ **La Garrigue** ⚲ « Situation dominante », 🅟 66 74 52 68, sortie par D 986ᴸ rte de Beaucaire et 0,4 km par chemin à droite – Accès aux emplacements difficile (forte pente) 0,6 ha (35 empl.) ⊶ en terrasses, gravier, pierreux – 🍴 ⇆ 🍴 – 🗺 Permanent – **🍴** – 📷 1 pers. 25

## COMPS-SUR-ARTUBY

83840 Var – 272 h. alt. 898

17 – 84 ⑦ G. Alpes du Sud

▲ **l'Iscloun** (aire naturelle) ⚲, 🅟 94 47 58 59, à Jabron, N : 4,5 km par D 955 rte de Castellane, bord d'un ruisseau – alt. 760 0,7 ha (25 empl.) ⊶ plat, herbeux, pierreux – 🍴 ⇆ 🍴 ♿ 📷 avril-sept. – **🍴** conseillée juil.-août – 🏃 12 🚙 12 📷 12/14 🔌 12 (6A)

## CONCARNEAU

**29110** Finistère – 18 630 h.
🛈 Office de Tourisme, quai d'Aiguillon
🖉 98 97 01 44

▲▲▲ **Les Prés Verts** 🏆 « Décoration florale et arbustive », 🖉 98 97 09 74, NO : 3 km par rte du bord de mer et à gauche, à 250 m de la plage (accès direct)
2,5 ha (150 empl.) ⚬━ plat et peu incliné, herbeux – 🚿 🛁 🔥 🛒 ⊕ 🍽 🖥 – 🖂
14 avril-15 sept. – **R** conseillée 25 juin-20 août – 🖩 piscine comprise 2 pers. 97, pers. suppl. 28 🛉 16 à 25 (2 à 5A)

▲▲ **Kérandon,** 🖉 98 97 15 77, N : par rte de Quimper
1,5 ha (100 empl.) ⚬━ plat et peu incliné, herbeux – 🚿 🛁 🛒 ⊕ 🍴 ✕ – 🏓 – A proximité : 🐎
15 juin-15 sept. – **R** conseillée août – 🛉 12,50 � 6,50 🖩 12,50 🛉 12,50 (5A)

▲ **Lochrist,** 🖉 98 97 25 95, N : 3,5 km par D 783 rte de Quimper et chemin à gauche
1,5 ha (100 empl.) ⚬━ plat, herbeux ⚲ (1 ha) – 🚿 🛁 🛒 ⊕ 🍴
15 mai-15 sept. – **R** conseillée – 🛉 10 � 6 🖩 12 🛉 11 (10A)

*au Cabellou* S : 5 km par rte de Quimperlé et rte à droite
🖂 29110 Concarneau :

▲▲▲ **Kersaux** 🏆, 🖉 98 97 37 41, près de la plage
4 ha (200 empl.) ⚬━ plat et peu incliné, herbeux – 🚿 🛁 🛒 🖥 ⊕ – A proximité : 🏊
15 juin-5 sept. – **R**– 🛉 14 � 5 🖩 8,50 🛉 9,50 (3A)

---

## Les CONCHES **85** Vendée – **67** ⑫ – rattaché à Longeville-sur-Mer

---

## CONCORÈS

**13** – **75** ⑱

**46310** Lot – 287 h.

▲▲▲ **Moulin des Donnes** 🏆, 🖉 65 31 03 90, O : 0,9 km par D 12 rte de Gourdon et chemin à gauche, bord du Céou
1,5 ha (66 empl.) ⚬━ plat, herbeux ⚲ – 🚿 🛁 🛒 🔥 🖥 ⊕ 🍴 🖥 – 🍽
Pâques-15 oct. – **R** conseillée juil., indispensable août – 🛉 18 🖩 20 🛉 12

---

## La CONDAMINE-CHÂTELARD

**04530** Alpes-de-H.-Pr. – 168 h.
alt. 1 280

▲ **le Champ Félèze** ⩗, 🖉 92 84 32 89, NE : 1 km par D 900 rte de Larche, bord de l'Ubaye (petit plan d'eau)
1,5 ha (100 empl.) ⚬━ plat, pierreux, herbeux – 🚿 🛁 🛒 🔥 ⊕ snack 🖥 – 🍽
– A proximité : 🏹 – Location : gîte d'étape
Permanent – **R** conseillée saison – 🛉 15,50 � 9 🖩 12

---

## CONDAT

**13** – **75** ⑲

**46110** Lot – 310 h.

▲ **Domaine de Bourzolles** ⩗, 🖉 65 32 16 32, E : 0,6 km par D 20 rte de Vayrac et chemin à gauche
4 ha (50 empl.) ⚬━ peu incliné et plat, herbeux, pierreux ⚲⚲ (0,4 ha) – 🚿 🛁 🛒
⊕ – 🖂 🍽 – **R** – 🛉 14 piscine comprise 🖩 15 🛉 15 (10A)
avril-oct.

---

## CONDÉ-SUR-NOIREAU

**4** – **55** ⑪ G. Normandie Cotentin

**14110** Calvados – 6 309 h.

▲▲ **Municipal,** 🖉 31 69 45 24, sortie O, r. de Vire, à la piscine, près d'une rivière et d'un plan d'eau
0,5 ha (33 empl.) ⚬━ plat, herbeux, jardin public attenant – 🚿 🛁 🔥 🖥 ⊕ –
A proximité : 🏹 🏊 🛶 parcours sportif

---

## CONDÉ-SUR-VESGRE

**6** – **60** ⑧

**78113** Yvelines – 828 h.

▲▲ **La Mare aux Biches** 🏆 « Agréable cadre boisé », 🖉 (1) 34 87 05 42, O : 2,7 km par rte de Boutigny-sur-Opton
3 ha (108 empl.) ⚬━ plat et peu incliné, sablonneux, herbeux ⚲⚲ – 🚿 🛁
🖥 🍽 ⊕ 🚲 🏹 – 🖂 🍽
fermé 16 déc.-14 janv. – Places limitées pour le passage – **R** – 🛉 13 � 13 🖩 13 🛉 15 (3A)

---

## CONDOM ⊕

**14** – **79** ⑭ G. Pyrénées Aquitaine

**32100** Gers – 7 717 h.
🛈 Syndicat d'Initiative, pl. Bossuet
🖉 62 28 00 80

▲▲ **Municipal,** 🖉 62 28 17 32, sortie S par D 931 rte d'Eauze, près de la Baïse
0,8 ha (75 empl.) ⚬━ plat, herbeux ⚲ ⚲ – 🚿 🛁 🛒 🔥 🚲 vélos
– A proximité : 🍴 ✕ 🏹 🛶, tir à l'arc – Location : 🏠
Pâques-Toussaint – **R**– Tarif 91 : 🛉 12 🖩 12/14,50 🛉 10

---

## CONDRIEU

**11** – **74** ⑪ G. Vallée du Rhône

**69420** Rhône – 3 093 h.

▲▲▲ **Belle-Rive** ⩗ « Cadre agréable », 🖉 74 59 51 08, sortie N par N 86 rte de Givors puis rte à droite, près du Rhône
5 ha (180 empl.) ⚬━ plat, herbeux, pierreux ⚲ – 🚿 🛁 🔥 🖥 ⊕ 🍽 🖥 – 🖂
🍴 🍽 – A proximité : 🍴 ✕
avril-sept. – Places disponibles pour le passage – **R** – Tarif 91 : 🛉 10 � 8 🖩 14 🛉 11 (2A)

## CONLIE

**72240** Sarthe – 1 642 h.

▲ **Municipal La Gironde** 🏊, ⚲ 43 20 81 07, au bourg, près d'un étang – 🛝
0,8 ha (35 empl.) plat, herbeux 🗒 – 🏠 🔥 🚿 🗄 👶 ⊕ 🌊 🚼 – 🚣 🛥 (bassin)
mars-oct. – **R** – *Tarif 91* : 🏕 *6,20* 🚐 *6,20* 🔋 *5,20 (3A) 9,40 (6A)*

🗂 – 🗒 ⑫

---

## CONNERRÉ

**72160** Sarthe – 2 545 h.

▲ Municipal la Plage aux Champs, ⚲ 43 89 13 64, r. de la Gare, sortie N par D 33,
bord de l'Huisne et d'un ruisseau
2,5 ha (200 empl.) 🚐 (saison) plat, herbeux 🌿 – 🏠 🔥 ⊕ – 🛝 🚣
avril-sept. – 🏨

🗂 – 🗒 ⑭ G. Châteaux de la Loire

---

## CONQUES

**12320** Aveyron – 362 h.

▲ **Beau Rivage** « Décoration originale », ⚲ 65 69 82 23, sur D 901, bord du
Dourdou
1 ha (60 empl.) 🚐 (saison) plat, herbeux 🌿 🌿🌿 – 🏠 🔥 🗄 ⊕ – 🛝 🚣 – A proximité :
✕
avril-sept. – **R** *conseillée* – *Tarif 91* : 🚐 *2 pers. 40* 🔋 *10 (5A)*

🗂 – 🗒 ① ② G. Gorges du Tarn

---

## Le CONQUET

**29217** Finistère – 2 149 h.

🛈 Syndicat d'Initiative, Beauséjour
(saison) ⚲ 98 89 11 31 et Mairie
(15 sept.-15 juin) ⚲ 98 89 00 07

▲▲ **Municipal le Théven** 🏊, ⚲ 98 89 06 90, NE : 5 km par rte de la plage des
Blancs Sablons, à 400 m de la plage – Chemin et passerelle pour piétons reliant
le camp à la ville
12 ha (450 empl.) 🚐 plat et peu accidenté, sablonneux, herbeux 🌿 – 🏠 🔥 🚿
⊕ 🌊 – 🚣 – A proximité : ✕
avril-15 oct. – **R** *conseillée* – 🏕 *11* 🚐 *9* 🔋 *10 (20A)*

🗂 – 🗒 ③ G. Bretagne

---

## Les CONTAMINES-MONTJOIE

**74170** H.-Savoie – 994 h. alt. 1 164
– 🚡.

🛈 Office de Tourisme, pl. de la Mairie
⚲ 50 47 01 58

▲▲▲ **Municipal le Pontet** Ⓜ ❄ ≤, ⚲ 50 47 04 04, S : 2 km par D 902, bord d'un
ruisseau – 🚡
2,8 ha (160 empl.) 🚐 plat, gravillons, herbeux – 🏠 🔥 🗄 🗄 🚿 🛗 ⊕ 🗄 –
- A proximité : ✕ 🏹 🚣 practice de golf – Location : gîte d'étape
janv.-10 mai, juin-sept. – **R** – 🚐 *3 pers. 75 (hiver 83), pers. suppl. 18 (hiver 20)*
🔋 *été : 10 à 20 (2 à 4A) hiver : 12 à 40 (4 à 10A)*

🗒 – 🗒 ⑧ G. Alpes du Nord

---

## CONTIS-PLAGE

**40** Landes – ✉ 40170 St-Julien-
en-Born

▲▲▲ **Lous Seurrots**, ⚲ 58 42 85 82, sortie SE par D 41, bord du courant de Contis
15 ha (700 empl.) 🚐 (saison) plat et vallonné, sablonneux 🌿🌿 pinède – 🏠 🔥
🗄 🏠 🗄 🚿 🛗 🗄 🏹 ✕ 🚣 🗄 – 🚣 🛥 🌊
avril-sept. – **R** *14 juil.-15 août* – *Tarif 91* : 🏕 *18* 🚐 *6* 🚐 *21* 🔋 *12 (10A)*

🗒 – 🗒 ⑮

---

## CONTREXÉVILLE

**88140** Vosges – 3 945 h. –
♨ 5 avril-30 oct.

🛈 Office de Tourisme et de
Thermalisme, r. du Shah de Perse
⚲ 29 08 08 68

▲▲▲ **Municipal Tir aux Pigeons** 🏊 « A l'orée d'un bois », ⚲ 29 08 15 06, SO :
1 km par D 13 rte de Suriauville
1,5 ha (80 empl.) 🚐 plat, herbeux, gravillons 🌿 🌿 – 🏠 🔥 🗄 🗄 ⊕ 🗄 –
4 avril-20 oct. – **R** – 🏕 *6* 🚐 *6* - Redevance pour une seule nuit : pers. 12 - empl.
*12* 🔋 *8,50 (6A)*

🗒 – 🗒 ⑭ G. Alsace Lorraine

---

## CORBÈS **30** Gard – 🗒 ⑰ – rattaché à Anduze

---

## CORCIEUX

**88430** Vosges – 1 718 h.

▲▲▲ **Domaine des Bans et la Tour** 🏊 ≤ « Cadre agréable », ⚲ 29 50 68 98,
en deux camps distincts (Domaine des Bans : 365 empl. et la Tour : 35 empl.),
pl. Notre-Dame, bord d'un plan d'eau
15,7 ha (400.empl.) 🚐 (saison) plat, herbeux, pierreux 🌿 🌿 – 🏠 🔥 🗄 🗄 🚿
⊕ 🌊 🗄 🏹 ✕ snack 🗄 🗄 – 🚣 🛥 discothèque ✕ 🚣 🏊 – Location :
appartements, villas, chalets
15 juin-10 sept. (La Tour : *permanent)* – **R** *indispensable juil.-août* – 🏕 *24 piscine
comprise* 🚐 *48* 🔋 *15 (3 à 6A)*

▲▲ **La Berquaine** 🏊 ≤, ⚲ 29 50 64 69, NE : 1,5 km, à Ruxurieux
2,5 ha (50 empl.) 🚐 (saison) en terrasses, peu incliné, herbeux 🌿 🌿 (0,5 ha) –
🏠 🔥 ⊕ – 🚣 🛥 🌊 (bassin)
avril-sept. – **R** *conseillée 1er au 10 juil., indispensable 11 juil.-15 août* – 🏕 *5,50*
🚐 *5* 🚐 *6* 🔋 *5 (3A)*

🗒 – 🗒 ⑰

---

*Om een reisroute uit te stippelen en te volgen,*
*om het aantal kilometers te berekenen,*
*om precies de ligging van een terrein te bepalen (aan de hand van de inlichtingen in de tekst),*
*gebruikt u de* **Michelinkaarten** *schaal 1 : 200 000 ; een onmisbare aanvulling op deze gids.*

167

## CORDELLE

**42123** Loire – 749 h.

🔺🔺🔺 **Municipal de Mars** Ⓜ 🔻 ≤ gorges de la Loire «Situation dominante »,
*𝒫* 77 64 94 42, S : 4,5 km par D 56 et chemin à droite
1,2 ha (69 empl.) ⚡ peu incliné et en terrasses, herbeux 🔲 – 🗒 🔄 🖐 🔲 ⊕
🔥 ♨ 🖿 -
Permanent – **R** *conseillée 15 juin-15 sept.* – *Tarif 91 :* ✟ *9* 🔲 *15* 🔌 *11 (6A)*

## CORDES

**81170** Tarn – 932 h.

🅱 Syndicat d'Initiative, Mairie (saison)
*𝒫* 63 56 00 52 et pl. Bouteillerie (juil.-
sept.) *𝒫* 63 56 14 11

🔺🔺🔺 **Moulin de Julien** 🔻 «Décoration originale », *𝒫* 63 56 01 42, SE : 1,5 km
par D 922 rte de Gaillac, bord d'un ruisseau
9 ha (130 empl.) ⚡ (saison) plat, incliné et en terrasses, herbeux, étang 🔱 – 🗒
🔄 🖐 ⊕ 🍴 🖿 – 🔄 🖈 🚣 – Location : 🏠 – Garage pour caravanes
avril-sept. – **R** *conseillée 14 juil.-15 août* – 🔲 *2 pers. 60, 3 pers. 82* 🔌 *12 (5A)*
*6 (2A)*

🔺 **Camp Redon** 🔻, *𝒫* 63 56 14 64 ✉ 81170 Livers-Cazelles, SE : 5 km par
D 600 rte d'Albi puis 0,8 km par D 107 rte de Virac à gauche
1 ha (25 empl.) ⚡ plat, peu incliné, herbeux 🔲 – 🗒 🔄 🖐 ⊕ – 🔄 – Location :
🔄
15 mars-15 nov. – **R** *conseillée* – 🔲 *piscine comprise 2 pers. 45, pers. suppl.*
*15* 🔌 *10 (6A)*

## CORMORANCHE-SUR-SAÔNE

**01290** Ain – 780 h.

🔺🔺🔺 **Municipal de Pierre Torrion** Ⓜ, *𝒫* 85 31 53 81, NO : 1 km, près d'un plan
d'eau
4,5 ha (117 empl.) ⚡ (saison) plat, herbeux 🔲 – 🗒 🔄 🖐 🔲 ♿ ⊕ 🔥 ♨ 🖿
– 🚤
mai-sept. – **R** *conseillée juil.-août* – ✟ *19* 🔲 *14/35 avec élect. (6A)*

## CORNEILLA-DE-CONFLENT **66** Pyr.-Or. – 🔢 ⑰ – rattaché à Vernet-les-Bains

## CORNY-SUR-MOSELLE

**57680** Moselle – 1 490 h.

🔺 **le Paquis**, *𝒫* 87 52 03 59, N : 0,7 km par N 57 rte de Metz, puis 0,5 km par
chemin à gauche, près de la Moselle et de plans d'eau
1,7 ha (100 empl.) ⚡ plat, herbeux 🔱 – 🗒 🔄 🖐 ⊕ – A proximité : ✖
mai-sept. – ✟ *12* 🔄 *8* 🔲 *8* 🔌 *12 (6A)*

## CORSAVY

**66150** Pyr.-Or. – 194 h. alt. 793

🔺 **Bellavista** 🔻 ≤ massif du Canigou «Site agréable », *𝒫* 68 39 17 55, sortie
NO par D 43 rte de Batère
1,2 ha (50 empl.) ⚡ peu incliné à incliné, accidenté, pierreux, herbeux – 🗒 ♿
⊕ – A proximité : 🍴 ✖
15 mai-15 oct. – **R** – ✟ *15* 🔲 *10/15* 🔌 *7 (6A)*

## CORSE

Relations avec le continent : 50 mn
environ par avion, 5 à 10 h par
bateau 🚢 par Société Nationale
Corse-Méditerranée (S.N.C.M.) –
Départ de **Marseille** : 61 bd des
Dames (2ᵉ) *𝒫* 91 56 62 05 – Départ
de **Nice** : (Ferryterranée) quai du
Commerce *𝒫* 93 13 66 66 – Départ
de **Toulon** (3 mars-11 nov.) : 21 et
49 av. Infanterie de Marine
*𝒫* 94 41 25 76

**Aléria** H.-Corse, pli ⑥ – 2 022 h. – ✉ 20270 Aléria

🔺🔺🔺 **Marina d'Aléria** 🔻 «Décoration florale », *𝒫* 95 57 01 42, à 3 km à l'est de
Cateraggio par N 200, à la plage de Padulone, bord du Tavignano
17 ha/7 campables (200 empl.) ⚡ plat, sablonneux, herbeux 🔱 (4 ha) – 🗒 ⊕
🔄 🖿 ⊕ 🔥, self, pizzeria 🔄 🖿 – 🔄 ✖ 🗒 🚣 vélos – Location : 🏠
mai-oct. – **R** *conseillée juil.-août* – *Tarif 91 :* ✟ *26* 🔄 *11* 🔲 *9/12* 🔌 *13 (9A)*

**Algajola** H.-Corse, pli ⑬ – 211 h. – ✉ 20220 Algajola

🔺 **A Marina** ≤, *𝒫* 95 60 75 41 ✉ 20220 Aregno, E : 0,5 km sur N 197 rte de
l'Ile-Rousse, à 200 m de la plage (accès direct)
5,5 ha (187 empl.) ⚡ plat, sablonneux, herbeux – 🗒 ♿ ⊕ 🔥 🔄 🍴 snack 🖿
– 🔄 – Location : 🔄
mai-sept. – **R** – ✟ *23* 🔄 *7* 🔲 *11/15* 🔌 *15*

🔺 **Cantarettu-City** 🔻 ≤ «Ranch style western », *𝒫* 95 60 70 89, E : 2 km par
N 197 rte de l'Ile-Rousse et chemin à droite
3,5 ha (150 empl.) ⚡ plat et peu incliné, sablonneux, herbeux, rochers 🔱🔱 – 🗒
🖿 ⊕ 🍴 snack 🖿 – ✖ 🐪
avril-15 oct. – **R** *conseillée* – ✟ *18* 🔄 *5* 🔲 *18/20* 🔌 *5 ou 10*

🔺 **Cala di Sole** ≤, *𝒫* 95 60 73 98, au sud du bourg, accès sur N 195 rte de
l'Ile-Rousse
5 ha (100 empl.) ⚡ plat, incliné et en terrasses, pierreux, herbeux – 🗒 ⊕ 🖿 –
A proximité : ✖ – Location : studios
mai-sept. – **R** – ✟ *18* 🔄 *4* 🔲 *14/18* 🔌 *15*

🔺 **Balanéa** (aire naturelle), *𝒫* 95 60 11 77 ✉ 20256 Corbara, E : 1,6 km par
N 197 rte de l'Ile-Rousse et chemin à droite
2 ha (25 empl.) ⚡ (saison) peu incliné, pierreux 🔱🔱 – 🗒 ⊕ 🖿
Pâques-sept. – **R** *juil.-août* – 🔲 *1 pers. 29* 🔌 *14 (6A)*

**Bastia** Ⓟ H.-Corse, pli ③ – 37 845 h. – ✉ 20200 Bastia.
🛈 Office Municipal de Tourisme, pl. Saint-Nicolas 🖋 95 31 00 89

🔺 **Le Bois de San Damiano** « Situation et cadre agréables », 🖋 95 33 68 02 ✉ 20620 Biguglia, SE : 9 km par N 193 et rte du bord de mer à gauche, à 100 m de la plage (accès direct)
12 ha (200 empl.) ⚡ plat, sablonneux ⚘ pinède – 🏠 🖥 ⊛ 🍴 ♟ ✗ 🔲 – ✿
mars-oct. – **R** – ✹ 20 ⬅ 10 🔳 10/15 ⒣ 16 (10A)

**Belvédère-Campomoro** Corse-du-Sud, pli ⑱ – 128 h.
✉ 20110 Belvédère Campomorro

🔺 **La Vallée** ≤, 🖋 95 74 21 20, au bourg, à 50 m de la plage
3,5 ha (199 empl.) ⚡ en terrasses, peu incliné, herbeux, pierreux ⚘⚘ (0,5 ha) – 🏠 ⚞ 🖥 ⚃ ⊛ ⬛, 🔲
mai-15 oct. – **R**

🔺 **Peretto-les Roseaux** ⚲, 🖋 95 74 20 52, au bourg, à 400 m de la plage
1,5 ha (50 empl.) ⚡ (avril-oct.) en terrasses et plat, pierreux, herbeux ⚘ ⚘ – 🏠 ⊛ 🔲 – A proximité : ⬛,
Permanent – **R** indispensable – ✹ 18 ⬅ 5 🔳 7/10 ⒣ 12 (6A)

**Bonifacio** Corse-du-Sud, pli ⑨ – 2 683 h. – ✉ 20169 Bonifacio

🔺 **U Farniente** ⚲ « Agréable domaine », 🖋 95 73 05 47, NE : 5 km par N 198 rte de Bastia, à Pertamina Village
15 ha/3 campables (150 empl.) ⚡ plat, peu incliné, pierreux ⚘⚘ – 🏠 ⚞ ⚱ ⊛ ⬛, ✗ pizzeria ⚘ 🖥 – ⚞ ⚒ ⚒ vélos – Location : ⚞ ⚞, studios
15 mai-15 oct. – **R** conseillée – 🔳 piscine comprise 2 pers. 84 ⒣ 15 (5A)

🔺 **Les Iles** ⚲ ≤ la Sardaigne et les îles, 🖋 95 73 11 89, E : 4,5 km rte de Piantarella, vers l'embarcadère de Cavallo
8 ha (100 empl.) ⚡ peu incliné, vallonné, pierreux – 🏠 ⚞ ⚱ 🖥 ⚃ ⊛ ⬛, snack – ⚞ half-court – Location : ⚞
avril-oct. – **R** – ✹ 27 ⬅ 10 🔳 10/12 ⒣ 13 (5A)

🔺 **Pian del Fosse** ≤, 🖋 95 73 16 34, NE : 3,8 km sur D 58 rte de Santa-Manza
5,5 ha (100 empl.) ⚡ peu incliné et incliné, en terrasses, pierreux, oliveraie ⚘⚘ (2 ha) – 🏠 🖥 ⚃ ⬛, 🔲
mai-sept. – **R** – ✹ 25 ⬅ 10 🔳 10/17

🔺 **La Trinité** ≤, 🖋 95 73 10 91, NO : 4,5 km par N 196 rte de Sartène
4 ha (200 empl.) ⚡ accidenté, plat et peu incliné, sablonneux, herbeux, rocheux – 🏠 ⚞ ⚱ ⊛ ⬛, 🖥 – A proximité : ✗ ⚒ ⚞ ⚒ – Location : ⚞
15 avril-15 oct. – **R** – ✹ 24 ⬅ 9 🔳 9/12 ⒣ 13

**Calvi** ⚲ H.-Corse, pli ⑬ – 4 815 h. – ✉ 20260 Calvi.
🛈 Office Municipal du Tourisme, Port de Plaisance 🖋 95 65 16 67

🔺 **Bella Vista** ⚲ ≤ « Cadre fleuri », 🖋 95 65 11 76, S : 1,5 km par N 197 et rte de Pietra-Major à droite – ⊖
3 ha (146 empl.) ⚡ plat et peu incliné ⚘⚘ – 🏠 🖥 ⊛ ⚒ ⚞ ⬛, ⚞ 🔲
Pâques-oct. – **R** – ✹ 25 🔳 13/18 ⒣ 15 (10A)

🔺 **Dolce Vita**, 🖋 95 65 05 99, SE : 4,5 km par N 197 rte de l'Ile-Rousse, à l'embouchure de la Figarella, à 200 m de la mer
6 ha (200 empl.) ⚡ plat, herbeux, sablonneux ⚘ ⚘ – 🏠 🖥 ⊛ ⬛, snack (dîner seulement) 🖥 – ⚒ ⚞ – Location : ⚞
mai-sept. – **R** – ✹ 23 ⬅ 10 🔳 10/12 ⒣ 14 (6A) 15 (10A)

🔺 **Les Castors** ≤, 🖋 95 65 13 30, S : 1 km par N 197 et rte de Pietre-Major à droite
2,5 ha (80 empl.) ⚡ plat, herbeux ⚘⚘ – 🏠 ⚞ ⚞ ⚃ ⬛, snack 🖥 – ⚞ ⚞ (bassin) – Location : studios
mars-oct. – **R** – ✹ 20 ⬅ 8 🔳 8 ou 9/16

🔺 **Paduella** « Cadre agréable », 🖋 95 65 06 16, SE : 1,8 km par N 197 rte de l'Ile-Rousse, à 400 m de la plage
2,5 ha (130 empl.) ⚡ plat et en terrasses, sablonneux ⚘⚘ – 🏠 ⚞ ⊛ ⬛, ♟ – A proximité : ♟ – Location : ⚞ ⚞
mai-oct. – ✹ 20,50 ⬅ 9 🔳 9 ⒣ 10

🔺 **Clos du Mouflon**, réservé aux tentes ⚲ ≤ mer et rochers « Situation agréable », 🖋 95 65 03 53, SO : 15 km par D 81 B rte de Porto, dominant la mer (accès direct) – Accès peu facile (pente à 20 %)
2,5 ha (50 empl.) ⚡ en terrasses, pierreux ⚘ – 🏠 🖥 ⬛, ♟ snack

🔺 **Paradella** ≤, 🖋 95 65 00 97 ✉ 20214 Calenzana, SE : 9,5 km par N 197 rte de l'Ile-Rousse et D 251 à droite rte de la forêt de Bonifato
5 ha (150 empl.) ⚡ plat, sablonneux, herbeux ⚘ – 🏠 ⚱ ⊛ ⚒ ⬛, 🖥 – ✗ ⚒ – Location : ⚞
15 juin-sept. – **R** – ✹ 23 piscine comprise ⬅ 10 🔳 12 ⒣ 12 (8A)

*à Lumio* NE : 10 km par N 197 – ✉ 20260 Lumio :

🔺 **Le Panoramic** ⚲ ≤ « Belles terrasses ombragées », 🖋 95 60 73 13, NE : 2 km sur D 71 rte de Belgodère
2 ha (80 empl.) ⚡ en terrasses, pierreux, sablonneux ⚘⚘ – 🏠 ⊛ ⬛, – ⚒ – Location : ⚞
juin-15 sept. – **R** août – ✹ 22 piscine comprise ⬅ 6 🔳 11 ⒣ 18

### La Canonica H.-Corse, pli ③ – ✉ 20290 Borgo

⚠ **A L Esperenza,** ℰ 95 36 15 09 ✉ 20290 Lucciana, E : 2,6 km, vers la plage de Pinéto
1 ha (100 empl.) plat, sablonneux, herbeux ⚲ – 🎏 ♨
juil.-août – ✶ *18* ⇌ *10* 🔲 *9/18*

### Cargèse Corse-du-Sud, pli ⑯ – 915 h. – ✉ 20130 Cargèse

⚠ **Torraccia** ◁vallée, montagne et la côte, ℰ 95 26 42 39, N : 4,5 km par D 81 rte de Porto
3 ha (67 empl.) ⚊ en terrasses, accidenté, pierreux – 🎏 ♨ 🚻 🗻 🗻 🏺 🖽 – ✖ – Location : 🏠
15 mai-sept. – **℞** – *Tarif 91* : ✶ *25* ⇌ *8* 🔲 *8/10*

### Corte H.-Corse pli ⑤ – 5 693 h. – ✉ 20250 Corte

⚠ **Santa-Barbara** (aire naturelle) ◁, ℰ 95 46 20 22, SE : 3,5 km par N 200 rte d'Aléria
1 ha (25 empl.) ⚊ plat, pierreux – 🎏 ☺ 🏺 ✖ – ⚒
juin-oct. – **℞** *conseillée 15 juil.-15 août* – ✶ *21 piscine comprise* ⇌ *10* 🔲 *12/18* 🔧 *18 (20A)*

### Évisa Corse -du-Sud, pli ⑮ – 257 h. alt. 830 – ✉ 20126 Évisa

⚠ **L'Acciola** ◁montagne et golfe de Porto, ℰ 95 26 23 01, E : 2 km par D 84 rte de Calacuccia et D 70 à droite, rte de Vico, à proximité de la forêt d'Aitone – alt. 920
2,5 ha (70 empl.) ⚊ incliné, en terrasses, pierreux, herbeux ⚲ – 🎏 🖽
juin-sept. – **℞** – ✶ *21* ⇌ *8* 🔲 *8/15*

### Farinole (Marine de) H.-Corse, plis ② ③ – 176 h. ✉ 20253 Farinole

⚠ **A Stella** ⚭ ◁, ℰ 95 30 14 37, sur D 80, bord de mer
3 ha (130 empl.) ⚊ plat, peu incliné et en terrasses, pierreux – 🎏 ☺ 🖽 – Location : 🏠
juin-sept. – **℞** – ✶ *23* ⇌ *9* 🔲 *9/18* 🔧 *14 (10A)*

### Favone Corse-du-Sud, pli ⑦ – ✉ 20144 Ste-Lucie-de-Porto-Vecchio

⚠ **Bon'Anno** ⚭, ℰ 95 73 21 35, à 500 m de la plage
3 ha (150 empl.) ⚊ plat, peu incliné, pierreux, herbeux ⚲⚲ – 🎏 ♨ 🚻 ☺ snack 🖽 – A proximité : 🐎
juin-sept. – **℞** *conseillée 1ᵉʳ-20 août* – ✶ *25* ⇌ *7* 🔲 *10/12* 🔧 *15*

### Figareto H.-Corse pli ④ – ✉ 20230 Talasani

⚠ **Valle Longhe** ⚭, ℰ 95 36 96 45, sortie N par N 198 rte de Bastia et 0,5 km par chemin à gauche
1,5 ha (50 empl.) ⚊ en terrasses – 🎏 🖪 ♿ ☺
avril-oct. – **℞** *conseillée 15 juil.-15 août* – 🔲 *1 pers 40/45, 2 pers. 65/70, 3 pers. 85/90, 4 pers. 110/115* 🔧 *15 (5 à 10A)*

### Galéria H.-Corse, pli ⑭ – 305 h. – ✉ 20245 Galéria

⚠ **Les Deux Torrents** ⚭ ◁, ℰ 95 62 00 67, E : 5 km sur D 81 rte de Calenzana, bord du Fango et du Marsolino
4,5 ha (150 empl.) plat, herbeux ⚲ – 🎏 ♨ 🏺 snack 🖽 – halfcourt – Location : ⛺ 🏠
juin-sept. – **℞** – *Tarif 91* : ✶ *21* ⇌ *9* 🔲 *9/16*

### Ghisonaccia H.-Corse, pli ⑥ – 3 270 h. – ✉ 20240 Ghisonaccia

⚠⚠ **Marina d'Erba Rossa** «Bel ensemble résidentiel » ℰ 95 56 25 14, E : 3,5 km par D 144 puis 0,5 km par rte à droite, bord de plage
12 ha/6 campables (160 empl.) ⚊ plat, herbeux ⚲⚲ (2 ha) – 🎏 ♨ 🚻 🖽 ♿ ☺ ♨ 🏺 ✖ pizzeria ♨ 🖽 solarium – ⛺ ✖ 🎿 ⚓ – A proximité : 🐎 – Location : 🏠
mai-15 oct. – **℞** *conseillée* – ✶ *24 piscine comprise* 🔲 *61,50* 🔧 *13 (5A)*

⚠ Arinella-Bianca «Cadre agréable » ℰ 95 56 04 78, E : 3,5 km par D 144 puis 0,7 km par chemin à droite, bord de plage et d'étangs
10 ha (300 empl.) ⚊ plat, herbeux, sablonneux ⚲⚲ (7 ha) – 🎏 ♨ 🚻 🖪 ☺ 🗻 🏺 ✖ self ♨ 🖽 – ✖ vélos – A proximité : 🐎 – Location : 🏠

### L'Île-Rousse H.-Corse, pli ⑬ – 2 288 h. – ✉ 20220 l'Île-Rousse.

🆔 Syndicat d'Initiative, pl. Paoli (avril-oct.) ℰ 95 60 04 35

⚠ **Le Bodri** ◁, ℰ 95 60 10 86 ✉ 20256 Corbara, SO : 2,5 km rte de Calvi, à 300 m de la plage
6 ha (333 empl.) ⚊ plat, peu incliné à incliné, pierreux ⚲ – 🎏 🚻 ☺ ♨ 🏺 snack
15 juin-15 sept. – ✶ *18* ⇌ *8* 🔲 *16/20* 🔧 *11*

▶ *Consultez le tableau des localités citées,*
*classées par départements, avec indication éventuelle*
*des caractéristiques particulières des terrains sélectionnés.*

**La Liscia (Golfe de)** Corse-du-Sud, pli ⑯ – ✉ 20111 Calcatoggio

▟▟ **La Liscia,** ℰ 95 52 20 65, sur D 81, à 5 km au NO de Calcatoggio, bord de la Liscia
3 ha (100 empl.) ⚬━ plat et en terrasses 💭 – 🏠 ⚲ ⊕ 🔏 ♈ snack 🖲 – 🔳
juin-sept. – **R** – ✵ 23 ⬤ 6 🖃 7/11 🚾 13 (5A)

▟ **Calcatoggio** ≼, ℰ 95 52 28 31, sur D 81, à 4,5 km de Calcatoggio
3,5 ha (100 empl.) ⚬━ peu incliné, en terrasses 💭 – 🏠 🔏 ✕ 🖲
mai-sept. – **R** – ✵ 20 ⬤ 6 🖃 8/12

**Lozari** H.-Corse, pli ⑬ – ✉ 20226 Belgodère

▟▟▟ **Le Clos des Chênes** 💭 ≼, ℰ 95 60 15 13, S : 1,5 km par N 197 rte de Belgodère
5 ha (235 empl.) ⚬━ plat, peu incliné, pierreux 💭 – 🏠 ⚙ 🛁 🖃 ⊕ 🔏 snack ⚖
🖲 – ✕ ⚓ 🔏 (toboggan aquatique) – A proximité : ✶ 🐎 – Location : 🚋 🚐
🚐
avril-sept. – **R** conseillée – ✵ 23 piscine comprise 🖃 19/21 🚾 13 (3A)

▟▟ **Campéoles** (Municipal de Belgodère) 💭 ≼, ℰ 95 60 20 20, NE : 0,6 km sur D 81 rte de St-Florent, à 400 m de la plage
2 ha (150 empl.) ⚬━ plat et peu incliné, pierreux – 🏠 ⚙ 🛁 🖃 ⚘ ⊕ 🖲 – 🔳
⚓ – Location : 🏠
12 mai-29 sept. – **R** – 🖃 2 pers. 71, pers. suppl. 22 🚾 15

**Moriani-Plage** H.-Corse, pli ④ – ✉ 20230 San Nicolao

▟▟ **Merendella,** ℰ 95 38 53 47, S : 1,2 km par N 198 rte de Porto-Vecchio, bord de plage
7 ha (133 empl.) ⚬━ plat, herbeux, sablonneux 💭 – 🏠 ⚙ 🛁 🖃 ⊕ 🔏 ♈ ✕ 🖲
– 🔳
mai-10 oct. – **R** conseillée juin-15 août

**Morsiglia** H.-Corse, pli ① – 110 h. – ✉ 20238 Morsiglia

▟ **L'Isulottu** 💭 ≼ montagne, villages et mer, ℰ 95 35 62 81, NO : 3,2 km par D 35 rte de Centuri-Port, à 500 m de la mer
3 ha (150 empl.) ⚬━ incliné et en terrasses, pierreux 💭 – 🏠 ⊕ 🔏
Pâques-15 oct. – **R** – ✵ 18 ⬤ 10 🖃 12/18 🚾 15 (15A)

**Olmeto** Corse-du-Sud, pli ⑱ – 1 019 h. – ✉ 20113 Olmeto

à *Olmeto-Plage* SO : 3 km par N 196 et 7 km par D 157
✉ 20113 Olmeto :

▟▟ **Village Club du Ras L'Bol,** ℰ 95 74 04 25, sur D 157, à 50 m de la plage
6 ha (225 empl.) ⚬━ plat, peu incliné et en terrasses, herbeux 💭 – 🏠 🖃 ⊕ 🔏
♈ snack, pizzeria 🖲 – 🔳 – A proximité : discothèque 🐎 – Location : 🏠
vac. de printemps-15 oct. – **R** conseillée juil.-août – ✵ 30 🖃 28/38 🚾 17 (16A)

**Osani** Corse-du-Sud, pli ⑮ – 103 h. – ✉ 20147 Osani

▟ **E Gradelle** 💭 ≼ golfe de Porto et montagne, ℰ 95 27 32 01, SE : 3 km par D 424, à 400 m de la plage – 🅿
2,2 ha (90 empl.) ⚬━ incliné, accidenté, en terrasses, pierreux 🔳 💭 – 🏠 🔏 snack
– 🔳
juin-sept. – **R** – ✵ 17 ⬤ 6 🖃 6/18

**Piana** Corse-du-Sud, pli ⑮ – 500 h. – ✉ 20115 Piana

▟▟ **Plage d'Arone** 💭 ≼, ℰ 95 20 64 54, SO : 11,5 km par D 824, à 500 m de la plage
3,8 ha (100 empl.) ⚬━ plat, sablonneux, pierreux – 🏠 ⚙ 🛁 ⚘ 🖲
juin-sept. – **R** – Tarif 91 : ✵ 23 ⬤ 13 🖃 8/17

**Pinarellu** Corse-du-Sud, pli ⑧ – ✉ 20144 Ste-Lucie-de-Porto-Vecchio

▟▟ **Le Pinarello** 💭, ℰ 95 71 43 98, sortie NO sur D 168ᴬ
5 ha (83 empl.) ⚬━ plat et peu incliné, herbeux 💭 – 🏠 ⚙ 🛁 ⊕ ♈ snack 🖲 –
🔳 ✕ 🔏 vélos
15 mai-sept. – **R** – ✵ 20 piscine comprise ⬤ 8 🖃 8/12 🚾 12 (6A)

▟▟ **California** 💭, ℰ 95 71 49 24, S : 0,8 km par D 468 et 1,5 km par chemin à gauche, à 50 m de la plage (accès direct)
7 ha/4 campables (100 empl.) ⚬━ peu accidenté et plat, sablonneux, étang 💭 –
🏠 ⚲ 🖃 ⊕ ♈ 🖲 – ✕
15 mai-15 oct. – **R**

**Porticcio** Corse-du-Sud, pli ⑰ – ✉ 20166 Porticcio

▟▟▟ **Benista,** ℰ 95 25 19 30, NE : 3 km par D 55 rte d'Ajaccio, à la station Mobil, bord du Prunelli
4,5 ha (250 empl.) ⚬━ (saison) plat, sablonneux, herbeux 🔳 💭 3,5 ha – 🏠 ⚙
🛁 🖃 ⊕ 🔏 ⚘ ⛟ ♈ ✕ ⚖ 🖲 – 🔳 ✕ – Location : 🚐
avril-oct. – **R** conseillée 10 juil.- 25 août – 🖃 2 pers. 79, 3 ou 4 pers. 121, pers. suppl. 26 🚾 16 (5 à 10A)

---

*Benutzen Sie die Grünen Michelin-Reiseführer,*
*wenn Sie eine Stadt oder Region kennenlernen wollen.*

**Portigliolo** Corse-du-Sud, pli ⑱ – ⊠ 20110 Propriano

⚠ **Lecci e Murta** ⟡ ≼ « Site sauvage », ℱ 95 76 02 67, à 500 m de la plage
– ℗
4 ha (150 empl.) ⊶ en terrasses, plat, pierreux, herbeux ⚲ – 🎿 ⊕ 🏊 🖾 – ✂
– Location : 🏠
15 avril-15 oct. – ℞ – ★ 26 ⟜ 10 ▣ 10/16

**Porto** Corse-du-Sud, pli ⑮ – ⊠ 20150 Ota.
🚩 Syndicat d'Initiative, Golfe de Porto (avril-oct.) ℱ 95 26 10 55

⚠ **Les Oliviers** ⟡ ≼, ℱ 95 26 14 49, sur D 81, au pont, bord du Porto – ℗
(juil.-août)
2,5 ha (180 empl.) ⊶ en terrasses ⊡ ⚲⚲ – 🎿 ⩗ 🖃 ⊕ 🖾 – ⚞ vélos – A proxi
mité : 🍴 – Location : 🏠
28 mars-4 nov. – ℞ conseillée juil.-août – ★ 30 ⟜ 10 ▣ 10/12 🚿 12 (20A)

⚠ **Funtana al Oro** ⟡ ≼ « Cadre sauvage », ℱ 95 26 15 48, SE : 1,4 km par
D 84 rte d'Evisa, à 200 m du Porto
2 ha (70 empl.) ⊶ en terrasses, rochers ⊡ ⚲⚲ – 🎿 ⩗ ⟆ ⊕ 🍷
avril-15 oct. – ℞ – ★ 25 ⟜ 8 ▣ 8/17 🚿 12 (10A)

⚠ **Sole e Vista** ⟡ ≼ « Belle situation », ℱ 95 26 15 71, accès principal par
parking du super marché Bravo, accès secondaire E : 1 km par D 124 rte d'Ota
– (rampe à 18 %) - véhicule tracteur à la disposition des usagers – ℗ (juil.-août)
3 ha (150 empl.) ⊶ en terrasses, pierreux, rochers ⚲ – 🎿 ⊕ 🍷 – A proximité
🍴
15 avril-oct. – ℞ – ★ 26 ⟜ 9 ▣ 9/13 🚿 13 (5 ou 10A)

⚠ **Porto** ≼, ℱ 95 26 13 67, sortie O par D 81 rte de Piana
2 ha (60 empl.) ⊶ en terrasses, herbeux ⚲ – 🎿 ⩗
juin-sept. – ℞ – ★ 25 ⟜ 8,50 ▣ 8,50/12

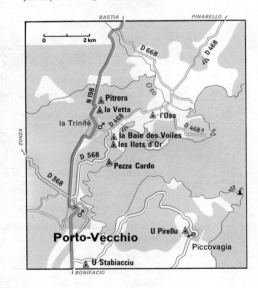

**Porto-Vecchio** Corse-du-Sud, pli ⑧ – 9 307 h.
⊠ 20137 Porto-Vecchio.
🚩 Office de Tourisme, pl. de l'Hôtel-de-Ville (saison) ℱ 95 70 09 58

⚠ **La Vetta** « Cadre agréable », ℱ 95 70 09 86, N : 5,5 km
4,8 ha (100 empl.) ⊶ incliné, en terrasses, pierreux, herbeux, rochers ⚲ – 🎿 ⩗
🛏 🖃 ⊕ 🖾 – 🔫
juin-sept. – ℞ sauf août – ★ 26 piscine comprise ⟜ 10 ▣ 10/11 🚿 14 (16A)

⚠ **Pezza Cardo** ⟡, ℱ 95 70 37 51, NE : 6 km, à 150 m de la plage (accès direct)
2,5 ha (165 empl.) ⊶ plat et peu incliné, terrasses, herbeux, sablonneux, rochers
⚲ – 🎿 ⇆ ⩗ 🖃 ⊕ 🖾
juin-sept. – ℞ – ★ 22 ou 23 ⟜ 8 ou 9 ▣ 8/10

⚠ **U Pirellu** ⟡ ≼ « Agréable chênaie », ℱ 95 70 23 44, E : 9 km, à Piccovag
3 ha (100 empl.) ⊶ incliné et en terrasses, pierreux ⊡ ⚲⚲ – 🎿 ⊕ 🏊 snack
– Location : 🏠
mai-sept. – ℞ – ★ 28 ⟜ 12 ▣ 12/20

⚠ **Pitrera** ≼ « Décoration florale », ℱ 95 70 20 10, N : 5,8 km
3 ha (125 empl.) ⊶ en terrasses, pierreux, herbeux ⊡ ⚲ – 🎿 ⩗ ⊕ 🍷 grill
cases réfrigérées – 🔫 half-court – Location : 🏤 🏠
Permanent – ℞ conseillée août – ★ 29 piscine comprise ⟜ 13 ▣ 13/1
🚿 18

▲▲ **Les Ilots d'Or,** 🅿 95 70 01 30, NE : 6 km, bord de plage
4 ha (180 empl.) o━ plat et en terrasses, sablonneux, herbeux, rochers ♤♤ – ⌂
⌂ 🖪 ఉ ⊕ 🗲, snack 🖪
15 avril-10 oct. – 🅁 – ✶ 24 ⇌ 8 🖪 8/11 🄷 12 (6A)

▲▲ **la Baie des Voiles,** 🅿 95 70 01 23, NE : 6 km, bord de la plage
3 ha (180 empl.) o━ plat et en terrasses, sablonneux, herbeux, rochers ♤♤ – ⌂
⌂ 🖪 ⊕ 🗲
mai-sept. – 🅁

▲▲ **U Stabiacciu,** 🅿 95 70 37 17, S : 2 km
3,5 ha (160 empl.) o━ plat, sablonneux, herbeux ♀ – ⌂ ⌂ ⊕ 🗲 ☂ 🖪 – 🕻

▲▲ **L'Oso,** 🅿 95 71 60 99, NE : 8 km, bord de l'Oso
3,2 ha (90 empl.) o━ plat, herbeux ♀ – ⌂ ⌂ ⊕ 🖪 – ⅀
juin-sept. – **R** *conseillée* – ✶ *21 piscine comprise* ⇌ 8 🖪 10 🄷 12

▲ **La Monelière** 🝔, 🅿 95 70 20 68, NO : 5,5 km par D 368 rte de Zonza et
chemin à droite (hors schéma)
2,8 ha (100 empl.) o━ plat, accidenté, herbeux, rochers ♤♤ – ⌂ ⌂ ⚓
Permanent – 🅁 – ✶ 20 ⇌ 8 🖪 8/9

## Propriano Corse-du-Sud, pli ⑱ – 3 217 h. – ✉ 20110 Propriano.

🅉 Syndicat d'Initiative, 17 r. du Général-de-Gaulle 🅿 95 76 01 49

▲▲ **Colomba** 🝔 ⟨, 🅿 95 76 06 42, NE : 2 km par N 196 rte d'Ajaccio et rte à droite
– 🅟
3 ha (250 empl.) o━ en terrasses, sablonneux ♤♤ – ⌂ ⊕ 🗲 ☂ ✕ ⊱ – A proximité : ✣ ⚘
mai-sept. – 🅁

## Ruppione-Plage Corse-du-Sud, pli ⑰ – ✉ 20166 Porticcio

▲▲ **Le Sud** ⟨, 🅿 95 25 40 51, sur D 55, à 100 m de la plage
4 ha (200 empl.) o━ en terrasses et accidenté ♀ – ⌂ ⌂ 🖪 ఉ ⊕ 🗲 ☂ pizzeria
🖪 – 🔄

## St-Florent H.-Corse, pli ③ – 1 350 h. – ✉ 20217 St-Florent

▲▲ **La Pinède** 🝔, 🅿 95 37 07 26, S : 1,8 km par rte de l'Ile-Rousse et chemin à
gauche après le pont, bord de l'Aliso
3 ha (240 empl.) o━ plat, incliné et en terrasses, pierreux, herbeux ♤♤ – ⌂ ⚓
⛳ ⌂ ఉ ⊕ 🗲 🖪 – ⚘ ⅀
15 mai-15 sept. – 🅁 – ✶ 22 *piscine comprise* ⇌ 12 🖪 10/15 🄷 15 (10A)

▲ **Olzo,** 🅿 95 37 03 34, NE : 2,3 km par D 81 rte de Bastia – ⚶ août
2 ha (60 empl.) o━ plat, herbeux ♤♤ – ⌂ 🗲
avril-sept. – 🅁 – ✶ 22 ⇌ 12 🖪 13/18

## Ste-Lucie-de-Porto-Vecchio Corse-du-Sud, pli ⑧
✉ 20144 Ste-Lucie-de-Porto-Vecchio

▲▲▲ **Domaine du Puntonu** 🝔, 🅿 95 71 42 75, SO : 1,2 km par N 198 rte de Porto-
Vecchio
20 ha/8 campables (100 empl.) o━ plat, peu incliné, sablonneux, pierreux ♀ –
⌂ ⚓ ⊕ ☂ – ⅀ mini-tennis

▲▲ **Santa-Lucia,** 🅿 95 71 45 28, sortie SO rte de Porto-Vecchio
4 ha (160 empl.) o━ plat et peu incliné, sablonneux, pierreux, rochers 🗔 ♤♤ –
⌂ 🖪 ⊕ ⊱ 🖪 – 🕻 ⅀ – A proximité : 🖘 – Location : 🏠
15 mai-sept. – **R** *conseillée* – ✶ 25 *piscine comprise* ⇌ 9 🖪 12 🄷 14 (6A)

## Sotta Corse-du-Sud, pli ⑧ – 762 h. – ✉ 20146 Sotta

▲ **U Moru** ⟨, 🅿 95 71 23 40, SO : 3 km par D 859 rte de Figari
6 ha (120 empl.) o━ peu incliné et plat, herbeux, sablonneux ♀ – ⌂ ⊕ 🖪 –
Location : 🔄
Permanent – **R** *août* – ✶ 21 ⇌ 8 🖪 9/15 🄷 15 (10A)

## Suartone Corse-du-Sud pli ⑨ – ✉ 20169 Bonifacio

▲▲▲ **Rondinara** 🝔 ⟨, 🅿 95 70 43 15, SE : 3 km, à 400 m de la plage
4 ha (150 empl.) o━ en terrasses et peu incliné, pierreux – ⌂ ⚓ ⛳ ఉ ⊕ 🗲
☂ snack ⊱ 🖪 – ⅀
juin-sept. – 🅁 – ✶ 25 *piscine comprise* ⇌ 11 🖪 11/15

## Tiuccia Corse-du-Sud, pli ⑯ – ✉ 20111 Calcatoggio

▲ **U Sommalu** ⟨, 🅿 95 52 24 21 ✉ Casaglione 20111 Calcatoggio, N : 2,7 km
par D 81 et D 25 rte de Casaglione
3,5 ha (135 empl.) o━ peu incliné et en terrasses, herbeux ♀ – ⌂ ⚓ ⛳ 🖪 🖪
15 juin-sept. – 🅁 – ✶ 20 ⇌ 9 🖪 9/14

▲ **Le Liamone** 🝔 ⟨, 🅿 95 52 20 24, N : 4 km par D 81 et D25 rte de Casaglione
– ⚶
2 ha (70 empl.) o━ accidenté, incliné, herbeux, rochers ♤♤ – ⌂ ⌂ 🗲 ☂ snack,
pizzeria 🖪 – Location : 🛖 ⛺
Pâques-15 oct. – **R** *indispensable juil.-août* – ✶ 18 ⇌ 6 🖪 6/14

*Ce guide n'est pas un répertoire de tous les terrains de camping
mais une sélection des meilleurs camps dans chaque catégorie.*

**Vivario** H.-Corse pli ⑤ – 493 h. – ✉ 20219 Vivario

⚠ **le Soleil** ≼, S : 6 km par N 193, rte d'Ajaccio, à Tattone, près de la gare – alt. 800
1 ha (25 empl.) ⊶ en terrasses, peu incliné et plat, herbeux – ⅏
juin-sept. – **R** *juil.-août* – ✦ 20 ⟺ 10 🅴 5/15

---

**CORTE** 2B H.-Corse – 🔢 ⑤ – voir à Corse

---

**COS** 🔢 – 🔢
**09000** Ariège – 236 h.

⚰ **Municipal**, SO : 0,7 km sur D 617
0,7 ha (32 empl.) ⊶ (saison) plat, herbeux ⚲ – ⅏ ⇄ 🛁 🅖 ዿ ⊕ ⚲ ▽ – 🔲
✂ – A proximité : 🔥
Permanent – **R** – 🅴 *piscine et tennis compris 2 pers.* 35 🅷 8 (5A) 15 (10A) 2⬤
(16A)

---

**La COTINIÈRE** 17 Char.-Mar. – 🔢 ⑬ ⑭ – voir à Oléron (Ile d')

---

**La COUARDE-SUR-MER** 17 Char.-Mar. – 🔢 ⑫ – voir à Ré (Ile de)

---

**COUDEKERQUE** 🔢 – 🔢
**59380** Nord – 903 h.

⚰ **le Bois des Forts**, réservé aux caravanes, ☎ 28 61 04 41, à 0,7 km au N⬤
de Coudekerque-Village, sur la D 72
3,25 ha (110 empl.) ⊶ plat, herbeux – ⅏ ⇄ 🛁 🅖 ⊕ ⚲ ▽ – 🔲 ⟿
Permanent – **R** *conseillée juil.-août* – ✦ 10 ⟺ 10 🅴 25 🅷 10 (5A)

---

**COUHÉ** 🔢 – 🔢
**86700** Vienne – 1 706 h.

⚰ **Les Peupliers** ⚲, ☎ 49 59 21 16, N : 1 km rte de Poitiers, à Valence, bor⬤
de la Dive
8 ha/1,5 campable (90 empl.) ⊶ plat, herbeux, étang 🔲 ⚲ – ⅏ ⇄ 🛁 🅖 ⊕ ⚲
🍴 self ዿ 🔲 – 🔲 🔥 ⟿ 🔥
mai-sept. – **R** *conseillée juil.-août* ✦ 18 *piscine comprise* 🅴 25

---

**COULEUVRE** 🔢 – 🔢
**03320** Allier – 716 h.

⚰ **La Font St-Julien**, ☎ 70 66 13 54, sortie SO par D 3 rte de Cérilly et à droite
bord d'un étang
1 ha (50 empl.) peu incliné, herbeux – ⅏ ⇄ 🛁 🅖 – ✂
avril-sept. – **R** – ✦ 7,60 ⟺ 3,90 🅴 3,90 🅷 12,50 (10A)

---

**COULLONS** 🔢 – 🔢
**45720** Loiret – 2 258 h.

⚰ **Municipal Plancherotte** ⚲ ≼ « Entrée fleurie », ☎ 38 29 20 42, O : 1 k⬤
par D 51 rte de Cerdon et rte de la Brosse à gauche, près d'un plan d'ea⬤
0,8 ha (33 empl.) ⊶ plat, herbeux 🔲 – ⅏ 🌲 🅖 ⊕ ⚲ ▽ – A proximité : 🔥
🔥 piste de bi-cross
29 mars-oct. – **R** – ✦ 6,50 ⟺ 5,50 🅴 6,50 🅷 12 (16A)

---

**COULOMBIERS** 🔢 – 🔢
**86600** Vienne – 962 h.

⚠ **Municipal**, à l'ouest du bourg, par D 95, rte de Jazeneuil
0,55 ha (25 empl.) plat et peu incliné, herbeux, gravillons 🔲 – ⅏ ⇄ 🛁 🅖
⊕ – A proximité : ✂
Permanent – **R** – ✦ 5,50 ⟺ 4 🅴 6 🅷 10 (5A)

---

**COULON** 🔢 – 🔢 ② G. Poitou Vendée Charente⬤
**79510** Deux-Sèvres – 1 870 h.
🄱 Syndicat d'Initiative, pl. de l'Église
(juin-sept.) ☎ 49 35 99 29

⚰ Municipal la Niquière, ☎ 49 35 81 19, sortie N par D 1 rte de Benet
1 ha (40 empl.) ⊶ plat, herbeux ⚲ (0.4 ha) – ⅏ 🌲 ⊕ – ✂ 🔥 – Location : gîte⬤
15 juin-15 sept. – **R**

---

**COULONGES-SUR-L'AUTIZE** 🔢 – 🔢
**79160** Deux-Sèvres – 2 021 h.

⚰ **Municipal le Parc** ⚲ « Belle délimitation des emplacements », S : 0,5 k⬤
par rte de St-Pompain et rte à gauche
0,3 ha (24 empl.) plat et peu incliné, herbeux 🔲 ⚲ – ⅏ 🛁 🅖 🅖 ⊕ – A proximit⬤
✂ 🔥
juin-sept – **R** *conseillée 14 juil.-15 août* – ✦ 7,60 ⟺ 3,30 🅴 7,60 🅷 8,60 (4⬤

---

**COURLAY-SUR-MER** 17 Char.-Mar. – 🔢 ⑮ – rattaché à St-Palais-sur-Mer

# COURNON-D'AUVERGNE

**63800** P.-de-D. – 19 156 h.

⚠ **Municipal,** ℰ 73 84 81 30, E : 1,5 km par rte de Billom et rte de la plage à gauche, bord de l'Allier et d'un plan d'eau
5 ha (200 empl.) ⚬ plat, herbeux, pierreux, gravier ⚙️ – 🏠 🗑 🖥 ᳰ ⊕ 🍽 ☂
🧺 garderie – 🍴 🔥 🚣 ⚓ ♨ – A proximité : 🏊 (couverte l'hiver) – Location : 🏠
Permanent – 🅁 – 🛊 *10,55* 🚗 *6,35* 🅴 *8,45* 🔌 *11,85 (5A) 17,80 (10A)*

⑪ – 73 ⑭ G. Auvergne

# La COURONNE

**13** B.-du-R. – ✉ 13500 Martigues

⚠ **le Mas,** ℰ 42 80 70 34, SE : 4 km par D 49 rte de Sausset-les-Pins et à droite, à la plage de Ste-Croix
5 ha (188 empl.) ⚬ peu incliné, accidenté, pierreux – 🏠 ᳰ ᳰ ᳰ ⊕ 🍽 ☂
🍴 🖥 – 🚣 🏊 – Location : 🏠, studios
avril-sept. – 🅁 – 🛊 *22 piscine comprise* 🚗 *14,50* 🅴 *22,55* 🔌 *17 (4A) 22 (6A)*

⚠ **L'Arquet** 🔭 ≤, ℰ 42 42 81 00, S : 1 km, chemin de la Batterie, à 200 m de la mer
6 ha (401 empl.) ⚬ peu incliné, accidenté, pierreux – 🏠 ᳰ ᳰ 🖥 ᳰ ⊕ 🖥 –
🚣 – Location : bungalows toilés
25 avril-oct. – 🅁 *conseillée juin à août* – 🛊 *15,50* 🚗 *12,50* 🅴 *19* 🔌 *13 (5A)*

⚠ **Le Cap** 🔭 «Cadre agréable», ℰ 42 80 73 02, S : 0,8 km par chemin du phare, à 200 m de la plage
2,5 ha (150 empl.) ⚬ plat et en terrasses, pierreux ⚙️ – 🏠 ᳰ ᳰ ᳰ ⊕ ᳰ 🏁
🍽 🍴 🖥 – 🚣 – A proximité : 🍴 – Location : 🏠 🏠
Permanent – 🅁 *indispensable juil.-août, conseillée juin-sept.* – 🛊 *20,50* 🚗 *14* 🅴 *20* 🔌 *18,50 (6A)*

⑬ – 84 ⑫

# COURSEULLES-SUR-MER

**14470** Calvados – 3 182 h.
🅸 Office de Tourisme, r. Mer
ℰ 31 37 46 80

⚠ **Municipal le Champ de Course,** ℰ 31 37 99 26, N : av. de la Libération, près de la plage
3,5 ha (290 empl.) ⚬ plat, herbeux 🔳 – 🏠 ᳰ ᳰ ⊕ 🍽 ᳰ 🖥 – 🍳 –
A proximité : 🔥 🏊 – Location : bungalows toilés
Pâques-sept. – 🅁 *indispensable juil.-août – Tarif 91 :* 🛊 *15,35* 🅴 *16,30* 🔌 *13,50 (6A) 20,50 (10A)*

⑤ – 54 ⑮ G. Normandie Cotentin

# COURTENAY

**45320** Loiret – 3 292 h.
🅸 Syndicat d'Initiative, 1 pl. du Mail (mai-sept.) ℰ 38 97 00 60 et Mairie (hors saison) ℰ 38 97 40 46

à *St-Hilaire-les-Andrésis* NO : 4 km par N 60 et D 32 rte de Ferrières
✉ 45320 St-Hilaire-les-Andrésis :

⚠ **Intercommunal,** NO : 1 km par D 32, au carrefour avec D 34 – Par A 6 : sortie Courtenay
1,8 ha (80 empl.) ⚬ (juil.-août) plat, herbeux – 🏠 ᳰ ⊕
juin-15 sept. – 🅁 *– Tarif 91 :* 🛊 *9* 🚗 *4* 🅴 *6* 🔌 *7 (5A)*

⑥ – 61 ⑬

# COURTILS

**50220** Manche – 271 h.

⚠ **St-Michel,** ℰ 33 70 96 90, sortie O par D 43 rte du Mont-St-Michel
1,8 ha (100 empl.) ⚬ plat et peu incliné, herbeux – 🏠 ᳰ ᳰ ⊕ – 🚣
25 mars-15 oct. – 🅁 *juil.-25 août* – 🛊 *10,50* 🚗 *5* 🅴 *5/7* 🔌 *10,50 (6A)*

④ – 59 ⑧

# La COURTINE

**23100** Creuse – 1 057 h. alt. 765

⚠ **Municipal la Peyrouse** 🔭 ≤, ℰ 55 66 74 52, E : 0,8 km par D 996 et rte de Sarsoux à droite, près d'un étang – alt. 790
1 ha (50 empl.) incliné et en terrasses, herbeux – 🏠 ᳰ ᳰ – 🚣
15 juin-15 sept. – 🅁 – 🅴 *1 pers. 15, pers. suppl. 5*

⑩ – 73 ⑪

# COUSSAC-BONNEVAL

**87500** H.-Vienne – 1 447 h.

⚠ **Municipal les Allées,** ℰ 55 75 28 72, NO : 800 m par D 17 rte de la Roche l'Abeille et à gauche, près du stade
1 ha (26 empl.) plat 🔳 – 🏠 ᳰ ᳰ ᳰ ⊕
juin-sept. – 🅁 – 🛊 *5,50* 🚗 *4,50* 🅴 *4,50* 🔌 *8*

⑩ – 72 ⑰ ⑱ G. Berry Limousin

# COUTANCES 🆑

**50200** Manche – 9 715 h.
🅸 Office de Tourisme, pl. Georges-Leclerc ℰ 33 45 17 79

⚠ **Municipal les Vignettes** ≤, ℰ 33 45 43 13, O : 1,2 km sur D 44 rte de Coutainville
1,3 ha (100 empl.) ⚬ (saison) plat et en terrasses, herbeux, gravillons 🔳 – 🏠
ᳰ ᳰ ⊕ – 🚣 – A proximité : 🍴 🍴 🖥
Permanent – 🅁 *conseillée 10 juil.-20 août – Tarif 91 :* 🛊 *9,75* 🚗 *4,75* 🅴 *4,75* 🔌 *6,35 (3A) 19,40 (10A)*

④ – 54 ⑫ G. Normandie Cotentin

## COUTURES
**49320** M.-et-L. – 481 h.

▲▲ **Districal Européen** ॐ « Cadre agréable », ℰ 41 57 91 63, NE 1,5 km, près du château de Montsabert
5 ha (120 empl.) ⊶ plat et peu incliné, herbeux, pierreux ☒ ♀♀ – ᾖ ♚ 🖒 ♨
🖸 🖒 ⊕ 🗴 ☍ 📧 – 🖵 ॐ ♨ 🎇 – Location : 🖼, bungalows toilés
15 avril-sept. – **R** *conseillée juil.-août* – 🖹 *piscine et tennis compris 3 pers.*
*70, pers. suppl. 23* [‡] *8,50 (5A)*

---

## COUX-ET-BIGAROQUE
**24220** Dordogne – 708 h.

▲▲ **La Faval** « Décoration florale et arbustive », ℰ 53 31 60 44, E : 1 km, près du carrefour des D 703 et 710, vers Siorac-en-Périgord
2,2 ha (100 empl.) ⊶ plat, herbeux, gravillons ☒ ♀♀ – ᾖ ♚ 🖒 🖸 ⊕ 🗴 🍷 ♨
📧 – 🖵 ♨
avril-15 oct. – **R** *conseillée juil.-août* – 🍴 *20* 🖹 *32* [‡] *13 (3A) 17 (6A)*

▲▲ **Le Clou** ॐ, ℰ 53 31 63 32, N : 3,5 km par D 703 rte du Bugue
3 ha (100 empl.) ⊶ peu incliné, herbeux ☒ ♀♀ – ᾖ ♨ 🖸 ⊕ 🗴 🍷 ✕ ☍ 📧
– 🖵 ♨ 🎇 vélos – Location : 🖼
mai- 15 oct. – **R** *conseillée juil.-15 août* – 🖹 *piscine comprise 3 pers. 85, pers.*
*suppl. 20* [‡] *14 (4A)*

---

## COUZE-ET-ST-FRONT
**24150** Dordogne – 781 h.

▲▲ **Les Maury Bas,** sortie SE par D 660 rte de Beaumont et à droite, près du terrain de sports, bord de la Couze
0,7 ha (30 empl.) ⊶ plat, herbeux – ᾖ ♚ 🖒 🖒 ⊕ – ✄ 🎇
15 juin-15 sept. – **R** – 🍴 *11* 🚐 *3* 🖹 *9/15* [‡] *6 (3A) 10 (10A)*

---

## COZES
**17120** Char.-Mar. – 1 730 h.

▲▲ **Municipal le Sorlut** ॐ, ℰ 46 90 75 99, au nord de la ville, près de la gare
1,4 ha (120 empl.) ⊶ plat, herbeux ♀ – ᾖ ♨ 🖸 ⊕ 📧 – A proximité : 🖵 ✄
15 avril-15 oct. – **R** *conseillée juil.-août* – *Tarif 91 :* 🍴 *8,70* 🖹 *8,70* [‡] *12*
*(5A)*

---

## CRACH
**56950** Morbihan – 2 762 h.

Schéma à Carnac

▲▲ **Le Fort Espagnol** ॐ, ℰ 97 55 14 88, E : 0,8 km par rte de la Rivière d'Aura
4,4 ha (190 empl.) ⊶ peu incliné et plat, herbeux ☒ ♀ pinède (1,5 ha) – ᾖ ♨
🖒 ♨ 🖒 ⊕ 🗴 🍷 ☍ – ✄ 🎇 ♨ (toboggan aquatique) – Location : 🖼
mai-15 sept. – **R** *conseillée juil.-août* – *Tarif 91 :* 🍴 *17 piscine comprise* 🖹 *34*
[‡] *10 (6A)*

▲▲ **Le Pont Neuf,** ℰ 97 55 14 83, au sud du bourg, 6 r. des Écoles
1 ha 65 empl.) ⊶ peu incliné, herbeux ☒ ♀ – ᾖ ♨ 🖸 ⊕ 📧 – 📧
25 juin-7 sept. – **R** *conseillée* – 🍴 *16* 🖹 *20* [‡] *10 (6A)*

▲▲ **Camp'In Lodka,** ℰ 97 55 03 97, E : 0,9 km par rte de la rivière d'Auray
1,5 ha (25 empl.) ⊶ peu incliné, herbeux – ᾖ ♚ 🖒 🖸 🖒 ⊕ ♨ – 📧 ♨
(bassin) vélos – Location : 🏠 – Garage pour caravanes
Permanent – **R** – 🍴 *20* 🖹 *40 avec élect. (9A)*

---

## CRAON
**53400** Mayenne – 4 767 h.
🅱 Syndicat d'Initiative, r.
Alain-Gerbault (15 juin-août
après-midi seul.) ℰ 43 06 10 14

▲▲ **Municipal** « Entrée fleurie », ℰ 43 06 10 14, à l'est de la ville par rte de Château-Gontier et à gauche, près d'un plan d'eau
1 ha (53 empl.) plat, herbeux ☒ ♀ – ᾖ ♨ 🖒 🖸 🖒 ⊕ ♨ 🎇 grill – A proximité :
🍷 🎇 ♨ 🎇
15 juin-août – **R** – *Tarif 91 :* 🍴 *7,60* 🚐 *2,50* 🖹 *2,50* [‡] *6,20 (6A)*

---

## CRAPONNE-SUR-ARZON
**43500** H.-Loire – 3 008 h. alt. 913

▲▲ **Municipal,** ℰ 71 03 23 09, au sud du bourg vers rte de Retournac et rue droite
0,5 ha (30 empl.) ⊶ plat, herbeux ☒ – ᾖ ♨ 🖒 🖸 🖒 ⊕ ♨ 🎇 – 🖵
A proximité : 🎇 🏂 ♨
mai-oct. – **R** *conseillée* – 🍴 *5* 🖹 *11* [‡] *7*

---

## CRAYSSAC
**46150** Lot – 413 h.

▲▲ **Les Reflets du Quercy** ॐ « Cadre agréable », ℰ 65 30 91 48, NO
1,8 km par D 23 rte de Catus et rte à gauche
7,5 ha/3 campables (100 empl.) ⊶ plat, incliné, en terrasses, pierreux, gravier
herbeux ☒ ♀ – ᾖ ♨ 🖒 🖸 ⊕ ♨ 🎇 ♨ 🍷 ☍ – 📧 – 🖵 🎇 ♨ ♨ – Location
🖼 📧 🏠, bungalows toilés
Pâques-15 oct. – **R** *conseillée juil.-août* – 🍴 *15 ou 18 piscine comprise* 🖹 *5*
*ou 80 avec élect.*

## CRÉANCES

**50710** Manche – 1 926 h.

△△ Municipal des Dunes ⚘, ✆ 33 46 31 86, O : 3 km par D 394, à 100 m de la plage de Printania
3 ha (100 empl.) ⚬ plat et accidenté, sablonneux, herbeux – 🍳 ⚘ 🛁 ☺ – 🏪
🏕 – A proximité : 🍷

## CRÊCHES-SUR-SAÔNE

**71680** S.-et-L. – 2 531 h.

△△ **Municipal Port d'Arciat,** ✆ 85 37 11 83, E : 1,5 km par D 31 rte de Pont de Veyle, bord de la Saône
5 ha (160 empl.) ⚬ plat, herbeux ♀ – 🍳 ⚘ ⚲ 🖬 ☺ 🛂 🍷 ✗ – 🏪 🏕
mai-sept. – **R** – ✹ 10 🔲 12,75 🔌 13 (4A)

## CREISSAN

**34370** Hérault – 861 h.

△ **Municipal les Oliviers,** ✆ 67 93 81 85, au NO du bourg
0,4 ha (20 empl.) ⚬ plat, herbeux 🏠 – 🍳 ⚘ 🛁 🕭 ☺ 🌿 – A proximité : ✗
🏊 – Location : 🏠
mars-oct. – **R** conseillée – ✹ 9 🔲 20

## CRESPIAN

**30260** Gard – 159 h.

△△△ **Mas de Reilhe,** ✆ 66 77 82 12, sortie S par N 110 rte de Sommières
2 ha (80 empl.) ⚬ plat, accidenté et en terrasses, herbeux, pierreux 🏠 ♀♀ pinède – 🍳 ⚘ 🛁 ⚲ 🖬 ☺ 🌿 🚾 🍷 🍴 – 🏕 🏊
20 mai-20 sept. – **R** – ✹ 20 piscine comprise 🔲 50 🔌 16 (6A)

## CRESSENSAC

**46600** Lot – 570 h.

△ **La Vedille,** ✆ 65 37 76 48, NO : 1,3 km par N 20 rte de Brive et chemin à gauche
2,5 ha (33 empl.) ⚬ peu incliné, pierreux, herbeux, sous-bois 🏠 ♀♀ – 🍳 ⚘ 🛁
🖬 🕭 – 🏊
Pâques-sept. – **R** – ✹ 15 piscine comprise 🏕 10 🔲 15/20

## CREST

**26400** Drôme – 7 583 h.
🄳 Office de Tourisme, pl. Dr M.-Rozier
✆ 75 25 11 38

⑯ – ⑦⑦ ⑫ G. Vallée du Rhône

△△ Municipal de Clorinthe ⚘, ✆ 75 25 05 28, sortie S par D 538 et chemin à gauche après le pont, bord de la Drôme
2,5 ha (200 empl.) ⚬ plat, herbeux, pierreux ♀ – 🍳 ⚲ ☺ 🛂, snack 🍴 🏠 –
🏕 – A proximité : ✗ 🐴

## CREULLY

**14480** Calvados – 1 396 h.

⑤ – ⑤④ ⑮ G. Normandie Cotentin

△△ **Intercommunal des 3 Rivières** ⚘, ≼, ✆ 31 80 12 00, NE : 0,8 km rte de Tierceville, bord de la Seulles
2 ha (82 empl.) ⚬ plat et peu incliné, herbeux 🏠 – 🍳 ⚘ 🛁 🖬 ▥ ☺ 🛂 – 🏪
✗
28 mars-oct. – **R** conseillée juil.-août – Tarif 91 : ✹ 10,30 🔲 12 🔌 9,50 (6A)

## CREYSSE

**46600** Lot – 227 h.

⑬ – ⑦⑤ ⑱ G. Périgord Quercy

△△ **Le Port** ⚘, ≼, ✆ 65 32 20 40, S : près du château et de la Dordogne (accès direct)
3,5 ha (100 empl.) ⚬ peu incliné et plat, herbeux ♀♀ (0,8 ha) – 🍳 ⚲ 🖬 ☺ 🛂
– 🏊 🏕
mai-15 sept. – **R** – ✹ 13 piscine comprise 🔲 12

## Le CROISIC

**44490** Loire-Atl. – 4 428 h.
🄳 Office de Tourisme, pl. 18 Juin
1940 ✆ 40 23 00 70

④ – ⑥③ ⑬ ⑭ G. Bretagne

△△△ **L'Océan** ⚘, ✆ 40 23 07 69, NO : 1,5 km par D 45 rte de la Pointe, à 200 m de l'océan
6 ha (260 empl.) ⚬ plat, herbeux 🏠 – 🍳 ⚘ 🛁 ⚲ 🖬 🕭 ☺ 🛂 🍷 🍴 🏠 – 🏪 –
✗ 🏊 🏊 toboggan aquatique – Location : 🏠
23 mars-sept. – **R** – ✹ 17 🏕 10 🔲 36 🔌 12,50 (4A) 18 (6A) 30 (10A)

△△△ **La Pierre Longue,** ✆ 40 23 13 44, sortie O vers la Pointe du Croisic par av. Henri-Dunant, à 500 m de la mer
2,2 ha (135 empl.) ⚬ (saison) plat, herbeux – 🍳 ⚲ ☺ 🛂 🍷 ✗
Pâques-15 sept. – **R**

## La CROISILLE-SUR-BRIANCE

**87130** H.-Vienne – 701 h.

⑩ – ⑦② ⑱

△ Municipal Étang de Nouailhas (aire naturelle) ⚘ ≼ « Situation agréable », SE : 1,5 km par D 12 rte de Surdoux et chemin à droite, bord d'un ruisseau et près d'un étang
1 ha (15 empl.) non clos, incliné, terrasse, herbeux, gravier ♀ – 🍳 ⚘ ☺ –
A proximité : 🚾

## La CROIX-AVRANCHIN　　　　　　　　　　　4 – 59

**50240** Manche – 448 h.

▲ **Municipal le Clos Ruault,** N : 0,6 km sur D 40 rte d'Avranches
0,3 ha (25 empl.) plat, herbeux – 🗊 ⇔ 🔥 – 🗠
mai-15 sept. – **R** – ⚡ 6 et 6 pour eau chaude 🔲 7

## CROIX-EN-TERNOIS　　　　　　　　　　　1 – 50

**62130** P.-de-C. – 218 h.

▲ **le Ternois,** ☏ 21 03 39 87
0,3 ha (19 empl.) ⊶ plat, herbeux 🗠 – 🗊 ⇔ 🔊 ⊛ 🙇 ⊽ – A proximité : ◀
avril-oct. – **R** – ⚡ 15 🔲 15 [⚡] 12 (3 à 6A)

## La CROIX-VALMER　　　　　　　　17 – 84 ⑦ G. Côte d'Az

**83420** Var – 2 634 h.

Schéma à Grimaud

▲▲▲ **Sélection Camping** 🔊, ☏ 94 79 61 97, SO : 2,5 km par D 559 rte
Cavalaire et au rond-point chemin à droite
5 ha (240 empl.) ⊶ en terrasses, sablonneux, rocheux 🗠 ᎣᎣ – 🗊 ⇔ 🛏 🔲
⊛ 🖳 snack 🛒 🖢 – 🗠 🚣 vélos – A proximité : 🏃 – Location : studi◀
appartements
15 mars-15 oct. – **R** conseillée juil.-août – 🔲 3 pers. 108, pers. suppl. 30 [⚡]
(6A)

## CROS-DE-CAGNES 06 Alpes-Mar. – 84 ⑨ – rattaché à Cagnes-sur-Mer

## Le CROTOY　　　　　　　　　1 – 52 ⑥ G. Flandres Artois Picard◀

**80550** Somme – 2 440 h.

🚰 Office de Tourisme, r. Carnot
☏ 22 27 05 25

▲▲▲ **Le Ridin** 🔊, ☏ 22 27 03 22, N : 3 km
2 ha (140 empl.) ⊶ plat, herbeux – 🗊 ⇔ 🔊 ⊛ 🔲
15 mars-15 oct. – Places limitées pour le passage – **R** indispensable mai à a◀
– 🔲 élect. comprise 4 pers. 50

▲ **Les Aubépines,** ☏ 22 27 01 34, N : 4 km par rte de St-Quentin-en-Tourmo◀
et chemin à gauche
1,5 ha (93 empl.) ⊶ plat, sablonneux, herbeux 🗠 – 🗊 🔊 🔲 🔥 ⊛ 🙇 🔲
avril-1er nov. – **R** conseillée juil.-août – ⚡ 9,50 🚗 5 🔲 8 [⚡] 10,50 (3A) 16 (5◀

## CROTS　　　　　　　　　17 – 77 ⑰ G. Alpes du S◀

**05200** H.-Alpes – 670 h. alt. 850

▲▲▲ **Municipal la Garenne** 🔊 ⪡ « Cadre sauvage », ☏ 92 43 11 93, N◀
1,3 km, bord du lac de Serre-Porçon
16 ha/5 campables (191 empl.) ⊶ plat et peu accidenté, pierreux, gravillons ▶
(camping) ⚲ (camping) – 🗊 ⇔ ⊛ 🔲 – 🗠 🚣 – A proximité : 🏃
8 juin-sept. – **R** – Tarif 91 : ⚡ 13 🚗 8 🔲 13 [⚡] 13 (10A)

## CROUY-SUR-COSSON　　　　　　　　8 – 64 ◀

**41220** L.-et-C. – 471 h.

▲▲▲ **Municipal le Cosson** 🔊, sortie S par D 33 rte de Chambourd, bord ◀
Cosson
1,5 ha (26 empl.) plat, pierreux, herbeux ᎣᎣ (0,5 ha) – 🗊 ⇔ 🛏 🔥 ⊛ – 🗠
A proximité : 🍴
15 juin-15 sept. – **R** – ⚡ 9,50 🔲 6/7 [⚡] 7

## CROZANT　　　　　　　　10 – 68 ⑱ G. Berry Limous◀

**23160** Creuse – 636 h.

▲ **Municipal la Fontbonne** 🔊, sortie S rte de Dun-le-Palestel et à droite,◀
300 m de la Sédelle
1 ha (33 empl.) plat et peu incliné, herbeux 🗠 ⚲ – 🗊 ⇔ 🛏 ⊛
avril-sept. – **R** – Tarif 91 : ⚡ 7 🚗 4 🔲 4 [⚡] 10 (6A)

## CROZON　　　　　　　　3 – 58 ④ G. Bretagn◀

**29160** Finistère – 7 705 h.

🚰 Office de Tourisme, Ancienne
Mairie pl. Église (oct.-mai matin seul.)
☏ 98 27 29 49 et bd Plage à Morgat
(saison) ☏ 98 27 07 92

▲▲▲ **Les Pieds dans l'Eau** 🔊 ⪡, ☏ 98 27 62 43, NO : 6 km par rte de Roscanv◀
et à droite, à St-Fiacre, bord de mer
1,6 ha (90 empl.) ⊶ peu incliné, herbeux – 🗊 ⇔ 🛏 🔲 ⊛ 🙇 🔲
15 juin-15 sept. – **R** conseillée – ⚡ 15,50 🚗 6 🔲 16 [⚡] 9,50 (3 à 6A)

▲▲▲ **Les Pins** 🔊 ⪡ « Agréable pinède », ☏ 98 27 21 95, SO : 2 km par D 308 ▶
de la Pointe de Dinan
2,5 ha (120 empl.) ⊶ plat, peu incliné, herbeux ᎣᎣ – 🗊 ⇔ 🛏 🔲 ⊛ – half-cou◀
Pâques, Ascension, Pentecôte et 5 juin-25 sept. – **R** conseillée juil.-août
⚡ 15,75 🚗 6,50 🔲 15,75 [⚡] 13,50 (5A)

▲▲▲ **Plage de Goulien** 🔊, ☏ 98 27 17 10, O : 5 km par D 308 rte de la Poin◀
de Dinan et rte à droite, à 200 m de la plage
1 ha (90 empl.) ⊶ plat et incliné, herbeux 🗠 – 🗊 ⇔ 🛏 🔲 ⊛ – Location : 🗆
5 juin-25 sept. – **R** conseillée juil.-août – ⚡ 17 🚗 6,50 🔲 17 [⚡] 13,50 (5◀

Voir aussi à *Camaret-sur-Mer* et *Lanvéoc*

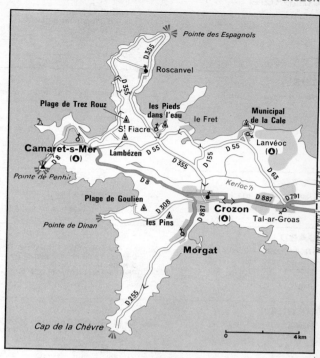

Pointe des Espagnols · Roscanvel · Plage de Trez Rouz · les Pieds dans l'eau · le Fret · Municipal de la Cale · S! Fiacre · Camaret-s-Mer (O) · Lambézen · Lanvéoc (O) · Pointe de Penhir · Kerloc'h · Plage de Goulien · les Pins · Crozon (O) · Tal-ar-Groas · Pointe de Dinan · Morgat · Cap de la Chèvre · 0   4 km

## CRUSEILLES
74350 H.-Savoie – 2 716 h.

12 – 74 ⑥ G. Alpes du Nord

**Parc des Dronières** <« Cadre agréable», 𝒫 50 44 02 91, NE : 0,7 km par
D 15 rte de la Roche-sur-Foron, bord d'un plan d'eau
3,7 ha (100 empl.) plat, peu incliné et en terrasses, herbeux, pierreux,
goudronné – A proximité : parc animalier, vélos
15 juin-15 sept. – **R** conseillée – 16 14 16 (3A)

## CRUZ-LA-VILLE
58330 Nièvre – 413 h.

11 – 65 ⑮

**le Chant du Merle** « Cadre et site agréables», 𝒫 86 58 28 27, SO :
4,5 km par D 34 rte de St-Saulge et D 181 à droite rte de Ste-Marie, bord de
l'étang du Merle
1,5 ha (94 empl.) (saison) plat et peu incliné, herbeux, pierreux – A proximité : vélos – Location :
19 avril-sept. – **R** conseillée juil.-août – 18,50 20 12 (6A)

## CUBJAC
24640 Dordogne – 636 h.

10 – 75 ⑥

**Municipal de l'Ilot,** au SE du bourg, bord de l'Auvézère
1,6 ha (50 empl.) plat, herbeux – A proximité :
15 juin-15 sept. – **R** conseillée juil.-août – 7 3 8 10 (5A)

## CUBLIZE
69550 Rhône – 984 h.

11 – 73 ⑧ ⑨

**Intercommunal du Lac des Sapins** <, 𝒫 74 89 52 83, S : 0,6 km, bord
du Reins et à 300 m du lac
4 ha (150 empl.) plat et en terrasses, pierreux – A proximité : (plage) toboggan aquatique – Location : chalets
avril-sept. – **R** indispensable juil.-août – 16 20 11 (10A)

## CUCQ
62780 P.-de-C. – 4 299 h.

1 – 51 ⑪

**Municipal de la Mer,** 𝒫 21 84 60 60, à Stella-Plage, O : 3,5 km par bd de
France et rte à gauche, au sud de la station, à 120 m de la plage (accès direct)
4 ha (181 empl.) plat, sablonneux, pierreux –
juin-15 sept. – **R** – Tarif 91 : 12 12,20 13 (5A)
**Municipal,** 𝒫 21 94 71 04, O : 1 km vers Stella-Plage, 1 014 bd de France
3,8 ha (120 empl.) plat et vallonné, sablonneux –
mai-sept. – **R** – Tarif 91 : 7,80 7,80 9,80 (5A)

179

## CUCURON
**84160** Vaucluse – 1 624 h.

⚠️ **Le Moulin à Vent** ⚲, ≤, ℰ 90 77 25 77, S : 1,5 km par D 182 rte de Villelaure
puis 0,8 km par rte à gauche
2,2 ha (50 empl.) ⟿ (saison) plat et peu incliné, en terrasses, pierreux, herbeux
ΩΩ – 🗊 ⚙ 🔌 🖥 – 🔲 ⛵ – A proximité : 🛶
vac. de printemps-sept. – **R** *conseillée juil.-août* – *Tarif 91 :* 🚶 *11* 🚗 *5,50* 🔲
*5,50* 🔌 *9 (3A) 10 (4A)*

---

## CUSY
**74540** H.-Savoie – 969 h.

⚠️ **le Chéran** ⚲, ≤ « Site agréable », ℰ 50 52 52 06, N par rte d'Annecy puis
1,4 km par rte à gauche, bord de la rivière
1 ha (29 empl.) ⟿ plat, herbeux – 🗊 ⚙ 🖁 ⛹ 🍴 ✗
avril-sept. – **R** *conseillée* – 🚶 *20* 🚗 *4* 🔲 *16*

⚠️ **Le Verger**, ℰ 50 52 52 01, au bourg, par D 3 rte d'Héry-sur-Alby, bord d'un
ruisseau
0,5 ha (30 empl.) ⟿ en terrasses, herbeux – 🗊 ⊕
juin-sept. – **R** *conseillée* – 🚶 *9,50* 🔲 *16* 🔌 *8,50 (6A)*

---

## CUZORN
**47500** L.-et-G. – 901 h.

⚠️ **Municipal,** au bourg, bord de la Lemance
0,3 ha (17 empl.) plat, herbeux 🗇 – 🗊 ⚙ 🖁 ⊕ – ✗
15 juin-août – **R** – 🚶 *6* 🚗 *4,50* 🔲 *6* 🔌 *6 (5A)*

---

## DABO
**57850** Moselle – 2 789 h.
🚩 Syndicat d'Initiative, pl. de l'Église
(vacances scolaires, 15 juin-15 sept.)
ℰ 87 07 47 51 et Mairie (hors saison)
ℰ 87 07 40 12

⚠️ **Le Rocher,** SE : 1,5 km par D 45, au carrefour de la route du Rocher
0,5 ha (42 empl.) ⟿ plat et peu incliné, herbeux Ω – 🗊 🖥 ⊕ – Location : gîte
d'étape
Pâques-Toussaint – **R** – 🚶 *9,50* 🚗 *10* 🔲 *5/13* 🔌 *4 (2A) 7 (6A) 12 (10A)*

---

## DAGLAN
**24250** Dordogne – 477 h.

⚠️ **Le Moulin de Paulhiac** ⚲ « Cadre agréable », ℰ 53 28 20 88, N : 4 km par
D 57 rte de St-Cybranet, bord du Céou
3 ha (100 empl.) ⟿ plat, herbeux 🗇 ΩΩ (1 ha) – 🗊 ⚙ 🖁 🖥 🖁 ⊕ ⚴ ⊽ 🗓
🍴 🖁 🖲 – 🔲 ⛵ 🏊 – Location : 🛖
20 mai-15 sept. – **R** *conseillée 14 juil.-15 août* – 🚶 *20 piscine comprise* 🔲 *40*

⚠️ **La Peyrugue** ⚲, ≤, ℰ 53 28 40 26, N : 1,5 km par D 57 rte de St-Cybranet,
à 150 m du Céou
2,6 ha (50 empl.) ⟿ (mars-nov.) peu incliné à incliné, herbeux, pierreux – 🗊 ⚙
🖁 ⚴ 🖁 ⊕ 🍴 🖁 🖲 – 🔲 ⛵ 🏊 – Location : 🛖
15 fév.-27 déc. – **R** *conseillée juil.-août* – 🚶 *15 piscine comprise* 🔲 *12* 🔌 *12
(3A) 16 (6A)*

---

## DAMAZAN
**47160** L.-et-G. – 1 164 h.

⚠️ **Intercommunal le Lac,** S : 1 km par D 108 rte de Buzet-sur-Baïse puis
chemin à droite, bord du lac
1 ha (66 empl.) plat et peu incliné, herbeux ΩΩ – 🗊 ⚙ 🖁 🖥 ⊕ – ⛵
A proximité : ✗ 🖁 ⚵ – Location : 🛖
15 juin-15 sept. – **R** *août* – 🚶 *8,50* 🔲 *6,25* 🔌 *7,30*

---

## DAMBACH-LA-VILLE
**67650** B.-Rhin – 1 800 h.
🚩 Syndicat d'Initiative, pl. Marché
(15 juin-15 sept.) ℰ 88 92 61 00 et
Mairie ℰ 88 92 41 05

⚠️ **Municipal** ≤, ℰ 88 92 48 60, E : 1 km par D 210 rte d'Ebersmunster et
chemin à gauche
1,8 ha (62 empl.) ⟿ plat, herbeux, pierreux Ω – 🗊 ⚙ ⚴ 🖁 ⊕ – ⛵
A proximité : ✗
15 mai-sept. – **R** *conseillée juil.-août* – 🚶 *13* 🚗 *7* 🔲 *7/9,50* 🔌 *11 (3A)*

---

## DAMGAN
**56750** Morbihan – 1 032 h.

⚠️ **Kerlan** ⚲, ℰ 97 41 11 64, E : 1 km par rte de Kervoyal, à 300 m de la
plage
2 ha (100 empl.) ⟿ plat, herbeux Ω – 🗊 ⚙ ⚴ 🖥 ⊕ ⚴ ⊽ 🗓 🖲 – ⛵
A proximité : ✗
15 mai-15 sept. – **R** *conseillée juil., indispensable août* – *Tarif 91 :* 🚶 *8* 🔲 *35*
🔌 *8,50 (2A) 11 (4A)*

*à Kervoyal* E : 2,5 km – ⊠ 56750 Damgan :

⚠️ **Municipal le Mar** ⚲, ℰ 97 41 02 31, à 450 m de la plage
1,7 ha (100 empl.) ⟿ (saison) plat, herbeux – 🗊 ⚙ 🖁 🖥 ⊕ 🖲 – 🔲
⛵
mai-sept. – **R** – 🚶 *13,97* 🚗 *5,80* 🔲 *11,60* 🔌 *11,60*

⚠️ **Oasis-Camping** ⚲, ℰ 97 41 10 52, à 100 m de la plage
2 ha (150 empl.) ⟿ plat, herbeux Ω – 🗊 ⚙ 🖁 ⚴ 🖥 ⊕ 🖲 – ⛵ – Location :
🛖
avril-sept. – **R** – 🔲 *1 ou 2 pers. 44, pers. suppl. 11* 🔌 *11 (4A)*

## DAMIATTE

**81220** Tarn – 746 h.

**Le Plan d'Eau St-Charles** ≼, ℰ 63 70 66 07, sortie rte de Graulhet puis 1,2 km par rte à gauche avant le passage à niveau, bord d'un plan d'eau
5 ha/1 campable (67 empl.) ⊶ plat, pierreux, herbeux ⊡ – 🗊 ⇄ 🖰 🗟 🕭 ⊕
🐾 🖥 – 🖵 ⇌ – Location : 🚐
15 avril-oct. – **R** conseillée juil.-août – 🖪 2 pers. 55 🚰 12 (4A) 16 (6A) 10 (8A)

---

## DAMPIERRE-SUR-LOIRE  49 M.-et-L. – 64 ⑫ – rattaché à Saumur

---

## DAMVIX

**85420** Vendée – 673 h.

**Les Conches,** ℰ 51 87 17 06, sortie S par D 104 rte d'Arçais, près de la Sèvre Niortaise
0,8 ha (79 empl.) ⊶ plat, herbeux ⬦ – 🗊 ⚲ ⊕ – 🚣 ⅃ – A proximité : 🍴 ✗
⬥
juin-15 sept. – **R** conseillée juil.-août – ⭑ 7,30 ⇌ 4 🖪 5,20 🚰 9,90 (5A)

---

## DANESTAL

**14430** Calvados – 199 h.

**Le Val-es-Loup** ≼, ℰ 31 79 29 59, sur D 281, à 700 m de la N 175
2 ha (75 empl.) ⊶ (saison) peu incliné à incliné, en terrasses, herbeux – 🗊 ⇄
🖰 🗟 🕭 ⊕ 🐾 ⇌ 🖥
avril-15 oct. – **R** juil.-août – ⭑ 15 ⇌ 7 🖪 12,50 🚰 12 à 22 (4 à 10A)

---

## DANGÉ-ST-ROMAIN

**86220** Vienne – 3 150 h.

**Municipal** 🅼, sortie O par D 22, rte de Vellèches, près de la Vienne
0,2 ha (15 empl.) plat et peu incliné, herbeux, pierreux ⬦ – 🗊 ⚲ 🗟 🕭 ⊕ 🐾 ⇌ 🖥
15 juin-15 sept. – **R** – ⭑ 10 ⇌ 7,50 🖪 10 🚰 10 (5A)

---

## DAON

**53200** Mayenne – 408 h.

**Municipal,** ℰ 43 06 94 78, sortie O par D 213 rte de la Ricoullière et à droite avant le pont, près de la Mayenne
1,5 ha (110 empl.) ⊶ plat, herbeux – 🗊 ⇄ 🖰 🕭 ⊕ – 🖵 – A proximité : 🏊
🚣
avril-1er oct. – **R** conseillée saison – 🖪 2 pers. 25, pers. suppl. 10 🚰 8 (15A)

---

## DARBRES

**07170** Ardèche – 213 h.

**Les Charmilles** 🌳 ≼ « Cadre agréable », ℰ 75 94 25 22, S : 2,4 km par D 258 rte de Mirabel – Véhicule tracteur pour placer les caravanes
4 ha (90 empl.) ⊶ accidenté et en terrasses, herbeux, pierreux ⬦⬦ – 🗊 ⇄ 🖰
🗟 ⊕ 🚣 🍴 🐾 – 🖥 – Location : 🚐
Pâques-sept. – **R** conseillée 15 juil.-15 août – 🖪 piscine comprise 2 pers. 80
🚰 12 (5A)

**Les Lavandes** ≼, ℰ 75 94 20 65, au bourg
1,5 ha (75 empl.) ⊶ plat, en terrasses, herbeux, pierreux ⊡ ⬦ – 🗊 🖰 🗟 ⊕ 🕭
🍴 snack – 🖵 🚣 ⅃ – A proximité : 🏊
avril-oct. – **R** conseillée juil.-août – 🖪 piscine comprise 2 pers. 68 🚰 13

**Le Grand Champ** (aire naturelle) 🌳 ≼ vallée et montagne, ℰ 75 94 20 05, S : 1,5 km par D 258 rte de Mirabel puis chemin à gauche
2 ha (25 empl.) ⊶ en terrasses, herbeux, pierreux – 🗊 – ⅃ – Location : appartements
15 juin-15 sept. – **R** – 🖪 2 pers. 80, pers. suppl. 40

---

## DAUPHIN

**04300** Alpes-de-H.-Pr. – 684 h.

**L'Eau Vive,** ℰ 92 79 51 91, au NO du bourg, sur D 13 rte de Forcalquier, bord de la Laye
3 ha (120 empl.) ⊶ plat, pierreux, herbeux ⬦⬦ (1 ha) – 🗊 ⇄ ⚲ 🗟 ⊕ 🖥 – 🖵
🍴 🏊 🚣 ⅃ – Location : 🚐
Pâques-sept. – **R** conseillée juil.-août – 🖪 piscine comprise 2 pers. 63 🚰 12 (3A) 14 (6A) 16 (10A)

---

## DAX 🆂

**40100** Landes – 19 309 h. –
🌿 Atrium.
🅱 Office de Tourisme, pl. Thiers
ℰ 58 90 20 00

**Les Chênes,** ℰ 58 90 05 53, O : au Bois de Boulogne, à 200 m de l'Adour
5 ha (230 empl.) ⊶ plat, herbeux, sablonneux, gravillons ⊡ (caravaning) ⬦⬦ –
🗊 ⇄ 🖰 🗟 🕭 ⇌ 🚣 🍴 ✗ 🐾 🖥 – 🖵 – A proximité : 🐎 et poneys –
Location : 🚐, studios
avril-oct. – **R** – ⭑ 17 🖪 26 🚰 12 (5A)

**Christus** 🌳, ℰ 58 90 05 34 ✉ 40990 St-Paul-lès-Dax, NO : 7,5 km par rte de Bayonne, D 16 à droite et chemin d'Abesse
4 ha (100 empl.) plat, herbeux, sablonneux ⊡ – 🗊 ⇄ 🖰 🗟 🕭 ⊕ 🚣 🚜 🖥 –
🖵 – Location : 🚐, chalets
mars-oct. – **R** conseillée – ⭑ 14 🖪 18/21 🚰 11,60 (5A)

▲▲▲ **les Pins du Soleil,** 𝒫 58 91 37 91 ⊠ St-Paul-lès-Dax 40990, NO : 6,4 km
par N 124 rte de Bayonne et à gauche par D 459
6 ha (145 empl.) o➡ plat, herbeux, sablonneux ♀ (1,5 ha) – 🛖 ⇔ 占 🗟 ♨ ⊕
🛱 ▽ ♨ 🗟 – 🎿 – Location : 🖼 🏠
4 avril-14 nov. – **R** conseillée juil.-août – 🗒 piscine comprise 2 pers. 60/90 avec
élect. (4A)

▲▲ **St-Vincent-de-Paul,** 𝒫 58 89 99 60 ⊠ 40990 St-Paul-lès-Dax, à **St-Vincent-
de-Paul,** NE : 6 km, par rte de Mont-de-Marsan, à 200 m de la N 124, r. du stade
1,8 ha (97 empl.) o➡ plat et peu incliné, herbeux 🗂 – 🛖 ⇔ 占 ♨ 🗟 –
Location : 🖼
Permanent – **R** conseillée – ⭑ 8 🗒 18 avec élect. 3 ou 6A

▲▲ **L'Étang d'Ardy** ॐ, 𝒫 58 97 57 74 ⊠ 40990 St-Paul-lès-Dax, O : 5,5 km par
N 124 rte de Bayonne puis 0,6 km par chemin à droite, bord d'un étang
2 ha (52 empl.) o➡ plat, herbeux, sablonneux 🗂 ♀ – 🛖 ⇔ 占 🗟 – 22 sanitaires
individuels (🛖 ⇔ 占 wc) ♨ ⊕ 🛱 ▽ 🗟 – Garage pour caravanes
avril-oct. – **R** conseillée – ⭑ 15 🗒 20 (29 avec sanit. indiv.) 🕯 11 (5A)

▲ **Le Luy,** 𝒫 58 74 35 42 ⊠ 40180 Seyresse, **à Seyresse,** S : 2,5 km, bord du Luy
2,3 ha (166 empl.) o➡ plat, herbeux ♀ – 🛖 ⇔ 占 🗟 ⊕ 🗟 – Location : 🖼
10 mars-5 nov. – **R** conseillée – ⭑ 11 🗒 14 🕯 10 (3A) 13 (6A)

---

# DEAUVILLE
**14800** Calvados – 4 261 h.
🏛 Office de Tourisme, pl. de la Mairie
𝒫 31 88 21 43

**🖼 – 🟥 ⑰ G. Normandie Vallée de la Seine**

**à St-Arnoult** S : 3 km par D 278 – ⊠ 14800 St-Arnoult :

▲▲▲ **La Vallée** « Entrée fleurie », 𝒫 31 88 58 17, S : 1 km par D 27 rte de Varaville
et D 275 rte de Beaumont-en-Auge à gauche, bord d'un ruisseau et près d'un
plan d'eau
3 ha (266 empl.) o➡ plat, herbeux ♀ (2 ha) – 🛖 ⇔ 占 ♨ ⊕ ♨ 🍽 🥘 🗟 –
🛱 🚴 🎿 – Location : 🖼 🖼 🏠
Pâques-oct. – **R** conseillée juil.-août – ⭑ 25 piscine comprise 🗒 28 🕯 24,20 (4A)
29,70 (6A) 41,80 (10A)

**à Touques** SE : 3 km – ⊠ 14800 Touques :

▲▲▲ **Les Haras** ⩤ « Cadre agréable », 𝒫 31 88 44 84, sortie NE par D 62 rte
d'Honfleur et à gauche, chemin du calvaire
4 ha (250 empl.) o➡ plat et peu incliné, herbeux 🗂 ♀ – 🛖 ⇔ 占 🗟 ⊕ ♨ 🍽
🎿 🗟 – 🖼 🚴
Permanent – **R** conseillée juil.-août – ⭑ 26,40 🗒 27,50 🕯 23,50 (5A)

---

# DECAZEVILLE
**12300** Aveyron – 7 754 h.
🏛 Office de Tourisme, square
J.-Ségalat 𝒫 65 43 18 36

**🟥 – 🟦 ① G. Gorges du Tarn**

▲▲▲ Intercommunal Roquelongue ⩤, 𝒫 65 63 30 11, NO : 4,5 km par D 963, D 21
et D 42 rte de Boisse-Penchot, bord du Lot
3,5 ha (65 empl.) o➡ plat, pierreux, herbeux 🗂 – (🛖 ☒ mai-sept.) 🗟 ⊕ 🛱 ▽
🍽 – 🖼 🎿 🚴
Permanent – **R**

---

# DÉGAGNAC
**46340** Lot – 522 h.

**🟥 – 🟥 ⑰**

▲ Municipal ॐ ⩤, 𝒫 65 41 56 87, NO : 1 km par D 6, rte de Salviac et chemin
à droite, à 100 m d'un plan d'eau (accès direct)
2 ha (40 empl.) o➡ peu incliné, pierreux, herbeux ♀♀ bois attenant – 🛖 占 🗟 ⊕
– A proximité : 🎿 🚤

---

# DELLE
**90100** Ter.-de-Belfort – 6 992 h.
🏛 Office de Tourisme, av. du Général-
de-Gaulle 𝒫 84 36 03 06

**🟥 – 🟦 ⑧**

**à Joncherey** N : 2 km rte de Belfort – ⊠ 90100 Joncherey :

▲▲ **Municipal du Passe-Loup** ॐ, 𝒫 84 56 32 63, N : 1,5 km par D 3 rte de
Boron et chemin à droite, près d'étangs et à l'orée d'un bois
2,4 ha (150 empl.) o➡ peu incliné à incliné, herbeux ♀♀ (1 ha) – 🛖 ⊕
Pâques-oct. – Places limitées pour le passage – **R** conseillée – Tarif 91 : 🗒 2 pers.
33, pers. suppl. 5,80 🕯 9,50

---

# DENNEVILLE
**50580** Manche – 442 h.

**🟥 – 🟥 ⑪**

▲▲ **L'Espérance** ॐ, 𝒫 33 07 12 71, O : 3,5 km par D 137, à 500 m de la plage
2 ha (100 empl.) o➡ plat, herbeux, sablonneux ♀ (1 ha) – 🛖 ♨ 🗟 ⊕ 🗟 – 🖼
– A proximité : 🎿 – Location : 🖼
avril-sept. – Places disponibles pour le passage – **R** juil.-août – Tarif 91 : ⭑ 13
🗒 15 🕯 13,50 (4A) 20 (6A)

---

# DESCARTES
**37160** I.-et-L. – 4 120 h.
🏛 Syndicat d'Initiative, Mairie
𝒫 47 59 70 50

**🟥 – 🟦 ⑤ G. Poitou Vendée Charentes**

▲▲ **Municipal** ॐ « Parc », 𝒫 47 59 85 90, sortie S par D 750 rte du Blanc et allée
des Sports à droite, bord de la Creuse
1 ha (50 empl.) o➡ (saison) plat et accidenté, herbeux ♀♀ – (🛖 ⇔ ☒ juin-sept.)
🗟 ⊕ – A proximité : 🎿 🚴 🚤
Rameaux-Toussaint – **R** juil.-août – ⭑ 8,50 🚗 8,50 🗒 8,50 🕯 8,50

## Les DEUX-ALPES

**38860** Isère – alt. 1 660 – ☜.
🛈 Office de Tourisme ℘ 76 79 22 00

12 – 77 ⑥ G. Alpes du Nord

⚠ **Caravaneige des 2 Alpes** ✿ ≤, ℘ 76 79 20 47, sortie N
0,6 ha (87 empl.) ⊶ plat et peu incliné, herbeux, pierreux – 🛖 ⇋ 🛁 ▥ ⊕ –
A proximité : ✗ – Location : 🛏, studios
26 oct.-6 mai, 26 juin-7 sept. – **R** indispensable hiver, conseillée été – ☀ 19 ⇔
10 🔳 10,50/12 ⌁ 15 (3A) 32,50 (6A) 40 (8 ou 10A)

---

## DIE ⏝

**26150** Drôme – 4 230 h.
🛈 Office de Tourisme, pl. Saint-Pierre
℘ 75 22 03 03

16 – 77 ⑬ G. Alpes du Sud

⚠ **La Pinède** ⌂ ≤ « Cadre agréable », ℘ 75 22 17 77, O : sortie par D 93 rte
de Crest puis 1 km par chemin à gauche, bord de la Drôme – Accès peu facile
pour caravanes
5 ha (110 empl.) ⊶ plat et en terrasses, pierreux, herbeux 🖭 ⬤ – 🛖 ⇋ 🛱 🗗
⊛ ⚑ 🍴 ✗ ⅗ – ✗ – ⚡ – Location : 🛏
mai-15 sept. – **R** conseillée juil.-août – 🏊 piscine comprise 2 pers. 52 ⌁ 15 (4A)
25 (10A)

⚠ **Le Glandasse** ⌂ ≤, ℘ 75 22 02 50, SE : 1 km par D 93 rte de Gap puis
chemin à droite, bord de la Drôme
1,5 ha (90 empl.) ⊶ peu incliné et plat, herbeux, pierreux 🖭 ⬤⬤ (1 ha) – 🛖 ⌁
🗗 ⅗ ⊛ 🔲 – 🛏 ⚑ ⌁ vélos – Location : 🛏
vac. de printemps-15 sept. – **R** conseillée juil.-août – ☀ 16 🔳 21 ⌁ 13 (3A)
17 (6A) 28 (10A)

⚠ **Chamarges** ≤, ℘ 75 22 14 13, NO : 2 km par D 93 rte de Crest, bord de la
Drôme
2,5 ha (100 empl.) ⊶ (saison) plat, herbeux – 🛖 ⅗ 🗗 ⅗ ⊛ – ⚑ ⚡ – Location :
🛏
Pâques-15 oct. – **R** conseillée juil.-août – ☀ 13 piscine comprise ⇔ 7 🔳 7
⌁ 8,50 (3A) 16 (6A)

▶ 🛖 ⇋ 🛁

*Showers, wash basins and laundry with running hot water.*
*If no symbols are included in the text,*
*the facilities exist but with cold water supplies only.*

---

## DIENVILLE

**10500** Aube – 796 h.

7 – 61 ⑱

⚠ **le Tertre,** ℘ 25 92 26 50, sortie O sur D 11 rte de Radonvilliers, face à la
Station Nautique et de Loisirs
3,5 ha (102 empl.) ⊶ plat, herbeux 🖭 – 🛖 ⇋ 🛱 ⅗ ⊛ ⚑ – Location : 🛏
Permanent – **R** – 🔳 2 pers. 39, pers. suppl. 12 ⌁ 5 (2A) 10 (4A) 25 (10A)

---

## DIEPPE ⏝

**76200** S.-Mar. – 35 894 h.
🛈 Office de Tourisme, bd du Général-
de-Gaulle ℘ 35 84 11 77 et Rotonde
de la Plage (juil.-août) ℘ 35 84 28 70

1 – 52 ④ G. Normandie Vallée de la Seine

⚠ **La Source** « Cadre agréable », ℘ 35 84 27 04, ✉ 76550 Offranville, SO :
3 km par D 925 rte du Havre puis D 153 à gauche, à Petit-Appeville, bord de
la Scie
2,5 ha (120 empl.) ⊶ plat, herbeux – 🛖 ⇋ 🛁 – 🛏 ⚑
15 mars-15 oct. – **R** juil.-août – ☀ 17 ⇔ 6 🔳 16/20 ⌁ 10,50 (3 à 10A)

⚠ **Vitamin',** ℘ 35 82 11 11, S : 3 km par N 27 rte de Rouen et à droite chemin
des Vertus
6 ha (84 empl.) ⊶ plat, herbeux – (🛖 ⇋ 🛁 avril-oct.) ▥ ⊛ ⅗ 🔲 – A l'entrée :
🍴 – A proximité : sauna, squash ⚑ ✗ ✗ 🛏
Permanent – **R** conseillée juil.-août – ☀ 19 🔳 40 avec élect. (3 à 10A)

---

## DIEULEFIT

**26220** Drôme – 2 924 h.

16 – 81 ② G. Vallée du Rhône

⚠ **Municipal les Grands Prés** ⌂, ℘ 75 46 87 50, sortie O par D 540 rte de
Montélimar, près du Jabron – Pour piétons, accès direct au bourg
1,8 ha (110 empl.) ⊶ plat, herbeux ⬤⬤ (1 ha) – 🛖 ⅗ ⊛ – 🛏 ✗ – A proximité :
⚑ ⅗
Rameaux-sept. – **R** juil.-août – ☀ 8,50 🔳 15 ⌁ 10

---

## DIGNE-LES-BAINS ℗

**04000** Alpes-de-H.-Pr. – 16 087 h.
alt. 608 – ⚑ fév.-déc.
🛈 Office de Tourisme et Accueil de
France, le Rond-Point ℘ 92 31 42 73

17 – 81 ⑰ G. Alpes du Sud

⚠ **Les Eaux Chaudes** ⌂ ≤, ℘ 92 32 31 04, SE : 1,5 km par D 20 rte des
thermes, bord d'un ruisseau
3,7 ha (163 empl.) ⊶ plat, herbeux – 🛖 ⇋ 🛁 🗗 ⅗ ▥ ⊛ ⅗ ⚑ 🔲 🔲 – 🛏
– A proximité : ✗ parcours sportif, vélos
avril-oct. – **R** conseillée – Tarif 91 : 🔳 2 pers. 62 ⌁ 12 (4A)

---

## DIGOIN

**71160** S.-et-L. – 10 032 h.
🛈 Office de Tourisme, 8 r.
Guilleminot (avril-1er nov.)
℘ 85 53 00 81 et pl. de la Grève (juil.-
sept.) ℘ 85 88 56 12

11 – 69 ⑯ G. Bourgogne

⚠ **Municipal de la Chevrette,** ℘ 85 53 11 49, sortie O en direction de
Moulins, vers le stade municipal, près de la Loire
1,6 ha (100 empl.) ⊶ plat et terrasse, herbeux, gravillons 🖭 – 🛖 ⇋ 🛁 🗗 ▥
⊛ ⅗ ⚑ 🔲 – 🛏 – A proximité : ⅗
mars-oct. – **R** conseillée juil.-août – Tarif 91 : ☀ 9,10 ⇔ 6,50 🔳 9 ⌁ 7,50 ou
10,30

## DINAN 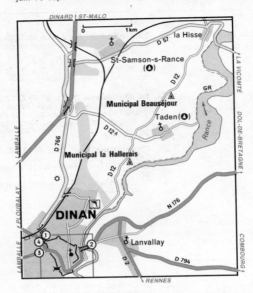⊛

**22100** C.-d'Armor – 11 591 h.

🛈 Office de Tourisme, 6 r. de l'Horloge ☎ 96 39 75 40

4 – 59 ⑮ G. Bretagne

*à St-Samson-sur-Rance* N : 4,5 km par D 766 rte de Dinard et D 57 à droite
✉ 22100 St-Samson-sur-Rance :

⚠ **Municipal Beauséjour** ⚲, ☎ 96 39 53 27, E : 3 km, sur D 12
3 ha (120 empl.) ⚬ plat, herbeux – 🔟 ⇄ 🛁 🗓 ⊕ 🖳 – 🖾 – A proximité : 🍽 🏖
juin-15 sept. – **R** – *Tarif 91 :* 🚶 *10,50* 🖪 *14* 🔌 *9,30 (10A)*

*à Taden* NE : 3,5 km par ② et D 2 à droite avant le pont, rte de Ploüet-sur-Rance
✉ 22100 Taden :

⚠ **Municipal de la Hallerais** ⚲ « Cadre agréable », ☎ 96 39 15 93, au SO
du bourg, accès direct à la Rance
5 ha (223 empl.) ⚬ plat, peu incliné et en terrasses, herbeux 🖾 ❢ – 🔟 ⇄ 🛁
🗓 🎏 ⊕ ⚞ 🔽 🟦 🍴 🏖 ⊕ – 🖾 🖳 – 🖾 ❀
15 mars-oct. – **R** *conseillée juil.-août* – *Tarif 91 :* 🚶 *15,14* 🔌 *3,44* 🖪 *18,15*
🔌 *11,82 (7A)*

---

## DINARD

**35800** I.-et-V. – 9 918 h.

🛈 Office de Tourisme, 2 bd Féart
☎ 99 46 94 12

4 – 59 ⑤ G. Bretagne

⚠ La Ville Mauny ⚲, ☎ 99 46 94 73, SO : 2 km par bld Jules Verger, près d'un étang
4 ha (174 empl.) ⚬ plat, herbeux ❢ – 🔟 ⇄ 🛁 🗓 sauna 🎏 ⊕ ⚞ 🍽 🏖 🖳
– 🖾 ✂ 🏊 ⚲ – Location : 🛏 🛖

⚠ **Le Prieuré,** ☎ 99 46 20 04, sortie SE par D 114, av. de la Vicomté, à 200 m
de la plage
1,4 ha (100 empl.) ⚬ plat et en terrasses, herbeux 🖾 – 🔟 ⇄ 🛁 🗓 ⊕ ⚞ 🔽
🖳 – 🖾 🏊 – Location : 🛏 🛖
Pâques-oct. – **R** *conseillée juil.-août* – 🚶 *15* 🔌 *8* 🖪 *30* 🔌 *10(3A) 15(6A) 21(10A)*

⚠ Municipal du Port Blanc ⚸, ☎ 99 46 10 74, O : 1,5 km par D 786 rte de St-Lu-
naire, r. du Sergent-Boulanger, bord de plage
7 ha (500 empl.) ⚬ plat, peu incliné, en terrasses, herbeux, sablonneux – 🔟 ⇄
🛁 🗓 ⊕ ⚞ 🖳 – 🖾 ⚱

*à la Richardais* SE : 3,5 km par ① – ✉ 35780 la Richardais :

⚠ Municipal, ☎ 99 88 50 80, sortie O, en 2 camps distincts : Bellevue et Les Étangs
3 ha (270 empl.) ⚬ (avril-sept.) plat et peu incliné, herbeux ❢ (1,5 ha) – 🔟 ⇄
🛁 ⊕ – A proximité : ✂

---

## DIOU

**03490** Allier – 1 650 h.

11 – 69 ⑮ ⑯

⚠ **Municipal du Gué de Loire,** au bourg, près du stade et de la Loire
1 ha (25 empl.) plat, herbeux 🖾 ❢ – 🔟 ⇄ 🛁 ⊕ – A proximité : ✂
saison – **R** – 🚶 *5,50* 🔌 *3* 🖪 *4,50* 🔌 *7*

---

## DIVES-SUR-MER

**14160** Calvados – 5 344 h.

5 – 54 ⑰ G. Normandie Vallée de la Seine

⚠ **Municipal les Tilleuls** ⚸ « Entrée fleurie », ☎ 31 91 25 21, sortie E rte de
Lisieux
4 ha (250 empl.) ⚬ vallonné, prairie – 🔟 ⇄ 🛁 🖳 ⊕ – A proximité : ✂
30 mars-15 sept. – **R** – 🚶 *9,50* 🔌 *6,80* 🖪 *6,80* 🔌 *8,50 (4A) 12 (6A) 18 (9A)*

## DOL-DE-BRETAGNE

4 - 59 ⑥ G. Bretagne

**35120** I.-et-V. – 4 629 h.

🖪 Office de Tourisme, Grande Rue des Stuarts (juin-sept.) ℘ 99 48 15 37

⋀⋀⋀ **Les Ormes** ⑤ ≤« Beau château du 16ᵉ siècle entouré de bois et d'étangs », ℘ 99 48 11 96 ⊠ 35120 Epiniac, S : 7,5 km par D 795 rte de Combourg puis chemin à gauche
150 ha/25 campables (450 empl.) ⊶ plat et peu incliné, herbeux ⁇⁇ (5 ha) – 🏕 🖭 🖔 🖪 🕭 ⊚ ⚲ 🕇 ⚹ 🖳 – 🕭 discothèque ⚹ 🐟 ⚘ golf
16 mai-10 sept. – **R** conseillée – ⚹ 25 piscine comprise ▣ 58 🔌 13 (3A) 15 (6A)

⋀⋀⋀ **Ferme-Camping du Vieux Chêne** « Cadre agréable », ℘ 99 48 09 55 ⊠ 35120 Baguer-Pican, E : 5 km sur N 176 rte de Pontorson, bord d'étangs
4 ha/2 campables (150 empl.) ⊶ (saison) plat, peu incliné, herbeux 🖙 ⁇⁇ – 🏕 🖭 🖔 🖪 ⊚ 🕇 snack 🐟 – 🕭 ⚹ 🚲 🐟 poneys – Location : 🏚
Pâques-sept. – **R** conseillée juil.-août – ⚹ 24 piscine et tennis compris ▣ 38 🔌 12 (4 ou 6A)

⋀⋀ **Municipal des Tendières,** ℘ 99 48 14 68, sortie SO, r. de Dinan, bord du Guioult et d'un petit étang
1,7 ha (66 empl.) ⊶ (saison) plat, herbeux ⚲ (1 ha) – 🏕 🖭 🖔 🖪 ⊚
mai-sept. – **R** – Tarif 91 : ⚹ 9,50 🚗 4,30 ▣ 4,30/8,60 🔌 9,50 (16A)

## DOLE ⑤

12 - 170 ③ G. Jura

**39100** Jura – 26 577 h.

🖪 Office de Tourisme, pl. Grévy ℘ 84 72 11 22 et rte de Paris (juil.-août) ℘ 84 72 05 41

⋀⋀ **Le Pasquier,** ℘ 84 72 02 61, SE par av. Jean-Jaurès, près du Doubs
2 ha (120 empl.) ⊶ plat, herbeux ⚲ – 🏕 🖭 🖔 🖪 ⊚ 🐟 ⚹ 🖳 🕭 – 🐟 – A proximité : 🚲
15 mars-oct. – **R** conseillée juil.-août – ▣ 2 pers. 48, pers. suppl. 13 🔌 12,50 (4A) 18,50 (6A) 33,50 (10A)

*à Nenon* NE : 10 km par N 73 et D 76 à droite – ⊠ 39100 Nenon :

⋀⋀⋀ **Les Marronniers** ⑤, ℘ 84 70 50 37 ⊠ 39700 Rochefort-sur-Nenon, NE du bourg
3,8 ha (90 empl.) ⊶ plat, herbeux 🖙 ⚲ – 🏕 🖭 🖔 🖪 ⊚ 🚲 ⚹ 🕇 🐟 🖳 – 🕭 – 🐟 🐟 🌊 (bassin) – Location : 🏚
avril-oct. – **R** conseillée juil.-août – ▣ 2 pers. 60, pers. suppl. 12 🔌 15 (10A)

*à Parcey* S : 8 km par D 405 – ⊠ 39100 Parcey :

⋀⋀ **Les Bords de Loue** ⑤ « Situation agréable au bord de la Loue », ℘ 84 71 03 82, au SO du bourg
10 ha (200 empl.) ⊶ plat, herbeux ⁇⁇ – 🏕 🖭 🖔 🖭 🖪 🕭 ⊚ 🕇 🖳 – ⚹ 🐟 🌊 vélos – Location : 🏚
15 avril-15 sept. – **R** conseillée – ⚹ 16 ▣ 22 🔌 12 (3A)

## DOLUS-D'OLÉRON 17 Char.-Mar. – 171 ⑭ – voir à Oléron (Ile d')

## DOMPIERRE-SUR-BESBRE

11 - 69 ⑮

**03290** Allier – 3 807 h.

⋀⋀ **Municipal** ⑤ « Cadre agréable », ℘ 70 34 55 57, sortie SE par N 79 rte de Digoin, bord de la Besbre
1 ha (57 empl.) ⊶ plat, herbeux 🖙 – 🏕 🖭 🖔 ⊚ 🚲 ⚹ – 🐟 – A proximité : ⚹ 🌊
mai-sept. – **R** – Tarif 91 : ⚹ 9 🚗 2,70 ▣ 2,70 🔌 6,80 (10A)

## DOMPIERRE-SUR-VEYLE

12 - 74 ③

**01240** Ain – 828 h.

⋀⋀ **Municipal** ⑤, sortie O par D 17 et à gauche, bord de la Veyle et à 150 m d'un plan d'eau
1,2 ha (50 empl.) ⊶ plat, herbeux, gravier 🖙 ⚲ (0,5 ha) – 🏕 🖭 🖔 ⊚ – A proximité : ⚹ 🐟
avril-25 oct. – *Places limitées pour le passage* – **R** conseillée – ⚹ 5,40 🚗 2,70 ▣ 3,60

## Le DONJON

11 - 69 ⑯

**03130** Allier – 1 258 h.

⋀⋀ **Municipal** ⑤, sortie N par D 166 rte de Monétay-sur-Loire
0,5 ha (40 empl.) ⊶ peu incliné, herbeux ⚲ – 🏕 🖭 🖔 🖪 ⊚ ⚹ – 🖳
juin-15 sept. – **R** – ⚹ 6,60 🚗 2,80 ▣ 6,60 🔌 12,50

## DONVILLE-LES-BAINS 50 Manche – 59 ⑦ – rattaché à Granville

## DONZENAC

10 - 75 ⑧ G. Périgord Quercy

**19270** Corrèze – 2 050 h.

🖪 Syndicat d'Initiative, av. de Paris (juil.-sept.) et Mairie (hors saison) ℘ 55 85 72 33

⋀⋀ **Municipal la Rivière,** ℘ 55 85 63 95, à 1,6 km au S du bourg par rte de Brive et chemin, bord du Maumont
0,8 ha (78 empl.) ⊶ plat, herbeux ⚲ – 🏕 🖭 🖔 ⊚ 🖳 – ⚹ 🐟 🌊 – A proximité :
20 juin-20 sept. – **R** – ⚹ 8 ▣ 14 🔌 10 (15A)

## DORNAS

**07160** Ardèche – 269 h. alt. 630

⚠ **Municipal la Gandole** ⩽, ℘ 75 29 23 45, SO : 0,6 km par rte de Mézilhac, près du Dorne
0,5 ha (11 empl.) peu incliné, herbeux, pierreux – ⛺ ♻ 🛁 👍 ⊕ – ≊
15 juin-15 sept. – **R** conseillée 14 juil.-15 août – 🔲 élect. comprise 2 pers. 50

11 – 76 ⑲

## DORNES

**58390** Nièvre – 1 257 h.

⚠ **Municipal des Baillys** 🐟, ℘ 86 50 64 55, O : 2,3 km par D 13 et D 22 rte de Chantenay puis 0,5 km par chemin à gauche, près d'un étang
0,7 ha (20 empl.) plat, herbeux – ⛺ ♻ 🛁 👍 ⊕ 🔲
15 juin-août – **R** conseillée – ⚹ 7 ⇔ 3,50 🔲 3,50 ⓱ 12

11 – 69 ④

## DOUARNENEZ

**29231** Finistère – 16 457 h.

🛈 Office de Tourisme, 2 r. du Docteur-Mével ℘ 98 92 13 35 et Port de Plaisance à Tréboul (15 juin-15 sept.) ℘ 98 74 22 08

*à Tréboul* O par Bld Jean Moulin et rue du Commandant Fernand ✉ 29100 Douarnenez :

⛰ **Kerleyou** 🐟, ℘ 98 74 13 03, O : 1 km par r. du Préfet-Collignon
3,5 ha (100 empl.) ⟶ plat et peu incliné, herbeux 🚗 ♀ (2 ha) – ⛺ ♻ 🛁 🔲 ⊕
🍴 – 🚉 – Location : 🏠
23 mai-12 sept. – **R** juil.-août – ⚹ 13 ⇔ 6 🔲 13 ⓱ 10 (10A)

⛰ **Trézulien** ⩽, ℘ 98 74 12 30, par r. Frédéric-Le-Guyader
3 ha (200 empl.) ⟶ (juil.-août) en terrasses, peu incliné, herbeux – ⛺ ♻ 🛁 🔊
⊕ 🔲
vac. de printemps-15 sept. – **R** conseillée août – ⚹ 13 ⇔ 5,50 🔲 13 ⓱ 8 à 10 (2 à 6A)

*à Poullan-sur-Mer* O : 7,5 km par D 7 – ✉ 29100 Poullan-sur-Mer :

⛰ **Le Pil Koad** 🐟, «Cadre agréable», ℘ 98 74 26 39, à 0,6 km à l'est de la localité de Poullan-sur-Mer
3,5 ha (166 empl.) ⟶ plat, herbeux 🚗 ♀ (2 ha) – ⛺ ♻ 🛁 🔲 👍 ⊕ 🏊 ⚐ ▽ 🚲
🍴 🏖 🔲 – 🎤 discothèque 🎾 ⛳ ⇄ ☆ – Location : 🏠 🏘
avril-sept. – **R** conseillée juin-sept. – ⚹ 22 piscine comprise 🔲 50 ⓱ 15 (10A)

3 – 58 ⑭ G. Bretagne

## DOUCIER

**39130** Jura – 231 h.

⛰ **Domaine du Chalain** 🐟 ⩽ «Site et cadre agréables», ℘ 84 25 70 41, NE : 3 km, bord du lac
110 ha/15 campables (830 empl.) ⟶ plat, herbeux, pierreux ♀♀ – ⛺ ♻ 🛁 🔲
👍 ⊕ 🏊 ⚐ ▽ 🍴 🍴 ✕ crêperie ☕ 🔲 – 🎤 🎾 ⛳ ⇄ ≊ vélos
4 mai-17 sept. – **R** conseillée juil.-août – 🔲 3 pers. 97 ⓱ 13,50 (7A)

12 – 170 ⑭ ⑮ G. Jura

## DOUÉ-LA-FONTAINE

**49700** M.-et-L. – 7 260 h.

🛈 Office de Tourisme, pl. Champ de Foire (fermé nov.-fév.) ℘ 41 59 20 49

⛰ **Municipal le Douet,** ℘ 41 59 14 47, NO : 1 km par D 761 rte d'Angers, au stade, bord du Doué
2 ha (155 empl.) ⟶ plat, herbeux ♀ (0,8 ha) – ⛺ 🛁 🔲 👍 ⊕ – 🚉 – A proximité :
🎾 ⇄ ☆
avril-15 oct. – **R** – ⚹ 7,50 🔲 9 ⓱ 6,50 (4A) 9,30 (10A)

9 – 64 ⑪ G. Châteaux de la Loire

## DOUSSARD 74 H.-Savoie – 74 ⑯ – voir à Annecy (Lac d')

## DUCEY

**50220** Manche – 2 069 h.

⛰ **Municipal la Sélune,** ℘ 33 48 46 49, sortie O par N 176 et D 178 rte de St-Aubin-de-Terregatte à gauche, au stade
0,42 ha (40 empl.) plat, herbeux 🚗 – ⛺ ♻ 🛁 ⊕ – A proximité : 🎾
avril-sept. – **R** – ⚹ 11 ⇔ 2,40 🔲 4,20 ⓱ 7,15

4 – 59 ⑧ G. Normandie Cotentin

## DUINGT 74 H.-Savoie – 74 ⑥ – voir à Annecy (Lac d')

## DUN-LE-PALESTEL

**23800** Creuse – 1 203 h.

🛈 Syndicat d'Initiative, r. des Sabots (15 juin-15 sept.) ℘ 55 89 00 75 et Mairie ℘ 55 89 01 30

⚠ **Municipal de la Forêt,** N : 1,5 km par D 913 rte d'Éguzon et à droite
1,2 ha (40 empl.) plat, herbeux – ⛺ ♻ 🛁 ⊕
15 juin-15 sept. – **R** – ⚹ 4 et 10 pour eau chaude et élect. ⇔ 2 🔲 2

10 – 68 ⑱

## DUN-SUR-MEUSE

**55110** Meuse – 806 h.

⛰ **Kity Caravann'Inn,** ℘ 29 80 81 90, N : 1 km par D 964 rte de Stenay, bord d'un étang
7 ha (125 empl.) ⟶ plat, herbeux, gravier ♀ – ⛺ ♻ 🔊 ⊕ 🏊 ▽ 🚒 🍴 – ⇄
avril-oct. – Places disponibles pour le passage – **R** conseillée – ⚹ 9,50 🔲 11

7 – 56 ⑩ G. Alsace Lorraine

## DURAVEL
**46700** Lot – 894 h.
🏛 Syndicat d'Initiative, pl. Mairie
(15 juin-15 sept.) ℰ 65 24 65 50

🔢 – 🔢 ⑦ G. Périgord Quercy

⚏ **Club de Vacances** Ⓜ, ℰ 65 24 65 06, S : 2,3 km par D 58, rte du Port de Vire, bord du Lot
4,6 ha (241 empl.) ⊶ plat, herbeux 🔲 – 🔟 ⇆ 🝢 🔟 🛦 ⊕ 🝙 🚶 🛱 ⨶ 🍴 ✕ 🔩
🔲 – 🔟 🏊 🔩 – Location : 🚐 🏠
2 mai-oct. – **R** conseillée juil.-août – 🕇 23 piscine comprise 🔳 43 🔌 14 (6A)

## DURTAL
**49430** M.-et-L. – 3 195 h.
🏛 Syndicat d'Initiative, Mairie
(juil.-août) ℰ 41 76 30 24

🔢 – 🔢 ② G. Châteaux de la Loire

⚏ **International** 🔩 « Situation et cadre agréables », ℰ 41 76 31 80, sortie NE par rte de la Flèche et à droite, bord du Loir
3,5 ha (150 empl.) ⊶ plat, herbeux ⚥ – 🔟 ⇆ 🝢 🔟 ⊕ – 🔲 🚗 – A proximité : 🔩 parcours sportif
Pâques-sept. – **R** conseillée juil.-août – 🔳 élect. comprise 2 pers. 32, pers. suppl. 10

## EAUX-BONNES
**64440** Pyr.-Atl. – 536 h. alt. 750 –
🏊 18 mai-sept.
🏛 Office de Tourisme, Jardin Darralde
ℰ 59 05 33 08

🔢 – 🔢 ⑯ G. Pyrénées Aquitaine

⚏ **Iscoo** 🔩 ≤, E : 1,2 km par rte de Gourette et chemin à droite – alt. 800
1 ha (35 empl.) plat, prairie – 🔟 🝢 ⊕
juin-sept. – **R** – Tarif 91 : 🕇 8 🚗 5 🔳 6 🔌 8 (2A) 15 (4A) 18 (6 ou 8A)

## ECLASSAN
**07370** Ardèche – 633 h.

🔢 – 🔢 ⑩

⚏ **L'Oasis** 🔩 ≤, ℰ 75 34 56 23, NO : 4,5 km par rte de Fourany et à gauche, près de l'Ay
4,5 ha (30 empl.) en terrasses, pierreux, herbeux 🔲 – 🔟 ⇆ 🝢 🔟 🛦 ⊕ 🝙 🔩 – 🔲 🔩 vélos, tir à l'arc
avril-15 oct. – **R** conseillée juil.-août – 🔳 piscine comprise 65, pers. suppl. 12 🔌 12 (3A) 16 (6A)

## ÉCOMMOY
**72220** Sarthe – 4 235 h.

🔢 – 🔢 ③

⚏ **Municipal des Vaugeons,** ℰ 43 42 14 14, sortie NE rte du stade
1 ha (100 empl.) plat et peu incliné, sablonneux ⚥ – 🔟 ⇆ 🝢 🔟 – 🚗 – A proximité : 🔩
mai-29 sept. – **R** – 🕇 5,20 🚗 2,60 🔳 2,60/4,20

## EGAT
**66120** Pyr.-Or. – 419 h. alt. 1 700

🔢 – 🔢 ⑯ G. Pyrénées Roussillon

⚏ **Las Clotes** 🔩 ≤ Sierra del Cadi et Puigmal, ℰ 68 30 26 90, à 400 m au nord du bourg, bord d'un petit ruisseau
2 ha (80 empl.) ⊶ (saison) plat et en terrasses, accidenté, pierreux – 🔟 ⇆ 🝢 🛦 🎱 ⊕ 🔲 – 🔲
Permanent – **R** conseillée juil.-août – 🔳 2 pers. 52, pers. suppl. 13 🔌 14 (6A) 19 (10A)

## ÉGUISHEIM
**68420** H.-Rhin – 1 530 h.

🔢 – 🔢 ⑲ G. Alsace Lorraine

⚏ **Municipal** 🔩 ≤ « Situation agréable près du vignoble », ℰ 89 23 19 39, sortie O
2 ha (128 empl.) ⊶ plat et peu incliné, herbeux – 🔟 🔩 🔟 ⊕
Pâques-sept. – **R** – Tarif 91 : 🕇 8,50 🔳 5,70/9,20 🔌 12,30 (4A) 19,20 (6A) 24,50 (10A)

## ÉGUZON
**36** Indre – 1 384 h.
✉ 36270 Éguzon-Chantôme.
🏛 Syndicat d'Initiative, r. A.-Bassinet
Rameaux-Toussaint) ℰ 54 47 43 69

🔢 – 🔢 ⑱ G. Berry Limousin

⚏ **le Lac de Chambon** 🔩 ≤, ℰ 54 47 45 22, SE : 3 km par D 36 puis 0,5 km par rte à droite
0,9 ha (60 empl.) plat, herbeux – 🔟 🝢 ⊕

## ELLIANT
**29370** Finistère – 2 591 h.

🔢 – 🔢 ⑯

⚏ **Municipal de Keryannic** 🔩 « Beaux emplacements délimités », ℰ 98 94 19 84, sortie SE rte de Rosporden et à gauche devant le super-marché, rte de Tourch puis à droite
1 ha (40 empl.) plat, herbeux 🔲 – 🔟 ⇆ 🝢 ⊕ – A proximité : 🔩
juil.-août – **R** – 🕇 7 🚗 3,50 🔳 12,80 🔌 8,30

## ELNE
**66200** Pyr.-Or. – 6 262 h.
🏛 Office de Tourisme, Mairie
ℰ 68 22 05 07

🔢 – 🔢 ⑳ G. Pyrénées Roussillon

⚏ **Municipal Al Mouly,** ℰ 68 22 08 46, NE : 1,8 km par D 40 rte de St-Cyprien, D 11 rte de Canet à gauche et av. Gustave Eiffel à droite
3 ha (285 empl.) ⊶ plat, herbeux, sablonneux – 🔟 ⇆ 🝢 🔟 🛦 ⊕ 🝙 🚶 – 🔩 🚗
15 juin-15 sept. – **R** conseillée août – Tarif 91 : 🕇 15,50 tennis compris 🔳 25,75 🔌 12,90 (4 ou 6 A)

## ÉMAGNY

**25170** Doubs – 511 h.

⚠️ **Municipal Beau Rivage,** ℰ 81 55 07 13, sortie N par D 8, près du pont, bord de l'Ognon
1,7 ha (97 empl.) ⊶ plat, herbeux ⚊⚊ (1 ha) – 🏠 ⊕ – 🚲 – A proximité : 🎾
25 avril-15 oct. – **R** *conseillée* – *Tarif 91 :* 🚶 *5,50* 🚗 *3,60* 🅴 *3,15 ou 3,80/8* 🔌 *9,50 (5A)*

## EMBRUN

**05200** H.-Alpes – 5 793 h. alt. 870.
🛈 Office de Tourisme, pl.
Général-Dosse ℰ 92 43 01 80

⚠️ **Municipal de la Clapière,** ℰ 92 43 01 83, SO : 2,5 km par N 94 rte de Gap et à droite, près d'un plan d'eau
6,5 ha (446 empl.) ⊶ plat, accidenté et en terrasses, pierreux, herbeux ⚊⚊ – 🏠 👜 👝 🅶 🗗 ⊕ 🖿 – 🚗 🚲 – A proximité : 🍴 🍻 ✗ 🚴 🎾 ⚓ 🗒 (découverte l'été) 🚲 🦆 toboggan aquatique, parcours sportif
mai-sept. – **R** – *Tarif 91 :* 🅴 *2 pers. 55, pers. suppl. 15* 🔌 *11 (5A) 20 (plus de 5A)*

⚠️ **Le Moulin** 🔗 ◁, ℰ 92 43 00 41, SO : 2 km par N 94 rte de Gap et route à gauche après le pont
1 ha (45 empl.) ⊶ peu incliné, pierreux, herbeux – 🏠 👜 🅶 ⊕ 🖿
5 juin-15 sept. – **R** – 🚶 *15* 🅴 *18* 🔌 *10 (3A) 14 (5A)*

⚠️ **La Tour** 🔗 ◁, ℰ 92 43 17 66, SE : 3 km par D 994D et D 340 à droite après le pont, près de la Durance
1,5 ha (113 empl.) ⊶ peu incliné, herbeux ⚊⚊ verger – 🏠 🚲 🅶 ⊕ 🖿 – 👝
juin-10 sept. – **R** – 🅴 *2 pers. 41, pers. suppl. 13* 🔌 *6,50 (1A) 9 (2A) 12 (3A)*

à *Baratier* S : 4 km par N 94 et D 40 – ✉ 05200 Baratier :

⚠️ **Le Verger** Ⓜ 🔗 ◁ « Entrée fleurie et site agréable », ℰ 92 43 15 87, sortie O – Pour caravanes, accès conseillé par le village
2,5 ha (130 empl.) ⊶ peu incliné, en terrasses, herbeux, pierreux ⛺ ⚊ – 🏠 ⊕ 👜 🅶 🎪 ⊕ 🖿 – 👝 🚲 – Location : pavillons
Permanent – **R** *conseillée* – 🅴 *piscine comprise 3 pers. 75* 🔌 *10 (2A)*

⚠️ **Les Grillons** 🔗 ◁ Embrun et montagnes, ℰ 92 43 32 75, N : 1 km par D 40, D 340 rte à gauche
1,5 ha (95 empl.) ⊶ peu incliné, herbeux – 🏠 🚲 ⊕ 🖿 – 🎾 🚲
22 juin-août – **R** *conseillée 10 juil.-18 août* – 🅴 *piscine comprise 2 pers. 60 pers. suppl. 15* 🔌 *10 (3A) 15 (6A) 22 (10A)*

⚠️ **Les Esparons** 🔗 ◁ « Agréable verger », ℰ 92 43 02 73, sortie N par D 40 et D 340, près d'un torrent
1,5 ha (83 empl.) ⊶ plat et peu incliné, herbeux ⚊ – 🏠 🚲 🅶 🅶 ⊕ 🖿 – 🏊
15 juin-août – **R** – *Tarif 91 :* 🚶 *14 piscine comprise* 🅴 *18*

⚠️ **Les Pommiers** (aire naturelle) ◁, ℰ 92 43 01 93, NO : 1 km sur D 40
1 ha (25 empl.) ⊶ peu incliné, herbeux – 🏠 🚲 🅶 ⊕ – A proximité : 🐎 discothèque
20 juin-août – **R** *conseillée juil.-15 août* – 🅴 *2 pers. 48, pers. suppl. 12* 🔌 *10 (4A)*

## ENCAMP
Principauté d'Andorre – 86 ⑭ – voir à Andorre

## ENGUIALES

**12140** Aveyron – 186 h.

⚠️ **Municipal le Fel** 🔗 ◁ vallée du Lot, ℰ 65 48 61 12, au lieu-dit Le Fel
0,4 ha (25 empl.) non clos, plat, pierreux, herbeux ⛺ – 🏠 👜 👝 🅶 ⊕ 🖿 – 👝
🎾 🚲
juin-sept. – **R** – 🅴 *2 pers. 35/45, pers. suppl. 10* 🔌 *11*

## ENTRAINS-SUR-NOHAIN

**58410** Nièvre – 1 052 h.

⚠️ **Municipal St-Cyr,** sortie NE par D 1, 12 rte d'Etais, bord du Nohain et à 300 m d'un étang
0,5 ha (34 empl.) plat, herbeux ⛺ – 🏠 ⊕ 🚲 📼
avril-oct. – **R** – 🚶 *5* 🚗 *2,50* 🅴 *2/3* 🔌 *6 (10A)*

## ENTRAUNES

**06470** Alpes-Mar. – 127 h.

⚠️ **Municipal le Tellier** 🔗 ◁ « Situation agréable », au NE du bourg par chemin de Castel, près du Bourdoux
0,4 ha (24 empl.) peu incliné, herbeux, pierreux ⛺ – 🏠 👜 ⊕
mai-oct. – **R** – 🚶 *10* 🅴 *10/20* 🔌 *10 (3A) 20 (6A)*

## ENTRAYGUES-SUR-TRUYÈRE

**12140** Aveyron – 1 495 h.
🛈 Syndicat d'Initiative, Tour-de-Ville
ℰ 65 44 56 10

⚠️ **Le Lauradiol** (Municipal de Campouriez) 🔗 ◁ « Situation agréable », ℰ 65 44 53 95 ✉ 12460 Campouriez, N : 5 km par D 34 rte de St-Amans-des-Cots, bord de la Selves (plan d'eau)
1,5 ha (47 empl.) ⊶ plat, sablonneux, pierreux, herbeux ⛺ ⚊ – 🏠 👜 👝 🅶 ⊕
🚲 📼 – 👝 🚲
20 juin-10 sept. – **R** *conseillée* – *Tarif 91 :* 🅴 *1 à 6 pers. 35 à 55/45 à 65 avec élect.*

## ENTRE-DEUX-GUIERS

**38380** Isère – 1 544 h.

⚠ **L'Arc-en-Ciel** ⟵ « Décoration florale », ℘ 76 66 06 97, près du vieux pont, bord du Guiers
1 ha (50 empl.) ⊶ plat, herbeux ♀ – 🔥 🔊 🖼 🏧 ☺ – 🏠 – A proximité : 🎯 🏊
mars-oct. – **R** conseillée juil.-août – 🖹 2 pers. 43,50 🔌 7,80 (2A) 13 (4A) 20 (6A)

à *Miribel-les-Échelles* O : 5 km par D 49 – ✉ 38380 Miribel-les-Échelles :

⚠ **Les Bourdons** 🏊 ⟵ « Site agréable », ℘ 76 55 28 53, NO : 1,8 km par D 28 rte du col des Mille Martyrs et chemin à gauche – alt. 640
2 ha (90 empl.) ⊶ incliné et en terrasses, herbeux – 🔥 🤸 🔊 🖼 🖪 ☺ 🎿 🚲
fermé janv. – **R** conseillée juil.-août – 🖹 piscine comprise 2 pers. 49 🔌 8,90 (3A) 12,20 (6A)

## ENTREMONT-LE-VIEUX

**73670** Savoie – 444 h. alt. 820

⚠ **L'Ourson** ❅ ⟵, ℘ 79 65 86 48, sortie O par D 7 rte du Désert d'Entremont, bord du Cozon – alt. 841
0,5 ha (40 empl.) ⊶ peu incliné, herbeux, gravillons 🏕 – 🔥 🤸 🔊 🖼 🖪 🏧 ☺ – A proximité : 🍴 🍽
fermé 16 au 30 nov. – **R** conseillée juil.-août – 🏕 18 🚲 7 🖹 16 🔌 4,50 par ampère (3 à 10A)

## ÉPINAC

**71360** S.-et-L. – 2 569 h.

⚠ Municipal le Pont Vert Ⓜ 🏊 « Cadre agréable », ℘ 85 82 18 06, sortie S par D 43 et chemin à droite, bord de la Drée
2,9 ha (63 empl.) ⊶ (saison) plat, herbeux 🏕 ♀ – 🔥 🤸 🖪 🖪 🏧 ☺ 🍴 🖼 – 🎯 🚲
🏊 – Location : 🏠

## ÉPINAL Ⓟ

**88000** Vosges – 36 732 h.
🅱 Office de Tourisme, 13 r. de la Comédie ℘ 29 82 53 32

⚠ **Municipal Parc du Château**, ℘ 29 34 43 65, E : 2 km par D 11 rte de Gerardmer et chemin du Petit Chaperon Rouge à droite
2 ha (92 empl.) ⊶ plat et peu incliné, herbeux, goudronné 🏕 ♀♀ (1 ha) – 🔥
🤸 🖪 🏧 🏧 ☺ 🚲 🚲 – 🏠 – A proximité : 🐾 parc animalier
Permanent – **R** – 🏕 8 🚲 4 🖹 6/8 🔌 16 (3 ou 4A) 25 (5 à 10A)

à *Sanchey* O : 8 km par rte de Darney – ✉ 88390 Sanchey :

⚠ **Lac de Bouzey** 🏊, ℘ 29 82 49 41, S : par D 41, à 50 m du lac
2 ha (150 empl.) ⊶ plat, peu incliné et en terrasses, herbeux 🏕 ♀♀ – 🔥 🤸 🖪
🖪 🏧 ☺ 🎿 🚲 🍴 ☺ 🖪 – 🏠 – Location : 🏠
Permanent – **R** conseillée juil.-août – 🖹 2 ou 3 pers. 70, pers. suppl. 18 🔌 14 (4A) et 2 par ampère suppl.

## EPISY

**77250** S.-et-M. – 324 h.

⚠ **Les Peupliers** 🏊, ℘ (1) 64 45 80 00, NO : 0,9 km par D 148 rte de Fontainebleau, bord du Loing
5 ha (100 empl.) ⊶ plat, herbeux ♀ – 🔥 🔊 ☺ – 🏠 🚲
Permanent – *Places limitées pour le passage* – **R** – 🏕 12 🚲 6 🖹 10 🔌 10 (4A)

## ERDEVEN

**56410** Morbihan – 2 352 h.

⚠ **Les Sept Saints**, ℘ 97 55 52 65, NO : 2 km par D 781 rte de Plouhinec et rte à gauche
5 ha (200 empl.) ⊶ plat et peu incliné, herbeux, pinède 🏕 – 🔥 🤸 🖪 🖼 🏧 🎿
🚲 🍴 🚲 🖪 – 🏠 🚲
15 mai-15 sept. – **R** conseillée juil.-août – 🏕 20 piscine comprise 🖹 60 🔌 15 (6A)

⚠ **Les Mégalithes**, ℘ 97 55 68 76, S : 1,5 km par D 781 rte de Carnac et rte à droite
4,3 ha (100 empl.) ⊶ plat, herbeux 🏕 – 🔥 🤸 🖪 🖪 🏧 ☺ 🖪 – Location : 🏠
juin-sept. – **R** conseillée – 🏕 15 🚲 7 🖹 15 🔌 12 (6 ou 10A)

⚠ **La Croëz-Villieu**, ℘ 97 55 68 27, SO : 1 km par rte de Kerhillio
2,5 ha (100 empl.) ⊶ (saison) plat, herbeux 🏕 – 🔥 🤸 🖪 🏧 ☺ 🖪 – Location : 🏠
mai-sept. – **R** conseillée juil.-août – 🏕.12,80 🚲 5,10 🖹 5,10/11 🔌 9,90 (2 ou 3A) 11 (6A)

⚠ **Idéal Camping**, ℘ 97 55 67 66, SO : 2,2 km rte de Kerhillio, à Lisveur
0,5 ha (35 empl.) ⊶ plat, herbeux 🏕 – 🔥 🔊 🖼 🖪 🏧 ☺ 🍴 🍽 🖪 – Location : appartements
15 juin-15 sept. – **R** – 🏕 17 🖹 23 🔌 10 (10A)

▶ *Benutzen Sie immer die neuesten Ausgaben der Michelin-Straßenkarten und -Reiseführer.*

## ERNÉE

**53500** Mayenne – 6 052 h.

▲▲ **Municipal,** ℰ 43 05 19 90, sortie E rte de Mayenne et à gauche
2 ha (49 empl.) ⊶ plat et peu incliné, herbeux ⊡ ♀ – 🛖 ♻ 🚻 🗑 ⊕ – 🚗 –
A proximité : 🍴 🔲
15 mai-15 oct. – **R** – ☻ 10 🚗 6 🗉 6 (ἡ) 7 (6A)

## ERQUY

**22430** C.-d'Armor – 3 568 h.
🅱 Office de Tourisme, bd Mer
(vacances scolaires, mai-15 sept.,
fermé après-midi hors saison)
ℰ 96 72 30 12

▲▲▲ **Les Pins** 🔊, ℰ 96 72 31 12, N : 1 km
8 ha (300 empl.) ⊶ peu incliné et plat, herbeux ♀ (1,5 ha) – 🛖 ♻ 🚻 🗑 🕭 –
🚿 ⛴ 🍴 ✗ 🍽 🔲 – Location : 🏠
15 mai-15 sept. – **R** conseillée – ☻ 17 piscine comprise 🚗 12 🗉 26 (ἡ) 13
(6A)

▲▲▲ **Le Vieux Moulin** 🔊 « Cadre agréable », ℰ 96 72 34 23, E : 2 km
2,5 ha (170 empl.) ⊶ plat et peu incliné, herbeux ♀ – 🛖 ♻ 🚻 🗑 🕭 ⊕ 🚲
🍴 crêperie 🍽 🔲 – 🚗 Salle de musculation 🏓 ⛴ half-court – Location : 🏠
avril-25 sept. – **R** conseillée juil.-août – ☻ 17 piscine comprise 🚗 11,50 🗉 26
(ἡ) 13 (3A)

▲▲ **St-Pabu** 🔊 ≤, ℰ 96 72 24 65, SO : 4 km, près de la plage
4,5 ha (350 empl.) ⊶ plat, peu incliné et en terrasses, herbeux – 🛖 ♻ 🕭 🗑
🕭 ⊕ 🚲 🍴 🔲 – 🚗 🏓
avril-sept. – **R** conseillée 15 juil.-18 août – Tarif 91 : ☻ 12,50 🗉 22 (ἡ) 7,50 (2A)
13 (6A)

▲▲ **Bellevue,** ℰ 96 72 33 04, SO : 5,5 km
2,2 ha (148 empl.) ⊶ plat, herbeux ⊡ – 🛖 ♻ 🕭 🗑 🕭 ⊕ 🔲 – 🚗 🏓 ⛴
– A proximité : crêperie
Pâques-15 sept. – **R** – Tarif 91 : ☻ 13 piscine comprise 🚗 6 🗉 14 (ἡ) 10 (3A)

▲▲ **Les Roches** 🔊 ≤, ℰ 96 72 32 90, SO : 3 km
2,2 ha (120 empl.) ⊶ (saison) plat et peu incliné, herbeux – 🛖 ♻ 🚻 🕭 ⊕ 🚲
🔲 – 🚗 🏓
Pâques-sept. – **R** conseillée 14 juil.-15 août – ☻ 11,50 🚗 5,50 🗉 9,50 (ἡ) 9,50
(4A) 11,50 (6A)

▲▲ **Les Hautes Grées** 🔊 ≤, ℰ 96 72 34 78, NE : 3,5 km, à 400 m de la plage
St-Michel
1,5 ha (170 empl.) ⊶ plat et peu incliné, herbeux – 🛖 ♻ 🚻 🕭 ⊕ 🔲 – Location :
🏠
juin-sept. – **R** conseillée juil.-août – ☻ 13,50 🚗 6,20 🗉 10 (ἡ) 10 (3 ou 4A)
12 (6A) 15 (10A)

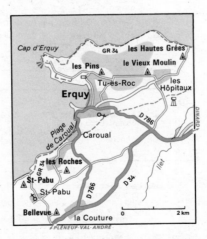

## ERR

**66800** Pyr.-Or. – 398 h. alt. 1 384

▲▲ **Le Puigmal** 🔊 ≤, ℰ 68 04 71 83, par D 33B, à Err-Bas, bord d'un ruisseau
2,4 ha (110 empl.) ⊶ peu incliné, herbeux ♀ – 🛖 ♻ 🚻 🕭 🗑 🛒 ⊕ 🚲
🔲 🏓 – A proximité : 🚲 – Location : 🏠
Permanent – **R** conseillée juil.-août – ☻ 18 🗉 17

▲▲ **Las Closas** ❄ ≤, ℰ 68 04 71 42, par D 33B, à Err-Bas
2 ha (110 empl.) ⊶ plat et peu incliné, herbeux – 🛖 ♻ 🚻 🗑 🕭 🛒 ⊕ 🚲 🚲
🔲 – 🚗 🏓 – A proximité : 🚲
Permanent – **R** conseillée juil.-août – ☻ 19 🗉 17 (ἡ) 15 (3A) 25 (6A) 36 (10A)

▲ **La Riberette** 🔊, ℰ 68 04 75 60, au NO d'Err-Bas, sur chemin C 2 (route de
Bourg-Madame)
0,5 ha (32 empl.) ⊶ plat et terrasse, herbeux – 🛖 🕭 🕭 ⊕ – Location : studios
juil.-sept. – **R** conseillée juil.-août – Tarif 91 : ☻ 13,50 🗉 13 (ἡ) 13 (5A)

## ESCALLES

**62179** P.-de-C. – 320 h.

▲ Cap Blanc-Nez, ℰ 21 85 27 38, au bourg, à 500 m de la plage
1,25 ha (85 empl.) ⊶ (saison) plat et peu incliné, herbeux – (🗻 ⚲ avril-sept.)
♿ ⊕ ⚐, – Location : 🛏
avril-nov. – **R**

## ESCOT

**64490** Pyr.-Atl. – 122 h.

▲▲ **Le Mont Bleu** ⏚ ≤ « Site agréable », ℰ 59 34 41 92, E : 6,5 km par D 294
rte du col de Marie Blanque, bord d'un ruisseau – alt. 752
3,5 ha (100 empl.) ⊶ plat et en terrasses, pierreux, herbeux 🔲 ⚺ – 🗻 ⇄ ⚲
🖼 - 8 empl. avec sanitaires indiv. (🗻 ⇄ 🛁 wc) ⊕ snack – 🍴 ⚒ – Location :
studios
25 juin-5 sept. – **R** conseillée – Tarif 91 : ♀ 7,50 piscine comprise et 4,60 pour
eau chaude ⇌ 4,50 🗐 20,80 (avec sanitaire individuel jusqu'à 4 pers. 102 tout
compris) 🗓 13 (4A)

## ESPARRON-DE-VERDON

**04550** Alpes-de-H.-Pr. – 290 h.

▲▲▲ **Le Soleil** ⏚ ≤ « Cadre et situation agréables », ℰ 92 77 13 78, sortie S par
D 82 rte de Quinson, puis 1 km par rte à droite, bord du lac – ⓟ (tentes) – ⚴
2 ha (90 empl.) ⊶ en terrasses, pierreux, gravillons 🔲 ⚺ – 🗻 ⇄ 🛁 ⚲ 🖼 ♿
⊕ ⚐ ♀ ✗ ⚔ – 🍴 ♒ ⚒
Pâques-sept. – **R** conseillée juil.-août – ♀ 20 🗐 23/26 🗓 14 (6A)

▲ **la Grangeonne** ⏚, ℰ 92 77 16 87, SE : 1 km par D 82 rte de Quinson et
rte à droite
1 ha (50 empl.) ⊶ plat, peu incliné et en terrasses, pierreux ⚺ – 🗻 ⊕ 🔲
30 juin-4 sept. – **R** conseillée – ♀ 11,30 🗐 13,50 🗓 10,80 (4A) 16,20 (6A)

## ESPINASSES

**05190** H.-Alpes – 505 h. alt. 675

▲ **La Viste** ⏚ ≤ lac, montagnes et barrage, ℰ 92 54 43 39 ⊠ 05190 Rousset,
NE : 5,5 km par D 3 rte de Chorges et D 103 à gauche – alt. 900
2 ha (100 empl.) ⊶ plat et accidenté, terrasses, herbeux, pierreux, bois attenant
– 🗻 ⇄ ♒ ⚐ ♀ – 🍴
juil.-août – **R** – ♀ 13 🗐 16

## ESPINCHAL

**63850** P.-de-D. – 144 h. alt. 1 052

▲ **Municipal la Prunayre** ≤, sortie O par D 26 rte d'Egliseneuve-d'Entraigues,
bord d'un ruisseau
1 ha (35 empl.) non clos, en terrasses et peu incliné, herbeux, pierreux – 🗻 🛁
⊕ – À l'entrée : ♀ ✗
juil.-août – **R** – ♀ 5,20 ⇌ 2 🗐 2/4 🗓 7

## Les ESSARTS

**85140** Vendée – 3 907 h.

▲ **Municipal le Pâtis** ⏚, O : 0,5 km par rte de Chauché et à gauche, à la
piscine
1 ha (50 empl.) plat, herbeux ⚺ – 🗻 ♒ ⊕ – ⚴ – À proximité : ⚒
15 juin-sept. – **R** conseillée – ♀ 8,50 ⇌ 3,30 🗐 5,50 🗓 7 (2A)

## ESSAY

**61500** Orne – 516 h.

▲ **Camp S.I.** ⏚, sortie S sur D 326 rte du Ménil-Broût – ⚴
0,5 ha (25 empl.) plat, herbeux – 🗻 ⇄ 🛁 ♿
avril-sept. – **R** conseillée – ♀ 5,50 ⇌ 3 🗐 4

## ESTAING

**65400** H.-Pyr. – 86 h. alt. 1 000

▲▲ Intercommunal le Lac ⏚ ≤ « Dans un site agréable, près d'un lac de
montagne », ℰ 62 97 24 46, SO : 5,5 km par D 103, bord d'un ruisseau – alt.
1 168
5 ha (100 empl.) ⊶ peu incliné, accidenté et en terrasses, pierreux, herbeux ⚺⚺
– 🗻 ⇄ ♒ ⊕ ♀ ✗ ⚔ – ⚔⚔ – À proximité : 🐎

▲ **Le Vieux Moulin** (aire naturelle) ⏚ ≤, ℰ 62 97 23 77, sortie S par D 103
rte du lac, bord du Gave et d'un ruisseau
1,8 ha (25 empl.) ⊶ peu incliné, herbeux – 🗻 ⇄ 🛁 ⊕ – 🍴 ♒ (bassin)
Permanent – **R** juil.-août – ♀ 7 🗐 8,50 🗓 10 (3A) 18 (6A) 25 (10A)

▲ **La Pose** (aire naturelle) ⏚ ≤, ℰ 62 97 43 10, SO : 2,2 km par D 103, près
du Gave de Bun – alt. 1 000
1 ha (25 empl.) ⊶ peu incliné, en terrasses, herbeux – 🗻 🛁 ⊕
juin-sept. – **R** conseillée – ♀ 6,50 ⇌ 4,50 🗐 4,50 🗓 10 (5 ou 10A)

## ESTANG

**32240** Gers – 724 h.

▲▲ **Les Lacs de Courtès** ⏚, ℰ 62 09 61 98, au sud du bourg par D 152, près
de l'église et au bord d'un lac
4 ha (104 empl.) ⊶ plat, peu incliné, en terrasses, herbeux 🔲 – 🗻 ⇄ ♒ 🖼
⊕ ⚔ 🔲 – 🍴 ♒ ⚔⚔ – Location : 🚐
15 mars-oct. – **R** conseillée juil.-août – ♀ 16 ⇌ 10 🗐 22 🗓 12 (5 à 10A)

**ESTAVAR** 66 Pyr.-Or. – 🗺️ ⑯ – rattaché à Saillagouse

## ESTIVAREILLES
**42380** Loire – 558 h. alt. 898

▲▲ **Municipal le Colombier** ⚬, ≼, ℰ 77 50 21 72, à 300 m au nord du bourg
– Pour caravanes, détour conseillé par D 44 rte de la Chapelle-en-Lafaye et chemin à droite – Croisement difficile pour véhicules par centre bourg
0,4 ha (24 empl.) peu incliné, herbeux 🗋 – 🗍 ⚭ 🖻 ⚬
avril-oct. – *Places limitées pour le passage* – **R** *conseillée juil.-août* – ⚡ 5 ⬅ 3
🗉 3 🔧 7 (3A) 10 (6A)

## ÉTABLES-SUR-MER
**22680** C.-d'Armor – 2 121 h.
🛈 Office de Tourisme, 9 r. de la République ℰ 96 70 65 41

▲▲ **L'Abri-Côtier** ⚬, ℰ 96 70 61 57, N : 1 km par rte de St-Quay-Portrieux et à gauche, rue de la Ville-es-Rouxel
2 ha (140 empl.) ⚬ plat et peu incliné, herbeux – 🗍 ⚭ 🔼 🖻 ⚬ 🚿 🛜 🖳 🍸
🖻 – 🖾 – Location : 🚐, studios
mai-sept. – **R** – 🗉 2 pers. 50, pers. suppl. 15 🔧 10 (2A) 15 (5A) 20 (6A)

## ÉTAMPES ⬦
**91150** Essonne – 21 457 h.
🛈 Service Municipal du Tourisme, Hôtel Anne-de-Pisseleu ℰ (1) 64 94 84 07

▲▲ **Le Vauvert** ⬦ « Cadre agréable », ℰ (1) 64 94 21 39 ✉ 91150 Ormoy-la-Rivière, S : 2,3 km par D 49 rte de Saclas, bord de la Juine
8 ha (200 empl.) ⚬ plat, herbeux 🗋 ♀ – 🗍 ⚭ 🖻 🛜 🏧 ⚬ 🚿 🛜 🍸 – 🖾 🍴
15 janv.-15 déc. – *Location longue durée (6 100 F ou 8 400 F) – Places limitées pour le passage* – **R** – ⚡ 13,60 🗉 18,80 🔧 9,50 (5A)

## ÉTAULES
**17750** Char.-Mar. – 1 413 h.
🛈 Syndicat d'Initiative, r. Charles-Hervé ℰ 46 36 40 82

Schéma aux Mathes

▲ **S.I. le Parc** ⚬, ℰ 46 36 86 89, au bourg par rte de la Tremblade
1 ha (33 empl.) ⚬ plat et peu incliné, herbeux ♀♀ – 🗍 ⚭ 🖻 ⚬
juin-sept. – **R** *conseillée juil.-août* – ⚡ 9 🗉 8 🔧 12,50

## ÉTRÉHAM
**14400** Calvados – 236 h.

▲▲ **Reine Mathilde** ⚬ « Entrée fleurie », ℰ 31 21 76 55, O : 1 km par D 123 et chemin à droite
3 ha (90 empl.) ⚬ plat, herbeux 🗋 – 🗍 ⚭ 🖻 🖻 ⚬ 🛜 ✗ – 🖾 🍴 – Location 🚐
mai-15 sept. – **R** *conseillée* – ⚡ 19 piscine comprise 🗉 20 🔧 12 (6A)

## ÉTRETAT
**76790** S.-Mar. – 1 565 h.
🛈 Office de Tourisme, pl. M.-Guillard (saison) ℰ 35 27 05 21

▲▲ **Municipal,** ℰ 35 27 07 67, r. Guy-de-Maupassant, SE : 1 km par D 39 rte de Criquetot-l'Esneval
1,2 ha (120 empl.) ⚬ plat, herbeux, pierreux – 🗍 ⚭ 🖻 ⚬ – 🖾 – A proximité 🛜
Pâques-15 oct. – **R** – *Tarif 91 :* ⚡ 9,50 🗉 9,50/10,50 🔧 8 (4A) 12 (6A)

**EURO DISNEY** 77 S.-et-M. – voir Marne-la-Vallée

## ÉVAUX-LES-BAINS
**23110** Creuse – 1 716 h. – ♨ avril-22 oct

▲▲ **Municipal** 🅜 ⚬, ℰ 55 65 55 82, au nord du bourg, derrière le château
1 ha (45 empl.) ⚬ plat et peu incliné, herbeux 🗋 – 🗍 ⚭ 🖻 🖻 ⚬ – 🖾 🍴
– A proximité : 🛜 🛠 🖾 – Location : huttes

**ÉVISA** 2A Corse-du-Sud – 🗺️ ⑮ – voir à Corse

## ÉVRON
**53600** Mayenne – 6 904 h.
🛈 Office de Tourisme, pl. Basilique ℰ 43 01 63 75

▲▲▲ **Municipal du Parc des Loisirs** « Décoration arbustive », ℰ 43 01 65 36, sortie O, bd du Maréchal-Juin
3 ha (80 empl.) ⚬ plat et peu incliné, herbeux 🗋 ♀ (1 ha) – 🗍 ⚭ 🖻 🖻 🏧 ⚬
🛜 🛜 🖻 – 🖾 🛠 🛶 parcours sportif – A proximité : 🛜 🖾 🍴 – Location
🏠
Permanent – **R** *conseillée juil.-août* – *Tarif 91 :* 🗉 1 pers. 29, pers. suppl. 5,4
🔧 2,40 à 11,40 (2 à 10A)

## EXCENEVEX
**74140** H.-Savoie – 657 h.
🛈 Syndicat d'Initiative ℰ 50 72 89 22

▲▲▲ **Municipal la Pinède** « Cadre agréable », ℰ 50 72 85 05, SE : 1 km par D 25, à la plage, bord du lac Léman
10 ha (680 empl.) ⚬ (juil.-août) plat et accidenté, sablonneux ♀♀ – 🗍 ⚭ 🔼 🖻
🛠 🏧 ⚬ 🛜 🖻 – 🖾 🛠 🛶 – A proximité : 🍸 ✗ 🛜 🛜
mars-oct. – **R** – ⚡ 10 ⬅ 5 🗉 25 🔧 10 (5A) 15 (10A)

# EYGURANDE
**19340** Corrèze – 794 h. alt. 730

🔺🔺 **Intercommunal de l'Abeille** ⚑, ☎ 55 94 31 39, SE : 2 km, à la sortie d'Eygurande-Merlines, sur N 89 rte de Clermont-Ferrand, accès direct au plan d'eau
3 ha (65 empl.) ⊶ plat et peu incliné, herbeux, gravier ⌒ 오오 (camping) – 🏠 ⇄ 🖻 🔌 ⊕ 🖪 – Au village vacances : ♟ ✗ 🍴 ⤴ – A proximité : ✗ ☜ – Location : 🏠
6 juin-19 sept. – **R** *conseillée* – *Adhésion obligatoire pour séjour supérieur à une nuit* – 🅴 *jusqu'à 4 pers. 43 à 100 selon durée du séjour, pers. suppl. 11 à 15* 🔌 *12*

# EYMET
**24500** Dordogne – 2 769 h.

🔺 **Municipal** « *Cadre agréable* », ☎ 53 23 80 28, r. de la Sole, derrière le château, bord du Dropt
0,4 ha (33 empl.) plat, herbeux, jardin public attenant 오오 – 🏠 ⇄ 🖻 ⊕
mai-sept. – **R** *conseillée* – ⚡ *9,50* 🅴 *7,50* 🔌 *5 (5A)*

**14 – 79** ④ G. Périgord Quercy

# EYMEUX
**26730** Drôme – 510 h.

🔺 **Municipal la Source Ombragée** ⚑, au sud du bourg, près du terrain de sports
2 ha (43 empl.) plat, herbeux, pierreux ⌒ – 🏠 ⇄ 🖻 🖪 ⊕ 🎣 ◿ – ✗
mai-sept. – **R** – ⚡ *8* 🅴 *12/15* 🔌 *9 (16A)*

**12 – 77** ③

# EYMOUTIERS
**87120** H.-Vienne – 2 441 h.

🔺 **Municipal** ⚑, ☎ 55 69 13 98, SE : 2 km par D 940, rte de Tulle et chemin à gauche, à St-Pierre
1 ha (33 empl.) plat, peu incliné et terrasse, herbeux ♀ – 🏠 ◿ ⊕

**10 – 72** ⑲ G. Berry Limousin

# Les EYZIES-DE-TAYAC
**4** Dordogne – 853 h.
✉ 24620 les Eyzies-de-Tayac-Sireuil.
🖪 Syndicat d'Initiative, pl. de la Mairie (15 mars-oct.) ☎ 53 06 97 05

**13 – 75** ⑯ G. Périgord Quercy

🔺🔺 **Le Mas** ⚑ ❮, ☎ 53 29 68 06, E : 7 km par D 47 rte de Sarlat-la-Canéda puis 2,5 km par rte à gauche
5 ha (130 empl.) ⊶ plat et peu incliné, en terrasses, herbeux ⌒ – 🏠 ⇄ 🖻 🖪 🛒 ⊕ ◿ ▽ 🖪 – 🍴 ✗ – A proximité : ✗
15 avril-sept. – **R** *conseillée juil.-août* – 🅴 *piscine comprise 2 pers. 62, 3 pers. 78* 🔌 *14 (5 ou 10A)*

🔺 **Le Pech Denissou** ⚑ « *Agréable sous-bois* », ☎ 53 06 98 62, sortie S par D 706 rte de Campagne et 2 km par rte à gauche
3 ha (80 empl.) ⊶ peu incliné, plat, herbeux, pierreux 오오 – 🏠 ◿ ⚭ ⊕
avril-sept. – **R** – ⚡ *12* 🅴 *10* 🔌 *8 (5A)*

*à Tursac* NE : 5,5 km par D 706 – ✉ 24620 Tursac :

🔺🔺 **Le Vézère Périgord** ⚑ « *Cadre agréable* », ☎ 53 06 96 31, NE : 0,8 km par D 706 rte de Montignac et chemin à droite
3,5 ha (103 empl.) ⊶ peu incliné et en terrasses, herbeux, pierreux ⌒ 오오 – 🏠 ⇄ 🖻 🖪 – 🍴 crêperie 🍴 – 🖪 – ⤴ piste de bi-cross
Pâques-sept. – **R** *conseillée juil.-août* – *Tarif 91* : ⚡ *24 piscine comprise* 🅴 *32* 🔌 *13 (6A)*

🔺🔺 **Le Pigeonnier** ⚑, ☎ 53 06 96 90, accès par rte face à l'église et chemin à droite
1 ha (25 empl.) ⊶ peu incliné, herbeux ⌒ – 🏠 ⇄ 🖻 🖪 ⊕ ▽ – ⤴ ☜ (bassin)
juin-août – **R** *conseillée* – ⚡ *13* 🅴 *15* 🔌 *10 (3A)*

# FALAISE
**14700** Calvados – 8 119 h.
🖪 Office de Tourisme, 32 r. Georges-Clemenceau ☎ 31 90 17 26

**5 – 55** ⑫ G. Normandie Cotentin

🔺🔺 **Municipal du Château** ❮ château, ☎ 31 90 16 55, à l'ouest de la ville, au val d'Ante
2 ha (66 empl.) ⊶ plat et peu incliné, herbeux ♀ – 🏠 ⇄ 🖻 🖪 ⊕ – 🛒 ✗ – A proximité : ⤴
Rameaux-sept. – **R** – ⚡ *14,50* 🅴 *12,50* 🔌 *11,50 (5A)*

# e FAOUËT
**56320** Morbihan – 2 869 h.

**3 – 58** ⑰ G. Bretagne

🔺🔺 **Municipal Beg er Roch** ⚑ « *Cadre agréable, entrée fleurie* », ☎ 97 23 15 11, SE : 2 km par D 769 rte de Lorient, bord de l'Ellé
3 ha (85 empl.) ⊶ (saison) plat, herbeux – 🏠 ⇄ 🖻 🖪 🛒 ⊕ ◿ – 🖪 🎣 ⤴ half-court
mars-15 sept. – **R** – ⚡ *16* ⇌ *10* 🅴 *15* 🔌 *10 (3A) 15 (5A)*

# FARAMANS
**38260** Isère – 679 h.

**12 – 77** ③

🔺 **Municipal des Eydoches**, sortie E par D 37 rte de la Côte-St-André près d'une rivière et d'un étang
1 ha (40 empl.) plat, herbeux – 🏠 ⇄ 🖻 🖪 ⊕ ◿ – A proximité : ✗
avril-oct. – **R** *conseillée juil.-août*

# FARINOLE (Marine de) **2B** H.-Corse – **90** ② ③ – voir à Corse

## La FAURIE
**05140** H.-Alpes – 224 h. alt. 820

⚠️ **Municipal la Garrigue** 🏕️ ≤, ℰ 92 58 13 16, sortie S par D 428 rte de Seille
et à gauche, près de la Buëch
1 ha (75 empl.) ⊶ plat, herbeux, pierreux – 🔟 ⇔ ⇔ 🔥 🏢 ⊕ pizzeria
Permanent – **R** – 🚶 *12* 🅴 *20* 🄰 *2 ou 3A : 11 (14 hiver)*

---

## La FAUTE-SUR-MER
**85460** Vendée – 885 h.

Schéma à la Tranche-sur-Mer

⚠️ **Les Violettes,** ℰ 51 27 19 97, NO : 2,5 km par rte de la Tranche-sur-Mer, à
350 m de la plage (accès direct)
2,4 ha (105 empl.) ⊶ plat et peu incliné, terrasses, sablonneux 🔺 ⊙⊙ pinède
– 🔟 ⇔ ⇔ 🔥 ⊕ ⊼ 🍽 🏊 – 🔟 🚿 🔥 🔥 – A proximité : parc ornithologique
– Location : 🏠 🏠
avril-oct. – **R** *conseillée* – 🅴 *piscine comprise 2 pers. 90* 🄰 *15 (6A)*

⚠️ **Les Flots Bleus,** ℰ 51 27 11 11, SE : 1 km par rte de la pointe d'Arçay,
200 m de la plage
1,5 ha (134 empl.) ⊶ plat, sablonneux, herbeux 🔺 ⊙⊙ – 🔟 ⇔ ⇔ 🔥 🔥 🔥
🏢 – 🚿 🔥 – A proximité : 🍽 🍴 🔥 – Location : 🏠
avril-15 sept. – **R** *conseillée* – 🅴 *3 pers. 80* 🄰 *15 (5A) 19 (10A)*

⚠️ Le Grand R, ℰ 51 56 42 87, NO : 2 km rte de la Tranche-sur-Mer
2,5 ha (176 empl.) ⊶ plat, herbeux 🔥 – 🔟 🔥 ⊕ 🏊 🏢 – 🚿 – Location
🏠 🏠
vac. de printemps-1er oct. – **R** *conseillée*

⚠️ **le Pavillon Bleu,** ℰ 51 27 15 01, NO : 2,7 km par rte de la Tranche-sur-Mer
et chemin à droite
0,8 ha (49 empl.) ⊶ (saison) plat, sablonneux, herbeux 🔺 – 🔟 ⇔ ⇔ 🔥 ⊕ ⊼
🚿
15 avril-sept. – **R** *conseillée juil.-août* – 🅴 *élect. comprise jusqu'à 3 pers. 75*

---

## La FAVIÈRE **83** Var – 🔟 ⑯ – rattaché au Lavandou

---

## FAVONE **2A** Corse-du-Sud – 🔟 ⑦ – voir à Corse

---

## FAYENCE
**83440** Var – 3 502 h.
🛈 Syndicat d'Initiative, pl. Léon-Roux
ℰ 94 76 20 08

⚠️ **Lou Cantaïre,** ℰ 94 76 23 77, SO : 7 km par D 563 et D 562 rte de
Draguignan
3 ha (110 empl.) ⊶ en terrasses et peu incliné, pierreux, herbeux 🔺 ⊙⊙ – 🔟
⇔ ⇔ 🔥 ⊕ ⊼ snack 🔥 🏢 – 🍽 🔥 – Location : 🏠
avril-15 oct. – **R** *indispensable juil.-août* – 🚶 *20,50 piscine comprise* 🚗 *7,50*
🅴 *15,50* 🄰 *9,50 (3A)*

---

## FÉAS
**64570** Pyr.-Atl. – 404 h.

⚠️ **Le Vieux Moulin** ≤ « Cadre agréable », ℰ 59 39 81 18, sortie S rte
d'Aramits, à 150 m du Vert et bord d'un ruisseau
1,4 ha (50 empl.) ⊶ plat, herbeux, pierreux, étang 🔺 🔥 – 🔟 ⇔ ⇔ ⊕ 🚿 🔥
– A proximité : 🏊
Permanent – **R** *conseillée juil.-août* – 🅴 *2 pers. 27,50, 3 pers. 33, 4 pers. 38,60*
🄰 *8,90 (3A)*

---

## FÉCAMP
**76400** S.-Mar. – 20 808 h.
🛈 Maison du Tourisme, 113 r.
Alexandre Le Grand ℰ 35 28 51 01 et
quai Vicomté (saison) ℰ 35 29 16 34

⚠️ **Municipal de Renéville** ≤ mer et ville « Belle situation dominante »
ℰ 35 28 20 97, rte d'Étretat, à 300 m de la plage
4 ha (157 empl.) ⊶ en terrasses, herbeux – 🔟 ⇔ ⇔ 🔥 ⊕ 🏢 – 🔟 🔥
mars-déc. – **R** – *Tarif 91 :* 🅴 *2 pers. 30/40 avec élect., pers. suppl. 11*

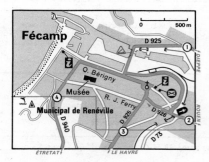

## FÉLINES

**07340** Ardèche – 876 h.

⊞ – 🔢 ①

🏕 **Bas-Larin,** 🅿 75 34 87 93, SE : 2 km, sur N 82 ·
1,5 ha (67 empl.) ⊶ incliné à peu incliné, en terrasse, herbeux – 🗐 🥄 🚻 ⊛
🛋 ▽ – 🏓 ⏚
avril-sept. – **R** *conseillée* – 🖻 *piscine comprise 2 pers.* 45 ⟦⟧ 9 (4A) 15 (10A)

---

## FELLERIES

**59740** Nord – 1 621 h.

② – 🔢 ⑥ G. Flandres Artois Picardie

🏕 **Municipal la Boissellerie** 🔊, 🅿 27 59 06 50, au bourg, rue de la Place,
dans l'ancienne gare
1 ha (60 empl.) ⊶ plat, herbeux – 🗐 🥄 🔊 ⊛ – 🛒 🏓
15 avril- sept. – *Places limitées pour le passage* – **R** – 🕯 7,50 🚗 3,10 🖻 3,10
⟦⟧ 5,25 (4A) 8 (6A)

---

## Le FENOUILLER 85 Vendée – 🔢 ⑫ – rattaché à St-Gilles-Croix-de-Vie

---

## FERDRUPT

**88360** Vosges – 859 h.

⑧ – 🔢 ⑦

🔺 **Les Pommiers** (aire naturelle) 🔊, 🅿 29 25 98 35, sortie vers Remiremont
puis S : 1,5 km par chemin à gauche, à Xoarupt, bord d'un ruisseau
1,2 ha (25 empl.) ⊶ plat, herbeux – 🗐 ⊛ – 🛒 🏓
15 avril-15 sept. – **R** *conseillée juil.-août* – 🕯 6,50 🚗 4 🖻 4 ⟦⟧ 7 (2A) 12 (4A)

---

## FÈRE-EN-TARDENOIS

**02130** Aisne – 3 168 h.
🅱 Syndicat d'Initiative, r. Étienne-
Moreau-Nélaton (saison)
🅿 23 82 31 57

🔢 – 🔢 ⑮

🏕 **Municipal des Bruyères,** 🅿 23 82 71 22, sortie N par D 967 rte de Fismes
1,5 ha (72 empl.) ⊶ peu incliné et plat, herbeux, sablonneux ⚲ – 🗐 🥄 🚻 🗖
♿ 🏭 ⊛ – 🛒
Permanent – *Places disponibles pour le passage* – **R** – 🕯 6 🚗 3,70 🖻 3,70
⟦⟧ 3A : 5,30 (hiver 13) 6A : 8,75 (hiver 23)

---

## La FERRIÈRE-AUX-ÉTANGS

**61450** Orne – 1 727 h.

🔢 – 🔢 ①

🏕 **Le Lac** « Situation agréable », 🅿 33 96 00 40, S par D 21, bord du lac
0,9 ha (33 empl.) ⊶ plat, herbeux – 🗐 🔊 🏭 ⊛ ✕ – ❌ ➰
mai-sept. – **R** – 🕯 10 🚗 4 🖻 9 ⟦⟧ 9 (6 ou 10A)

---

## FERRIÈRES

**45210** Loiret – 2 896 h.

🔢 – 🔢 ⑫ G. Bourgogne

🔺 **Municipal du Perray** 🔊, 🅿 38 96 64 68, r. du Perray, à l'ouest du bourg,
entre la Cléry et un ruisseau
1 ha (70 empl.) ⊶ plat, herbeux – 🗐 🔊 ⊛ – A proximité : ❌
30 mars-sept. – **R** *conseillée* – 🕯 6 🚗 4 🖻 6 ⟦⟧ 12 (4A) 18 (6A)

---

## FERRIÈRES-ST-MARY

**15170** Cantal – 402 h. alt. 663

⊞ – 🔢 ④

🏕 **Municipal les Vigeaires** ⟨, 🅿 71 20 61 47, SO : 0,5 km par N 122 rte de
Murat, bord de l'Alagnon
0,65 ha (65 empl.) ⊶ plat, herbeux – 🗐 🥄 🚻 🗖 ⊛ – ❌
15 juin-août – **R** – *Tarif 91 :* 🕯 8 🚗 6 🖻 *gratuit* ⟦⟧ 9 (10A)

---

## FERRIÈRES-SUR-SICHON

**03** Allier – 632 h.
✉ 03250 Le Mayet-de-Montagne

⊞ – 🔢 ⑥

🔺 **Municipal** 🔊, à 0,7 km au SE du bourg par D 122 rte de Thiers et chemin
à gauche après le petit pont, bord du Sichon
0,7 ha (32 empl.) plat, herbeux, pierreux – 🗐 🥄 🚻 🗖 ⊛ – ❌
juin-15 sept. – **R** – 🕯 7,30 🚗 2,10 🖻 3,15 ⟦⟧ 5,20 (5A) 7,30 (10A)

---

## La FERTÉ-GAUCHER

**77320** S.-et-M. – 3 924 h.

🔢 – 🔢 ④

🏕 **Municipal Joël Teinturier,** 🅿 (1) 64 20 20 40, sortie E par D 14, bord du
Grand Morin
4,5 ha (200 empl.) ⊶ plat, herbeux ⚲ – 🗐 🥄 🚻 🗖 ♿ 🏭 ⊛ – 🛒 🏓 –
A proximité : ❌ ➰
Permanent – *Places limitées pour le passage* – **R** *juil.-août* – 🕯 10,70 🖻 10,70
⟦⟧ 15 (5A)

---

## La FERTÉ-MACÉ

**61600** Orne – 6 913 h.
🅱 Office de Tourisme, 13 r. Victoire
🅿 33 37 10 97

🔢 – 🔢 ① G. Normandie Cotentin

🔺 **Municipal la Saulaie,** 🅿 33 37 44 15, sortie N rte de Briouze, près du stade
0,7 ha (33 empl.) ⊶ plat, herbeux – 🗐 🥄 🚻 🗖 ⊛ – A proximité : ❌ ➰
15 avril-15 oct. – **R** – *Tarif 91 :* 🕯 8,10 🚗 2,80 🖻 3,60 ⟦⟧ 8,70 (6A)

7

## La FERTÉ-SOUS-JOUARRE

**77260** S.-et-M. – 8 236 h.

🅘 Syndicat d'Initiative, 26 pl. de l'Hôtel-de-Ville 𝒫 (1) 60 22 63 43

⑥ – ⑤⑥ ⑬

▲▲▲ **Les Bondons** ◇, réservé aux caravanes 🦡, 𝒫 (1) 60 22 00 98, NE : 2 km par D 402 et D 70 à gauche rte de Saâcy, dans le parc d'un château
30 ha/10 campables (200 empl.) ⊶ plat et peu incliné, herbeux, étang ⚏ 👥
(5 ha) – 🏠 👙 🛁 🖼 🛄 ⊕ 🛴 ⚡
Permanent – Location longue durée *(540, 570 ou 640 par mois)* – **R** *conseillée*
– 🛉 *29* 🅴 *40 avec élect. 4A*

à **Saâcy-sur-Marne** NE : 7 km par D 402 et rte à droite
✉ 77730 Saâcy-sur-Marne :

▲▲ **Municipal les Usages** ⊰, 𝒫 (1) 60 23 75 81, S : 1 km par D 68 rte de Rebais
1,5 ha (100 empl.) ⊶ incliné et terrasses, herbeux, gravier – 🏠 👙 🛁 ⊕
Permanent – *Places limitées pour le passage* – 🍴 – 🅴 *2 pers. 41* ⚡ *14,90 (6A)*

à **St-Cyr-sur-Morin** SE : 8 km par D 204 rte de Rebais et D 31 à gauche
✉ 77750 St-Cyr-sur-Morin :

▲▲▲ **Le Choisel** ◇ 🦡 « Cadre agréable », 𝒫 (1) 60 23 84 93, O : 2 km par D 31, à Courcelles-la-Roue
3,5 ha (85 empl.) ⊶ plat, herbeux ⚏ – 🏠 👙 🛁 🖼 🛄 ⊕ 🍽 🛄 – 🛏 🎾
🛴
mars-nov. – Location longue durée *(7300 F)* – *Places limitées pour le passage*
– **R** – 🛉 *22 tennis compris* 🅴 *25/35 avec élect. (6A)*

## FEURS

**42110** Loire – 7 803 h.

🅘 Syndicat d'Initiative, 3 r. V.-de-Laprade (fermé matin) 𝒫 77 26 05 27

⑪ – ⑦⑧ ⑱ G. Vallée du Rhône

▲▲ **Municipal du Palais**, 𝒫 77 26 43 41, sortie N par N 82 rte de Roanne et à droite rte de Civens
9 ha (385 empl.) ⊶ plat, herbeux, sablonneux 👥 (2 ha) – (🏠 🛁 🐾 avril-oct.)
🚹 ⊕ 🛴 ☂ – 🛏 🛴 vélos – A proximité : 🎾 🔥 –
Permanent – **R** – *Tarif 91 :* 🛉 *7,50* 🚗 *4* 🅴 *5* ⚡ *12 (6A) 22 (16A)*

## FIGARETO **2B** H.-Corse – ⑨⓪ ④ – voir à Corse

## FIGEAC ⊗

**46100** Lot – 9 549 h.

🅘 Office de Tourisme, pl. Vival 𝒫 65 34 06 25

⑮ – ⑦⑨ ⑩ G. Périgord Quercy

▲▲▲ **Municipal les Rives du Célé**, 𝒫 65 34 59 30, à la Base de Loisirs, E : 1,2 km par N 140 rte de Rodez et chemin du Domaine de Surgié, bord du Célé et d'un plan d'eau
14 ha/3 campables (104 empl.) ⊶ plat et terrasse, herbeux – 🏠 👙 🛁 🖼 🛄
⊕ 🛴 ☂ snack 🛒 – A proximité : ✕ 🎾 🔥 🛴 🛴 (toboggan aquatique)
🛳 – Location : bungalows toilés
15 mai-15 sept. – **R** *conseillée 15 juil.-15 août* – 🛉 *16,50* 🅴 *26,50* ⚡ *11 (5A, 13 (8A)*

▲▲ **Carmes**, 𝒫 65 34 08 56, près de la pl. des Carmes
0,7 ha (60 empl.) ⊶ plat, herbeux 👥 verger – (🏠 👙 🐾 15 avril-1er nov.) 🖼
⊕ – 🛒 – A proximité : 🔥
mars-nov. – **R** *conseillée* – 🅴 *2 pers. 44, pers. suppl. 14* ⚡ *11 (10A)*

## FILLIÈVRES

**62770** P.-de-C. – 536 h.

① – ⑤① ⑬

▲▲ **les trois Tilleuls**, 𝒫 21 47 94 15, au bourg, sur D 340 rte de Frévent
2,5 ha (61 empl.) ⊶ plat et peu incliné, herbeux – 🏠 🐾 🖼 ⊕ – 🛴
avril-sept. – **R** *conseillée juil.-août* – 🛉 *10* 🚗 *10* 🅴 *10* ⚡ *10 (4A)*

## FIQUEFLEUR-EQUAINVILLE

**27210** Eure – 496 h.

⑤ – ⑤⑤ ④

▲▲▲ **Domaine Catinière**, 𝒫 32 57 63 51, 1 km au sud de Fiquefleur par D 22 rte de Beuzeville, bord de la Morelle
1,6 ha (82 empl.) ⊶ plat, herbeux ⚏ – 🏠 👙 🛁 🖼 ⊕ 🛴 ☂ 🍸 snack – 🛒
🛴 (bassin)
avril-sept. – **R** – 🛉 *21* 🅴 *24* ⚡ *18 (4A)*

## FIRMI

**12300** Aveyron – 2 728 h.

⑮ – ⑧⓪ ①

△ **Municipal de l'Étang**, sortie NO, entre le bourg et la N 140, à 80 m d'un étang
0,4 ha (33 empl.) plat, herbeux – 🏠 👙 ⊕ – A proximité : 🎾
juil.-août – **R** – 🛉 *11,90* 🚗 *2,70* 🅴 *4,30* ⚡ *5 (3 ou 6A)*

## FISMES

**51170** Marne – 5 286 h.

🅘 Office de Tourisme, 28 r. René-Letilly 𝒫 26 48 81 28

⑥ – ⑤⑥ ⑤ G. Champagne

△ **Municipal**, 𝒫 26 48 10 26, NO par N 31, près du stade
0,5 ha (20 empl.) ⊶ plat, herbeux, gravillons – 🏠 👙 🛁 ⊕ – 🛒 – A proximité
🔥
juin-15 sept. – **R** – 🛉 *5,60* 🚗 *5,60* 🅴 *5,60* ⚡ *8,90*

## La FLÈCHE ⬠

5 – 64 ② G. Châteaux de la Loire

**72200** Sarthe – 14 953 h.
🛈 Syndicat d'Initiative, Mairie
⌁ 43 94 02 53 et Chalet du Tourisme,
prom. Foch (saison) ⌁ 43 94 49 82

⩕ **Municipal de la Route d'Or,** ⌁ 43 94 55 90, sortie S vers rte de Saumur et à droite, allée de la Providence, bord du Loir
4 ha (200 empl.) ⊶ plat, herbeux ⊠ ♀ – 🗐 ⇌ 🔊 🖼 ᗢ ▥ ⊕ – �· 🛒 ✗
Permanent – **R** conseillée – Tarif 91 : ☲ 12,75 ⬅ 3,35 🖻 3,75/5,55 [乡] 6A : 6 (hiver 12) plus de 6A : 14 (hiver 25)

## FLEURANCE

14 – 82 ⑤ G. Pyrénées Aquitaine

**32500** Gers – 6 368 h.
🛈 Syndicat d'Initiative, Mairie (saison)
⌁ 62 06 27 80

⩓ **Municipal,** sortie E par D 953 rte de Toulouse, bord du Gers et à 150 m d'un plan d'eau (accès direct)
1,5 ha (50 empl.) plat, pierreux, herbeux – 🗐 🔊 ᗢ – A proximité : ✗ �·
15 juin-15 sept. – **R** – ☲ 4 ⬅ 2 🖻 3/6 avec élect. (5A)

## FLEURIE

11 – 74 ① G. Vallée du Rhône

**69820** Rhône – 1 105 h.

⩕ **Municipal la Grappe Fleurie** ⅏ ≼ « Au cœur du vignoble », ⌁ 74 69 80 07, à 0,6 km au sud du bourg par D 119E et à droite
1,6 ha (51 empl.) ⊶ en terrasses, herbeux ⊠ – 🗐 ⇌ 🔊 🖼 ᗢ ⊕ 🜋 🠞 – ✗ �· 
23 mars-28 oct. – **R** conseillée juin à août – Tarif 91 : ☲ 14 tennis compris 🖻 15/24 avec élect. (10A)

## FLORAC ⬠

15 – 80 ⑥ G. Gorges du Tarn

**48400** Lozère – 2 065 h.
🛈 Office de Tourisme, av. Jean Monestier (fermé après-midi oct.-mai)
⌁ 66 45 01 14

⩕ **Municipal le Pont du Tarn** ≼, ⌁ 66 45 18 26, N : 2 km par N 106 rte de Mende et D 998 à droite, accès direct au Tarn
1,6 ha (100 empl.) ⊶ plat, terrasse, herbeux, pierreux ♀ – 🗐 ⇌ 🖾 🖼 ᗢ 🜋 🠞 🖻 – 🠨 – A proximité : ✗
Pâques-sept. – **R** – ☲ 9 ⬅ 5 [乡] 7 🖻 10 (15A)

⩓ **Municipal la Tière** ≼, ⌁ 66 45 04 02, S : 2 km par D 907 rte de Meyrueis, bord du Tarnon
1 ha (50 empl.) ⊶ peu incliné et plat, herbeux ♀ – 🗐 🖾 🖼 ᗢ – 🠨
juin-15 sept. – **R** – ☲ 9 ⬅ 5 [乡] 7 🖻 10 (10A)

## La FLOTTE 17 Char.-Mar. – 171 ⑫ – voir à Ré (Ile de)

## FONTAINE-SIMON

5 – 60 ⑥

**28240** E.-et-L. – 760 h.

⩕ **Municipal,** N : 1,2 km par rte de Senonches et rte de la Ferrière à gauche, bord de l'Eure et d'un plan d'eau
4 ha (80 empl.) plat, herbeux – 🗐 ⇌ 🔊 🖼 ᗢ 🜋 🜋 – 🠨
Pâques-Toussaint – **R** – ☲ 7,50 ⬅ 5 🖻 7,50 [乡] 10 (4A) 12 (6A)

## FONTANGES

11 – 76 ② G. Auvergne

**15140** Cantal – 292 h. alt. 681

⩕ Municipal la Pierre Plate, au bourg, bord de rivière
0,4 ha (40 empl.) plat, herbeux – 🗐 🔊 ᗢ – A proximité : ✗
juil.-août – **R**

## FONTENAY-LE-COMTE ⬠

9 – 171 ① G. Poitou Vendée Charentes

**85200** Vendée – 14 456 h.
🛈 Office de Tourisme, quai Poey d'Avant ⌁ 51 69 44 99 et rte de Niort (15 juin-15 sept.) ⌁ 51 53 00 09

⩕ **le Pilorge** ⅏ « Situation agréable », ⌁ 51 69 24 27, NE : 2,5 km par D 938ter, rte de Bressuire et rte à droite, bord de la Vendée
0,4 ha (15 empl.) ⊶ plat, herbeux ⊠ ♀ – 🗐 ⇌ 🖾 🖼 ᗢ ⊕
15 juin-15 sept. – **R** – ☲ 9,10 🖻 12,10 [乡] 8,90 (6A)

## FONTENOY-LE-CHÂTEAU

8 – 62 ⑮

**88240** Vosges – 729 h.

⩕ **Municipal,** ⌁ 29 36 34 74, S : 2,2 km par D 40 rte de St-Loup-sur-Semouse
1,5 ha (69 empl.) peu incliné, herbeux – 🗐 ⇌ 🖾 🖼 ᗢ – 🠨 ✗
mai-sept. – **R** conseillée – ☲ 8 ⬅ 5 🖻 5 [乡] 7,50 (6A)

## FONTVIEILLE

16 – 83 ⑩ G. Provence

**13990** B.-du-R. – 3 642 h.
🛈 Office de Tourisme, pl. Honorat (fin mars-oct.) ⌁ 90 54 70 01

⩕ **Municipal les Pins** ⅏, ⌁ 90 54 78 69, E : 1 km par D 17 rte de Maussane-les-Alpilles et rte à droite
3,5 ha (170 empl.) ⊶ plat et peu incliné, pierreux, herbeux ⊠ 𝍕 (2,5 ha) – 🗐 ⇌ 🖾 ᗢ ᗢ 🖼 – 🠨 – A proximité : 🠡
avril-14 oct. – **R** conseillée – ☲ 11 🖻 20 [乡] 14

## FORCALQUIER ⬠

17 – 81 ⑮ G. Alpes du Sud

**04300** Alpes-de-H.-Pr. – 3 993 h.
🛈 Office de Tourisme, pl. Bourguet ⌁ 92 75 10 02

⩓ **Municipal,** ⌁ 92 75 27 94, sortie E sur D 16 rte de Sigonce
2 ha (66 empl.) ⊶ plat, peu incliné, pierreux, herbeux – 🗐 ⇌ 🖾 🖼 ᗢ 🖻 ᗢ – 🚴 vélos – A proximité : ✗ 🠡
20 avril-oct. – **R** conseillée juil.-août – ☲ 17 🖻 14 [乡] 11 (4A) 17 (10A)

## FOREST-MONTIERS

**80120** Somme – 336 h.

⚠ **La Verte Prairie** ⚘, ℰ 22 28 32 89, O : lieu-dit Neuville
0,9 ha (50 empl.) ⊶ plat et peu incliné, herbeux ⌨ – 🅰 🗻 🖽 ⊕ – 🚗 –
Location : 🛖
avril-oct. – **R** *conseillée* – 🛉 *7,50* 🗉 *7,50* 🔌 *9 (2A) 11 (4A)*


## La FORÊT-FOUESNANT

**29940** Finistère – 2 369 h.
🅱 Office de Tourisme, pl. Église
(fermé après-midi hors saison)
ℰ 98 56 94 09

⚠⚠⚠ **Manoir de Pen ar Steir** ⚘, ℰ 98 56 97 75, sortie NE rte de Quimper et à
gauche
3 ha (105 empl.) ⊶ plat et en terrasses, herbeux ⌨ ♀ – 🅰 ⇄ 😋 🗻 🖽 ⚓ 📠
⊕ 🎴 🗑 – 🚗 🍴 ⚕ 🛶 – Location : 🛖
Permanent – **R** *conseillée 15 juil.-15 août – Tarif 91 :* 🛉 *18* 🗉 *32* 🔌 *10 (3A)
15 (6A)*

⚠⚠ **Les Falaises** ≤, ℰ 98 56 91 26, SE : 2,5 km, accès direct à la mer
1,5 ha (100 empl.) ⊶ (saison) peu incliné, en terrasses, herbeux ⌨ ♀ – 🅰 ⇄
😋 🗻 🖽 ⊕ – Location : bungalows toilés
Pâques-sept. – **R** *conseillée* – 🛉 *9* 🚗 *6* 🗉 *19* 🔌 *10 (6A)*

⚠⚠ **Pontérec,** ℰ 98 56 98 33, O : 1 km par rte de Bénodet et chemin à gauche
(hors schéma)
3 ha (150 empl.) ⊶ en terrasses et peu incliné, herbeux ⌨ ♀ (2 ha) – 🅰 ⇄ 😋
🗻 🖽 ⊕ 🎴 🗑 – 🚗 – Location : 🛖
avril-sept. – **R** *saison* – 🛉 *9* 🚗 *4,50* 🗉 *12* 🔌 *10 (6A)*

⚠⚠ **Kerleven,** ℰ 98 56 98 83, SE : 2 km, à 300 m de la plage
3 ha (185 empl.) ⊶ plat et en terrasses, herbeux ⌨ ♀ – 🅰 🗻 🖽 ⚕ ⊕ 🍸 crêperie
– 🛶 🛶 🏊 half-court
25 mai-sept. – **R** *conseillée 12 juil.-15 août* – 🛉 *18 piscine comprise* 🚗 *7* 🗉
*22* 🔌 *9 (3A) 15 (6A)*

⚠⚠ **Les Saules,** ℰ 98 56 98 57, SE : 2,5 km, à 150 m de la plage de Kerleven
1,5 ha (110 empl.) ⊶ plat et peu incliné, herbeux ⌨ ♀ – 🅰 🗻 🖽 ⊕
15 juin-15 sept. – **R** *conseillée* – 🛉 *10* 🚗 *6* 🗉 *18* 🔌 *10 (5A)*

⚠ **Stéréden-Vor,** ℰ 98 56 96 43, SE : 2,5 km, près de la plage de Kerleven
1 ha (94 empl.) ⊶ plat, herbeux ♀ – 🅰 🗻 🖽 ⊕
15 mai-sept. – **R** – 🛉 *10* 🗉 *25* 🔌 *10 (6A)*

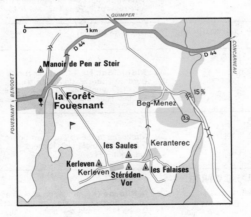

---

## FORT-BLOQUE 56 Morbihan – 58 ⑫ – voir à Ploemeur

---

## FORT-MAHON-PLAGE

**80790** Somme – 1 042 h.

⚠⚠⚠ **Le Royon,** ℰ 22 23 40 30, S : 1 km rte de Quend
4 ha (280 empl.) ⊶ plat, herbeux, sablonneux ⌨ ♀ – 🅰 🗻 🖽 🛢 ⊕ 🎴 🗑
– 🚗 🛶
mars-1ᵉʳ nov. – **R** *conseillée juil.-août – Tarif 91 :* 🗉 *1 ou 2 pers. 50 (66 ou 80
avec élect. 4 ou 6A), pers. suppl. 13*

⚠⚠ **A la Belle Étoile,** ℰ 22 23 45 55, S : 1,2 km rte de Quend
2 ha (60 empl.) ⊶ plat, herbeux, sablonneux ⌨ ♀ – 🅰 😋 🗻 🖽 ⊕ 🍸
Pâques-sept. – **R** *conseillée juil.-août* – 🗉 *3 pers. 48,50, pers. suppl. 11,50*
🔌 *11 (2A) 14,50 (3A) 18 (4A)*

---

## FOS

**31440** H.-Gar. – 319 h.

⚠ **Municipal** ⚘ ≤, au sud du bourg, près de l'église, bord de la Garonne
1 ha (43 empl.) plat, herbeux – 🅰 😋 🖽 ⊕
Permanent – **R** – *Tarif 91 :* 🛉 *7* 🗉 *6,20* 🔌 *8 (4A) 18 (6A) 30 (10A)*

## Le FOSSAT

**09310** Ariège – 754 h.

△ Municipal Laillères, ☎ 61 68 99 65, au bourg, près de jardin public, bord de la Léze
1 ha (30 empl.) plat, herbeux ⚌⚌ (0,5 ha) – 🗑 🕭 ☺ – A proximité : piste de bi-cross ✂ 🏊

## FOSSEMAGNE

**24210** Dordogne – 535 h.

△△ Municipal le Manoire, ☎ 53 04 43 46, au SO du bourg, près d'un plan d'eau
1 ha (35 empl.) ⟲ plat, herbeux ⟜ – 🗑 ⚘ 🚿 🖿 ☺ 🛶 – A proximité : ✂ 🚣

## FOUESNANT

**29170** Finistère – 6 524 h.
🅱 Office de Tourisme, 5 r. Armor
☎ 98 56 00 93

△△△ **L'Atlantique** ⟱ « Entrée fleurie », ☎ 98 56 14 44, S : 4,5 km, à 400 m de la plage (accès direct) – ✂ 14 juil.-15 août
3 ha (200 empl.) ⟲ plat, herbeux – 🗑 ⚘ 🚿 📶 🖿 ☺ 🛁 ⚐ 🚾 🏖 🍽 snack 🖿 – 🚐 🏊 toboggan aquatique – Location : 🚐
avril-sept. – **R** conseillée juil.-août – 🏕 20 piscine comprise 🗐 65 🔌 15 (10A)

△△ **La Grande Allée** ⟱ « Cadre agréable », ☎ 98 56 52 95, S : 1,5 km
2 ha (120 empl.) ⟲ (saison) plat et peu incliné, herbeux ⟜ – 🗑 ⚘ 📶 🖿 ☺ 🖿 – A proximité : 🍽 ✂ 🏊 🚣
Pâques-sept. – **R** conseillée juil.-août – 🏕 12 🚐 6 🗐 12 🔌 9 (2A) 12 (6A)

△△ Cleut Rouz ⟱, ☎ 98 56 53 19, SO : 4,8 km, à 400 m de la plage
2,5 ha (100 empl.) ⟲ (saison) plat, herbeux 🍷 verger (0,5 ha) – 🗑 ⚘ 📶 ☺ 🖿 – A proximité : 🍽 ✂ discothèque – Location : 🚐
Permanent – **R** conseillée juil.-août

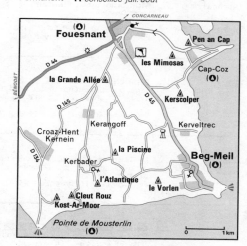

*à Beg-Meil* SE : 5,5 km – ✉ 29170 Fouesnant :
🅱 Office de Tourisme (15 juin-15 sept.) ☎ 98 94 97 47

△△△ **La Piscine** ⟱, ☎ 98 56 56 06, NO : 4 km
2,8 ha (160 empl.) ⟲ plat, herbeux ⟜ – 🗑 ⚘ 📶 🖿 🖿 ☺ 🛶 ⚐ 🚾 🚣 🖿 sauna, solarium – 🚐 🛶 – Location : 🚐
mai-15 sept. – **R** conseillée juil.-août – 🏕 18 piscine comprise 🚐 7 🗐 25 🔌 10 (3A) 14 (6A) 18 (10A)

△△△ **Le Vorlen,** ☎ 98 94 97 36, à 300 m de la plage de Kerambigorn
10 ha (600 empl.) ⟲ plat, herbeux – 🗑 ⚘ 📶 🖿 🖿 ☺ 🛶 🚣 🖿 – 🚐 🚣 🛶 – A proximité : 🖿 – Location : 🚐 🚐
20 mai-20 sept. – **R** conseillée 10 juil.-15 août – 🏕 18 piscine comprise 🚐 8 🗐 28 🔌 12 (3 ou 6A) 18 (10A)

*à Cap-Coz* SE : 3 km – ✉ 29170 Fouesnant :

△△ **Les Mimosas** « Entrée fleurie », ☎ 98 56 55 81, NO : 1 km
1,2 ha (95 empl.) ⟲ plat et peu incliné, terrasses, herbeux ⟜ – 🗑 ⚘ 📶 🖿 ☺ – 🖿
juin-15 sept. – **R** conseillée – 🏕 13 🚐 5 🗐 15 🔌 9 (4 à 6A)

△△ **Kerscolper** ⟱ « Entrée fleurie », ☎ 98 56 09 48, SO : 1 km, à 500 m de la plage
2 ha (150 empl.) ⟲ plat et peu incliné, herbeux, verger – 🗑 📶 🖿 ☺ 🖿 – 🚣
Pâques-sept. – **R** conseillée juil., indispensable août – 🏕 9 🚐 5,50 🗐 11 🔌 8 (3A) 10 (6A)

△△ **Pen an Cap** ⟱, ☎ 98 56 09 23, au nord de la station, à 300 m de la mer
1,3 ha (100 empl.) ⟲ peu incliné, herbeux, verger – 🗑 📶 🖿 ☺
juin-15 sept. – **R** conseillée – 🏕 9,50 🚐 5,30 🗐 11,50 🔌 8 (2A) 16 (6A)

*à la Pointe de Mousterlin* SO : 6,5 km – ⊠ 29170 Fouesnant :

⋀ **Kost-Ar-Moor** ⌂, ℰ 98 56 04 16, à 500 m de la plage
4 ha (360 empl.) ⟶ plat, herbeux ⚱ – 🗟 ⌂ ⚲ ⅄ ⊕ ⚏ ⍰ ▣ – ⌷ – Location :
⟐ ▦, appartements – Garage pour caravanes
avril-sept. – **R** *conseillée* – ⭑ *14,50* ⟼ *7,50* ▣ *18* [½] *10 (6A)*

---

## FOUGAX-ET-BARRINEUF

15 – 86 ⑥

**09300** Ariège – 506 h.

⋀ **Les Buis** Ⓜ ⌂ ≤, ℰ 61 01 61 60, au SE du bourg, bord de l'Hers
0,3 ha (26 empl.) ⟶ plat, herbeux ⚱ – 🗟 ⚲ ⌂ ⅄ ⊕ – ⌷ – A proximité :
⚒
juin-15 oct. – **R** *conseillée* – ⭑ *10,50* ⟼ *9* ▣ *9* [½] *10 (3A)* *15 (16A)*

---

## FOUGÈRES ⊚

4 – 59 ⑱ G. Bretagne

**35300** I.-et-V. – 22 239 h.
🛈 Office de Tourisme, pl. Aristide-
Briand ℰ 99 94 12 20 et au Château
pl. Pierre-Simon (saison)
ℰ 99 99 79 59

⋀ Municipal de Paron « Entrée fleurie et cadre agréable », ℰ 99 99 40 81, E :
1,5 km par D 17 rte de la Chapelle-Janson
2 ha (90 empl.) ⟶ plat et peu incliné, herbeux, gravier ⚱ – 🗟 ⚲ ⌂ ▣ ⊕ ⚏
⅄ – ⌷ ⟼ – A proximité : ✖
Permanent – **R**

---

## FOUGÈRES

10 – 68 ⑱

**36** Indre – ⊠ 36190 Orsennes

⋀ **Municipal de St-Plantaire** ≤ « Site agréable », ℰ 54 47 20 01, au bord du
**lac de Chambon**
2,5 ha (150 empl.) ⟶ en terrasses, plat, peu incliné, herbeux, pierreux – 🗟 ⌀
⌂ ⚲ ▣ ⅄ ⊕ – ⟼ – A proximité : ⌀
Pâques-Toussaint – **R** – ⭑ *8,50* ▣ *7* [½] *10 (4A)* *14 (6A)* *22 (10A)*

---

## La FOUILLADE

15 – 79 ⑳

**12270** Aveyron – 1 041 h.

⋀ **Municipal le Bosquet** ⌂, ℰ 65 65 76 90, SO : 0,8 km par D 922 rte de
Laguépie et chemin à droite, bord d'un plan d'eau
1,5 ha (47 empl.) peu incliné et en terrasses, herbeux, pierreux ⚱ ⚥ – 🗟 ⊕ –
⚒
juin-août – **R** – ⭑ *6* ⟼ *6* ▣ *8* [½] *9*

---

## FOURAS

9 – 171 ⑬ G. Poitou Vendée Charentes

**17450** Char.-Mar. – 3 238 h.
🛈 Office de Tourisme, Fort Vauban
ℰ 46 84 60 69

⋀ **le Cadoret,** ℰ 46 84 02 84, côte nord, bord de l'Anse de Fouras
7 ha (600 empl.) ⟶ plat, sablonneux, herbeux ⚥ – 🗟 ⌀ ⊕ ▣ – ⚒ – A proximité :
⚏ ⅄ ⌂
avril-15 oct. – **R** *conseillée* – ▣ *2 pers. 80, pers. suppl. 17,50* [½] *15 (6A)*

---

## Le FOUSSERET

14 – 82 ⑯

**31430** H.-Gar. – 1 370 h.

⋀ **Loisirs Land** ⌂, ℰ 61 98 58 36 ⊠ 31430 Casties-Labrande, NO : 11 km par
D 6 rte de l'Isle-en-Dodon et à droite D 96 rte de Sénarens
3 ha (55 empl.) ⟶ plat et peu incliné, herbeux – 🗟 ⚲ ⌂ ⅄ ⊕ ⚏ ⅄ ⅄ ✖ ⚒
– ⌷ ✖ ⚒ ⅄ ⚒ – Location : ⌂
avril-oct. – **R** – ▣ *piscine comprise 2 pers. 60* [½] *7 (2A)* *12 (5A)* *25 (10A)*

---

## FRAYSSINET

13 – 79 ⑧

**46310** Lot – 251 h.

⋀ **Plage du Relais,** ℰ 65 31 00 16, à Pont-de-Rhodes, N : 1 km sur N 20, bord
du Céou
2 ha (60 empl.) ⟶ plat, herbeux ⚥ – 🗟 ⚲ ⌂ ▣ ⊕ ▣ – ⌷ ⚒ – A proximité :
⅄ ✖ ⚒ ⚒ – Location : ⟝ (hôtel) ⌂
15 juin-5 sept. – **R** *conseillée* – ⭑ *15* ▣ *16* [½] *9,50 (3 à 6A)*

---

## FRÉJUS

17 – 84 ⑧ G. Côte d'Azur

**83600** Var – 41 486 h.
🛈 Office Municipal de Tourisme, r.
J.-Jaurès ℰ 94 51 54 14 et pl. Calvini
(juin-sept.) ℰ 94 51 53 87

⋀ **La Baume** « Bel ensemble avec vastes piscines, palmiers et plantations »
ℰ 94 40 87 87, N : 4,5 km par D 4 rte de Bagnols-en-Forêt
13 ha (500 empl.) ⟶ plat et peu incliné, herbeux, pierreux ⚱ ⚥ – 🗟 ⚲ ⌂
▣ ⚏ ⅄ ⅄ ✖ ⚒ ▣ – ⌷ discothèque ✖ ⚒ ⚒ (toboggan aquatique)
tir à l'arc, théâtre de plein air – Location : bastidons (studios)
6 avril-sept. – **R** *indispensable 15 juin-3 sept.* – ▣ *élect. (6A) piscine et tennis
compris 3 pers. 170*

⋀ **Les Pins Parasols,** ℰ 94 40 88 43, N : 4 km par D 4 rte de Bagnols-en-Forêt
4,5 ha (189 empl.) ⟶ plat et terrasses, herbeux, pierreux ⚱ ⚥ – 🗟 ⚲
⌂ ▣ – 48 empl. avec sanit. individuels (🗟 ⌂ ⌂ wc) ⅄ ⊕ ⚏ snack ⚒ ▣
⚒ ⚒ ⚒ – half-court, toboggan aquatique
avril-sept. – **R** *conseillée juil.-août – Tarif 91 :* ▣ *élect. et piscine comprises 2 pers.
94,50 (169 avec sanitaires indiv.), pers. suppl. 24*

▲▲▲ **Le Dattier** ⊗ « Entrée fleurie », ℰ 94 40 88 93, N : 2,3 km par D 4 rte de Bagnols-en-Forêt
3,5 ha (181 empl.) ⊶ en terrasses, plat, herbeux ⊡ ৪ (3 ha) – 🗐 ⇔ 🖵 ⚲
🖥 ও ⊕ ⚲ ▽ ⚑ 🍴 ✗ ⟲ 🖵 – 🖵 ⚶ ⚲ ⊥ – A proximité : vélos
Pâques-sept. – **R** conseillée juil.-août – Tarif 91 : 🖃 piscine comprise 2 pers. 99
(135 avec élect. 3 ou 6A)

▲▲▲ **Fréjus,** ℰ 94 40 88 03, N : 4 km par D 4 rte de Bagnols-en-Forêt
4 ha (200 empl.) ⊶ plat et vallonné, herbeux, pierreux – 🗐 ⇔ 🖵 🖥 ⊕ ⚲ ⚲
⚑ 🍴 ✗ ⟲ 🖵 – 🖵 cases réfrigérées ⚶ 🏕 ⚲ 🖫 – Location : 🏠
avril-oct. – **R** conseillée juil.-25 août – ⭑ 23 piscine comprise 🖃 33 🚿 22 (6A)

---

# FRÉLAND
**68240** H.-Rhin – 1 134 h.

🖾 – 🖾 ⑱

▲▲ **Municipal les Verts Bois** ⩽, ℰ 89 47 57 25, sortie NO par rte d'Aubure et à gauche r. de la Fonderie, bord d'un ruisseau
0,6 ha (33 empl.) ⊶ (saison) en terrasses, herbeux – 🗐 ⚲ 15 juin-sept.) ⊕ 🍴
– 🖵
mai-sept. – **R** conseillée juil.-15 août – ⭑ 12 ⇔ 5 🖃 9 🚿 9

---

# Le FRENEY-D'OISANS
**38142** Isère – 177 h. alt. 900

🖾 – 🖾 ⑥

▲▲ **Municipal le Traversant** ❄ ⩽, ℰ 76 80 18 84, S : 0,5 km par N 91 rte de Briançon
1 ha (67 empl.) ⊶ en terrasses, plat, gravillons – 🗐 ⇔ 🖵 🖥 ও 🎹 ⊕ ▽ 🖫 –
🖵

---

# FRESNAY-SUR-SARTHE
**72130** Sarthe – 2 452 h.
🖪 Syndicat d'Initiative, pl. de Bassum (juin-sept.) ℰ 43 33 28 04

🖾 – 🖾 ⑬ G. Normandie Cotentin

▲▲ **Municipal Sans Souci** ⊗ ⩽, ℰ 43 97 32 87, O : 1 km par D 310 rte de Sillé-le-Guillaume, bord de la Sarthe
2 ha (100 empl.) ⊶ plat, en terrasses, herbeux ⊡ – 🗐 ⇔ 🖵 ও ⊕ ⚲ ▽ ⚑
– 🖵 ⚶ – A proximité : ⭑ ⊥
avril-sept. – **R** juil.-août – ⭑ 8 ⇔ 5,30 🖃 6,50 🚿 10,50 (5A)

---

# Le FRESNE-SUR-LOIRE
**44123** Loire-Atl. – 734 h.

🖾 – 🖾 ⑲

▲ **Municipal la Bastille,** r. de la Bastille, bord de la Loire
1 ha (33 empl.) plat, herbeux, sablonneux – 🗐 ⊕
Pâques-sept. – **R** – ⭑ 5,10 ⇔ 3,50 🖃 3,50 🚿 8 (6A)

---

# FRESSE-SUR-MOSELLE **88** Vosges – 🖾 ⑧ – rattaché au Thillot

---

# FRÉTEVAL
**41160** L.-et-C. – 848 h.

🖾 – 🖾 ⑦ G. Châteaux de la Loire

▲▲ **La Maladrerie,** ℰ 54 82 62 75, au NO du bourg par rte du Plessis et chemin à gauche après le passage à niveau, bord d'un étang
1 ha (50 empl.) plat, pierreux, herbeux – (🗐 ⇔ 🖵 avril-nov.) ⊕ ⚲ ▽ – 🖵 🏕
poneys
Permanent – **R** conseillée – ⭑ 15 🖃 10/15 🚿 10 (4A) 15 (10A)

---

# FRÉVENT
**62270** P.-de-C. – 4 121 h.

🖹 – 🖾 ⑬ G. Flandres Artois Picardie

▲▲▲ **Municipal les Longuigneules** ⊗, ℰ 21 03 78 79, sortie SE par D 339 vers Arras, bord d'un petit cours d'eau
5,5 ha (110 empl.) ⊶ plat, herbeux ⊡ – 🗐 ⇔ 🖵 🖥 ও ⊕ ▽ – 🖵 🏕
A proximité : ⚶ 🖸
avril-oct. – ⭑ 12,80 🖃 9,80

---

# FRIAUCOURT
**80940** Somme – 708 h.

🖹 – 🖾 ⑤

▲▲ **Municipal Au Chant des Oiseaux** ⊗, ℰ 22 26 49 54, sortie NE par D 63 rte de Bourseville et rue à droite
1,40 ha (100 empl.) ⊶ plat, herbeux ⊡ – 🗐 ⚲ ⊕
15 mars-15 oct. – **R** conseillée – ⭑ 6,90 ⇔ 4,40 🖃 4,80/5,50 🚿 6 (2A) 10 (6A) 14,50 (10A)

---

# FRONCLES
**52320** H.-Marne – 2 026 h.

🖸 – 🖾 ⑳

▲ **Municipal les Deux Ponts** ⊗, ℰ 25 02 33 50, sortie N par D 253 rte de Doulaincourt, bord de la Marne et près du canal de la Marne à la Saône
0,3 ha (23 empl.) ⊶ plat, herbeux ⊡ – 🗐 ⊕ – A proximité : ⚶
15 mars-15 oct. – **R** – Tarif 91 : ⭑ 4,70 🖃 6,20 🚿 9,50 (6A)

## FRONTIGNAN

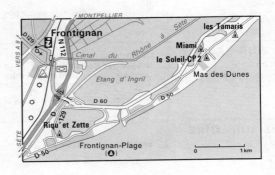

**34110** Hérault – 16 245 h.

🛈 Office de Tourisme, rond-point de l'Esplanade ☎ 67 48 33 94

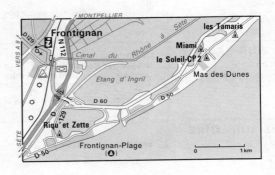 🅶 – 🟦83 ⑯ ⑰ G. Gorges du Tarn

*à Frontignan-Plage* S : 1 km – ✉ 34110 Frontignan :

🅰🅰🅰 **Miami,** ☎ 67 48 15 49, NE par D 60, bord de l'étang d'Ingril et à 200 m de la plage
3 ha (201 empl.) ⊶ plat, herbeux, sablonneux ◻ – 🗚 ⇆ 🛁 🗓 11 empl. avec sanitaires indiv. (🗚 ⇆ 🛁 wc) ⊕ 🍵 ✕ 🛒 🗓 cases réfrigérées, sauna – 🍴 ✖ 🔥 🛶 🏊 squash – A proximité : 🐎 – Location : 🚐, appartements

🅰🅰 **Les Tamaris,** ☎ 67 48 16 91, NE par D 60, bord de plage
4,5 ha (263 empl.) ⊶ plat, herbeux, pierreux ◻ – 🗚 ⇆ 🛁 🗓 🗓 🛁 ⊕ 🍴 ▽ 🔥
🍵 ✕ 🛒 🗓 – 🏊 – Location : 🚐 🚐
juin-15 sept. – **R** *conseillée juil.-août* – 🖭 *élect. comprise 2 pers. 92,80 à 115,80, (110,80 à 138,80 avec plate forme am.)*

🅰🅰 Le Soleil - Camp n° 2, ☎ 67 43 02 02, NE par D 60 et chemin à droite, à 100 m de la plage
1,3 ha (100 empl.) ⊶ plat, sablonneux, herbeux ◻ – 🗚 ⇆ 🛁 🏊 ⊕ 🗓 – A proximité : 🐎
saison – **R** *conseillée*

🅰 **Riqu'et Zette,** ☎ 67 48 24 30, sur D 129, à 200 m de la plage et près d'un étang
1 ha (55 empl.) ⊶ plat, sablonneux, herbeux – 🗚 🏊 ⊕ – A proximité : 🐎 – Location : 🏠, studios
début avril-fin sept. – **R** *conseillée juil.-août* – 🖭 *1 à 3 pers. 60, pers. suppl. 12* 🔌 *15 (5A)*

---

## FUILLA

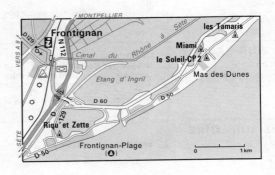 🅵 – 🟦86 ⑰

**66820** Pyr.-Or. – 297 h.

🅰 **Le Rotja** 🌿 ≪, ☎ 68 96 52 75, au bourg
1,2 ha (42 empl.) ⊶ plat, herbeux, pierreux, verger ◻ 🍴 – 🗚 🛁 🔥 ⊕ 🗓 – 🛶
– A proximité : 🏊 🍵 snack – Location : 🚐
juin-sept. – **R** *conseillée juil.-août* – 🛆 *11* 🖭 *12* 🔌 *10 (4A)*

---

## Les FUMADES

🅶 – 🟦80 ⑧

**30** Gard – ✉ 30500 St-Ambroix

🅰🅰🅰 **Domaine des Fumades** 🌿 « Belle entrée et cadre agréable »
☎ 66 24 80 78, accès par D 241, à proximité de l'établissement thermal, bord de l'Alauzène
15 ha/5 campables (100 empl.) ⊶ plat et peu incliné, herbeux, pierreux ◻
– 🗚 ⇆ 🛁 🗓 ⊕ 🏊 🍴 ✕ 🛒 – 🍴 ✖ 🔥 🏊 half-court – A proximité :
– Location : 🚐 🚐 🏠, appartements
15 mai-sept. – **R** *conseillée juil.août* – 🛆 *22 piscine comprise* 🖭 *52* 🔌 *11 (2A 18 (4A)*

---

## FUMEL

🅸 – 🟦79 ⑥ G. Pyrénées Aquitaine

**47500** L.-et-G. – 5 882 h.

🛈 Syndicat d'Initiative, pl. G. Escande ☎ 53 71 13 70

🅰🅰 **Condat** 🌿, ☎ 53 71 11 99, E : 2 km par D 911 rte de Cahors puis, à la sortie de Condat, 1,2 km par rte à droite, bord du Lot
2,3 ha (80 empl.) ⊶ (saison) plat, herbeux, goudronné ⊕⊕ (0,5 ha) – 🗚 ⇆ 🛁
⊕ – 🖭
avril-sept. – **R** *conseillée juil.-août* – 🛆 *12* 🖭 *12/19 avec élect. (10A)*

---

## GABARRET

🅸 – 🟦79 ①

**40310** Landes – 1 335 h.

🛈 Syndicat d'Initiative, pl. Mairie ☎ 58 44 34 95

🅰 **Parc Municipal Touristique la Chêneraie** 🌿, ☎ 58 44 92 62, sortie par D 35 rte de Castelnau-d'Auzan et chemin à droite
0,7 ha (33 empl.) ⊶ peu incliné, herbeux ◻ 🍵 – 🗚 ⇆ 🏊 🛁 ⊕ 🗓 – A proximité :
🏊 – Location : 🏠
mars-oct. – **R** *conseillée juin à sept.* – 🛆 *9,70* 🚗 *3,30* 🖭 *5,80/8,60 avec élect.*

**ACÉ**
**ⴲⵣ0** Orne – 2 247 h.
Office de Tourisme, Mairie
33 35 50 24

⛺ **Municipal le Pressoir,** à l'est du bourg par N 138
0,8 ha (22 empl.) peu incliné à incliné, herbeux – 🏠 ⊛
juin-10 sept. – ⴱ – ✝ *7,30* 🔲 *6,20* 🔟 *8,30*

🔳 – 🔟 ④

---

**a GACILLY**
**ⴲ00** Morbihan – 2 268 h.

⛺ **Municipal,** 🖉 99 08 15 28, SE : 0,5 km par D 777 rte de Sixt-sur-Aff, bord de l'Aff
1,5 ha (93 empl.) ⌦ (juil.-août) plat, herbeux – 🏠 ⏚ 🖪 ⊛
juin-sept. – ⴱ – ✝ *6,50 et 7 pour eau chaude* 🚐 *5* 🔲 *4,50* 🔟 *7*

🔳 – 🔠 ⑤

---

**AILLAC**
**ⴲ00** Tarn – 10 378 h.
Office de Tourisme, pl. de la
ⴲération 🖉 63 57 14 65

🔳 – 🔠 ⑨ ⑩ G. Pyrénées Roussillon

⛺ **Municipal le Lido** 🏕 « Près d'un parc », 🖉 63 57 18 30, sortie SE par D 964 rte de Graulhet et r. St-Roch à droite, bord du Tarn
1 ha (33 empl.) ⌦ plat, herbeux ⵟ – 🏠 ⏚ ⏚ ⊛ ⵤ 🗲 – A proximité : 🗡 🏊
juin-sept. – **R** conseillée août – Tarif 91 : ✝ *8* 🚐 *8* 🔲 *8* 🔟 *10*

---

**ALÉRIA 2B** H.-Corse – 🔟 ⑭ – voir à Corse

---

**ALLARGUES-LE-MONTUEUX**
**ⴲ60** Gard – 1 988 h.

🔳 – 🔠 ⑧

⛺ **Les Amandiers,** 🖉 66 35 28 02, sortie SO
3 ha (150 empl.) ⌦ plat, pierreux, herbeux – 🏠 ⵣ 🖪 ⊛ ⵤ ⵟ ⵢ – 🗡 🚐
🏊 – Location : 🚐 🚐
mai-15 sept. – **R** conseillée 14 juil.-15 août – Tarif 91 : 🔲 piscine comprise 2 pers.
60 (75 ou 85 avec élect. 4 ou 6A), pers. suppl. 17

---

**ANGES**
**ⴲ90** Hérault – 3 343 h.
Syndicat d'Initiative, r. Biron
ⵣison) 🖉 67 73 84 79

🔳 – 🔟 ⑯ G. Gorges du Tarn

⛺ **Le Tivoli,** 🖉 67 73 97 28 ✉ 34190 Laroque, SE : 1 km par D 986 rte de Montpellier, accès direct à l'Hérault
1,2 ha (68 empl.) ⌦ plat, herbeux ⵟ – 🏠 ⛯ ⊛
15 juin-août – **R** conseillée – ✝ *12* 🔲 *11/14* 🔟 *10 (3A)*

---

**ANNAT**
**ⴲ00** Allier – 5 919 h.

🔳 – 🔠 ④ G. Auvergne

⛺ **Municipal** ⵣ, 🖉 70 90 12 16, S : 1 km par N 9 et rte à droite
1,5 ha (66 empl.) ⌦ en terrasses, peu incliné, herbeux – 🏠 ⏚ ⏚ ⊛ – 🚐
juin-sept. – **R** – ✝ *9* 🚐 *3* 🔲 *4*

---

**AP** 🅿
**ⴲ00** H.-Alpes – 33 444 h.
ⵣ. 733.
Office de Tourisme, 12 r. Faure du
ⵣrre 🖉 92 51 57 03

🔳 – 🔠 ⑯ G. Alpes du Sud

⛺ **Alpes-Dauphiné** ⵣ, 🖉 92 51 29 95, N : 3 km sur N 85 rte de Grenoble – alt. 850
5 ha (100 empl.) ⌦ incliné, en terrasses, herbeux ⵟ – 🏠 ⛯ ⏚ ⵣ 🖪 ⯅ ⊛ ⵤ
ⵢ ⵣ ⵢ ✗ pizzeria ⵣ ⵣ – 🚐 🏊 – Location : 🏠
Permanent – **R** juil.-août – ✝ *21 piscine comprise* 🔲 *21*

⛺ **S.I. Provence** ⵣ, 🖉 92 51 13 25, SO : 3 km par N 85 rte de Sisteron
1,3 ha (89 empl.) ⌦ peu incliné, herbeux ⵟ – 🏠 ⛯ ⏚ 🖪 ⵣ ⊛ ⵤ ⵟ ⵣ – 🚐
🚐
mai-15 oct. – **R** conseillée – Tarif 91 : ✝ *14* 🔲 *13,50* 🔟 *8,50 (3A)*

⛺ **Napoléon** ⵣ Gap et montagnes, 🖉 92 52 12 41, N : 3,5 km sur N 85 rte de Grenoble – alt. 920
4 ha (50 empl.) ⌦ incliné, terrasses, herbeux ⵟⵟ (2 ha) – 🏠 ⵣ 🖪 ⵣ ⊛
Permanent – **R** conseillée juil.-août – ✝ *10,50* 🔲 *10,50* 🔟 *15 (2A) 20 (6A) 25 (10A)*

à la Rochette NE : 9 km par N 94 rte d'Embrun, D 314 et D 14
✉ 05000 la-Rochette :

⛺ **Le Chapeau de Napoléon** 🏕 ⵣ, 🖉 92 51 28 80 – alt. 1 130
1 ha (33 empl.) ⌦ incliné, herbeux – 🏠 ⵣ 🖪 ⊛ ⵢ snack – 🏠 – Location :
🚐
mai-sept. – **R** conseillée juil.-août – ✝ *12* 🚐 *6* 🔲 *10* 🔟 *9 (6A)*

---

**a GARDE 38** Isère – 🔟 ⑥ – rattaché au Bourg-d'Oisans

---

**a GARDE-FREINET**
**ⴲ10** Var – 1 465 h.

🔳 – 🔠 ⑰ G. Côte d'Azur

⛺ **Municipal St-Eloi,** 🖉 94 43 62 40, sortie S par D 558 rte de Grimaus – 🅿
(tentes)
1,5 ha (100 empl.) ⌦ plat et en terrasses, herbeux, pierreux ⵟⵟ – 🏠 – A proximité :
🗡 🏊 ⵤ
15 juin-15 sept. – ⴱ – Tarif 91 : ✝ *10* 🚐 *12*

203

## GARGILESSE-DAMPIERRE

10 – 68 ⑱ G. Berry Limous

**36190** Indre – 342 h.

▲ **La Chaumerette** 🐾 « Situation agréable au bord de la Creuse
  𝒫 54 47 84 25, SO : 1,5 km par rte du barrage de la Roche-au-Moine – Acc
conseillé pour véhicules venant du **Pin** : D 38 et rte à gauche
2,5 ha (80 empl.) ⚬⇥ plat, herbeux ⌇⌇ – 🎍 🔌 🚻 ⊕ 🍽 – A proximité : ✕
mai-sept. – **R** – 🏕 *8,50* 🗐 *8,50* 🔌 *4 à 20 (1 à 10A)*

---

**La GARONNE** 83 Var – 84 ⑮ – rattaché au Pradet

---

## GASTES

13 – 78 ⑬

**40160** Landes – 368 h.

▲▲ **La Réserve** Ⓜ, 𝒫 58 09 75 96, SO : 3 km par D 652 rte de Mimizan et chem
à droite, à 100 m de l'étang (accès direct)
27 ha (375 empl.) ⚬⇥ plat, herbeux, sablonneux ⌇⌇ – 🎍 🔌 🚻 🛁 🗐 ♿ ⊕ 🛒
🍽 ✕ cafétéria 🔥 – 🔟 – 🛶 ✕ 🍴 🚤 🔟 🗓 🚲 vélos – Location : 🏕 🚐 🚐
18 mai-21 sept. – **R** conseillée – 🗐 piscine comprise 2 pers. 105, pers. sup
17 🔌 16 (6A)

---

## GAVARNIE

14 – 85 ⑱ G. Pyrénées Aquitai

**65120** H.-Pyr. – 177 h. alt. 1 357.
🏢 Office de Tourisme (juil.-sept.,
15 déc.-avril) 𝒫 62 92 49 10

▲ **Le Pain de Sucre** ≤, 𝒫 62 92 47 55, N : 3 km par D 921 rte de Luz-S
Sauveur, bord du Gave de Gavarnie – alt. 1 273
1,5 ha (50 empl.) ⚬⇥ plat, herbeux – 🎍 ⊕
juil.-sept. – **R** – 🏕 *7* 🗐 *9* 🔌 *10 (2A) 27 (6A)*

---

## Le GÂVRE

4 – 63 ⑯ G. Bretag

**44** Loire-Atl. – 995 h. – ✉ 44130
Blain

▲▲ **Municipal de la Forêt,** sortie S rte de Blain et à droite, bord d'un plan d'e
2,5 ha (150 empl.) plat, herbeux – 🎍 🔌 ♿ ⊕ – ✕ 🛶 – A proximité : 🏊
mars-oct. – **R** – 🏕 *7* 🚐 *4* 🗐 *5,50* 🔌 *9*

---

## GEAUNE

13 – 82

**40320** Landes – 723 h.

▲ **Municipal,** sortie SO par D 111, rte de Clèdes, au stade
1 ha (40 empl.) ⚬⇥ en terrasses, peu incliné, herbeux – 🎍 🔌 🛁 ♿ ⊕ 🛒
A proximité : ✕ 🔟
mars-oct. – **R** – 🏕 *8* 🚐 *4* 🗐 *8/17 avec élect.*

---

## GÈDRE

14 – 85 ⑱ G. Pyrénées Aquitai

**65120** H.-Pyr. – 317 h. alt. 1 011

▲ **Le Mouscat** 🐾, 𝒫 62 92 47 53, N : 0,7 km par D 921 rte Luz-St-Sauveur
à gauche, bord du gave de Gavarnie
1 ha (50 empl.) ⚬⇥ plat, herbeux – 🎍 🔌 🛁 🗐 ♿
juin-sept. – **R** – 🏕 *11* 🗐 *12*

▲ **Le Soumaoute** ≤ montagnes, 𝒫 62 92 48 70, près de l'église
0,3 ha (22 empl.) ⚬⇥ plat et en terrasses, herbeux 🔟 ♀ – 🎍 🔌 🔳 ⊕ – 🛶
A proximité : 🍴 ✕ 🔟 (toboggan aquatique) – Location : gîte d'étap
appartements
vac. scol. de fév., 25 juin-15 sept. – **R** – 🏕 *9* 🗐 *11* 🔌 *10 (2A)*

▲ **Le Relais d'Espagne** ≤, 𝒫 62 92 47 70, N : 2 km sur N 21 rte de Luz-S
Sauveur, à la station service, bord du Gave de Gavarnie
2 ha (38 empl.) ⚬⇥ plat, pierreux, herbeux ♀ – 🎍 🔌 ⊕ 🍴
Permanent – **R** conseillée juil.-août – 🏕 *9* 🗐 *10,60* 🔌 *10,30 (2A) 30,90 (6.*

---

## GEMAINGOUTTE

8 – 62

**88520** Vosges – 123 h.

▲ **Municipal le Violu,** sortie O par N 59 rte de St-Dié, bord d'un ruisseau
1 ha (48 empl.) plat, herbeux – 🎍 🔌 ♿ ⊕
avril-oct. – **R** – 🏕 *7* 🚐 *7* 🗐 *7* 🔌 *10 (16A)*

---

## GÉMENOS

16 – 84 ⑭ G. Provenc

**13420** B.-du-R. – 5 025 h.

▲▲ **Le Clos** ≤, 𝒫 48 82 06 29, prévu 42 32 18 24, sortie S rte de Toulon
1,7 ha (53 empl.) ⚬⇥ plat, herbeux 🔟 ⌇⌇ – 🎍 🔌 🛁 🗐 ⊕ 🛒 ✕ 🛒 cas
réfrigérées – 🚐 ✕ – A proximité : 🔟
avril-sept. – **R** conseillée juil.-20 août – Tarif 91 : 🗐 2 pers. 57, 3 pers. 78, 4 pe
89, pers. suppl. 15 🔌 13 (4A)

---

## GÉMOZAC

9 – 171

**17260** Char.-Mar. – 2 333 h.

▲▲ **Municipal,** sortie O rte de Royan
1 ha (40 empl.) plat, herbeux – 🎍 🔌 🛁 ⊕ – ✕
15 juin-15 sept. – **R** – 🗐 1 pers. 20, 2 ou 3 pers. 31, 4 ou 5 pers. 46 🔌 9 (5
19 (10A)

## GENÊTS

**50530** Manche – 481 h.

4 – 59 ⑦ G. Normandie Cotentin

**Les Coques d'Or** ⑤, ⑥, 𝒫 33 70 82 57, NO : 0,7 km par D 35E1 rte du Bec d'Andaine
2,5 ha (109 empl.) ⟶ plat, herbeux – 🔥 ⇆ 🖻 🔥 ☺ 🍽 🖩 – ♨️ 🏊 – Location : 🏕️
avril-sept. – **R** *conseillée saison* – 🟎 *17 piscine comprise* 🚗 *8,50* 🖩 *9* 🚱 *8 (3A) et 2,50 par ampère suppl.*

## GENILLÉ

**37460** I.-et-L. – 1 428 h.

10 – 64 ⑯ G. Châteaux de la Loire

**Municipal,** au sud du bourg par D 764 rte de Loches, au terrain de sports
0,5 ha (18 empl.) plat, herbeux 🔄 🎣 – 🔥 🔥 ☺ – A proximité : 🎾 🏊
15 juin-sept. – **R** – *Tarif 91 :* 🟎 *7* 🖩 *10* 🚱 *10 (10A)*

## GENNES

**49350** M.-et-L. – 1 867 h.
🏢 Syndicat d'Initiative, square de l'Europe (mai-sept.) 𝒫 41 51 84 14

5 – 64 ⑫

**Districal du Bord de l'Eau,** sortie N, près du pont, bord de la Loire
2,5 ha (170 empl.) ⟶ plat, herbeux, sablonneux 🎣 – 🔥 🔥 🖻 ☺ 🖻 – ♨️ –
A proximité : 🏊
mai-oct. – **R** – 🟎 *8* 🖩 *9,50* 🚱 *8,50 (5A)*

*Ga niet vandaag op reis met kaarten van gisteren.*

## GÉNOLHAC

**40450** Gard – 827 h.
🏢 Syndicat d'Initiative 𝒫 66 61 18 32

16 – 80 ⑦ G. Gorges du Tarn

**Les Esparnettes** ⑤, ⑥, S : 4,5 km par D 906 rte de Chamborigaud puis 0,4 km par D 278 à droite, à Pont de Rastel, bord du Luech
1,5 ha (63 empl.) plat, herbeux – 🔥 ⇆ 🖻 🔥 ☺ – 🔄
mai-oct. – **R** – 🟎 *8* 🚗 *5* 🖩 *8* 🚱 *8 (6A)*

## GENOUILLÉ

**17430** Char.-Mar. – 533 h.

9 – 171 ③

**Municipal l'Étang des Rosées** ⑤, 𝒫 46 27 70 01, S : 1 km, à 50 m de l'étang
1 ha (33 empl.) peu incliné et plat, herbeux – 🔥 ⇆ ☺ – A proximité : ♨️
juil.-15 sept. – **R** – 🟎 *10* 🚗 *4* 🖩 *5* 🚱 *8*

## GÉRARDMER

**88400** Vosges – 8 951 h. alt. 665 – ⛷️
🏢 Office de Tourisme, pl. des Déportés 𝒫 29 63 08 74

8 – 62 ⑰ G. Alsace Lorraine

**Ramberchamp,** 𝒫 29 63 03 82, SO : 1,5 km, au bord du lac
3,5 ha (258 empl.) ⟶ plat, herbeux 🔄 – 🔥 ⇆ 🖻 ☺ 🖻 🍽 🖩 – 🔄 billard golf – A proximité : 🖩 – Location : studios
15 avril-20 sept. – **R** – 🟎 *18* 🖩 *21* 🚱 *14 (3A)*

**Les Granges-Bas** ⑤, 𝒫 29 63 12 03, O : 4 km par D 417 puis, à Costet-Beillard, 1 km par chemin à gauche (hors schéma)
2 ha (100 empl.) ⟶ plat et peu incliné, prairie – 🔥 🔥 🖻 ☺ – 🔄 🎾
mai-sept. – **R** *juil.-août – Tarif 91 :* 🟎 *6,50* 🚗 *3,20* 🖩 *3,40* 🚱 *7 (2A) 14 (5A)*

**Les Sapins,** 𝒫 29 63 15 01, SO : 1,5 km, à 200 m du lac
1,3 ha (70 empl.) ⟶ plat, herbeux – 🔥 ⇆ 🖻 ☺ – A proximité : 🐎
avril-sept. – **R** – 🖩 *élect. comprise (4A) 2 pers. 45,70, pers. suppl. 13*

*Bas-Rupts* S : 4 km par D 486 rte du Thillot alt. 800
✉ 88400 Gérardmer :

**Les Ruisseaux** 🔇 <, ✆ 29 63 13 06 – alt. 760
1,5 ha (70 empl.) vallonné, herbeux – ⊡ ⊟ ☺ 🍷
15 mars-sept. – **R** – ✱ *7* 🚗 *3,50* ▤ *3,50* [ɸ] *10 (4A)*

**Les Bas-Rupts** 🔇 <, ✆ 29 63 37 15, au bord d'un petit torrent – alt. 750
1,5 ha (50 empl.) plat, peu incliné, herbeux ♀ (0,5 ha) – ☺
juin-15 sept. – **R** – ✱ *7* ▤ *7* [ɸ] *8,50 (3 ou 4A)*

**Les Myrtilles** <, ✆ 29 63 21 38
3,5 ha (65 empl.) plat et peu incliné, prairie – ✕
Permanent – **R** *juil.-août* – ✱ *7* 🚗 *3,50* ▤ *3,50*

*à Liézey* NO : 9,5 km par D 417 et D 50 à droite alt. 750
✉ 88400 Liézey :

**La Forêt** 🔇 <, ✆ 29 60 07 20, au bourg (hors schéma) –
0,7 ha (35 empl.) incliné, herbeux – 🍷
mai-oct. – **R** *conseillée juil.-août* – ✱ *8* 🚗 *5* ▤ *5/7*

---

## GÉRAUDOT

7 – 61 ⑰ G. Champagne

**10220** Aube – 274 h.

**L'Épine aux Moines** 🔇 <, ✆ 25 41 24 36, SE : 1,3 km par D 43, à 200 m du lac de la Forêt d'Orient
2,8 ha (186 empl.) plat et peu incliné, herbeux – ♿ ☺ – A proximité :
15 mars-15 oct. – **R** *conseillée juil-20 août* – ▤ *1 pers. 20, pers. suppl. 8,50* [ɸ] *6,50 (4A) 11 (5A) 15 (plus de 5A)*

---

## GÈRE-BÉLESTEN

13 – 85 ⑯

**64260** Pyr.-Atl. – 151 h.

**Municipal de Monplaisir** <, ✆ 59 82 61 18, S : 2 km, à Monplaisir, entre D 934 et le Gave d'Ossau
1,4 ha (100 empl.) (saison) plat, herbeux, pierreux – ☺ –
Permanent – **R** *conseillée 25 juil.-15 août* – ✱ *6* 🚗 *3* ▤ *8/12 ou 14*

---

## GERSTHEIM

8 – 62 ⑩ G. Alsace Lorraine

**67150** B.-Rhin – 2 808 h.

**Municipal Au Clair Ruisseau** 🔇, ✆ 88 98 30 04, sortie NE vers le Rhin et chemin à gauche, bord d'un étang et d'un cours d'eau
3 ha (66 empl.) (saison) plat, herbeux – ☺ –
avril-sept. – **R** *conseillée* – ✱ *5,50* ▤ *8,50*

---

## Les GETS

12 – 74 ⑧ G. Alpes du Nord

**74260** H.-Savoie – 1 287 h.
alt. 1 170 – .
Office de Tourisme ✆ 50 79 75 55

la Grange au Frêne 🔇 < massif du Mt-Blanc, ✆ 50 75 80 60, sortie SO par D 902 rte de Taninges puis 2,3 km par rte des Platons à droite – alt. 1 31
0,3 ha (14 empl.) non clos – ♿ ☺ –
15 juin-15 sept. – **R**

---

## GEU

**65** H.-Pyr. – 85 ⑱ – rattaché à Lourdes

---

## GEX

12 – 70 ⑮ ⑯ G. Jura

**01170** Ain – 6 615 h. alt. 628.
Office de Tourisme ✆ 50 41 53 85

**Municipal** M <, ✆ 50 41 61 46, E : 1 km par D 984ᶜ rte de Divonne-les-Bains et chemin à droite
3,3 ha (160 empl.) plat et peu incliné, herbeux, gravillons, goudronné
☺ – – A proximité :
juin-13 sept. – **R** – ✱ *12* 🚗 *10* ▤ *10* [ɸ] *10 (16A)*

---

## GHISONACCIA

**2B** H.-corse – 90 ⑥ – voir à Corse

---

## GIBLES

11 – 69

**71800** S.-et-L. – 604 h.

**Château de Montrouant** 🔇 < « Parc au bord d'un étang », ✆ 85 84 51 1 NE : 1,6 km rte de Charolles et chemin
11 ha/1 campable (40 empl.) peu incliné, plat, gravillons ♀ –
♿ ☺ – poneys, half-court
15 juin-4 sept. – **R** *conseillée 5 juil.-15 août* – ✱ *18 piscine comprise* 🚗 *15,50* ▤ *15,50* [ɸ] *15,50 (6A)*

---

## GIEN

6 – 65 ② G. Châteaux de la Loire

**45500** Loiret – 16 477 h.
Office de Tourisme, pl. J.-Jaurès ✆ 38 67 25 28

Les Bois du Bardelet M ◇ 🔇 « Cadre agréable », ✆ 38 67 47 39, SO : 5 km par D 940 rte de Bourges et 2 km par rte à gauche – Pour les usagers venant de Gien, accès conseillé par D 53 rte de Poilly-lez-Gien et 1ère à droite
4 ha/2 campables (100 empl.) plat, herbeux, étang ♀ –
☺ 🍷 ✕ – – – Location :
**Location longue durée** – *Places disponibles pour le passage*

## GIENS

83 Var – ⊠ 83400 Hyères

Schéma à Hyères

⚑ **La Presqu'île,** *&* 94 58 22 86, E : 1 km
6 ha (460 empl.) ⊶ plat et en terrasses, pierreux ⚲⚲ – ⚲ ⚲ ⚲ ⚲ ⚲ ⚲ ⚲ ⚲ ⚲
⚲ – A proximité : ⚲ – Location : ⚲ ⚲
⚑ **La Bergerie,** *&* 94 58 91 75, NE : 1,5 km sur D 97, à 200 m de la plage (accès
direct)
0,8 ha (60 empl.) ⊶ plat, herbeux ♀ – ⚲ ⚲ ⚲ ⚲ ⚲ snack ⚲ – A proximité :
⚲ – Location : ⚲
fermé 10 janv.-1ᵉʳ fév. – **R** – 🗐 2 pers. 70 🛱 14 (3A) 18 (5A) 24 (10A)

## GIFFAUMONT-CHAMPAUBERT

51290 Marne – 227 h.

⚑ **La Plage** ⚲, *&* 26 72 61 84, E : 2 km par rte du port de Giffaumont et chemin
à droite, à 200 m du lac du Der-Chantecoq
1,5 ha (99 empl.) ⊶ (juil.-août) plat, herbeux, bois attenant ♀ (0,5 ha) – ⚲ ⚲ –
A proximité : ⚲ ⚲
mai-10 sept. – **R** – ⚲ 10 🗐 10 🛱 10 (6A)

## GIGEAN

34770 Hérault – 2 529 h.

⚑ **Municipal,** *&* 67 78 82 48, vers sortie SO et 0,5 km par chemin du stade à
droite, bord de la N 113
1 ha (63 empl.) ⊶ plat, pierreux – ⚲ ⚲ ⚲ ⚲ – A proximité : ⚲
15 juin-15 sept. – **R** *conseillée* – Tarif 91 : 🗐 1 ou 2 pers. 32,50, 3 pers.
39,50, pers. suppl. 9,50 🛱 11,50

## GIGNAC

34150 Hérault – 3 652 h.
🛈 Office de Tourisme, pl. Gén.-
Claparède *&* 67 57 58 83

⚑ **Moulin de Siau** ⚲, *&* 67 57 51 08 ⊠ 34150 Aniane, NE : 2,2 km par D 32
rte d'Aniane puis chemin à gauche, bord d'un ruisseau et à 200 m de l'Hérault
2,5 ha (115 empl.) ⊶ plat, pierreux, herbeux ♀ – ⚲ ⚲ ⚲
15 juin-15 sept. – **R** – 🗐 2 pers. 46, pers. suppl. 11 🛱 11 (6A)
⚑ **Le Pont,** *&* 67 57 52 40, O : 0,8 km, à 300 m de l'Hérault
0,7 ha (36 empl.) ⊶ plat et terrasse, herbeux ♀ – ⚲ ⚲ ⚲ ⚲ – A proximité :
⚲
Permanent – **R** *conseillée juil.-août* – Tarif 91 : 🗐 2 pers. 52 🛱 9 (3A) 12 (6A)

## GIGNY-SUR-SAÔNE

71240 S.-et-L. – 401 h.

⚑ **Château de l'Epervière** ⚲, « Parc boisé au bord d'un étang »,
*&* 85 44 83 23, S : 1 km, à l'Epervière
7 ha (50 empl.) ⊶ plat, herbeux ⚲ ⚲⚲ – ⚲ ⚲ ⚲ ⚲ ⚲ ⚲ ⚲ ⚲ – ⚲ ⚲
– A proximité : ⚲
Pâques-15 oct. – **R** – ⚲ 16 🗐 28 🛱 14 (4A) 21 (6A)

## GILETTE

06830 Alpes-Mar. – 1 024 h.

⚑ **Moulin Noì** ⚲ ≤ « Site et cadre agréables », *&* 93 08 92 40, sur D 2209,
à 1,8 km au SO de Pont Charles-Albert (N 202), bord de l'Estéron
4 ha (125 empl.) ⊶ plat, pierreux ⚲ ♀ (1 ha) – ⚲ ⚲ ⚲ ⚲ ⚲ ⚲ ⚲ ⚲ ⚲ ⚲
⚲ ⚲ ⚲ ⚲ – ⚲ ⚲ ⚲ ⚲ ⚲ ⚲ – Location : ⚲, bungalows toilés
avril-sept. – **R** *conseillée juil.-août* – 🗐 piscine comprise 2 pers. 83 à 103 🛱 11,90
(3A) 14,40 (4A) 18,90 (6A)

## GILLEY

25650 Doubs – 1 149 h. alt. 870

⚑ **Le Lava** ⚲ ≤, *&* 81 43 30 88, SE : 2,5 km par D 132 et chemin à gauche
0,5 ha (33 empl.) ⊶ plat et peu incliné, herbeux – ⚲ ⚲ – ⚲
Permanent – **R** – ⚲ 10 ⚲ 4 🗐 6/10

## GLÈRE

25190 Doubs – 187 h.

⚑ **Municipal** ⚲ ≤, *&* 81 93 97 28, E : 1,5 km par ancienne rte de Brémoncourt
(rive droite du Doubs)
3 ha (79 empl.) ⊶ plat, peu incliné et en terrasses, gravillons – ⚲ ⚲ ⚲ ⚲ ⚲
⚲ – ⚲ ⚲
mars-oct. – *Places limitées pour le passage* – **R** *juil.-août* – Tarif 91 : ⚲ 6 piscine
comprise ⚲ 5 🗐 5 ou 6 🛱 8 (6A) 10 (plus de 6A)

## GODEWAERSVELDE

59270 Nord – 1 738 h.

⚑ **Municipal** ⚲, au NE du bourg, par r. Raoul de Godewaersvelde, près d'un
petit étang
0,5 ha (13 empl.) plat, herbeux ⚲ – ⚲ ⚲ – ⚲
avril-oct. – **R** *conseillée* – ⚲ 6 ⚲ 3 🗐 8,10 🛱 6,90 (2A) 10,30 (4A) 17,20 (6A)

## GOLINHAC
**12140** Aveyron – 458 h. alt. 648

15 – 80 ② G. Gorges du Tar▮

▲▲ **Municipal Bellevue** ⊰, ⟨, ℰ 65 44 50 73, au SO du bourg
1 ha (42 empl.) ⊶ incliné, en terrasses, plat, herbeux ⊏⊐ ⚲ – ⤳ ⇆ ⌂ ⊙ ⚑ ⣿
– 🔲 – Location : gîte d'étape
juil.-15 sept. – **R** – ⸸ *6,30* ⇔ *3,70* ▣ *3,70* ⟨⟩ *4,20*

---

## GONNEVILLE-EN-AUGE **14** Calvados – 54 ⑯ – rattaché à Merville-Franceville-Plage

---

## GOUAUX
**65440** H.-Pyr. – 62 h. alt. 925

14 – 85 ⑲

△ **Le Ruisseau** ⊰ ⟨, au bourg, sur D 25
2 ha (100 empl.) ⊶ (saison) peu incliné, en terrasses, herbeux – ⤳ ⇆ ⌂ ⤴ ▣
Permanent – **R** *conseillée juil.-août* – ⸸ *8* ▣ *8,50* ⟨⟩ *17 (4A)* 30 (plus de 6A▮

---

## GOUDARGUES
**30630** Gard – 788 h.

16 – 80 ⑨ G. Provence

▲▲▲ **les Amarines** ⟨, ℰ 66 82 24 92, NE : 1 km par D 23, bord de la Cèze
4 ha (90 empl.) ⊶ plat, herbeux ⊏⊐ – ⤳ ⇆ ⌂ 🍴 ⚑ ⚑ ⚑ ⣿ – 🔲 ▭ ⛟
vélos
Pâques-15 oct. – **R** *conseillée juil.-août* – ▣ *piscine comprise 2 pers. 65, pers*
*suppl. 12* ⟨⟩ *10 (6A)* 12 (10A)

▲▲ **La Grenouille** ⊰, ℰ 66 82 21 36, au bourg, près de la Cèze (accès direct▮
et bord d'un ruisseau
0,8 ha (50 empl.) ⊶ (saison) plat, herbeux ⊏⊐ ⚲⚲ – ⤳ ⤳ ⚑ ⚑ ⊙ ▣
avril-1ᵉʳ oct. – **R** *conseillée juil.-août* – ▣ *2 pers. 62, pers. suppl. 15* ⟨⟩ *13 (4▮*

▲▲ **St-Michelet** ⊰, ℰ 66 82 24 99, NO : 1 km par D 371 rte de Frigoulet, bor▮
de la Cèze
3 ha (120 empl.) ⊶ plat et peu incliné, herbeux ⚲ (1 ha) – ⤳ ⤳ ⚑ ⊙ ⚑ ⣿
▣ – ⛟
mai-sept. – **R** – ▣ *2 pers. 45, pers. suppl. 10* ⟨⟩ *10 (3A)* 15 (6A)

△ **Le Mas de Rome** ⊰, ℰ 66 82 25 24, S : 0,5 km par D 23 rte d'Uzès pui▮
1,5 km par chemin à gauche, bord de la Cèze – Pour caravanes, accès difficil▮
à certains emplacements, tracteur disponible
7 ha (80 empl.) ⊶ plat et accidenté, en terrasses, pierreux, herbeux ⊏⊐ ⚲▮
(3,5 ha) – ⤳ ⚑ ⚑ ⊙ – ⛟
juin-20 sept. – **R** *conseillée* – ▣ *2 pers. 46, pers. suppl. 11* ⟨⟩ *13 (3A)*

---

## GOUDET
**43490** H.-Loire – 65 h. alt. 760

11 – 76 ⑰ G. Vallée du Rhôn▮

▲▲▲ **Le Camping au Bord de l'Eau** ⊰ ⟨ « Site agréable », ℰ 71 57 16 82▮
sortie O par D 49 rte de Costaros et chemin à droite après le pont, près d▮
la Loire
4 ha (90 empl.) ⊶ plat, herbeux ⊏⊐ – ⤳ ⤳ ⚑ 🍴 ⚑ ⊙ 🍴 ⚒ ▣ – ⛵ ▭
A proximité : ⛟ – Location : 🔲
Pâques-sept. – **R** *indispensable – Tarif 91 :* ⸸ *17 piscine comprise* ▣ *14* ⟨⟩ *12*
*(2A)*

---

## GOUESNACH **29** Finistère – 58 ⑮ – rattaché à Bénodet

---

## GOUMOIS
**25470** Doubs – 136 h. alt. 400

8 – 166 ⑱ G. Jur▮

△ **Municipal la Forge** ⊰ « Site agréable », ℰ 81 44 27 19, N : 1 km par rte▮
du Moulin de Plain, bord du Doubs
0,9 ha (38 empl.) ⊶ plat et peu incliné, herbeux, pierreux ⊏⊐ – ⤳ ⚑ ⚑ ⣿
mars-2 nov. – **R** *conseillée* – ⸸ *8* ⇔ *7* ▣ *14* ⟨⟩ *6 (6A)*

---

## GOURDON ⟨SP⟩
**46300** Lot – 4 851 h.
🅱 Office de Tourisme, r. du Majou
(fermé après-midi hors saison)
ℰ 65 41 06 40

13 – 75 ⑱ G. Périgord Quercy

▲▲ **Municipal Écoute s'il Pleut** ⊰, ℰ 65 41 06 19, NO : 1,6 km par D 704 rte▮
de Sarlat-la-Canéda et chemin à gauche, près d'un plan d'eau
5 ha (150 empl.) ⊶ peu incliné, en terrasses, herbeux ⊏⊐ ⚲⚲ – ⤳ ⇆ ⌂ 🍴 ⚑
⊙ ⚑ – ⚒ ⛟ – A proximité : ⛵ ⛟ – Location : ☎, gîtes, bungalow▮
toilés
juin-sept. – **R** *conseillée juil.-août* – ⸸ *17 piscine et tennis compris* ▣ *19* ⟨⟩ *1▮*
*(6A)*

---

## GOURETTE
**64** Pyr.-Atl. – alt. 1 400 – ⛷
✉ **64440** Eaux-Bonnes.
🅱 Office de Tourisme, pl. Sarrières
(juil.-août, déc.-avril) ℰ 59 05 12 17

13 – 85 ⑰ G. Pyrénées Aquitaine

▲▲ **Le Ley** ❄ ⊰ ⟨, ℰ 59 05 11 47, O : 2 km rte d'Eaux-Bonnes, bord du Valentir▮
– alt. 1 175
2 ha (50 empl.) ⊶ plat, en terrasses, goudronné – ⤳ ⇆ ⌂ ⣿ ⊙ 🍴 ⚒
15 déc.-15 mai et juil.-15 sept. – **R** *conseillée vac. scolaires hiver – Tarif 91 :*
▣ *1 à 5 pers. 40 à 85* ⟨⟩ *15 à 43 (2 à 16A)*

208

## GOUVILLE-SUR-MER

**50560** Manche – 1 324 h.

4 – 54 ⑫

**Belle Etoile** ⟳ ≤, ℘ 33 47 86 87, O : 3 km par D 268 et rte du bord de mer, près de la plage
2,3 ha (160 empl.) ⟶ plat et accidenté, sablonneux, herbeux – 🗑 – 🔥 ⟲ 📷 🔥
🔳 ⊕ 🔥 ⟲ 🍴 🔥 📷 – 🔳 – Location : 🚐
mai-sept. – **R** conseillée – 🔲 1 ou 2 pers. 55 (🔌 15 (6A)

**Municipal le Sénéquet** ⟳ ≤, ℘ 33 47 84 37, O : 3 km par D 268 et rte du bord de mer, près de la place
3 ha (200 empl.) ⟶ plat et accidenté, sablonneux, herbeux – 🔥 ⟲ 📷 ⊕ – 🔳
avril-oct. – Tarif 91 : 🔥 8,50 🚗 4,50 🔲 4,50 🔌 7,50 (3A)

## GRAMAT

**46500** Lot – 3 526 h.
🅱 Maison du Tourisme, pl. de la République (mai-oct.) ℘ 65 38 73 60

13 – 75 ⑲ G. Périgord Quercy

**Municipal les Ségalières,** ℘ 65 38 76 92, sortie SO par D 677 rte de Cahors et à gauche, 2 km par D 14 rte de Reilhac
6 ha (75 empl.) ⟶ peu incliné, pierreux, herbeux ⚲ – 🔥 ⟲ 📷 🔳 🔥 ⊕ 🔥 📷
– 🔳 🔥 🔥 🔥 🔥 🔥 – A proximité : parc animalier – Location : 🏠
juin-sept. – **R** conseillée juil.-août – Tarif 91 : 🔥 11 piscine et tennis compris 🔲
14 (🔌 10 (4A)

## Le GRAND-BORNAND

**74450** H.-Savoie – 1 925 h. alt. 950
– ⟳.
🅱 Office de Tourisme, pl. de l'Église
℘ 50 02 20 33

12 – 74 ⑦ G. Alpes du Nord

**L'Escale** ❄ ⟳ ≤, ℘ 50 02 20 69, près de l'église, bord du Borne
2 ha (111 empl.) ⟶ plat, accidenté et terrasse, herbeux, pierreux – 🔥 ⟲ 📷 🔥
🔳 🔳 ⊕ – 🔳 🔥 – A proximité : 🔥 🔥 – Location : 🚐, studios et appartements
nov.-avril et juin-sept. – **R** conseillée hiver – 🔥été – 🔲 3 pers. 56 (hiver 79), pers. suppl. 15 (hiver 17) 🔌 15 (2A)

## GRANDCAMP-MAISY

**14450** Calvados – 1 881 h.

4 – 54 ③ G. Normandie Cotentin

**Joncal,** ℘ 31 22 61 44, au port, par le quai ouest, bord de mer
4 ha (300 empl.) ⟶ plat, terrasse, herbeux, sablonneux – 🔥 ⟲ ⊕ 🔥 – 🔳
Pâques-sept. – 🔥 – 🔥 14 🔲 14 🔌 10 (3A) 16 (5A) 20 (6A)

## La GRANDE-MOTTE

**34280** Hérault – 5 016 h.
🅱 Office de Tourisme, pl. du 1er-Octobre-1974 ℘ 67 56 62 62

16 – 83 ⑧ G. Gorges du Tarn

**Le Garden,** ℘ 67 56 50 09, sortie O par D 59, à 300 m de la plage
3,5 ha (237 empl.) ⟶ plat, sablonneux, herbeux ⚲ 🔥 – 🔥 ⟲ 📷 🔳 🔥 ⊕ 🔥
🔥 🔳 🍴 🔥 📷 – 🔥
mars-oct. – 🔥 – 🔲 élect. (6A) comprise 1 à 3 pers. 135, pers. suppl. 25

**Lous Pibols,** ℘ 67 56 50 08, sortie O par D 59, à 400 m de la plage
3 ha (237 empl.) ⟶ plat, sablonneux 🗑 🔥 – 🔥 ⟲ 📷 🔳 ⊕ 🔥 🔥 🔥 🔥 🍴 📷
– 🔳 salle de musculation
mars-oct. – 🔥 – 🔲 élect. (6A) comprise, 1 à 3 pers. 135, pers. suppl. 25

**Municipal Lou Gardian** Ⓜ, ℘ 67 56 14 14, sortie O par D 59
2,6 ha (160 empl.) ⟶ plat, sablonneux, herbeux 🗑 ⚲ – 🔥 ⟲ 🔳 🔥 ⊕ 🔥 🔥
📷 – 🔳 – A proximité : 🔥
début mars-fin oct. – **R** conseillée – 🔲 1 à 3 pers. 113, (143 avec élect. 10A) pers. suppl. 22 ou 26

**Intercommunal les Cigales,** ℘ 67 56 50 85, sortie O par D 59
2,5 ha (180 empl.) ⟶ plat, sablonneux ⚲⚲ – 🔥 📷 ⊕ 🔥 🔥 – A proximité :
Pâques-nov. – **R** conseillée saison – 🔲 2 pers. 59,20 (68,40 avec élect. 6A)

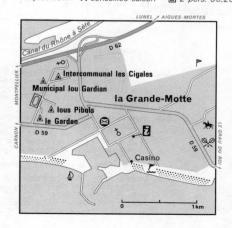

209

## GRAND-FORT-PHILIPPE

**59153** Nord – 6 477 h.

1 – 51 ③

▲▲ **Municipal de la Plage,** ℰ 28 65 31 95, au NO de la localité, rue du Maréchal Foch
1,5 ha (84 empl.) ⚬⚬ plat, herbeux – 🎯 ⚐ 📷 🗟 ⚙ ⚐ 🖳
29 mars-oct. – **R** – 🛉 20 🚗 8 🗉 15 [g] 15 (10A)

---

## GRANDJEAN

**17350** Char.-Mar. – 224 h.

9 – 171 ④

▲ **Municipal** ⚘, à 0,5 km au SO du bourg par D 230ᴱ et à droite, à l'ancienne gare
1,2 ha (50 empl.) plat, peu accidenté et terrasse, herbeux ⚬⚬ – 🎯 ⚐ ⚙ –
A proximité : 🏖
15 juin-sept. – **R** – 🛉 8 🚗 3,50 🗉 3,50 [g] 7

---

## GRAND'LANDES

**85** Vendée – 407 h. – ✉ 85670 Palluau

9 – 67 ⑬

▲▲ **Municipal les Blés d'Or,** au bourg, par D 94
0,7 ha (34 empl.) plat, peu incliné, herbeux 🔲 – 🎯 ⚐ ⚙ ⚐ ⚐ – A proximité :
🔻
Permanent – **R** conseillée juil.-août – 🛉 12 🚗 5 🗉 7 [g] 10 (5A)

---

## GRANDRIEU

**48600** Lozère – 844 h. alt. 1 162

15 – 76 ⑯

▲ **Le Vieux Moulin** ⚘ <, ℰ 66 46 40 37, NE : 5 km par D 5 rte de Laval-Atger puis chemin à droite, bord de rivière – alt. 1 000
1 ha (50 empl.) ⚬⚬ plat et peu incliné, herbeux – (🎯 ⚐ 🗟 mai-sept.) ⚙ 🍷
15 avril-15 oct. – **R** juil.-août – 🗉 2 pers. 35, pers. suppl. 10 [g] 8 (2A) 12 (5A)

▲ **Municipal** <, ℰ 66 46 31 39, au Sud du bourg, accès par rue devant la poste, à 100 m du Grandrieu
0,5 ha ⚬⚬ plat et en terrasses, incliné, pierreux, herbeux – 🎯 ⚐ 🗟 🗟 ⚙
juin-sept. – **R** conseillée août – 🛉 9,50 🚗 5 🗉 9,50 [g] 10,50 (3,5A) 20 (10A)

---

## Le GRAND-VILLAGE-PLAGE 17 Char.-Mar. – 171 ⑬ ⑭ – voir à Oléron (Ile d')

---

## GRANGES-SUR-VOLOGNE

**88640** Vosges – 2 485 h.

8 – 62 ⑰ G. Alsace Lorraine

▲▲ **Gina-Park** ⚘, ℰ 29 51 41 95, SO par le centre bourg vers Gérardmer puis 1,2 km par chemin à droite, bord d'un étang
4 ha (60 empl.) ⚬⚬ plat, peu incliné, herbeux 🔲 – 🎯 ⚐ 📷 🗟 🍺 ⚙ ⚐ ⚐ 🖳
– 🚆 – Location : 🏠
Permanent – **R** – 🛉 10,50 🗉 16 [g] 12 (6A) 18 (10A)

---

## GRANVILLE

**50400** Manche – 12 413 h.
🅸 Maison du Tourisme, cours Jonville ℰ 33 50 02 67

4 – 59 ⑦ G. Normandie Cotentin

▲▲ **La Vague,** ℰ 33 50 29 97, SE : 2,5 km par D 911 rte de St-Pair et D 572 à gauche, quartier St-Nicolas, à 150 m de la plage
1 ha (100 empl.) ⚬⚬ plat, herbeux, sablonneux 🔲 – 🎯 ⚐ ⚙
Pentecôte-fin sept. – **R**

**à Bréville-sur-Mer** NE : 4,5 km par rte de Coutances
✉ 50290 Bréville-sur-Mer :

▲▲ **La Route Blanche,** ℰ 33 50 23 31, NO : 1 km par rte de la plage, près du golf
2,5 ha (184 empl.) ⚬⚬ plat, herbeux, sablonneux 🍷 – 🎯 🗟 ⚙ 🖳 – A proximité
🏖
mai-sept. – **R** – Tarif 91 : 🛉 9,20 🚗 3,50 🗉 9 (17 avec élect. 5A)

**à Donville-les-Bains** NE : 3 km rte de Coutances
✉ 50350 Donville-les-Bains :

▲▲▲ **L'Oasis de la Plage,** ℰ 33 50 52 01, N : 1, 5 km par r. du Champ de Courses, près de l'hippodrome, bord de plage
2 ha (124 empl.) ⚬⚬ (saison) plat, herbeux, sablonneux – 🎯 ⚐ 🗟 📷 🗟 ⚙ ⚐
– 🚆 🏖 – A proximité : 🐎 – Location : 🚐
Pâques-fin sept. – **R** conseillée – 🛉 20 🗉 28 [g] 10 (2A)

▲▲▲ **Intercommunal de l'Hermitage,** ℰ 33 50 09 01, N : 1 km par r. du Champ de Courses, à 50 m de la plage
5,5 ha (350 empl.) ⚬⚬ plat et peu incliné, herbeux, sablonneux – 🎯 ⚐ 🗟 📷
⚙ ⚐ ⚐ 🖳 – 🚆 – A l'entrée : 🛒 🍷 ✕ 🦐 – A proximité : 🏖
Pâques-Toussaint – **R** conseillée – 🛉 14,50 🗉 17/28,90 [g] 9 (3A) 12,05 (6A)

**au SE :** 7 km par D 973 rte d'Avranches – ✉ 50380 St-Pair-sur-Mer :

▲▲▲ **Lez-Eaux** ⚘ « Parc agréable », ℰ 33 51 66 09
5 ha/3 campables (100 empl.) ⚬⚬ plat et peu incliné, herbeux ⚬⚬ – 🎯 ⚐ 🗟
🗟 ⚙ ⚐ 🛒 🍷 🦐 🖳 – 🚆 🏖 🔻
avril-15 sept. – **R** indispensable juil.-août – 🗉 piscine comprise 2 pers. 90, pers. suppl. 28 [g] 14 (2A) 20 (5A) 27 (10A)

## Le GRAU-DU-ROI

**30240** Gard – 5 253 h.

🛈 Office de Tourisme, bd Front-de-Mer ☎ 66 51 67 70

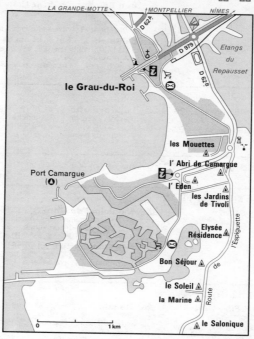

**à Port-Camargue** S : 3,5 km – ⊠ 30240 le Grau-du-Roi :

🛈 Office de Tourisme, Carrefour 2000 (Pâques-sept.) ☎ 66 51 71 68

### 🏕 Élysée résidence, ☎ 66 51 98 88, rte de l'Espiguette, bord d'un plan d'eau

16 ha (740 empl.) ⟿ plat, sablonneux 🚳 ♀ – 🗟 ⇔ 🛏 🏊 🕭 ⊕ 🛋 🐂 🛒 🍴 ✕ ☕ – 🛒 cases réfrigérées – salle de sports ✕ 🏓 🏊 théâtre de plein air, vélos – A proximité : 🐎 – Location : 🛖
5 avril-11 oct. – **R** *indispensable 7 juil.-25 août – Tarif 91 :* 🔲 *élect. (10A), piscine et tennis compris 1 ou 2 pers. 115 ou 124, pers. suppl. 37 ou 40*

### 🏕 L'Eden, ☎ 66 51 49 81, rte de l'Espiguette, près du rond-point de Port-Camargue

5,25 ha (405 empl.) ⟿ plat, sablonneux, herbeux 🚳 ♀ – 🗟 ⇔ 🛏 🖬 🏊 🕭 ⊕ 🛋 🐂 🛒 🍴 ✕ ☕ – 🖬 – 🏓 🏊 ✕ avec toboggan aquatique, half-court – A proximité : 🐎 – Location : 🛖 🏠
avril-5 oct. – **R** *conseillée juil.-août –* 🔲 *piscine comprise 1 à 5 pers. 110 à 184 (130 à 204 ou 140 à 220 avec élect. 6A)*

### 🏕 Les Jardins de Tivoli, ☎ 66 51 82 96, rte de l'Espiguette

7 ha (400 empl.) ⟿ plat, sablonneux 🚳 ♀ – Sanitaires indiv. 🛏 lavabo et évier eau froide, wc) ⊕ 🛋 🍴 snack ☕ 🖬 – ✕ 🏓 🏊 – A proximité : 🐎 – Location : 🛖
15 mars-15 oct. – **R** *conseillée –* 🔲 *élect. comprise 210*

### 🏕 L'Abri de Camargue, ☎ 66 51 54 83, rte de l'Espiguette

4 ha (300 empl.) ⟿ plat, sablonneux, herbeux 🚳 ♀♀ – 🗟 ⇔ 🛏 🖬 ⊕ 🛋 🐂 🛋 🍴 ✕ ☕ 🖬 – 🏊 🏊 ✕ – A proximité : 🐎 – Location : 🛖
avril-15 oct. – **R** *conseillée juil.-août –* 🔲 *élect. (8A) comprise 1 ou 2 pers. 120 à 188, 3 à 5 pers. 132 à 200, pers. suppl. 25*

### 🏕 La Marine, ☎ 66 51 46 22, rte de l'Espiguette – 🐕 dans locations

4,2 ha (287 empl.) ⟿ plat, sablonneux, herbeux 🚳 ♀ – 🗟 ⇔ 🛏 🖬 🏊 🕭 ⊕ 🛋 🐂 🛒 🍴 ✕ ☕ – 🖬 cases réfrigérées – 🏊 – A proximité : 🐂 🐎 – Location : 🛖
avril-15 oct. – **R** *conseillée juil.-août –* 🔲 *élect. (6A) et piscine comprises 4 pers. 175*

### 🏕 Le Salonique, ☎ 66 51 59 73, rte de l'Espiguette – 🐕 dans les locations

3,5 ha (180 empl.) ⟿ plat, sablonneux, herbeux 🚳 ♀ – 🗟 ⇔ 🛏 🖬 🛋 🕭 ⊕ 🛋 🍴 🐂 🖬 – 🏊 – A proximité : 🐎 – Location : 🛖
11 avril-27 sept. – **R** *conseillée juil.-20 août –* 🔲 *piscine comprise 2 pers. 94 (115 avec élect. 6A), pers. suppl. 23*

### 🏕 Les Mouettes, ☎ 66 51 44 00, NE rte du Grau-du-Roi, près du rond-point de Port-Camargue

1,2 ha (90 empl.) ⟿ plat, sablonneux, herbeux ♀♀ – 🗟 ⇔ 🛏 🖬 ⊕ 🍴 🖬 – ✕ 🏊 – A proximité : 🛒
avril-sept. – **R** *conseillée –* 🔲 *3 pers. 78* ⚡ *13 (3A) 19 (6A) 25 (9A)*

Le GRAU-DU-ROI

▲▲ **Bon Séjour,** ℰ 66 51 47 11, rte de l'Espiguette, bord d'un plan d'eau
4 ha (385 empl.) ⊶ plat, sablonneux, herbeux ⚲ - 🗇 ⚄ 🗒 ⊕ 🚉 🍷 🛠 -
A proximité : 🐎
avril-sept. - **R** *conseillée juin à août* - 🔳 *3 pers. 71* 🔋 *14 (6A)*

▲▲ **Le Soleil,** ℰ 66 51 50 07, rte de l'Espiguette, bord d'un plan d'eau - 🏖
3 ha (230 empl.) ⊶ plat, sablonneux, herbeux ⚲⚲ - 🗇 🔄 ⚄ 🗒 ⊕ 🍷 🗶 🛠 🔳
- A proximité : 🐎
avril-29 sept. - **R** *conseillée juil.-août* - 🛉 *13* 🚗 *3,60* 🔳 *11,50* 🔋 *12,50*

---

## La GRAVE                                    🖸 - 🗷 ⑦ G. Alpes du Nord

**05320** H.-Alpes - 455 h. alt. 1 526
- 🏖.
🛈 Syndicat d'Initiative ℰ 76 79 90 05

▲ **Le Gravelotte** ≼, ℰ 76 79 93 14, O : 1,2 km par N 91 rte de Grenoble et à
gauche, bord de la Romanche
1,7 ha (70 empl.) ⊶ plat, herbeux - 🗇 🔄 ⚄ 🗒 ⊕ 🍷 🔳
20 juin-15 sept. - **R** - 🔳 *2 pers. 45, pers. suppl. 13,50* 🔋 *10 (2A)*

---

## GRAVIÈRES **07** Ardèche - 🔟 ⑧ - rattaché aux Vans

---

## GRAYAN-ET-L'HÔPITAL                         🖲 - 🗷🗷 ⑯

**33590** Gironde - 617 h.

▲▲ **Municipal du Gurp** 🏖, ℰ 56 09 44 53, O : 5 km, à 300 m de la plage
20 ha/8 campables (850 empl.) ⊶ plat, légèrement accidenté, dunes ⚲⚲⚲ pinède
- 🗇 🖎 🗒 🕭 - A proximité : 🏖 🍷 🗶 🏖 🚉 poneys
juin-10 sept. - **R** - 🛉 *8,50* 🔳 *28,50*

▲ **Les Franquettes** 🏖, ℰ 56 09 43 61, au bourg, près de l'église
2,7 ha (100 empl.) ⊶ (juil.-août) plat, herbeux - (🗇 mars-oct.) ⊕ 🚉 🔳 - 🚤
Permanent - **R** *conseillée* - 🛉 *9* 🔳 *15* 🔋 *12 (6A) 15 (10A)*

---

## GRÉOUX-LES-BAINS                            🗷🗷 - 🔟 ⑮ G. Alpes du Sud

**04800** Alpes-de-H.-Pr. - 1 718 h. -
♨ 17 fév.-19 déc.
🛈 Office Municipal du Tourisme, av.
des Marronniers ℰ 92 78 01 08

▲▲ **Regain** 🅼 🏖 ≼, ℰ 92 78 09 23, SE : 2 km par D 8 rte de St-Pierre, bord du
Verdon
2 ha (83 empl.) ⊶ non clos, plat et terrasses, pierreux, sablonneux - 🗇 🔄 🕭
🗒 🕭 ⊕ 🏖 🚉 🏖
avril-oct. - **R** *conseillée* - 🛉 *15* 🔳 *20* 🔋 *10 (3A) 13 (6A) 15 (9A)*

▲▲ **La Pinède** 🏖 ≼, ℰ 92 78 05 47, S : 1,5 km par D 8 rte de St-Pierre, à 200 m
du Verdon
3 ha (70 empl.) ⊶ peu incliné et en terrasses, pierreux, gravillons ⚲ - 🗇 🔄 🖎
🗒 ⊕ 🚉 - 🏖 🐎
avril-oct. - **R** - 🛉 *11 piscine comprise* 🔳 *16* 🔋 *8,50 (3A) 14 (6A)*

---

## GRESSE-EN-VERCORS                           🗷🗷 - 🗷🗷 ⑭ G. Alpes du Nord

**38650** Isère - 265 h. alt. 1 250 -
🏖.
🛈 Syndicat d'Initiative, Mairie (saison)
ℰ 76 34 33 40

▲▲▲ **Les 4 Saisons** ❄ 🏖 ≼ massif du Vercors « Belle situation panoramique »,
ℰ 76 34 30 27, SO : 1,3 km, au lieu-dit la Ville
2,2 ha (100 empl.) ⊶ en terrasses, plat, pierreux, gravillons, herbeux - 🗇 🔄 🕭
🗒 🕭 🎞 ⊕ 🔳 - 🚃 🏊 parcours de santé - A proximité : 🍷 🚉 discothèque 🏖

juin-13 sept., vac. scol., et w.e. du 26 déc. au 10 mai - **R** *conseillée juin-13 sept.,*
*indispensable 26 déc.-10 mai* - 🔳 *piscine comprise 1 ou 2 pers. 53, pers. suppl.*
*14* 🔋 *2 à 10A : 12 à 24 (hiver 15 à 54)*

---

## GRESY-SUR-AIX **73** Savoie - 🗷🗷 - voir à Aix-les-Bains

---

## La GRÈVE-SUR-MIGNON                         🖲 - 🗷🗷 ②

**17170** Char.-Mar. - 317 h.

▲▲ **Municipal du Mignon,** ℰ 46 01 63 64, E : 0,8 km par D 116E rte de St-Hilaire-la-Palud, près du Mignon
2 ha (133 empl.) plat, herbeux ⚲⚲ - 🗇 🔄 🕭 🗒 🕭 ⊕ - 🚃 🚤
avril-sept. - **R** - 🛉 *8* 🚗 *4* 🔳 *7* 🔋 *8,50*

---

## GREZ-NEUVILLE                               ④ - 🗷🗷 ⑳ G. Châteaux de la Loire

**49220** M.-et-L. - 1 040 h.

▲▲ **Municipal,** ℰ 41 95 61 19, parc de la mairie, bord de la Mayenne
1,5 ha (70 empl.) ⊶ (saison) plat, peu incliné, herbeux ⚲ - 🗇 🔄 🕭 🗒 🕭 ⊕ -
🏖
avril-oct. - **R** - *Tarif 91 :* 🛉 *6,30* 🚗 *3,50* 🔳 *3,80* 🔋 *7,50*

---

## GRIGNY                                      ① - 🔟 ⑬

**62140** P.-de-C. - 361 h.

▲ Municipal le Vert Bocage, au S du bourg, près du terrain de sports, à 300 m
de la Ternoise
1,3 ha (50 empl.) plat, herbeux 🗀 - (🗇 🔄 saison) 🗒 🕭 ⊕

## GRIMAUD

**83310** Var – 3 322 h.
**⏍** Office de Tourisme, bd des Aliziers
ℰ 94 43 26 98

*à Port Grimaud* E : 6 km par D 14 – ⊠ 83310 Cogolin :

▲▲▲ **Les Mûres,** ℰ 94 56 16 97, de part et d'autre de la N 98, bord de plage
7,5 ha (700 empl.) ⟋ plat, accidenté et en terrasses, pierreux, sablonneux ♉♉
– ⌂ ⛶ ⌷ ⟠ & ☺ ⟲ self ⥅ ⭐ – ⭗ – A proximité : ✗ – Location : ⟰
Pâques-sept. – *Tarif 91* : ⊡ *2 pers. 78, pers. suppl. 16* ⟁ *16 (3A)*

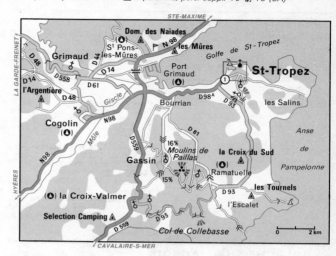

*à St-Pons-les-Mûres* E : 5,5 km par D 14 – ⊠ 83310 Cogolin :

▲▲▲ **Domaine des Naïades** ≤ « Terrasse fleurie au bord d'une belle piscine »,
ℰ 94 56 30 08, au domaine de la Bagarède
12,5 ha (406 empl.) ⟋ en terrasses, pierreux, sablonneux ♉ ♉♉ – ⌂ ⭐ ⛌ ⌷
& ☺ ⭓ ⟡ ⚑ ✗ ⭐ – ⭗ – ⟰ discothèque – ⟰ toboggan aquatique –
Location : ⟰
15 mars-13 oct. – **R** *conseillée, indispensable saison* – ⊡ *piscine comprise 4 pers.
150, pers. suppl. 28* ⟁ *11 (3A) 17 (6A) 23 (10A)*

Voir aussi à *Cogolin, Ramatuelle, La Croix Valmer*

---

## GROLÉJAC

**24250** Dordogne – 545 h.

    Schéma à la Roque-Gageac

▲▲▲ **Les Granges** ⌇ « Cadre agréable », ℰ 53 28 11 15, au bourg, bord de la
Germaine
5 ha (160 empl.) ⟋ plat, incliné et en terrasses, herbeux ♉ ♉♉ – ⌂ ⭐ ⛌ ⌷
& ☺ ⭓ ⟡ ⚑ ✗ ⭐ ⟠ – ⭗ ⭐ ⥅ ⭐ – A proximité : ⚐ – Location : ⟰
mai-sept. – **R** *conseillée juil.-août* – ⊡ *piscine comprise 4 pers. 149*

---

## GROSBREUIL

**85440** Vendée – 1 091 h.

▲▲ **La Vertonne,** ℰ 51 22 65 74, E : 1,3 km par D 36, rte de Nieul-le-Dolent et
D 45 à droite
1,1 ha (55 empl.) ⟋ plat, herbeux ♉ – ⌂ ⭐ ⛌ ⌷ & ☺ ⭓ – ⟰ ⭐ ⥅
15 juin-15 sept. – **R** *conseillée août* – ⊡ *piscine comprise 2 pers. 45, pers. suppl.
12,50* ⟁ *8,50 (4A)*

---

## Le GROS-THEIL

**27370** Eure – 925 h.

▲▲▲ **Salverte** ◇ ⌇, ℰ 32 35 51 34, SO : 3 km par D 26 rte de Brionne et chemin
à gauche
17 ha/10 campables (200 empl.) ⟋ plat, herbeux ♉ ♉♉ – ⌂ ⭐ ⛌ ⌷ ⛶ ☺
⭓ ⟡ ⚑ ✗ ⭐ – ⭗ ⭐ ✂ ⥅ – Location : ⟰ – Garage pour caravanes
Permanent – **Location longue durée** *(5 750 F ou 7 150 F)* – Places disponibles
pour le passage – **R** *conseillée* – ✿ *21 piscine comprise* ⭐ *9* ⊡ *9 avec élect.
(2A)*

---

## GUAINVILLE

**28260** E.-et-L. – 555 h.

▲▲ Domaine de la Source des Sablons, réservé aux caravanes ⌇, ℰ 32 36 58 65,
NO : 3,5 km sur D 301[2]
7 ha (120 empl.) ⟋ plat et peu incliné, herbeux ♉ – ⌂ ⭐ ⛌ ⌷ ⛶ ☺ ⭓ ⟡
⥅
fermé 16 déc.-14 janv. – *Places limitées pour le passage*

---

*Michelinkaarten worden voortdurend bijgewerkt.*

## GUÉMENÉ-PENFAO
**44290** Loire-Atl. – 4 464 h.

⚠️ **Intercommunal de l'Hermitage** ⚘ « Cadre agréable », ℰ 40 79 23 48, E : 1,2 km par rte de Châteaubriant et chemin à droite
2,5 ha (83 empl.) ⊶ plat et accidenté, herbeux ⚘⚘ – 🏠 ⚬ ⚲ 🗒 ⊙ – 🍴 ✕
– A proximité : 🍸 🏊
Permanent – 👤 8 🚗 4,70 🗒 4,70 (10,50 ou 20 avec élect.)

`4 – 63 ⑯`

## GUEMENE-SUR-SCORFF
**56160** Morbihan – 1 332 h.

⚠️ **Municipal le Palévart,** sortie O par D 131 rte de St.-Caradec-Trégomel, bord du Scorff
0,23 ha (19 empl.) plat, herbeux – 🏠 ⅄
juin-sept. – **R** – 👤 6,20 🚗 4,30 🗒 4,30

`3 – 59 ⑪`

## GUÉRANDE
**44350** Loire-Atl. – 11 665 h.
🅱️ Office de Tourisme, 1 pl. Marché aux Bois ℰ 40 24 96 71

⚠️ **Parc de Lévéno** ⚘, ℰ 40 24 79 30, E : 3 km par rte de Sandun
5 ha (230 empl.) ⊶ plat, herbeux 🏠 ♀ – 🏠 🛁 🛏 ⚲ 🗒 ⅄ ⊙ ⚲ ⚲ 🍸 ✕ ⚲ –
🗒 – 🚲 vélos – Location : 🛖 🛖
9 mai-20 sept. – **R** conseillée juil.-août – 👤 19 piscine comprise 🗒 57/71 ou 81 avec élect. (6A)

⚠️ **Municipal de Bréhadour** ⚘, ℰ 40 24 93 12, NE : 2 km par D 51 rte de St-Lyphard, D 92 à gauche, rte de la Roche-Bernard et rte à droite
5 ha (270 empl.) ⊶ plat et vallonné, herbeux, bois attenant – 🏠 ⚲ 🗒 ⅄ ⊙ ⅄
🚲 🗒 – 🚗 ✕ ≋ (bassin)
avril-sept. – **R** conseillée – 👤 20 🗒 12/22 🗒 13 (3A) 17 (6A)

⚠️ **L'Étang** ⚘, ℰ 40 61 93 51, NE : 5 km par rte de St-Lyphard puis 3 km par D 48 à droite et rte à gauche, près de l'étang
1 ha (78 empl.) ⊶ plat, herbeux 🏠 – 🏠 ⚲ 🗒 ⅄ ⊙ 🛁, 🍴 –
juin-15 sept. – **R** conseillée – 👤 18 piscine comprise 🚗 8,50 🗒 19 🔌 13,80 (4A) 17 (10A)

`4 – 63 ⑭ G. Bretagne`

## La GUERCHE-SUR-L'AUBOIS
**18150** Cher – 3 219 h.

⚠️ **Municipal le Robinson** ≤ « Situation agréable », ℰ 48 74 18 86, SE : 1,4 km par D 200 rte d'Apremont puis à droite, 0,6 km par D 218, près d'un plan d'eau
1,5 ha (33 empl.) ⊶ (saison) plat et peu incliné, herbeux 🏠 – 🏠 ⚬ 🛁 🗒 ⊙
– 🚗 – A proximité : 🍸 ⚲ ≋ – Location : gîtes
avril-oct. – **R** conseillée – 👤 8,50 🚗 7,50 🗒 8,50 🔌 12

`11 – 69 ③`

## GUERET 🅿️
**23000** Creuse – 14 706 h.
🅱️ Office de Tourisme, 1 av. Ch.-de-Gaulle ℰ 55 52 14 29

⚠️ **Municipal du Plan d'Eau de Courtille** ⚘ ≤, ℰ 55 81 92 24, SO : 2,5 km par D 914 rte de Benevent et chemin à gauche, bord d'un plan d'eau
2,4 ha (70 empl.) ⊶ plat et peu incliné, herbeux 🏠 – 🏠 ⚬ 🛁 🗒 ⅄ ⊙ 🗒 –
⚲ ≋
juin-sept. – **R** conseillée août – Tarif 91 : 👤 10 🚗 5 🗒 30 🔌 8 (3A) 15 (10A)

`10 – 72 ⑨ G. Berry Limousin`

## Le GUERNO
**56190** Morbihan – 580 h.

⚠️ **Municipal de Borg-Néhué** ⚘, NO : 0,5 km par rte de Noyal-Muzillac
1,4 ha (50 empl.) plat, herbeux 🏠 – 🏠 ⚲ 🗒 ⊙
juil.-août – **R** – Tarif 91 : 👤 9,40 🚗 3,90 🗒 3,90 🔌 6,65 (10A)

`4 – 63 ⑭ G. Bretagne`

## GUEURES
**76730** S.-Mar. – 462 h.

⚠️ **la Vallée,** ℰ 35 83 08 94, NO : 0,7 km par D 152 rte d'Ouville-la-Rivière, bord de la Sanne et près d'un plan d'eau
1 ha (50 empl.) ⊶ (saison) plat, herbeux, sablonneux – (🏠 ⚬ 🛁 saison) ⅄ ⊙
30 avril-15 oct. – **R** conseillée – 👤 13 🚗 7 🗒 10 🔌 10 ou 16 (4 ou 6A)

`1 – 52 ⑭`

## GUEWENHEIM
**68116** H.-Rhin – 1 140 h.

⚠️ **La Doller** ⚘, ℰ 89 82 56 90, N : 1 km par D 34 rte de Thann et chemin à droite, bord de la Doller
0,8 ha (40 empl.) ⊶ plat, herbeux – 🏠 ⚬ ⚲ 🗒 ⅄ ⊙ 🗒 – 🚗 🍴 🍴 –
A proximité : ✕
15 avril-15 oct. – **R** – adhésion FFCC obligatoire – 👤 16 🗒 12 🔌 14 (4A)

`8 – 166 ⑨`

## GUIDEL
**56520** Morbihan – 8 241 h.

⚠️ **Kergal** ⚘, ℰ 97 05 98 18, SO : 3 km par D 306 rte de Guidel-Plages et chemin à gauche
5 ha/3 campables (132 empl.) ⊶ (saison) plat, herbeux 🏠 – 🏠 ⚬ 🛁 🗒 ⅄ ⊙
🗒 – ✕ 🍴 tir à l'arc – Location : 🛖 🛖
avril-sept. – **R** conseillée 15 juil.-15 août – 👤 18 🗒 25 🔌 12 (10A)

`3 – 58 ⑫`

## GUIGNICOURT

**02190** Aisne – 2 008 h.

🖫 – 🖫🖫 ⑥

**Municipal,** *℘* 23 79 74 58, sortie SE par D 925, bord de l'Aisne
1,5 ha (100 empl.) – plat, herbeux 🇶 – 🗂 ⏤ 🌣 ▥ ⊕ – 🍴 🏊 🛝
avril-sept. – *Places limitées pour le passage* – **R** – 🏋 *7,70* 🔲 *7,40* 🗷 *2,50 par
ampère (3 à 10A)*

---

## GUILLESTRE

**05600** H.-Alpes – 2 000 h.
alt. 1 000.

🖪 Syndicat d'Initiative, pl. Salva
*℘* 92 45 04 37

🖫🖫 – 🖫🖫 ⑱ G. Alpes du Sud

**Le Villard** ❀ ≤, *℘* 92 45 06 54, O : 2 km par D 902A rte de Gap, bord du
Chagne
3,2 ha (100 empl.) – plat et peu incliné, herbeux, pierreux 🇶 – 🗂 ⏤ 🌣 ▥ ⊕
🖾 🍴 ▣ – 🖸 🕇 🚲 🏊 half-court – Location : chalets
Permanent – **R** *conseillée juil.-août* – 🔲 *piscine comprise 2 pers. 70 (hiver
61), pers. suppl. 20 (hiver 14)* 🗷 *9 (2A) 26 (6A) 30 (10A)*

**St-James-les-Pins** ❀ ≤ « Agréable pinède », *℘* 92 45 08 24, O : 1,5 km par
rte de Risoul et rte à droite, bord du Chagne
2,5 ha (117 empl.) – plat et peu incliné, pierreux, herbeux 🇶🇶 pinède – 🗂 🏔
(🌣 🛁 sauf 16 juin-sept.) 🖾 ▥ ⊕ 🖾 – 🖸 – A proximité : 🍴 🏊 – Location :
🏠
Permanent – **R** *indispensable 14 juil.-15 août* – *Tarif 91 :* 🔲 *2 pers. 49, pers.
suppl. 10* 🗷 *8 (3A) 12 (5A) 20 (10A)*

**la Ribière** 🦌 ≤, *℘* 92 45 25 54, au Sud du bourg par D 86 rte de Risout et
chemin à gauche, bord de la Chagne
1 ha (50 empl.) – peu incliné, plat, terrasses, herbeux, pierreux – 🗂 🏔 ⊕
juil.-août – **R** *conseillée* – 🏋 *12,50* 🚘 *7/8* 🔲 *8 (3A)*

*à Mont-Dauphin-Gare* NO : 5 km sur N 94 alt. 900
✉ 05600 Guillestre :

**Le Lac** (Municipal d'Eygliers) ≤ montagnes et Mont Dauphin, *℘* 92 45 14 18,
O : 1,5 km, au lieu-dit les Iscles, par rte de Réotier et chemin à droite, bord
du lac et de la Durance
15 ha (165 empl.) – plat, herbeux 🇶 – 🗂 🌣 🖾 ⊕ 🍴 🏊 🍴 snack 🍺
– 🏹 tir à l'arc – A proximité : 🍴 🏊
15 juin-15 sept. – 🏨 – 🏋 *14,50* 🔲 *14,50* 🗷 *13 (5A)*

---

## GUILVINEC

**29730** Finistère – 3 365 h.

🖫 – 🖫🖫 ⑭ G. Bretagne

**Grand Camping de la Plage,** *℘* 98 58 61 90, O : 2 km rte de la Corniche
vers Penmarch, accès direct à la plage
7 ha (410 empl.) – plat, herbeux, sablonneux – 🗂 🌣 🏔 🖾 ⊕ 🚲 🍴 🏊 🍴
snack, crêperie ▣ sauna – 🍴 🏊 🕇 – Location : 🏠
mai-15 sept. – **R** *conseillée juil.-août* – 🏋 *25 piscine comprise* 🔲 *50* 🗷 *10 (2A)
16 (6A)*

**Municipal la Grève Blanche,** *℘* 98 58 93 13, sortie O par rte de Penmarch, à
100 m de la plage
1 ha (100 empl.) – plat, sablonneux, herbeux – 🗂 🏔 🖾 🦽 ⊕ – 🏠
15 juin-15 sept. – **R**

---

## GUIMAËC

**29270** Finistère – 880 h.

🖫 – 🖫🖫 ⑥

**Municipal de Pont-Pren** 🦌, *℘* 98 78 80 77, NO : 0,5 km par rte de St-Jean-
du-Doigt, au stade
1,4 ha (50 empl.) – plat, herbeux – 🗂 🌣 🛁 ⊕ 🍴 – 🏊 🕇
15 juin-15 sept. – 🏨 – 🏋 *6,70* 🚘 *4,10* 🔲 *4,80* 🗷 *6,70 (2A) 8,75 (4A)*

---

## GUÎNES

**62340** P.-de-C. – 5 105 h.

🖫 – 🖫🖫 ② G. Flandres Artois Picardie

**La Bien-Assise** 🦌 « Cadre agréable », *℘* 21 35 20 77, sortie SO par D 231
rte de Marquise
7 ha/4,5 campables (140 empl.) – plat, herbeux, petit étang 🗂 🇶🇶 (0,4 ha) –
🗂 🌣 🛁 ⊕ 🚲 🏊 🍴 🍴 ✗ 🍺 ▣ – 🖸 🍴 🕇 🏊 – Location : 🏠 🏠 – Garage
pour caravanes
25 avril-25 sept. – **R** *indispensable saison* – 🏋 *19 piscine comprise* 🔲 *34* 🗷 *14
(6A)*

---

## GUISE

**02120** Aisne – 5 976 h.

🖫 – 🖫🖫 ⑮ G. Flandres Artois Picardie

**La Vallée de l'Oise** 🦌, *℘* 23 61 14 86, par sortie SE rte de Vervins et rue
à gauche, bord de l'Oise
3,8 ha (100 empl.) – plat, herbeux – 🗂 🏔 🖾 🦽 ⊕ – Salle d'animation 🕇
– A proximité : 🏊
avril-oct. – **R** *conseillée juil.-août* – 🏋 *9,20* 🚘 *4,60* 🔲 *5,35* 🗷 *10,50 (3A) 16
(6A)*

---

## GUJAN-MESTRAS

**33470** Gironde – 11 433 h.

🖪 Office de Tourisme, 41 av. de
Lattre de Tassigny (fermé après-midi
hors saison) *℘* 56 66 12 65

Schéma à Arcachon

🖫🖫 – 🖫🖫 ② G. Pyrénées Aquitaine

*à la Hume* O : 3,8 km – ✉ 33470 Gujan-Mestras :

**Municipal de Verdalle,** *℘* 56 66 12 62, au N de la localité, par av. de la Plage
et chemin à droite, près du bassin, accès direct à la plage
1,5 ha (108 empl.) – (juil.-août) plat, sablonneux, pierreux – 🗂 🌣 🛁 🦽 ⊕
27 avril-28 sept. – 🏨 – *Tarif 91 :* 🏋 *13,10* 🔲 *14,20* 🗷 *13,10 (4A)*

## GUNSBACH
**68140** H.-Rhin – 709 h.

ᴍ **Beau Rivage** ≤, ℰ 89 77 44 62, sortie NE par D 10 rte de Wihr-au-Val et à droite, bord de la Fecht
1,8 ha (124 empl.) ⊶ plat, herbeux – 🕌 🛁 ⚲ ⊕ 🍸 🔳
Permanent – **R** juil.-août – 🔳 2 pers. 31 ⓖ 12 (2A)

🖪 – 🖾 ⑱ G. Alsace Lorraine

---

## GURMENÇON
**64400** Pyr.-Atl. – 763 h.

ᴀ **Le Relais** ⍉, ℰ 59 39 09 50, au SE du bourg
0,5 ha (29 empl.) en terrasses, plat, herbeux 🖵 ⚲ – 🕌 🛁 ⚒ ⓖ & ⊕ 🛥 – 🖼
– A proximité : 🌊 🍸 ✕ 🎣
avril-déc. – **R** conseillée – 🛉 8 🚗 6 🔳 20/25 ⓖ 10 (6A)

🖽 – 🖾 ⑥

---

## HABAS
**40290** Landes – 1 310 h.

ᴀ **Les Tilleuls** (aire naturelle) ⍉, ℰ 58 98 04 21, N : 1 km par D 3
0,5 ha (12 empl.) peu incliné, herbeux 🖵 ⚲ – 🕌 🛁 ⚒ ⓖ ⊕ – ✕ 🎣
juil.-août – **R** conseillée – 🔳 1 pers. 16 ⓖ 8 (4A)

🖽 – 🖽 ⑦

---

## HAGETMAU
**40700** Landes – 4 449 h.
🅩 Syndicat d'Initiative, pl. de la République (fermé matin hors saison)
ℰ 58 79 38 26

ᴍᴍ **Municipal des Loussets** ⍉ « Cadre agréable », ℰ 58 79 36 36, au sud de la ville par av. du Dr-Edouard-Castera, près des arènes et de la piscine, bord d'une rivière – 🅿
0,4 ha (24 empl.) ⊶ plat, herbeux 🖵 – Sanitaires individuels : 🕌 ⚒ 🛁 (évier) wc, ⊕ 🛥 🔳 – 🖼 – A proximité : snack, self, sauna, salle de remise en forme ✕ 🏊 parcours sportif, golf
juin-sept. – **R** conseillée 15 juil.- 15 août – 🔳 élect. comprise 58 sans limitation du nombre de pers.

🖽 – 🖽 ⑦ G. Pyrénées Aquitaine

---

## HAGUENAU ⊛
**67500** B.-Rhin – 27 675 h.
🅩 Office de Tourisme, pl. Gare
ℰ 88 93 70 00 et Musée Alsacien
ℰ 88 73 30 41

ᴀ **Municipal les Pins** ⍉, SO : 2 km par N 63 rte de Strasbourg et à droite – 🎣
1 ha (70 empl.) plat et peu incliné, herbeux ⚲ – 🕌 ⊕ – A proximité : ✕ 🏊
mai-sept. – **R̶** – 🛉 4 🚗 5 🔳 5 ⓖ 5

🖪 – 🖾 ⑲ G. Alsace Lorraine

---

## HAM
**80400** Somme – 5 532 h.

ᴀ **Municipal,** ℰ 23 81 56 11, sortie SE par D 937 rte de Chauny, près du canal de la Somme
1 ha (30 empl.) plat et peu incliné, herbeux – 🕌 ⚲
15 avril-sept. – **R** juil.-août – Tarif 91 : 🛉 7 🚗 5,20 🔳 6,40

🖸 – 🖾 ⑬ G. Flandres Artois Picardie

---

## HANVEC
**29224** Finistère – 1 474 h.

ᴍᴍ **Municipal de Kerliver** ⍉, ℰ 98 20 03 14, O : 4 km par D 47 et rte d'Hôpital-Camfrout à gauche
1,25 ha (75 empl.) ⊶ peu incliné, herbeux, verger et sous-bois 〲 (0,5 ha) – 🕌 ⚒ 🛁
15 juin-15 sept. – **R** conseillée juil.-août – 🛉 10 🚗 3 🔳 1,50/3 ⓖ 5 (10A)

🖹 – 🖾 ⑤

---

## HARSKIRCHEN
**67260** B.-Rhin – 871 h.

ᴍ **Municipal de l'Étang,** ℰ 88 00 93 65, NO : 0,8 km par D 23 rte d'Albestroff et à droite, bord d'un étang et près du canal des Houillères de la Sarre
2,5 ha (130 empl.) plat, herbeux, sablonneux – 🕌 🛁 & 🍴 🔳 ⊕ 🍸 – 🖼 ✕
Permanent – Places limitées pour le passage – **R** juil.-août – 🛉 5 🚗 5 🔳 5 ⓖ 5 (3A)

🖪 – 🖾 ⑯

---

## HASPARREN
**64240** Pyr.-Atl. – 5 399 h.

ᴍ **Chapital,** ℰ 59 29 62 94, O : 0,5 km par D 22 rte de Cambo-les-Bains
1 ha (100 empl.) ⊶ (saison) plat, herbeux 🖵 ⚲⚲ – 🕌 🛁 🛁 ⓖ ⊕ 🛥 ⊽ 🖼 – 🖼 – A proximité : 🍴 ✕ 🏊
juin-sept. – **R** conseillée juil.-août – 🛉 10,60 🚗 6 🔳 12,50 ⓖ 10,50 (16A)

🖽 – 🖾 ③ G. Pyrénées Aquitaine

---

## HAULMÉ
**08800** Ardennes – 86 h.

ᴍᴍ **Base de loisirs Départementale** ⍉ ≤ « Situation agréable à l'orée d'une forêt », ℰ 24 32 81 61, sortie NE, puis 0,8 km par chemin à droite après le pont, bord de la Semoy
19 ha (400 empl.) ⊶ plat, herbeux ⚲ – 🕌 🛁 🛁 🍴 ⓖ ⊕ 🛥 – 🖼 ✕ 🎣 parcours sportif, vélos – Location : gîte d'étape
Permanent – **R̶** sauf groupes – 🛉 10 🚗 5,50 🔳 5,50 ⓖ 9 (3 ou 5A) 12 (5 ou 6A) 19,30 (10A)

🖸 – 🖾 ⑲

## HAUTECOURT-ROMANÉCHE

**01250** Ain – 588 h.

⬗⬗ **Municipal de Chambod** ⬕, *℘* 74 37 25 41, SE : 4,5 km par D 59 rte de Poncin puis rte à gauche, à 200 m de l'Ain
4 ha (110 empl.) ⊶ (saison) plat, herbeux – 🗑 ⇄ ⛺ 🖼 🖐 ⊕ 🖩 – 🚐 –
A proximité : parcours sportif 🏃 ⛸
15 avril-15 oct. – **R** – 🏕 *10* 🖼 *15* 🔌 *9 (5A)*

`12 – 74` ③


## HAUTEFORT

**24390** Dordogne – 1 048 h.

⬗⬗ **Le Moulin des Loisirs** 🌅, *℘* 53 50 46 55 ✉ 24390 Nailhac, SO : 2 km par D 72 et D 71 puis chemin à droite, à 100 m de l'étang du Coucou
5 ha (62 empl.) ⊶ plat, incliné, en terrasses, herbeux, bois attenant 🖂 – 🗑 ⇄
🌄 🖼 🖐 ⊕ 🛢 ⚖ – 🚐 🚤
Pâques-15 sept. – **R** *conseillée juil.-août* – 🖼 *piscine comprise 2 pers. 65, pers. suppl. 10* 🔌 *15 (6A)*

`10 – 75` ⑦ **G. Périgord Quercy**


## HAUTERIVES

**26390** Drôme – 1 202 h.

⬗⬗ **Municipal du Château,** *℘* 75 68 80 19, sortie S rte de Romans, accès direct à la Galure
2,5 ha (140 empl.) ⊶ plat et herbeux 🌳 0,5 ha) – 🗑 ⇄ ⛺ 🖐 ⊕ snack – 🚤
🍹 – A proximité : ✂
avril-sept. – Places limitées pour le passage – **R** *conseillée juil.-août* – Tarif 91 :
🏕 *9,50* 🚗 *5* 🖼 *8* 🔌 *7 (6A)*

`12 – 77` ② **G. Vallée du Rhône**


## HAUTE-RIVOIRE

**69610** Rhône – 1 100 h. alt. 600

⬗ **S.I. le Bonheur** 🌅 ⬕, *℘* 74 26 38 01, au bourg
1 ha (40 empl.) ⊶ incliné, en terrasses, herbeux – 🗑 ⇄ ⛺ 🖼 ⊕ 🍹 – 🚐
mai-sept. – **R** – 🏕 *11* 🖼 *20* 🔌 *11 (6A)*

`11 – 73` ⑲


## Le HAVRE ◈

**76600** S.-Mar. – 195 854 h.

🖪 Office de Tourisme et Accueil de France, Forum de l'Hôtel-de-Ville *℘* 35 21 22 88

⬗⬗⬗ **Municipal de la Forêt de Montgeon** 🌅, *℘* 35 46 52 39 ✉ 76620 le Havre, N par D 32 rte de Montvilliers et rte à gauche, dans la forêt de Montgeon
3,8 ha (222 empl.) ⊶ plat, herbeux, sablonneux 🌳🌳 – 🚤 ⇄ ⛺ 🖼 ⊕ ⚖ 🚗 🛢
– 🚐 🚤
15 avril-sept. – **R** *pour plus d'une nuit* – Tarif 91 : 🖼 *1 ou 2 pers. 38/45, pers. suppl. 14* 🔌 *11 (5A) 22 (10A)*

`5 – 52` ⑪ **G. Normandie Vallée de la Seine**


## HEIMSBRUNN

**68990** H.-Rhin – 1 098 h.

⬗⬗ **Parc la Chaumière** 🌅, *℘* 89 81 93 43, sortie S par D 19 rte d'Altkirch – ✂ oct. à mars
1 ha (65 empl.) ⊶ plat, herbeux, gravillons 🖂 🌳🌳 – 🗑 ⇄ ⛺ 🖼 🏧 ⊕
Permanent – **R** *indispensable* – 🏕 *14* 🖼 *20* 🔌 *8 (2A)*

`8 – 166` ⑨


## HELETTE

**64640** Pyr.-Atl. – 588 h.

⬗ **Ospitalia** (aire naturelle) 🌅 ⬕ montagne, *℘* 59 37 64 88, SE : 3 km par D 245, rte d'Amendarits et chemin à droite
1 ha (25 empl.) ⊶ peu incliné à incliné, herbeux – 🗑 ⇄ ⛺ ⊕ – 🚐
mai-oct. – **R** *conseillée* – 🖼 *2 pers. 32, 4 pers. 44* 🔌 *9 (15 à 20A)*

`13 – 85` ③ **G. Pyrénées Aquitaine**


## HENDAYE

**64700** Pyr.-Atl. – 11 578 h.

🖪 Office de Tourisme, 12 r. des Aubépines *℘* 59 20 00 34

*à Hendaye-Plage* N : 1 km – ✉ 64700 Hendaye :

⬗⬗⬗ **Alturan,** *℘* 59 20 04 55, rue de la Côte, à 100 m de la plage
4 ha (305 empl.) ⊶ en terrasses, herbeux 🌳🌳 – 🗑 🌄 🖼 ⊕ ⚖ 🍹 ✕ 🚤
🛢 – 🚐 🚤
juin-sept. – **R** – Tarif 91 : 🏕 *15,50* 🚗 *6,50* 🖼 *17,50* 🔌 *12,50 (4A)*

⬗⬗⬗ **Ametza,** *℘* 59 20 07 05, E : 1 km, rue de l'Empereur
4,5 ha (320 empl.) ⊶ plat, peu incliné, herbeux 🌳🌳 – 🗑 ⇄ ⛺ 🌄 🖼 🖐 ⊕ 🚗
🚤 ✕ 🛢 🍹 🚤 – A proximité : – Location : 🏚 🚐
juin-sept. – **R** *conseillée* – 🖼 *piscine comprise 2 pers. 72* 🔌 *13 (6A)*

⬗⬗⬗ **La Corniche** 🌅, *℘* 59 20 06 87 ✉ 64122 Urrugne, NE : 3 km (hors schéma)
5 ha (268 empl.) ⊶ en terrasses, plat et peu incliné, herbeux, bois attenant –
🗑 ⇄ 🌄 🖼 🖐 ⊕ ⚖ 🚤 ✕ 🚤 🚐 🚤
15 juin-15 sept. – **R** *conseillée* – 🏕 *13* 🚗 *7,50* 🖼 *20* 🔌 *14*

⬗⬗ **Les Acacias,** *℘* 59 20 78 76, E : 1,8 km rte de la Glacière
5 ha (270 empl.) ⊶ peu incliné, herbeux 🌳 – 🗑 🌄 🖼 ⊕ 🍹 🛢 – 🚐 🚤
– Location : bungalows toilés
avril-sept. – **R** *conseillée juil.-août* – 🖼 *2 pers. 55* 🔌 *14 (5A)*

⬗⬗ **Eskualduna,** *℘* 59 20 04 64, E : 2 km
7 ha (266 empl.) ⊶ plat, incliné et en terrasses, herbeux 🌳🌳 (5 ha) – 🗑 ⛺ 🌄
🖼 ⊕ ⚖ 🚤 🛢 🚤
15 juin-sept. – **R** *conseillée 10 juil.-16 août* – 🏕 *16,50* 🚗 *9* 🖼 *18 ou 22,50*
🔌 *12 (jusqu'à 10A)*

`13 – 85` ① **G. Pyrénées Aquitaine**

▲▲ **Orio** ⊛ ≼, 🖉 59 20 30 30 ✉ 64122 Urrugne, SE : 3 km
2,5 ha (133 empl.) ⊶ en terrasses et peu incliné, herbeux – 🗟 ♨ 🖪 ⊛ – 🏕
– A proximité : 🐎
juil.-août - **R** – 🛉 *13* 🚗 *6* 🗉 *14* 🗓 *12*

▲▲ **Sérès,** 🖉 59 20 05 43, E : 1,5 km, à 350 m de la plage
2,5 ha (194 empl.) ⊶ peu incliné, herbeux ♀♀ – 🗟 ♨ 🛆 🖪 ⊛ ☡ 🏖 🍽 🍴 ⚓
🖪 – 🏕 🍴 ≋
23 juin-5 sept. - **R** *conseillée* – 🗉 *2 pers. 66* 🗓 *13 (6A)*

▲ **Le Moulin,** 🖉 59 20 76 35, E : 2 km rte de la Glacière, bord d'un ruisseau
1,5 ha (100 empl.) ⊶ plat, en terrasses, herbeux ♀♀ – 🗟 ♨ 🛝 🖪 ⊛
15 juin-sept. - **R** *conseillée 14 juil.-15 août* – 🛉 *16* 🚗 *8* 🗉 *14* 🗓 *14,50*

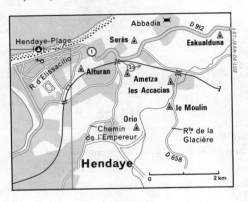

---

## HENRICHEMONT
**18250** Cher – 1 845 h.

▲ **Municipal du Petit Bois** ⊛, 🖉 48 26 94 71, SE : 1,5 km par D 12 rte des
Aix-d'Angillon, près d'un étang
1,6 ha (38 empl.) ⊶ (saison) peu incliné, herbeux ♀♀ (0,6 ha) – 🗟 🖪 ⊛ –
A proximité : ≋
mai-sept. - **R** – 🗉 *1 pers. 20, pers. suppl. 10* 🗓 *4 (10A)*

---

## HENVIC
**29231** Finistère – 1 265 h.

▲▲ **Municipal de Kérilis,** 🖉 98 62 82 10, sortie N rte de Carantec, au stade
1 ha (50 empl.) ⊶ plat, herbeux – 🗟 ♨ 🛆 🖪 ⊛ – 🔩 – A proximité : 🍴
juil.-août - **R** – *Tarif 91 :* 🛉 *6,90* 🚗 *4,20* 🗉 *10,10/10,80* 🗓 *6,90*

---

## HÉRIC
**44810** Loire-Atl. – 3 378 h.

▲▲ **La Pindière,** 🖉 40 57 65 41, O : 1,3 km par D 16 rte de Bouvron et à gauche
1,5 ha (33 empl.) ⊶ plat, herbeux 🔲 – 🗟 ♨ 🛝 🖪 ⚅ ⊛ 🖫 – 🏕 poneys –
A proximité : centre équestre
Permanent - **R** – 🛉 *12* 🚗 *8* 🗉 *8* 🗓 *14 (10A)*

---

## HERMANVILLE-SUR-MER
**14880** Calvados – 2 113 h.

▲▲ **Les Vattaux,** 🖉 31 97 09 62, E : 1 km, Bld de la 3ème D.I.B. prolongée
6 ha (280 empl.) ⊶ plat, herbeux – 🗟 ♨ 🛆 🖪 ⊛ 🖫 – 🏕 – Location : 🚐
15 mars-15 nov. - **R** *conseillée juil.-août* – 🛉 *16* 🗉 *14,50* 🗓 *15 (4A) 20 (10A)*

---

## HERMÉ
**77114** S.-et-M. – 450 h.

▲▲▲ Les Prés de la Fontaine ◇ ⊛ « Situation agréable au bord des étangs »,
🖉 (1) 64 01 86 08, SO : 5 km par rte de Noyen-sur-Seine et D 49 à droite
67 ha/20 campables (450 empl.) ⊶ plat, herbeux – ♀ – 🗟 ♨ 🛆 🖪 🕮 🔳 ⊛ 🍴
☡ 🏖 🍴 🍽 – 🏕 🍴 ≋ (plan d'eau) tir à l'arc
Location longue durée – *Places disponibles pour le passage*

---

## HERPELMONT
**88600** Vosges – 263 h.

▲▲ **Domaine des Messires** ⊛, 🖉 29 58 56 29, à 1,5 km au nord du bourg,
bord d'un lac
11 ha/2 campables (100 empl.) ⊶ plat, pierreux, herbeux 🔲 ♀♀ – 🗟 ♨ 🛆 🖪
⊛ 🏖 🍴
juil.-août - **R** – 🗉 *élect. (6A) comprise 3 pers. 110, pers. suppl. 23*

## HIRSON

**02500** Aisne – 10 173 h.
🛈 Office de Tourisme, 1 bis r. de Guise ☎ 23 58 03 91

② – 53 ⑯ G. Flandres Artois Picardie

⚠ **La Cascade de Blangy** « Site agréable », ☎ 23 58 18 97, N : 1,8 km par N 43 rte de la Capelle puis 1,5 km par D 963 et chemin à droite, près de l'Oise et d'un plan d'eau
1,5 ha (76 empl.) ⚬ plat et peu incliné, herbeux – 🗊 🔊 & ⊕ – 🗔 🚗 🛶
mai-sept. – **R** conseillée – 🕴 6,70 piscine comprise 🚗 4,50 🗉 5 🔋 10,30 (6A)

---

## Le HOHWALD

**67140** B.-Rhin – 360 h. – 🚡

⑧ – 62 ⑨ G. Alsace Lorraine

⚠ **Municipal** « Site boisé », ☎ 88 08 30 90, sortie O par D 425 rte de Villé – alt. 615
2 ha (100 empl.) ⚬ accidenté, en terrasses, herbeux ♀♀ – 🗊 🖚 🖄 🗔 🎟 ⊕ 🖼
– 🗔 🚗 – A proximité : parcours sportif
Permanent – **R** conseillée été – Tarif 91 : 🕴 11 🚗 6 🗉 7 🔋 4 (1A) 9,80 (3A) 21,60 (7,5A)

---

## HONDSCHOOTE

**59122** Nord – 3 654 h.

① – 51 ④ G. Flandres Artois Picardie

⚠ **le Préjoly,** ☎ 28 62 50 71, O par D 947 rte de Bray-Dunes, près du canal
2,5 ha (130 empl.) ⚬ plat, herbeux 🖵 – 🗊 🖄 🔊 🗔 ⊕
avril-15 oct. – Places limitées pour le passage – **R** conseillée – 🕴 12 🚗 12 🗉 12 🔋 11 (5A)

---

## HONFLEUR

**14600** Calvados – 8 272 h.
🛈 Office de Tourisme, pl. A.-Boudin ☎ 31 89 23 30

⑤ – 54 ⑧ G. Normandie Vallée de la Seine

⚠ **La Briquerie,** ☎ 31 89 28 32, SO : 3,5 km par rte de Pont-l'Évêque et D 62 à droite, à Equemauville
6,3 ha (280 empl.) ⚬ plat, herbeux 🖵 – 🗊 🖚 🖄 🗔 & ⊕ 🔊 🚗 ☂ 🍴 ✕ 🖳 🖼
– 🗔 🚗 🛶 – A proximité : 🏕 ✂
avril-sept. – Places disponibles pour le passage – **R** juil.-août – Tarif 91 : 🕴 23 piscine comprise 🗉 25 ou 27 🔋 16 (3A) 21 (6A)

---

## HON-HERGIES 59 Nord – 53 ⑤ – rattaché à Bavay

---

## Les HÔPITAUX-NEUFS

**25370** Doubs – 369 h. alt. 990 – 🚡.
🛈 Office de Tourisme, Métabief pl. Mairie ☎ 81 49 13 81

12 – 170 ⑥ ⑦ G. Jura

⚠ **Municipal le Miroir** ❄, ☎ 81 49 10 64, sortie O rte de Métabief, au pied des pistes
1,5 ha (220 empl.) ⚬ plat, goudronné, herbeux 🖵 – 🗊 🖚 🖄 🗔 🎟 ⊕ ☂ 🚗
– 🗔
juin 15 sept., 15 oct.-avril – **R** conseillée été et hiver – 🗉 3 pers. 48 🔋 6 (3A) 10 (6A)

---

## HOSSEGOR

**40150** Landes
🛈 Office de Tourisme, pl. Pasteur ☎ 58 43 72 35

13 – 78 ⑰ G. Pyrénées Aquitaine

⚠ **Le Rey** 🚡 « Cadre agréable », ☎ 58 43 52 00, N : 1,5 km, à 50 m du lac
10 ha (600 empl.) ⚬ plat, accidenté, herbeux, sablonneux ♀♀ – 🗊 🔊 🗔 ⊕ 🚊
– 🗔 – A proximité : 🏊
20 juin-août – **R** indispensable – 🕴 13,70 🚗 17,80 🔋 8,20 (3A)

⚠ **Municipal la Forêt,** ☎ 58 43 75 92, E : 1 km, av. de Bordeaux
1,6 ha (71 empl.) ⚬ plat et terrasse, sablonneux, herbeux ♀♀ pinède – 🗊 🖄 🗔 ⊕ 🖼 – 🗔
Pâques- oct. – **R** conseillée – Tarif 91 : 🕴 12 🚗 4 🗉 13 et 9 pour eau chaude et élect. (5A)

---

## Les HOUCHES

**74310** H.-Savoie – 1 947 h. alt. 1 008 – 🚡.
🛈 Office de Tourisme, pl. de l'Église ☎ 50 55 50 62

12 – 74 ⑧ G. Alpes du Nord

⚠ **Air Hôtel du Bourgeat** < Aiguilles de Chamonix et massif du Mont Blanc, ☎ 50 54 42 14, NE : 1,5 km
0,7 ha (35 empl.) ⚬ plat, herbeux – 🗊 🖚 🖄 ⊕ 🚗 ☂ 🖼 – 🗔 – A proximité : 🏕 🐎
juin-15 sept. – **R** – 🗉 3 pers. 84 🔋 10,80 (4A)

⚠ **Le Petit Pont** < Brévent et massif du Mont Blanc, ☎ 50 54 41 30, E : 2 km (accès par N 205)
1,75 ha (99 empl.) ⚬ en terrasses, herbeux ♀♀ (0,7 ha) – 🗊 🔊 🗔 ⊕ – 🗔
15 juin-15 sept. – **R** – 🕴 15 🗉 15 🔋 10 (3A) 15 (10A)

---

▶ Si vous recherchez :
  *un terrain agréable ou très tranquille*
  *un terrain ouvert toute l'année*
  *un terrain effectuant la location de caravanes,*
   *de résidences mobiles ou de bungalows*
  *un terrain avec tennis ou piscine*
*Consultez le tableau des localités citées, classées par départements.*

## HOULGATE

**14510** Calvados – 1 654 h.

🛈 Office de Tourisme, bd des Belges ℘ 31 24 34 79 et r. d'Axbridge (saison) ℘ 31 24 62 31

ㅿㅿㅿ **La Vallée** ≼, ℘ 31 24 40 69, S : 1 km par D 24ᴬ rte de Lisieux et D 24 à droite, 88 r. de la Vallée
15 ha (270 empl.) ⚬⚊ peu incliné, herbeux ⛫ – 🛦 ⇆ ⌕ 🖼 & ⊙ ⚘ ᵛ 🏊 🍴 🗣 – 🖼 – 🏊 🏊
avril-sept. – **R** conseillée juil.-août – ☀ 24 piscine comprise ▣ 30 🔌 15 (4A) 25 (6A)

ㅿㅿㅿ **Les Falaises** ⑤ ≼ « Situation dominante », ℘ 31 24 81 09, NE : 3 km par D 163 rte de la Corniche – accès piétons à la plage par sentier escarpé et escalier abrupt
10 ha (360 empl.) ⚬⚊ plat, incliné et en terrasses, prairies, verger ⛫ – 🛦 ⇆ ⌕ 🖼 & 🗣 ⊙ 🔥 🏊 🍴 🗣 – Location : 🚐 – Garage pour caravanes
avril-1ᵉʳ oct. – **R** conseillée juil.-août – Tarif 91 : ▣ piscine comprise 2 pers. 73 (80 ou 100 avec élect.), pers. suppl. 17,30 ou 20,40

ㅿㅿ **Municipal des Chevaliers** ≼, ℘ 31 24 37 93, S : 1,5 km par D 24ᴬ rte de Lisieux et D 24 à droite, chemin des Chevaliers
3 ha (195 empl.) ⚬⚊ plat et incliné, herbeux – 🛦 ⇆ ⌕ & ⊙ – A proximité : 🍽 🏇

---

## L'HOUMEAU

**17137** Char.-Mar. – 2 486 h.

ㅿㅿㅿ **Le Trépied du Plomb,** ℘ 46 50 90 82, sortie NE par D 106 rte de Nieul-sur-Mer
2 ha (132 empl.) ⚬⚊ peu incliné, plat, pierreux, herbeux ⛫ – 🛦 ⇆ ⌕ 🖼 ⊙ 🗣 – 🏊 – A proximité : 🍽
25 mai-26 sept. – **R** – Tarif 91 : ▣ 2 pers. 43, pers. suppl. 12 🔌 12 (5A)

---

## HOURTIN

**33990** Gironde – 2 072 h.

ㅿㅿㅿ **La Mariflaude,** ℘ 56 09 11 97, E : 1,2 km par D 4 rte de Pauillac
5,3 ha (250 empl.) ⚬⚊ plat, herbeux, sablonneux ꠵꠵ pinède (2 ha) – 🛦 ⇆ ⌕ 🖼 & ⊙ 🗣 🍴 🗣 ⚊ – 🏊 🏊 – A proximité : 🍽 🏇
mai-15 sept. – **R** conseillée juil.-15 août – ▣ piscine comprise 2 pers. 84, pers. suppl. 16 🔌 15 (4A) 20 (10A)

ㅿㅿㅿ **Les Ourmes** ⑤, ℘ 56 09 12 76, O : 1,5 km par av. du Lac
6 ha (270 empl.) ⚬⚊ plat, herbeux, sablonneux ꠵꠵ – 🛦 ⇆ 🖍 🖼 ⊙ 🏊 🗣 ⚊ 🖼 – 🏊 – A proximité : 🍽 🏇 (centre équestre)
avril-sept. – **R** indispensable juil.-août – ▣ piscine comprise 2 pers. 70, pers. suppl. 9 🔌 14 (5A) 16 (6A)

ㅿㅿ **Le Littoral,** ℘ 56 09 13 73, S : 1,2 km rte de Carcans
2,6 ha (120 empl.) ⚬⚊ plat, herbeux, sablonneux 🌳 – 🛦 ⇆ ⌕ 🖼 & ⊙ 🏊 snack 🗣 🖼 – 🍽 🏇 – Location : 🚐
15 juin-sept. – **R** conseillée – ▣ piscine comprise 3 pers. 60 🔌 12

ㅿㅿ **La Rotonde,** ℘ 56 09 10 60, O : 1,5 km par av. du lac et chemin à gauche
7 ha (300 empl.) ⚬⚊ plat, herbeux, sablonneux ꠵꠵ (pinède) – 🛦 🖍 & ⊙ 🏊 🗣 🍴 🖼 – A proximité : 🍽 🏇 (centre équestre) – Location : 🚐
avril-sept. – **R** conseillée – ▣ 2 pers. 47, 3 pers 58 🔌 13 (4A)

ㅿㅿ **L'Orée du Bois,** ℘ 56 09 15 88, S : 1,3 km rte de Carcans
2 ha (100 empl.) ⚬⚊ plat, sablonneux 🌳 – 🛦 🖍 🖼 ⊙ 🗣 snack 🖼 – 🏊 🛶 vélos – Location : 🚐
juin-15 sept. – **R** conseillée juil.-août – ▣ piscine comprise 2 pers. 50, pers. suppl. 10 🔌 12 (3A)

---

## HOURTIN-PLAGE

**33990** Gironde

ㅿㅿㅿ La Côte d'Argent ⑤, ℘ 56 09 10 25, à 500 m de la plage
20 ha (750 empl.) ⚬⚊ plat, accidenté et en terrasses, sablonneux ꠵꠵ pinède – 🛦 ⇆ ⌕ 🖍 🖼 ⊙ ᵛ 🏊 🗣 🍽 🖼 – 🏊 🍽 🛶 vélos – Location : 🚐 🚐

---

## HUELGOAT

**29690** Finistère – 1 742 h.

🛈 Office de Tourisme, pl. de la Mairie (saison) ℘ 98 99 72 32

ㅿㅿ **La Rivière d'Argent** ⑤, ℘ 98 99 72 50, E : 3 km par rte de Poullaouen, bord de rivière
1,3 ha (84 empl.) ⚬⚊ plat, herbeux ⛫ 🌳 – 🛦 ⇆ ⌕ 🖼 & ⊙ 🗣 🖼 – ☀ 12,50 🖼 13 🔌 10 (6A)
15 mai-10 sept. – **R** conseillée 14 juil.-15 août

ㅿㅿ **Municipal du Lac,** ℘ 98 99 78 80, O : 0,8 km par rte de Brest, bord d'une rivière et d'un étang
1,1 ha (85 empl.) ⚬⚊ plat, herbeux ⛫ – 🛦 ⇆ ⌕ 🖼 – 🍽 – A proximité : 🍽
15 juin-15 sept. – **R** – ▣ 1 pers. 22,50, 2 pers. 34, pers. suppl. 12 🔌 11,50 (7A)

---

**La HUME** 33 Gironde – 171 ⑳ – voir à Gujan-Mestras

▶ 🗣 🍽 **Attention...**
⇆ 🖍 *ces éléments ne fonctionnent généralement qu'en saison,*
🏊 🏇 *quelles que soient les dates d'ouverture du terrain.*

# HYÈRES

**83400** Var – 48 043 h.

🛈 Office de Tourisme, Rotonde
Jean-Salusse, av. Belgique
℘ 94 65 18 55 et Chalet, rte de
Toulon (15 juin-15 sept.)
℘ 94 65 33 40

**St-Pierre-des-Horts,** ℘ 94 57 65 31, à l'Almanarre, S : 5 km
1,6 ha (140 empl.) •— plat, herbeux ♀ – 🛖 🍴 🛁 🗻 🎮 🎰 ⊕ 🍹 snack, pizzeria
🛝 🖥 – 🎠 – Location : studios
Permanent – **R** conseillée juil.-août – Tarif 91 : 🗐 3 pers. 65 🔌 9 (3A) 16
(6A)

**Domaine du Ceinturon Camp n°3,** ℘ 94 66 32 65, à Ayguade-Ceinturon,
SE : 5 km, à 100 m de la mer
2,5 ha (260 empl.) •— plat, herbeux ♀♀ (2 ha) – 🛖 🛁 🗻 ⊕ 🍹 ✕ 🛝
🖥 – Location : 🏚
20 mars-sept. – **R** – 🗐 2 pers. 58,95, 3 pers. 83,40, pers. suppl. 18,10

**Euro Surf,** ℘ 94 58 00 20, à la Capte, S : 8,5 km par D 97 rte de Giens, au
bord de la mer
12 ha (600 empl.) •— accidenté, sablonneux, herbeux ♀ pinède – 🛖 🍴 🛁 ૬
⊕ 🚿 🍹 ✕ 🖥 – 🛝 – Location : 🚐 – 🗐 2 pers 80 🔌 17 (6A)
mars-oct. – **R** conseillée juil.-août

**Domaine du Ceinturon-Camp n° 2,** ℘ 94 66 39 66, à Ayguade-Ceinturon,
SE : 5 km, à 400 m de la mer
5 ha (400 empl.) •— plat, herbeux ♀ – 🛖 ⊕ 🚿 🛝 🖥 – ✕ vélos
juin-août – **R** – 🗐 3 pers. 75,80 🔌 10,90 (3A) 14,20 (6A)

**Bernard,** ℘ 94 66 30 54, à Ayguade-Ceinturon, SE : 5 km, à 100 m de la mer
1,4 ha (100 empl.) •— plat, herbeux ♀ – 🛖 🛁 ૬ 🎮 ⊕ 🖥
Pâques-fin sept. – **R** – Tarif 91 : 🚶 14 🗐 15 🔌 10 (3A) 14 (6A)

**Le Parc,** ℘ 94 66 31 77, à Ayguade-Ceinturon, SE : 5 km, à 150 m de la mer
2,8 ha (199 empl.) •— plat, herbeux, sablonneux ♀ – 🛖 🛁 ⊕ 🚿 🖥
juil.-août – **R** – 🗐 2 pers. 48, pers. suppl. 15,35 🔌 10,60 (3A) 13,90 (6A) 18
(10A)

**Le Poney,** ℘ 94 38 46 65, O : 2,5 km à partir de la gare par D 276 rte de la
Moutonne (hors schéma)
1 ha (60 empl.) •— plat et peu incliné, herbeux – 🛖 🛁 ⊕ 🚿 🖥 – 🎠 m 🔌 13
Permanent – Places disponibles pour le passage – **R** conseillée été – 🚶 13
🗐 14,60 🔌 9,70 (3 à 6A)

Voir aussi à **Giens**

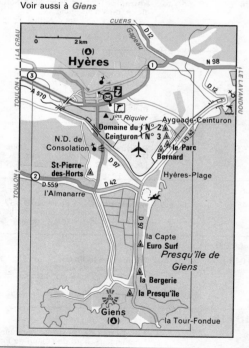

---

**IBARRON** **64** Pyr.-Atl. – 78 ⑫ ⑱ – rattaché à St-Pée-sur-Nivelle

---

# IHOLDY

**64640** Pyr.-Atl. – 527 h.

**Municipal,** à l'est du bourg par D 8 et chemin à droite, bord d'un plan d'eau
1,5 ha (50 empl.) plat et peu incliné, herbeux – 🛖 🛁 ⊕ 🚿 – 🖥
juil.-10 sept. – **R** – 🚶 6 🗐 7/8 🔌 7 (16A)

---

**ILE** – voir au nom propre de l'île

## ILE-AUX-MOINES

**56780** Morbihan – 617 h.
Transports maritimes. Depuis
**Port-Blanc**. En 1991 : départs toutes
les 1/2 h - Traversée 5 mn - 10 F
(AR) - Véhicules interdits dans l'Ile,
parkings aménagés à l'embar-
cadère. Renseignements : Transport
Maritime Thébaud *ℰ* 97 26 31 45

③ – ⑥⑧ ⑫

▲ **Municipal du Vieux Moulin**, réservé aux tentes ⚭, sortie SE du bourg
rte de la Pointe de Brouel
1 ha (44 empl.) ⊶ plat et peu incliné, herbeux – 🔟 ⚎ 🔊
15 juin-15 sept. – **R** - 🔲 *1 pers. 20, 2 ou 3 pers. 40, pers. suppl. 10*

## L'ÎLE-BOUCHARD

**37220** I.-et-L. – 1 800 h.

⑩ – ⑥⑧ ④ G. Châteaux de la Loire

▲▲ **Municipal les Bords de Vienne**, *ℰ* 47 95 23 59, près du quartier St Gilles,
en amont du pont sur la Vienne, près de la rivière
1 ha (90 empl.) ⊶ (saison) plat, herbeux 🛈 – 🔟 🔊 🔝 ⊛ – 🚤 – A proximité :
🥏
15 juin-15 sept. – **R** - 🛉 *7,50* 🔲 *7,50* 🔋 *8 (3A) 10 (6A)*

## L'ÎLE-ROUSSE **2B** H.-Corse – ⑨⓪ ⑬ – voir à Corse

## ILLIERS-COMBRAY

**28120** E.-et-L. – 3 329 h.

⑤ – ⑥⓪ ⑰ G. Châteaux de la Loire

▲▲▲ **Municipal de Montjouvin**, *ℰ* 37 24 03 04, SO : 1,8 km par D 921 rte de
Brou, bord de la Thironne – interdit aux caravanes de plus de 5,50 m
2,5 ha (73 empl.) ⊶ plat et peu incliné, herbeux, sous-bois (1 ha) 🔲 – 🔟 (⚎
🔝 juil.-août) 🔝 🛦 🎪 ⊛ 🛱 – 🚤 vélos – A proximité : 🗙 🔟 – Location : gîte
d'étape
avril-oct. – **R** - 🛉 *11* 🔲 *12* 🔋 *10 ou 18 (10A)*

## INCHEVILLE

**76117** S.-Mar. – 1 484 h.

① – ⑤② ⑤

▲▲ **Municipal** ⚭, *ℰ* 35 50 30 17, sortie NE rte de Beauchamps et r. Mozart à
droite, près d'un étang
2 ha (190 empl.) ⊶ plat, herbeux – 🔟 ⚎ 🔝 🛦 🛱 – 🛱
avril-sept. – *Places disponibles pour le passage* – **R** - 🛉 *8,50* 🚗 *7,50* 🔲 *7,50*
🔋 *12 (6A) 14 (10A)*

## INGRANDES

**86220** Vienne – 1 765 h.

⑩ – ⑥⑧ ④

▲▲▲ **Le Petit Trianon** ⚭ ≤ « Cadre agréable autour d'un petit château »,
*ℰ* 49 02 61 47, à St-Ustre, NE : 3 km
4 ha (66 empl.) ⊶ plat et peu incliné, herbeux 🛈 – 🔟 ⚎ 🔝 🛱 ⊛ 🔊 🛣 🛱
– 🛱 🗙
mai-sept. – **R** *conseillée juil.-25 août* – 🛉 *27* 🚗 *14* 🔲 *14* 🔋 *17 (6A)*

## IRISSARRY

**64780** Pyr.-Atl. – 751 h.

⑬ – ⑧⑤ ③

▲ **Baïgura**, sortie E sur D 8 rte d'Iholdy
0,6 ha (50 empl.) plat, herbeux 🛈 – 🔟 🔝 ⊛ – 🛱
juil.-août – **R** *conseillée août* – 🛉 *8* 🔲 *4,25* 🔋 *9,50 (12A)*

## ISBERGUES

**62330** P.-de-C. – 5 145 h.

① – ⑤① ⑭ G. Flandres Artois Picardie

▲ **Municipal**, O : 1,8 km par D 187 rte d'Aire et rue de la piscine à gauche
0,2 ha (16 empl.) plat, gravillons, herbeux 🔲 – 🔟 ⊛ – A proximité : 🍴 🗙
mars-nov. – **R** – *Tarif 91 :* 🛉 *5,90* 🔲 *7,80* 🔋 *8,60 ou 17*

## ISIGNY-SUR-MER

**14230** Calvados – 3 018 h.

④ – ⑤④ ⑬ G. Normandie Cotentin

▲▲▲ **Municipal le Fanal** ⚭, *ℰ* 31 21 33 20, O : accès par le centre ville, près du
terrain de sports, bord d'un plan d'eau
1 ha (80 empl.) ⊶ plat, herbeux 🔲 – 🔟 ⚎ 🔝 🔝 🛦 🎪 ⊛ 🛣 🏁 🛱 – 🛱 🗙
🚤 🔝 (bassin)
Permanent – **R** *conseillée juil.-août* – 🛉 *20* 🔲 *20* 🔋 *13 (5A)*

## ISLE-ET-BARDAIS

**03360** Allier – 355 h.

⑪ – ⑥⑨ ③

▲▲ **Les Écossais** ⚭ « Site agréable », *ℰ* 70 66 62 57, S : 1 km par rte des
Chamignoux, bord de l'étang de Pirot
2 ha (75 empl.) ⊶ plat, peu incliné, accidenté, herbeux 🔲 🛈🛈 (1 ha) – 🔟 🔊
🔝 ⊛ 🏁 🍴 – 🛱 – A proximité : 🗙 – Location : 🏠
avril-sept. – **R** *conseillée juil.-août* – 🛉 *10,20* 🚗 *4,30* 🔲 *4,30* 🔋 *12,50 (10A)*

## L'ISLE-JOURDAIN

**86150** Vienne – 1 269 h.
🅱 Syndicat d'Initiative (juil.-août
après-midi seul.) *ℰ* 49 48 80 36 et à la
Mairie *ℰ* 49 48 70 54

⑩ – ⑦② ⑤ G. Poitou Vendée Charentes

▲ **Municipal du Lac de Chardes** ⚭ ≤, *ℰ* 49 48 72 46, au nord du bourg
par D 11 et à gauche, à 300 m de la Vienne (lac)
2 ha (36 empl.) ⊶ (saison) plat et en terrasses, herbeux 🔲 – 🔟 🔊 ⊛ – 🚤
– A proximité : 🗙 🔊 🔟
15 mai-15 sept. – **R** *conseillée* – 🛉 *7,50* 🚗 *4,50* 🔲 *4,50* 🔋 *6 (10A)*

222

## L'ISLE-SUR-LA-SORGUE

**84800** Vaucluse – 15 564 h.

🛈 Office de Tourisme, pl. de l'Église
🌾 90 38 04 78

⬛16 – ⬛81 ⑫ ⑬ **G. Provence**

ᴧᴧᴧ **La Sorguette**, 🌾 90 38 05 71, SE : 1,5 km par N 100 rte d'Apt, près de la Sorgue
2,5 ha (164 empl.) ⊶ plat, herbeux, pierreux – 🏠 ⬥ 🖐 📷 ☺ 🏊 🔲 cases réfrigérées – 🔲 🚤 vélos, half court – Location : 🚐
15 mars-26 oct. – **R** conseillée juil.-août – 🏕 18 🔲 17 🛓 13 (4A)

---

## L'ISLE-SUR-LE-DOUBS

**25250** Doubs – 3 203 h.

⬛8 – ⬛166 ⑰ **G. Jura**

ᴧᴧ **Municipal les Lumes**, 🌾 81 92 73 05, accès près du pont, bord du Doubs
1 ha (80 empl.) ⊶ (saison) plat, herbeux, pierreux – 🏠 ⬥ 🔊 ☺ – 🔲 ✖
15 mai-15 sept. – **R** – 🏕 13 🔲 7/17 (28 avec élect.)

---

## L'ISLE-SUR-SEREIN

**89440** Yonne – 533 h.

⬛7 – ⬛65 ⑥

ᴧ **Municipal le Parc du Château**, S : 0,8 km par D 86 rte d'Avallon, au stade, à 200 m du Serein
1 ha (40 empl.) plat, herbeux ♀ – 🏠 ⬥ 🖐 📷 ₺ ☺ 🏊 – 🚤 – A proximité : ✖
15 juin-15 sept. – **R** – 🏕 4 🚗 4 🔲 4 🛓 7

---

## ISOLA

**06420** Alpes-Mar. – 576 h. alt. 873.

🛈 Office de Tourisme (saison)
🌾 93 23 15 15

⬛17 – ⬛81 ⑩ **G. Alpes du Sud**

ᴧᴧᴧ **Le Lac des Neiges** ❄ ≤, 🌾 93 02 18 16, en deux parties distinctes, à 0,5 km à l'ouest du bourg sur D 2 205 rte d'Auron, près de la Tinée et d'un petit lac
3 ha (98 empl.) ⊶ plat, gravier 🔲 – 🏠 ⬥ 🖐 🏦 ☺ 🏊 🚤 🔲 – 🔲 ✖ 🔥 piste de bi-cross – Location : 🚐, gîte d'étape
Permanent – **R** conseillée – 🏕 16 🔲 10/21 🛓 6A : 11 (hiver 19)

---

## ISPAGNAC

**48320** Lozère – 630 h.

⬛15 – ⬛80 ⑥ **G. Gorges du Tarn**

ᴧᴧᴧ **Municipal du Pré Morjal** ❄ ≤, 🌾 66 44 23 77, sortie O par D 907bis rte de Millau et chemin à gauche, près du Tarn
2 ha (95 empl.) ⊶ plat, herbeux ♀ – 🏠 🔊 🖐 ₺ 🏦 ☺ 🏊 🚤 🔲 – A proximité : ✖
15 avril-sept. – **R** conseillée 14 juil.-15 août – Tarif 91 : 🔲 2 pers. 44, pers. suppl 14 🛓 15 (10A)

---

## ISSARLÈS (Lac d')

**07** Ardèche – 217 h. alt. 1 003
✉ 07470 Coucouron

⬛16 – ⬛76 ⑰ **G. Vallée du Rhône**

ᴧᴧ **La Plaine de la Loire** ❄ ≤, 🌾 66 46 25 77, O : 3,5 km par D 16 rte de Coucouron et chemin à gauche avant le pont, bord de la Loire - alt. 900
1 ha (55 empl.) ⊶ plat, herbeux – 🏠 ⬥ 🖐 ☺ 🏊
15 juin-15 sept. – **R** conseillée – 🔲 2 pers. 44 🛓 15 (6 ou 8A)

---

## ISSENDOLUS

**46500** Lot – 365 h.

⬛14 – ⬛75 ⑲

ᴧ **Le Teulières** « Belle entrée », 🌾 65 40 86 71, NE : 1,5 km, sur N 140 rte de Figeac, au lieu-dit « l'Hôpital »
1,6 ha (33 empl.) ⊶ incliné, plat, herbeux – 🏠 ☺ – 🔲 🏊 – Location : 🏠
juin-sept. – **R** conseillée juil.-août – 🏕 11,50 piscine comprise 🔲 11,50 🛓 10 (6 ou 20A)

---

## ISSIGEAC

**24560** Dordogne – 638 h.

🛈 Syndicat d'Initiative, pl. 8 Mai (15 juin-15 sept.) 🌾 53 58 79 62 et à la Mairie (hors saison) 🌾 53 58 70 32

⬛14 – ⬛75 ⑮ **G. Périgord Quercy**

ᴧ Municipal, sortie N par D 21 rte de St-Aubin-de-Lanquais, bord d'un ruisseau
0,5 ha (27 empl.) plat, herbeux – 🏠 ⬥ 🖐 ☺

---

## ISSOIRE ⬍

**63500** P.-de-D. – 13 559 h.

🛈 Office de Tourisme, Hôtel-de-Ville 🌾 73 89 03 54 et pl. Gén.-de-Gaulle (15 juin-15 sept.) 🌾 73 89 15 90

⬛11 – ⬛73 ⑭ ⑮ **G. Auvergne**

ᴧᴧᴧ **La Grange Fort** ❄ ≤ « Autour d'un château dominant l'Allier », 🌾 73 71 05 93 ✉ 63500 Les Pradeaux, SE : 4 km par D 996 rte de la Chaise-Dieu puis à droite, 3 km par D 34 rte d'Auzat-sur-Allier – 🅿
23 ha/4 campables (40 empl.) ⊶ plat, herbeux, bois attenant 🔲 – 🏠 ⬥ 🔊 🖐 ₺ 🏦 ✖ ☺ 🏊 – 🔲 – Location : 🚐
mars-nov. – **R** conseillée juil.-août – 🏕 15 piscine comprise 🚗 10 🔲 29 🛓 11 (4A) 16 (6A)

ᴧᴧᴧ **Municipal du Mas** ≤, 🌾 73 89 03 59, E : 2,5 km par D 9 rte d'Orbeil et à droite, à 50 m d'un plan d'eau et à 300 m de l'Allier
3 ha (140 empl.) ⊶ plat, herbeux – 🏠 🖐 📷 🏦 ☺ 🚤 🔲 – A proximité : ✖
Permanent – **R** – Tarif 91 : 🏕 9,80 🚗 4,90 🔲 4,90/6,50 🛓 6,50 (6A)

## ISSOUDUN ⟨SP⟩

**36100** Indre – 13 859 h.
🅷 Office de Tourisme, pl. Saint Cyr
ℰ 54 21 74 57

10 – 68 ⑨ G. Berry Limousin

▲▲ **Municipal les Taupeaux,** ℰ 54 03 13 46, sortie N par D 918 rte de Reuilly,
à 150 m d'une rivière
0,6 ha (50 empl.) plat, herbeux ⌁ – 🔥 ≝ & ⊕ ⚲ ⤢ – A proximité : (1,3 km)
parc de loisirs et de sports
7 juin-9 sept. – ℞ – ✳ 8 ▣ 8 ⒣ 8

## ISSY L'EVEQUE

**71760** S.-et-L. – 1 012 h.

11 – 69 ⑯

▲▲ **Municipal de l'Étang Neuf** ⧄ ≼ « Situation agréable », ℰ 85 24 96 05,
O : 1,1 km par D 42 rte de Grury et chemin à droite, bord d'un étang
0,4 ha (40 empl.) ⊶ peu incliné, herbeux, gravier, bois attenant ⌁ – 🔥 ≝ ⇌
🔲 & ⊕ ⚲ – ▭ ₥ ꓹ – A proximité : ≝ ⚞
mai-sept. – ℞ – *Tarif 91 :* ✳ *10 piscine comprise* ⇌ *6* ▣ *10* ⒣ *10 (5A)*

## ISTRES

**13800** B.-du-R. – 35 163 h.
🅷 Office de Tourisme, 30 allée
Jean-Jaurès ℰ 42 55 51 15

16 – 84 ① G. Provence

▲▲▲ **Vitou** ⧄, ℰ 42 56 51 57, NE : 2,5 km par D 16 rte de St-Chamas
3 ha (90 empl.) ⊶ plat, pierreux, herbeux ⌁ – 🔥 ⇌ ⚲ 🔲 ⊕ ⚲ ⤢ ❢ – ▭
ꓹ
Permanent – *Places disponibles pour le passage* – ℞ *juil.-août* – ▣ *4 pers. 51*
*à 82/99 avec élect. 10A*

## IZESTE

**64260** Pyr.-Atl. – 498 h.

13 – 85 ⑯

▲ **Municipal de la Vallée d'Ossau,** ℰ 59 05 68 67, sortie S rte de Laruns,
bord du Gave d'Ossau
1 ha (50 empl.) plat, herbeux, pierreux ⚭ – 🔥 ⚲ 🔲 ⊕
15 juin-août – ℞ – ✳ *5,80* ⇌ *3,70* ▣ *5,20* ⒣ *9,20 (5A)*

## JABLINES

**77450** S.-et-M. – 333 h.

6 – 56 ⑫ G. Ile de France

▲▲ **Base de Loisirs de Jablines-Annet** « Situation agréable dans une boucle
de la Marne », ℰ (1) 60 26 04 31, SO : 2 km par D 45 rte d'Annet-sur-Marne,
à 300 m d'un plan d'eau
140 ha/2,5 campables (70 empl.) ⊶ plat, herbeux ⌁ – 🔥 ⇌ ⚲ & ⊕ –
A proximité : ❢ ⚞ ✖ ₥ ⚓ ≝ ⟁ ⚞ et poneys, practice de golf, tir à l'arc,
vélos – Location : bungalows toilés
15 avril-15 oct. – ℞ – *Conditions d'admission : se renseigner* – *Tarif 91 :* ✳ *16*
⇌ *12* ▣ *27* ⒣ *13*

## JABRUN

**15110** Cantal – 172 h. alt. 932

15 – 76 ⑭

▲ **Le Tillet** ⧄ ≼, ℰ 71 73 80 80, SO : 4 km par D 921 rte de Laguiole puis
chemin à gauche après Maison Neuve
1,5 ha (25 empl.) ⊶ plat et incliné, herbeux – 🔥 ⇌ 🔲
15 juin-15 sept. – ℞ – *Tarif 91 :* ✳ *5* ⇌ *3* ▣ *3,50*

## La JAILLE-YVON

**49220** M.-et-L. – 239 h.

4 – 63 ⑩ G. Châteaux de la Loire

▲ **Municipal le Port Ribouet** ⧄, S : 2 km par D 187 et rte à gauche, bord
de la Mayenne
0,7 ha (70 empl.) plat, herbeux ⚭ – 🔥 ⇌ ≝ ⊕
mai-sept. – ℞ *conseillée juil.-août* – ▣ *1 ou 2 pers. 23* ⒣ *7,50 (5A)*

## JARD-SUR-MER

**85520** Vendée – 1 817 h.

9 – 67 ⑪

▲▲▲ **L'Océano d'Or,** ℰ 51 33 65 08, au NE de la station, sur D 21
5 ha (292 empl.) ⊶ plat, herbeux ⌁ ⇌ ≝ 🔲 ⊕ ⚲ ⤢ ⟁ ❢ ⚞
– ▭ salle d'animation, garderie ✖ ₥ ⚓ ꓹ toboggan aquatique, vélos –
Location : ⚏ ▥
avril-15 oct. – ℞ *conseillée* – ▣ *piscine comprise 2 pers. 90, pers. suppl. 21*
⒣ *15 (6A)*

▲▲ **Les Écureuils** ⧄, ℰ 51 33 42 74, rte des Goffineaux, à 300 m de l'océan –
✖
3 ha (231 empl.) ⊶ plat, sablonneux ⌁ ⚭ – 🔥 ⇌ ≝ 🔲 ⊕ ⚲ ⤢ ⟁ ❢ ⚞
🔲 – ▭ ₥ ⚓ ꓹ – A proximité : ✖
15 mai-15 sept. – ℞ *indispensable juil.-août* – ✳ *18 piscine comprise* ▣ *61*
⒣ *13 (5A)*

▲▲▲ **le Curtys,** ℰ 51 33 63 42, au Nord du bourg
4,4 ha (150 empl.) ⊶ plat, herbeux – 🔥 ⇌ ≝ 🔲 & ⊕ ❢ ⚞ – 🔲 – ▭ ⚓
ꓹ – A proximité : ⚞ ✖ ₥
mai-sept. – ℞ *conseillée juil.-août* – ▣ *piscine comprise 2 pers. 80, pers. suppl.*
*17* ⒣ *15 (6A)*

▲ **La Pomme de Pin,** ℰ 51 33 43 85, SE : r. Vincent-Auriol, à 150 m de la plage
de Boisvinet
2 ha (170 empl.) ⊶ plat, sablonneux ⌁ ⚭ pinède – 🔥 ⇌ ≝ 🔲 & ⊕ 🔲 – ⚓
– Location : ⚏ ▥
avril-oct. – ℞ *conseillée* – ▣ *2 pers. 90, pers. suppl. 21* ⒣ *15 (6A)*

⚠ **La Mouette Cendrée,** &#x260E; 51 33 59 04, sortie NE par D 19 rte de St.-Hilaire-la-Forêt
1,2 ha (72 empl.) ⊶ plat, herbeux – 🎪 ⇄ 🚿 🖐 ☺ 🏪
mai-15 oct. – **R** *conseillée 14 juil.-25 août* – 🅴 *2 pers. 57* 🔌 *11 (6A)*

⚠ **Municipal Bosquet de la Maison Forestière,** &#x260E; 51 33 56 57, au SO de la station, à 150 m de la plage
1 ha (106 empl.) ⊶ accidenté, herbeux, sablonneux 💯 pinède – 🎪 ⇄ 🛁 ☺
– A proximité : 🎾 🦯 vélos
Pâques-sept. – **R** – 🅴 *3 pers. 47, pers. suppl. 13* 🔌 *13 (5A)*

Voir aussi à *St-Vincent-sur-Jard*

---

# JARJAYES
17 – 81 ⑥
**05130** H.-Alpes – 312 h. alt. 960

⚠ **La Pirogue** (aire naturelle) 🏞 ≤, &#x260E; 92 51 36 22 (prévu 92 54 39 22), sortie NO par rte du col de la Sentinelle
2 ha (25 empl.) ⊶ peu incliné, herbeux – 🎪 ⇄ 🚿 🖪 ☺
juil.-15 sept. – 🅴 *1 pers. 30, pers. suppl. 10* 🔌 *10 (10 à 30A)*

---

# JARS
6 – 65 ⑫ G. Berry Limousin
**18260** Cher – 522 h.

⚠ **S.I. le Noyer** ≤ « Situation agréable », &#x260E; 48 58 74 50, SO : 0,8 km par D 74 et chemin à droite, près d'un plan d'eau
0,9 ha (25 empl.) peu incliné, plat, herbeux – 🎪 ⇄ 🛁 🚿 🖐 ☺ ⚓ – A l'entrée :
🍷 🎾 gîte d'étape
mai-sept. – **R** *juil.-août* – 🚶 *5* �car *2,80* 🅴 *4* 🔌 *8 (15A)*

---

# JAULNY
7 – 57 ⑬ G. Alsace Lorraine
**54470** M.-et-M. – 169 h.

⚠ **La Pelouse** 🏞 « Cadre boisé », &#x260E; 83 81 91 67, à 0,5 km au sud du bourg, accès près du pont sur le Rupt de Mad
2,9 ha (100 empl.) ⊶ plat et incliné, herbeux 💥 (2 ha) – 🎪 🚿 🖪 ☺ snack –
🚐 – A proximité : 🦯 🚣
avril-sept. – *Places disponibles pour le passage* – **R** *juil.-août* – 🚶 *8,50* �car *7* 🅴
*7* 🔌 *10,50 (4A) 15 (6A)*

---

# La JAVIE
17 – 81 ⑦
**04390** Alpes-de-H.-Pr. – 297 h.
alt. 700

⚠ **Municipal** 🏞 ≤, sortie SE par D107 rte de Prads, près de la Bléone
0,3 ha (25 empl.) plat, herbeux, pierreux – 🎪 ☺ – 🎾
15 juin-15 sept. – **R** – 🚶 *12* �car *5* 🅴 *10* 🔌 *10*

---

# JENZAT
11 – 73 ④ G. Auvergne
**03800** Allier – 439 h.

⚠ **Municipal,** sortie NO par D 42 rte de Chantelle, près de la Sioule
1 ha (52 empl.) plat, herbeux ⚘ – 🎪 🚿 ☺
20 avril-20 oct. – **R** – *Tarif 91* : 🚶 *9* �car *3* 🅴 *3* 🔌 *7,50 (6A)*

---

# JOANNAS
16 – 80 ⑧
**07110** Ardèche – 224 h.

⚠ **Le Roubreau** 🏞 ≤, &#x260E; 75 88 32 07, O : 1,4 km par D 24 rte de Valgorge et chemin à gauche, bord du Roubreau
3 ha (100 empl.) ⊶ plat et incliné, herbeux, pierreux 🔲 ⚘ – 🎪 ⇄ 🚿 🖪 ☺ 🍷
🏖 – 🚐 🎾 🏊 – Location : 🏠
Pâques-15 sept. – **R** *conseillée* – 🅴 *2 pers. 66, pers. suppl. 18* 🔌 *17 (4 ou 6A)*

⚠ **La Marette** 🏞 ≤, &#x260E; 75 88 38 88, O : 2,4 km par D 24 rte de Valgorge
4 ha (55 empl.) ⊶ en terrasses et accidenté, pierreux, bois – 🎪 ⇄ 🛁 🖪 🖐 ☺
🏖 🏫 – 🚐
Pâques-15 sept. – **R** *conseillée juil.-août* – 🅴 *piscine comprise 2 pers. 65* 🔌 *15 (15A)*

---

**JONCHEREY** **90** Ter.-de-Belfort – 166 ⑧ – rattaché à Delle

## JONQUIÈRES

**84150** Vaucluse – 3 780 h.

🝖🝖 – 🝖🝖 ⑫

ᐃᐃ **Municipal les Peupliers,** 🅟 90 70 67 09, sortie E rte de Carpentras, derrière la piscine
1 ha (80 empl.) ⚬ plat, herbeux 🝖 – 🝖 🝖 🝖 🝖 🝖 – cases réfrigérées –
A proximité : 🝖 🝖
15 mai-sept. – **R** *conseillée* – 🝖 *2 pers. 40/42 avec élect.*

---

## JONZAC ⬗

**17500** Char.-Mar. – 3 998 h. –
⚓ 24 fév.-28 nov.
🆑 Office de Tourisme, pl. Château
🅟 46 48 49 29

🝖 – 🝖🝖🝖 ⑥ **G. Poitou Vendée Charentes**

ᐃᐃ **Les Castors,** 🅟 46 48 25 65, SO : 1,5 km par D 19, rte de Montendre et chemin à droite
1 ha (45 empl.) ⚬ peu incliné, herbeux, gravier 🝖 – 🝖 🝖 🝖 🝖 🝖 🝖 🝖 🝖 🝖
– 🝖
avril-15 nov. – **R** *conseillée* – 🝖 *16,45* 🝖 *16,40* 🝖 *13,15 (4A) 16,96 (6A) 20,80 (10A)*

ᐃ Municipal, 🅟 46 48 51 20, près du lycée Jean Hyppolite, bord de la Seugne
1,3 ha (61 empl.) plat, herbeux 🝖🝖 – 🝖 🝖 🝖 🝖 🝖 – A proximité : 🝖

---

▶ *In this Guide,*
*a symbol or a character, printed in red or* **black,** *in* **bold** *or light type,*
*does not have the same meaning.*
*Please read the explanatory pages carefully.*

---

## JOSSELIN

**56120** Morbihan – 2 338 h.
🆑 Syndicat d'Initiative, pl. de la
Congrégation (juin-sept., fermé matin
sauf juil.-août) 🅟 97 22 36 43

🝖 – 🝖🝖 ④ **G. Bretagne**

ᐃ **Le Bas de la Lande** (Intercommunal de Guégon-Josselin) ≼, 🅟 97 22 22 20,
O : 2,5 km par N 24 rocade Josselin rte de Lorient et rte à droite après le pont,
à 50 m de l'Oust
2 ha (70 empl.) ⚬ plat, peu incliné et en terrasses, herbeux 🝖 – 🝖 🝖 🝖 🝖
– 🝖
Permanent – **R** – 🝖 *7,20* 🝖 *4,60* 🝖 *4,60* 🝖 *11 (5A) 14 (10A)*

---

## JOURNANS

**01250** Ain – 286 h.

🝖🝖 – 🝖🝖 ③

ᐃ **Municipal** 🝖 ≼ « Cadre agréable », au nord du bourg rte de Rignat
0,8 ha (30 empl.) en terrasses et peu incliné, herbeux 🝖 🝖 – 🝖 🝖
avril-sept. – **R** *conseillée* – 🝖 *2 pers. 30,50* 🝖 *10,50 (5A)*

---

## JOYEUSE

**07260** Ardèche – 1 411 h.
🆑 Office de Tourisme D 104
🅟 75 39 56 76

🝖🝖 – 🝖🝖 ⑧ **G. Vallée du Rhône**

ᐃᐃᐃ **La Nouzarède,** 🅟 75 39 92 01, vers sortie E rte d'Aubenas et rte du stade à gauche
2 ha (60 empl.) ⚬ plat, herbeux, pierreux – 🝖 🝖 🝖 🝖 🝖 🝖 🝖 🝖 🝖 🝖 – 🝖
🝖 – A proximité : 🝖 – Location : 🝖
avril-sept. – **R** *conseillée* – 🝖 *piscine comprise 2 pers. 55* 🝖 *12 (9A)*

ᐃᐃ **V.T.F la Croix de Vinchannes** 🝖, 🅟 75 39 50 50, N : 2,7 km par D 203
rte de Ribes et rte de Vinchannes à gauche
8 ha (145 empl.) ⚬ en terrasses et peu incliné, pierreux, herbeux 🝖 🝖🝖 – 🝖
🝖 🝖 🝖 🝖 🝖 garderie – 🝖 tir à l'arc – Location : 🝖, bungalows toilés
15 juin-15 sept. – **R** *conseillée* – 🝖 *piscine comprise 3 pers. 81, pers. suppl. 18*
🝖 *13 (4A)*

ᐃᐃ **Le Bois Simonet** 🝖, 🅟 75 39 58 60, N : 3,8 km par D 203 rte de Valgorge
2 ha (70 empl.) ⚬ accidenté et en terrasses 🝖 🝖 pinède – 🝖 🝖 🝖 🝖 🝖 🝖
🝖 – Location : 🝖
20 juin-août – **R** *conseillée juil.-août* – 🝖 *2 pers. 52,50, pers. suppl. 10,50*
🝖 *10,50 (5A)*

ᐃ Le Sous-Perret 🝖 ≼, 🅟 75 39 50 54, sortie E rte d'Aubenas puis 1,4 km par
rte à droite, près de la Beaume
2 ha (75 empl.) ⚬ plat, herbeux 🝖 – 🝖 🝖 🝖 – A proximité : 🝖
avril-sept. – **R** *conseillée juil.-août*

---

## JUGON-LES-LACS

**22270** C.-d'Armor – 1 283 h.

🝖 – 🝖🝖 ⑭ ⑮ **G. Bretagne**

ᐃᐃᐃ **Municipal le Bocage** 🝖, 🅟 96 31 60 16, SE : 1 km par D 52 rte de Mégrit,
bord du Grand Étang de Jugon
4 ha (230 empl.) ⚬ (saison) plat et peu incliné, herbeux 🝖 – 🝖 🝖 🝖 🝖 🝖
🝖 – 🝖 🝖 🝖 – Location : 🝖, bungalows toilés
mai-sept. – **R** – 🝖 *10* 🝖 *13* 🝖 *12 (5A)*

---

## JULLIANGES

**43500** H.-Loire – 343 h. alt. 920

🝖🝖 – 🝖🝖 ⑥ ⑦

ᐃ **Municipal,** au bourg, bord d'un petit plan d'eau
0,16 ha (14 empl.) plat et terrasse 🝖 – 🝖 🝖 🝖 🝖 🝖 🝖 🝖 🝖 – A proximité
🝖
juin-sept. – **R** – 🝖 *8* 🝖 *10*

## JULLOUVILLE

**50610** Manche – 2 046 h.

🅸 Syndicat d'Initiative, av. du Mar.-Leclerc (15 juin-15 sept.)
✆ 33 61 82 48

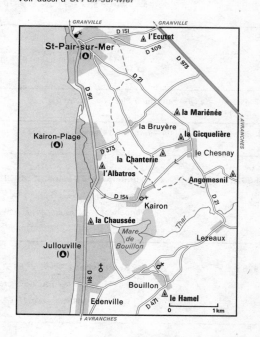

4 – 59 ⑦ G. Normandie Cotentin

▲▲▲ **La Chaussée,** ✆ 33 61 80 18, sortie N rte de Granville, à 100 m de la plage
4,7 ha (250 empl.) ⊶ plat, sablonneux, herbeux ♀ – 🛱 ⇔ 🏠 🖼 ⊛ ⚖ 🔵 – 🍽
🚠 – Location : 🚐
11 avril-13 sept. – **R** *conseillée juil.-août – Tarif 91 :* 🗉 *2 pers. 60, pers. suppl.*
*17* 🅟 *11 (2A) 15 (6A) 20 (10A)*

▲▲▲ L'Albatros, ✆ 33 50 79 73 ⊠ 50380 St-Pair-sur-Mer, **à Kairon-Plage,** N : 2 km rte de Granville, à 300 m de la plage
1,5 ha (100 empl.) ⊶ plat, herbeux – 🛱 ⇔ 🏠 ⊛
fin juin-début sept.

▲▲▲ **Le Hamel** 😊, ✆ 33 61 84 48, E : 2 km, à la sortie de Bouillon par rte de Groussey
1,5 ha (66 empl.) ⊶ plat, herbeux – 🛱 ⇔ 🏠 ⊛ – 🍽
mai-1er sept. – **R** *conseillée – Tarif 91 :* 👤 *11* 🗉 *9* 🅟 *9 (3A)*

Voir aussi à *St-Pair-sur-Mer*

---

## JUMIÈGES

**76480** S.-Mar. – 1 641 h.

5 – 55 ⑤ ⑥ G. Normandie Vallée de la Seine

▲▲▲ **Base de Plein Air et de Loisirs** ≤, ✆ 35 37 93 84, SE : 3 km par D 65, rte du Mesnil-sous-Jumièges, à 200 m d'un plan d'eau (accès direct)
70 ha/2 campables (100 empl.) ⊶ plat et peu incliné, gravillons 🖼 ♀ – 🛱 ⇔
🏠 🖼 ⊛ 🔵 🍽 – 🏐 🚠 – A proximité : 🏊 🏌 golf
mars-oct. – **R** – 👤 *12,50* 🚗 *6,50* 🗉 *13* 🅟 *7,50 (4A)*

---

## JUMILHAC-LE-GRAND

**24630** Dordogne – 1 260 h.

10 – 72 ⑰ G. Berry Limousin

▲▲▲ Municipal la Châtonnière 😊, ✆ 53 52 57 36, N : 1 km par D 79 rte de St-Priest-les-Fougères et à gauche, bord de l'Isle
1,2 ha (33 empl.) en terrasses, plat, herbeux – 🛱 ⇔ 🏠 ⊛ – 🍽

---

## JUNAS

**30250** Gard – 648 h.

16 – 80 ⑱

▲▲▲ **L'Olivier** 😊 ≤, ✆ 66 80 98 05, sortie E par D 140 et chemin à droite
1 ha (47 empl.) ⊶ plat et peu incliné, herbeux, pierreux – 🛱 ⊛ – 🚠 🎾 half-court
vac. de printemps, juin-15 sept. – **R** *conseillée 14 juil.-15 août* – 🗉 *piscine comprise 3 pers. 60, pers. suppl. 11,50* 🅟 *11 (4 ou 6A)*

▲▲▲ **Les Chênes** 😊, ✆ 66 80 99 07, S : 1,3 km par D 140 rte de Sommières et chemin à gauche, au lieu-dit les Tuileries Basses
1,7 ha (100 empl.) ⊶ (saison) plat et peu incliné, pierreux, herbeux ♀ – 🛱 ⊛ 🔵
– 🚠 –
Pâques-15 oct. – **R** *conseillée juil.-août –* 🗉 *piscine comprise 2 à 4 pers. 43,50 à 56,50, pers. suppl. 9,50* 🅟 *8,50 (3A) 10,70 (6A) 12 (10A)*

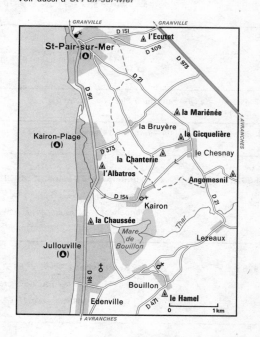

8

## JUSSAC

**15250** Cantal – 1 865 h. alt. 632

⚠️ **Municipal du Moulin,** ☏ 71 46 69 85, à l'ouest du bourg par D 922 vers Mauriac et chemin près du pont, bord de l'Authre
1 ha (53 empl.) ⊶ plat, herbeux 🔲 – 🗑 🤚 🔥 🗄 ⬤ ⬥ ⚘ – A proximité : 🍽️
15 juin-sept. – **R** conseillée août – ⚡ 7,50 🚗 4 🔳 5/7,50 🔌 9 (3A) 16 (10A)

🔟 – 🔢 ⑫

## KAYSERSBERG

**68240** H.-Rhin – 2 755 h.
🔹 Office de Tourisme, Mairie ☏ 89 78 22 78

⚠️ **Municipal** ⬅, ☏ 89 47 14 47, sortie NO par N 415 rte de St-Dié et r. des Acacias, bord de la Weiss – 🍽️
1,6 ha (120 empl.) ⊶ (juil.-août) plat, herbeux 🌿 – 🗑 🤚 🔥 🗄 ⬤ ⚘ 🔻 🔳 – 🔲 🍽️
avril-sept. – **R** – ⚡ 14 🚗 7 🔳 10 🔌 14 (3A) 28 (6A)

🔢 – 🔢 ⑱ G. Alsace Lorraine

## KERLOUAN

**29238** Finistère – 2 406 h.

⚠️ **Municipal de Rudoloc** 🔸 ⬅, N : 2,5 km, près de la plage (accès direct)
1,5 ha (75 empl.) non clos, plat et vallonné, sablonneux, herbeux – 🗑 🔥
🔲 ⬤

🔢 – 🔢 ④

## KERVEL **29** Finistère – 🔢 ⑭ – rattaché à Plonévez-Porzay

## KERVOYAL **56** Morbihan – 🔢 ⑬ – rattaché à Damgan

## KESKASTEL

**67260** B.-Rhin – 1 362 h.

⚠️ **Municipal les Sapins,** ☏ 88 00 19 25, au NE de la commune, bord d'un plan d'eau
3 ha (89 empl.) ⊶ plat, herbeux – 🗑 🤚 🔲 🗄 🔥 🎠 ⬤ – 🔲 ⚓ (plage)
A proximité : 🍽️
Permanent – Places limitées pour le passage – **R** conseillée juil.-août – ⚡ 13
🔳 13 🔌 13 (10A)

🔢 – 🔢 ⑬

## KRUTH

**68820** H.-Rhin – 976 h.

⚠️ **Le Schlossberg** 🔸 ⬅, ☏ 89 82 26 76, NO : 2,3 km par D 13B rte de La Bresse et rte à gauche
3,6 ha (75 empl.) ⊶ peu incliné, terrasse, herbeux 🌿 (1 ha) – 🗑 🤚 🔥 🗄 🔥
⬤ – 🔲
15 avril-sept. – **R** conseillée 15 juil.-15 août – ⚡ 14 🔳 12 🔌 8 (2A)

🔢 – 🔢 ⑰ ⑱ G. Alsace Lorraine

## LAÀS

**64390** Pyr.-Atl. – 135 h.

⚠️ **Château de Laàs** 🔸 « Château et musée », ☏ 59 38 91 53, à 50 m du Gave d'Oloron (accès direct)
0,5 ha (20 empl.) plat, herbeux 🌿 – 🗑 🤚 ⬤
Permanent – **R** – ⚡ 8,50 🔳 12 🔌 8,50

🔢 – 🔢 ⑧ G. Pyrénées Aquitaine

## LABAROCHE

**68910** H.-Rhin – 1 676 h. alt. 750

⚠️ **Municipal des 2 Hohnack** 🔸 « Cadre agréable », ☏ 89 49 83 72, S 4,5 km par D 11¹ et D 11 rte des Trois-Epis puis rte du Linge à droite
1,3 ha (66 empl.) ⊶ plat et en terrasses, herbeux, forêt attenante 🔲 – 🗑 🔥
🔥 ⬤ ⚘ 🍷 15 juin-15 sept. – **R** – Tarif 91 : ⚡ 8,50 🚗 4,50 🔳 8,50 🔌 10,50 (4A) 1 (6A)

🔢 – 🔢

## LABASTIDE-CLERMONT

**31370** H.-Gar. – 347 h.

⚠️ **Le Soleil du Midi** 🔸, au NE du bourg
0,2 ha (19 empl.) ⊶ plat, herbeux, pierreux – 🗑 ⬤
juil.-sept. – **R** – 🔳 2 pers. 50, pers. suppl. 13 🔌 13 (8A)

🔢 – 🔢

## LABASTIDE-ROUAIROUX

**81270** Tarn – 2 027 h.
🔹 Syndicat d'Initiative (15 juin-15 sept.) ☏ 63 98 07 58

⚠️ **S.I. Cabanès** ⬅, sortie E par N 112 rte de St-Pons
0,3 ha (20 empl.) ⊶ en terrasses, herbeux 🔲 – 🗑 ⬤ – Location : gîte d'étape
15 juin-15 sept. – **R** conseillée juil.-août – ⚡ 8 🚗 2 🔳 4/6 🔌 8 (15A)

🔢 – 🔢

## LABENNE
**40530** Landes – 2 884 h.

ᐃᐃ **Sylvamar** Ⓜ ⏤, ℰ 59 45 75 16, par D 126, rte de la Plage, près du Boudigau
15 ha/8 campables (325 empl.) ⟶ plat, sablonneux, herbeux ⌗ ♀ – 🍴 🛏 🍽
🔲 & ⊕ 🍴 ⛺ ♈ ? snack 🔲 – 🔳 ✕ 🏊 avec toboggans aquatiques –
À proximité : ⋔ – Location : ⟿
juin-sept. – **R** conseillée – 🔲 piscine comprise 2 ou 3 pers. 95 (116 avec élect.
6A), 4 ou 5 pers. 110 (133 avec élect. 6A)

ᐃᐃ **Le Boudigau,** ℰ 59 45 42 07, par D 126 rte de la plage, à proximité d'une
rivière
5 ha (320 empl.) ⟶ plat, herbeux, sablonneux ♀♀ – 🍴 🛏 🍽 🔲 ⊕ ♈ ? ✕
🔲 🔳 – 🔳 discothèque 🚣 🏊 vélos – À proximité : ✕ ⋔ – Location : ⟿
🔲 🏠
25 mai-22 sept. – **R** conseillée juil.-août – ♟ 14 piscine comprise 🔲 40 (55 du
1er au 15 août) 🔌 15 (3A)

ᐃᐃ **La Mer,** ℰ 59 45 42 09, par D 126 rte de la plage, bord du Boudigau
6 ha (300 empl.) ⟶ plat, herbeux, sablonneux ♀♀ 🍴 🔳 🔲 ⊕ 🍽 🔲 –
🚣 – À proximité : ✕ ⋔ – Location : ⟿
juin-26 sept. – **R** conseillée juil.-août – Tarif 91 : ♟ 13,30 🔲 22,50 🔌 11,80 (6A)

## LABERGEMENT-STE-MARIE
**25160** Doubs – 864 h. alt. 880

ᐃ **Le Lac** ≤, ℰ 81 69 31 24, r. du Lac, à 300 m du lac de Remoray
1,3 ha (70 empl.) ⟶ plat, peu incliné et en terrasses, herbeux – 🍴 🛏 🔲 ⊕ ?
✕ – À proximité : ✕ 🔳
15 juin-15 sept. – **R** – 🔲 2 pers. 50, pers. suppl. 12,50 🔌 12,50 (3A)

## LABESSETTE
**63690** P.-de-D. – 104 h. alt. 780

ᐃ **Municipal la Chomette** ⏤, sortie S par D 72
1,2 ha (50 empl.) plat et peu incliné, herbeux, pierreux – 🍴 &
juin-sept. – **R** juil.-août – ♟ 9 🚗 6 🔲 10

## LABLACHÈRE
**07230** Ardèche – 1 562 h.

ᐃ **Le Franoi** ⏤ ≤, ℰ 75 36 64 09, NO : 4,3 km par D 4 rte de Planzolles
2,8 ha (40 empl.) ⟶ plat et peu incliné, pierreux ⌗ – 🍴 🔲 ⊕ 🍽 ♈ ? 🔲
– ✕ 🏊 – Location : ⟿
mai-sept. – **R** – 🔲 piscine comprise 2 pers. 67, pers. suppl. 15 🔌 16 (6A)

## LAC – voir au nom propre du lac

## LACALM
**12210** Aveyron – 230 h. alt. 1 113

ᐃ **Municipal le Moulin** ⏤, à 400 m au SO du bourg, bord d'un ruisseau
0,5 ha (25 empl.) plat et en terrasses, herbeux – 🍴 🛏
15 juin-août – **R** – ♟ 8 🚗 6 🔲 6

## LACANAU (Étang de)
**33** Gironde – 2 405 h.

au Moutchic 5,5 km à l'est de Lacanau-Océan – ✉ 33680 Lacanau :

ᐃᐃ **Talaris** « Cadre agréable », ℰ 56 03 04 15, E : 2 km sur rte de Lacanau
6,3 ha (199 empl.) ⟶ plat, herbeux, petit étang ♀ – 🍴 🛏 🔲 ⊕ 🍽 ?
🔲 – ✕ 🏊 🚣
15 mai-sept. – **R** conseillée juil.-août – 🔲 piscine comprise 2 pers. 94, pers. suppl.
18 🔌 18 (6A)

ᐃ **Tedey** ⏤ « Situation agréable », ℰ 56 03 00 15, S : 2 km par rte de
Longarisse et chemin à gauche, bord de l'étang
10 ha (650 empl.) ⟶ plat et accidenté, sablonneux ⌗ ♀♀ pinède – 🍴 🔲 &
⊕ 🍽 ? 🔲 – 🚣 🔳 ♨
28 avril-22 sept. – **R** conseillée juil.-août – Mineurs non accompagnés non admis
– 🔲 3 pers. 85,50 (108,50 avec élect. 2A) pers. suppl. 13,50

## LACANAU-OCÉAN
**33** Gironde – ✉ 33680 Lacanau

ᐃᐃ **L'Océan,** ℰ 56 03 24 45, r. du Repos
9 ha (550 empl.) ⟶ plat, incliné et accidenté, sablonneux ♀♀ pinède – 🍴 🛏
🔲 & ⊕ 🍽 ♈ ? ✕ 🔲 – 🔳 ✕ 🚣 🏊 – Location : ⟿ 🔲
mai-sept. – **R** conseillée – Tarif 91 : 🔲 piscine comprise 2 ou 3 pers. 95/105
(125 avec élect. 15A)

ᐃᐃ **les Grands Pins** ⏤, ℰ 56 03 20 77, N : 1 km, à 500 m de la plage – ℗ (saison)
11 ha (560 empl.) ⟶ accidenté, incliné, en terrasses, sablonneux ⌗ ♀♀ – 🍴 🛏
🔲 🔲 & ⊕ 🍽 ♈ ? ✕ 🔲 – 🔳 ✕ 🏊

## LACANAU-DE-MIOS
**3380** Gironde

ᐃ **Samba,** ℰ 56 23 18 81, SO : 0,8 km par D 216 rte de Mios
1,5 ha (50 empl.) ⟶ plat, sablonneux, herbeux ♀♀ – 🍴 🛏 🍽 🔲 ⊕ 🍽 🔲
Permanent – **R** – Tarif 91 : ♟ 7,20 🔲 8,50 🔌 8 (6A) 16 (10A)

229

## LACAPELLE-MARIVAL

**46120** Lot – 1 201 h.

🏛 Syndicat d'Initiative, pl. de la Halle
(15 juin-15 sept.) ☎ 65 40 81 11

🗓 – 🗓 ⑲ ⑳ G. Périgord Quercy

🔺🔺 **Municipal Bois de Sophie** « Cadre agréable », ☎ 65 40 82 59, NO : 1 km
par D 940 rte de St-Céré
1 ha (66 empl.) ⚬↛ plat et peu incliné, herbeux 🌳🌳 – 🛖 ⇄ 🛁 ⊛ – ⬛ – A proximité :
🎾 ⚓
mai-sept. – **R** – Tarif 91 : 🚶 8 ⚓ 5 ▣ 8 🔌 10

## LACAPELLE-VIESCAMP

**15150** Cantal – 438 h.

🗓 – 🗓 ⑪

🔺🔺 **Municipal le Puech des Ouilhes** 🦌 ⩽ « Dans un site agréable »,
☎ 71 46 42 38, SO : 3 km par D 18 rte d'Aurillac et rte à droite, à 150 m du
lac de St-Étienne-Cantalès (accès direct à une plage) – 🎾 juil.-20 août
1,2 ha (90 empl.) ⚬↛ peu incliné à incliné, pierreux, herbeux ♀ – 🛖 ⇄ 🎇 🦽
⊛ ⬛ 🖼 – 🎾 – A proximité : 🍽 ✗ snack 🚚 ◗ – Location : huttes
15 juin-15 sept. – **R** conseillée juil.-15 août – ▣ 1 pers. 38, pers. suppl. 13
🔌 10 (10A)

🔺 **Municipal,** au bourg, sur D 18 rte d'Aurillac
1 ha (26 empl.) plat et peu incliné, herbeux – 🛖 ⇄ 🛁 ⊛ – A proximité : 🚵
juil.-août – **R** – Tarif 91 : 🚶 6,30 ⚓ 3,20 ▣ 6,30 🔌 7,40

## LACELLE

**19170** Corrèze – 185 h. alt. 650

🗓 – 🗓 ⑲

🔺 **Municipal,** au bourg, près du pont SNCF et d'un étang
0,9 ha (33 empl.) plat, terrasse, herbeux – 🛖 ⇄ 🛁 🖼 ⊛ – 🚙 🔌 7 (10A)
15 juin-15 sept. – **R** – 🚶 7 et 5 pour eau chaude ⚓ 5 ▣ 5 🔌 7 (10A)

## LACHAU

**26560** Drôme – 190 h. alt. 700

🗓 – 🗓 ④

🔺 La Dondelle (aire naturelle) 🦌, sortie E sur D 201 rte d'Eourres
1 ha (25 empl.) plat, herbeux ▭ – 🛖 ⊛
mai-sept. – **R**

## LADIGNAC-LE-LONG

**87500** H.-Vienne – 1 190 h.

🗓 – 🗓 ⑰ G. Berry Limousin

🔺🔺 **Municipal** 🦌 ⩽ « Cadre et situation agréables », ☎ 55 09 39 82, N : 0,8 km,
près d'un plan d'eau
1,5 ha (70 empl.) ⚬↛ en terrasses, herbeux ▭ ♀ (0,5 ha) – 🛖 ⇄ 🛁 ⊛ 🚙 ⩗
– 🎾 – A proximité : 🚚
15 juin-15 sept. – **R** conseillée – Tarif 91 : 🚶 8 ⚓ 5 ▣ 5 🔌 10 (5 à 10A)

## LAFRANÇAISE

**82130** T.-et-G. – 2 651 h.

🗓 – 🗓 ⑰ G. Pyrénées Roussillon

🔺🔺 **Municipal de la Vallée des Loisirs** 🦌, ☎ 63 65 89 69, sortie SE par D 40
rte de Montastruc et à gauche, à 250 m d'un plan d'eau (accès direct)
0,9 ha (56 empl.) ⚬↛ peu incliné, pierreux, herbeux, bois attenant ▭ – 🛖 ⇄ 🛁
⊛ – A proximité : snack 🎾 ⚓ (bassin) 🚵 toboggan aquatique
15 juin-15 sept. – **R** conseillée – 🚶 6,20 ▣ 9,30/10,30 🔌 8,20

## LAGNY

**60310** Oise – 478 h.

🗓 – 🗓 ② ③

🔺🔺 **Le Ponchet** 🦌, ☎ 44 93 01 11, sortie SO par D 39, à Sceaucourt, 9 r. du
Ponchet
1,2 ha (31 empl.) ⚬↛ incliné, herbeux ▭ ♀ – 🛖 ⇄ 🛁 🖼 ⊛ – A proximité : 🚙
Pâques-oct. – Places limitées pour le passage – ▣ 2 pers. 34, pers. suppl. 9
🔌 9,80 (2A) 17,60 (4A) 26,50 (6A)

## LAGORD

**17140** Char.-Mar. – 5 287 h.

🗓 – 🗓 ⑫

🔺🔺🔺 **Municipal le Parc** 🦌, ☎ 46 67 61 54, sortie O, r. du Parc
2 ha (150 empl.) ⚬↛ plat, herbeux 🌳🌳 (0,5 ha) – 🛖 ⇄ 🛁 🦽 ⊛ 🖼 – 🚙
15 mai-27 sept. – **R** conseillée juil.-août – ▣ 1 pers. 17,95, pers. suppl. 11,80
🔌 8 (3A) 10,60 (6A) 15,90 (10A)

## LAGUENNE 19 Corrèze – 🗓 ⑨ – rattaché à Tulle

## LAGUÉPIE

**82250** T.-et-G. – 787 h.

🗓 – 🗓 ②

🔺 **Municipal les Tilleuls** « Agréable situation au bord du Viaur »
☎ 63 30 22 32, E : 1 km par D 922 rte de Villefranche-de-Rouergue et chemin
à droite – Croisement difficile pour caravanes
0,6 ha (30 empl.) ⚬↛ plat et terrasses, herbeux, pierreux ♀ – 🛖 ⇄ 🛁 ⊛ – 🚙
🎾
Pâques-Toussaint – **R** conseillée juil.-août – 🚶 4,80 ▣ 4,40

## LAGUIOLE

15 – 76 ⑬ G. Gorges du Tarn

**12210** Aveyron – 1 264 h.
alt. 1 004 – 🌧.
🅱 Syndicat d'Initiative (saison)
𝒫 65 44 35 94

⚠ Municipal les Monts d'Aubrac 🦌 ≼, 𝒫 65 44 39 72, sortie S par D 921 rte de Rodez puis 0,6 km par rte à gauche, au stade
2 ha (57 empl.) plat et peu incliné, herbeux – 🗑 ⛲ 🚻 🚿 ⊛ 🧺 – 🏕 – A proximité : ✖

---

## LAIROUX

9 – 171 ⑪

**85400** Vendée – 514 h.

⚠ **Municipal les Pacaudières,** sortie NE par D 60 rte de Mareuil-sur-Lay, au stade
0,15 ha (15 empl.) plat, herbeux – 🗑 ⛲ 🚻 🗄 ⊛
Permanent – ℝ – ✳ 7,80 �car 2,80 🅴 6,20 🔌 8,25 (6A)

---

## LALBENQUE

14 – 79 ⑱

**46230** Lot – 878 h.

⚠ **Municipal** 🦌, au SO du bourg
0,4 ha (25 empl.) peu incliné et plat, pierreux, herbeux ▭ – 🗑 🚿 🚿 ⊛
A proximité : ✖ 🏊
mai-oct. – ℝ – ✳ 7,50 🅴 8,50 🔌 8 (10A)

---

## LALINDE

10 – 75 ⑮

**24150** Dordogne – 3 029 h.

⚠ **Municipal du Moulin de la Guillou,** 𝒫 53 61 02 91, E : 2 km par D 703 rte du Bugue, bord de la Dordogne et à 100 m du canal
1,7 ha (100 empl.) ⊶ plat, herbeux ♀ – 🗑 ⛲ 🚻 ⊛ – ✖ 🏊
juin-oct. – ℝ conseillée juil.-août – ✳ 11 �car 2,50 🅴 11,50 🔌 6,50 (6A)

---

## LALOUVESC

11 – 76 ⑨ G. Vallée du Rhône

**07520** Ardèche – 514 h. alt. 1 050

⚠ **Municipal le Pré du Moulin,** 𝒫 75 67 84 86, au N de la localité
2,5 ha (50 empl.) ⊶ en terrasses, peu incliné, herbeux – 🗑 ⛲ 🚻 🚿 🚿 🧺 ⊽
– ✖ 🏕 – Location : huttes
juin-sept. – ℝ août – Tarif 91 : ✳ 8 �car 7 🅴 7/8 🔌 12 (5A)

---

## LAMAGDELAINE

14 – 79 ⑧

**46090** Lot – 731 h.

⚠ **Municipal,** au bourg, sur D 653, bord du Lot
0,6 ha (29 empl.) plat, herbeux ♀ – 🗑 ⛲ 🚻 🗄 ⊛ – ✖
15 juin-15 sept. – ℝ – ✳ 9 🅴 14 🔌 7

---

## LAMALOU-LES-BAINS

15 – 83 ④ G. Gorges du Tarn

**34240** Hérault – 2 194 h. – ♨.
🅱 Office Municipal de Tourisme, av.
du Docteur-Ménard 𝒫 67 95 70 91

⚠ **Municipal Verdale** 🦌 ≼, 𝒫 67 95 86 89, NE : par la pl. du Marché et chemin du stade, bord d'un ruisseau
1 ha (75 empl.) plat, gravier, herbeux – 🗑 ⛲ 🚿 ⊛ – A proximité : 🎯
15 mars-10 nov. – ℝ conseillée – ✳ 9,70 �car 4 🅴 6,20 🔌 9,80 (10A)

---

## LAMPAUL-PLOUDALMEZEAU

3 – 58 ③

**29830** Finistère – 595 h.

⚠ Municipal des Dunes 🦌, 𝒫 98 48 09 84, à 0,7 km au nord du bourg, à côté du terrain de sports et à 100 m de la plage (accès direct)
1,5 ha (76 empl.) ⊶ non clos, accidenté et plat, sablonneux, herbeux – 🗑 🚿
🚿 ⊛ – 🖾
15 juin-15 sept. – ℝ

---

## LANAS

16 – 80 ⑨

**07200** Ardèche – 273 h.

⚠ **L'Arche,** 𝒫 75 37 79 15, N : 0,8 km, bord de l'Ardèche
1,4 ha (35 empl.) ⊶ en terrasses, herbeux ♀ – 🗑 ⊛ – 🏊 (bassin)
Pâques-15 sept. – ℝ conseillée – 🅴 2 pers. 50, pers. suppl. 10 🔌 10 (4A)

---

## LANCHÈRES

1 – 52 ⑥

**80230** Somme – 826 h.

⚠ **Municipal les Prairies de Lanchères** 🦌, 𝒫 22 60 71 87, au bourg
2,1 ha (154 empl.) ⊶ plat, herbeux ▭ – 🗑 ⛲ 🚻 ⊛ – 🖾 🚤
Permanent – ℝ – ✳ 8,50 �car 4,80 🅴 9,50 🔌 3,10

---

## LANCIEUX

4 – 59 ⑤ G. Bretagne

**22770** C.-d'Armor – 1 245 h.

⚠ **Municipal des Mielles** 🦌, 𝒫 96 86 22 98, au SO du bourg, rue Jules Jeunet, à 300 m de la plage
2 ha (195 empl.) ⊶ plat à peu incliné, herbeux – 🗑 🚿 🗄 🚿 ⊛ 🖾 – A proximité : ✖
avril-sept. – ℝ – ✳ 11 �car 6 🅴 11

## LANDÉDA
**29870** Finistère – 2 666 h.

 ▲▲▲ **Les Abers** ⑤ ≤ « Entrée fleurie, site agréable », ✆ 98 04 93 35, NO : 2,5 km,
 aux dunes de Ste-Marguerite, bord de plage
 4,5 ha (180 empl.) ⊶ plat, en terrasses, sablonneux, herbeux – 🗐 🌫 🔌 🖳 ⊕
 🏖 🗒 – 🛒 🖈 – A proximité : 🍴 ✕
 juin-15 sept. – **R** conseillée 7 juil.-20 août – 🟡 15 🚗 6 🖂 17 [⚡] 9 (5A)

 ▲ **Fort Cezon** ⑤, ✆ 98 04 93 46, NO : 3 km, à 300 m de la plage (accès
 direct)
 0,6 ha (36 empl.) ⊶ plat, herbeux – 🗐 🌫 ⊕
 15 juin-15 sept. – **R** conseillée – Tarif 91 : 🟡 6,80 🖂 8 [⚡] 8,50 (6A)

 ▲ **Municipal de Pen Enez** ⑤, ✆ 98 04 99 82, NO : 3,5 km, au nord de la
 Presqu'île de Ste Marguerite, à 200 m de la mer
 2,6 ha (100 empl.) ⊶ plat et vallonné, sablonneux, herbeux – 🗐 🛁 🔌 ⊕
 15 juin-sept. – **R** – 🟡 6,20 🚗 4,15 🖂 6,90 [⚡] 9 (20A)

---

## LANDERNEAU
**29800** Finistère – 14 269 h.
🅱 Office de Tourisme, Pont de Rohan
✆ 98 85 13 09

 ▲ Municipal, ✆ 98 21 66 59, au SO de la ville, rte de Quimper près du stade et
 de la piscine, bord de l'Elorn (rive gauche)
 0,35 ha (30 empl.) plat, herbeux, gravillons 🖵 – 🗐 🌫 🛁 🔌 ⊕ – ✂ 🖈 –
 A proximité : 🔲

---

## LANDEVIEILLE
**85220** Vendée – 646 h.

 ▲▲▲ **Le Lac** ⑤ ≤, ✆ 51 22 91 61, NE : 2 km par D 12 rte de la Mothe-Achard puis
 2 km par rte à gauche, bord du lac du Jaunay
 4,5 ha (128 empl.) ⊶ plat et peu incliné, en terrasses, herbeux 🖵 ♀ (2 ha) –
 🗐 🌫 🛁 🖳 🔌 ⊕ 🏖 🗨 ♈ ♟ crêperie 🖳 – 🛒 ✂ ♒ – Location : 🚐
 mai-sept. – **R** conseillée – Tarif 91 : 🖂 piscine comprise 3 pers. 90 [⚡] 15
 (6A)

 ▲▲ **Pong** ⑤, ✆ 51 22 92 63, sortie NE, chemin du stade
 3 ha (162 empl.) ⊶ plat et peu incliné, herbeux 🖵 – 🗐 🌫 🛁 🖳 🔌 ⊕ 🏖 ♈ 🖳
 – 🛒 ✂ 🍴 ♒ – Location : 🚐
 Pâques-sept. – **R** conseillée juil.-août – 🖂 piscine comprise 3 pers. 65 [⚡] 13 (4A)
 16 (6A)

 ▲▲ **Municipal,** ✆ 51 22 96 36, sortie O rte de Brétignolles-sur-Mer
 1 ha (80 empl.) plat et peu incliné, herbeux – 🗐 🌫 🛁 🖳 🔌 ⊕ 🖳 – 🖈 – A proximité : vélos
 juin-sept. – **R** conseillée 15 juil.-15 août – 🖂 2 pers. 32, pers. suppl. 8,50 [⚡] 8,50

---

## LANDOS
**43340** H.-Loire – 1 006 h. alt. 1 086

 ▲ **La Prairie** ⑤, ✆ 71 08 22 58, NE : 2,5 km par rte du Puy et D 53 à gauche
 avant le passage à niveau
 1,2 ha (40 empl.) ⊶ plat à peu incliné, herbeux – 🗐 🛁 ⊕ – 🖈
 mai-sept. – **℞** – 🟡 10 🚗 5 🖂 15 [⚡] 10

---

## LANDRETHUN-LES-ARDRES
**62610** P.-de-C. – 568 h.

 ▲▲ L'Orée du Bois Ⓜ ⑤, ✆ 21 82 67 15, SE : 2,3 km, au lieu-dit Le Val
 2,2 ha (88 empl.) ⊶ (saison) peu incliné, herbeux 🖵 – 🗐 🌫 🛁 🖳 🔌 ⊕ – 🖈
 – Places limitées pour le passage

---

## LANDRY
**73210** Savoie – 490 h. alt. 770

 ▲ **Les Guilles** ⑤ ≤, ✆ 79 07 08 89, au bourg, à 100 m d'un torrent
 0,2 ha (18 empl.) ⊶ peu incliné, herbeux ♀ verger – 🗐 🌫 🛁 ⊕
 avril-oct. – **℞** – 🟡 7 et 3,50 pour eau chaude 🚗 4 🖂 5,50/6 [⚡] 13 (4A)

---

## LANDUDEC
**29143** Finistère – 1 183 h.

 ▲▲▲ **Bel-Air** ⑤ « Décoration florale », ✆ 98 91 50 27, O : 1,3 km rte de Plozéve[t]
 puis 1 km par rte à gauche
 5 ha (140 empl.) ⊶ plat, en terrasses, prairies, étang 🖵 ♀ – 🗐 🌫 🛁 🌫 🖳 sauna
 ⊕ ♈ ♟ 🖳 ♟ crêperie ♒ 🖳 – 🛒 ✂ 🕳 🖈 – Location : 🚐
 15 juin-15 sept. – **R** conseillée juil.-août – 🟡 16 piscine comprise 🚗 8 🖂 22
 [⚡] 10 (6A)

---

## LANGEAC
**43300** H.-Loire – 4 195 h.
🅱 Office de Tourisme, pl. Aristide-
Briand (saison, vacances scolaires)
✆ 71 77 05 41

 ▲▲ **Municipal le Prado** ⑤, ✆ 71 77 05 01, r. de Lille, au N par D 585 rte de
 Brioude, bord de l'Allier
 10 ha (200 empl.) ⊶ (saison) plat, herbeux, pierreux, sablonneux ♀♀ (5 ha) – 🗐
 🌫 🛁 🖳 🔌 ⊕ 🖳 – Location : 🏠, gîte d'étape
 15 avril-8 nov. – **R** conseillée juil.-août – 🖂 2 pers. 45 [⚡] 9,50 (3A) 11 (6A) 13,5[0]
 (10A)

**3 – 58** ④

**3 – 58** ⑤ G. Bretagne

**9 – 67** ⑫

**11 – 76** ⑰

**1 – 51** ②

**12 – 74** ⑱

**3 – 58** ⑭

**11 – 76** ⑤ G. Auvergn[e]

232

## LANGEAIS

**37130** I.-et-L. – 3 960 h.

🅩 Syndicat d'Initiative, pl. 14 Juillet (vacances scolaires, saison, après-midi hors saison) ℰ 47 96 58 22

🔲 – 🔳 ⑭ G. Châteaux de la Loire

ᐃᐃ **Municipal,** ℰ 47 96 85 80, sortie NE par N 152 rte de Tours, à 50 m d'un plan d'eau
2 ha (100 empl.) ⟶ plat, herbeux ♀ – 🗊 ⩍ ⊛ – ⅋ – A proximité : 🏊 🛶
juin-15 sept. – **R** – 🟍 6 ⟵ 6 🔲 6 🕅 6 (6A)

---

## Le LANGON

**85370** Vendée – 945 h.

🔳 – 🔳 ⑪

ᐃ **Les Baritaudières,** SO : 0,5 km par D 30 rte de Chaillé-les-Marais, près d'un étang
0,5 ha (28 empl.) plat, herbeux 🖵 ♀ – 🗊 ⩍ ⊛ – A proximité : crêperie ⅋
15 juin-15 sept. – **R** – 🟍 5,80 🔲 8,20 🕅 9 (6A)

---

## LANILDUT

**29236** Finistère – 733 h.

🔳 – 🔳 ③

ᐃᐃ **Municipal du Tromeur** ⌇, ℰ 98 04 31 13, sortie O par D 27 puis 1,5 km par rte à droite – Chemin piéton direct reliant le camp au bourg
2,7 ha (90 empl.) ⟶ plat, peu incliné, herbeux, bois attenant – 🗊 ⊹ ⛺ ⅙ ⊛ – 🚻 – A proximité : ⅋

---

## LANNION ⊛

**22300** C.-d'Armor – 16 958 h.

🅩 Office de Tourisme, quai d'Aiguillon ℰ 96 37 07 35

🔳 – 🔳 ① G. Bretagne

ᐃᐃ **Beg-Léguer** ⌇, ℰ 96 47 25 00, O : 7 km par rtes de Trébeurden et de Servel, à 500 m de la plage
4,4 ha (200 empl.) ⟶ peu incliné, plat et en terrasses, herbeux – 🗊 ⊹ ⩍ 🖵 ⊛ 🏊 🍴 🔲 – ⅋ – A proximité : 🚻
juin-15 sept. – **R** conseillée – Tarif 91 : 🟍 12 ⟵ 7 🔲 12 🕅 12 (4 ou 5A)

---

## LANOBRE

**15270** Cantal – 1 473 h.

🔳 – 🔳 ② G. Auvergne

ᐃᐃ **Municipal de la Siauve** ⌇ ⩿, ℰ 71 40 31 85, SO : 3 km par D 922 rte de Bort-les-Orgues et rte à droite, à 200 m du lac (accès direct) – alt. 660
8 ha (220 empl.) ⟶ (juil.-août) en terrasses, herbeux 🖵 ♀ – 🗊 ⊹ ⛺ ⩍ 🖵 ⅙ ⊛ ⅋ 🔲 – 🚻 – A proximité : 🚣 – Location : 🏠 huttes
juin-15 sept. – **R** – Tarif 91 : 🟍 11 ⟵ 6,50 🔲 8,50 🕅 11 (6A)

---

## LANSARGUES

**34130** Hérault – 2 130 h.

🔳 – 🔳 ⑧

ᐃᐃ **Le Fou du Roi** ⌇, ℰ 67 86 78 08, O : 1 km par D 24 rte de Mauguio et à droite
1,9 ha (82 empl.) ⟶ plat, pierreux, herbeux ♀ – 🗊 ⊹ ⩍ 🖵 ⅙ ⊛ ⅏ 🍴 – 🚻 🛶 – A proximité : 🐎 – Location : 🚐
Pâques-20 sept. – **R** conseillée juil.-août – 🔲 piscine comprise 1 à 5 pers. 29,20 à 95, pers. suppl. 12,20 🕅 12 (4A)

---

## LANS-EN-VERCORS

**38250** Isère – 1 451 h. alt. 1 020 – 🛐.

🅩 Office de Tourisme, pl. de l'Église ℰ 76 95 42 62

🔳 – 🔳 ④

ᐃᐃ **le Bois Sigu** ❄ ⌇ ⩿, ℰ 76 95 47 02, S : 2,8 km par D 106, D 531 rte de Villard-de-Lans et route à gauche, au hameau de Peuil
0,6 ha (35 empl.) ⟶ peu incliné, herbeux, pierreux – 🗊 ⊹ ⛺ 🖵 ⅙ ⅏ ⊛ 🔲 – 🚻 🛶
juin-sept. et w. e. du 3 oct. à fin mai – **R** conseillée juil.-août – 🔲 2 pers. 55, pers. suppl. 18

---

## LANSLEVILLARD

**73480** Savoie – 392 h. alt. 1 479 – 🛐.

🅩 Office de Tourisme ℰ 79 05 92 43

🔳 – 🔳 ⑨ G. Alpes du Nord

ᐃᐃᐃ **Caravaneige Municipal** ❄ ⩿, ℰ 79 05 90 52, sortie SO rte de Lanslebourg, bord d'un torrent
3 ha (133 empl.) ⟶ (saison) plat, herbeux, pierreux – 🗊 ⊹ ⛺ 🖵 ⅙ ⅏ ⊛ 🍴 🟍 ⅋ 🔲 – A proximité : ⅋
janv.-10 mai, 15 juin-15 sept. – **R** indispensable hiver – **R** l'été – 🟍 11,40 🔲 15,10 🕅 30 (6A) 42 (10A) été : se renseigner

---

## LANTON 33 Gironde – 🔳 ⑳ – voir à Arcachon (Bassin d')

---

## LANVÉOC

**29160** Finistère – 1 857 h.

Schéma à Crozon

🔳 – 🔳 ④

ᐃ **Municipal de la Cale** ⩿ rade de Brest, N : 1 km rte de la Pointe, bord de mer
1 ha (70 empl.) en terrasses, herbeux – 🗊 ⊛
15 juin-15 sept. – **R** conseillée 15 juil.-15 août – 🟍 8,75 ⟵ 3,75 🔲 4,20 🕅 12,50

---

## LAPALISSE

**03120** Allier – 3 603 h.

🅩 Syndicat d'Initiative, pl. Ch.-Bécaud (15 juin-20 sept.) ℰ 70 99 08 39

🔳 – 🔳 ⑥ G. Auvergne

ᐃ **Municipal,** ℰ 70 99 26 31, sortie SE par N 7 rte de Roanne, bord de la Besbre
0,8 ha (66 empl.) ⟶ plat, herbeux – 🗊 ⊹ ⛺ ⊛ – A proximité : ⅋
avril-sept. – **R** – Tarif 91 : 🟍 10 ⟵ 7 🔲 7 🕅 10 (3 à 8A)

## LAPOUTROIE
**68650** H.-Rhin – 1 981 h.

  ⚠ **Le Clos des Biches** ⩻, ℰ 89 47 50 86, SE : 1 km sur N 415 rte de Kaysersberg, bord de la Béhine
1,7 ha (70 empl.) ⊶ plat et terrasse, herbeux – 🎠 🔌 🔟 ▥ ☺
mars-oct. – **R** – ☀ 12 🔲 12 ⚡ 9 (3A) 13,50 (5A) 15 (6A)

---

## LARCHE
**04540** Alpes-de-H.-Pr. – 71 h.
alt. 1 698

  ⚠ **Domaine des Marmottes** 🔍 ⩻ « Situation agréable », ℰ 92 84 33 64, SE : 0,8 km par rte à droite après la douane française, bord de l'Ubayette et d'un étang
2 ha (50 empl.) ⊶ plat, herbeux, pierreux ▭ – 🎠 🔌 🔌 🔟 🔌 ☺ 🔫 – Location : 🏠
15 juin-15 sept. – **R** conseillée 15 juil.-20 août – ☀ 14 🚙 10 🔲 10 ⚡ 10 (3A) 20 (6A)

---

## Le LARDIN-ST-LAZARE
**24570** Dordogne – 2 047 h.

  ⚠⚠ **La Nuelle** 🔍, ℰ 53 51 24 00, NO : 3 km par N 89 rte de Périgueux et chemin à droite
1 ha (50 empl.) ⊶ plat, herbeux, petit étang ▭ – 🎠 🔌 🔌 🔟 🔌 ☺ 🔌 🔫 – 🔌 – Location : 🏠
Permanent – **R** conseillée – ☀ 14 piscine comprise 🔲 16 ⚡ 12 (5A)

---

## LARMOR-PLAGE
**56260** Morbihan – 8 078 h.

  ⚠⚠ **la Fontaine** Ⓜ, ℰ 97 33 71 28, à l'Ouest de la station, à 300 m du D 152 (accès conseillé) et à 1,2 km de la Base de Loisirs
1 ha (120 empl.) ⊶ plat, peu incliné, herbeux ▭ – 🎠 🔌 🔌 🔟 🔌 ▥ ☺ 🔌 🔫 🔌 🔟
15 juin-15 sept. – **R** conseillée juil.-août – 🔲 2 pers. 55/70 avec élect., pers. suppl. 13

---

## LARNAGOL
**46160** Lot – 159 h.

  ⚠⚠⚠ **Le Ruisseau de Treil** 🔍, ℰ 65 31 23 39, E : 0,6 km par D 662 rte de Cajarc et à gauche – ❌ 15 juil.-15 août
4,4 ha (50 empl.) ⊶ plat, herbeux – 🎠 🔌 🔌 🔟 ☺ 🔌 🔌 – 🔌 🔌 🔌 stand de tir (air comprimé), tir à l'arc
15 mai-15 sept. – **R** conseillée juil.-20 août – ☀ 26 piscine comprise 🔲 26 ⚡ 17 (6A)

---

## LARNAS
**07220** Ardèche – 70 h.

  ⚠⚠⚠ **Centre de Vacances d'Imbours** « Cadre et site agréables » ℰ 75 98 85 85, SO : 2,5 km par D 262 – Pour caravanes, de Bourg-St-Andéol passer par St-Remèze et Mas du Gras (D 4, D 362 et D 262)
270 ha/10 campables (370 empl.) ⊶ (juil.-août) plat et accidenté, pierreux, herbeux ♀♀ – 🎠 🔌 🔌 ☺ 🔌 🔫 🔌 🔌 🍴 ✖ 🔌 – 🔟 garderie – 🔫 🔌 🔌 🔌 tir à l'arc, vélos, practice de golf – Location : 🏠 🔌 (hôtel), bungalows toilés, gîtes
18 avril-5 sept. – **R** indispensable juil.-août – Cotisation pour non adhérent 35 par séjour et par personne – ☀ 22 ou 27 piscine comprise 🔲 19 ou 23 (48 ou 59 avec élect. 6A)

---

## LAROQUE-DES-ALBÈRES
**66740** Pyr.-Or. – 1 508 h.

  ⚠⚠ **Les Albères** 🔍, ℰ 68 89 23 64, sortie NE par D 2 rte d'Argelès-sur-Mer pui 0,4 km par chemin à droite
4 ha (181 empl.) ⊶ peu incliné et en terrasses, pierreux, herbeux ▭ ♀ – 🎠 🔌 🔌 🔌 🔟 🔌 ☺ 🔌 🍴 🔌 – 🔌 ✖ 🔌 🔌 – Location : 🏠 🔌

  ⚠⚠⚠ **Las Planes** 🔍, ℰ 68 89 21 36, O : 2 km par D 11 rte de Villelongue dels-Monts
1,3 ha (90 empl.) ⊶ peu incliné et en terrasses, pierreux, herbeux ▭ ♀♀ – 🎠 🔌 🔌 🔌 🔟 ☺ 🔌 – 🔌 🔌
15 juin-août – **R** conseillée – 🔲 piscine comprise 2 pers. 65, pers. suppl. 1 ⚡ 10 (2A) et 2 par ampère suppl.

---

## LARRAU
**64560** Pyr.-Atl. – 241 h. alt. 636

  ⚠ **Ixtila** ⩻, ℰ 59 28 63 09, sortie E par D 26 rte de Tardets-Sorholus
1 ha (17 empl.) ⊶ incliné, herbeux ▭ – 🎠 🔟 ☺
15 mai-15 nov. – **R** conseillée juil.-août – ☀ 6 🚙 4,50 🔲 6 ⚡ 8 (4A)

---

## LARROQUE
**81140** Tarn – 129 h.

  ⚠ **Municipal la Pradelle**, sortie SE par D 964 rte de Gaillac, bord de la Vèr
0,8 ha (12 empl.) plat, herbeux ♀♀ – 🎠 🔌 🔌 ☺
juin-sept. – **R** – ☀ 8,80 🔲 7,90 ⚡ 8,30 (3A)

## LARUNS
**64440** Pyr.-Atl. – 1 466 h.
13 – 85 ⑯

⋀⋀⋀ **Les Gaves** ❄ ⊱ ⋖ « Belle entrée », ℰ 59 05 32 37, SE : 1,5 km par rte du col d'Aubisque et chemin à gauche, bord du Gave d'Ossau
2,4 ha (101 empl.) ⚬━ plat, herbeux, gravier ⚥ – 🗟 ⇆ ⛲ ⛿ ⊙ ⚱ ⊽ ⊤ – 🛏
⛽ – Location : 🚐, appartements
Permanent – *Places disponibles pour le passage* – ℝ *sauf vac. scol.* – ✸ *12,50*
▣ *24,50 (hiver 38)* 🔌 *10,50 (3A) 26 (4 à 6A) 37 (7 à 10A)*

⋀⋀ **Pont Lauguère** ⋖, ℰ 59 05 35 99, S : 1 km par rte du col d'Aubisque, à 100 m du Gave d'Ossau
1 ha (70 empl.) ⚬━ (saison) plat, herbeux – 🗟 ⇆ ⛿ ⛲ ⊙
Permanent – ℝ – ✸ *9* ▣ *21 (hiver 25)* 🔌 *11 (2A) 20 (6A)*

⋀ **Geteu** ⋖, ℰ 59 05 37 15 ⊠ 64440 Louvie-Soubiron, N : 1,8 km par rte de Pau, à 100 m du Gave d'Ossau
1 ha (50 empl.) ⚬━ plat, herbeux – 🗟 ⇆ ⛿ 🔲 ⊙
Permanent – ℝ *conseillée été* – ✸ *9* ⇜ *2* ▣ *10* 🔌 *9 (2A)*

⋀ **Ayguebère** ⋖, ℰ 59 05 38 55, sortie N rte de Pau, à 100 m du Gave d'Ossau
0,4 ha (33 empl.) ⚬━ (saison) plat, herbeux, pierreux – 🗟 ⚲ ⊙ – A proximité : ⚔ ⤲ (couverte l'hiver)

## LARUSCADE
**33620** Gironde – 1 679 h.
9 – 171 ⑧

⋀⋀⋀ **Relais du Chavan,** ℰ 57 68 63 05, N : 7 km sur N 10 - Par A 10 sens NS : sortie 28 Reignac - sens SN : sortie 30ᵇ St-André-de-Cubzac
2,5 ha (80 empl.) ⚬━ plat, herbeux, sablonneux ⚥⚥ (1 ha) – 🗟 ⇆ ⚲ ⊙ ⚱ –
🚐 ⛽ ⤲ – Location : 🏠
mai-sept. – ℝ *conseillée* – ✸ *16 piscine comprise* ▣ *17,50* 🔌 *13,50 (5A)*

## LASALLE
**30460** Gard – 1 007 h.
16 – 80 ⑰

⋀⋀⋀ **La Pommeraie** ⊱, ℰ 66 85 20 52 ⊠ 30140 Thoiras, E : 3 km par D 39 et D 57 rte d'Anduze, bord de la Salindrenque
7,3 ha (200 empl.) ⚬━ plat, herbeux ⚥⚥ peupleraie – 🗟 ⇆ ⛿ ⚲ 🔲 ⚓ ⊙ ⚱
⊤ ✕ ⛁ 🔲 – 🛏 ⚙ ⛽ ⤲ – Location : 🚐
mai-sept. – ℝ *indispensable juill.-août* – ▣ *piscine comprise 2 pers. 78 (93 avec élect. 3A), pers. suppl. 15,50* 🔌 *20 (6A) 25 (10A)*

## LATHUILE
**74** H.-Savoie – 74 ⑯ – voir à Annecy (Lac d')

## LATTES
**34** Hérault – 83 ⑦ – rattaché à Montpellier

## LAU-BALAGNAS
**65** H.-Pyr. – 85 ⑰ – rattaché à Argelès-Gazost

## LAUBERT
**48170** Lozère – 128 h. alt. 1 200
16 – 80 ⑥

⋀ **Municipal** ⋖, SO : 0,5 km par N 88 et D 6, rte de Rieutort-de-Randon à droite
2 ha (30 empl.) ⚬━ peu incliné et accidenté, pierreux, rochers, herbeux ⚥ – 🗟 ⇆
⛿ 🔲 ⊙ snack ⚱ 🔲 – vélos, tir à l'arc – Location : gîte d'étape
Permanent – ℝ – ▣ *élect. comprise 1 pers. 30, 2 pers. 40, pers. suppl. 5*

## LAURIE
**15500** Cantal – 139 h. alt. 860
11 – 76 ④

⋀ **Municipal la Prade** ⊱ ⋖ « Agréable situation », E : 0,7 km par D 109 rte de Blesle puis 0,4 km par chemin empierré – alt. 780 – Accès difficile pour caravanes
1 ha (33 empl.) accidenté et en terrasses, pierreux ⚥⚥ pinède – 🗟 ⇆ ⛿ ⊙ –
Location : gîte d'étape
juin-sept. – ℝ – ✸ *6* ⇜ *4* ▣ *5/7* 🔌 *11 (10A)*

## LAURIÈRE
**87370** H.-Vienne – 601 h.
10 – 72 ⑧

⋀⋀ **Intercommunal du Lac** ⊱ ⋖, ℰ 55 71 42 62, N : 2,4 km par D 63 rte de Folles et rte à droite, bord du lac (plage)
3,6 ha (166 empl.) ⚬━ (saison) incliné et en terrasses, herbeux ⚥⚥⚥ – 🗟 ⇆ ⚲
⊙ – 🛏 ⛽ ⤲ – A proximité : ⚱ – Location : huttes

## LAUTENBACH-ZELL
**68610** H.-Rhin – 912 h.
8 – 62 ⑱

⋀⋀ **Municipal Vert Vallon,** ℰ 89 74 01 80, au bourg, près de l'église
0,5 ha (36 empl.) ⚬━ peu incliné à incliné, herbeux – 🗟 ⇆ ⛿ ⚙ ⛲ ⊙ – 🛏
– A proximité : ⚔ – Location : 🛏
Permanent – ℝ *conseillée juin à août* – ✸ *10* ⇜ *4* ▣ *6* 🔌 *10A : 10 (hiver 24)*

235

## LAUTERBOURG
**67630** B.-Rhin – 2 372 h.

🖩 – 🖂🇧🇻 ②

▲▲▲ **Municipal des Mouettes** Ⓜ, ℰ 88 54 68 60, SO : 1,5 km par D 3 et chemin, à 100 m d'un plan d'eau, accès direct
3,5 ha (135 empl.) ⚬🔫 plat, herbeux – 🔥 ⚗ ⛲ 🗟 🕹 🎪 ⊚ ⚓ ⚑ 🍽 🗟 – 🖼
⚓ – A proximité : 🏊
fermé fév. – **R** conseillée juil.-août – 🏕 14 ⇔ 8 🔳 14/18 🔌 11 (3A)

---

## LAUZERTE
**82110** T.-et-G. – 1 529 h.
🅱 Syndicat d'Initiative, r. Mairie (saison) ℰ 63 94 61 94 et Mairie ℰ 63 94 65 14

🖩🖩 – 🇱🇻🇱 ⑰ **G. Périgord Quercy**

▲ **Municipal La Plane Vignal,** ℰ 63 94 75 60, N : 2 km, près du carrefour D 953 et D 2, bord de la Barguelonne
0,7 ha (23 empl.) ⚬🔫 plat, herbeux – 🔥 ⚗ ⛲ ⊚ – ✂ 🗡
juil.-sept. – **R** – Tarif 91 : 🏕 6 🔳 6 🔌 6 (3 ou 6A)

---

## LAVAL Ⓟ
**53000** Mayenne – 50 473 h.
🅱 Office de Tourisme, pl. du 11-Novembre ℰ 43 53 09 39

🇧🇸 – 🇱🇧🇧 ⑩ **G. Normandie Cotentin**

▲▲▲ **S.I. le Potier** ≼ « Beaux emplacements, décoration florale et arbustive », ℰ 43 53 68 86, S : 4,5 km par rte d'Angers et à droite après Thévalles, accès direct à la Mayenne
1 ha (42 empl.) ⚬🔫 plat et en terrasses, herbeux, verger ombragé attenant 🖵 ♀ – 🔥 ⚗ ⛲ ⊚ – 🖼 ⚓ 🚣
avril-sept. – **R** conseillée – 🏕 13 ⇔ 5 🔳 5 🔌 5 (5A)

---

▶ Ask your bookseller for the catalogue of Michelin publications.

---

## Le LAVANDOU
**83980** Var – 5 212 h.
🅱 Office de Tourisme, quai Gabriel-Péri ℰ 94 71 00 61

🇱🇻 – 🇧🇸🇱 ⑯ **G. Côte d'Azur**

▲▲ **Clau Mar Jo** 🐾, ℰ 94 71 53 39 🖂 83234 Bormes-les-Mimosas Cedex, SO : 2 km
1 ha (50 empl.) ⚬🔫 plat, herbeux 🖵 ♀ – 🔥 ⚗ ⛲ 🗟 🕹 ⊚ ⚓ ⚑ 🗟 – Location : 🚐
avril-sept. – **R** indispensable juil.-août – Tarif 91 : 🏕 18 🔳 23 🔌 15 (4A)

▲▲ **Beau Séjour,** ℰ 94 71 25 30, SO : 1,5 km
1,5 ha (135 empl.) ⚬🔫 plat, pierreux, herbeux 🖵 – 🔥 🐎 🕹 ⊚ snack
Pâques-sept. – **℞** – 🏕 15,50 ⇔ 14,40/18 🔌 12,50 (3A) 15,50 (6A)

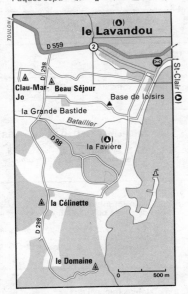

à la Favière S : 2,5 km – 🖂 83230 Bormes-les-Mimosas :

▲▲▲ **Le Domaine** ≼ « Site agréable », ℰ 94 71 03 12, S : 2 km, en bord de plage
38 ha (1 200 empl.) ⚬🔫 plat, accidenté et en terrasses, pierreux, rocheux 🖵 ♀♀ pinède – 🔥 ⚗ ⛲ 🗟 🕹 ⊚ ⚓ ⚑ 🚣 🍽 ✂ 🗟 cases réfrigérées – ✂ 🗡
avril-oct. – **R** indispensable juil.-août – 🏕 21 🔳 26 (59 avec élect. 6A)

▲ **La Célinette,** ℰ 94 71 07 98
1,3 ha (115 empl.) ⚬🔫 (saison) peu incliné, pierreux ♀♀ – 🔥 ⊚ – A proximité 🚣
24 mars-24 oct. – **R** conseillée juil.-août – 🏕 13,65 🔳 13,65 🔌 9,25 (2A) 12,30 (4A) 14,50 (6 ou 7,5A)

*à St-Clair* NE : 2 km par D 559 rte de Cavalière (hors schéma)
⊠ 83980 le Lavandou :

▲▲ **St-Clair**, réservé aux caravanes, ℘ 94 71 03 38, sortie E, à 150 m de la plage
1,2 ha (54 empl.) ⌁ plat ⊑ ⬒⬒ – ⬛ ⬡ ⬒ ⬛ ⊕ ⬒ ⬛ – A proximité : ✕ ✖
– Location : studios
15 mars-20 oct. – **R** *indispensable juin à sept.* – ⊞ *3 pers. 94* ⒤ *12 (3A) 17
(6A) 19 (10A)*

---

# LAVELANET
⒖ – ⬚⬚ ⑤

**09300** Ariège – 7 740 h.

▲▲ **Municipal** Ⓜ, ℘ 61 01 55 54, au SO de la ville par rte de Foix et r. des
Pyrénées à gauche, près de la piscine
2 ha (100 empl.) ⌁ (saison) plat, herbeux ⊑ – ⬛ ⬡ ⬒ ⬛ ⬓ ⬛ ⊕ ⬒ ⬛ –
⬒⬛ ⬓ –
avril-nov. – **R** *saison* – ⚲ *13* ⊞ *13* ⒤ *4,50 (2A) 9 (4A) 13 (6A)*

---

# LAVILLATTE
⒗ – ⬚⬚ ⑰

**07660** Ardèche – 98 h. alt. 1 165

▲▲ Le Moulin du Rayol, ℘ 66 69 47 56, SE : 2 km, carrefour D 300 et D 108 rte
de Langogne, bord de l'Espezonnette – alt. 1 050
1,2 ha (50 empl.) ⌁ plat, peu incliné et en terrasses, herbeux – ⬛ ⬡ ⬒ ⬛ ⊕
⬓ – ⬒⬛

---

# LAVOÛTE-SUR-LOIRE
⒒ – ⬚⬚ ⑦ G. Vallée du Rhône

**43800** H.-Loire – 697 h.

▲▲ **Municipal les Longes** ≼, E : 1 km par D 7 rte de Rosières puis 0,4 km par
rue à gauche, près de la Loire (accès direct)
2 ha (46 empl.) plat, herbeux ⊑ – (⬛ ⬡ ⬒ saison) ⬛ ⊕ – ✖
avril-oct. – **R** *conseillée* – ⚲ *6,50* ⬒ *5,50* ⊞ *6,50* ⒤ *8*

---

# LECTOURE
⒕ – ⬚⬚ ⑤ G. Pyrénées Aquitaine

**32700** Gers – 4 034 h.
🅗 Office de Tourisme, cours de
l'Hôtel-de-Ville ℘ 62 68 76 98

▲▲ **Lac des 3 Vallées** ⬓ ≼ « Cadre agréable », ℘ 62 68 82 33, SE : 2,4 km par
N 21, rte d'Auch, puis 2,3 km par rte à gauche, au Parc de Loisirs, bord du
lac
8,5 ha (400 empl.) ⌁ plat et incliné, herbeux ⊑ ⬒⬒ – ⬛ ⬡ ⬒ ⬛ ⬛ ⊕ ⬒ ⬛ ⬰
⬒ ⬓ ✕ ⬓ ⬛ – ⬛ ✖ ⬛ ⬒⬛ ⬰ avec toboggans aquatiques – Location :
⬛, bungalows toilés
avril-sept. – **R** *conseillée juil.-août* – ⊞ *3 pers. 105* ⒤ *20 (10A)*

---

# LÈGE-CAP-FERRET **33** Gironde – ⬚⬚⬚ ⑲ – voir à Arcachon (Bassin d')

---

# LEIGNECQ
⒒ – ⬚⬚ ⑦

**42** Loire – alt. 930
⊠ 42380 St-Bonnet-le-Château

▲▲ **Municipal** ⬓ ≼ « Site agréable », S : 1 km, bord d'un plan d'eau
2 ha (100 empl.) en terrasses, peu incliné, herbeux – ⬛ ⬒ ⬛ ⊕
avril-oct. – **R** – *Tarif 91 :* ⚲ *7* ⊞ *4* ⒤ *6 (3A) 18 (6A)*

---

# LEMPDES
⒒ – ⬚⬚ ⑤

**43410** H.-Loire – 1 403 h.

▲▲▲ Municipal, ℘ 71 76 53 69, N : 0,8 km par rte d'Issoire et rte de Chambezon à
gauche, bord de l'Alagnon
2 ha (67 empl.) ⌁ plat, herbeux ⊑ – ⬛ ⬡ ⬒ ⬛ ⊕ ⬛ – ⬒⬛ ✖ ⬰ –
A proximité : ⬛ ⬓

---

# LENS-LESTANG
⒓ – ⬚⬚ ②

**26210** Drôme – 629 h.

▲▲ **Municipal le Regrimet,** ℘ 75 31 82 97, sortie N par D 538 rte de
Beaurepaire et à gauche, près de la rivière
2,5 ha (48 empl.) ⌁ plat et peu incliné, herbeux ⊑ – ⬛ ⬡ ⬛ ⬓ ⊕ ⬒ –
A proximité : ✖
mai-sept. – **R** – ⊞ *2 pers. 40, pers. suppl. 11* ⒤ *10 (4A)*

---

# LÉON
⒔ – ⬚⬚ ⑯ G. Pyrénées Aquitaine

**40550** Landes – 1 330 h.
🅗 Syndicat d'Initiative, Grand Rue
℘ 58 48 76 03

▲▲▲ **Lou Puntaou** « Cadre agréable », ℘ 58 48 74 30, NO : 1,5 km sur D 142, à
100 m de l'étang de Léon
14 ha (720 empl.) ⌁ plat, herbeux, sablonneux ⊑ (plates-formes) ⬒⬒ – ⬛ ⬡
⬒ ⬛ ⊕ ⬒ ⬛ ⬒ ⊕ ⬛ – ⬛ ✖ ⬓ ⬒ ⬓ – A proximité : ⬛ ✕ ⬓ ⬒ ⬓ ⬛ –
Location : ⬒⬛ ⬒⬛
juin-15 sept. – **R** *conseillée, indispensable pour emplacements aménagés
caravanes – Tarif 91 :* ⊞ *piscine comprise 2 à 5 pers. 72 à 106, pers. suppl. 16*
⒤ *13 (5A)*

▶ *Si vous recherchez un terrain avec tennis ou piscine,
consultez le tableau des localités citées, classées par départements.*

## LESCHERAINES
**73340** Savoie – 495 h. alt. 650

⑫ – ⑭ ⑯

▲▲ **Municipal** ⟋ ⬍, ⌀ 79 63 30 31, SE : 2,5 km par D 912 rte d'Annecy et rte à droite, bord d'un plan d'eau et à 200 m du Chéran
7,5 ha (310 empl.) ⚬⊸ (saison) plat, herbeux – 🚿 🏠 🕹 ⚹ ⊕ ⚏ 🏠 – A proximité : 🍴 ※ 🏠 ⚑ ※ toboggan aquatique
avril-15 oct. – **R** conseillée juil.-août – ✸ 9 ⇨ 5 ⊟ 9 ⋈ 6,50 (2A) 8,50 (5A) 11 (10A)

## LESCONIL
**29740** Finistère

③ – ⑤⑧ ⑭ G. Bretagne

▲▲ **Les Dunes** « Entrée fleurie », ⌀ 98 87 81 78, O : 1 km par rte de Guilvinec, à 150 m de la plage (accès direct)
2,8 ha (90 empl.) ⚬⊸ plat, herbeux – 🚿 ⬥ 🏠 🕹 ⚹ – 🏠 ⚡
Pâques-sept. – ⊟ 2 pers. 65,80, pers. suppl. 15,80 ⋈ 15

▲▲ **La Grande Plage,** ⌀ 98 87 88 27, O : 1 km par rte de Guilvinec, à 400 m de la plage
1,5 ha (80 empl.) ⚬⊸ plat et peu incliné, herbeux – 🚿 ⬥ 🕹 🏠 🕹 ⊕ ⚏ ⚑ – 🏠 m
25 mars-sept. – **R** conseillée – ✸ 15 ⇨ 6 ⊟ 22 ⋈ 12 (3 ou 4A) 13 (5 à 10A)

▲ **Keralouet,** ⌀ 98 82 23 05, E : 1 km sur rte de Loctudy
0,5 ha (45 empl.) ⚬⊸ plat, herbeux – 🚿 🏠 🕹 🕹 ⊕ – Location : 🚐
15 juin-15 sept. – **R** conseillée – ✸ 9,70 ⇨ 5,20 ⊟ 11 ⋈ 8,80 (5A)

▲ **Les Sables Blancs** ⟋, ⌀ 98 87 84 79, E : 1,5 km par rte de Loctudy et rte à gauche
2 ha (100 empl.) ⚬⊸ plat, herbeux – 🚿 🏠 ⊕
juin-10 sept. – **R** conseillée – ✸ 10,50 ⇨ 6 ⊟ 12 ⋈ 9,50 (2A)

## LESCUN
**64490** Pyr-Atl. – 198 h. alt. 900

⑬ – ⑧⑤ ⑮ G. Pyrénées Aquitaine

▲ **Municipal le Lauzart** ⟋ ⬍, SO : 1,5 km par D 340
1 ha (50 empl.) plat et peu incliné, en terrasses, pierreux, herbeux – 🚿 🕹 ⊕
15 mai-sept. – **R** conseillée 15 juil.-août

## LESPERON
**40260** Landes – 996 h.

⑬ – ⑦⑧ ⑤

▲▲ **Parc de Couchoy** Ⓜ, réservé aux caravanes ⟋, ⌀ 58 89 60 15, O : 3 km sur rte de Linxe
1,3 ha (65 empl.) ⚬⊸ plat, herbeux, sablonneux 🟆🟆 – 🚿 ⬥ 🕹 ⊕ ⚏ ⚑ 🍴 – 🎿
– Location : 🚐
mai-sept. – **R** conseillée – ✸ 15,50 piscine comprise ⊟ 29,50 ⋈ 12 (6A)

## LESPINASSIÈRE
**11160** Aude – 105 h.

⑮ – ⑧③ ⑫ G. Gorges du Tarn

▲▲ **Camping Vert du Clocher** ⟋ ⬍ « Site agréable », ⌀ 68 78 03 72, sortie S par D 620 rte de Caunes-Minervois et rte du Castagnet, bord de l'Argent-Double
1,3 ha (33 empl.) ⚬⊸ plat, herbeux 🟆 – 🚿 ⬥ 🕹 🏠 ⊕ ※ – 🏠
Pâques-sept. – **R** conseillée – ✸ 14 ⊟ 15 ⋈ 10 (3A)

## LESTELLE-BÉTHARRAM
**64800** Pyr.-Atl. – 865 h.

⑬ – ⑧⑤ ⑦

▲▲ **Municipal du Saillet** ⟋, ⌀ 59 71 98 65, au bourg, bord du Gave de Pau
1,5 ha (90 empl.) ⚬⚏ plat, herbeux 🟆 – 🚿 🏠 ⊕ – ※ ⚑
15 juin-15 sept. – **R** – ✸ 15 tennis compris ⊟ 19/23 ⋈ 14 (6A)

## LEUBRINGHEN
**62250** P.-de-C. – 207 h.

① – ⑥① ①

▲▲ Les Primevères ⟋ ⬍, ⌀ 21 87 13 33, au nord du bourg
1 ha (63 empl.) ⚬⊸ peu incliné, herbeux 🟨 – 🚿 ⬥ 🕹 🏠 🕹 ⊕ ⚏ 🍴 🏠
15 mars-oct. – **R**

## LEVIER
**25270** Doubs – 1 785 h. alt. 717

⑫ – ①⑦⓪ ⑥

▲▲ **La Forêt** ⟋, ⌀ 81 89 53 46, NE : 1 km par D 41 rte de Septfontaines et chemin
1,5 ha (40 empl.) ⚬⊸ plat et terrasse, herbeux 🟆🟆 (0,7 ha) – 🚿 ⬥ 🕹 🏠 🕹
⚏ 🏠 – 🏠 ⚑
juin-sept. – **R** conseillée – ⊟ 2 pers. 45/48, pers. suppl. 12 ⋈ 12 (3 ou 6A)

## LEYME
**46120** Lot – 1 489 h.

⑮ – ⑦⑤ ⑲ ②

▲▲ **Municipal,** ⌀ 65 38 98 73, à l'ouest du bourg, accès par rte à droite de l'église au village de vacances
2 ha (33 empl.) ⚬⚏ plat, gravillons, herbeux – 🚿 🕹 🏠 🕹 ⊕ ⚏ ⚑ 🏠 – 🏠
A proximité : ※ 🎿 – Location : gîtes
15 juin-15 sept. – **R** conseillée – ✸ 15 ⊟ 10 ⋈ 5

**LÉZAN 30** Gard – ⑧⓪ ⑰ ⑱ – rattaché à Anduze

## LÉZIGNAN-CORBIÈRES

15 – 83 ⑬

**11200** Aude – 7 881 h.

🛈 Office de Tourisme, pl. de la République ☎ 68 27 05 42

ᨸ **La Pinède** ⩿ « Décoration arbustive », ☎ 68 27 05 08, NO par N 113 rte de Carcassonne
2,5 ha (94 empl.) ⟶ plat, peu incliné et en terrasses, gravillons ⌑ ᵎ – ᨸ ⇆ ᨸ
ᨸ ⊕ ⬤ – ᨸ – A l'entrée : ✖ ᨸ – A proximité : ✖ sauna, discothèque, squash
avril-15 oct. – **R** conseillée juil.-août – ✶ 14 piscine comprise 🅔 14 🅖 12 (6A)

---

## LIANCOURT

7 – 56 ①

**60140** Oise – 6 178 h.

ᨸ **La Faloise** ⬦ ᨸ, ☎ 44 73 10 99, SE : 2,5 km par D 29 rte de Pont-Ste-Maxence et rte à droite
2 ha (82 empl.) ⟶ plat, herbeux ⌑ ᵎᵎ – ᨸ ⇆ ᨸ 🅔 ᨸ ⣿ ⊕ ᨸ ⩣ 🖾 – ᨸ
Permanent – Location longue durée – Places limitées pour le passage – **R** –
✶ 11,50 🅔 17,50 🅖 7,50 (3A) 13 (6A)

---

## LICQUES

1 – 51 ② G. Flandres Artois Picardie

**62850** P.-de-Calais – 1 351 h.

ᨸ **le Canchy** ᨸ, ☎ 21 82 63 41, O : 2,3 km par D 191 rte de St-Omer et rue de Canchy à gauche
1 ha (72 empl.) ⟶ plat, herbeux ⌑ – ᨸ ᨸ ᨸ ⊕
Permanent – **R** conseillée juil.-aout – ✶ 11 🅔 11 🅖 8,50 (3 à 6A)

---

## LIÉZEY **88** Vosges – 62 ⑰ – rattaché à Gérardmer

---

## LIGNIÈRES

13 – 68 ⑩ G. Berry Limousin

**18160** Cher – 1 650 h.

ᨸ **Municipal** ᨸ, au nord du bourg, près du centre socio-culturel
0,5 ha (30 empl.) plat, herbeux – ᨸ 🅔 ⊕ – ✖ ⩣
juin-sept. – **R** – ✶ 4 🅔 5 🅖 10

---

## LIGNY-LE-CHÂTEL

7 – 65 ⑤ G. Bourgogne

**89144** Yonne – 1 122 h.

ᨸ **Municipal la Noue Marou** ᨸ, sortie SO par D 8 rte d'Auxerre et chemin à gauche, bord du Serein
2 ha (40 empl.) ⟶ plat, herbeux – ᨸ ᨸ ᨸ ⊕ – ✖
juin-15 sept. – **R** – ✶ 9 ⇆ 5 🅔 9 🅖 10 (2 à 5A)

---

## LIMERAY

5 – 64 ⑯

**37530** I.-et-L. – 972 h.

ᨸ **Launay,** ☎ 47 30 13 50, à 1,6 km au SE du bourg, r. de la Rivière, à 50 m de la N 152
1,5 ha (69 empl.) ⟶ plat, herbeux ⌑ – ᨸ ᨸ ᨸ 🅔 ᨸ ⊕ ᨸ ⩣ ✖ ᨸ – ᨸ
half-court
mars-3 nov. – **R** conseillée juil.-août – ✶ 17 piscine comprise 🅔 19 🅖 12 (3A) 16 (10A)

---

## LIMOGES ℗

10 – 72 ⑰ G. Berry Limousin

**87000** H.-Vienne – 133 464 h.

🛈 Office de Tourisme et Accueil de France, bd Fleurus ☎ 55 34 46 87

ᨸ **Municipal la Vallée de l'Aurence** « Décoration florale », ☎ 55 38 49 43, N : 4,5 km par N 20 rte de Paris, quartier Uzurat, bord d'un plan d'eau et près de l'Aurence – par voie express sens N-S : sortie Angoulème, sens S-N : sortie Poitiers
3 ha (186 empl.) ⟶ plat, gravier, herbeux – ᨸ ᨸ ᨸ 🅔 ᨸ ⣿ ⊕ ᨸ ⩣ – ᨸ
– A proximité : ✖ ᨸ ᨸ ◍
Permanent – **R** été – Tarif 91 : ✶ 10 ⇆ 4,50 🅔 4,50/11 🅖 2,30 par ampère (2 à 20A)

---

## LIMOGNE-EN-QUERCY

15 – 79 ⑨

**46260** Lot – 618 h.

ᨸ **Municipal,** ☎ 65 24 32 75, O : 0,5 km par D 911 rte de Cahors et chemin à droite
1,5 ha (50 empl.) plat, incliné, pierreux, herbeux ᵎᵎ – ᨸ ᨸ ᨸ ⊕ – A proximité :
✖ ᨸ
avril-1ᵉʳ oct. – **R** conseillée juil.-août – ✶ 14 🅔 14 🅖 10

---

## LINXE

13 – 78 ⑮

**40260** Landes – 980 h.

ᨸ **Municipal le Grandjean** Ⓜ, ☎ 58 42 90 00, NO : 1,5 km par D 42, rte de St-Girons et D 397, rte de Mixe à droite
2 ha (100 empl.) ⟶ plat, sablonneux, gravillons ᨸ pinède – ᨸ ᨸ ᨸ 🅔 ᨸ ⊕
– ᨸ ᨸ
29 juin-14 sept. – **R** conseillée 14 juil.-15 août – ✶ 13 🅔 16/26 avec élect.

---

## Le LION-D'ANGERS

4 – 63 ⑳ G. Châteaux de la Loire

**49220** M.-et-L. – 3 095 h.

ᨸ **Municipal les Frênes** « Entrée fleurie », ☎ 41 95 31 56, sortie NE par N 162 rte de Château-Gontier, bord de l'Oudon
2 ha (100 empl.) ⟶ plat, herbeux ᨸ – ᨸ ᨸ ᨸ ⊕ – ᨸ – A proximité : ᨸ
mai-sept. – **R** – Tarif 91 : ✶ 6,40 ⇆ 2,60 🅔 2,60 🅖 7,80 (6A) 9 (10A)

## La LISCIA (Golfe de) 2A Corse-du-Sud – 90 ⑯ – voir à Corse

---

## LISIEUX ⊛

**14100** Calvados – 23 703 h.
🖪 Office de Tourisme, 11 r.
d'Alençon ℰ 31 62 08 41

5 – 55 ⑬ G. Normandie Vallée de la Seine

⩕ **Municipal de la Vallée,** ℰ 31 62 00 40, sortie N rte de Pont-l'Évêque et D 48
sur la gauche
1 ha (100 empl.) o-- plat, herbeux, gravier ⚴ – 🍴 ⇆ 📛 ⊛
avril-sept. – **R** – ⭓ 6 🚐 4 🄴 4 ⑨ 7

---

## LISLE

**24350** Dordogne – 946 h.

10 – 75 ⑤

⩕ **Municipal du Pont,** ℰ 53 04 51 76, NO : 0,6 km par D 1 rte de Verteillac,
bord de la Dronne
0,6 ha (30 empl.) plat, herbeux ⌂ ⚴ – 🍴 ⊛ ⏚ – ✖ ⛵
juin-sept. – **R** – ⭓ 4,90 🚐 3,10 🄴 4,60 ⑨ 5,90

---

## LISSAC-SUR-COUZE

**19600** Corrèze – 475 h.

10 – 75 ⑧ G. Périgord Quercy

⩘ **Intercommunal la Prairie** ≤ « Belle situation dominante », ℰ 55 85 37 97,
SO : 1,4 km par D 59 et chemin à gauche, près de la Couze (plan d'eau)
5 ha (90 empl.) o-- en terrasses, herbeux, gravier ⌂ – 🍴 ⇆ 📛 ⏚ –
🍴 – 🛶 ✖ ⛵ – A proximité : parc aquatique ≥ ◊ – Location : huttes
juin-sept. – **R** conseillée – Tarif 91 : 🄴 2 pers. 32 ou 35 (49 ou 55 avec élect.
10A), pers. suppl. 10

⩗ **Rotassac** ⊛ ≤, ℰ 55 85 33 34, SO : 2,5 km par D 59, à 300 m de la Couze
(plan d'eau)
2 ha (33 empl.) o-- accidenté et en terrasses, pierreux ⚴⚴ – 🍴 📛
juin-sept. – **R** conseillée – ⭓ 12 🚐 5 🄴 7

---

## LIT-ET-MIXE

**40170** Landes – 1 408 h.

13 – 78 ⑮

⩘ **Municipal de la Plage** ⊛, ℰ 58 42 83 47, O : 8 km par D 652 et D 88 à
droite, à Cap-de-l'Homy, à 300 m de la plage
10 ha (440 empl.) o-- accidenté, sablonneux ⚴⚴ pinède – 🍴 ⇆ 📛 ⏚ ⊛ ⏚ 📛
– 🛶 🛶 – A proximité : ⛺ ▾ ✖
mai-sept. – **R** – Tarif 91 : ⭓ 13,70 🄴 17,10 (34 avec élect. 10A)

---

## LLAURO

**66300** Pyr.-Or. – 255 h.

15 – 86 ⑲

⩗ **Municipal Al Comì** ⊛ ≤ plaine du Roussillon, ℰ 68 39 42 08, E : 1 km par
D 615 rte de Fourques
1 ha (30 empl.) o-- plat et incliné, en terrasses, pierreux – 🍴 ⊛
15 juin-15 sept. – **R** conseillée – ⭓ 8,50 🚐 4,50 🄴 6,50 ⑨ 8

---

## LOCHES ⊛

**37600** I.-et-L. – 6 544 h.
🖪 Office de Tourisme, pl. Wermels-
kirchen ℰ 47 59 07 98

10 – 68 ⑥ G. Châteaux de la Loire

⩕ Municipal ≤, ℰ 47 59 05 91, sortie S par N 143 rte de Châteauroux, au stade
Général Leclerc, bord de l'Indre
1 ha (75 empl.) o-- plat, herbeux – 🍴 ⇆ 📛 📛 ⊛ – A proximité : ✖ 📺 ⛵
29 mars-17 nov. – **R** conseillée

---

## LOCMARIA 56 Morbihan – 63 ⑫ – voir à Belle-Ile-en-Mer

---

## LOCMARIA-PLOUZANE

**29263** Finistère – 3 589 h.

3 – 58 ③

⩕ Municipal de Portez ≤, ℰ 98 48 49 85, SO : 3,5 km par D 789 et rte à gauche,
à 200 m de la plage
1 ha (100 empl.) o-- en terrasses, herbeux ⌂ – 🍴 ⇆ 📛 📛 ⏚ ⊛ 📛

---

## LOCMARIAQUER

**56740** Morbihan – 1 309 h.
🖪 Syndicat d'Initiative, r. Victoire
(avril-sept.) ℰ 97 57 33 05

3 – 63 ⑫ G. Bretagne

⩕ **Lann-Brick,** ℰ 97 57 32 79, NO : 2,5 km par rte de Kérinis, à 200 m de la mer
1,2 ha (100 empl.) o-- plat, herbeux ⌂ – 🍴 ⇆ 📛 ⊛ 🍴 – 🛶 – Location : 🚐
juin-15 sept. – **R** conseillée – ⭓ 10 🚐 7,50 🄴 8 ⑨ 12 (2 à 10A)

⩗ **La Ferme Fleurie** ⊛ « Décoration florale », ℰ 97 57 34 06, NO : 1 km par
rte de Kérinis
0,5 ha (30 empl.) o-- plat, herbeux ⌂ – 🍴 ⚬ ⊛ – A proximité : ✖ 🛶
Permanent – **R** conseillée 14 juil.-15 août – ⭓ 10 🄴 15 ⑨ 11 (6A)

---

## LOCMIQUÉLIC

**56570** Morbihan – 4 094 h.

3 – 63 ①

⩗ **Municipal du Blavet,** ℰ 97 33 91 73, N : sur D 111 rte du port de Pen-Mané,
près d'un plan d'eau et à 250 m du Blavet (mer)
1 ha (50 empl.) plat, herbeux – 🍴 ⇆ 📛 ⊛
juil.-août – **R** – Tarif 91 : ⭓ 8 🚐 2,60 🄴 2,60 ⑨ 7,30 (10 ou 15A)

## LOCQUIREC

**29241** Finistère – 1 226 h.

🛈 Office de Tourisme, pl. Port
🕿 98 67 40 83

▲ **Le Moulin de la Rive** ← « Agréable situation dominante », 🕿 98 79 30 39, O : 2,8 km par D 64 rte de Morlaix et à droite rte en corniche, à 200 m de la mer
0,8 ha (44 empl.) ⟶ (saison) plat à incliné, herbeux, pierreux – 🗇 ⇔ ⚲ 🗇 ৬ ⊕ ▣ – 🗺 – A proximité : 🖤
15 avril-15 sept. – **R** conseillée – 🛉 14 ⇔ 6,50 ▣ 13 🅗 11 (5A) 22 (10A)

▲ **Bellevue** ⅌ ←, 🕿 98 78 80 80, O : 4,5 km par D 64 rte de Morlaix et à droite rte en corniche, surplombant la mer et à 100 m de la plage
0,6 ha (45 empl.) ⟶ en terrasses, herbeux – 🗇 ⇔ ⚲ 🗇 ⊕ snack – 🗁
Pâques-sept. – **R** conseillée – 🛉 12,50 ⇔ 6,50 ▣ 8 ou 12,50/12,50 🅗 10 à 12

## LOCRONAN

**29136** Finistère – 796 h.

🛈 Syndicat d'Initiative 🕿 98 91 70 14

▲▲▲ **Municipal** ⅌ ← Baie de Douarnenez et Monts d'Arrée, 🕿 98 91 87 76, E : 0,7 km par D 7 rte de Châteaulin et rte à droite
2,5 ha (155 empl.) en terrasses, herbeux – 🗇 ⇔ 🗇 ৬ ⊕
juin-sept. – **R** – Tarif 91 : 🛉 7,60 ⇔ 3,80 ▣ 6,10 🅗 8,80 (3A) 14 (6A)

## LOCTUDY

**29750** Finistère – 3 622 h.

🛈 Syndicat d'Initiative, pl. de la Mairie (saison) 🕿 98 87 53 78

▲▲▲ **Kergall,** 🕿 98 87 45 93, à 1 km au sud de la localité, près de la plage de Langoz
1,5 ha (105 empl.) ⟶ (saison) plat, sablonneux, herbeux – 🗇 ⚲ 🗇 ⊕ 🖤 ▣ – A proximité : 🖢
4 avril-sept. – ▣ 2 pers. 43, pers. suppl. 11,50 🅗 9 (2A) 11 (4A) 13 (6A)

▲▲▲ **Les Hortensias,** 🕿 98 87 46 64, SO : 3 km par rte de Larvor
1,5 ha (100 empl.) ⟶ plat, herbeux – 🗇 ⚲ ৬ ⊕ – A proximité : 🗺 🖤
15 juin-15 sept. – **R** – 🛉 11 ⇔ 5,30 ▣ 13,50 🅗 4,90 (3A) 10,50 (6A)

▲ **Le Cosquer** ⅌, 🕿 98 87 52 92, SO : 5 km par rte de Larvor, à la Palud du Cosquer, à 400 m de la mer
0,37 ha (30 empl.) ⟶ plat, herbeux – 🗇 ⚲ ⊕
15 juin-15 sept. – **R** – 🛉 10,05 ⇔ 6,05 ▣ 12,60 🅗 8 (2A) 10 (6A)

## LODÈVE ⟨SP⟩

**34700** Hérault – 7 602 h.

🛈 Office de Tourisme, 12 bd de la Liberté 🕿 67 44 24 23

▲▲▲▲ **Les Vals** ←, 🕿 67 44 36 57, S : 2 km par D 148, rte du Puech, près de la Lergue
2,8 ha (54 empl.) ⟶ en terrasses et peu incliné, herbeux, pierreux 🗔 – 🗇 ⚲ 🗇 ৬ ⊕ 🛎 ✕ crêperie 🍴 ৬ – 🗺 🖢 🚶 – Location : 🏠
Permanent – **R** conseillée juil.-août – ▣ piscine comprise 3 pers. 74 (88 avec élect.), pers. suppl. 17

▲▲▲ **Les Rials** ⅌ ← « Cadre agréable », 🕿 67 44 15 53 ✉ 34700 Soubès, N : 3 km par N 9 rte de Millau puis 2 km par D 25 et D 149 rte de Poujols, bord d'un torrent
4,5 ha (100 empl.) ⟶ plat et en terrasses, herbeux 🗔 ⚭ – 🗇 ⇔ 🗇 ⚲ 🗇 ⊕ ▣ – 🔭 (bassin) – A proximité : ✕ – Location : 🏠
juin-1er sept. – **R** conseillée juil.-août – ⇔ 16,50 ▣ 21,50 🅗 13,50 (4A)

▲▲▲ **Municipal les Vailhès** ⅌ ← « Belle situation au bord du lac du Salagou », 🕿 67 44 25 98, S : 7 km par N 9 rte de Montpellier puis 2 km par D 148 rte d'Octon et chemin à gauche
2 ha (200 empl.) ⟶ en terrasses, herbeux 🗔 – 🗇 ⇔ 🗇 ৬ ⊕ ▣ – 🔭 ◊
avril-sept. – **R** – Tarif 91 : 🛉 11 ▣ 13,20/16,70 🅗 8,80 (10A)

▲▲▲ **les Peupliers,** 🕿 67 44 38 08, SE : 6 km par N 9 rte de Montpellier puis à droite en direction de Le Bosc
1,5 ha (54 empl.) plat, herbeux 🗔 – 🗇 ⇔ 🗇 ⊕ – 🖢
Permanent – **R** conseillée – 🛉 11 piscine comprise ▣ 30/40 🅗 13 (5A)

## LODS

**25930** Doubs – 284 h.

▲ **Municipal Champaloux** ←, rive gauche de la Loue, près de l'ancienne gare
0,8 ha (56 empl.) plat, pierreux, herbeux – 🗇 ⇔ 🗇 ⊕ – A proximité : ✕ 🖢
15 juin-15 sept. – **R** – Tarif 91 : 🛉 9 ⇔ 3 ▣ 3 🅗 9

## LOEUILLY

**80160** Somme – 831 h.

▲▲▲ **Municipal** ⅌ « Situation agréable au bord de la Selle », 🕿 22 42 03 88, prévu 22 38 13 88, sortie S rte de Conty et chemin à droite, près d'un plan d'eau
1,6 ha (88 empl.) ⟶ plat, herbeux 🗔 ⚭ – 🗇 ⇔ 🗇 🗇 ⊕ – 🗺 – A proximité : 🚣
mars-oct. – Places disponibles pour le passage – **R** – ▣ 1 pers. 12 🅗 12 (6A)

## Les LOGES

**76790** S.-Mar. – 1 015 h.

▲▲▲ **L'Aiguille Creuse,** 🕿 35 29 52 10, sortie O par D 940 rte d'Étretat
3,8 ha (55 empl.) ⟶ peu incliné et plat, herbeux 🗔 – 🗇 ⇔ 🗇 ৬ ⊕ ▣ – 🗺 🚣 – A proximité : 🚶
avril-oct. – **R** conseillée juil.-août – ▣ 1 pers. 30, 3 pers. 45, pers. suppl. 12 🅗 15 (10A)

## LOIX-EN-RÉ 17 Char.-Mar. – 171 ⑫ – voir à Ré (Ile de)

## La LONDE-LES-MAURES

17 - 84 ⑯

**83250** Var – 7 151 h.
Office de Tourisme, av. Albert-Roux
94 66 88 22

**Les Moulières**, 94 66 82 38, S : 2,5 km par rte de Port-de-Miramar et rte à droite
3 ha (250 empl.) plat, herbeux – mai-15 sept. – R – *tennis compris 3 pers. 71,80* *16,80 (6A)*

**La Pascalinette,** 94 66 82 72, O : 1,5 km par N 98 rte d'Hyères
4 ha (220 empl.) plat, herbeux, pierreux – snack – Location :
juin-sept. – **R** *conseillée* – *2 pers. 62, 3 pers. 73, pers. suppl. 16* *14*

**La Forge,** 94 66 82 65, sortie N par D 88 rte des Jassons, bord du Pansard
1 ha (30 empl.) plat, herbeux, pierreux – Location :
juin-sept. – **R** *conseillée* – *14,85* *18,30* *13,95 (3A) 23,10 (6A)*

## LONGCHAUMOIS

12 - 170 ⑮

**39400** Jura – 945 h. alt. 900

**Baptaillard** <, 84 60 62 34, NE : 3 km par D 69 rte de Morez puis chemin à gauche
4 ha (130 empl.) vallonné, herbeux –
fermé oct. – **R** – *11,60* *12,30* *11 (3A)*

## LONGEVILLE-SUR-MER

9 - 67 ⑫

**85560** Vendée – 1 979 h.
Syndicat d'Initiative, r. Georges-Clemenceau 51 33 34 64

**Jarny Océan**, 51 33 42 21, SO : 1,5 km par rte de la Tranche-sur-Mer puis 2 km par rte à droite
5 ha (292 empl.) plat et peu incliné, herbeux (3 ha) – half-court – A proximité : – Location :
15 mai-sept. – **R** *conseillée* – *piscine comprise 3 pers. 85* *15 (4A)*

**Les Brunelles**, 51 33 50 75, SO : 1,5 km par rte de la Tranche-sur-Mer puis 2,2 km par rte à droite
1,9 ha (130 empl.) plat, peu incliné, pierreux – – A proximité :
mai-10 sept. – **R** *conseillée juil.-août* – *2 pers. 52* *12,50 (2A) 13,80 (6A)*

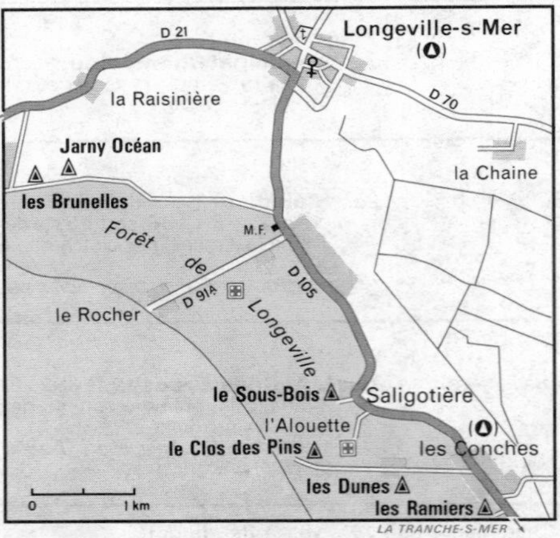

*aux Conches* S : 5 km par D 105 – ⊠ 85560 Longeville-sur-Mer :

⚠️ **Les Dunes,** ℱ 51 33 32 93, r. du Dr-Joussemet (rte de la plage)
4,5 ha (223 empl.) ⊶ plat et accidenté, sablonneux ⊡ 🔦 – 🗟 ⛺ 🚽 🔓 🛁 ⊛
🏊 ⌄ 🛁 🍴 snack 🔥 – 🗔 salle de musculation 🎾 ⚡ 🏊 vélos – Location :
🛖 🔧
mai-sept. – **R** conseillée juil.-août – 🔲 *élect. et piscine comprises 3 pers. 135, pers.
suppl. 22*

⚠️ **Le Sous-bois** 🐕, ℱ 51 33 36 90, au lieu-dit la Saligotière
1,7 ha (120 empl.) ⊶ plat et en terrasse, sablonneux ⊡ 🔦 (0,8 ha) – 🗟 ⛺ 🚽
🔓 🛁 ⊛ 🏊 ⌄ 🔧 – 🗔
15 juin-15 sept. – **R** *conseillée 15 juin-juil.* – 🔲 *3 pers. 73* 🔋 *15 (5A)*

⚠️ **Le Clos des Pins,** ℱ 51 90 31 69, r. du Dr-Joussemet, à 500 m de la plage
1,6 ha (120 empl.) ⊶ plat et peu accidenté, sablonneux 🔦 – 🗟 ⛺ 🚽 🔓 ⊛
15 juin-15 sept. – **Ṛ** – *Tarif 91 :* 🔲 *3 pers. 70, pers. suppl. 15*

⚠️ Les Ramiers, ℱ 51 33 32 21
1,4 ha (80 empl.) ⊶ plat et peu accidenté, en terrasses, sablonneux ⊡ 🔦 – 🗟
⛺ 🚽 🔓 ⊛ – ⚡

# LONS-LE-SAUNIER Ⓟ

39000 Jura – 19 144 h. –
♨️ 6 avril-oct.
🏢 Office de Tourisme, 1 r. Pasteur
ℱ 84 24 65 01

**12 – 170** ④ ⑭ **G. Jura**

⚠️ **la Marjorie,** ℱ 84 24 26 94, sortie NE en direction de Besançon par bd de
Ceinture
2,2 ha (158 empl.) ⊶ plat, herbeux, goudronné ⊡ – 🗟 ⛺ 🚽 🔲 🛁 ⊛ 🏊 ⌄
🛁 ⚡ 🗔 – 🗔 🔧 ⚡ – A proximité : 🎾 ⚡
avril-oct. – **R** *conseillée saison* – 🔱 *12* 🔲 *13,50/17* 🔋 *13 (6 à 10A)*

# LORRIS

45260 Loiret – 2 620 h.
🏢 Office de Tourisme, près des Halles
ℱ 38 94 81 42 et r. Gambetta
ℱ 38 92 42 76

**6 – 65** ① **G. Châteaux de la Loire**

⚠️ **Etang des Bois** « Cadre boisé », ℱ 38 92 32 00, O : 6 km par D 88 rte de
Châteauneuf-sur-Loire, près de l'étang des Bois
3 ha (150 empl.) ⊶ plat, gravillons 🌳 – 🗟 ⛺ 🚽 🔲 🛁 ⊛ 🏊 ⌄ – 🗔 –
A proximité : 🎾 🛶
16 mars-14 nov. – *Places disponibles pour le passage* – **R** *conseillée – Tarif 91 :*
🔱 *8,60* ⬛ *7,50* 🔲 *9,50* 🔋 *8,30 (5A) 12,40 (10A)*

# LOUAN

77560 S.-et-M. – 427 h.

**6 – 61** ④

⚠️ **La Cerclière** ◇ « Agréable cadre boisé », ℱ (1) 64 00 80 14, NE : 1 km sur
D 131
9 ha (250 empl.) ⊶ accidenté, en terrasses, gravier ⊡ 🌳 – 🗟 ⛺ 🔲 🎱 ⊛ 🏊
🗔 – 🗔 – A proximité : Parc animalier et de loisirs (120 ha) avec 🎾 – 🎾 ⚡
🏊 parcours sportif
2 mars-26 oct. – **Location longue durée** – *Places disponibles pour le passage*
– **R** – 🔲 *2 pers. 61, pers. suppl. 18* 🔋 *15*

# LOUANNEC 22 C.-d'Armor – 59 ① – rattaché à Perros-Guirec

# LOUARGAT

22540 C.-d'Armor – 2 128 h.

**3 – 58** ⑧

⚠️ **Manoir du Cleuziou** 🐕 « Manoir des 15ᵉ et 17ᵉ siècles », ℱ 96 43 14 90,
NO : 2 km par D 33A rte de Trégrom puis 2,8 km par rte à droite
7 ha (200 empl.) ⊶ plat et peu incliné, herbeux ⊡ – 🗟 ⛺ 🚽 🔲 🛁 ⊛ 🏊 ⚡
🎾 ✕ 🔥 🗔 – 🗔 🔧 – 🎾 🏊
🔧
15 mars-15 nov. – **R** *conseillée* – 🔲 *piscine comprise 2 pers. 88, 3 pers.
105, pers. suppl. 23* 🔋 *15 (4 ou 6A)*

# LOUBEYRAT

63410 P.-de-D. – 777 h.

**11 – 73** ④

⚠️ **Le Colombier** (aire naturelle) 🐕, ℱ 73 86 66 94, S : 1,5 km par D 16 rte de
Charbonnières-les-Varennes et chemin à gauche
0,8 ha (25 empl.) peu incliné, herbeux – 🗟 🚽 🔲 ⊛ – A proximité : 🎾 – Location :
🛖
20 avril-oct. – **R** *conseillée – Tarif 91 :* 🔱 *7,20* 🔲 *7,20* 🔋 *5,80 (3A)*

# LOUBRESSAC

46130 Lot – 449 h.

**10 – 75** ⑲ **G. Périgord Quercy**

⚠️ **La Garrigue** 🐕, ℱ 65 38 34 88, à 200 m au Sud du bourg
0,6 ha (38 empl.) ⊶ en terrasses, plat, herbeux ⊡ – 🗟 ⛺ 🚽 🔲 ⊛ 🏊 – 🗔 –
🏊 – A proximité : 🎾 – Location : 🛖
15 juin-15 sept. – **R** *conseillée août* – 🔱 *15 piscine comprise* 🔲 *15* 🔋 *11 (4A)
15 (10A)*

# LOUDENVIELLE

65510 H.-Pyr. – 219 h. alt. 960

**14 – 85** ⑲

⚠️ **Pène Blanche** 🐕 <, ℱ 62 99 68 85, sortie NO par D 25 rte de Génos, près
de la Neste de Louron et à proximité d'un plan d'eau
4 ha (92 empl.) en terrasses, peu incliné, herbeux – 🗟 ⛺ 🚽 🎱 ⊛ – A proximité :
🎾 ⚡ 🏊 avec toboggan aquatique 🏇
Permanent – **R** – 🔱 *13,50* 🔲 *11*

## LOUER
**40380** Landes – 160 h.

13 – 78 ⑥

▲ **Municipal de Laubanere,** NO : 0,9 km par D 107, bord d'un petit étang
1 ha (30 empl.) plat et peu incliné, herbeux, sablonneux ⚲ pinède – 🛎 ⚄ 🛁 ⊛
avril-15 nov. – **R** *conseillée – Tarif 91 :* ✱ *6* 🚗 *3,50* 🔲 *6* ⒣ *8*

---

## LOUGRATTE
**47290** L.-et-G. – 404 h.

14 – 79 ⑤

▲▲ **Municipal St-Chavit** ≼, SE : 1 km, bord d'un plan d'eau
3 ha (70 empl.) plat à peu incliné, herbeux ⚲ – 🛎 ⚄ 🛦 🗒 🛁 ⊛ – 🏖 🛥 ≋
(Plage) – A proximité : ✗
15 juin-15 sept. – **R** – ✱ *8,20* 🔲 *9* ⒣ *5,70*

---

## LOUHANS ⊛
**71500** S.-et-L. – 6 140 h.
🅾 Office de Tourisme, arcades
St-Jean ✆ 85 75 05 02

11 – 170 ⑬ G. Bourgogne

▲▲ **Municipal,** ✆ 85 75 19 02, SO : 1 km par D 971 rte de Tournus et D 12 rte
de Romenay, à gauche après le stade, bord du Solnan
0,5 ha (50 empl.) plat, herbeux ⚲ – 🛎 🗒 ⊛ ⚄ 🛁 🚿 – A proximité : ✗
avril-1er oct. – **R** *conseillée juil.-20 août – Tarif 91 :* ✱ *6,29* 🚗 *6,29* 🔲 *6,29*
⒣ *10,44 (8A)*

---

## LOUPIAN
**34140** Hérault – 1 289 h.

16 – 83 ⑯ G. Gorges du Tarn

▲ **Municipal** 🛇, ✆ 67 43 57 67, sortie S rte de Mèze
1,7 ha (115 empl.) ⚁ plat, herbeux 🔲 – 🛎 ⊛ – A proximité : ✗
juin-sept. – **R** *conseillée* – ✱ *16* 🔲 *27 avec élect.*

---

## LOURDES
**65100** H.-Pyr. – 16 300 h.
🅾 Office Municipal de Tourisme, pl.
du Champ-Commun ✆ 62 94 15 64

14 – 85 ⑱ G. Pyrénées Aquitaine

▲▲▲ **Sarsan** ≼, ✆ 62 94 43 09, E : 1,5 km par déviation et av. Jean-Moulin
1,5 ha (66 empl.) ⚁ plat et peu incliné, herbeux – 🛎 ⚄ 🛁 🗒 ⊛ – 🏖
15 juin-15 sept. – **R** *conseillée 14 juil.-20 août* – ✱ *14 piscine comprise* 🔲 *14*
⒣ *11 (2A)*

▲▲ **Le Moulin du Monge,** ✆ 62 94 28 15, N : 1,3 km
1 ha (67 empl.) ⚁ plat et peu incliné, en terrasses, herbeux ⚲⚲ (0,5 ha) – 🛎
🛁 🗒 🎦 ⊛ 🚿 🛦 sauna – 🏖 🚿 – Location : 🚐
Permanent – **R** – ✱ *17 piscine comprise* 🔲 *17* ⒣ *10 (2A)*

▲▲ **Plein Soleil** ≼, ✆ 62 94 40 93, N : 1 km
0,5 ha (40 empl.) ⚁ en terrasses, pierreux, gravillons – 🛎 ⚄ 🛁 🗒 🎦 ⊛ 🛦 🏳
– 🏖
mars-oct. – **R** *conseillée juil.-août* – 🔲 *piscine comprise 2 pers. 87*

▲▲▲ **Le Ruisseau Blanc** 🛇 ≼ « Cadre agréable », ✆ 62 42 94 83, E : 1,5 km à
Anclades par D 97 rte de Jarret
1,8 ha (110 empl.) ⚁ plat, herbeux ⚲⚲ – 🛎 🛦 🗒 ⊛ – 🏄
Permanent – **R** *conseillée juil.-août* – ✱ *7* 🚗 *7* 🔲 *9 (2A) 13,20 (3A)*

▲▲ **Arrouach** ≼, ✆ 62 94 25 75, NO : quartier de Biscaye
13 ha/2 campables (66 empl.) ⚁ plat, peu incliné et en terrasses, herbeux ⚲
– 🛎 🛦 ⊛ – 🏖 – Location : 🏠
Permanent – **R** – ✱ *13* 🔲 *16 avec élect.*

▲▲▲ **Domec** ≼, ✆ 62 94 08 79, NE rte de Julos
2 ha (100 empl.) ⚁ plat, incliné et terrasse, herbeux ⚲ – 🛎 🛦 ⊛ – 🛦
Pâques-oct. – **R** *conseillée*

▲ **Le Vieux Berger** ≼, ✆ 62 94 60 57, NE : 2 rte de Julos
1,5 ha (66 empl.) ⚁ vallonné, herbeux – 🛎 🛦 ⊛
15 juin-20 oct. – **R** – ✱ *8* 🔲 *11* ⒣ *11 (2A)*

▲ **Camping du Loup** ≼, ✆ 62 94 23 60, O : 1,5 km par rte de la forêt de Lourdes
1,5 ha (100 empl.) ⚁ plat, herbeux – 🛎 🛦 🗒 🛁 ⊛
Pâques-Toussaint – **R** *– Tarif 91 :* ✱ *11,50* 🔲 *11,50* ⒣ *15 (6A)*

*à Adé* NE : 4,5 km par ① – ✉ 65100 Adé :

▲▲ **Le Stade** ≼, ✆ 62 94 37 09, NO : 0,5 km (hors schéma)
0,9 ha (70 empl.) ⚁ plat, herbeux 🔲 ⚲ – 🛎 ⊛ ⚄ 🚿 🏳 – A proximité : ✗ 🛦
squash – Location : 🏠
15 juin-15 sept. – **R** *conseillée août* – ✱ *14* 🔲 *14* ⒣ *12,50 (2A) 13,50 (3A)*
*17 (6A)*

*à Geu* S : 8 km par N 21, D 13 à gauche et D 813 – ✉ 65100 Geu :

▲ **Et-Bayet** (aire naturelle) 🛇 ≼, ✆ 62 94 02 80, à 0,6 km à l'ouest du bourg,
sur D 13, à 350 m du Gave de Pau (hors schéma)
1,4 ha (25 empl.) ⚁ plat, terrasse, herbeux – 🛎 🗒 ⊛ 🛁 ⊛ – 🏄
juin-15 sept. – **R** – ✱ *9,50* 🚗 *4* *4/5* 🔲 *9 (2A) 27,50 (6A)*

*à Poueyferré* NO : 4,5 km par ⑤ et D 174 à gauche
✉ 65100 Poueyferré :

▲▲▲ **Relais Océan-Pyrénées** ≼, ✆ 62 94 57 22, S : 0,8 km, à l'intersection des D 940
et D 174
1 ha (90 empl.) ⚁ en terrasses, peu incliné, plat, herbeux 🔲 ⚲ – 🛎 🛁 🛦
🛦 🎦 ⊛ 🛦 🏳 🚿 🛦 – 🏖 🏄 🚿

244

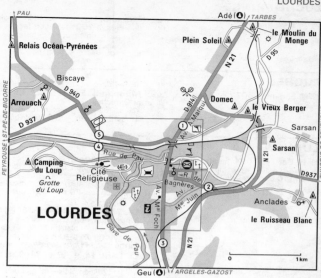

## LOURMARIN

**84160** Vaucluse – 1 108 h.

🇿 Syndicat d'Initiative, av. Ph.-de-
Girard (mai-oct.) ☎ 90 68 10 77

🔼🔼🔼 **Les Hautes Prairies,** ☎ 90 68 02 89, E : 0,7 km par D 56 rte de Vaugines
2,5 ha (150 empl.) ⊶ plat, pierreux ; herbeux ☒☐ – 🗓 ♨ 🖰 🖬 ⊙ ♨ 🏕 🚿 🗺
🍴 ✕ 🍱 – 🖰 🏊 – Location : 🏠 (hôtel) 🏧
mars-nov. – **R** conseillée juil.-août – 🏕 20 piscine comprise 🚗 10 🗉 16 🔅 16
(4A) 20 (10A)

## LOUROUX-DE-BOUBLE

**03330** Allier – 268 h.

🔼 **Municipal,** à 2 km au NE du bourg, sur D 129, à l'orée de la forêt de Boismal
0,5 ha (33 empl.) plat, herbeux – 🗓 ♨ 🖰 ⊙
avril-oct. – **R** juil.-août – 🏕 4,50 🚗 3 🗉 2,50 🔅 7

## LOUVIE-JUZON

**64260** Pyr.-Atl. – 1 014 h.

🔼 **Le Rey** ◁, E : 1 km par D 35 rte de Lourdes
3 ha (40 empl.) plat et incliné, herbeux – 🗓 ♨ 🖰 ⊙
15 juin-15 sept. – 🛒 – 🏕 11 🗉 11 🔅 9,60

## LOUVIERS

**27400** Eure – 18 658 h.

🇿 Office de Tourisme, 10 r.
Maréchal-Foch (mars-déc., fermé
matin sauf juin-sept.) ☎ 32 40 04 41

🔼🔼🔼 **Le Bel Air** ◇, ☎ 32 40 10 77, O : 3 km par D 81 rte de la Haye-Malherbe
2,5 ha (110 empl.) ⊶ plat, herbeux ☒☐ – 🗓 ♨ 🖰 🖬 ⊙ – 🖰 🏊
mars-oct. – Location longue durée – Places limitées pour le passage – **R**
conseillée juil.-août – 🏕 19 piscine comprise 🗉 25 🔅 14 (4A)

## LOZARI **2B** H.-Corse – 🇬🇧 ⑬ – voir à Corse

## LUBERSAC

**19210** Corrèze – 2 248 h.

🔼 **Municipal la Vézénie** ◁, sortie SE par D 148 rte de Troche, à 100 m d'un
plan d'eau
1,4 ha (60 empl.) plat, peu incliné, terrasse, herbeux ⚇ – 🗓 ♨ ⊙ – A proximité :
✕ 🏊 ✎
juin-sept. – **R** – 🏕 8,50 🗉 9/13,50 🔅 8

## Le LUC

**83340** Var – 6 929 h.

🇿 Office de Tourisme, pl. Verdun
(saison) ☎ 94 60 74 51 et Mairie (hors
saison) ☎ 94 60 70 03

🔼 **Municipal le Provençal,** ☎ 94 60 80 50, sortie N par D 33 rte de Cabasse
et à gauche
2,5 ha (110 empl.) ⊶ plat, peu incliné et en terrasses, pierreux, herbeux ⚇
(1 ha) – 🗓 ♨ 🖰 ⊙ 🖬
15 mai-sept. – **R** conseillée – 🏕 15 🗉 17

## LUCHÉ-PRINGÉ

**72800** Sarthe – 1 486 h.

⚠ **Municipal** ⊗ « Décoration florale », sortie O vers la Flèche et à gauche, r. des Prés, à 200 m du Loir (accès direct)
1 ha (60 empl.) plat et en terrasses, herbeux – 🗺 ⇔ ⊕ – ⚡ – A proximité : 🍴 ⚒ 🛒 🚿
juin-sept. – ⊮ – 🛉 6 🔲 12,60 avec élect.

---

## LUCHEUX

**80600** Somme – 607 h.

⚠ **Municipal la Forêt**, NE : 1,5 km par D 5 rte d'Avesnes-le-Comte, bord de la Grouches
1,2 ha (82 empl.) plat, herbeux 🗺 ⚬ – 🗺 ⇔ 🛏 ⊕ – 🛒
15 avril-15 sept. – 🛉 5,60 et 2,50 pour eau chaude 🚗 2,50 🔲 5,95 🚰 9,35

---

## LUCHON

**31** H.-Gar. – 3 094 h. alt. 630 –
🌀 avril-28 oct. – 🐦 à Superbagnères
✉ 31110 Bagnères-de-Luchon.
🛈 Office de Tourisme, allées d'Étigny
🕿 61 79 21 21

⚠ **Pradelongue** Ⓜ ≤, 🕿 61 79 86 44 ✉ 31110 Moustajon, N : 2 km par D 125ᶜ rte de Moustajon, près du magasin Intermarché – alt. 620
4 ha (90 empl.) ⚬ plat, herbeux, pierreux – 🗺 ⇔ 🛏 🛒 ⅃ 🚿 ⊕ 🛗 – 🛒 – A proximité : 🛒 – Location : 🛒, bungalows toilés
fermé 20 oct.-20 nov. – **R** conseillée juil.-août – 🛉 16,50 🔲 20 🚰 11,50 (2A) 16,50 (5A) 27 (10A)

⚠ **Les Myrtilles**, 🕿 61 79 89 89 ✉ 31110 Moustajon, N : 2,5 km par D 125ᶜ, à Moustajon, bord d'un ruisseau
1 ha (57 empl.) plat, herbeux – 🗺 ⚬ ⚫ 🛒 🍴 – ⚬ 🚾 🍴 – 🛒 ⅃ tir à l'arc, vélos – Location : 🛒 🛒, gîte d'étape
fermé nov. – **R** indispensable juil.-août – 🔲 piscine comprise 3 pers. 85 🚰 10 (6A)

⚠ **La Lanette** ≤, 🕿 61 79 00 38, à Montauban-de-Luchon, E : 1,5 km par D 27
4,3 ha (270 empl.) ⚬ plat et peu incliné, herbeux ⚬ – 🗺 ⇔ 🛏 ⚫ 🛒 🍴 ⊕ ⚒
🍴 ✗ 🍴 🔲 – ⚡
Permanent – **R** conseillée – 🔲 1 à 3 pers. 65 (75 avec élect.)

⚠ **Val de l'Air** ≤, 🕿 61 79 10 02, N : 1,5 km sur nouvelle D 125, av. Rémi-Comet
1 ha (80 empl.) ⚬ plat, herbeux 🗺 ⚬⚬ – 🗺 ⚫ 🛒 🍴
juin-1ᵉʳ sept. – ⊮ – 🛉 1 à 3 pers. 47 🚰 7,50 (1 ou 2A)

à **Salles-et-Pratviel** N : 4 km par D 125 – ✉ 31110 Salles-Pratviel :

⚠ **Le Pyrénéen** ❀ ⊗ ≤, 🕿 61 79 37 29, S : 0,6 km par D 27 et chemin, bord de la Pique – ⚒ juil-août
1,1 ha (94 empl.) ⚬ plat, pierreux, herbeux – 🗺 ⇔ 🛏 ⚫ 🛒 🍴 ⊕ ⚬ – ⚡ – Location : 🛒 🛒
Permanent – ⊮ – 🛉 11,50 🔲 11,50 🚰 2A : 7 (hiver 8) et 4 par ampère suppl.

---

## LUÇON

**85400** Vendée – 9 099 h.
🛈 Office de Tourisme, square E.-Herriot 🕿 51 56 36 52

⚠ **Base de Loisirs les Guifettes**, 🕿 51 27 90 55, S : 2 km par rte de l'Aiguillon-sur-Mer et rte à droite, à 150 m d'un plan d'eau (plage)
0,9 ha (90 empl.) ⚬ (saison) plat, herbeux, pierreux 🗺 – 🗺 ⇔ 🛏 🛒 🍴 ⊕ 🛗 – vélos, half-court, poneys – A proximité : 🛒 (salle d'animation) 🍴 ✗ ⚒ 🍴 ⚡
🛒 ⚬ 🛒 – Location : 🛏(gîtes) 🛗
15 avril-15 oct. – **R** conseillée été – 🛉 13,50 🔲 21/25

---

## LUC-SUR-MER

**14530** Calvados – 2 902 h.

⚠ **Municipal la Capricieuse**, 🕿 31 97 34 43, à l'Ouest de la localité, allée Brummel, à 200 m de la plage
4,6 ha (232 empl.) ⚬ plat, peu incliné, herbeux – 🗺 ⇔ 🛏 🛒 🍴 ⊕ ⚬ 🚾 🛒 – 🛒 ⚒ – A proximité : ⅃ – Location : 🛗
15 avril-15 oct. – **R** conseillée – 🛉 16,80 🚗 8,40 🔲 19,50 🚰 13,65 (6A) 21 (10A)

---

## Le LUDE

**72800** Sarthe – 4 424 h.
🛈 Office de Tourisme, pl. F. de Nicolay (Pâques-sept.) 🕿 43 94 62 20

⚠ **Municipal**, 🕿 43 94 67 70, NE : 0,8 km par D 307 rte du Mans, bord du Loir
4,5 ha (200 empl.) ⚬ plat, herbeux 🗺 🛏 🛒 🍴 ⊕ ⚬ 🚾 🛒 – 🛒 ⚡ – A proximité : ⚒ 🔲 ⅃ sauna, toboggan aquatique
Pâques-sept. – **R** conseillée juil.-août – 🔲 piscine comprise 2 pers. 36 (45 avec élect. 6A), pers. suppl. 12

---

## LUGRIN

**74500** H.-Savoie – 2 025 h.

⚠ **Vieille Église** ≤, 🕿 50 76 01 95, O : 2 km
1,2 ha (100 empl.) ⚬ plat et incliné, herbeux – 🗺 (⚬ saison) 🛒 ⊕ ⚬ 🚾 ⚒ – 🛒 – Location : 🛒
avril-oct. – **R** conseillée – 🔲 2 pers. 42, pers. suppl. 14 🚰 7,80 (2A) et 2,10 par ampère suppl.

⚠ **Les Myosotis** ⊗ ≤, 🕿 50 76 07 59, S : 0,6 km
1 ha (70 empl.) ⚬ (saison) incliné et en terrasses, herbeux 🗺 ⚬ – 🗺 ⇔ 🛏 ⚫
15 avril-sept. – **R** conseillée juil.-20 août – 🔲 2 pers. 43 🚰 8 (2A) 12 (4A) 16 (6A)

**LUMIO** 2B H.-Corse – 90 ⑬ – voir à Corse - Calvi

## LUNAY

5 – 64 ⑥ G. Châteaux de la Loire

**41360** L.-et-Ch. – 1 213 h.

△ Municipal la Montellière ⌘, ℰ 54 72 07 22, sortie N par D 53 rte de Savigny-sur-Braye, près du château et d'un plan d'eau
1 ha (50 empl.) plat, herbeux – 🔥 ⛺ 🖼 ⊕ – 🚣 – A proximité : 🍴 ⚓
15 mai-sept. – **R**

## LUNEL

16 – 83 ⑧

**34400** Hérault – 18 404 h.
🚩 Office de Tourisme, pl. des Martyrs-de-la-Résistance ℰ 67 87 83 97

△ **Le Pont de Lunel,** ℰ 67 71 10 22, NE : 2 km par N 113 rte de Nîmes et chemin à gauche
1 ha (60 empl.) plat, pierreux, herbeux ⌂ ♀ – 🔥 ⊕
mars-nov. – *Places limitées pour le passage* – **R** *conseillée juil.-août* – 🛉 13
🖼 37 🏠 8 (3A) 15 (5A)

## LUSIGNAN

9 – 68 ⑬ G. Poitou Vendée Charentes

**86600** Vienne – 2 749 h.

△ **Municipal de Vauchiron** ≤, ℰ 49 43 30 08, sortie NE par N 11 rte de Poitiers puis 0,7 km par chemin à gauche, bord de la Vonne
4 ha (100 empl.) ⊶ plat, herbeux ♀ – 🔥 📶 🖼 ⊕ – 🛝 ⚓
15 avril-15 oct. – **R** – 🛉 6,20 ⇔ 3,65 🖼 4,15 🏠 6,75

## LUXEUIL-LES-BAINS

8 – 166 ⑥ G. Alsace Lorraine

**70300** H.-Saône – 8 790 h. – ♨.
🚩 Office de Tourisme, 1 av. des Thermes ℰ 84 40 06 41

△ Municipal Stade Maroselli, ℰ 84 40 02 39, par sortie ④ rte de Breuches
2 ha (150 empl.) ⊶ plat, herbeux ⚱ – 🔥 ⛲ ⛺ ⊕

## LUYNES

5 – 64 ⑭ G. Châteaux de la Loire

**37230** I.-et-L. – 4 128 h.
🚩 Syndicat d'Initiative, Mairie ℰ 47 55 50 31

△△ **Municipal les Granges,** ℰ 47 55 60 85, sortie S par D 49
0,8 ha (66 empl.) ⊶ plat, herbeux, gravier ⌂ – 🔥 ⛲ 📶 ⊕ 🛝 – 🎾
8 mai-15 sept. – **R** *conseillée 15 juil.-15 août* – 🛉 9 🖼 9 🏠 13,50 (10A)

## LUZENAC

15 – 86 ⑮ G. Pyrénées Roussillon

**09250** Ariège – 690 h.

△△△ **Municipal le Castella** ❀ ⌘ ≤ « Agréable situation », ℰ 61 64 47 53, au sud du bourg, chemin d'accès sur N 20, bord de l'Ariège – alt. 650
2,5 ha (150 empl.) ⊶ en terrasses et incliné, herbeux, pierreux – 🔥 ⛺ ⛲ 🏬
⊕ 🛝 – 🍴 🚣 🏊
Permanent– **R** *conseillée juil.-août* – *Tarif 91* : 🖼 2 pers. 38 (hiver 24), pers. suppl. 13 (hiver 9) 🏠 été : 10 (4A) hiver : 10 (4A) 18 (6A) 25 (10A)

## LUZ-ST-SAUVEUR

14 – 85 ⑱ G. Pyrénées Aquitaine

**65120** H.-Pyr. – 1 173 h. alt. 711 – ♨ mai-oct. – ⌘.
🚩 Office de Tourisme, pl. du 8-Mai ℰ 62 92 81 60

△△△ **Airotel Pyrénées** Ⓜ ❀ ≤, ℰ 62 92 89 18, NO : 1 km par D 921 rte de Lourdes
2,5 ha (80 empl.) ⊶ peu incliné et incliné, plat et en terrasses, herbeux – 🔥 ⛲
⛺ 🖼 ♿ 🏬 ⊕ 🛝 🚿 🍴 ✗ 🚣 🖼 – 🏓 🏊 half-court – Location : 🏚 🏠
Permanent – **R** *conseillée* – 🖼 élect. (3A) comprise 1 pers. 50, 2 pers. 62, pers. suppl. 18

△△△ **International** ❀ ≤, ℰ 62 92 82 02, NO : 1,3 km par D 921 rte de Lourdes
3 ha (133 empl.) ⊶ plat, peu incliné, terrasses, herbeux – 🔥 ⛺ 📶 🖼 🏬 ⊕ 🚣
🍴 ✗ 🚣 🖼 – 🏊 half-court
juin-sept., 15 déc.-avril – **R** *conseillée* – *Tarif 91* : 🛉 18 🖼 18 🏠 9,80 (2A) 14,60 (3A) 29 (6A)

△△△ **Pyrénévasion** Ⓜ ❀ ≤ vallées de Barèges et de Gavarnie, ℰ 62 92 91 54, à **Sazos,** NO : 3 km par D 921 rte de Gavarnie, puis D 12 rte de Luz-Ardiden – alt. 834
2,8 ha (60 empl.) ⊶ en terrasses, herbeux, gravillons ⌂ – 🔥 ⛲ 📶 🖼 ♿ 🏬
⊕ ⌄ 🍴 🖼
Permanent – **R** *conseillée déc., fév. et juil.-août* – 🖼 2 pers. 52, pers. suppl. 14 🏠 12 (3A) 25 (6A) 40 (10A)

△△ **Le Bastan** ≤, ℰ 62 92 82 56, à **Esterre** E : 0,8 km par D 918, rte de Barèges, bord du Bastan
1,2 ha (35 empl.) ⊶ (saison) peu incliné et plat, herbeux, pierreux ♀ – 🔥 ⛲ ⛺
🖼 ♿ 🏬 ⊕ 🛝 – 🖼
Noël-Pâques, 15 juin-15 sept. – **R** – 🛉 11,50 (hiver 12) 🖼 13,50 (hiver 14) 🏠 14,25 (3A) 28,50 (6A)

△△ **Les Cascades** ≤, ℰ 62 92 85 85, au sud de la localité, rue Ste-Barbe, bord des torrents
2 ha (100 empl.) ⊶ peu incliné et en terrasses, herbeux, pierreux ♀ – 🔥 ⛺ ⛲
📶 🖼 ♿ 🏬 ⊕ ♀ ✗ 🚣 🖼 – A proximité : 🏊 – Location : 🏚
Permanent – **R** – 🛉 12 🖼 12 (hiver 16) 🏠 10 (2A) 15 (3A) 28 (6A)

247

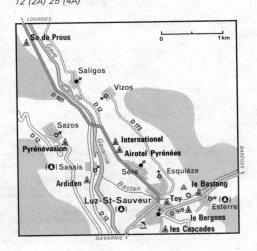

▲▲ **Toy** ≤, ℰ 62 92 86 85, centre bourg, pl. du 8-Mai, bord du Bastan
1,2 ha (100 empl.) ⚬╼ peu incliné et en terrasses, herbeux, pierreux ⚬ – ⌂ ⩘
▥ ⊕ – A proximité : ⬚
20 déc.-28 avril, 8 juin-25 sept. – *Places limitées pour le passage* – **R** *conseillée
hiver* – **℟** *été* – ⚬ *12 (hiver 12)* ▣ *12 (hiver 17)* ⒣ *10,50 (2A) 15,80 (3A) 31
(6A)*

▲▲ **Le Bergons** ≤, ℰ 62 92 90 77, **à Esterre**, E : 0,5 km par D 918 rte de Barèges
1 ha (80 empl.) ⚬╼ (saison) plat, peu incliné et terrasses, herbeux – ⌂ ⩫ ⩘ ▱
♿ ▥ ⊕ – ⚑ – ⬚
Permanent – **℟** – *Tarif 91 :* ⚬ *11,50* ▣ *12,50* ⒣ *9,80 (2A) 29,50 (6A)*

▲▲ **Saint-Bazerque** ⬚ ≤, ℰ 62 92 49 93, S : 6 km par D 921 rte de Gavarnie
(hors schéma) – alt. 900
1,5 ha (65 empl.) ⚬╼ plat et peu incliné, terrasse, herbeux – ⌂ ⩘ ▥ ⊕ ⛾
vac. scol., juin-sept. – **℟** – ⚬ *10* ▣ *10* ⒣ *9 (2A) 18 (4A) 27 (6A)*

▲▲ **So de Prous** ≤, ℰ 62 92 82 41, NO : 3 km par D 921 rte de Lourdes, à 80 m
du Gave de Gavarnie
2 ha (66 empl.) ⚬╼ plat, peu incliné, en terrasses, herbeux ⚬ – ⌂ ⩫ ⩘ ▱ ▩
⊕ ⛾ ▥ – ⚑ – Location : ⚑
Permanent – **℟** – ⚬ *8 (hiver 10,50)* ▣ *10,50 (hiver 14,25)* ⒣ *9 (2A) 27 (6A)*

▲ **Ardiden** ≤, ℰ 62 92 86 93, **à Sassis**, NO : 2 km sur D 12, à 50 m du Gave de
Gavarnie
2 ha (66 empl.) ⚬╼ plat et peu incliné, herbeux ⚬ – ⌂ ▱ ▩ ⊕
juil.-août – **R** *conseillée 2ème quinzaine de juil.* – **℟** *1er-10 août* – ⚬ *13* ▣ *13* ⒣
*12 (2A) 25 (4A)*

▶ *Ne pas confondre :*
▲ *... à ...* ▲▲▲▲ *: appréciation Michelin*
*et* ★ *... à ...* ★★★★ *: classement officiel*

---

# LUZY

**58170** Nièvre – 2 422 h.

▲▲ Château de Chigy ⬚ ≤ « Agréable domaine : prairies, bois, étangs »,
ℰ 86 30 10 80 ✉ 58170 Tazilly, SO : 4 km par D 973 rte de Bourbon-Lancy
puis chemin à gauche
70 ha/4,8 campables (136 empl.) ⚬╼ plat, peu incliné et en terrasses, herbeux
– ⌂ ⩫ ⩘ ▱ ♿ ⊕ ⛾ ✗ ▩ – ⚑ ⩙ ⬚ ⚑ – Location : 🏠, appartements

---

# LYNDE

**59173** Nord – 544 h.

▲ **La Becquerelle** ⬚, ℰ 28 43 20 37, O : 1,2 km, accès par rte à gauche de
l'église
1 ha (70 empl.) ⚬╼ plat, herbeux ⊟ – ⌂ ⩘ ▱ ⊕ ⛾
mars-nov. – *Places limitées pour le passage* – **R** – ⚬ *9* ⬒ *4* ▣ *9 avec élect.
(4A)*

---

# LYON ℗

**69000** Rhône – 415 487 h.

🚩 Office de Tourisme et Accueil de
France, pl. Bellecour ℰ 78 42 25 75 et
Centre d'Échange de Perrache
ℰ 78 42 22 07

▲▲▲ **Municipal Porte de Lyon**, ℰ 78 35 64 55 ✉ 69570 Dardilly, à Dardilly,
NO : 10 km par N 6 rte de Mâcon – Par A 6 : sortie Limonest
6 ha (150 empl.) ⚬╼ plat, herbeux, gravillons ⊟ ⚬ – ⌂ ⩫ ⩙ ♿ ▥ ⊕ ⩠ ▥
⩘ ⛾ ✗ – ⚑ ⩙ ⬚ – Permanent – **R** – ⚬ *14 piscine comprise* ▣ *30/40* ⒣ *10A : 11 (hiver 20)*

## MACHECOUL
**44270** Loire-Atl. – 5 072 h.

🔟 – 🔠 ② G. Poitou Vendée Charentes

🔺 **Municipal la Rabine,** ℰ 40 02 30 48, sortie S par D 95 rte de Challans, bord de rivière
2,8 ha (66 empl.) ⊶ (saison) plat, herbeux – 🗂 ⏚ 🛁 🗟 ⊛ 🖭 – ⚡
A proximité : 🕽 🏊
juin-15 sept. – **R** *conseillée août* – 🕯 *5,60* ⇔ *3,60* 🔲 *4,50* 🔋 *8,75 (10A)*

## MÂCON 🅟
**71000** S.-et-L. – 37 275 h.
🅱 Office de Tourisme, 187 r. Carnot
ℰ 85 39 71 37

🔢 – 🔠 ⑲ G. Bourgogne

🔺 **Municipal** « Entrée fleurie », ℰ 85 38 16 22, N : 3 km sur N 6
4 ha (280 empl.) ⊶ plat, herbeux 🍴 – 🗂 ⏚ 🛁 🗟 ⏚ ⊛ 🛢 🕽 🕽 🏊 – 🖭 –
🏊
15 mars-oct. – **R** – *Tarif 91 :* 🕯 *13* ⇔ *7* 🔲 *9* 🔋 *10 ou 17 (5A)*

## MADIC
**15210** Cantal – 239 h.

🔟 – 🔠 ②

🔺 **Municipal du Bourg,** O : au terrain de sports
1 ha (33 empl.) plat, herbeux – 🗂 ⏚ ⊛
15 mai-sept. – **R** – 🕯 *6* ⇔ *2* 🔲 *3* 🔋 *8 (5A)*

## MAGNAC-BOURG
**87** H.-Vienne – 857 h.
✉ 87380 St-Germain-les-Belles

🔠 – 🔠 ⑱

🔺 **Municipal des Écureuils,** ℰ 55 00 80 28, sortie N rte de Limoges
1,3 ha (30 empl.) ⊶ plat, peu incliné, herbeux 🖃 🕽 – 🗂 ⏚ ⊛
avril-sept. – **R** – 🕯 *7* 🔲 *7* 🔋 *7,50 (10A)*

## MAICHE
**25120** Doubs – 4 168 h. alt. 775

🔢 – 🔠 ⑱ G. Jura

🔺 **Municipal St-Michel** Ⓜ, ℰ 81 64 12 56, S : 1 km sur D 422 reliant D 464 à D 437, à l'orée d'un bois
2 ha (50 empl.) ⊶ peu incliné, en terrasses, herbeux 🕽 – 🗂 ⏚ 🛁 ⏚ ⊛ – 🏊
gîte d'étape
Permanent – **R** – 🕯 *10 ou 15* 🔲 *14* 🔋 *7 (2 à 5A) 14 (plus de 5A)*

## MAILLÉ
**85420** Vendée – 734 h.

🔟 – 🔠 ①

🔺 **Municipal** « Agréable situation », à l'ouest du bourg, bord de la Sèvre Niortaise et près d'un canal
0,6 ha (44 empl.) plat, herbeux – 🗂 🕷 🗟 ⊛ – 🏊
15 avril-sept. – **R** – 🕯 *8* 🔲 *3/5* 🔋 *9*

## MAILLEZAIS
**85420** Vendée – 930 h.

🔟 – 🔠 ① G. Poitou Vendée Charentes

🔺 **Municipal de l'Autize** « Cadre agréable », ℰ 51 00 70 79, sortie S rte de Courçon
1 ha (38 empl.) ⊶ plat, herbeux 🖃 – 🗂 ⏚ 🛁 ⊛ – A proximité : 🕽 🏊
avril-sept. – **R** – 🕯 *7,70* ⇔ *4,20* 🔲 *4,70* 🔋 *11*

## MAINTENON
**28130** E.-et-L. – 4 161 h.

🔠 – 🔠 ⑧ G. Ile de France

🔺 **Les Ilots de St-Val** 🕸 ≼, ℰ 37 82 71 30, NO : 4,5 km par D 983 rte de Nogent-le-Roi puis 1 km par D 101³ rte de Neron à gauche
3 ha (100 empl.) ⊶ plat et incliné, herbeux, pierreux – 🗂 ⏚ 🛁 🗟 ⏚ 🎔 ⊛ 🖸
– 🖾 🕽 🏊
fermé 16 déc.-15 janv. – *Places disponibles pour le passage* – **R** *juil.-août* –
🕯 *16* 🔲 *16* 🔋 *5,50 (2A) 11 (4A) 16,50 (6A)*

## MAISNIL-LÈS-RUITZ
**62620** P.-de-C. – 1 235 h.

🔟 – 🔠 ⑭

🔺 **Parc d'Olhain** 🕸 ≼ « Agréable cadre boisé », ℰ 21 27 94 80 ✉ 62150 Houdain, S : 1,5 km, à la Base de Plein Air et de Loisirs
102 ha/2,1 campables (68 empl.) ⊶ (saison) plat, accidenté et en terrasses, herbeux, gravier 🖃 🕽 – 🗂 ⏚ 🛁 🗟 ⏚ 🏛 ⊛ – 🖾 salle de sports, golf, practice de golf
– A proximité : 🕽 🕽 🕽 🏊 🖾 🏊 – 🖭 🏊
20 avril-15 sept. – **R** *conseillée juil.-août* – *Tarif 91 :* 🔲 *élect. (5A) comprise jusqu'à 6 pers. 63*

## MAISON-JEANNETTE
**4** Dordogne – ✉ 24140 Villamblard

🔟 – 🔠 ⑤ ⑮

🔺 **Orphéo-Négro** 🕸 ≼ « Agréable situation au bord d'un étang », ℰ 53 82 96 58, NE : sur N 21, près de l'hôtel Tropicana
7 ha/2 campables (100 empl.) ⊶ plat, peu incliné, herbeux 🖃 🕽 – 🗂 ⏚ 🛁 ⊛
🎔 🕽 – 🏊 toboggan aquatique – A proximité : 🕽
26 juin-août – **R** – 🕯 *19,50 piscine comprise* 🔲 *22,50* 🔋 *12,50 (6A)*

## MAISON-NEUVE
**07** Ardèche – ⊠ 07230 Lablachère

⩕ **Pont de Maisonneuve,** ℰ 75 39 03 51 ⊠ 07460 Beaulieu, sortie S par D 104 rte d'Alès, après le pont, bord du Chassezac
1,5 ha (65 empl.) ⊶ plat, herbeux ⚲ – 🗑 🖫 ૬ ⊛ 🛒 🖳 – ✕ ⏁ – Location : ⛺ ⊨ ⛺
avril-sept. – **R** *conseillée juil.-août* – 🗐 *piscine comprise 2 pers. 52* 🔌 *10 (3 à 6A)*

## MAISONS-LAFFITTE
**78600** Yvelines – 22 173 h.

⩕⩕ **International,** ℰ (1) 39 12 21 91, par r. Johnson, dans l'Île de la Commune, bord de la Seine
6,5 ha (433 empl.) ⊶ plat, herbeux ⊡ ⚲⚲ – 🗑 ⇆ 🖰 🖫 🖳 ▥ ⊛ 🛒 ✕ 🖳
Permanent – *Places limitées pour le passage* – **R** *conseillée* – 🏊 *26* 🚐 *13* 🗐 *12* 🔌 *20 (4A) 30 (10A)*

## MALARCE-SUR-LA-THINES
**07140** Ardèche – 244 h.

⩕ **Les Gorges du Chassezac** 🦅 ≤, ℰ 75 39 45 12, SE : 4 km par D 113 rte des Vans, lieu-dit Champs d'Eynès, accès direct au Chassezac
2,5 ha (100 empl.) ⊶ peu incliné et en terrasses, pierreux, herbeux ⚲ – 🗑 🖰 ⊛ 🛒 🖳 – 🖳
Pâques-15 sept. – **R** *conseillée juil.-août* – 🗐 *2 pers. 45* 🔌 *9 (6A)*

## MALAUCÈNE
**84340** Vaucluse – 2 172 h.
🅱 Office de Tourisme, pl. de la Mairie (vacances de printemps, 15 juin-15 sept.) ℰ 90 65 22 59

⩕ **Le Lignol** 🦅 ≤, ℰ 90 65 22 78, O par r. des Remparts
2 ha (75 empl.) ⊶ en terrasses, peu incliné, herbeux ⚲⚲ – 🗑 🖰 ⊛ – 🖳
avril-15 sept. – **R** – *Tarif 91 :* 🏊 *13* 🚗 *8* 🗐 *9* 🔌 *7,50 (3A) 12,50 (5A) 15 (6A)*

## MALBOSC
**07140** Ardèche – 146 h.

⩕ **Municipal du Moulin de Gournier** 🦅 ≤, ℰ 75 37 35 50, NE : 7 km par D 216 rte des Vans, bord de la Ganière
1 ha (29 empl.) ⊶ en terrasses, pierreux, herbeux ⊡ – 🗑 ⇆ 🖰 🖫 ૬ ⊛ – 🖳
juil.-août – **R** *conseillée* – 🗐 *3 pers. 55, pers. suppl. 10* 🔌 *10*

## MALBUISSON
**25160** Doubs – 366 h. alt. 900.
🅱 Syndicat d'Initiative, Lac Saint-Point (fermé après-midi hors saison) ℰ 81 69 31 21

⩕⩕ **Les Fuvettes** ❄ ≤, ℰ 81 69 31 50, SO : 1 km, bord du lac de St-Point
5 ha (300 empl.) ⊶ (saison) plat et peu incliné, herbeux, pierreux – 🗑 ⇆ 🖰 🖫 ૬ ▥ ⊛ 🛒 ⚲ 🖳 🍴 snack 🍴 🖳 – 🖤 🚗 🖳 – Location : ⛺
avril-oct., week-ends et vac. scolaires de nov. au 31 mars – **R** *été, conseillée hiver* – 🗐 *2 pers. 63 (hiver 68)* 🔌 *14 (4A)*

## MALEMORT-DU-COMTAT
**84570** Vaucluse – 985 h.

⩕⩕ **Font Neuve** 🦅 ≤, ℰ 90 69 90 00, SE : 1,6 km par D 5 rte de Méthanis et chemin à gauche
1,5 ha (54 empl.) ⊶ plat et peu incliné, terrasses, herbeux, pierreux ⊡ – 🗑 🖰 🖫 ૬ ⊛ ⚲ ▽ ✕ – ✕ ⏁ – Location : ⛺
mai-sept. – **R** *conseillée juil.-août* – 🏊 *15 piscine comprise* 🚐 *10* 🗐 *20* 🔌 *11 (10A)*

## MALESHERBES
**45330** Loiret – 5 778 h.
🅱 Syndicat d'Initiative, 2 r. Pilonne (après-midi seul.) ℰ 38 34 81 94

⩕ **Municipal la Vallée Doudemont** 🦅 « Cadre agréable », ℰ 38 34 85 63, NO : 1,5 km par D 949 rte d'Etampes et D 132 à droite
2 ha (90 empl.) ⊶ plat et peu incliné, gravier ⊡ ⚲⚲ – 🗑 🖰 🖳 ૬ ▥ ⊛ – 🖳
Permanent – *Places limitées pour le passage* – **R** *conseillée* – 🛁 *hiver* – 🏊 *9* 🔌 *été : 8 (5A) hiver : 16 (5A) 28 (10A)*

## MALICORNE-SUR-SARTHE
**72270** Sarthe – 1 659 h.

⩕ **Municipal,** ℰ 43 94 80 14, sortie N par D 41 rte de Noyen-sur-Sarthe et à droite, bord de la Sarthe
1 ha (83 empl.) plat, herbeux ⚲ – 🗑 🖳 ⊛ – ✕ 🖳
Pâques-sept. – **R** *conseillée juil.-août* – 🏊 *8,30* 🚐 *3,50* 🗐 *élect. (3A) comprise 8,30* 🔌 *13 (6A) 27,50 (12A)*

## MALLEMORT
**13370** B.-du-R. – 4 366 h.

⩕ **Durance et Lubéron** 🦅 ≤, ℰ 90 59 13 36, SE : 2,5 km par D 23ᶜ, à 200 m du canal
4 ha (112 empl.) ⊶ plat, herbeux – 🗑 ⇆ 🖰 🖫 ⊛ ⚲ pizzeria – ✕ ⏁ 🐎
11 avril-4 oct. – **R** *conseillée* – 🗐 *piscine comprise 2 pers. 65, pers. suppl. 20* 🔌 *17 (10A)*

## Le MALZIEU-VILLE

**48140** Lozère – 947 h. alt. 860

15 – 76 ⑮

⚐ **Municipal,** sortie S par D 989 rte de St-Chély-d'Apcher, bord de la Truyère
1 ha (100 empl.) ⊶ plat, herbeux ♀ – 🎐 🗚 ⊛
15 juin-15 sept. – **R** – *Tarif 91 :* ✶ *7,40* ⟾ *4,30* 🗉 *4,30* 🗓 *10,20*

## MAMERS ⏏

**72600** Sarthe – 6 071 h.
🛈 Syndicat d'Initiative, pl. de la
République ✆ 43 97 60 63

5 – 60 ⑭ G. Normandie Vallée de la Seine

⚐ **Municipal,** ✆ 43 97 68 30, N : 1 km par rte de Mortagne-au-Perche et D 113
à gauche rte de Contilly, près de 2 plans d'eau
1,5 ha (50 empl.) ⊶ peu incliné en et terrasses, herbeux – 🎐 ⛺ 🖰 🗚 ⊛ – ⚞⚟
– A proximité : 🎾 🗚 🦆
mars-sept. – **R** – ✶ *8* ⟾ *6* 🗉 *6* 🗓 *8,50 (10A)*

## MAMETZ

**62120** P.-de-C. – 1 567 h.

1 – 51 ⑬

⚐ **Le Moulin,** ✆ 21 39 78 75, au N du bourg, par D 197, rte de Roquetoire, bord
de la Lys
2,4 ha (74 empl.) ⊶ plat, herbeux 🖵 ♀ – 🎐 ⛺ 🖰 🗚 🕭 ⊛ ⚞ ⚟ 🦆 crêperie
avril-oct. – *Places limitées pour le passage* – **R** – ✶ *12,50* 🗉 *24* 🗓 *8 (5A)*

## MANDAILLES-ST-JULIEN

**15590** Cantal – 276 h. alt. 932

11 – 76 ② G. Auvergne

⚐ **La Cascade du Luc** 🌄 ≪, NE : 0,8 km par D 17 rte du Puy Mary, bord de
la Jordanne – du Pas de Peyrol : accès interdit aux caravanes par D 17
3 ha (100 empl.) plat, peu incliné à incliné, terrasse, herbeux – 🎐 🗚 ⊛
juil.-août – **R** – ✶ *12* ⟾ *6* 🗉 *6* 🗓 *8*

## MANDELIEU-LA-NAPOULE

**06** Alpes-Mar. – 16 493 h.
✉ 06210 Mandelieu.
🛈 Maison du Tourisme, bd Tavernière
« Les Vigies » ✆ 92 97 86 46 ; av.
Cannes ✆ 93 49 14 39 et bd H.-Clews
✆ 93 49 95 31

17 – 84 ⑧ G. Côte d'Azur

*à Mandelieu :*

⚐ **Roc Fleuri** 🌄 « Agréable verger », ✆ 93 93 08 71, N : 2 km par D 109 rte
de Grasse, à 300 m de la Siagne – 🌳 juil.-août
2 ha (150 empl.) ⊶ plat et peu incliné, herbeux ♀♀ – 🎐 🗚 🗚 🖰 ⊛ ⬚ 🦆 – ⌂
⚞⚟ – Location : ⛺
avril-20 sept. – **R** *conseillée juil.-août* – 🗉 *2 pers. 77* 🗓 *11 à 22 (2 à 10A)*

⚐ **Les Pruniers,** ✆ 93 49 99 23, par av. de la Mer, bord de la Siagne
0,8 ha (38 empl.) ⊶ plat, herbeux, gravier 🖵 ♀♀ – 🎐 🗚 🖰 ⊛ – ⚞⚟
A proximité : 🎾 – Location : studios
15 mars-15 oct. – **R** *indispensable juil.-août* – *Tarif 91 :* 🗉 *2 pers. 100/125 ou
125/140, pers. suppl. 15* 🗓 *15 (5 ou 10A)*

## MANDRES-AUX-QUATRE-TOURS

**54470** M.-et-M. – 162 h.

7 – 57 ⑫

⚐ **Municipal** 🌄, ✆ 83 23 17 31, S : 1,5 km rte de la forêt et du Parc Régional
0,7 ha (33 empl.) plat, herbeux ♀♀ – 🎐 ⛺ 🖰 🗚 ⊛
avril-oct. – ✶ *6* ⟾ *1* 🗉 *2/6* 🗓 *6,50 (10A)*

## MANE

**31260** H.-Gar. – 1 054 h.

14 – 86 ②

⚐ **Municipal de la Justale** 🌄, ✆ 61 90 68 18, à 0,5 km au SO du bourg par
rue près de la mairie, bord de l'Arbas et d'un ruisseau
3 ha (22 empl.) ⊶ plat, herbeux, pierreux 🖵 – 🎐 ⛺ 🖰 🗚 🕭 ⊛ 🦆 🖸 – ⌂
🗚 ⚞⚟ 🛝 – A proximité : 🎾 – Location : ⛺
mai-oct. – **R** *conseillée juil.-août* – ✶ *10 piscine et tennis compris* ⟾ *9* 🗉 *11*
🗓 *9 (5A)*

## MANOSQUE

**04100** Alpes-de-H.-P. – 19 107 h.
🛈 Office de Tourisme, pl. Dr
P.-Joubert ✆ 92 72 16 00

16 – 81 ⑮ G. Alpes du Sud

⚐ **Municipal les Ubacs** ≪, ✆ 92 72 28 08, O : 1,5 km par D 907 rte d'Apt et
à gauche av. de la Repasse
4 ha (110 empl.) ⊶ plat et peu incliné, en terrasses, herbeux, gravier 🖵 ♀ – 🎐
⛺ 🖰 🗚 ⊛ 🦆 🖸 (bassin)
avril-15 oct. – **R** *conseillée saison* – *Licence obligatoire* – ✶ *14,50* 🗉 *14,50*
🗓 *11 (3A) 16 (6A)*

## MANSIGNÉ

**72510** Sarthe – 1 255 h.

5 – 64 ③

⚐ **Municipal de la Plage** (ex Piscine), ✆ 43 46 14 17, sortie N par D 31 rte de
la Suze-sur-Sarthe, à 100 m d'un plan d'eau (plage)
2,5 ha (83 empl.) ⊶ (saison) plat, herbeux – 🎐 ⛺ 🖰 🗚 🕭 ⊛ 🦆 🖸 – 🎾 🗚 🛝
– A proximité : 🛶
Pâques-oct. – **R** *conseillée juil.-août* – *Tarif 91 :* ✶ *13 piscine comprise* ⟾ *4*
🗉 *4* 🗓 *8 (4A)*

## MANTENAY-MONTLIN

**01560** Ain – 256 h.

12 – 170 ⑫

⚐ **Municipal** 🌄, ✆ 74 52 66 91, à 0,5 km à l'ouest du bourg, bord de la
Reyssouze
1,3 ha (30 empl.) plat, herbeux – 🎐 ⛺ 🗚 ⊛ – 🍴
15 juin-15 sept. – **R** – ✶ *10* 🗉 *8* 🗓 *10 (10A)*

251

## Les MARCHES

**73800** Savoie – 1 416 h.　　　　　　　　　　　　　　　　　　　12 – 74 ⑮ ⑯

▲▲ **La Ferme du Lac** ≤, ℰ 79 28 13 48, SO : 1 km par N 90 rte de Pontcharra
et D 12 à droite
1,6 ha (80 empl.) ⊶ plat, herbeux ♀ – (🏕 ⚲ juin-sept.) ⊛ – 🏠 – Location :
🛏
15 avril-sept. – **R** *indispensable juil.-août* – ⚹ 8,80 🅔 11 ⚡ 10 (6A)

## MARCILHAC-SUR-CÉLÉ

**46160** Lot – 196 h.　　　　　　　　　　　　　　　14 – 79 ⑨ G. Périgord Quercy

▲▲ **Municipal** ≤, sortie N par D 17 rte de Figeac, bord du Célé
1 ha (50 empl.) plat, herbeux – 🏕 ⚲ ⊛ – ⚹🕱 📸
juin-sept. – **R** *conseillée* – *Tarif 91 :* ⚹ 11 🅔 10 ⚡ 12

## MARCILLAC-ST-QUENTIN

**24200** Dordogne – 598 h.　　　　　　　　　　　　　　　　　　　13 – 75 ⑰

▲▲▲ **Les Tailladis** ⚲ ≤, ℰ 53 59 10 95, N : 2 km, à proximité de la D 48, bord
de la Beune
25 ha/8 campables (83 empl.) ⊶ plat, incliné et en terrasses, herbeux, pierreux
🖃 ♀♀ – 🏕 ⚲ 🔥 🍴 🚿 ⚹ ✕ 🖭 – 🛶 ≊ 🢢
15 mars-oct. – **R** – ⚹ 21,50 *piscine comprise* 🅔 24,50 ⚡ 19,50 (6A)

▲ **La Veyssière** ⚲ « Cadre boisé », ℰ 53 59 10 84, à 0,7 km au N de
St-Quentin, rte de Marcillac, en 2 parcelles
1 ha (35 empl.) peu incliné à incliné, plat, herbeux ♀♀ – 🏕 ⚳ 📸 ⊛
juin-sept. – **R** *juil.-août* – ⚹ 9,50 🅔 10 ⚡ 8 (16A)

## MARCILLAC-VALLON

**12330** Aveyron – 1 485 h.　　　　　　　　　　　　　　　　　　　15 – 80 ②

▲▲ **Municipal le Cambou,** ℰ 65 71 74 96, NO : 0,7 km par rte de Foncourieu
et chemin à gauche du cimetière, bord du Créneau
0,5 ha (50 empl.) ⊶ plat et peu incliné, terrasses, herbeux 🖃 – 🏕 📸 🖭 ⊛ ⚲ ⚿
🢢 – 🢢
juil.-15 sept. – **R** – ⚹ 8 🚗 5 🅔 4/8 ⚡ 7 (plus de 5A)

## MARCILLY-LE-HAYER

**10290** Aube – 630 h.　　　　　　　　　　　　　　　　　　　　　6 – 61 ⑮

▲▲ Municipal les Dolmens ⚲, ℰ 25 21 74 34, au NO du bourg par r. des Dolmens,
bord de l'Orvin
2 ha (49 empl.) plat, herbeux, pierreux – 🏕 ⚳ 📸 🖭 ⊛ ⚲ – 🏠 – A proximité :
⚹🕱

## MARCILLY-SUR-VIENNE

**37800** I.-et-L. – 526 h.　　　　　　　　　　　　　　　　　　　10 – 68 ④

▲▲ **Intercommunal la Croix de la Motte** ⚲, ℰ 47 65 20 38, N : 0,7 km par
D 18 rte de l'Ile-Bouchard, bord de la Vienne
1 ha (88 empl.) ⊶ (saison) plat, herbeux ♀ – 🏕 ⚳ 📸 ⊛ – 🢢
juin-sept. – **R** *conseillée* – *Tarif 91 :* ⚹ 8,50 🅔 8,50 ⚡ 10 (10A)

## MARCK

**62730** P.-de-C. – 9 069 h.　　　　　　　　　　　　　　　　　　　1 – 51 ②

▲▲ **Les Palominos,** ℰ 21 82 92 80, NE : 6 km par D 248 et D 119, aux Hemmes,
à 250 m de la plage
1,5 ha (112 empl.) ⊶ plat, herbeux, sablonneux 🖃 – 🏕 ⚲ ⊛ ⚹ ✕ – 🢢 parc
d'attractions – Location : 🛏
avril-oct. – *Places disponibles pour le passage* – **R** – ⚹ 9 🚗 7,50 🅔 11 ⚡ 9
(6A)

## MARCOLS-LES-EAUX

**07190** Ardèche – 300 h. alt. 730　　　　　　　　　　　　　　　　11 – 76 ⑲

▲ Municipal de Gourjatoux ⚲ ≤, à 0,5 km au sud du bourg, près de la Glueyre
– Accès difficile pour véhicules venant de Mézilhac
0,7 ha (33 empl.) en terrasses, herbeux – 🏕 📸 ⊛ – 🏠 ⚹🕱 🢢

## MARÇON

**72340** Sarthe – 912 h.　　　　　　　　　　　　　　　　　　　　5 – 64 ④

▲▲▲ **Lac de Varennes,** ℰ 43 44 13 72, O : 1 km par D 61 rte du Port Gautier, près
de l'espace de loisirs, bord du Loir et du lac de Varennes
4 ha (250 empl.) ⊶ (saison) plat, herbeux ♀ (1 ha) – 🏕 ⚳ 📸 🖭 🔥 ⊛ 🖭 – 🏠 –
🢢 ≊ (plage) vélos – A proximité : ⚹🕱
15 mars-15 nov. – **R** *conseillée* – ⚹ 15 🅔 11,80 ⚡ 8,70 (6A)

## MARENNES

**17320** Char.-Mar. – 4 634 h.　　　　　　　　9 – 171 ⑭ G. Poitou Vendée Charentes
Pont de la Seudre : Passage gratuit

🄱 Syndicat d'Initiative, pl. Chasseloup-
Laubat (avril-sept., fermé matin sauf
juil.-août) ℰ 46 85 04 36 et Mairie
(hors saison) ℰ 46 85 25 55

▲ Au Bon Air, ℰ 46 85 02 40, O : 2,5 km, à Marennes-Plage, av. Pierre-Voyer, à
200 m de la mer
2,5 ha (140 empl.) ⊶ plat, terrasse, herbeux, sablonneux 🖃 ♀ – 🏕 🔥 ⊛ 🚿
⚹ – Location : 🛏 🛏
Pâques-15 oct. – **R** *conseillée*

▶ *Pas de publicité payée dans ce guide.*

## MAREUIL
**24340** Dordogne – 1 194 h.

⓵⓪ – ⓻⓶ ⑭ G. Périgord Quercy

ⵜ **Les Graulges** ⚲, ℰ 53 60 74 73, N : 5,5 km par D 99, rte de Charras et chemin à droite, bord d'un étang et d'un ruisseau
8 ha/1,5 campable (50 empl.) ⚤ (saison) peu incliné, pierreux, herbeux ⚬⚬ –
⚃ ⛴ ⚗ ⚑ ✕ – ⚏ ⚒
15 juin-15 sept. – **R** – ★ 12 piscine comprise ▣ 23 ⚡ 10 (6A)

ⵜ **Municipal du Vieux Moulin** ⚲, ℰ 53 60 99 80, sortie S par D 708 et D 99 rte de la Tour-Blanche
0,6 ha (20 empl.) plat, herbeux ⚏ – ⚞ ⚲ ⚗ – ⚏ ✕

## MAREUIL-SUR-CHER
**41110** L.-et-Ch. – 977 h.

⓹ – ⓺⓸ ⑰

ⵜ **Municipal le Port** ⚲, ℰ 54 32 79 51, au bourg, près de l'église, bord du Cher
1 ha (50 empl.) plat, herbeux ⚲ – ⚞ ⚲ ⚗ – ✕ ⚐ vélos
15 juin-15 sept. – **R** – ★ 6 ⚏ 6 ▣ 6 ⚡ 6 (3 ou 5A)

## MARIGNY
**39130** Jura – 153 h.

⓵⓶ – ⓵⓻⓪ ④ ⑤

ⵜ **La Pergola** ⪦, ℰ 84 25 70 03, S : 0,8 km, bord du lac de Chalain
6 ha (280 empl.) ⚤ en terrasses, herbeux, pierreux ⚏ ⚲ – ⚞ ⚗ ⚗ ⚗ ⚗ ⚗ ⚗ ⚗
⚃ ⚑ ⚗ ⚑ ✕ ⚗ ⚗ – ⚏ ⚏ ⚐ ⚐ vélos – Location : ⚏
mai-sept. – **R** conseillée juil.-15 août – ▣ 3 pers. 80/105 ou 130 avec élect.

## MARIOL
**03270** Allier – 714 h.

⓵⓵ – ⓻⓷ ⑤

ⵜ **Les Marants,** ℰ 70 59 44 70, NO : 1,3 km sur D 260, à 300 m du D 906 et à 120 m d'un étang (accès direct)
1,5 ha (38 empl.) ⚤ plat, herbeux – ⚞ ⛴ ⚗ ⚗ ⚗ ⚗ ⚗ – ⚏ ✕ ⚏ ⚐
15 mai-sept. – **R** conseillée juil.-août – ▣ élect. (6A), piscine et tennis compris
2 pers. 40/50, 3 pers. 50/60

## MARNE-LA-VALLÉE
**77206** S.-et-M.

⓺ – ⓹⓺ ⑫ G. Île de France

à *Euro Disney* : à 38 km à l'Est de Paris par A⁴
✉ 77206 Marne-la-Vallée :

ⵜ **Camp Davy Crockett** ⚲, « Agréable cadre boisé », ℰ 60 45 69 00, par A⁴
sortie Euro Disneyland – animaux interdits (chenil à disposition)
57 ha (695 empl.) ⚤ plat, sablonneux et plates-formes aménagées pour caravanes ⚬⚬ – ⚞ ⛴ ⚗ ⚗ ▥ ⚗ ⚗ ✕ snack ⚏ – ⚏ théâtre de plein air
✕ ⚐ ⚏ toboggan aquatique, poneys, vélos, voiturettes électriques – Location : chalets (1 à 6 pers., par nuitée 575 ou 875 selon la période)
Permanent (ouverture prévue le 12 avril 92) – **R** conseillée ℰ 49 41 49 41 –
▣ élect., piscine et tennis compris 1 à 6 pers. 270

## MARSAC-SUR-DON
**44170** Loire-Atl. – 1 192 h.

④ – ⓺⓷ ⑯

ⵜ **Municipal de la Roche** ⚲ ⪦ « Situation agréable au bord d'un étang »,
O : 3 km par D 125 rte de Guénouvry et rte à gauche
1 ha (33 empl.) vallonné, herbeux – ⚞ ⚗ – A proximité : ✕ – Location : gîte d'étape
avril-1ᵉʳ nov. – **R** – ★ 5,25 ⚏ 3,40 ▣ 3,95 ⚡ 6,10 (12A)

## MARSEILLAN
**34340** Hérault – 4 950 h.

⓵⓹ – ⓼⓷ ⑯ G. Gorges du Tarn

à *Marseillan-Plage* S : 6 km par D 51ᴱ – ✉ 34340 Marseillan :

ⵜ **Charlemagne,** ℰ 67 21 92 49, à 250 m de la plage
4,6 ha (363 empl.) ⚤ plat, sablonneux, herbeux ⚬⚬ – ⚞ ⚗ ⛴ ⚗ ⚲ ⚗ ⚗
⚃ ⚑ ⚑ ⚑ ✕ ⚗ ⚗ – ⚏ discothèque ⚐ ⚏ – Location : ⚏
avril-4 oct. – **R** conseillée juin à août – ▣ élect. et piscine comprises 1 à 3 pers.
145, pers. suppl. 25

ⵜ Le Galet, ℰ 67 21 95 61, à 250 m de la plage
3 ha (275 empl.) ⚤ plat, sablonneux, herbeux ⚏ ⚲ – ⚞ ⚲ ⚗ ⚗ ⚗ ⚐ ⚑ ⚏
avril-sept. – **R** conseillée juil.-août

ⵜ **Europ 2000,** ℰ 67 21 92 85, à 100 m de la plage
2 ha (176 empl.) ⚤ plat, sablonneux, herbeux ⚞ ⚗ ⚗ ⚗ – Location : ⚏
avril-sept. – **R** conseillée – ▣ 2 pers. 70 ⚡ 13,50 (3 ou 5A)

ⵜ **Municipal le Gourg de Maffre,** ℰ 67 21 90 52, près du carrefour avec la N 112, à 500 m de la plage – ⚗
3,3 ha (198 empl.) ⚤ plat, sablonneux, gravillons – ⚞ ⛴ ⚗ ⚗ ⚗ ⚗
juil.-août – **R** – ▣ 2 pers. 76 ⚡ 11 (10 ou 16A)

ⵜ **Le Grillon des Mers,** ℰ 67 21 92 89, à 150 m de la plage
0,7 ha (62 empl.) ⚤ plat, herbeux, sablonneux ⚬⚬ – ⚞ ⚗ ⚗ ⚗
juin-sept. – **R** indispensable juil.-août – ▣ 1 ou 2 pers. 43, pers. suppl. 13 ⚡ 11 (2A) 12,50 (3A) 17 (6A)

ⵜ **La Créole,** ℰ 67 21 92 69, bord de plage
1,5 ha (108 empl.) ⚤ plat, sablonneux, herbeux ⚲ – ⚞ ⚗ ⚗
mai-sept. – **R** conseillée juil.-août – ▣ 1 à 3 pers. 80, pers. suppl. 13 ⚡ 11 (2 ou 3A)

## MARTEL
**46600** Lot – 1 462 h.
🏢 Syndicat d'Initiative, Mairie
🖉 65 37 30 03

△△ **Les Falaises** ≤, 🖉 65 37 33 59, SE : 5 km par N 140 rte de Figeac, à Gluges, près de la Dordogne
0,8 ha (45 empl.) ⚬ (saison) plat, herbeux ⌨ ⚲ – 🗐 ⚘ 🚽 🖬 ⊕ – ☕ –
A proximité : ✗
mai-15 sept. – **R** *conseillée juil.-août* – ✱ 14 🗉 13,50 ⚡ 9,50 (15A)

## MARTIGNY
**76880** S.-Mar. – 512 h.

△△△ **Municipal,** 🖉 35 85 60 82, NO : 0,7 km rte de Dieppe, bord de la Varenne et de plans d'eau
3 ha (110 empl.) ⚬ plat, herbeux ⌨ – 🗐 ⚘ 🚽 🖬 ⊕ 🔝 🖫 – 🏕 ⚡↝ 🚣
avril-15 oct. – *Places disponibles pour le passage* – **R** *conseillée* – *Tarif 91 :*
✱ 10,40 🚗 5,40 🗉 8,80/18,90 avec élect. (6A)

## MARTRAGNY
**14740** Calvados – 310 h.

△△△ **Château de Martragny** ⚥ ≤, 🖉 31 80 21 40, sur l'ancienne N 13, par le centre bourg
8 ha/4 campables (140 empl.) ⚬ plat, herbeux ⚲ verger – 🗐 ⚘ 🚽 🖬 ⚿ ⊕ 🔝
🍴 crêperie ☕ 🖫 – 🏕 ⚡↝ 🚣
28 avril-15 sept. – **R** *conseillée juil.-août* – ✱ 24 🗉 40/44 ⚡ 15 (6A)

## Les MARTRES-DE-VEYRE
**63740** P.-de-D. – 3 151 h.

△ Municipal la Font de Bleix ≤, 🖉 73 39 26 49, vers sortie SE par D 225 rte de Vic-le-Comte puis 0,9 km par chemin à gauche, bord de l'Allier
0,5 ha (39 empl.) ⚬ plat et peu incliné, herbeux – 🗐 ⚘ 🚽 ⚿ ⊕ – ⚡↝
A proximité : ✗
juil.-1ᵉʳ sept. – **R**

## MARTRES-TOLOSANE
**31220** H.-Gar. – 1 929 h.

△△ **Le Moulin** ⚥ « Agréable domaine rural, ancien moulin », 🖉 61 98 86 40, SE : 1,5 km par r. du Portail, av. de St-Vidian et rte à gauche, bord d'un ruisseau et d'un canal, près de la Garonne (accès direct)
6 ha/1 campable (50 empl.) ⚬ plat, herbeux ⚲⚲ – 🗐 ⚘ 🚿 🖬 ⊕ ♨ ⚡▽ 🍴 🖫
– 🏕 ✗ 🚣 – **R** *conseillée juil.-août* – 🗉 *piscine comprise 2 pers. 55, pers. suppl.*
*12* ⚡ *12 (6A) 20 (10A) 32 (16A)*

## MARVEJOLS
**48100** Lozère – 5 476 h. alt. 651.
🏢 Syndicat d'Initiative, av. Brazza
(transfert prévu Porte du Soubeyran)
🖉 66 32 02 14

△△△ **Municipal l'Europe,** 🖉 66 32 03 69, sortie E par D 1 rte de Montrodat et chemin à droite, bord du Colagnet – ✗
0,9 ha (57 empl.) ⚬ plat, herbeux ⌨ – 🗐 ⚘ 🚽 🖬 ⚿ ⊕ ♨ ⚡▽ – 🏕 ⚡↝
– A proximité : garderie ✗
juin-15 sept. – **R** *conseillée juil.-août* – 🗉 *1 pers. 39, 2 pers. 44, pers. suppl. 17*
⚡ *13 (5A)*

## MAS-CABARDÈS
**11380** Aude – 235 h.

△ **Les Eaux Vives** ⚥ ≤, 🖉 68 26 31 05, E : 1 km par D 101 et rte de Roquefère à gauche, bord d'un ruisseau
0,6 ha (20 empl.) ⚬ plat, herbeux ⚲ verger – 🗐 ⊕ ♨ – 🏕 – A proximité : ✗
20 avril-20 sept. – **R** *conseillée 10 juil.-20 août* – ✱ 13 🗉 12 ⚡ 13
(6A)

## Le MAS-D'AZIL
**09290** Ariège – 1 307 h.

△ **Municipal,** 🖉 61 69 79 70, E : 1,6 km par D 119 rte de Pamiers, bord d'un ruisseau
1 ha (60 empl.) plat, herbeux ⌨ – 🗐 ⊕
15 juin-15 sept. – ✱ 6,50 🗉 8

## MASEVAUX
**68290** H.-Rhin – 3 267 h.
🏢 Office de Tourisme, Fossé
Flagellants 🖉 89 82 41 99

△△△ **Municipal** ⚥ « Cadre agréable », 🖉 89 82 42 29, rue du stade, bord de la Doller
3,5 ha (150 empl.) ⚬ plat, herbeux ⚲ – 🗐 ⚘ 🚽 ⚿ 🍴 ⊕ ♨ – 🏕 ✗ 🚣
Pâques-sept. – **R** *conseillée juil.-août* – *Tarif 91 :* ✱ 13 🗉 13 ⚡ 13 (3A)

## La MASSANA Principauté d'Andorre – 86 ⑭ – voir à Andorre

## MASSAT
**09320** Ariège – 624 h. alt. 650

△ **Municipal le Pouech** ⚥ ≤, sortie par rte de St-Girons et à gauche après la gendarmerie
0,3 ha (30 empl.) ⚬ en terrasses, herbeux, pierreux – 🗐 ♨ ⊕ – A l'entrée : ✗
juin-sept. – **R** – *Tarif 91 :* ✱ 7,20 🗉 8,30 ⚡ 8,30

## MASSERET

**9510** Corrèze – 669 h.

10 – 72 ⑱ G. Berry Limousin

**Intercommunal** 𝔖 ≤ « Agréable situation au bord d'un plan d'eau et près d'un bois », ℰ 55 73 44 57, E : 3 km par D 20 rte des Meilhards, à la sortie de Masseret-Gare
100 ha/2 campables (100 empl.) ⊶ plat et incliné, herbeux, gravillons 𝟿𝟿 – 🛖
⚍ 📶 🏕 ⛽ 🛎 – ▭ – 🛖 ≋ (plage) – A proximité : ✗ – Location : huttes
avril-sept. – **R** conseillée – Tarif 91 : ⚹ 13 ⇔ 3,80 🅴 10,50/12,50 🛠 8,50
(12A)

## MASSEUBE

**2140** Gers – 1 453 h.

14 – 82 ⑮

**Municipal Julie Moignard** 𝔖, ℰ 62 66 01 75, sortie E par D 27 rte de Meilhan, bord du Gers
4 ha (133 empl.) ⊶ plat, herbeux 𝟿𝟿 – 🛖 ⚍ 📶 🏕 🛎 – ▭ – A proximité :
⚹ ✗ ≋ 🏊
15 juin-août – **R** juil.-août – ⚹ 10 🅴 7,50/12,50 🛠 12

## MASSIAC

**5500** Cantal – 1 881 h.

🏛 Office de Tourisme, r. Paix
ℰ 71 23 07 76 et av. Gén.-de-Gaulle
ℰ 71 23 11 86

11 – 76 ④ G. Auvergne

**Municipal de l'Allagnon,** ℰ 71 23 03 93, O : 0,8 km par N 122 rte de Murat, au bord de l'Alagnon
2,5 ha (90 empl.) ⊶ (saison) plat, terrasse, herbeux 𝟿𝟿 – 🛖 ⚍ 🏕 🛎 – 🛖
– A proximité : ✗ ≋ ✗
mai-sept. – **R** conseillée 14 juil.-15 août – ⚹ 8 ⇔ 6 🅴 9 🛠 9 (6A)

➤ *Demandez à votre libraire le catalogue des publications Michelin.*

## MASSIGNIEU-DE-RIVES

**1300** Ain – 412 h.

12 – 74 ⑮

**Municipal le Lit au Roi** 𝔖 ≤ lac et collines « Site agréable »,
ℰ 79 42 11 75, N : 2,5 km par rte de Belley et chemin à droite, bord du Rhône (plan d'eau)
1,3 ha (80 empl.) ⊶ en terrasses, herbeux – 🛖 ⚍ 🏕 🛎 ⛽ 🏊 ⚭ 🛖 – 🛖
✗ 🛖 ≋ – A proximité : ⚹
mai-sept. – **R** conseillée – Tarif 91 : ⚹ 13,20 ⇔ 4,40 🅴 10,50 🛠 10 (4A) 16,80
(10A)

## MASSILLARGUES-ATTUECH  30 Gard – 80 ⑰ – rattaché à Anduze

## MATHA

**7160** Char.-Mar. – 2 183 h.

9 – 72 ② G. Poitou Vendée Charentes

**Municipal,** bd Bossais, dans le parc du château
0,4 ha (13 empl.) plat, herbeux – 🛖 ⚍ 🛎 – A proximité : ✗ 🛖 🏊
15 juin-15 sept. – **R** – ⚹ 7,30 ⇔ 2,40 🅴 3 🛠 5 (15A)

## les MATHES

**7570** Char.-Mar. – 1 205 h.

9 – 171 ⑭ ⑮

**Les Charmettes** ◇ « Entrée fleurie », ℰ 46 22 50 96, SO : 1 km – ✗
23 (630 empl.) ⊶ plat, herbeux, sablonneux ▭ 🛖 – 🛖 ⚍ 🏕 🛎 ⛽ ⚭ ⚹ ✗
pizzeria 🛖 🛖 – ✗ 🛖 🏊 toboggan aquatique, vélos – Location : 🚐
Location longue durée – *Places limitées pour le passage*

**La pinède** 𝔖, ℰ 46 22 45 13, NO : 3 km, à la Fouasse
4 ha (200 empl.) ⊶ plat, sablonneux ▭ 𝟿𝟿 – 🛖 ⚍ 🏕 🛎 ⛽ 🏊 ⚭ ⚭ ⚹
pizzeria 🛖 – 🛖 ✗ 🏊 – A proximité : 🐎 ✗ – Location : 🛖 🚐
avril-sept. – **R** conseillée – Tarif 91 : 🅴 piscine comprise 3 pers. 120 🛠 16 (3A)
18 (6A)

**L'Orée du Bois,** ℰ 46 22 42 43, NO : 3,5 km, à la Fouasse
6 ha (280 empl.) ⊶ plat, sablonneux ▭ 𝟿𝟿 – 🛖 ⚍ 🏕 🛎 – 40 empl. avec
sanitaires individuels (🛖 ⚍ 🏕 wc) 🏊 🛎 ⚭ ⚹ grill-pizzeria 🛖 🛖 – 🛖 ✗ 🛖
18 mai-15 sept. – **R** indispensable juil.-15 août – 🅴 piscine comprise 2 pers.
100, pers. suppl. 17 🛠 17 (6A)

**L'Estanquet,** ℰ 46 22 47 32, NO : 3,5 km, à la Fouasse
5 ha (320 empl.) ⊶ plat, sablonneux 𝟿𝟿 – 🛖 ⚍ 🏕 🛎 🏊 ⛽ ⚭ ⚹ ✗ 🛖 🛖
– ✗ 🏊 vélos
15 mai-15 sept. – **R** conseillée juil.-août – 🅴 piscine comprise 2 pers. 98, pers.
suppl. 17 🛠 17 (6A)

**La Clé des Champs,** ℰ 46 22 40 53, O : 2,5 km rte de la Fouasse
4 ha (300 empl.) ⊶ plat, sablonneux, herbeux ⚋ – 🛖 ⚍ 🏕 🛎 🏊 ⛽ ⚭ 🛖 –
🛖 🛖 – A proximité : 🐎 🐎
juin-15 sept. – **R** conseillée – 🅴 piscine comprise 3 pers. 70 🛠 15 (6A)

**Monplaisir,** ℰ 46 22 50 31, sortie SO
2 ha (114 empl.) ⊶ plat, sablonneux, herbeux ⚋ – 🛖 ⚍ 🏕 🛎 🛎 – 🛖 🛖
– A proximité : 🐎
avril-1ᵉʳ oct. – **R** 1ᵉʳ-15 août – 🅴 1 ou 2 pers. 63, 3 pers. 73, 4 pers. 89, pers.
suppl. 16 🛠 14 (4 ou 6A)

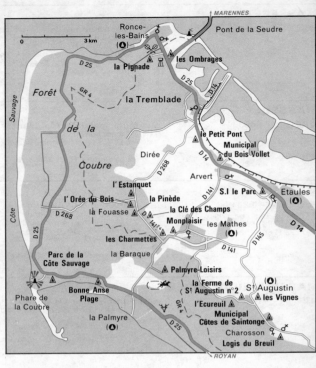

à la Palmyre SO : 4 km par D 141E1 – ✉ 17570 les Mathes :

**△△△ Bonne Anse Plage** ৯ « Cadre et situation agréables », ℘ 46 22 40 90, O :
2 km, à 400 m de la plage – ✗
17 ha (850 empl.) ⚬╼ plat et accidenté, sablonneux, herbeux ⌂ ♋ – ⌗ ⇔ 凸
凬 ♿ ⊙ 류 ▾ ✗ ⚥ 回 – 🔲 ⚓ ⣕ vélos
25 mai-7 sept. – ℞ – Tarif 91 : 回 piscine comprise 1 ou 2 pers. 90, 3 pers.
110, pers. suppl. 26 ⚡ 15 (6A)

**△△△ Parc de la Côte Sauvage** ৯ « Agréable cadre boisé », ℘ 46 22 40 18, O :
4,5 km, au phare de la Coubre, bord de plage – ✗
12 ha (400 empl.) ⚬╼ plat et accidenté, sablonneux, herbeux ⌂ ♋ – ⌗ ⇔ 凸
凬 ♿ ⊙ 류 ▾ ✗ ⚥ 回 – 🔲 et d'animation ✗ ⣕ ⚓ vélos – Location : 🛒
🛖
mai-15 sept. – ℞ – Tarif 91 : 回 piscine comprise 3 pers. 107, pers. suppl. 22
⚡ 18 (3 à 10A)

**△△△ Palmyre Loisirs** ৯, ℘ 46 23 67 66, NE : 3,2 km par D 141E1 et chemin à
droite
8 ha (300 empl.) ⚬╼ peu accidenté, herbeux, sablonneux ♋ (3 ha) pinède – ⌗
⇔ 凸 凬 ♿ ⊙ ⚡ ▾ ✗ ⚥ 回 – 🔲 ✗ ⣕ ⚓ vélos – Location : 🛒 🛖
15 mai-15 sept. – ℞ conseillée – 回 piscine comprise 3 pers. 110 ⚡ 20 (6 ou
8 A)

Voir aussi à *Arvert, Etaules, Ronce-les-Bains, St-Augustin*

---

# MATOUR                                                          ⑪ – ⑥⑨ ⑱ G. Bourgogne

**71520** S.-et-L. – 1 003 h.

**△△△ Municipal le Paluet** ৯ « Cadre agréable et entrée fleurie », ℘ 85 59 70 58,
O : rte de la Clayette et à gauche
1,5 ha (65 empl.) ⚬╼ plat et peu incliné, herbeux, gravillons ⌂ ♀ – ⌗ 凸 凬 ♿
⊙ 回 – 🔲 ✗ ⚓
avril-sept. – ⚡ 10 回 18 ⚡ 14

---

# MAUBEC                                                               ⑯ – ⑧① ⑬

**84660** Vaucluse – 1 199 h.

**△ Municipal** ৯ ≤, ℘ 90 76 50 34, au bourg
1 ha (34 empl.) ⚬╼ (saison) plat et en terrasses, pierreux, herbeux ♋ – ⌗ 🖾
♿ – A proximité : ✗
avril-sept. – ⚡ 7 ⇔ 3 回 3,20 ⚡ 8 (3 ou 5A)

---

▶ △△△ ... △

*Sites which are particularly pleasant in their own right
and outstanding in their class.*

# MAUBEUGE

**59600** Nord – 34 989 h.
🛈 Office de Tourisme, Porte de Bavay
🖉 27 62 11 93

▲▲▲ **Municipal** « Décoration florale et arbustive », 🖉 27 62 25 48, N : 1,5 km par N 2 rte de Bruxelles
2 ha (92 empl.) o━ plat, herbeux ⊡ ♀ – 🛒 ⇔ 🛆 – 8 sanitaires individuels (lavabo eau froide, wc) 🏢 ⊕ ♨ ▽ ⊟
Permanent – **R** – 🛊 8 🗉 11 ㈇ 6,50 (3A) 13 (6A) 17,50 (10A)

# MAULÉON-LICHARRE

**64** Pyr.-Atl. – 3 533 h.
✉ 64130 Mauléon-Soule.
🛈 Office de Tourisme, 10 r.
J.-B.-Heugas 🖉 59 28 02 37

▲▲ **Le Saison** ⚲, 🖉 59 28 18 79, S : 1,5 km par D 918 rte de Tardets-Sorholus, bord du Saison
0,6 ha (33 empl.) o━ plat, herbeux ♀♀ – 🛒 ⇔ ⚏ 🖃 ⊕ ♨ ▽ – ⌂
juin-sept. – **R** conseillée – 🛊 10,80 ⇔ 3,90 🗉 10 ㈇ 9,95 (4A)

▲ **Landran** (aire naturelle) ⚲ ≼, 🖉 59 28 19 55, à **Ordiarp**, SO : 6 km par D 918 rte de St-Jean-Pied-de-Port et chemin
1 ha (25 empl.) o━ incliné et en terrasses, herbeux – 🛒 ⇔ 🛆 ⊕ – ⌂ – Location : gîtes
Pâques-fin sept. – **R** – 🗉 2 pers. 33, 4 pers. 46 ㈇ 10 (3A) 12 (6A)

# MAUPERTUS-SUR-MER

**50840** Manche – 242 h.

▲▲ **L'Anse du Brick** ⚲ ≼ « Cadre sauvage », 🖉 33 54 33 57, NO : sur D 116, à 200 m de la plage
17 ha/7 campables (220 empl.) o━ accidenté et en terrasses, pierreux, herbeux, bois attenant ⊡ ♀♀ – 🛒 ⚏ 🖃 ⊕ ⊟ – ⌂ – A proximité : ▼ ✗ – Location : 🚐
avril-sept. – **R** conseillée – 🛊 14,50 🗉 7,50/9,50 ㈇ 11,50 (3A) 18 (6A) 30,50 (10A)

# MAUREILLAS-LAS-ILLAS

**66400** Pyr.-Or. – 2 037 h.

▲▲ **Les Bruyères** ≼, 🖉 68 83 26 64, O : 1,2 km par D 618 rte de Céret
4 ha (120 empl.) o━ en terrasses, pierreux ⊡ ♀ – 🛒 ⇔ 🛆 🖃 ♨ ⊕ ♨ ▽ ⊟ – ♨ – Location : 🚐 🚐
avril-15 oct. – **R** conseillée juil.-août – 🛊 23 piscine comprise 🗉 33 ㈇ 17 (4A) 20 (6A) 23 (10A)

▲ **Municipal le Congo,** 🖉 68 83 23 21, O : 1 km par D 618 rte de Céret, bord d'un ruisseau
0,8 ha (65 empl.) o━ (saison) plat et peu incliné, herbeux, pierreux ♀♀ – 🛒 ⊕ – A proximité : ✗
Permanent – **R** – Tarif 91 : 🛊 5,70 ⇔ 4,20 🗉 6,40 ㈇ 9,50 (3A) 12,80 (6A) 21,30 (10A)

▲ **Municipal le Tourou,** 🖉 68 83 23 19, au bourg, par D 13 rte de Las Illas, à 100 m d'un torrent (accès direct)
0,9 ha (60 empl.) o━ plat ♀♀ – 🛒 🖃 ⊕ – ♨
Permanent – **R** – Tarif 91 : 🛊 5,70 ⇔ 4,20 🗉 6,40 ㈇ 9,50 (3A) 12,80 (6A) 21,30 (10A)

# MAURS

**15600** Cantal – 2 350 h.
🛈 Office de Tourisme, pl. de Champ-de-Foire (vacances scolaires matin seul., 15 juin-15 sept.)
🖉 71 46 73 72

▲ **Municipal le Vert,** 🖉 71 49 04 15, SE : 0,8 km par rte de Décazeville
1,2 ha (67 empl.) o━ plat, herbeux ♀♀ – 🛒 ⚏ ⊕ – ✗ ♨
avril-sept. – 🗉 1 ou 2 pers. 23, pers. suppl. 11,50 ㈇ 11,50 (2 ou 3A) 13,50 (4 ou 5A)

# MAUSSANE-LES-ALPILLES

**13520** B.-du-R. – 1 886 h.

▲▲▲ **Municipal les Romarins,** 🖉 90 54 33 60, sortie N par D 5 rte de St-Rémy-de-Provence
3 ha (130 empl.) o━ plat, herbeux, pierreux ⊡ ♀ – 🛒 ⇔ 🛆 ⊕ ♨ ▽ ⊟ – ⌂ ✗ – A proximité : ♨
15 mars-15 oct. – **R** conseillée juil.-août – 🗉 2 pers. 58, pers. suppl. 13,50 ㈇ 2A : 12 (13,50 hors saison)

# MAUVEZIN

**65130** H.-Pyr. – 209 h.

▲ **Belle Vue** ≼, sortie SE sur D 938
0,7 ha (25 empl.) o━ (saison) plat, incliné, en terrasses, herbeux ♀ – 🛒 ⇔ ⚏ 🖃 ⊕
mai-20 oct. – **R** conseillée juil.-août – 🛊 9 🗉 8 ㈇ 7,50 (2A) 11,50 (4A) 17 (6A)

# MAUZÉ-SUR-LE-MIGNON

**79210** Deux-Sèvres – 2 378 h.

▲▲ **Municipal le Gué de la Rivière,** NO : 1 km par D 101 rte de St-Hilaire-la-Palud et à gauche, entre le Mignon et le canal
1,5 ha (74 empl.) plat, herbeux ♀ (0,5 ha) – 🛒 🛆 ⊕ – ⌂ ♨
juin-15 sept. – **R** 14 juil.-15 août – 🛊 5,60 et 2,70 pour eau chaude ⇔ 2,90 🗉 3,30 ㈇ 7,20 (2A) 14,50 (10A)

## MAXILLY-SUR-LÉMAN
**74500** H.-Savoie – 945 h.

12 – 170 ⑰ ⑱

🏕 **Le Clos Savoyard** ⚭ ≤, ℰ 50 75 25 84, S : 1,2 km
2 ha (100 empl.) ⚬ incliné et en terrasses, herbeux ⚲ – 🏕 🖳 🖼 ④ 🖳 🖼
🏠 – Location : 🚐, studios
avril-sept.– ℞ – 🖪 *1 pers. 27, pers. suppl. 15* ⓧ *9 (2A)*

---

## MAYENNE ⬷🖉⮞
**53100** Mayenne – 13 549 h.
🗊 Office de Tourisme, quai de Waiblingen (fermé après-midi hors saison) ℰ 43 04 19 37

4 – 59 ⑳ G. Normandie Cotentin

🏕 Municipal Raymond Fauque, ℰ 43 04 57 14, au Nord de la ville, par Av. de Loré et rue à droite, bord de la Mayenne
1,8 ha (100 empl.) ⚬ plat, herbeux ⚲ – 🏕 ⚯ 💄 🖼 🖳 🕮 ④ 🍽 – 🏠 🖳
15 mars-1er oct.– ℞

---

## MAYET
**72360** Sarthe – 2 877 h.

5 – 64 ③

🏕 Municipal du Fort des Salles ⚭, ℰ 43 46 68 72, sortie E par D 13 rte de St-Calais et r. du Petit-Moulin à droite, bord d'un plan d'eau
1,8 ha (64 empl.) ⚬ plat, herbeux ⫶ – 🏕 ⚯ 💄 🖼 ④ – 🚣 vélos

---

## Le MAYET-DE-MONTAGNE
**03250** Allier – 1 609 h.
🗊 Syndicat d'Initiative, Chalet Cantonal pl. Foires ℰ 70 59 38 40

11 – 73 ⑥ G. Auvergne

🏕 Municipal du Lac ⚭, S : 1,2 km par D 7 rte de Laprugne et chemin de Fumouse, près du lac des Moines
0,5 ha (33 empl.) peu incliné, plat, herbeux – 🏕 ⚯ 💄 ④ – 🏠 🍽
juin-sept.– ℞ *conseillée*

---

## MAZAMET
**81200** Tarn – 11 481 h.
🗊 Office de Tourisme, r. des Casernes ℰ 63 61 27 07 et D 118, le Plô de la Bise (juil.-août) ℰ 63 61 25 54

15 – 83 ⑪ ⑫ G. Gorges du Tarn

🏕 **Municipal de la Lauze,** ℰ 63 61 24 69 ✉ 81209 Mazamet Cedex, sortie E en direction de St-Pons, au stade
1,7 ha (60 empl.) ⚬ plat et peu incliné, herbeux ⚲ – 🏕 🖳 ④ 🖳 ⚡ – 🏠 🚣
– A proximité : 🖼 🖳
2 mai-oct.– ℞ *conseillée* – 🖪 *1 ou 2 pers. 36, 3 ou 4 pers. 47, pers. suppl. 9*
ⓧ *12 (5A) 15 (plus de 5A)*

---

## MAZAN
**84380** Vaucluse – 4 459 h.

16 – 81 ⑬ G. Provence

🏕 **Le Ventoux** ⚭ ≤ « Cadre agréable », ℰ 90 69 70 94, N : 3 km par D 70 rte de Caromb puis chemin à gauche – De Carpentras, itinéraire conseillé par D 974 rte de Bédoin
1 ha (34 empl.) ⚬ plat, pierreux, herbeux ⚲⚲ – (🏕 🖳 mars-oct.) 🖼 ④ 🖳 🚣
– 🚣
Permanent– ℞ *conseillée juil.-août* – ✵ *12,50* � *7,50* 🖪 *7,50* ⓧ *12 (3A) 14,50 (6A)*

---

## Le MAZEAU
**85420** Vendée – 463 h.

9 – 171 ① ②

🏕 **Municipal le Relais du Pêcheur** ⚭, ℰ 51 52 93 23, à 0,5 km au sud du bourg, près de canaux
1 ha (31 empl.) ⚬ plat, herbeux ⫶ – 🏕 ⚯ 💄 ④ – 🏠
avril-oct.– ℞ *conseillée 14 juil.-15 août* – ✵ *8* 🖪 *8* ⓧ *5 (5A)*

---

## MAZÈRES
**09270** Ariège – 2 519 h.

14 – 82 ⑲ G. Pyrénées Aquitaine

🏕 **Municipal la Plage** ⚭, ℰ 61 69 38 82, au SE du bourg par D 11 rte de Belpech puis chemin à gauche, près de l'Hers
2 ha (40 empl.) ⚬ plat, herbeux – 🏕 💄 🖳 🖳 ④ – 🍽 🚣 🚣 parcours sportif
– Location : bungalows toilés
juin-sept. – ℞ *conseillée* – 🖪 *élect., piscine et tennis compris 36/43 (sans limitation du nombre de personnes)*

---

## Les MAZES 07 Ardèche – 80 ⑨ – rattaché à Vallon-Pont-d'Arc

---

## MAZET-ST-VOY
**43520** H.-Loire – 1 077 h. alt. 1 043

11 – 76 ⑧

🏕 **Municipal de Surnette** ⚭, ℰ 71 65 05 69, sortie E vers le Chambon-sur-Lignon puis 1 km par rte à gauche
1 ha (50 empl.) plat et peu incliné, herbeux – 🏕 ⚯ 💄 🖳 🕮 ④ – 🏠 🍽 🚣
Pâques-Toussaint – ℞ – ✵ *6* � *3* 🖪 *3* ⓧ *7,30 (3A) 9,90 (4A) 14,50 (6A)*

---

## MAZIRAT
**03420** Allier – 301 h.

11 – 73 ⓒ

🏕 **Municipal** ⚭, sortie SO rte d'Évaux-les-Bains et chemin à droite
1 ha (40 empl.) plat, herbeux – 🏕 ⚯ 💄 ④
15 mars-15 oct. – ℞ – ✵ *4* � *3* 🖪 *3/10*

## Les MAZURES

**08500** Ardennes – 738 h.

⛰ **Départemental Lac des Vieilles Forges** ⌘ « Cadre boisé », ℰ 24 40 17 31, S : 2 km par D 40 rte de Renwez puis 2 km par rte à droite, à 100 m du lac
12 ha/3 campables (287 empl.) ⊶ en terrasses, gravillons ▱ ⚑⚑ – 🗑 ⇄ ⌒
🗊 ▥ ⊕ 🗐 – 🗒 🚿 – A proximité : ✂ 🖾 ◗
Permanent – **R** conseillée juil.-août – ★ 10,70 🚗 5,35 🅔 5,90 🔌 8,70 (3A) 11,30 (6A) 18,70 (10A)

## MÉAUDRE

**38112** Isère – 840 h. alt. 1 012 ⬛⬛ – 🟥🟥 ④ G. Alpes du Nord

⛰ **Caravaneige les Buissonnets** ❄ ⌘ ≼, ℰ 76 95 21 04, NE : 0,5 km par D 106 et rte à droite, à 200 m du Méaudret
2 ha (80 empl.) ⊶ peu incliné, herbeux – 🗑 ⇄ ⌒ 🗊 ▥ ⊕ – 🗒 – A proximité :
✂ ♏ 🍴
Permanent – **R** conseillée – 🅔 2 pers. 46,50, pers. suppl. 13,10 🔌 10,70 (2A) 33 (6A) 45,70 (10A)

⛰ **La Perrinière** ≼, ℰ 76 95 36 98, NE : 4 km par D 106
0,3 ha (20 empl.) ⊶ plat, pierreux, herbeux – 🗑 🔊 ▥ ⊕
Permanent – **R** – 🅔 2 pers. 29,50 (39 avec élect.)

## MÉDIS

**17600** Char.-Mar. – 1 965 h. 🟨 – 🟥🟥🟥 ⑮
Schéma à Royan

⛰ **Le Clos Fleuri** ⌘ « Entrée fleurie », ℰ 46 05 62 17, SE : 2 km sur D 117E3
3 ha (140 empl.) ⊶ plat et peu incliné, herbeux ▱ ♀ – 🗑 ⇄ ⌒ 🗊 ⊕ 🖳 ⏚
🗐 – 🗒 ♏ 🍴 🏊
15 juin-15 sept. – **R** conseillée

⛰ **Le Bois Roland**, ℰ 46 05 47 58, NE : 0,6 km rte de Saujon
2,35 ha (141 empl.) ⊶ plat, herbeux ♀ (1 ha) – 🗑 ⇄ ⌒ 🗊 ⊕ 🗐 – Location : 🚐
avril-sept. – **R** conseillée – 🅔 2 pers. 47, 3 pers. 52, pers. suppl. 13 🔌 13,50 (5A)

⛰ **Les Chênes**, ℰ 46 06 72 46, NE : 1 km rte de Saujon (hors schéma)
6 ha (200 empl.) ⊶ plat, herbeux ⚑⚑ (3 ha) – 🗑 🔊 🗊 ⊕ 🍴 snack ⏚ – 🚣
🏊 – Location : 🚐
avril-oct. – **R** conseillée juil., indispensable 1er-25 août – ★ 15 piscine comprise
🚗 10 🅔 10 🔌 15 (4A)

## Les MÉES

**04190** Alpes-de-H.-Pr. – 2 601 h. ⬛⬛ – 🟥🟥 ⑯ G. Alpes du Sud

⛰ **Municipal de la Pinède** ⌘, ℰ 92 34 33 89, au bourg – 🅟
1 ha (50 empl.) ⊶ en terrasses, pierreux, herbeux ♀ – 🗑 ⇄ ⊕ – 🗒
25 juin-10 sept. – ★ 12 🅔 12 🔌 12 (10A)

## MEGÈVE

**74120** H.-Savoie – 4 750 h. ⬛⬛ – 🟥🟥 ⑧ G. Alpes du Nord
alt. 1 113 – 🚠.
🅑 Office de Tourisme, r. de la Poste ℰ 50 21 27 28

⛰ **La Ripaille** ❄ ≼, ℰ 50 21 47 24, NE : 1 km par N 212 rte de St Gervais, puis à Pont d'Arbon, 0,8 km par chemin à gauche – pour certains emplacements d'accès peu facile, véhicule tracteur disponible
1 ha (64 empl.) ⊶ en terrasses, herbeux, pierreux ▱ – 🗑 ⇄ ⌒ 🗊 ⏚ ▥ ⊕ 🍴
✗ self service ⏚ 🗐 – 🗒 🏊
Permanent – **R** conseillée – ★ 31,50 piscine comprise 🅔 44,50 🔌 18,60 à 56,70 (2 à 10A)

⛰ **Bornand** ≼, ℰ 50 93 00 86, NE : 3 km par N 212 rte de Sallanches et rte du télécabine à droite, à Demi-Quartier – alt. 1 068
1 ha (60 empl.) ⊶ incliné et en terrasses, herbeux – 🗑 ⇄ ⌒ 🗊 ⏚ ⊕ 🗐 – 🗒
🚁
20 juin-10 sept. – **R** – ★ 14,50 🅔 13 🔌 10 (2 ou 3A)

⛰ **Gai-Séjour** ❄ ≼, ℰ 50 21 22 58, SO : 3,5 km par N 212 rte d'Albertville, à Cassioz, bord d'un ruisseau – alt. 1 040
1,2 ha (60 empl.) ⊶ plat, peu incliné, herbeux, pierreux – 🗑 ⇄ ⌒ ▥ ⊕ 🖳
10 juin-10 sept., nov.-25 avril – **R** été, indispensable hiver – 🅔 2 pers. 42 (hiver 55), pers. suppl. 10 (hiver 13,50) 🔌 été : 8,40 (4A) hiver : 24 (8A) 33 (10A)

## Le MEIX-ST-EPOING

**51120** Marne – 217 h. 🟦 – 🟥🟥 ⑤

⛰ **Aire de Loisirs de la Traconne** ⌘, ℰ 26 80 70 76, N : 0,6 km par D 239E rte de Launat et chemin à droite, près d'un étang et à 100 m du Grand Morin
2,5 ha (36 empl.) ⊶ (juil.-août) plat, herbeux ▱ – 🗑 ⇄ ⌒ 🗊 ⊕ – 🗒 vélos
– Location : gîte d'étape
Permanent – **R** – ★ 10 🚗 5 🅔 10 🔌 10 (3A) 15 (5A)

## MÉLISEY

**70270** H.-Saône – 1 805 h. 🟨 – 🟥🟥🟥 ⑦

⛰ **La Bergereine** (aire naturelle), ℰ 84 20 00 90, sortie E par D 486 rte de Servance
1 ha (25 empl.) ⊶ plat, herbeux – (🗑 ⇄ avril-sept.) 🗊 ⊕
Permanent – **R** – 🅔 1 pers. 14, pers. suppl. 6 🔌 5 (3A) 8 (6A)

9 259

## MELLE

**79500** Deux-Sèvres – 4 003 h.

🄱 Syndicat d'Initiative, pl. Poste
(mai-nov.) ℘ 49 29 15 10

△ **Municipal la Fontaine de Villiers** Ⓜ, ℘ 49 29 18 04, au N du bourg, près
de la Béronne – accès conseillé par r. du Tapis Vert et à gauche, r. de la Béronne
0,3 ha (25 empl.) plat et terrasse, peu incliné, herbeux – 🛱 🛋 🛦 🏛 ☺ –
– A proximité : parcours botanique
Permanent – **R** conseillée – ✹ 12 ⇜ 4 🗉 9 🛱 10 (hiver 15)

---

## MELRAND

**56310** Morbihan – 1 584 h.

△ **Municipal,** SO : 0,7 km par D 2 rte de Bubry, bord d'un étang et d'un ruisseau
0,2 ha (13 empl.) plat, herbeux 🛱 – 🛱 🛋 ☺ – ⛵
juin-sept. – **R** – ✹ 4,30 ⇜ 2,70 🗉 2,70 🛱 8,60

---

## MELUN Ⓟ

**77000** S.-et-M. – 35 319 h.

🄱 Office de Tourisme, 2 av. Gallieni
℘ (1) 64 37 11 31

△△△ **La Belle Étoile,** ℘ (1) 64 39 48 12, SE par N 6 rte de Fontainebleau, av. de
la Seine et quai Joffre (rive gauche), près du fleuve
3,5 ha (190 empl.) •⛽ plat, herbeux 🛱 – 🛱 ⌁ 🛁 🛦 🏛 ☺ ⚡ ☔ 🗲 –⛵
– A proximité : salle de remise en forme ✗ 🔲 🛝 ⚓
mars-15 déc. – **R** – ✹ 17 🗉 17 🛱 12 (4A)

---

## La MEMBROLLE-SUR-CHOISILLE 37 I.-et-L. – 64 ⑮ – rattaché à Tours

---

## MÉNÉTRÉOL-SUR-SAULDRE

**18700** Cher – 229 h.

△ **Municipal le Bout du Pont,** sortie SO par D 924 rte de Salbris, bord de
la Petite Sauldre
2 ha (33 empl.) plat, herbeux ♀♀ – 🛱 🛋 ☺
Pâques-sept. – **R** – ✹ 4 ⇜ 2,80 🗉 3,30 🛱 11 ou 20

---

## MENGLON

**26410** Drôme – 332 h.

△ **L'Hirondelle de St-Ferreol** ⌁, ℘ 75 21 82 08, NO : 2,8 km par D 214 rte
de Die et D 140 à droite, bord du Bez
7,5 ha/4 campables (102 empl.) •⛽ plat et peu accidenté, herbeux 🛱 ♀♀ (sous
bois) – 🛱 ⌁ 🛋 🔲 🛦 ☺ – ⚓
mai-début sept. – **R** conseillée juil.-août – ✹ 15 🗉 23 ou 33 selon emplacements

---

## MENIL

**53200** Mayenne – 747 h.

△ **Municipal** « Cadre et situation agréables », ℘ 43 70 24 54, à l'Est du bourg,
bord de la Mayenne
0,5 ha (37 empl.) •⛽ (saison) plat, herbeux 🛱 ♀ verger – 🛱 ⌁ 🛁 🛦 ☺ – ⛵
mai-15 sept. – **R** – 🗉 2 pers. 20 🛱 7

---

## MENNETOU-SUR-CHER

**41320** L.-et-Ch. – 827 h.

🄱 Syndicat d'Initiative, 1 Grande Rue
℘ 54 98 12 29

△△ **Municipal Val Rose,** ℘ 54 98 11 02, au sud du bourg, à droite après le pont
sur le canal, à 100 m du Cher
0,8 ha (60 empl.) •⛽ plat, herbeux ♀ – 🛱 ⌁ 🛁 🔲 🛦 ☺ – A proximité : ✗
🛝
8 mai-15 sept. – **R** – ✹ 6,80 🗉 8,40 🛱 8,30

---

## MENTHON-ST-BERNARD 74 H.-Savoie – 74 ⑥ – voir à Annecy (Lac d')

---

## MERCUS-GARRABET

**09400** Ariège – 925 h.

△△ **Le Lac** ⌁, ℘ 61 05 90 61, SO : 1 km par N 20 rte de Tarascon-sur-Ariège et
chemin à droite, bord de rivière (plan d'eau)
0,8 ha (70 empl.) •⛽ plat et en terrasses, pierreux, herbeux – 🛱 ⌁ 🛁 ☺
15 fév.-15 nov. – **R** conseillée 1er au 15 août – 🗉 2 pers. 40 🛱 10 (4A) 15 (6A)
23 (10A)

---

## MERDRIGNAC

**22230** C.-d'Armor – 2 791 h.

△△ **Le Val de Landrouet** Ⓜ, ℘ 96 28 47 98, N : 0,8 km, près de la piscine et
de deux plans d'eau
1,5 ha (67 empl.) •⛽ plat et peu incliné, herbeux 🛱 ♀ – 🛱 ⌁ 🛁 🔲 🛦 ☺ 🗲
– 🔲 ⛵ – A proximité : swin golf, parcours sportif, vélos, tir à l'arc ✗ 🗲
⚓ – Location : gîtes
juin-15 sept. – **R** conseillée – ✹ 13,50 🗉 16,50 🛱 11 (5A)

## MERLIMONT

**62155** P.-de-C. – 2 212 h.

🟦 – 🟦 ⑪

🔼 **Parc Résidentiel du Château St-Hubert** ◇, ✆ 21 89 10 10, S : 3 km, sur D 940
8 ha (500 empl.) ⚬ plat, herbeux, sablonneux ⌂ – 🎵 ♨ ⌂ 🖼 ⊞ ⊛ ⚲ 🅿
🍴 ✗ ⚙ 🖼 discothèque – 🔲 ✗ 🐎 🥾 – 🐴 poneys - A proximité : parc d'attractions et zoo
31 mars-11 nov. – Location longue durée *(8 400 F)* – *Places limitées pour le passage* – **R** – 🔲 *piscine et tennis compris 8 pers. 120*

## MERVANS

**71310** S.-et-L. – 1 231 h.

🟦 – 🟦 ②

🔼 **Municipal** Ⓜ, sortie NE par D 313 rte de Pierre-de-Bresse, près d'un plan d'eau
0,8 ha (46 empl.) plat, herbeux – 🎵 ♨ ⚞
15 mai-15 sept. – **R** – ⚬ *6* 🚗 *3* 🔲 *5*

## MERVENT

**85200** Vendée – 1 023 h.

🟦 – 🟦 ⑯ G. Poitou Vendée Charentes

🔼 **La Joletière,** ✆ 51 00 26 87, O : 0,7 km par D 99
1,3 ha (45 empl.) ⚬ (saison) peu incliné, herbeux ⌂ – 🎵 ♨ ⌂ 🖼 ⚙ ⊛ ⚲ ✎
snack – 🥾 – A proximité : ✗ – Location : 🏠
avril-oct. – **R** *conseillée* – ⚬ *12* 🔲 *16* 🔋 *11,50 (3A) 18,50 (5A)*

🔼 **Le Chêne Tord** ⚞ « Agréable sous-bois », O : 0,8 km par D 99 et à droite au calvaire, à 200 m d'un plan d'eau
4 ha (80 empl.) ⚬ plat, gravillons ⚞ – 🎵 ♨ ⌂ 🖼 ⊛ 🖼 – 🥾
Permanent – **R** – ⚬ *9,10* 🔲 *12,10* 🔋 *8,90 (12A)*

## MERVILLE-FRANCEVILLE-PLAGE

**14810** Calvados – 1 317 h.

🟦 – 🟦 ⑯ G. Normandie Vallée de la Seine

🔼 **Municipal le Point du Jour,** ✆ 31 24 23 34, sortie E par D 514 rte de Cabourg, bord de plage – ⚞
2,7 ha (145 empl.) ⚬ plat, sablonneux, herbeux ⌂ – 🎵 ♨ ⚞ 🖼 ⚙ ⊛ – 🔲
avril-sept. – **R** *conseillée juil.-août* – *Tarif 91 :* ⚬ *15* 🔲 *15* 🔋 *8 (3A) 13 (6A)*

*à Gonneville-en-Auge* S : 3 km – ✉ 14810 Gonneville-en-Auge :

🔼 **Le Clos Tranquille** ⚞ « Verger », ✆ 31 24 21 36, S : 0,8 km par D 95A
1,3 ha (50 empl.) ⚬ plat, herbeux ⚥ – 🎵 ♨ ⌂ 🖼 ⊛ 🖼 – 🥾 – Location : 🏠
🔸, appartements – Garage pour caravanes
11 avril-27 sept. – **R** – ⚬ *15,50* 🔲 *15,50* 🔋 *9 (2A) 11 (4A) 17 (6A)*

## MESCHERS-SUR-GIRONDE

**17132** Char.-Mar. – 1 862 h.
🔳 Syndicat d'Initiative, pl. Verdun juil.-août ✆ 46 02 70 39

🟦 – 🟦 ⑮ G. Poitou Vendée Charentes

🔼 **L'Escale** ⚞, ✆ 46 02 71 53, NE : 0,5 km par D 117 rte de Semussac
4,3 ha (280 empl.) ⚬ plat, herbeux ⚥ (3 ha) – 🎵 ♨ ⚞ 🖼 ⚙ ⊛ ⚲ 🖼 – 🔲
✗ 🥾 – Location : 🏠
mars-5 nov. – **R** *conseillée* – 🔲 *piscine comprise 3 pers. 56, pers. suppl. 16,50* 🔋 *16 (5A)*

🔼 **Soleil Levant** ⚞, ✆ 46 02 76 62, E : 0,5 km par r. Basse et allée de la Longée
2 ha (200 empl.) ⚬ plat, herbeux – 🎵 ⚞ 🖼 ⊛ ⚲ 🖼 – 🔲
15 avril-15 sept. – **R**

## MESLAND

**41150** L.-et-Ch. – 483 h.

🟦 – 🟦 ⑯

🔼 **Parc du Val de Loire** ⚞ « Cadre boisé », ✆ 54 70 27 18, O : 1,5 km rte de Fleuray
12 ha (250 empl.) ⚬ plat et peu incliné, herbeux ⌂ ⚥ (8 ha) – 🎵 ♨ ⚞ 🖼 ⚙ ⊛ ⚲ 🍴 crêperie ⚙ 🖼 – 🔲 ✗ 🥾 🥾 – poneys, vélos
mai-15 sept. – **R** *conseillée 20 juin-août* – ⚬ *27 piscine comprise* 🔲 *43 à 75 selon emplacement* 🔋 *19 (6A)*

## MESLAY-DU-MAINE

**53170** Mayenne – 2 418 h.

🟦 – 🟦 ⑩

🔼 **Districal de la Chesnaie** ⚞ ≼ « Bord d'un beau plan d'eau », ✆ 43 98 48 08, NE : 2,5 km par D 152 rte de St-Denis-du-Maine
7 ha/0,8 campable (70 empl.) ⚬ plat, herbeux – 🎵 ♨ ⚞ 🖼 ⚙ ⊛ – A l'entrée : ⌂ 🔸 🥾 ⚙
Pâques-sept. – **R** – ⚬ *5,20* 🚗 *3,70* 🔲 *5,20* 🔋 *6,30 (6A) 10,50 (10A) 15,75 (15A)*

## MESNARD-LA-BAROTIERE

**85500** Vendée – 901 h.

🟦 – 🟦 ⑮

🔼 **Lac de la Tricherie** ⚞, ✆ 51 66 04 31, SO : 2,2 km par D 53, rte de Vendrennes et rte à droite, à 100 m du lac
1,5 ha (50 empl.) ⚬ peu vallonné, herbeux, bois attenant ⌂ ⚥ – 🎵 ⚞ 🖼 ⊛
– 🥾 – A proximité : 🍴 🖼 ⚞ (plage)
mai-sept. – **R** – ⚬ *8,90* 🚗 *6,90* 🔲 *6,90*

**MESNOIS** **39** Jura – 🟦 ⑭ – rattaché à Pont-de-Poitte

## MESQUER

**44420** Loire-Atl. – 1 372 h.

▲▲ **Le Welcome** Ⓜ, ℰ 40 42 50 85, NO : 1,8 km par D 352, rte de Kercabelle et rte à gauche
1,6 ha (110 empl.) ⊶ peu incliné, plat, herbeux ♀ – 🍳 ⇆ ⛺ 🔥 ఉ ⊕ 🔥 ⌄
🖼 – 🚴 vélos – Location : 🛖 ⛺
avril-sept. – **R** conseillée juil.-août – Tarif 91 : 🔳 1 ou 2 pers. 51,70, pers. supp.
12 ⑭ 9,80 (3A) 15 (6A)

▲▲ **Soir d'Été**, ℰ 40 42 57 26, NO : 2 km par D 352 et rte à gauche
1,5 ha (70 empl.) ⊶ plat et peu incliné, herbeux, sablonneux 🗠 ♀♀ – 🍳 ⇆
🖼 ⊕ ✗ 🚿 – Location : 🖼
juin-15 sept. – **R** conseillée – 🔳 piscine comprise 1 ou 2 pers. 62, pers. supp.
16 ⑭ 12,50 (4A)

▲ **Le Praderoi** ⑊, ℰ 40 42 66 72, NO : 2,5 km, à Quimiac, à 100 m de la plag
0,4 ha (30 empl.) ⊶ peu vallonné, sablonneux, herbeux ♀♀ pinède – 🍳 ⚊
ఉ ⊕
mai-sept. – **ℝ** – 🔳 2 pers. 64, pers. suppl. 13 ⑭ 14 (3A) 16 (5A)

▲ **Prad-Héol**, ℰ 40 42 60 83, O : 2,5 km, à Quimiac
0,9 ha (70 empl.) ⊶ plat, herbeux – 🍳 ⊕ – A proximité : vélos
15 juin-15 sept. – **R** – Tarif 91 : ⊛ 10 🚗 10 🔳 10 ⑭ 10 (5A) 12 (6A)

## MESSANGES

**40660** Landes – 521 h.

▲▲▲▲ **Le Vieux Port** Ⓜ, ℰ 58 48 22 00, SO : 2,5 km par D 652 rte de Vieux-Bouca
les-Bains puis 0,8 km par chemin à droite, à 500 m de la plage (accè
direct)
35 ha/30 campables (1135 empl.) ⊶ plat, sablonneux, herbeux ♀♀ pinède
🍳 ⇆ ⛺ ⚊ 🖼 ఉ ⊕ 🔥 ⌄ 🚿 ⵀ ▤ ✗ et cafétéria 🚴 🖼 – 🖼 ✕ 🚴 🔳
🐴 poneys, vélos, toboggan aquatique – Location : 🛖 ⛺ 🖼
mai-sept. – **R** conseillée – Tarif 91 : 🔳 piscine comprise 1 à 3 pers. 105/12
(140 avec élect. 4A), pers. suppl. 20

▲▲▲ **Lou Pignada** Ⓜ, ℰ 58 48 03 76, S : 2 km par D 652 puis 0,5 km par rte
gauche
4 ha (270 empl.) ⊶ plat, sablonneux, herbeux ♀♀ pinède – 🍳 ⇆ ⛺ 🖼 ఉ
🔥 ⵀ 🖼 ▤ ✗ 🚴 🖼 – 🖼 ✕ 🚴 🔳 – Location : 🛖
juin-sept. – **R** conseillée – Tarif 91 : 🔳 piscine comprise 1 à 3 pers. 95/108 (13
avec élect. 4A), pers. suppl. 20

## MESSIMY-SUR-SAÔNE

**01480** Ain – 827 h.

▲▲▲ **Le Gîte Vert** ⑊ « Cadre agréable », ℰ 74 67 81 24, S : 1,5 km par D 93
rte de Trévoux puis 0,8 km par chemin à droite, à 150 m de la Saône
2 ha (100 empl.) ⊶ plat, herbeux ♀♀ – 🍳 🖼 ⊕ – 🖼
avril-oct. – **R** conseillée – Places limitées pour le passage – 🔳 2 pers. 38 élec
(7A) comprise

## MEYMAC

**19250** Corrèze – 2 796 h. alt. 702.
🄴 Syndicat d'Initiative, pl.
Hôtel-de-Ville ℰ 55 95 18 43

▲▲ **Municipal la Garenne** ⑊ ⥶, ℰ 55 95 22 80, sortie NE par D 30 rte d
Sornac, près d'un plan d'eau
4,5 ha (130 empl.) ⊶ incliné et en terrasses, herbeux – 🍳 ⛺ 🌲 🖼 ⊕ ✗
A proximité : ▤ 🚫 – Location : huttes
13 juin-13 sept. – **R** conseillée juil.-août – ⊛ 9 🔳 6 ⑭ 10 (5A)

## MEYRAS

**07380** Ardèche – 729 h.

▲▲▲ Le Ventadour ⥶, ℰ 75 94 18 15, SE : 3,5 km, sur N 102 rte d'Aubenas, bor
de l'Ardèche
3 ha (150 empl.) plat et peu incliné, herbeux 🗠 – 🍳 ⇆ ⛺ 🖼 ఉ ▥ ⊕ ⚊
snack 🖼 – 🚫 – Location : 🛖

▲▲ **La Plage**, ℰ 75 36 40 59, à Neyrac-les-Bains, SO : 3 km sur N 102 rte d
Puy-en-Velay, bord de l'Ardèche
0,8 ha (33 empl.) ⊶ en terrasses et plat, herbeux – 🍳 🌲 ఉ ▥ ⊕ 🖼 – ⚊
🚫
avril-oct. – **R** conseillée – 🔳 2 pers. 42 ⑭ 10 (4 ou 6A)

## MEYRUEIS

**48150** Lozère – 907 h. alt. 706.
🄴 Office de Tourisme, Tour de
l'Horloge (fermé après-midi hors
saison) ℰ 66 45 60 33

▲▲ **Le Champ d'Ayres** ⑊ ⥶, ℰ 66 45 60 51, E : 0,5 km par D 57 rte de Campis
près d'un ruisseau
1,5 ha (84 empl.) ⊶ incliné, herbeux 🗠 – 🍳 🌲 🖼 ఉ ⊕ 🍷 – 🖼 🚴
A proximité : 🚫 🌲 🔳 – Location : 🛖
avril-sept. – **R** conseillée juil.-août – 🔳 2 pers. 54 ⑭ 10 (3A) 14 (6A)

▲▲ **Capelan** ⥶ « Site agréable », ℰ 66 45 60 50, NO : 1 km sur D 996 rte d
Rozier, bord de la Jonte
1,8 ha (80 empl.) ⊶ plat, peu incliné, herbeux ♀ – 🍳 ⇆ ⛺ 🌲 🖼 ⊕ 🍷 🖼
🚴 🔳 – Location : 🛖
27 avril-25 sept. – **R** conseillée juil.-août – 🔳 piscine comprise 2 pers. 58, pers
suppl. 15 ⑭ 12 (4A) 15 (6A)

262

⚐ **Le Pré de Charlet** ⬩ ≼, ✆ 66 45 63 65, NE : 1 km par D 996 rte de Florac, bord de la Jonte
2 ha (66 empl.) ⊶ plat, peu incliné et en terrasses, herbeux ⚬⚬ – ⌂ ⚲ ☐ ☺
▣ – ⬛
mai-sept. – **R** conseillée – ▣ 2 pers. 42 ⚡ 10 (5A)

⚐ **Le pré des Amarines** Ⓜ (aire naturelle) ⬩ ≼, ✆ 66 45 61 65, NE : 6 km par D 996 rte de Florac et à droite, au lieu-dit Gatuzières, bord de la Jonte – alt. 750
2 ha (25 empl.) ⊶ (saison) plat, incliné, terrasse, herbeux – ⌂ ⬚ ⊟ ☐ ⚊ ☺
▣
mai-sept. – **R** conseillée – ⚵ 12 ▣ 23 ⚡ 10 (4A) 15 (6A)

# MEYSSAC
**19500** Corrèze – 1 124 h.

⚑ **Intercommunal Moulin de Valane,** ✆ 55 25 41 59, NO : 1 km rte de Collonges-la-Rouge, bord d'un ruisseau
3 ha (140 empl.) ⊶ plat et incliné, herbeux ⚬ – ⌂ ⚲ ⚊ ☺ ▣ – ⚲ ⬛ ⟆ toboggan aquatique
15 avril-oct. – **R** conseillée 14 juil.-20 août – Tarif 91 : ▣ piscine comprise 2 pers. 45 ⚡ 10 (6A)

# MÉZEL
**04270** Alpes-de-H.-Pr. – 423 h.

⚑ **La Célestine,** ✆ 92 35 52 54 ✉ 04270 Beynes, S : 3 km par D 907 rte de Manosque, bord de l'Asse
2,4 ha (100 empl.) ⊶ plat, herbeux – ⌂ ⬚ ⊟ ☐ ☺ ⚊ – ⬛ ⟆ (bassin)
avril-15 oct. – **R** conseillée juil.-août – ⚵ 14 ▣ 16 ⚡ 10 (2A) 12 (4A) 14 (6A)

# MÉZIERES-EN-BRENNE
**36290** Indre – 1 194 h.
🏢 Office de Tourisme, « Le Moulin » r. Nord ✆ 54 38 12 24

⚑ **Municipal la Caillauderie,** E : 0,6 km par D 925 rte de Chateauroux et chemin du stade, bord de la Claise
0,35 ha (30 empl.) plat, pierreux, herbeux ▭ – ⌂ ⬚ ⚲ ☐ ⚊ ☺ ⚊ ⟆ – ⬛
– A proximité : ⟆

# MÉZIÈRES-SUR-COUESNON
**35140** I.-et-V. – 807 h.

⚐ **Intercommunal de la Ville Olivier** « Près d'un château du 18ᵉ siècle », ✆ 99 39 34 72, N : 1,2 km par D 102 rte de St-Brice-en-Coglès
1,4 ha (80 empl.) ⊶ plat et peu incliné, herbeux ⚬ – ⌂ ⚊ ☺ – ⚲ ⬛ ⟆

# MÉZIN
**47170** L.-et-G. – 1 455 h.

⚐ **Municipal du Moulin de Lasserre** ⬩, sortie O par D 656 rte de Gabarret puis 0,8 km par chemin à droite, bord de la Gélise
0,6 ha (23 empl.) plat, herbeux – ⌂ ⊟ ☺
juin-sept. – **R**

# MÉZOS
**40170** Landes – 851 h.

⚑ **Sen Yan** Ⓜ ⬩ « Cadre agréable, entrée fleurie », ✆ 58 42 60 05, E : 1 km par rte du Cout
8 ha (160 empl.) ⊶ plat, sablonneux ⚬ pinède – ⌂ ⬚ ⚲ ☐ ⚊ ☺ ⚊ ⬛ ⟆
⟆ ✗ ⬛ sauna – ⚲ ⟆ ⟆ vélos – Location : ⬛
juin-15 sept. – **R** conseillée – ▣ piscine comprise 2 pers. 90, pers. suppl. 25

# MIGNÉ
**36800** Indre – 321 h.

⚐ **Municipal,** sortie O du bourg
0,4 ha (23 empl.) plat, herbeux – ⌂ ⬚ ⚲ ☐ ⚊ ☺
juin-sept. – ⚵ 6 ⬛ 6 ▣ 6 ⚡ 8 (3A) 16 (12A)

# MILLAM
**59143** Nord – 593 h.

⚑ **Le Vert Bocage** ⬩ « Cadre agréable », ✆ 28 68 05 72, SE : 1,5 km par chemin reliant le D 46 au D 226 rte de Bollezeele
1,2 ha (55 empl.) ⊶ plat, herbeux ▭ ⚬ – ⌂ ☐ ☺ ⟆ grill

# MILLAU ⬡
**12100** Aveyron – 21 788 h.
🏢 Office de Tourisme, av. Alfred-Merle ✆ 65 60 02 42

⚑ **Les Rivages** ≼, ✆ 65 61 01 07, E : 1,7 km par D 991 rte de Nant, bord de la Dourbie
7 ha (300 empl.) ⊶ plat, herbeux, pierreux ⚬⚬ (1 ha) – ⌂ ⬚ ⊟ ☐ ⚊ ☺ ⚊ ⚲
⚊, snack ⬛ ▣ – ⬛ squash ⚲ ⟆ ⬛ – Location : ⬛
mai-sept. – **R** conseillée juil.-août

⚑ **Municipal Millau-Plage,** ✆ 65 60 10 97, sortie E par rte de Nant puis 1,2 km par D 187 à gauche, bord du Tarn
4 ha (250 empl.) ⊶ plat, herbeux ⚬⚬ – ⌂ ⬚ ⊟ ☐ ⚊ ☺ ⚊ ⟆ ✗ ⬛ ▣ – ⬛
⟆ – A proximité : ⟆
avril-sept. – **R** juil.-août – ▣ piscine comprise 2 pers. 65/77 avec élect. (5A)

263

▲▲▲ **Cureplat,** ✆ 65 60 15 75, NE : 0,8 km par D 991 rte de Nant et D 187 à gauche rte de Paulhe, bord du Tarn
5 ha (250 empl.) ⊶ plat, herbeux ♉ – 🗟 ⇆ 🖾 🖸 👵 🖸 ⊕ 🍸 🌣 – 🖾 – ⟲ 🗲
– A proximité : practice de golf – Location : 🚐 🚕
avril-1er oct. – **R** *conseillée* – 🗉 *2 pers. 68, pers. suppl. 18* 🔌 *13 (6A)*

▲▲ **Les Deux Rivières** ≼, ✆ 65 60 00 27, sortie E par D 991 rte de Nant, bord du Tarn
1 ha (60 empl.) ⊶ plat, herbeux, pierreux ♉ – 🗟 ⇆ 🖾 🖸 👵 ▥ ⊕
Permanent – **R** – 🗉 *2 pers. 55* 🔌 *15 (4 à 8A)*

▲▲ **Larribal** ≼, ✆ 65 59 08 04, NE : 1,5 km par D 991 rte de Nant et D 187 à gauche, rte de Paulhe, bord du Tarn
1 ha (50 empl.) ⊶ (juil.-août) plat, pierreux, herbeux – 🗟 ⇆ 🖾 🖸 ⊕ – 🌤 –
A proximité : practice de golf
juin-15 sept. – **R** *conseillée* – 🗉 *2 pers. 32 ou 35* 🔌 *8*

---

## MILLY-LA-FORÊT
**91490** Essonne – 4 307 h.

🗟 – 🗟🗟 ⑪ G. Ile de France

▲▲ **La Musardière** ⧖ « Cadre agréable », ✆ (1) 64 98 91 91, SE : 4 km par D 141E, D 16 et rte de la Croix-St-Jérôme à gauche
6 ha (120 empl.) ⊶ plat et accidenté, sablonneux, rochers ♉ ♉ – 🗟 ⇆ (🝖 saison) ▥ ⊕ 🌣 – A proximité : 🐎
14 fév.-déc. – *Places disponibles pour le passage* – **R** *conseillée mai –* 🕴 *19* 🚗
*10* 🗉 *9/18 avec élect. (3A)*

---

## MIMIZAN
**40200** Landes – 6 710 h.

🗟🗟 – 🗟🗟 ⑭ G. Pyrénées Aquitaine

▲▲▲ **Municipal du Lac,** ✆ 58 09 01 21, N : 2 km par D 87, rte de Gastes, bord de l'étang
8 ha (300 empl.) ⊶ plat et légèrement accidenté, sablonneux ♉ ♉ pinède –
🗟 🖾 🖸 👵 ⊕ 🝖 ⛎ – ◗
avril-10 oct. – **R** – 🕴 *11,10* 🚗 *3,50* 🚗 *7,50* 🔌 *10 (4A)*

à *Mimizan-Plage* O : 6 km – ✉ 40200 Mimizan :
🅱 Office de Tourisme, 38 av. Maurice Martin ✆ 58 09 11 20

▲▲▲ **Marina,** ✆ 58 09 12 66, plage sud
9 ha (630 empl.) ⊶ plat, sablonneux ♉ ♉ pinède – 🗟 ⇆ 🗟 🝖 sauna 👵 ⊕
🝖 🍸 ✕ 🌣 – 🕰 discothèque ✕ 🝖 🗲 🐎 vélos – Location : 🚐 🚕
🛏 (motel)
mai-sept. – **R** *conseillée juil.-25 août* – 🗉 *2 pers. 102/107* 🔌 *20 (6A) 26 (10A)*

▲▲▲ **Municipal la Plage,** ✆ 58 09 00 32, quartier nord, bd de l'Atlantique
16 ha (787 empl.) ⊶ vallonné, sablonneux, herbeux ♉ ♉ pinède – 🗟 ⇆ 🖾 🖸
⊕ 🖸 – 🗲
15 avril-15 oct. – **R** *conseillée* – 🗉 *2 pers. 51,70, pers. suppl. 17,10* 🔌 *10 (3A)*

---

## MIOS
**33380** Gironde – 3 786 h.

🗟🗟 – 🗟🗟🗟 ⑳

Schéma à Arcachon

▲▲ Municipal de l'Eyre, ✆ 56 26 64 50, au SO du bourg, bord de rivière
1,2 ha (95 empl.) ⊶ (saison) plat, herbeux, sablonneux ♀ – 🗟 ⇆ 🖾 ⊕ 🌣 –
A proximité : ✕ parcours de santé
15 juin-sept. – **R**

---

## MIRABEL-AUX-BARONNIES
**26110** Drôme – 1 276 h.

🗟🗟 – 🗟🗟 ③

▲ Municipal Amitié et Soleil ⧖, ✆ 75 27 15 90, sortie N rte de Nyons et chemin à droite
0,7 ha (48 empl.) ⊶ plat, herbeux ♉ ♉ – 🗟 🖸 ⊕ – A proximité : ✕

---

## MIRABEL-ET-BLACONS
**26400** Drôme – 728 h.

🗟🗟 – 🗟🗟 ⑫

▲▲ **Gervanne,** ✆ 75 40 00 20, à Blacons, au confluent de la Drôme et de la Gervanne
2,5 ha (145 empl.) plat et peu incliné, herbeux ♉ ♉ – 🗟 ⇆ 🝖 🖾 🖸 ⊕ 🝖 🍸 🖸 –
🚕 ⛎ (plan d'eau)
15 mars-15 nov. – **R** – 🗉 *2 pers. 50* 🔌 *13 (4A)*

---

## MIRAMBEAU
**17150** Char.-Mar. – 1 409 h.

🗟 – 🗟🗟 ①

▲ **Municipal,** sortie N sur N 137 rte de Saintes
0,7 ha (42 empl.) plat et peu incliné, herbeux ♉ – 🗟 ⇆ 🖾 🖸 ⊕ – A proximité ✕ 🗲
15 juin-15 sept. – **R** – 🕴 *9* 🗉 *7* 🔌 *6,20 (6A)*

---

## MIRAMONT-DE-GUYENNE
**47800** L.-et-G. – 3 450 h.

🗟🗟 – 🗟🗟 ⑭

▲▲ **Intercommunal le Saut du Loup** ⧖ ≼ « Site agréable », ✆ 53 93 22 35
E : 2 km par D 227 rte de Cancon et chemin à droite, bord du lac
40 ha/5 campables (130 empl.) plat et peu incliné, herbeux ♉ ♉ (3 ha) – 🗟 🝖
🖾 🝖 🖸 👵 ⊕ 🍸 ✕ 🖸 – 🚕 ✕ ⛎ – Location : 🏠
15 mars-14 nov. – **R** *conseillée juil.-août* – 🕴 *16* 🗉 *15,50* 🔌 *10,50 (6A)*

## MIRANDE ⬖

**32300** Gers – 3 565 h.
🅱 Office de Tourisme, r. de l'Évêché
📞 62 66 68 10

🔺 **Municipal l'Île du Pont** ⬩, 📞 62 66 64 11, à l'est de la ville, dans une île de la Grande Baïse
4,5 ha (100 empl.) ⚬ plat, herbeux – 🛉 🍴 🚻 🅶 ⚙ 🛒 – 🏓 – A proximité : 🏊
juin-15 sept. – **R** conseillée – Tarif 91 : 🟊 10 🚗 4 🅴 5,40/10,10 avec élect.

---

## MIRANDOL-BOURGNOUNAC

**81190** Tarn – 1 110 h.

🔺 **Les Clots** ⬩ ≤, 📞 63 76 92 78, N : 5,5 km par D 905 rte de Rieupeyroux et chemin sur la gauche, à 500 m du Viaur (accès direct)
7,5 ha/2 campables (60 empl.) ⚬ (saison) en terrasses, pierreux, herbeux 🛉 – 🛉 🍴 🛒 ⚙ 🍴 🅶 – 🖮 🛒 🏓 (bassin) – Location : 🏠
Pâques-15 oct. – **R** conseillée – 🟊 20 piscine comprise 🚗 7 🅴 10/11 [4] 15 (10A)

---

## MIREMONT

**63380** P.-de-D. – 370 h.

🔺 **Intercommunal Plage de Confolant** ⬩ ≤ « Dans un site agréable », 📞 73 79 92 76, NE : 7 km par D 19 et D 19ᴱ à droite, près du lac
2,8 ha (90 empl.) ⚬ en terrasses et incliné, herbeux, pierreux 🛉 🛉 – 🛉 🛒 🏊 🅶 ⚙ 🛒 🍴 🅶 – 🖮 🛒 🏓 – A proximité : 🍴 🛒 ♪
mai-20 sept. – **R** conseillée juil.-août – 🟊 14 🅴 19 [4] 14 (5A)

🔺 **Municipal la Rivière** ⬩, au bourg, bord de la Chancelade
0,4 ha (40 empl.) plat, herbeux, pierreux 🛒 – 🛉 🍴 ⚙
mai-sept. – **R** – 🟊 7,40 🅴 9,50 [4] 11,50

---

## MIREPEISSET

**11120** Aude – 410 h.

🔺 **Val de Cesse** ⬩, 📞 68 46 14 94, à 1 km à l'ouest du bourg, bord de la Cesse
2 ha (140 empl.) ⚬ plat, herbeux 🛒 – 🛉 🍴 🚻 ⚙ 🛒 🅶 🅶 – A proximité :
🛉 🍴 🛒 ♪
avril-sept. – **R** conseillée – 🅴 2 pers. 48 (59 avec élect. 6A), pers. suppl. 13

---

## MIREPOIX

**32390** Gers – 162 h.

🔺 **Les Mousquetaires** (aire naturelle) ⬩ ≤, 📞 62 64 33 66, SE : 2 km
1 ha (25 empl.) ⚬ non clos, peu incliné – 🛉 🍴 🛒 ⚙ – 🛒
juin-sept. – **R** conseillée – 🅴 élect. et piscine comprises 2 pers. 55, pers. suppl. 15

---

## MIRIBEL-LES-ÉCHELLES **38** Isère – 🟨 ⑭ ⑮ – rattaché à Entre-Deux-Guiers

---

## MIRMANDE

**26270** Drôme – 497 h.

🔺 **La Poche** ⬩, 📞 75 63 02 88, SE : 3 km par D 204 et D 57 rte de Marsanne, bord d'un ruisseau
2 ha (100 empl.) ⚬ plat, peu incliné, terrasse, pierreux, herbeux 🛒 🛉 (1 ha) –
🛉 🛒 ⚙ snack – 🛒 – Location : 🏠
avril-oct. – **R** conseillée juil.-août – 🟊 12 piscine comprise 🚗 8 🅴 10 [4] 12 (6A)

---

## MISCON

**26310** Drôme – 38 h.

🔺 **Municipal** ⬩ ≤, 📞 75 21 36 31, au bourg
0,4 ha (25 empl.) ⚬ plat et terrasses, pierreux – 🛉 🅶 ⚙
15 juin-15 sept. – **R** – 🟊 7,50 🚗 4 🅴 4 [4] 8 (6A)

---

## MITTLACH

**68380** H.-Rhin – 291 h.

🔺 **Municipal** ⬩ ≤ « Site agréable », 📞 89 77 63 77, SO : 3 km, bord d'un ruisseau – alt. 620
2 ha (100 empl.) ⚬ (saison) peu incliné, plat et terrasses, herbeux, gravier 🛒
– 🛉 🍴 ⚙
mai-sept. – **R** 14 juil.-15 août pour caravanes – 🆁 tentes – 🟊 9,50 🚗 4 🅴 3/4 [4] 7,20 (2A) 14,40 (4A)

---

## MODANE

**73500** Savoie – 4 250 h. alt. 1 057
⬖
🅱 Office de Tourisme, pl. Replaton (saison) 📞 79 05 22 35

🔺 Municipal des Combes ≤, 📞 79 05 00 23, sur bretelle d'accès au tunnel routier du Fréjus, à 0,8 km au SO de Modane-Ville
3 ha (80 empl.) incliné, pierreux, herbeux – 🛉 🍴 🚻 🏨 ⚙ 🅶 – A proximité : 🍴
Permanent – **R**

265

## MOËLAN-SUR-MER

🟦 – 🔢 ⑪ ⑫ G. Bretagne

**29350** Finistère – 6 596 h.

🅱 Office de Tourisme, r. des Moulins (fermé après-midi sauf vacances de printemps, 15 juin-15 sept.) *&* 98 39 67 28

⛰️ **La Grande Lande** ⚲, *&* 98 71 00 39, O : 5 km par D 116 rte de Kerfany-les-Pins, à Kergroës
2 ha (100 empl.) ⚬─ (saison) plat et peu incliné, herbeux, bois attenant – 🏠 ⚖️
🔺 🖪 🍴 ☻ 🟦 🖪 – 🗔 🔥 – Location : 🚐
Pâques-sept. – **R** *conseillée juil.-août* – 🛉 *13,50* 🚗 *5,50* 🟦 *14,50* 🅷 *9 à 20 (3 à 10A)*

## MOIRANS-EN-MONTAGNE

🔢 – 🔢 ⑭

**39260** Jura – 2 018 h. alt. 628

⛰️ **Champ-Renard** ≼, *&* 84 42 34 98, sortie S par D 470 rte de St-Claude
2 ha (100 empl.) ⚬─ peu incliné, en terrasses, herbeux – 🏠 🔺 🎽 ☻ – 🔥
Permanent – **R** *conseillée juil.-août* – 🛉 *14* 🚗 *5,50* 🟦 *5,80* 🅷 *9 (3A) 19,60 (6A)*

## MOISSAC

🔢 – 🔢 ⑯ ⑰ G. Pyrénées Roussillon

**82200** T.-et-G. – 11 971 h.

🅱 Office de Tourisme, pl. Durand-de-Bredon *&* 63 04 01 85

⛰️ **Municipal l'Île de Bidounet** ⚲, « Entrée fleurie », *&* 63 32 29 96, S : 1 km par N 113 rte de Castelsarrasin et D 72 à gauche, dans une île du Tarn
2 ha (142 empl.) ⚬─ plat, herbeux 🍴 – 🏠 🎽 🖪 ☻ – 🗔
avril-sept. – **R** – *Tarif 91* : 🛉 *11,50 ou 14* 🟦 *9,50* 🅷 *6,50 (3A) et 4 par ampère suppl.*

## MOLIÈRES

🔢 – 🔢 ⑯ G. Périgord Quercy

**24480** Dordogne – 315 h.

⛰️ **La Grande Veyière** ⚲, *&* 53 22 54 21, SE : 2,4 km par rte de Cadouin et chemin
4 ha (64 empl.) ⚬─ peu incliné, en terrasses, herbeux 🗔 – 🏠 🔺 🎽 🖪 🔧 ☻ 🍴
🖪 – 🗔 🔥 🏊 – Location : 🗔
avril-15 nov. – **R** *conseillée* – 🛉 *18 piscine comprise* 🟦 *22* 🅷 *12 (4A)*

## MOLIETS-ET-MAA

🔢 – 🔢 ⑯

**40660** Landes – 420 h.

à *Moliets-Plage* O : 3 km par D 117 – ✉️ 40660 Moliets-et-Maa :

⛰️ **Les Cigales** ⚲, *&* 58 48 51 18, sur D 117, à 500 m de la plage
15 ha (630 empl.) ⚬─ plat et accidenté, sablonneux 🍴🍴 pinède – 🏠 🎽 🔺 🖪 🔧
☻ 🏊 🍴 ✕ 🖪 – 🔥 🏊 – Location : 🗔 🏠
15 avril-sept. – **R** *conseillée* – *Tarif 91* : 🛉 *14* 🟦 *17* 🅷 *11,60 (5A)*

## MOLITG-LES-BAINS

🔢 – 🔢 ⑰ G. Pyrénées Roussillon

**66500** Pyr.-Or. – 185 h. – ✚ avril-2 nov.

⛰️ **Municipal le Cabanil** ⚲, ≼, N : 1,3 km, au SE du village de Molitg – alt. 607
0,3 ha (19 empl.) peu incliné, herbeux – 🏠 🎽 🎽 🔧 ☻
avril-oct. – **R** *conseillée* – 🟦 *2 pers. 30, pers. suppl. 10* 🅷 *10*

## MOLOMPIZE

🔢 – 🔢 ④

**15500** Cantal – 341 h.

⛰️ **Municipal** ≼, *&* 71 73 62 90, NE : 0,5 km par N 122 rte de Massiac, au terrain de sports, bord de l'Alagnon
1,9 ha (60 empl.) ⚬─ plat, herbeux, sablonneux – 🏠 🎽 🎽 🔧 ☻ – ✕
juil.-août – **R** – 🛉 *7* 🚗 *4* 🟦 *6,50* 🅷 *9*

## Le MONASTIER-SUR-GAZEILLE

🔢 – 🔢 ⑰ G. Vallée du Rhône

**43150** H.-Loire – 1 828 h. alt. 935

⛰️ Municipal le Moulin de Savin ⚲, ≼, *&* 71 03 82 24, à 1 km au SO du bourg, bord de la Gazeille – alt. 820
1,2 ha (55 empl.) ⚬─ plat, peu incliné, herbeux 🗔 – 🏠 🎽 🎽 ☻ 🔺 🌱 – 🗔
✕ 🚗 – A proximité : 🍴 ✕

## MONCLAR-DE-QUERCY

🔢 – 🔢 ⑱

**82230** T.-et-G. – 1 086 h.

⛰️ **Municipal** ⚲, *&* 63 30 42 85, sortie E rte de Gaillac puis 1 km par chemin à droite, à la base de Loisirs, à 100 m d'un plan d'eau
2 ha (45 empl.) ⚬─ plat et terrasses, pierreux 🍴🍴 – 🏠 🎽 🖪 ☻ 🍴 – ✕
– A proximité : toboggan aquatique 🏊 🚗 – Location : 🏠
15 juin-15 sept. – **R** *conseillée* – 🛉 *10,50* 🟦 *6,50/10* 🅷 *10 (3 ou 4A)*

## MONCRABEAU

🔢 – 🔢 ①

**47600** L.-et-G. – 789 h.

⛰️ **Municipal le Mouliat** ⚲, *&* 53 65 43 28, sortie O par D 219, près de la Baïse
1,3 ha (40 empl.) ⚬─ plat, herbeux 🍴 – 🏠 🎽 🖪 ☻ 🖪 – 🚗 – A proximité : ✕
🔥
15 juin-15 sept. – **R** – 🛉 *10* 🟦 *9* 🅷 *8*

## MONDRAGON

**84430** Vaucluse – 3 118 h.

▲▲▲ **Municipal la Pinède** 🏕, 𝒫 90 40 82 98, NE : 1,5 km par D 26 rte de Bollène et deux fois à droite
3 ha (100 empl.) o—ᵣ plat et peu incliné, en terrasses, herbeux, pierreux, sablonneux
⚊⚊ – 🛖 🖳 🗖 🏳 ⊕ 옷 ☷ – 🖳 🚣
Permanent – **R** juin à août – 🚹 11 ⇌ 3,30 🗉 3,10/3,50 [2] 11 (5A) 29 (10A)

## MONESTIER-DE-CLERMONT

**38650** Isère – 905 h. alt. 832.
🚹 Syndicat d'Initiative, Parc Municipal (20 juin-10 sept. matin seul.)
𝒫 76 34 15 99

▲▲ **Municipal les Portes du Trièves** 🏕, 𝒫 76 34 01 24, O : 0,7 km par chemin des Chambons
1 ha (50 empl.) o—ᵣ peu incliné, en terrasses, gravier, herbeux 🔲 – 🛖 ⇔ 📁 🗖
& ⊕ – 🖳 vélos – A proximité : 🎾 🏊
15 mai-sept. – **R** – 🚹 15 🗉 16 [2] 11 (6A)

## MONESTIÉS

**81640** Tarn – 1 361 h.

▲ **Municipal** 🏕, 𝒫 au SO du bourg, bord du Cérou
0,35 ha (22 empl.) plat, herbeux 옷 – 🛖 ⇔ 📁 🗖 ⊕ – A proximité : 🎾
15 juin-15 sept. – **R** – 🚹 9,30 🗉 6,70 [2] 10,70 (8A)

## MONFAUCON

**24130** Dordogne – 233 h.

▲▲ **Étang de Bazange** 🏕, 𝒫 53 24 64 79, NE : 1 km, bord de l'étang
2,5 ha (50 empl.) o—ᵣ incliné et en terrasses, herbeux 옷 pinède – 🛖 ﹏ & ⊕ 🍷
✕ – 🖳 🏊 – Location : 🏠
juin-sept. – **R** conseillée – 🚹 12 piscine comprise 🗉 15 [2] 10 (10A)

## MONFLANQUIN

**47150** L.-et-G. – 2 431 h.
🚹 Maison du Tourisme, pl. Arcades
𝒫 53 36 40 19

▲▲▲ **Coulon** 🏕, 𝒫 53 36 47 36, SO : 1,8 km par D 676 et D 124 rte de Cancon, bord d'un lac
35 ha/1,8 campable (162 empl.) o—ᵣ plat et peu incliné, herbeux, pierreux 🔲 ⚊⚊
– 🛖 ⇔ 📁 🗖 ⊕ ﹏ 🍷 ✕ – 🖳 tir à l'arc – A proximité : piste de bi-cross, garderie
🎾 🏊 – Location : 🏠
juin-sept. – **R** conseillée – 🚹 9,50 ⇌ 6 🗉 16,50 [2] 7 (6A)

## MONISTROL-SUR-LOIRE

**43120** H.-Loire – 6 180 h. alt. 602

▲▲▲ **Municipal Beau Séjour** ≤, 𝒫 71 66 53 90, O : 1 km par D 12 rte de Bas-en-Basset et à droite
1,5 ha (91 empl.) o—ᵣ plat et incliné, herbeux 🔲 옷 – 🛖 ﹏ ⊕ 📷 – 🖳 🚣
A proximité : 🍷 🎾 🏊
avril-oct. – Places disponibles pour le passage – **R** indispensable – Tarif 91 : 🗉
3 pers. 80, pers. suppl. 15 [2] 15

## MONLÉON-MAGNOAC

**65670** H.-Pyr. – 385 h.

▲ **Municipal,** 𝒫 62 99 45 45, sortie E par D 33 rte de Bazordan et chemin à gauche
0,5 ha (11 empl.) plat, herbeux 🔲 – 🛖 ⇔ 📁 🗖 ⊕ – 🎾
juin-sept. – **R** – 🚹 8 🗉 8/10 [2] 10

## MONNERVILLE

**91930** Essonne – 375 h.

▲▲▲ **Le Bois de la Justice** ◇ 🏕, 𝒫 (1) 64 95 05 34, à 1,8 km au sud du bourg
5 ha (150 empl.) o—ᵣ plat et peu incliné 🔲 ⚊⚊ – 🛖 ⇔ 📁 🗖 🖳 🏳 ⊕ 옷 🍷 – 🚣
🏊
mars-nov. – Location longue durée – Places limitées pour le passage –
**R** conseillée saison – 🚹 26 ⇌ 13 🗉 25 [2] 13 (4A)

## MONNET-LA-VILLE

**39300** Jura – 305 h.

▲▲ **Le Git** 🏕 ≤, 𝒫 84 51 21 17 ✉ 39300 Montigny-sur-l'Ain, à Monnet-le-Bourg, SE : 1 km par D 40 rte de Mont-sur-Monnet et chemin à droite
4,5 ha (100 empl.) o—ᵣ plat, peu incliné, herbeux – 🛖 ⇔ 📁 🗖 & ⊕ – 🖳 –
Location : 🏠
15 mai-15 sept. – **R** conseillée juil.-15 août – 🚹 11 ⇌ 8 🗉 8 [2] 11 (5A)

▲ **Sous Doriat** ≤, 𝒫 84 51 21 43, sortie N sur D 27E rte de Champagnole
2 ha (90 empl.) o—ᵣ (juil.-août) plat, herbeux – 🛖 ⇔ 📁 🗖 & ⊕
mai-15 oct. – **R** conseillée 10 juil.-15 août

▶ Toutes les insertions dans ce guide sont entièrement gratuites et ne peuvent en aucun cas être dues à une prime ou à une faveur.

## MONPAZIER

**24540** Dordogne – 531 h.

🛈 Syndicat d'Initiative (15 avril-15 oct.) ☎ 53 22 68 59 et Mairie (hors saison) ☎ 53 22 60 38

⋀⋀ **Moulin de David** 🛁, ☎ 53 22 65 25 ⊠ 24540 Gaugeac, SO : 3 km par D 2 rte de Villeréal et chemin à gauche, bord d'un ruisseau
2 ha (100 empl.) ⊶ plat, terrasse, herbeux ⊡ ♀♀ – 🛖 ⟷ 🛏 🛉 🕭 ⊕ 🗲 ⟱ �
🛉 ✗ 🛒 🛎 🛒 – 🛒 🔛 half-court, vélos – Location : 🚐
28 avril-sept. – **R** indispensable 15 juil.-15 août – ⚹ 25 piscine comprise 🔲 36
🚰 15 (3A) 18 (5A)

⋀⋀ **le Lac de Véronne** 🛁 « Site et cadre agréables », ☎ 53 22 62 22, NO : 2 km par D 660 rte de Bergerac et D 26E à droite rte de Marsalès, bord d'un plan d'eau
3 ha (90 empl.) ⊶ plat, incliné, herbeux, pierreux ♀♀ – 🛖 ⟷ 🛉 ⊕ 🛉 🛎 – 🗲 🔛 – A proximité : 🔛
juin-sept. – **R** conseillée – 🔲 2 pers. 48, pers. suppl. 15,80 🚰 9 (3A) 13 (5A) 16 (10A)

## MONTAGNAC

**34530** Hérault – 2 953 h.

⋀⋀ **V.V.F. les Vignes** 🛁 ≤, ☎ 67 24 07 28, E : 6 km par rte de Villeveyrac et à droite rte du Parc de Loisirs de Bessille – 🔊
1 ha (80 empl.) ⊶ plat et peu incliné, pierreux, gravier ⊡ ♀ – 🛖 ⟷ 🛏 🛉 ⊕ 🗲 ⟱ 🛎 garderie – 🔛 – A proximité : 🔛 🛉 ✗ 🔛 🟔 🗲 🔛
juin-15 sept. – **R** indispensable – (V.V.F. 22 r. du Gd-St-Jean 34000 Montpellier ☎ 67 92 45 94) - Adhésion V.V.F. obligatoire – 🔲 piscine comprise 2 pers. 75 🚰 15 (4 à 6A)

⋀⋀ Municipal la Piboule 🛁, ☎ 67 24 01 31, à 0,7 km à l'est du bourg – Accès par D 5 rte de Villeveyrac et à droite r. Savignac
0,9 ha (56 empl.) ⊶ peu incliné, herbeux, pierreux ⊡ – 🛖 🗲 🛉 ⊕
Permanent – **R**

## MONTAIGU

**85600** Vendée – 4 323 h.

⋀ **Lac de la Chausselière** 🛁, ☎ 51 41 50 32, SE : 6 km par D 23 rte des Herbiers, bord du lac
1 ha (50 empl.) ⊶ plat, herbeux ⊡ – 🛖 🗲 🛉 ⊕ 🗲 – 🛉
mars-1er nov. – **R** – ⚹ 5,80 🚗 2,80 🔲 5,10 🚰 10A : 4,60 (été) 8,20 (hiver)

## MONTAIGUT-LE-BLANC

**63320** P.-de-D. – 568 h.

⋀⋀ **Municipal** ≤ « Jardin fleuri à l'entrée », ☎ 73 96 75 07, au bourg, près de la poste, bord de la Couze de Chambon
3 ha (100 empl.) ⊶ (juil.-août) plat, herbeux ⊡ ♀♀ – 🛖 🗲 ⊕ – 🔛 🗲 – A proximité : ✗ 🔛
juin-15 sept. – **R** conseillée juil.-août – ⚹ 9 🔲 9,80 🚰 9,20

## MONTALIEU-VERCIEU

**38390** Isère – 2 076 h.

⋀⋀ **Vallée Bleue** 🛁 ≤, ☎ 74 88 63 67, sortie N par N 75 rte de Bourg-en-Bresse puis 1 km par D 52F à droite, à la Base de Plein Air et de Loisirs, bord du Rhône (plan d'eau)
120 ha/1,8 campable (119 empl.) ⊶ plat, gravillons, herbeux ♀ (0,5 ha) – 🛖 ⟷ 🛉 🛎 🛉 ⊕ 🗲 ⟱ – toboggan aquatique – A proximité : vélos, toboggan aquatique 🛉 ✗ snack 🗲 🔛 🗲 🔛
avril-oct. – **R** conseillée juil.-août – ⚹ 17 🔲 18/25 avec élect. (6A)

## MONTALIVET-LES-BAINS

**33** Gironde
⊠ 33930 Vendays-Montalivet

⋀⋀ **Municipal,** ☎ 56 09 33 45, S : 0,8 km
26 ha (830 empl.) ⊶ plat, sablonneux ♀♀ pinède – 🛖 ⟷ 🛏 🛉 🛉 ⊕ 🗲 🔛
✗ 🛎 – 🔛 🗲
juin-sept. – **R** indispensable pour emplacements aménagés caravanes – Tarif 91 :
⚹ 14,50 🚐 21,10/32,49 ou 37,45 avec élect.

## MONTAPAS

**58110** Nièvre – 305 h.

⋀ **Municipal la Chênaie,** par D 259, à 500 m du centre bourg, bord d'un étang
2 ha (30 empl.) non clos, plat, herbeux ⊡ – 🛖 ⟷ 🛉 ⊕ 🗲 ⟱ – 🔛
avril-1er nov. – **R** – ⚹ 8 🚗 5 🔲 8 🚰 8 (15A)

## MONTARGIS 🚉

**45200** Loiret – 15 020 h.

🛈 Office de Tourisme, pl. du Pâtis ☎ 38 98 00 87

⋀⋀ **Municipal de la Forêt** « Entrée fleurie », ☎ 38 98 00 20, NE : 1,5 km rte de Paucourt, près du stade
5 ha (100 empl.) ⊶ plat ♀♀ – 🛖 🗲 🛏 🛉 🟔 ⊕ 🗲 ⟱ – 🔛 🗲 – A proximité : 🔛 🔛
Permanent – ⚹ 8,80 🚗 6,20 🔲 8,80 🚰 12,50 (5A) 31 (10A)

## MONTAUBAN

**35360** I.-et-V. – 3 883 h.

4 – 59 ⑮ G. Bretagne

⚠ **Municipal,** au bourg sur rte de Médréac, bord d'un plan d'eau
1 ha (33 empl.) ⚬━ plat, herbeux ⚲ – 🗊 ⚏ 🛁 ⊛
juin-15 sept. – **R** – *Tarif 91 :* ⚡ *7* 🚗 *4* 🗉 *4/7*

---

## MONTAUBAN Ⓟ

**82000** T.-et-G. – 51 224 h.
🛈 Office de Tourisme, Ancien Collège
pl. Prax 🕾 63 63 60 60

14 – 79 ⑰ ⑱ G. Pyrénées Roussillon

*sur la RN 20* S : 14 km – ✉ 82700 Montbartier :

⚠⚠ Fongrave « Beau parc », 🕾 63 30 52 73, à 3,5 km au SE de Montbartier, intersection D 50 et N 20
3 ha (33 empl.) ⚬━ plat, herbeux ⚱ – 🗊 ⚏ 🛁 🗔 ⊛ – 🚗 🏇 🛶

---

## MONTAURIOL

**47330** L.-et-G. – 227 h.

14 – 79 ⑤

⚠⚠ Municipal le Point du Jour, 🕾 53 36 80 87, au SE du bourg, bord d'un plan d'eau
0,56 ha (20 empl.) ⚬━ (juil.-août) plat, herbeux, pierreux ⚱ – 🗊 ⚏ 🛁 🗔 🕭 ⊛
– 🚗 ✂ 🚤

---

## MONTBARD ⏛

**21500** Côte-d'Or – 7 108 h.
🛈 Office de Tourisme, r. Carnot
🕾 80 92 03 75

7 – 65 ⑦ G. Bourgogne

⚠⚠⚠ **Municipal** ≼ « Cadre agréable », 🕾 80 92 21 60, par D 980 déviation NO de la ville, près de la piscine
2,5 ha (80 empl.) ⚬━ plat, herbeux, gravillons ⚱ – 🗊 ⚏ 🛁 🗔 🕭 🍺 ▥ ⊛ 🏊 ▽
– 🚗 vélos ✂ – A proximité : ⬛ 🛶 – Location : 🏠
Permanent – **R** – ⚡ *9* 🚗 *6* 🗉 *5/9* 🚾 *8 (2A)*

---

## MONTBAZON

**37250** I.-et-L. – 3 354 h.
🛈 Pavillon du Tourisme, av. Gare
(juin-sept.) 🕾 47 26 97 87

10 – 64 ⑮ G. Châteaux de la Loire

⚠⚠ **La Grange Rouge,** 🕾 47 26 06 43, rte de Tours, après le pont sur l'Indre, bord de la rivière
2 ha (108 empl.) ⚬━ plat, herbeux ⚲⚲ – 🗊 ⚏ 🗔 🕭 ⊛ snack – 🚗 🏇 –
A proximité : parcours de santé ✂ 🏓
mai-15 sept. – **R** *juil.-août* – ⚡ *13* 🗉 *12* 🚾 *12 (3A)*

---

## MONTBLANC

**34290** Hérault – 1 857 h.

15 – 83 ⑮

⚠⚠ **Le Rebau** 🏊 « Entrée fleurie, décoration arbustive », 🕾 67 98 50 78, SE : 0,5 km par D 18 rte de St-Thibéry puis rte à gauche – Par A 9 : sortie Agde
2 ha (132 empl.) ⚬━ plat, herbeux ⚱ ⚲⚲ (0,8 ha) – 🗊 🗔 ⊛ 🍺 ▥ – Location :
🚐
mars-oct. – **R** *conseillée juil.-août* – 🗉 *piscine comprise 1 ou 2 pers. 67, 3 ou 4 pers. 79, 5 ou 6 pers. 91, pers. suppl. 11* 🚾 *11 (5A)*

---

## MONTBRISON ⏛

**42600** Loire – 14 064 h.
🛈 Office de Tourisme, Cloître des Cordeliers 🕾 77 96 08 69

11 – 73 ⑰ G. Vallée du Rhône

⚠⚠ **Municipal le Surizet** « Cadre agréable », 🕾 77 58 08 30, à Moingt, S : 3 km par D 8 rte de St Etienne et rte à droite, bord du Moingt
2,5 ha (96 empl.) ⚬━ plat, herbeux ⚲ – 🗊 ⚏ 🛁 ▥ ⊛ – 🏇 – A proximité :
🚗
avril-oct. – *Places limitées pour le passage* – **R** *conseillée saison* – ⚡ *6,20* 🚗
*3* 🗉 *3* 🚾 *15 (5A) 26 (10A)*

⚠⚠ **Le Bigi,** 🕾 77 58 79 57 ✉ 42600 Bard, SO : 2 km par D 113 rte de Lérigneux
1,5 ha (35 empl.) ⚬━ en terrasses et peu incliné, herbeux, gravillons – 🗊 ⚏ 🗮
⊛ 🏊 – 🚗 ✂
15 avril-15 oct. – **R** *conseillée juil.-août* – ⚡ *9* 🚗 *5* 🗉 *8/11* 🚾 *13 (5A)*

---

## MONTBRON

**16220** Charente – 2 422 h.
🛈 Syndicat d'Initiative, pl. de l'Hôtel-de-Ville (15 juin-août) 🕾 45 23 60 09

10 – 72 ⑮ G. Poitou Vendée Charentes

⚠⚠⚠ **Les Gorges du Chambon** 🏊 ≼, 🕾 45 70 71 70 ✉ 16220 Eymouthiers, E : 4 km par D 6, rte de Piégut-Pluviers, puis 3 km par D 163, rte d'Ecuras et chemin à droite, à 80 m de la Tardoire (accès direct)
7 ha (100 empl.) ⚬━ peu incliné, herbeux – 🗊 ⚏ 🛁 🗔 🕭 ⊛ 🏊 🍺 ✕ 🛒 ▥
– 🚗 🏇 🛶 vélos – A proximité : 🏇
15 mai-15 sept. – **R** *conseillée juil.-août* – ⚡ *25 piscine comprise* 🚗 *10* 🗉 *35*
🚾 *17 (6A)*

⚠ **Municipal de la Piscine** 🏊, sortie E par D 699 rte de St-Mathieu
1 ha (50 empl.) plat, herbeux ⚱ – 🗊 🛁 ⊛ – A proximité : 🛶
15 juin-15 sept. – **R** – *Tarif 91 :* 🗉 *1 à 3 pers. 30, pers. suppl. 7* 🚾 *8 (3A)*

---

## MONTBRUN

**46160** Lot – 95 h.

15 – 79 ⑨ G. Périgord Quercy

⚠ **Municipal,** sortie O par D 662 rte de Cajarc et chemins près du passage à niveau, bord du Lot
1 ha (60 empl.) plat, herbeux ⚲ – 🗊 ⚏ 🛁 ⊛
15 juin-15 sept. – **R** – ⚡ *9,50* 🗉 *10* 🚾 *10 (2A)*

## MONTCABRIER
**46700** Lot – 403 h.

▲▲ **Moulin de Laborde,** 🏕 65 24 62 06, NE : 2 km sur D 673, rte de Gourdon, bord d'un ruisseau – 🌄
4 ha (60 empl.) ⊶ plat, herbeux – 🔲 ⇄ 🔲 🔲 🔲 🔲 🔲 ✕ 🔲 – 🔲 🔲 🔲
15 mai-sept. – **R** conseillée juil.-août – ⚹ 24 piscine comprise 🔲 30 🔲 12 (4A)

## MONTCHAVIN
**73** Savoie – alt. 1 175 – ✉ 73210 Aime

▲▲ **Caravaneige Municipal** ❄ ⍃ ← vallée de l'Isère, Mt Blanc et Bellecôte « Site agréable », 🏕 79 07 83 23
1 ha (90 empl.) ⊶ en terrasses, pierreux, herbeux – 🔲 ⇄ 🔲 🔲 🔲
fermé 2ème quinzaine mai et sept. – **R** conseillée – Tarif 91 : ⚹ 15 🔲 13 🔲 14 (4A) 20 (6A) 29 (10A)

## MONTCLAR .
**11250** Aude – 159 h.

▲▲ **Au Pin d'Arnauteille** ⍃ ← « Cadre sauvage », 🏕 68 26 84 53, SE : 2,2 km par D 43
115 ha/4 campables (80 empl.) ⊶ peu incliné, accidenté et terrasses 🔲🔲 (1 ha)
– 🔲 ⇄ 🔲 🔲 🔲 🔲 🔲 – 🔲 – Location : 🔲 – Garage pour caravanes
15 mars-sept. – **R** conseillée juil.-15 août – ⚹ 15 piscine comprise 🔲 10 🔲 17 🔲 13 (3A) 17 (6A) 25 (10A)

## MONTCUQ
**46800** Lot – 1 189 h.
🔲 Syndicat d'Initiative, Le Bourg (10 juin-10 sept.) 🏕 65 22 94 04

▲ **Les Deux Cyprès** ⍃ ← « Situation agréable », 🏕 65 31 85 23, S : 2 km par D 653 rte de Lauzerte et chemin à gauche avant le pont
1 ha (30 empl.) ⊶ plat, en terrasses, herbeux – 🔲 ⇄ 🔲 🔲
juil.-août – **R** – ⚹ 9 🔲 10 🔲 8

## MONT-DAUPHIN-GARE **05** H.-Alpes – 🔲 ⑱ – rattaché à Guillestre

## MONTDIDIER 🔲
**80500** Somme – 6 262 h.
🔲 Office de Tourisme, Hôtel-de-Ville 🏕 22 78 92 00

▲▲ **Château d'Ayencourt** ◇ « Agréable domaine », 🏕 22 78 06 87 ✉ 80500 Ayencourt-le Monchel, S : 3 km par D 329 rte de St-Just-en-Chaussée et rte à gauche, bord d'étangs
15 ha/4 campables (100 empl.) ⊶ plat, herbeux 🔲 – 🔲 ⇄ 🔲 🔲 🔲 🔲 🔲 –
Permanent – Location longue durée – Places limitées pour le passage – **R** –
⚹ 14,30 🔲 5,60 🔲 6,60 🔲 14,20 (6A)

▲ **Le Pré Fleuri,** 🏕 22 78 93 22, sortie O par D 930 rte de Breteuil et à droite, 0,8 km par D 26 rte d'Ailly-sur-Noye
0,8 ha (24 empl.) ⊶ (saison) en terrasses, plat et peu incliné, herbeux, pierreux 🔲 🔲 (0,3 ha) – 🔲 🔲 🔲 🔲 🔲 🔲 – ✕ – Location : 🔲
Pâques-Toussaint – **R** conseillée saison – 🔲 tennis compris 2 pers. 35, pers. suppl. 10 🔲 12 (3A) 15 (6A) 20 (10A)

## Le MONT-DORE
**63240** P.-de-D. – 1 975 h. alt. 1 050 – 🔲 15 mai-sept. – 🔲.
🔲 Office de Tourisme, av. de la Libération 🏕 73 65 20 21

▲▲▲ **Municipal l'Esquiladou** ⍃, 🏕 73 65 23 74, à Queureuilh, par sortie ⑤ et rte des cascades à droite – alt. 1 010
1,8 ha (100 empl.) ⊶ en terrasses, gravillons 🔲 – 🔲 ⇄ 🔲 🔲 🔲 🔲 – 🔲
15 mai-15 oct. – **R** – ⚹ 11,30 🔲 10,30 🔲 10 (3A) 20 (6A) 35 (10A)

## MONTEMBOEUF
**16310** Charente – 708 h.

▲ **Municipal des Châtaigniers,** sortie SE par D 16 rte de la Belle Étoile, près de la piscine
1 ha (34 empl.) plat, herbeux 🔲🔲 – 🔲 🔲 🔲 – A proximité : ✕ 🔲
juin-sept. – **R** – Tarif 91 : ⚹ 6 🔲 6 🔲 7

## MONTENDRE
**17130** Char.-Mar. – 3 140 h.
🔲 Office de Tourisme, av. de Royan (juil.-août) 🏕 46 49 46 45

▲▲ **La Forêt** ⍃, 🏕 46 49 20 17, S : 2,5 km par D 145 rte de Bussac-Forêt
2 ha (75 empl.) ⊶ plat, herbeux, petit plan d'eau 🔲 – 🔲 🔲 🔲 🔲 🔲 – 🔲
✕ 🔲 🔲 (bassin) – A proximité : 🔲 🔲 garderie 🔲

## MONTESQUIOU
**32320** Gers – 579 h.

▲▲▲ **Le Haget** ⍃, 🏕 62 70 95 80, O : 0,6 km par D 943 rte de Marciac puis à gauche 1,5 km par D 34 rte de Miélan
11 ha/8 campables (75 empl.) ⊶ plat, herbeux 🔲🔲 – 🔲 ⇄ 🔲 🔲 🔲 🔲 🔲 🔲
🔲 🔲 ✕ 🔲 🔲 – 🔲 🔲 🔲 – Location : 🔲 🔲, chambres
mai-1er oct. – **R** conseillée – ⚹ 25 piscine comprise 🔲 6 🔲 30 🔲 12,50 (6A)

## MONTEUX

**84170** Vaucluse – 8 157 h.

⚠️ Municipal Bellerive, 🅿️ 90 66 81 88, au nord du bourg par rte de Loriol-du-Comtat et à droite après le pont, bord de l'Auzon
1 ha (50 empl.) ⚬⟞ plat, herbeux, jardin public attenant 🏕️ – 🍳 ⇆ 占 🖻 ⊛ ⚓
🏐 – 🏊 (bassin)
avril-oct. – **R** *conseillée juil.-août*

16 – 81 ⑫

## MONTFARVILLE

**50760** Manche – 866 h.

⚠️ La Haye, 🅿️ 33 54 30 31, à 1,5 km au SE du bourg
2 ha (75 empl.) ⚬⟞ peu incliné, herbeux – 占 (🍳 ⇆ juil.-août) 🖻 丈 ⊛

4 – 54 ③

## MONTFERRIER

**09300** Ariège – 748 h. alt. 690

⚠️ **Municipal Fount de Sicre** ⬗, 🅿️ 61 01 20 97, sortie S par D 9 rte de Montségur, près d'un torrent
0,5 ha (36 empl.) peu incliné et en terrasses, herbeux, pierreux – 🍳 ⇆ 占 🎣 ⊛
Permanent – **R** – 🍴 10 🖻 10 🔌 8 (4A) 12 (8A)

15 – 86 ⑤

## MONTFORT-EN-CHALOSSE

**40380** Landes – 1 116 h.

⚠️ **La Partence** (aire naturelle) ⬗, 🅿️ 58 98 52 50, N : 2 km par D 7 rte de Tartas
2 ha (25 empl.) ⚬⟞ plat et peu incliné, en terrasses, herbeux 🎣 (1,5 ha) – 🍳 ⇆
🖻 ⊛ – 🍽️
mai-1er nov. – **R** *conseillée* – 🍴 5,50 🚗 4 🖻 5,50 🔌 11

13 – 78 ⑦ G. Pyrénées Aquitaine

## MONTGIVRAY 36 Indre – 68 ⑲ – rattaché à la Châtre

## MONTHERMÉ

**08800** Ardennes – 2 866 h.
🛈 Office de Tourisme, r. E-Dolet (juil.-15 sept.) 🅿️ 24 53 07 46 et (hors saison) 🅿️ 24 53 06 50

⚠️ **Municipal des Rapides de Phade** ⬗ « Situation agréable au bord de la Semoy », 🅿️ 24 53 06 73, E : 2,5 km par D 31 rte des Hautes-Rivières
2 ha (100 empl.) ⚬⟞ (juil.-août) plat et peu incliné, herbeux 🎣 – 🍳 ⊛
Pâques-15 sept. – **R** – 🍴 9 🖻 9 🔌 9 (10A)

⚠️ **Port Diseur**, 🅿️ 24 53 01 21, sortie S par D 1 rte de Bogny-sur-Meuse, au confluent de la Meuse et de la Semoy
2 ha (100 empl.) ⚬⟞ plat et peu incliné, herbeux – 🍳 ⊛ – A proximité : 🐎 🎾
avril-sept. – **R** – 🍴 7,50 🚗 3,70 🖻 4,50 🔌 7,30 (4A) 10,50 (6A)

2 – 53 ⑱ G. Champagne

## MONTIGNAC

**24290** Dordogne – 2 938 h.
🛈 Syndicat d'Initiative, pl. Léo Magne 🅿️ 53 51 82 60

⚠️ **Municipal le Bleufond**, 🅿️ 53 51 83 95, S : 0,5 km par D 65 rte de Sergeac, près de la Vézère
1,2 ha (90 empl.) ⚬⟞ plat, herbeux – 🍳 ⇆ 占 🖻 丈 ⊛ – 🍽️ – A proximité : 🎾 🏊
avril-15 oct. – **R** *conseillée juil.-août* – Tarif 91 : 🍴 10,05 🚗 5,05 🖻 8,45 🔌 10,55 (3A)

10 – 75 ⑦ G. Périgord Quercy

## MONTIGNY-EN-MORVAN

**58120** Nièvre – 339 h.

⚠️ **Municipal le Plat** ⬗ « Site agréable », 🅿️ 86 84 71 77, NE : 2,3 km accès par D 944 et rte du barrage de Pannesière-Chaumard, au Nord du lieu-dit Bonin, près du lac (accès direct)
0,8 ha (59 empl.) plat et peu accidenté, pierreux, herbeux 🎣 – 🖻 丈 ⊛ – 🏊
15 juin-août – **R** – 🍴 14 🚗 8 🖻 11

11 – 65 ⑯

## MONTIGNY-SUR-VINGEANNE

**21** Côte-d'Or – 312 h.
✉️ 21610 Fontaine-Française

⚠️ **Municipal Trou d'Argot** ⬗, sortie O par D 105 rte de Fontaine-Française et chemin à droite, bord de la Vingeanne
0,5 ha (50 empl.) plat, herbeux – 🍳 – 🏊
15 mai-sept. – **R** – 🖻 1 pers. 20, 2 pers. 25, pers. suppl. 6

7 – 166 ③

## Les MONTILS

**41120** L.-et-C. – 1 196 h.

⚠️ Municipal de l'Hermitage ⬗, SE : 0,5 km par D 77, rte de Seur, bord du Beuvron
1 ha (30 empl.) ⚬⟞ plat, herbeux 🎣 – 🍳 ⇆ 占 🖻 ⊛ ⚓ 🏐 – 🏊 – A proximité : 🎾

5 – 64 ⑰

## MONTLOUIS-SUR-LOIRE

**37270** I.-et-L. – 8 309 h.
🛈 Syndicat d'Initiative, pl. de la Mairie (Pâques-1er oct.) 🅿️ 47 45 00 16

⚠️ **Municipal les Peupliers**, 🅿️ 47 50 81 90, O : 1,5 km par D 751 rte de Tours, à 100 m de la Loire
6 ha (252 empl.) ⚬⟞ plat, herbeux 🏕️ 🎣 – 🍳 ⇆ 占 ⚓ 🖻 丈 ⊛ ⚓ 🏐 🍺 🍷
🎾 🏊 – 🍽️ 🎾 🏊 – A proximité : 🏊
mars-oct. – **R** – Tarif 91 : 🍴 8,50 🚗 8,50 🖻 8,50 🔌 10,20 (6A) 20,40 (16A)

5 – 64 ⑮ G. Châteaux de la Loire

## MONTMARTIN-SUR-MER

**50590** Manche – 880 h.

⚠️ 4 – 54 ⑫

🏕️ **Municipal les Gravelets** ♐, ℰ 33 47 70 20, sortie NO par D 249 rte de Grimouville
1 ha (100 empl.) ⌁ plat et en terrasses, herbeux ▱ – 🗟 ⛄ 🚽 ⊕ – 🚐 –
A proximité : ✂ – Location : chalets
Permanent – **R** juil.-août – ✦ 10,50 🗉 13,50 [9] 9,50

---

## MONTMÉDY

**55600** Meuse – 1 943 h.
🅸 Office de Tourisme, Ville Haute
(15 fév.-15 nov.) ℰ 29 80 15 90

7 – 57 ① G. Alsace Lorraine

🏕️ **Municipal la Citadelle** ≤, dans la ville haute, près de la citadelle
0,5 ha (30 empl.) plat, peu incliné, herbeux – 🗟 ⊕
juin-sept. – **R** – ✦ 5,80 ⇚ 4,20 🗉 5,25 [9] 8,40

---

## MONTMERLE-SUR-SAÔNE

**01090** Ain – 2 596 h.

11 – 74 ①

🏕️ **Municipal Sud,** ℰ 74 69 34 40, sortie SE rte de Trévoux, près de la Saône
– ✂
10 ha (440 empl.) ⌁ plat, herbeux ♀ – 🗟 ⛄ 🚽 🗟 ⊕ – 🛶 – A proximité :
✂✗ ⬱
avril-oct. – Places limitées pour le passage – **R** juil.-août – ✦ 10 ⇚ 19 [9] 9 (5A)

---

## MONTMORILLON ⊛

**86500** Vienne – 6 667 h.
🅸 Office de Tourisme, 21 av.
Fernand-Tribot ℰ 49 91 11 96

10 – 68 ⑮ G. Poitou Vendée Charentes

🏕️ **Municipal,** ℰ 49 91 02 33, sortie SE par D 54 rte du Dorat, à 50 m de la Gartempe et bord d'un ruisseau
0,9 ha (80 empl.) ⌁ plat et en terrasses, herbeux – (🗟 🚽 mi-avril-mi nov.) 🗟
⊕ – 🚐 – A proximité : ⬱
Permanent – **R** – ✦ 5,40 ⇚ 3,20 🗉 3,20 [9] 3,30 (hors saison : 10,90)

---

## MONTOIRE-SUR-LE-LOIR

**41800** L.-et-Ch. – 4 065 h.
🅸 Syndicat d'Initiative, Mairie
(juil.-août) ℰ 54 85 00 29

5 – 64 ⑤ G. Châteaux de la Loire

🏕️ **Municipal les Reclusages,** ℰ 54 85 02 53, sortie SO rte de Tours et rte à gauche après le pont, bord du Loir
2 ha (140 empl.) ⌁ plat, herbeux ♀ – 🗟 ⛄ 🚽 ▨ 🗟 🕭 ⊕ ♈ – 🚐 ⬱ –
A proximité : 🗟 ⬱
15 mai-15 sept. – **R** juin et juil. – **R** août – Tarif 91 : ✦ 9,50 🗉 6 [9] 8 (6A)

---

## MONTPELLIER ℙ

**34000** Hérault – 207 996 h.
🅸 Office de Tourisme, 78 av. Pirée
ℰ 67 22 06 16 et au Triangle allée
Tourisme ℰ 67 58 67 58

16 – 83 ⑦ G. Gorges du Tarn

à Lattes SE : 5 km par D 986 et D 132 à gauche – ✉ 34970 Lattes :

🏕️ **Eden Camping,** ℰ 67 68 29 68, SO : 2,7 km sur D 986 rte de Palavas-les-Flots
6 ha (302 empl.) ⌁ plat, herbeux ♀♀ – 🗟 ⛄ 🚽 🗟 🕭 ⊕ ♈ 🚒 ♈ ✗ 🗟 cases réfrigérées
– 🚐 ✂ ⬱ – Location : chalets
juin-sept. – **R** conseillée – 🗉 piscine comprise 2 pers. 87, pers. suppl. 15 [9] 13
(7A)

🏕️ **L'Oasis Palavasienne,** ℰ 67 68 95 10, SO : 2,5 km sur D 986 rte de Palavas-les-Flots
3 ha (160 empl.) ⌁ plat, herbeux ♀ – 🗟 ⛄ 🚽 🗟 ⊕ 🚒 ⬱ 🚒 ♈ ✗ cases
réfrigérées ♈ 🗟 – 🚐 ⬱
juin-sept. – **R** conseillée – 🗉 élect. (6A) et piscine comprises 2 pers. 84

🏕️ **Le Parc,** ℰ 67 65 85 67, NE : 2 km par D 172
1,6 ha (100 empl.) ⌁ plat, herbeux, pierreux ▱ ♀♀ – 🗟 🗟 ⊕ – ⬱ – A proximité :
🗟
vac. de printemps, 8 juin-22 sept. – **R** conseillée juil.-août – 🗉 piscine comprise
4 pers. 98,50 [9] 13,75 (3A)

🏕️ **Domaine de l'Estanel,** ℰ 67 65 73 37, NE : 2 km par D 172
2 ha (130 empl.) ⌁ plat, pierreux, herbeux ♀♀ – 🗟 🚽 🗟 ⊕ 🗟 – A proximité :
🗟
15 juin-15 sept. – **R** – 🗉 2 à 5 pers. 72 à 115,40 [9] 14,50 (4A)

---

## MONTPEZAT

**04** Alpes-de-H.-Pr.
✉ 04730 Montagnac-Montpezat

17 – 81 ⑯

🏕️ **Coteau de la Marine** ♐ ≤ « Agréable situation », ℰ 92 77 53 33, SE : 2 km
par rte de Boudinard, bord du Verdon
10 ha (200 empl.) ⌁ plat et accidenté, en terrasses, pierreux, gravier ▱ ♀ – 🗟
⛄ 🚽 🗟 ⊕ ♈ ♈ 🚒 ♈ ✗ ♈ 🗟 – 🚐 ✂ ⬱ – Location : 🗟 🗟
avril-oct. – **R** conseillée 15 juil.-15 août – Tarif 91 : 🗉 piscine comprise 3 pers.
99 (113 ou 118 avec élect. 6A), pers. suppl. 17

---

## MONTPEZAT-DE-QUERCY

**82270** T.-et-G. – 1 411 h.
🅸 Syndicat d'Initiative, Mairie
ℰ 63 02 07 04

14 – 79 ⑱ G. Périgord Quercy

🏕️ **Municipal du Faillal** Ⓜ ≤, ℰ 63 02 07 08, sortie N par D 20, rte de Cahors
et à gauche
0,9 ha (50 empl.) ⌁ (saison) en terrasses, herbeux, pierreux ▱ – 🗟 ⛄ 🚽 🕭
⊕ ♈ 🚐 🚒 ♈ – A proximité : ✂ ⬱ – Location : gîtes
Pâques-Toussaint – **R** – 🗉 2 pers. 41, 3 pers. 52, pers. suppl. 5 [9] 10

## MONTPEZAT-SOUS-BAUZON

**16** – **76** ⑱ G. Vallée du Rhône

**07560** Ardèche – 698 h.

ᗰ **Municipal** ⌕ ⋖, ℘ 75 94 42 55, SE : 0,5 km par centre bourg, bord d'un ruisseau
1,5 ha (101 empl.) o━ plat et peu incliné, herbeux, pierreux ⚲ – 邓 ⊕ ⌒ ▽ ⋯ 🚶 ≃ (plan d'eau aménagé) vélos – A proximité : 🍴 ⌒ – Location : 🏠
15 juin-15 sept. – **R** conseillée juil.-août – ☂ 9 ⇔ 8 🅴 8 ⓰ 9 (16A)

## MONTREUIL ◁▷

**1** – **51** ⑫ G. Flandres Artois Picardie

**62170** P.-de-C. – 2 450 h.
🅱 Office de Tourisme, pl.
Poissonnerie (15 avril-15 sept.)
℘ 21 06 04 27 et Mairie (hors saison)
℘ 21 06 01 33

ᗰ **Municipal la Fontaine des Clercs** ⌕ « Site et cadre agréables », ℘ 21 06 07 28, sortie N et rte d'accès près du passage à niveau, bord de la Canche
2 ha (76 empl.) o━ plat et en terrasses, herbeux, pierreux ❐ ⚲ – 邓 ⊹ 凵 🅵 邓 ⊕ – ⌒ 🔄
Permanent – **R** conseillée juil.-août – 🅴 1 pers. 28, 2 pers. 39 ⓰ 12 (2A) 18 (4A)

## MONTREUIL-BELLAY

**9** – **67** ⑧ G. Châteaux de la Loire

**49260** M.-et-L. – 4 041 h.
🅱 Syndicat d'Initiative, r. du Marché
(mai-sept.) ℘ 41 52 32 39 et Mairie
(hors saison) ℘ 41 52 33 86

ᗰ **Les Nobis** ⋖ « Situation agréable au pied des remparts du château », ℘ 41 52 33 66, sortie NO rte d'Angers et chemin à gauche avant le pont, bord du Thouet
4 ha (170 empl.) o━ plat et terrasse, herbeux ⚲ – 邓 ⊹ 凵 🅵 🅶 ⊕ ⌒ 🅿 🍴 grill 邓 – 🔄 🚶 – A proximité : ⌒ – Location : 🔄
avril-sept. – **R** juil.-août – ☂ 10,60 🅴 17,80 ⓰ 11

## MONTREUIL-JUIGNÉ

**4** – **63** ⑳

**49460** M.-et-L. – 6 451 h.

ᗰ **Municipal Léon Delanoue,** ℘ 41 42 40 18, sortie N par D 768, bord de la Mayenne
1 ha (92 empl.) o━ (saison) plat, herbeux – 邓 ⊹ 邓 ⊕ – 🚶 – A proximité : 🍴
mai-oct. – **R** – Tarif 91 : ☂ 5,70 ⇔ 3 🅴 3 ⓰ 6,60 (4 à 10A)

## MONTREVEL-EN-BRESSE

**12** – **170** ⑫

**01340** Ain – 1 973 h.

ᗰ **Base de Plein Air et de Loisirs,** ℘ 74 30 80 52, E : 0,5 km par D 28, à la plage, bord d'un lac
27 ha/15 campables (500 empl.) o━ plat, herbeux, pierreux ❐ ⚲ – 邓 ⊹ 凵 🅵 ⊕ ⌒ ▽ 🚶 🅿 🍴 🛒 ⌒ 🔄 – 🔄 m 🚶 ≃ plage ◍
mai-sept. – **R** conseillée – Tarif 91 : ☂ 15 🅴 43 avec élect.

## MONTS

**10** – **64** ⑭ ⑮

**37260** I.-et-L. – 6 221 h.

ᗰ **Municipal du Val de l'Indre,** E : 0,5 km par rte de Montbazon
0,7 ha (30 empl.) incliné et en terrasses, herbeux ❐ ⚲⚲ pinède – 邓 ⊹ 凵 ⊕
Pâques-sept. – **R** – Tarif 91 : ☂ 6 🅴 6 ⓰ 7

## MONTSALVY

**15** – **76** ⑫ G. Auvergne

**15120** Cantal – 970 h. alt. 800.
🅱 Office de Tourisme ℘ 71 49 21 43

ᗰ **Municipal la Grangeotte** ⋖, SE : 1 km par D 920 rte d'Entraygues-sur-Truyère et à droite
1 ha (50 empl.) o━ plat, peu incliné et accidenté, herbeux, pierreux ❐ – 邓 邓 ⊕ ⌒ – 🍴 🔄
juin-sept. – **R** – ☂ 5,70 ⇔ 2,90 🅴 3,90/6,20

## MONTSOREAU

**9** – **64** ⑬ G. Châteaux de la Loire

**49730** M.-et-L. – 561 h.

ᗰ **Municipal Isle Verte,** ℘ 41 51 76 60, sortie NO par D 947 rte de Saumur, bord de la Loire
2,5 ha (150 empl.) o━ plat, herbeux ⚲⚲ – 邓 ⊹ 凵 ⊕ 邓 – 🍴 🚶
mai-sept. – **R** – ☂ 9 ⇔ 5 🅴 5 ⓰ 8 (12A)

## MONTSURS

**4** – **60** ⑪

**53150** Mayenne – 2 073 h.

ᗰ **Municipal de la Jouanne,** au bourg, par D 32 rte d'Evron, bord de rivière
1,2 ha (30 empl.) plat, herbeux – (邓 ⊹ 凵 avril-1er oct.) 邓 🅶 ⊕ – 🔄
Permanent – **R** – ☂ 5,80 ⇔ 3,70 🅴 3,70 ⓰ 6,80 (2A) 14,60 (6A) 24,50 (10A)

## MOOSCH

**8** – **166** ⑧ ⑨ G. Alsace Lorraine

**68690** H.-Rhin – 1 906 h.

ᗰ **La Mine d'Argent** ⌕ ⋖, ℘ 89 82 30 66, SO : 1,5 km par r. de la Mairie et r. de la Mine-d'Argent, bord d'un ruisseau
2 ha (75 empl.) o━ peu incliné, plat, en terrasses, herbeux ⚲ (0,5 ha) – 邓 ⊹ 凵 邓 ⊕ – 🔄 🚶
mai-sept. – **R** conseillée – ☂ 9 🅴 10

## MORANNES

**49640** M.-et-L. – 1 534 h.

**Municipal** ⚲, ☎ 41 42 20 32, sortie O par D 26 rte de Chemiré et à droite avant le pont, bord de la Sarthe
2,5 ha (100 empl.) ⚬ plat, herbeux ♀ – 🛖 ♨ ⚑ ⊕ – ⚆ vélos
Pâques au 7 juin (week-end seulement) et 15 juin-15 sept. – **R** – *Tarif 91 :*
⚹ *7* 🚗 *3* 回 *3 ou 5 selon emplacements* ⚡ *10*

---

## MORCENX

**40110** Landes – 4 332 h.

**Le Clavé « Parc »,** ☎ 58 07 83 11, SE : 3 km par D 38 et D 27 rte de Tartas, à Morcenx-Bourg, bord d'un ruisseau
4 ha/2 campables (50 empl.) ⚬ plat et peu incliné, herbeux ♀♀ – 🛖 ♨ ⚑ 🗔
⊕ ⚲ ▽ – 🛒 ♒
15 avril-sept. – **R** *conseillée*

---

## MORHANGE

**57340** Moselle – 4 460 h.

**Centre de Loisirs** ⚲, ☎ 87 86 21 58, N : 2,5 km par rte de Sarreguemines puis 3,5 km par D 78 rte d'Arprich à gauche et chemin du Centre de Tourisme, bord du lac de la Mutche
1 ha (45 empl.) ⚬ plat, gravillons ☒ – 🛖 ⚒ ⚓ ⊕ 回 – 🛒 A proximité : ⚐
⚽ ⚆ 🛒 ⚘ ⚞ poneys – Location : 🏠, huttes
avril- oct. – **R** *conseillée, indispensable juil.-août –* 回 *1 ou 2 pers. 52, pers. suppl.*
*11* ⚡ *12*

---

## MORIANI-PLAGE 2B H.-Corse – 90 ④ – voir à Corse

---

## MORIEZ

**04170** Alpes-de-H.-Pr. – 160 h.
alt. 913

**Municipal,** ☎ 92 89 04 77, SO : 0,5 km par N 202 rte de Barrême, accès près du viaduc
1 ha (60 empl.) plat, herbeux, pierreux – 🛖 🗔 ⊕
15 juin-août – **R** – ⚹ *11* 回 *9* ⚡ *6 (3A)*

---

## MORNANT

**69440** Rhône – 3 900 h.

**Municipal de la Trillonière,** ☎ 78 44 16 47, sortie S, carrefour D 30 et D 34, près d'un ruisseau – ⚡
1,5 ha (60 empl.) ⚬ (saison) peu incliné et plat, herbeux – 🛖 ♨ ⚑ ⚓ ⊕ –
A proximité : ⚆
mai-sept. – **R** *conseillée – Tarif 91 :* ⚹ *11* 🚗 *13* 回 *13* ⚡ *12,50 (5A)*

---

## MORNAS

**84550** Vaucluse – 2 087 h.

**Beauregard** ⚲ « Cadre agréable dans une belle pinède », ☎ 90 37 02 08, sortie N par N 7 rte de Montélimar puis 1,6 km par D 74 à droite
8 ha (100 empl.) ⚬ plat et accidenté, sablonneux ♀♀ – 🛖 ♨ ⚑ ⚒ 🗔 ⚓ ⊕
⚖ ✕ 🛒 回 – 🛒 ⚘ ⚞ – Location : 🚐 🏠
Permanent – *Places disponibles pour le passage –* **R** *conseillée –* 回 *piscine et tennis compris 2 pers. 54* ⚡ *11 (2A) 15 (3A) 20 (6A)*

---

## MORSIGLIA 2B H.-Corse – 90 ① – voir à Corse

---

## MORTEAU

**25500** Doubs – 6 458 h. alt. 772.
🛈 Syndicat d'Initiative, pl. Gare
(15 juin-15 sept.) ☎ 81 67 18 53 et Mairie (hors saison) ☎ 81 67 14 78

**Le Cul de la Lune** ⚶, ☎ 81 67 17 52, sortie S par D 48 rte de Neuchâtel, bord du Doubs
2 ha (33 empl.) ⚬ plat, herbeux – 🛖 ⚒ 🗔 ⊕ – 🛒 – A proximité : ✕
mai-1er oct. – **R** – ⚹ *10* 回 *14* ⚡ *9*

---

## MORTEROLLES-SUR-SEMME

**87** H.-Vienne
✉ 87250 Bessines-sur-Gartempe

**Municipal,** ☎ 55 76 60 18, au bourg, sur N 20
0,8 ha (33 empl.) ⚬ plat, herbeux – 🛖 ♨ ⚑ 🗔 ⚏ ⊕
Permanent – **R** *juil.-août* – ⚹ *5,60* 回 *5,80* ⚡ *5,80 (5A)*

---

## La MOTHE-ACHARD

**85150** Vendée – 1 918 h.

**Le Pavillon,** ☎ 51 05 63 46, SO : 1,5 km rte des Sables-d'Olonne, bord d'un étang
3 ha (90 empl.) ⚬ (saison) plat, herbeux, étang ♀ – 🛖 ⚒ ⊕ ⚐ 回 – 🛒 ⚞
⚞ (bassin) – Location : 🚐 🚐 🏠
mai-sept. – **R** *conseillée août* – ⚹ *14* 🚗 *4,50* 回 *14* ⚡ *27 (4A)*

## La MOTTE-CHALANCON

**26470** Drôme – 382 h.

⚠ **le Moulin** ⟋, ℰ 75 27 24 06, sortie S par D 61 rte de Rémuzat et à droite après le pont, bord de l'Ayguebelle
0,7 ha (36 empl.) ⟋ plat, herbeux ⊏⊐ – 🎄 ⊕ 🔲
juin-sept. – **R** *conseillée* – 🏊 *14* ⊯ *8* 🔲 *14* ⟨🔌⟩ *8 (2A) 12 (5A) 20 (10A)*

🔢 16 – 81 ④

---

## La MOTTE-FEUILLY

**36160** Indre – 44 h.

🔢 10 – 68 ⑲ G. Berry Limousin

⚠ **Aire Naturelle Municipale** ⟋ « Dans le parc du château », à l'ouest du bourg
0,4 ha (12 empl.) plat, herbeux – 🎄 ⟅ ⟆ ⊕
mai-oct. – **R** – 🏊 *6,50* ⊯ *6,50* 🔲 *6,50* ⟨🔌⟩ *12,50 (5A)*

---

## La MOTTE-TERNANT

**21210** Côte-d'Or – 185 h.

🔢 7 – 65 ⑰

⚠ **Municipal** ⟋, au sud du bourg, près de la mairie
0,7 ha (30 empl.) peu incliné, herbeux – 🎄 ⟅ ⟆ 🔲 ⊕
avril-sept. – **R** – 🏊 *5,50* ⊯ *3,50* 🔲 *5* ⟨🔌⟩ *8*

---

## MOUCHAMPS

**85640** Vendée – 2 398 h.

🔢 9 – 67 ⑮ G. Poitou Vendée Charentes

⚠ **Municipal,** ℰ 51 66 25 72, S : 0,6 km par D 113 rte de St-Prouant, bord d'un ruisseau
0,4 ha (25 empl.) plat, herbeux ⊏⊐ ⟈ – 🎄 ⟆ ⊕
juin-15 sept. – **R** – 🏊 *9,80* ⊯ *2,60* 🔲 *4,70*

---

## MOUCHARD

**39330** Jura – 997 h.

🔢 12 – 170 ④ ⑤

⚠ **La Halte Jurassienne** ⟨, ℰ 84 37 83 92, sortie NE, près de la station service – Dans le sens S-N, accès par centre ville
0,5 ha (25 empl.) ⟋ peu incliné, herbeux ⟈ – 🎄 ⟅ 🔲 ⊕ – 🔲
15 avril-15 oct. – **R** – 🏊 *12* ⊯ *8* 🔲 *8,20/8,70* ⟨🔌⟩ *12,50 (5A)*

---

## MOULEYDIER

**24520** Dordogne – 1 049 h.

🔢 10 – 75 ⑮

⚠ **Municipal la Gravière,** ℰ 53 23 22 38, au stade, E : 1,5 km par D 660, rte de Lalinde et à droite, près de la Dordogne
1,5 ha (71 empl.) peu incliné, herbeux ⟈⟈ (0,5 ha) – 🎄 ⟅ ⟆ ⟨⟩ ⊕ – ✗ ⟻
juil.-6 sept. – **R** – 🔲 *1 à 7 pers. 17 à 46 (26 à 60 avec élect.)*

---

## MOULINS-ENGILBERT

**58290** Nièvre – 1 711 h.

🔢 11 – 69 ⑥ G. Bourgogne

⚠ **Municipal de l'Escame,** ℰ 86 84 26 12, N : 1,5 km par D 37 rte de Château-Chinon, près d'un ruisseau et d'un plan d'eau
1 ha (20 empl.) ⟋ peu incliné et en terrasses, gravier, herbeux ⊏⊐ – 🎄 ⟅ ⟆
⊕ ⟰ ⟇ – ✗ – A proximité : ⟻
24 juin-1ᵉʳ sept. – **R** *conseillée* – 🏊 *4,70* ⊯ *4,70* 🔲 *2,60/4,70* ⟨🔌⟩ *6,30 (5A)*

---

## MOURIÈS

**13890** B.-du-R. – 2 505 h.

🔢 16 – 84 ①

⚠⚠ **Le Devenson** ⟋ ⟨, ℰ 90 47 52 01, NO : 2 km par D 17 et D 5 à droite – Possibilité d'accès aux emplacements par véhicule tracteur
12 ha/3,5 campables (60 empl.) ⟋ en terrasses, pierreux, rocheux ⊏⊐ ⟈⟈ pinède – 🎄 ⟅ ⟋ 🔲 ⊕ cases réfrigérées – ⟻ ⟋
vac. de printemps-15 sept. – **R** *conseillée* – *Séjour minimum 1 semaine* – 🏊 *20 piscine comprise* 🔲 *26* ⟨🔌⟩ *17 (5A)*

---

## MOUSTERLIN (Pointe de) **29** Finistère – 58 ⑮ – rattaché à Fouesnant

---

## MOUSTIERS-STE-MARIE

**04360** Alpes-de-H.-Pr. – 580 h.
alt. 631.
Syndicat d'Initiative ℰ 92 74 67 84

🔢 17 – 81 ⑰ G. Alpes du Sud

⚠⚠ **St-Clair** ⟨, ℰ 92 74 67 15, S : 2,5 km, carrefour des D 952 et D 957, bord de la Maïre et de l'Anguire
3 ha (227 empl.) ⟋ peu incliné, en terrasses, pierreux, herbeux ⟈ – 🎄 ⟅ ⟋
🔲 ⟰ ⟇ ⊕
avril-25 sept. – **R** – 🏊 *14* 🔲 *14* ⟨🔌⟩ *13 (6A)*

⚠⚠ **Le Vieux Colombier** ⟨, ℰ 92 74 61 89, S : 0,8 km
2,6 ha (70 empl.) ⟋ (saison) en terrasses, peu incliné, pierreux, herbeux – 🎄 ⟅
⟋ 🔲 ⟇ ⊕
vac. de printemps-sept. – **R** *conseillée juil.-août* – 🏊 *16* 🔲 *18* ⟨🔌⟩ *12 (3A) 16 (6A)*

⚠⚠ **St-Jean** ⟋ ⟨, ℰ 92 74 66 85, SO : 1 km par D 952 rte de Riez, bord de la Maïre
1,6 ha (110 empl.) ⟋ plat, peu incliné, herbeux ⟈⟈ – 🎄 ⟅ ⟋ 🔲 ⊕
avril-sept. – **R** *conseillée juil.-août* – 🏊 *15* 🔲 *17* ⟨🔌⟩ *12 (3A) 18 (6A)*

⚑ **V.T.F. Le Petit Lac** ‹, ℰ 92 74 67 11, S : 3,5 km par D 952 et D 957 rte d'Aups, à proximité de la Mairie (plan d'eau)
1 ha (100 empl.) ⊶ (saison) plat et peu incliné, sablonneux, pierreux, herbeux
⊡ – 🗑 ⊛ – 🔥 ⚿ (bassin) vélos – A proximité : 🍽 🏕 🛶
avril-sept. – ℞ – 🗐 *3 pers. 82, pers. suppl. 18* 🔌 *13 (4A)*

⚑ **Manaysse** ⚿ ‹, ℰ 92 74 66 71, SO : 0,9 km par D 952 rte de Riez
1,6 ha (60 empl.) ⊶ incliné, herbeux – 🗑 🏕 🔲 ⊛
avril-oct. – ℞ *conseillée* – 🏕 *13* 🗐 *13* 🔌 *13 (5A)*

---

## Le MOUTCHIC 33 Gironde – 🔲🔲🔲 ⑱ – rattaché à Lacanau (Étang de)

---

## MOUTHE

🔢 – 🔲🔲🔲 ⑥ G. Jura

**25240** Doubs – 898 h. alt. 935 – 🌊

⚑ **Municipal la Source du Doubs** ❆ ⚿ ‹, ℰ 81 69 27 61, E : 1,5 km, à 150 m de la source
1 ha (50 empl.) ⊶ plat, gravier – 🗑 🏕 🔲 🔲 ⊛ ⚿ snack – gîte d'étape
Permanent – ℞ – 🏕 *11,50* 🚗 *6,50* 🗐 *9,50/16*

---

## MOUTIER-D'AHUN

🔟 – 🔲🔲 ⑩ G. Berry Limousin

**23150** Creuse – 195 h.

⚑ **Le Moulin du Comte** ⚿ « Situation et cadre agréables », ℰ 55 62 53 75, SE : 1 km par D 13, bord de la Creuse
7 ha (20 empl.) ⊶ plat, herbeux ⚼⚼ (0,4 ha) – 🗑 🏕 🔲 🔲 ⚿ 🔲 ⊛ ⚿ 🏕 ✕ 🛒
🔲 garderie – 🛒 🛶 🛶
Permanent – ℞ – *Adhésion obligatoire pour un séjour supérieur à 3 jours* –
🏕 *10* 🗐 *12* 🔌 *7*

---

## Les MOUTIERS-EN-RETZ

🔢 – 🔲🔲 ② G. Poitou Vendée Charentes

**44580** Loire-Atl. – 739 h.

⚑ **Domaine de la Pierre Plate**, ℰ 40 64 65 85, au bourg
4 ha (160 empl.) ⊶ plat, herbeux ⊡ – 🗑 🏕 🔲 🔲 ⚿ 🔲 🚲 – 🛒
🔥 🔲 half-court
15 mars-15 oct. – ℞ *juil.-août* – 🏕 *17 piscine comprise* 🗐 *17* 🔌 *17 (8A)*

⚑ **Domaine du Collet** ⚿, ℰ 40 21 40 92, SE : 3 km, à 150 m de la mer, bord d'un étang
15 ha (300 empl.) ⊶ plat, sablonneux, herbeux ⊡ ⚼⚼ (2 ha) – 🗑 🏕 🔲 🔲 ⊛
🔲 🏕 ✕ 🛶 🛒 – 🛒 🛶 🛶 – Location : 🚐
juin-sept. – ℞ *conseillée* – 🏕 *18 piscine comprise* 🗐 *35* 🔌 *13 (6A)*

⚑ **La Plage**, ℰ 40 82 71 43, NO : 0,8 km par D 97, rte de la Bernerie-en-Retz bord de la plage
2,5 ha (70 empl.) ⊶ peu incliné et accidenté, herbeux, sablonneux ⚼ – 🗑 🏕
🔲 🔲 ⊛ 🏕 🛶 – 🛒 🛶 vélos – Location : 🚐, gîtes
Permanent – 🗐 *piscine comprise 2 pers. 65* 🔌 *10 (6A)*

⚑ **Les Brillas** ⚿, ℰ 40 82 79 78, NO : 1 km
0,8 ha (96 empl.) ⊶ peu incliné, herbeux ⊡ – 🗑 🏕 🔲 🔲 ⊛ ⊛ – 🛒
15 juin-15 sept. – ℞ *conseillée juil.-15 août* – 🗐 *1 à 3 pers. 47* 🔌 *10 (4A) 13,60 (6A) 20,80 (10A)*

---

## MOUZON

🔢 – 🔲🔲 ⑩ G. Champagne

**08210** Ardennes – 2 637 h.

⚑ Municipal la Tour St-Jérôme, ℰ 24 26 28 02, sortie SE par r. Porte de Bourgogne et chemin à droite après le pont, près du stade
1,5 ha (32 empl.) ⊶ plat, herbeux – 🗑 🏕 🔲 🔲 ⊛ – A proximité : ✕ 🔲 🛶

---

## MOYAUX

🔢 – 🔲🔲 ①

**14590** Calvados – 1 185 h.

⚑ **Le Colombier** ⚿, ℰ 31 63 63 08, NE : 3 km par D 143 rte de Lieurey
15 ha/6 campables (170 empl.) ⊶ plat, herbeux ⚼ – 🗑 🏕 🔲 🔲 ⊛ ⚿
crêperie 🛶 🔲 – 🛒 🛶 🔲 🛶
mai-15 sept. – ℞ *indispensable 15 juil.-25 août* – 🏕 *28 piscine comprise* 🗐 *5* 🔌 *12 (12A)*

---

## MUGRON

🔢 – 🔲🔲 ⑥ G. Pyrénées Aquitaine

**40250** Landes – 1 327 h.

⚑ **Municipal la Saucille** ⚿, ℰ 58 97 98 50, N : 1,5 km par D 3 et chemin gauche, bord de l'Adour et à 100 m d'un plan d'eau
1,5 ha (75 empl.) plat, herbeux ⚼⚼ – 🗑 🏕 🔲 ⊛ – 🛒
juil.-août – ℞ – *Tarif 91 :* 🗐 *élect. comprise 2 pers. 35, pers. suppl. 12*

---

## MUIDES-SUR-LOIRE

🔢 – 🔲🔲 ①

**41500** L.-et-Ch. – 1 115 h.

⚑ Municipal Bellevue, ℰ 54 87 01 56, sortie NO rte de Mer, à gauche avant le pont, bord de la Loire
2,5 ha (100 empl.) plat, herbeux, sablonneux – 🗑 🏕 ⊛ – 🛶 – A proximité 🛶
Rameaux-fin sept. – ℞ – 🏕 *9,30* 🗐 *5/8* 🔌 *5,10 ou 6,10*

## MULHOUSE ⬡

**68100** H.-Rhin – 108 357 h.
🅱 Office de Tourisme, 9 av. du
Maréchal-Foch 𝒫 89 45 68 31

8 – 🔟66 ⑨ ⑩ **G. Alsace Lorraine**

🔺🔺🔺 F.F.C.C. L'III « Décoration arbustive et florale », 𝒫 89 06 20 66 ✉ 68100
Mulhouse, r. Pierre-de-Coubertin, bord de l'III – Par autoroute A 36, sortie
Dornach
5 ha (200 empl.) ⚬⇁ plat, herbeux ⚲ – 🔥 🔊 🖵 ⅙ ⊕ 🔊 🔊 – 🔊 – A proximité :
✂ 🔊 🔊 🔊
avril-sept. – **R** *conseillée été*

## MUNSTER

**68140** H.-Rhin – 4 657 h.
🅱 Office de Tourisme, pl. du Marché
𝒫 89 77 31 80

8 – 🔟2 ⑱ **G. Alsace Lorraine**

🔺 **Municipal du Parc de la Fecht**, 𝒫 89 77 31 08, E : 1 km par D 10 rte de
Turckheim, bord de la Fecht
4 ha (300 empl.) ⚬⇁ (saison) plat, herbeux ⚲⚲ – 🔥 👝 🔊 🖵 ⊕ – 🔊 –
A proximité : 🔊
mai-sept. – **R** – *Tarif 91 :* ✶ *9,70* 🚗 *5,40* 🔲 *5,40* 🅷 *15*

## MURAT-LE-QUAIRE **63** P.-de-D. – 🔟3 ⑬ – rattaché à la Bourboule

## MUR-DE-BRETAGNE

**22530** C.- d'Armor – 2 049 h.
🅱 Syndicat d'Initiative, pl. Église
(15 juin-15 sept.) 𝒫 96 28 51 41

3 – 🔟8 ⑲ **G. Bretagne**

🔺 **Municipal du Rond Point** 🔊, 𝒫 96 26 01 90, O : 2,4 km par D 18, près
de la base de Loisirs du Lac de Guerlédan
1,7 ha (133 empl.) ⚬⇁ terrasses, peu incliné, herbeux – 🔥 👝 🔊 ⅙ ⊕ –
A proximité : parcours sportif, vélos ✶ 🔊
15 juin-15 sept. – **R** – ✶ *9,55* 🚗 *3,20* 🔲 *3,30* 🅷 *5,80 (6A)*

## MUR-DE-SOLOGNE

**41230** L.-et-Ch. – 1 054 h.

5 – 🔟4 ⑱

🔺 **Municipal** 🔊, 𝒫 54 83 92 76, sortie SE vers Romorantin-Lanthenay et r. de
l'Ancien-Lavoir à droite, bord d'un étang
0,5 ha (33 empl.) ⚬⇁ plat, herbeux – 🔥 🔊 ⊕
15 mai-15 sept. – **R** – ✶ *5* 🚗 *5* 🔲 *5* 🅷 *9*

## MUROL

**63790** P.-de-D. – 606 h. alt. 833.
🅱 Syndicat d'Initiative, r. de
Jassaguet 𝒫 73 88 62 62

*Schéma à Chambon (Lac)*

11 – 🔟3 ⑬ **G. Auvergne**

🔺🔺🔺 **L'Europe** ≤, 𝒫 73 88 60 46, S : rte de Jassat
4,9 ha (270 empl.) ⚬⇁ plat et peu incliné, herbeux – 🔥 👝 👝 🖵 ⅙ ⊕ 🔊 ⊻
🔊 ✶ snack – 🔊 🔊 ✶ 🔊 – Location : 🔊 🔊
25 mai-10 sept. – **R** *conseillée juil.-18 août* – 🔲 *piscine comprise 2 pers. 80, pers.*
*suppl. 20* 🅷 *16 (5A)*

🔺🔺🔺 **La Ribeyre** ≤, 𝒫 73 88 64 29, S : 1,2 km rte de Jassat, bord d'un ruisseau
8 ha (200 empl.) ⚬⇁ plat, herbeux – 🔥 👝 🖵 ⊕ 🔊 – 🔊 ✂ ✶ 🔊 – Location :
🔊, huttes
mai-15 sept. – **R** – ✶ *16 piscine comprise* 🔲 *20* 🅷 *13 (3A) 18 (6A)*

🔺 **Lou Gravêroux** 🔊 ≤, 𝒫 73 88 63 95, S : 1,4 km rte de Jassat, bord d'un
ruisseau
2,5 ha (60 empl.) ⚬⇁ plat, herbeux ⚲ verger – 🔥 👝 🔊 ⊕ 🔊 – 🔊
15 juin-15 sept. – **R** *conseillée* – 🔲 *2 pers. 45, pers. suppl. 13,50* 🅷 *9 (3A) 18*
*(6A) 30 (10A)*

## MURS

**84220** Vaucluse – 391 h.

16 – 🔟1 ⑬ **G. Provence**

🔺 **Municipal des Chalottes** 🔊 ≤, 𝒫 90 72 60 84, S : 2,2 km par rte d'Apt,
rte à droite et chemin à droite après le V.V.F.
2 ha (40 empl.) peu incliné à incliné et accidenté, pierreux 🔊 ⚲ – 🔥 👝 👝 🖵
⅙ ⊕ – ✶
vac. de printemps, 15 juin-15 sept. – **R** *conseillée juil.-août* – *Tarif 91 :* ✶ *10*
🔲 *15* 🅷 *10 (2A)*

## MÛRS-ÉRIGNÉ

**49130** M.-et-L. – 4 224 h.

5 – 🔟3 ⑳

🔺 Les Varennes 🔊, 𝒫 41 57 82 15, N : 1 km, bord du Louet
2,4 ha (100 empl.) ⚬⇁ plat, herbeux ⚲⚲ (1 ha) – 🔥 🔊 ⊕ 🔊 – 🔊 ✶

## MURS-ET-GELIGNIEUX

**01300** Ain – 188 h.

12 – 🔟4 ⑭

🔺🔺 **Île de la Comtesse** ≤, 𝒫 79 87 23 33, SO : 1 km sur D 992 rte des Abrets,
près du Rhône (plan d'eau)
3 ha (100 empl.) ⚬⇁ plat, pierreux, herbeux 🔊 – 🔥 👝 🖵 ⅙ ⊕ 🔊
avril-sept. – **R** *conseillée* – ✶ *18* 🚗 *15* 🔲 *7/15* 🅷 *11 (2A) 12 (4A) 18 (6 ou*
*10A)*

---

*Nos guides hôteliers, nos guides touristiques et nos cartes routières*
*sont complémentaires. Utilisez-les ensemble.*

## Le MUY

**83490** Var – 7 248 h.

🏢 Syndicat d'Initiative, rte de la
Bourgade (fermé après-midi)
𝒫 94 45 12 79

▲▲▲ **La Noguière** Ⓜ ◇ ≼, 𝒫 94 45 13 78, E : 2 km par N 7 rte de St. Raphaël
11 ha (300 empl.) ⊶ plat, accidenté, pierreux ⚲⚲ – 🔊 ⇄ ☒ 🛒 🏛 ⊛ ✗ ♣ –
🍴 🛥 (bassin de 3500 m²)
Permanent – **R** *conseillée* – 🔲 *piscine et tennis compris 2 pers. 80, pers. suppl.*
*22* 🔌 *14 (6A)*

▲▲▲ **Les Cigales** « Cadre agréable », 𝒫 94 45 12 08, SO : 3 km, accès par
l'échangeur de l'autoroute A 8
10 ha/3,8 campables (180 empl.) ⊶ en terrasses, accidenté, pierreux, herbeux
☒ ⚲⚲ pinède – 🔊 ⇄ 🛝 ☒ ♣ ⊛ 🛥 🍴 ♣ – 🔲 – 🍴 🛥 ⚵
mai-15 sept. – **R** *conseillée juil.-août* – 🔲 *piscine comprise 2 pers. 72, pers. suppl.*
*20,50* 🔌 *16 (6A) 20 (8A)*

## MUZILLAC

**56190** Morbihan – 3 471 h.

▲▲▲ **Le Relais de l'Océan,** 𝒫 97 41 66 48, O : 3 km par D 20 rte d'Ambon et rte
de Damgan à gauche
1,7 ha (50 empl.) ⊶ plat, herbeux – 🔊 ⇄ 🛝 ☒ ♣ ⊛ 🛥 – 🔲 🍴 ♣
A proximité : 🍴
15 juin-15 sept. – **R** *conseillée* – *Tarif 91 :* 🔲 *2 pers. 50, pers. suppl. 13,50*
🔌 *10 (6A)*

▲▲ **Municipal,** 𝒫 97 41 67 01, E : par rte de Péaule et chemin, près du stade
1 ha (100 empl.) ⊶ plat, herbeux – 🔊 ⇄ ☒ ♣ ⊛ – 🔲
Pâques-sept. – **R** *conseillée* – 🧍 *11,80* 🔲 *12* 🔌 *11,80 (10A)*

*à Billiers* S : 2,5 km par D 5 – ✉ 56190 Billiers :

▲ **La Guérandière,** 𝒫 97 41 60 06, sortie S rte de la Pointe de Pen-Lan
2 ha (150 empl.) ⊶ (saison) plat et peu incliné, herbeux ♀ – 🔊 🛝 ⊛ 🔲 – 🔲
– Location : 🚐
15 avril-sept. – **R** *conseillée* – 🧍 *12,60* � *5* 🔲 *5* 🔌 *9 (2A) 11,20 (4A) 13,40*
*(6A)*

*à Noyal-Muzillac* NE : 5 km par D 5 – ✉ 56190 Noyal-Muzillac :

▲ **Moulin de Cadillac** ⚲, 𝒫 97 67 03 47, NO : 4,5 km par rte de Berric, bord
du Kervily
1,2 ha (45 empl.) ⊶ plat, herbeux, petit étang ☒ – 🔊 🛝 ⊛ – 🍴
15 mai-sept. – **R** – 🧍 *7,50* 🔲 *9,50* 🔌 *7,50 (2A) 9,50 (4A)*

## NABIRAT

**24250** Dordogne – 275 h.

▲▲▲ **L'Étang** ⚲, 𝒫 53 28 52 28, N : 4 km par rte de Groléjac et chemin à gauche
2 ha (75 empl.) ⊶ peu incliné et en terrasses ☒ ⚲⚲ – 🔊 ⇄ ☒ ♣ ⊛ – 🔲
🛥 – Location : gîtes
Pâques-Toussaint – **R** *juil.-août* – 🧍 *19 piscine comprise* 🔲 *30* 🔌 *10 (6A)*

## NAGES

**81320** Tarn – 321 h. alt. 800

▲▲▲ **Rieu-Montagné** ⚲ ≼ lac et montagnes boisées, 𝒫 63 37 40 52, S : 4,5 km
par D 62 et rte à gauche, à 50 m du lac de Laouzas
2,6 ha (160 empl.) ⊶ en terrasses, herbeux, pierreux ☒ – 🔊 ⇄ ☒ ♣ ⊛ 🛝 🛥 –
🍴 snack 🔲 – 🔲 tir à l'arc, vélos – A proximité : 🛥 ♣ ♣ 🛥 ⚵ ♨
15 juin-15 sept. – **R** *conseillée 14 juil.-15 août* – 🔲 *élect. comprise 3 pers.*
*100, pers. suppl. 12*

## NAILLOUX

**31560** H.-Gar. – 1 026 h.

▲▲▲ **Le Parc de la Thésauque** ⚲ ≼, 𝒫 61 81 34 67, E : 3,5 km par D 622 rte
de Villefranche-de-Lauragais et chemin à droite, près d'un plan d'eau
2 ha (60 empl.) ⊶ (saison) en terrasses, herbeux – 🔊 ⇄ ☒ ♣ ⊛ 🛥 🍴 –
A proximité : 🍴 ✗ salle de musculation 🛥 🔲 practice de golf, piste de bi-cross
– Location : 🏠
mars-oct. – **R** *conseillée juil.-août* – 🔲 *2 pers. 70/80, pers. suppl. 12* 🔌 *13 (6A)*
*20 (10A)*

## NAJAC

**12270** Aveyron – 766 h.

🏢 Syndicat d'Initiative, pl. du
Faubourg 𝒫 65 29 72 05

▲▲ Camp V.V.F. ⚲ ≼ « Vieux hameau restauré dans un très beau site »
𝒫 65 29 73 97, S : 7,5 km par rte de Laguépie et rte à gauche, à Mergieux
🛥
0,65 ha (30 empl.) incliné et en terrasses, herbeux – 🔊 ⇄ ☒ ✗ ♣ 🔲 – 🔲
🛥 🛥 – A proximité : 🛥
juin-sept. – **R** *indispensable* – *Adhésion V.V.F. obligatoire*

▲▲ **Municipal le Païssarou** ⚲, 𝒫 65 29 73 96, NO : 1,5 km par D 39 rte de
Parisot, bord de l'Aveyron
4 ha (100 empl.) ⊶ (saison) plat, herbeux ☒ ⚲⚲ – 🔊 ⇄ ☒ 🛒 ⊛ 🔲 – 🔲
A proximité : 🛥 🛥 – Location : 🏠, gîte d'étape
16 mai-13 sept. – **R** *conseillée* – 🔲 *élect. comprise 2 pers. 53, pers. suppl.*
*21*

# NALLIERS

9 – 171 ⑪

**85370** Vendée – 1 763 h.

△ **Municipal** M « Entrée fleurie », au Sud du bourg
1 ha (25 empl.) plat, herbeux ⌂ – 杌 ⇄ 凸 & ⊕ – A proximité : ✖
avril.-sept. – ♦ 7 ⇐ 4 ▣ 4 (≴) 7 (6A)

# NANÇAY

6 – 64 ⑳ G. Berry Limousin

**18330** Cher – 784 h.

▲▲ **Municipal les Pins** ⑤ « Entrée fleurie et agréable pinède », ℘ 48 51 81 80,
NO : 0,6 km par D 944 rte de Salbris
4 ha (66 empl.) ⊶ plat, sablonneux, sous-bois ⚏ – 杌 ⇄ (⚲ 15 mars-1er nov.)
▥ ⊕ – ⇄ – A proximité : ✖
Permanent – **R** – Tarif 91 : ♦ 5,50 ▣ 6/9 (≴) 10 (5A) 22 (10A)

# NANCRAS

9 – 171 ⑭

**17600** Char.-Mar. – 353 h.

△ **Le Pommier Rouge,** ℘ 46 94 73 70, sortie SO sur rte du Gua
0,5 ha (38 empl.) plat, herbeux – 杌 ⊶ – ⇄ – A proximité : ✖
avril.-sept. – **R** conseillée août – ▣ 1 à 3 pers. 33, pers. suppl. 8 (≴) 11,50 (5A)

# NANCY P

8 – 62 ⑤ G. Alsace Lorraine

**4000** M.-et-M. – 99 351 h.

🛈 Office de Tourisme et Accueil de
France, 14 pl. Stanislas
℘ 83 35 22 41

▲▲▲ **Municipal de Brabois** ⑤, ℘ 83 27 18 28 ✉ 54600 Villers-les-Nancy, SO :
au parc de Brabois – Par A 33 sortie Nancy-Brabois
6 ha (300 empl.) ⊶ plat, herbeux ♉♉ – 杌 ⇄ 凸 ⊕ ♒ ✇ – ⬚ ⇄
avril-15 oct. – **R** – ♦ 12 ⇐ 5,70 ▣ 5,70/13 (≴) été : 9,80 (5A) hiver : 20,60
(15A)

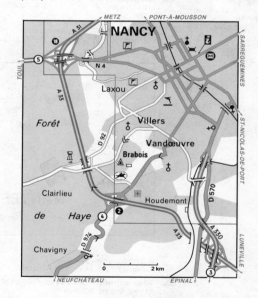

# NANS-LES-PINS

17 – 84 ⑭

**83860** Var – 2 485 h.

▲▲ **International de la Ste-Baume** ⑤ « Agréable cadre boisé »,
℘ 94 78 92 68, N : 0,9 km par D 80 et à droite – Par A 8 : sortie St-Maximin-
la-Ste-Baume
5 ha (160 empl.) ⊶ plat, peu accidenté, pierreux, gravier ⌂ ♉♉ – 杌 ⇄ 凸 ⌸
& ▥ ⊕ ♒ ✇ ⅋ – ⬚ ✖ ♨ – Location : 🚐 ⊡
avril.-sept. – **R** conseillée juil.-août – ▣ piscine et tennis compris 2 pers. 85
(≴) 17 (6A)

△ Municipal la Petite Colle ⑤ « Cadre sauvage », S : 1,5 km par D 80 rte de
la Ste-Baume puis à gauche
1,1 ha (45 empl.) ⊶ plat et peu accidenté, pierreux, rochers ♉♉ – 杌 ⇄ 凸 ⊕

*Participez à notre effort permanent
de mise à jour.
Adressez-nous vos remarques et
vos suggestions.*

*Cartes et Guides Michelin – 46, avenue de Breteuil – 75324 Paris Cedex 07.*

## NANT

**12230** Aveyron – 773 h.

**AAA Val de Cantobre** ⌂ < « Vieille ferme caussenarde du XVᵉ siècle »,
🕿 65 62 25 48, Domaine de Vellas, N : 4,5 km par D 991 rte de Millau et chemin
à droite, bord de la Dourbie
6 ha (160 empl.) ⚬➤ en terrasses, rocailleux, herbeux 🖵 – 🍳 ⌂ 🛁 🔥 ⌂ ⊗ 🌳
🏳 🚿 🗙 pizzeria ⚄ 🖩 – 🛶 🍳 ≋ 🔥 vélos – Location : 🚐
20 avril-15 sept. – **R** conseillée juil.-août – 🖲 élect. (4A) comprise 2 pers.
120, pers. suppl. 19

**AA Le Roc qui parle** ⌂ < « Site agréable », 🕿 65 62 22 05, NO : 2,4 km par
D 991 rte de Millau, au lieu-dit les Cuns, bord de la Dourbie
4,5 ha (80 empl.) ⚬➤ plat, en terrasses et incliné, herbeux, pierreux 🖵 – 🍳 ⌂
🛁 🖩 🔥 ⊗ 🌳 🏳 – 🛶 🛥 ≋ vélos
mai-sept. – **R** conseillée juil.-août – 🖲 2 pers. 36,50, pers. suppl. 13,50 🚰 10
(10A)

▶ *Raadpleeg, voordat U zich op een kampeerterrein installeert,*
*de tarieven die de beheerder verplicht*
*is bij de ingang van het terrein aan te geven.*
*Informeer ook naar de speciale verblijfsvoorwaarden.*
*De in deze gids vermelde gegevens kunnen*
*sinds het verschijnen van deze hereditie gewijzigd zijn.*

## NANTES 🅿

**44000** Loire-Atl. – 244 995 h.
🛈 Office de Tourisme et Accueil de
France, pl. du Commerce
🕿 40 47 04 51 et pl. Marc Elder
(saison)

**AAA Municipal du Val du Cens** « Cadre agréable, décoration florale et
arbustive », 🕿 40 74 47 94 ⊠ 44300 Nantes, bd du Petit-Port, bord du
Cens
8 ha (200 empl.) ⚬➤ plat, peu incliné, herbeux, gravillons 🖵 ⌂ – 🍳 ⌂ 🛁 🖩 🖲
⊗ 🌳 🏳 🛥 🖩 – A proximité : patinoire, bowling 🗙 crêperie, 🖩
Permanent – **R** – 🚶 8,40 🖲 13/39 avec élect. (hiver 49)

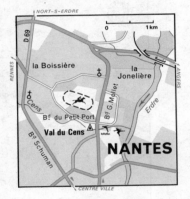

à **St-Sébastien-sur-Loire** E : 6,5 km par D 119, rive gauche du fleuve (hors
schéma) – ⊠ 44230 St-Sébastien-sur-Loire :

**AA Municipal de la Grève,** 🕿 40 80 59 38, au N de la commune, près du stade
et des îles de la Loire
1,5 ha (90 empl.) ⚬➤ plat, herbeux 🖵 – 🍳 🛥 🔥 ⊗ 🌳 🏳 – A proximité : 🖾
🖾
juin-sept. – 🚶 7,50 ⚄ 4,50 🖲 7,50 (17,50 avec élect. 3A)

à **Ste-Luce-sur-Loire** NE : 6 km par D 68 (hors schéma)
⊠ 44980 Ste-Luce-sur-Loire :

**A Belle Rivière** (aire naturelle) « Belle entrée fleurie », 🕿 40 25 85 81, NE : 3 km
par D 68 et à droite, accès direct à un bras de la Loire
2 ha (25 empl.) plat, herbeux – 🍳 🛥 🖩 ⊗ 🌳 – 🖾
Permanent – **R** conseillée – 🚶 12 ⚄ 5 🖲 10 🚰 12 (3A) 16 (5A) 🚰
(10A)

## NARBONNE 🆂🅿

**11100** Aude – 45 849 h.
🛈 Office de Tourisme, pl. Roger-
Salengro 🕿 68 65 15 60

**AAA Les Mimosas** « Cadre agréable et fleuri », 🕿 68 49 03 72, SE : 6 km,
Mandirac – Par A 9 : sortie Narbonne-sud
6 ha (160 empl.) ⚬➤ plat, pierreux, herbeux 🖵 – 🍳 ⌂ 🛁 🖩 🔥 ⊗ 🌳 🏳 🗙 ⚄
🖩 – Salle polyvalente 🗙 🖾 🖩 – A proximité : 🖾 – Location : 🚐
mai-sept. – **R** conseillée juil.-août – 🖲 élect. (6A), piscine et tennis compris 2 pers.
63,50, pers. suppl. 11

à *Narbonne-Plage* E : 15 km par ② – ⊠ 11100 Narbonne.
🛈 Office de Tourisme, bd des Fleurs (15 juin-sept.) 🖉 68 49 84 86

ᎭᎭᎭ **Municipal de la Falaise,** 🖉 68 49 80 77, sortie O rte de Narbonne, à 500 m de la plage
7 ha (380 empl.) ⟶ plat, pierreux ⊑ 🍴 – ⍾ ⇔ ⩫ 🗓 ⊛ ⨁ ☑ 🍽 snack ⊱
🔲 – 🍽 ⟊ – A proximité : ⚅ ⌕
avril-sept. – **R** *conseillée juil.-août* – *Tarif 91 :* 🔲 *2 pers. 58 (78 avec élect. 5A), pers. suppl. 20*

ᎭᎭ Municipal la Côte des Roses, 🖉 68 49 83 65, SO : 3 km rte de Gruissan, bord de l'étang de Mateille et à 300 m de la plage
16 ha (825 empl.) ⟶ plat, sablonneux, pierreux – ⍾ ⩫ ⊛ ⨁ 🍽 ⊱ 🔲 – 🍽 ⚅
avril-sept. – **R** *juil.-août*

ᎭᎭ **Soleil d'Oc,** 🖉 68 49 86 21, SO : 2,5 km rte de Gruissan
2,6 ha (212 empl.) ⟶ plat, pierreux ⊑ – ⍾ ⊛ ⨁ ⊱ 🔲 – Location : 🚐 �on
avril-oct. – **R** *conseillée juil.-août* – 🔲 *2 pers. 64* 🔌 *17 (4A)*

---

# NAUCELLE
**12800** Aveyron – 1 929 h.                    🔢 15 – 80 ①

ᎭᎭ **Lac de Bonnefon** ⚋, 🖉 65 47 00 67, sortie SE par D 997 rte de Naucel-le-Gare puis 1,5 km par rte de Crespin et rte de St-Just à gauche, à 100 m de l'étang (accès direct)
3 ha (88 empl.) ⟶ peu incliné, en terrasses, herbeux – ⍾ 🛏 🗓 ⅊ ⊛ ⨁ 🍽 🔲 – ⌕ 🍽 ⚋ (bassin) – A proximité : ⚘ – Location : 🚐
juin-sept. – **R** *conseillée* – 🔲 *2 pers. 50* 🔌 *12 (10A)*

---

# NAUJAC-SUR-MER
**33990** Gironde – 650 h.                    🔢 9 – 171 ⑰

Ꭽ **Les Grands Chênes** (aire naturelle) ⚋, 🖉 56 73 00 05, O : 5 km sur D 101, rte d'Hourtin et chemin, au lieu-dit Lizan
3 ha (25 empl.) plat, herbeux, sablonneux – ⍾
15 juin-15 sept. – **R** – 🔲 *2 pers. 31, pers. suppl. 8,50*

---

# NAUSSAC
**48300** Lozère – 117 h. alt. 1 000                    🔢 16 – 76 ⑰

ᎭᎭ **Intercommunal du Lac** ≼ lac « Belle situation », 🖉 66 69 23 15, au nord du bourg par D 26 rte de Saugues et à gauche, à 250 m du lac (accès direct)
4,8 ha (150 empl.) ⟶ incliné, en terrasses, herbeux, pierreux – ⍾ ⩫ 🗓 ⅊ 🕮 ⊛ 🔲 – 🍽 A l'entrée : ⩫ 🍽 ✗ ⊱ – A proximité : ⚃ ⚈
avril-20 sept. – **R** *conseillée* – *Tarif 91 :* ⋆ *14* 🚗 *8,50* 🔲 *8,50* 🔌 *14 (10A)*

---

# Le NAYRAC
**12190** Aveyron – 581 h. alt. 730                    🔢 15 – 76 ⑫ ⑬

ᎭᎭ **Municipal la Planque** ⚋ ≼, 🖉 65 44 44 50, S : 1,4 km par D 97 rte d'Estaing puis chemin à gauche, bord d'un plan d'eau
3 ha (45 empl.) ⟶ en terrasses, plat, herbeux ⊑ – ⍾ ⇔ ⊛ – ⚅ ⟊ ⚋
15 juin-15 sept. – **R** – ⋆ *11,50* 🔲 *10,50* 🔌 *7,50 (3A) 11,50 (6A)*

---

# NAZELLES-NÉGRON
**37530** I.-et-L. – 3 547 h.                    🔢 5 – 64 ⑯

Ꭽ **Municipal des Patis** « Cadre agréable », sortie S rte d'Amboise, bord de la Cisse
1,3 ha (80 empl.) ⟶ (saison) plat, herbeux ⅊ – ⍾ 🛏 ⩫ 🗓 ⊛
avril-1er oct. – **R** *conseillée* – ⋆ *8* 🚗 *4,50* 🔲 *7* 🔌 *10 (5A) 18 (10A)*

---

# NÉBIAS
**11500** Aude – 247 h. alt. 600                    🔢 15 – 86 ⑥

ᎭᎭ **Le Fontaulié-Sud** ⚋ ≼, 🖉 68 20 17 62, au sud du bourg, à 0,6 km du D 117
3,5 ha (80 empl.) ⟶ non clos, plat et incliné, herbeux, pinède – ⍾ ⊛ 🔲 – 🍽 ⚄ – Location : 🚐
avril-oct. – **R** *conseillée juil.-août* – ⋆ *14 piscine comprise* 🔲 *12* 🔌 *12 (4A)*

---

# NÉBOUZAT
**63210** P.-de-D. – 658 h. alt. 880                    🔢 11 – 73 ⑬

ᎭᎭᎭ **Les Dômes** ≼ « Entrée fleurie », 🖉 73 87 14 06, aux 4 Routes, sur D 216 rte de Rochefort-Montagne – alt. 815
1 ha (70 empl.) ⟶ plat, herbeux ⊑ – ⍾ ⇔ 🛏 ⩫ 🗓 ⊛ ⨁ ⚘ ☑ 🔲 – 🍽 ☒ (découverte l'été) – Location : 🚐
15 mai-15 sept. – **R** *conseillée* – *Tarif 91 :* 🔲 *piscine comprise 1 pers. 34, pers. suppl. 22,60* 🔌 *13,70 (10A)*

---

# NÉFIACH
**66170** Pyr.-Or. – 835 h.                    🔢 15 – 86 ⑱

ᎭᎭ **La Garenne,** 🖉 68 57 15 76, O : 0,7 km par N 116 rte d'Ille-sur-Têt
1,5 ha (58 empl.) ⟶ plat, herbeux, pierreux ⊑ ⅊ – ⍾ ⇔
mai-15 sept. – **R** *conseillée* – ⋆ *13* 🔲 *17* 🔌 *10 (10A)*

## NEGREPELISSE
**82800** T.-et-G. – 3 326 h.

ᨆ **S.I. le Colombier,** ℰ 63 64 20 34, au SO de la ville, près du CD 115, r. du Colombier
1 ha (50 empl.) �╍ (juil.-août) plat et peu incliné, en terrasses, pierreux, herbeux
– ⬚ 🖵 ᕟ ⊕ – ☐ – A proximité : 🖙 ♨️ ⟋
juin-sept. – **R** *conseillée juil.-août* – ★ 8 🔲 16 🅖 8 (16A)

---

## NENON 39 Jura 🔟2️⃣ – 🔟7️⃣0️⃣ ③ – rattaché à Dole

---

## NÉRIS-LES-BAINS
**03310** Allier – 2 831 h. –
🚇 avril-23 oct.
🅱️ Office de Tourisme, carrefour des Arènes (2 avril-26 oct.) ℰ 70 03 11 03

ᨆ **Municipal du Lac,** au SO de la ville, par av. Marx-Dormoy, à l'ancienne gare, à 300 m d'un lac (accès direct)
2 ha (65 empl.) o╍ plat, gravillons, herbeux – ⬚ ᕟ 🖵 ⊕ – A proximité : ✕ ☐
– Location – ☎, studios
avril-23 oct. – **R** – *Tarif 91* : ★ 10,10 ⇔ 4,25 🔲 6,30 🅖 12 (10A)

---

## NESPOULS
**19600** Corrèze – 413 h.

△ **La Chapelle** ⟲, NO : 1,6 km, à Belveyre
0,6 ha (21 empl.) o╍ plat et peu incliné, terrasses, pierreux, herbeux ⟲⟲ (0,4 ha)
– ⬚ ⇱ 🖵 ⊕ – ☐ – **R** *conseillée 15 juil.-15 août* – ★ 9,50 ⇔ 3,50 🔲 6 🅖 8,50
10 juin-10 sept.

---

## NEUF-BRISACH
**68600** H.-Rhin – 2 092 h.
🅱️ Office de Tourisme, pl. d'Armes
ℰ 89 72 56 66

ᨆᨆ Intercommunal l'Ile du Rhin ⟲ « Situation et cadre agréables »,
ℰ 89 72 57 95, E : 5 km par N 415 rte de Fribourg puis, à la douane, 1 km vers l'extrémité nord de l'île, entre le Rhin et le Grand Canal d'Alsace
3 ha (263 empl.) o╍ plat, herbeux ⟲ ᖇ – ⬚ 🜲 ▥ ⊕ ⇱ ᆢ ᖛ ⟑ 🖵 – ⇲ ⟋
– A proximité : ✕ ☐
Permanent – **R** *conseillée juil.-août*

---

## NEUFCHÂTEL-EN-BRAY
**76270** S.-Mar. – 5 322 h.
🅱️ Office de Tourisme, 6 pl. Notre-Dame ℰ 35 93 22 96

ᨆ **Sainte-Claire** ⟲, ℰ 35 93 03 93, sortie NO par D 1 rte de Dieppe, bord de la Béthune
2,5 ha (100 empl.) o╍ plat et peu incliné, herbeux – ⬚ ⇱ ⇱ 🖵 ⊕ ᆢ ᖛ ᖇ
– 🖵 ♨️ – A proximité : 🖙
avril-oct. – **R** *conseillée saison* – *Tarif 91* : ★ 14,50 🔲 14,50 🅖 9 (3A)

---

## NEUNG-SUR-BEUVRON
**41210** L.-et-Ch. – 1 152 h.

ᨆ **Municipal de la Varenne** ⟲ « Cadre agréable », ℰ 54 83 68 52, NE : 1 km, accès par rue à gauche de l'église, bord du Beuvron
4 ha (40 empl.) o╍ plat, herbeux ⟲ ⟲⟲ – ⬚ ⇱ ⇱ ⊕ – ✕ ♨️ ⟋
Pâques-1ᵉʳ oct. – **R** – ★ 8,65 🔲 8,10/12,20 🅖 8

---

## NEUVÉGLISE
**15260** Cantal – 1 078 h. alt. 938.
🅱️ Syndicat d'Initiative, le Bourg
ℰ 71 23 85 43

ᨆᨆ **Le Belvédère du Pont de Lanau** ⟲ ⋖ gorges de la Truyère « Dans un site agréable », ℰ 71 23 50 50, S : 6,5 km par D 48, D 921 rte de Chaudes-Aigues et chemin de Gros à droite – alt. 670
3,5 ha (120 empl.) o╍ en terrasses, herbeux, pierreux ⟲ ᖇ – ⬚ ⇱ ⇱ ⇱ 🖵 sauna
⊕ ⇱ ⟑ ⇲ ᖛ ✕ ⟋ 🖵 – 🖵 salle de musculation ♨️ ⟑ – Location : 🚐
🛏, studios
15 mai-15 sept. – **R** *conseillée juil.-août* – 🔲 *piscine comprise 2 pers. 85, pers. suppl. 17,50*

ᨆ **Municipal Fontbielle** ⟲ ⋖, ℰ 71 23 84 08, à 500 m au sud du bourg
1 ha (40 empl.) o╍ en terrasses, herbeux, pierreux ⟲⟲ (0,4 ha) – ⬚ ⇱ ⇱ ᕟ ⊕ ⇱
ᖛ – 🖵 – A proximité : ✕ – Location : huttes
juil.-août – **R** *conseillée* – 🔲 *1 ou 2 pers. 25, pers. suppl. 12* 🅖 10

---

## NEUVIC
**19160** Corrèze – 1 829 h. alt. 610.
🅱️ Syndicat d'Initiative, r. de la Tour Cinq Pierres ℰ 55 95 88 78

ᨆᨆ **Municipal de la Plage** ⟲ « Site agréable », ℰ 55 95 88 48, E : 2,3 km pa D 20 rte de Bort-les-Orgues et rte de la plage à gauche, bord du lac de Triouzoune
5 ha (100 empl.) en terrasses et accidenté, herbeux, gravillons ⟲ ⟲
(1 ha) – ⬚ ⇱ ⇱ ᕟ ⊕ ᖛ – 🖵 ♨️ – A proximité : ᖇ ✕ ⟋ ᔕ ᖟ ⇲ ᖛ
15 mai-15 oct. – **R** *conseillée juil.-20 août* – ★ 14 🔲 9 🅖 9 (10A)

ᨆ **Le Soustran,** ℰ 55 95 98 99, N : 3,5 km par D 982, rte d'Ussel, à Pellacha à 200 m du lac
2 ha (68 empl.) o╍ plat et peu incliné, terrasse, herbeux – ⬚ ⇱ ᕟ ⊕ – 🖵
juin-sept. – **R** *14 juil.-15 août* – 🔲 *2 pers. 38, pers. suppl. 8* 🅖 8 (6A)

## NEUVIC
**24190** Dordogne – 2 737 h.

⟁⟁⟁ **Plein Air Neuvicois,** ✆ 53 81 50 77, N : 0,7 km par D 3 rte de St-Astier, sur les 2 rives de l'Isle
2,5 ha (125 empl.) ⊶ plat, herbeux 🔟 – 🔟 🍽 🔄 🔲 🔥 ⊛ ▼ 🔲 – 🔲 – A proximité : 🔫 🔟
15 juin-15 sept. – **R** conseillée – 🕴 14 🔲 14 🔅 9 (5A)                    🔟 – 🔟 ④

## NÉVEZ
**29920** Finistère – 2 574 h.

3 – 🔟 ⑪ G. Bretagne

⟁ **Les Chaumières** 🔊, ✆ 98 06 73 06, S : 3 km par D 77 et rte à droite, à Kérascoët
1 ha (53 empl.) ⊶ plat, herbeux 🔟 verger (0,3 ha) – 🔟 🔟 ⊛
15 juin-15 sept. – **R** conseillée 15 juil.-20 août – 🕴 11,55 🔄 5,25 🔲 10,30

## NEXON
**87800** H.-Vienne – 2 297 h.

🔟 – 🔟 ⑰ G. Berry Limousin

⟁⟁⟁ **Municipal de l'Étang de la Lande,** S : 1,1 km par rte de St-Hilaire, accès pl. de l'Hôtel-de-Ville, près d'un plan d'eau
0,6 ha (35 empl.) peu incliné, terrasse, herbeux 🔲 🔟 – 🔟 🔄 🔲 🔲 ⊛ – 🔫 –
Location : huttes, chalets
15 juin-15 sept. – **R** conseillée – Tarif 91 : 🕴 8,60 🔲 8,60 🔅 4,30 à 16,80 (5 à 10A et plus)

## NIBELLE
**45340** Loiret – 697 h.

6 – 🔟 ⑳

⟁⟁⟁ **Nibelle** ◇ 🔊, ✆ 38 32 23 55, E : 2 km par D 230 rte de Boiscommun puis D 9 à droite
6 ha (70 empl.) ⊶ plat 🔲 🔟 – 🔟 🔲 ⊛ 🔄 🔲 – 🔲 🔫 🔟 🔟 – A proximité : ✗
mars-nov. – Location longue durée (6920 F à 7820 F) – Places disponibles pour le passage – Tarif 91 : 🔲 piscine et élect. comprises 3 pers. 95 pers. suppl. 22

## NIEDERBRONN-LES-BAINS
**67110** B.-Rhin – 4 372 h. – 🔹.
🗒 Office de Tourisme, pl. de l'Hôtel-de-Ville ✆ 88 09 17 00

8 – 🔟 ⑱ ⑲ G. Alsace Lorraine

⟁⟁⟁ **Heidenkopf** 🔊 ≪ « A l'orée de la forêt », ✆ 88 09 08 46, N : 3,5 km par rte de Bitche et RF à droite
1,5 ha (82 empl.) ⊶ en terrasses et peu incliné, herbeux 🔟 (1 ha) – 🔟 🔄 🔲
🔥 🎐 ⊛ 🔟 – A proximité : ▼ snack, crêperie 🔫 🔲 (découverte l'été)
Permanent – **R** conseillée juil.-août – 🕴 11,50 🔲 9,50 🔅 11,50 (3A) 23 (6A) 40 (10A)

## NIEUL-LE-DOLENT
**85430** Vendée – 1 714 h.

9 – 🔟 ⑬

⟁⟁⟁ **Municipal les Garnes,** au NE du bourg, à 50 m du D 12
0,8 ha (43 empl.) peu incliné, herbeux 🔟 – 🔟 🔄 🔲 ⊛ – 🔫
15 juin-15 sept. – **R** – 🕴 8 🔄 3 🔲 7,50 🔅 8

## NIEUL-SUR-L'AUTISE
**85240** Vendée – 943 h.

9 – 🔟 ① G. Poitou Vendée Charentes

⟁⟁⟁ **Municipal le Vignaud** 🔊, ✆ 51 52 43 38, au bourg, dans le parc du château, bord de l'Autise
2 ha (25 empl.) ⊶ plat, herbeux – 🔟 🔄 🔲 🔲 🔥 ⊛ – 🔫 🔫
15 juin-15 sept. – **R** juil.-août – 🕴 9,30 🔲 8,60 🔅 8,30

## NIÉVROZ
**01120** Ain – 1 061 h.

🔟 – 🔟 ⑫

⟁⟁⟁ **le Rhône,** ✆ 78 06 50 33, SE : 1,2 km sur D 61 rte du pont de Jons, à 300 m du Rhône
3 ha (150 empl.) ⊶ plat, pierreux 🔟 (1 ha) – 🔟 🔟 ⊛ 🔲 🔫 ▼ 🔲
avril-sept. – Places disponibles pour le passage – **R** conseillée – 🕴 12,50 🔄
6,50 🔲 6,50 🔅 10 (3A) 13 (6A)

## NIORT Ⓟ
**79000** Deux-Sèvres – 57 012 h.
🗒 Office de Tourisme, pl. Poste ✆ 49 24 18 79

9 – 🔟 ② G. Poitou Vendée Charentes

⟁⟁⟁ **Municipal de Noron** « Décoration arbustive », ✆ 49 79 05 06, O par bd de l'Atlantique, derrière le Parc des Expositions et des Loisirs, bord de la Sèvre Niortaise
1,9 ha (150 empl.) ⊶ plat, herbeux, gravillons 🔲 🔟 – 🔟 🔄 🔲 🔲 ⊛ 🔫 🔽 🔲 –
🔫 vélos – A proximité : 🔟
Permanent – **R** conseillée – 🔲 1 pers. 28

## NIOZELLES
**04300** Alpes-de-H.-P. – 170 h.

17 – 🔟 ⑮

⟁⟁⟁ **Lac du Moulin de Ventre** 🔊, ✆ 92 78 63 31, E : 2,5 km par N 100 rte de la Brillanne, bord du Lauzon et près d'un plan d'eau
28 ha/3 campables (100 empl.) ⊶ plat, en terrasses, peu incliné, herbeux, pierreux – 🔟 🔄 🔟 🔲 🔥 ⊛ ✗ 🔫 🔲 – 🔫 🔫 – Location : 🔲, studios
avril-25 sept. – **R** conseillée juil.-août – 🔲 élect. (6A) comprise 2 pers. 80

283

## NOGENT-LE-ROTROU ⟨SP⟩

**28400** E.-et-L. – 11 591 h.
**🛈** Office de Tourisme, 44 r. Villette
Gaté ✆ 37 52 22 16

🆅 – 🖸🖸 ⑮ G. Normandie Vallée de la Seine

⚠ **Municipal des Viennes,** au N de la ville par av. des Près (D 103) et rue des Viennes, bord de l'Huisne
0,3 ha (30 empl.) ⊶ plat, herbeux ☒ ♀ – 🗂 ⇖ ⊟ 🖸 ⊕ 🛋 ⊻ – 🚣 –
A proximité : 🏊 🔭 ⊐
26 avril-sept. – **R** – 🛊 *4,70* 🚗 *4,70* 🖻 *4,70* 🔌 *8,50 (16A)*

---

## NOIRÉTABLE

**42440** Loire – 1 719 h. alt. 722.
**🛈** Syndicat d'Initiative, Mairie
✆ 77 24 70 12

🖸🖸 – 🖸🖸 ⑯ G. Auvergne

⚠ **Municipal de la Roche** ≼, ✆ 77 24 72 68, S : 1 km par N 89 et D 110 à droite, bord d'un plan d'eau
0,6 ha (52 empl.) peu incliné et en terrasses, herbeux – 🗂 ⇖ ⊟ ⊕ – 🍽 🔭
avril-oct. – **R** *indispensable – Tarif 91 :* 🛊 *5,50* 🚗 *3* 🖻 *3* 🔌 *7,50*

---

## NOIRMOUTIER (Île de)

**85** Vendée
Accès : - **par le pont routier au départ de Fromentine** : auto et véhicule inférieur à 1,5 t : 8 F ; camion et véhicule supérieur à 1,5 t : 10 F - **par le passage du Gois à basse mer** (4,5 km) - se renseigner à la subdivision de l'Équipement
✆ 51 68 70 07 (Beauvoir-sur-Mer)

🖸 – 🖸🖸 ① G. Poitou Vendée Charentes

**Barbâtre** – 1 269 h. – ✉ 85630 Barbâtre

⚠ **Municipal du Midi** ≷, ✆ 51 39 63 74, NO : 1 km par D 948 et chemin à gauche, bord de la plage (accès direct)
13 ha (740 empl.) ⊶ accidenté, sablonneux, herbeux ♀ (5 ha) – 🗂 🕾 🖸 🕹 🖸 –
🖸 – 🚗 🍽 🔭 – A l'entrée : 🏯 🍴 self 🍿 – A proximité : 🏕 parcours sportif
– Location : 🏠 –
avril-sept. – **R** – *Tarif 91 :* 🖻 *piscine comprise 3 pers. 70 (86 avec élect. 5A)*

**Noirmoutier-en-l'Île** – 4 846 h. – ✉ 85330 Noirmoutier-en-l'Île.
**🛈** Office de Tourisme, rte du Pont ✆ 51 39 80 71 et quai Jean-Bart (vacances scolaires) ✆ 51 39 12 42

⚠ **C.C.D.F. La Vendette** ≼, ✆ 51 39 06 24, E : 2,7 km, bord de la plage des Sableaux
12 ha (630 empl.) ⊶ plat et peu accidenté, sablonneux, herbeux ♀♀ pinède –
🗂 🕾 🖸 🕹 ⊕ 🍴 🖸 – A proximité : 🏯 snack 🍿
Pâques-15 sept. – **R** *indispensable juil.-août – Adhésion obligatoire –* 🛊 *13* 🚗
*7* 🖻 *13* 🔌 *10 (3A)*

---

## NONETTE 63 P.-de-D. – 🖸🖸 ⑮ – rattaché à St-Germain-Lembron

---

## NONTRON ⟨SP⟩

**24300** Dordogne – 3 558 h.
**🛈** Syndicat d'Initiative, r. Verdun (saison) ✆ 53 56 25 50

🖸🖸 – 🖸🖸 ⑮ G. Berry Limousin

⚠ **Municipal Masviconteaux,** ✆ 53 56 02 04, sortie SO par D 675, au stade, bord du Bandiat
1,8 ha (70 empl.) ⊶ plat, herbeux ☒ – 🗂 ⊟ ⊕ – 🚗 – A proximité : 🍽 🚣
juin-15 sept. – **R** *conseillée juil.-août* – 🛊 *8,20* 🖻 *7,70* 🔌 *6,20 (16A)*

---

## NORT-SUR-ERDRE

**44390** Loire-Atl. – 5 362 h.

🖸 – 🖸🖸 ⑰

⚠ **Municipal du Port-Mulon** ≷ « Situation et cadre agréables »,
✆ 40 72 23 57, S : 1,5 km par rte de l'hippodrome et à gauche, à 100 m de l'Erdre et d'un plan d'eau
1,8 ha (50 empl.) ⊶ plat, herbeux ♀♀♀ – 🗂 🕾 ⊕ 🛋 ⊻ 🖸 – A proximité : 🍽
mars-oct. – **R** – 🖻 *3 pers. 28 (35 avec élect.), pers. suppl. 7,40*

---

## NOTRE-DAME-DE-MONTS

**85690** Vendée – 1 333 h.

🖸 – 🖸🖸 ⑪

⚠ **Le Bois Soret** « Cadre agréable », ✆ 51 58 84 01, N : 2 km
2,5 ha (180 empl.) ⊶ plat, herbeux, sablonneux ☒ ♀♀ – 🗂 ⇖ ⊟ 🕾 🖸 ⊕ 🛋
⊻ 🏯 🍿 🖸 – 🚗 🔭 🚣 ⊐
Pâques-15 sept. – **R** *conseillée juin-août – Tarif 91 :* 🖻 *piscine comprise 3 pers.*
*77*

⚠ **Le Grand Jardin,** ✆ 51 58 87 76, N : 0,6 km
1,3 ha (90 empl.) ⊶ plat, herbeux, sablonneux ☒ ♀ – 🗂 ⇖ ⊟ 🖸 ⊕ 🖸 – 🚣
– Location : 🏠, studios
mai-sept. – **R** *conseillée juil.-août* – 🖻 *3 pers. 64, pers. suppl. 14* 🔌 *10 (4A)*

⚠ **La Davière,** ✆ 51 58 85 96, N : 2,2 km
1,3 ha (105 empl.) ⊶ plat, sablonneux, herbeux ♀ – 🗂 🕾 🖸 ⊕ – 🚣
15 juin-15 sept. – **R** *conseillée août* – 🖻 *3 pers. 44,50* 🔌 *9,50 (4A)*

⚠ **Le Fief Haut,** ✆ 51 58 85 29, N : 2,2 km (hors schéma)
1 ha (80 empl.) ⊶ plat, herbeux, sablonneux ☒ – 🗂 🕾 🖸 🕹 ⊕
juin-sept. – **R** – 🖻 *3 pers. 39 (49 ou 54 avec élect 4 ou 10A)*

⚠ **Le Pont d'Yeu,** ✆ 51 58 83 76, S : 1 km
1,3 ha (100 empl.) ⊶ plat, sablonneux ☒ ♀ – 🗂 ⇖ ⊟ 🕾 ⊕ 🚣 – vélos
mai-15 sept. – **R** *conseillée juil.-août* – 🖻 *3 pers. 60* 🔌 *10 (3A) 15 (6A)*

⚠ **Les Tranches,** ✆ 51 58 85 37, N : 1,5 km
0,8 ha (70 empl.) ⊶ plat, herbeux, sablonneux ♀ – 🗂 🕾 🖸 ⊕ – Location : 🏠
mai-sept. – **R** *conseillée* – 🖻 *3 pers. 44* 🔌 *10 (4A)*

⚠ **Les Pins,** ℘ 51 58 83 75, N : 1,3 km
2,7 ha (217 empl.) plat, herbeux, sablonneux ⊡ ♀ – ⚲ ⚲ ⚲ ⊕ ⚲ – ▣ – ⚑
⚲ ⚲
juin-sept. – **R** *conseillée juil.-août* – *Tarif 91 :* ▣ *piscine comprise 3 pers. 65 (75 avec élect. 6A)*

⚠ **La Ménardière,** ℘ 51 58 86 92 ⊠ 85160 St-Jean-de-Monts, S : 1 km
0,8 ha (70 empl.) ⚬⚲ plat, sablonneux, herbeux ♀ – ⚲ ⚲ ⊕
juin-sept. – **R** *conseillée* – ▣ *2 pers. 33,60, pers. suppl. 9* ⚡ *10 (5A)*

voir aussi ***St-Jean-de-Monts***

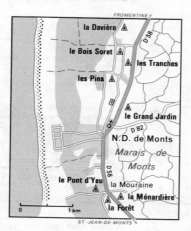

---

# NOUAN-LE-FUZELIER

🄶 – 🄺🄺 ⑲

41600 L.-et-Ch. – 2 274 h.
🅸 Syndicat d'Initiative, pl. de la Mairie ℘ 54 88 76 75

⚠ **Municipal de la Grande Sologne,** ℘ 54 88 70 22, sortie S par N 20 puis chemin à gauche en face de la gare, bord d'un étang
14 ha/4 campables (100 empl.) ⚬⚲ plat, herbeux ♀ – ⚲ ⚲ ⚲ ⊕ – vélos –
A proximité : ☂ ⚲ ⚲ ⚲
15 mars-1er nov. – **R** – ☘ *9,30* ▣ *8/9,80* ⚡ *8,30 (3A) 15,50 (6A)*

---

# Le NOUVION-EN-THIÉRACHE

🄶 – 🄻🄻 ⑮

02170 Aisne – 2 905 h.

⚠ **Municipal** ⚲, ℘ 23 98 98 58, S : 1,5 km par D 26 rte de Guise et chemin à gauche, bord d'un plan d'eau
1,3 ha (56 empl.) plat et peu incliné, herbeux ⊡ – ⚲ ⚲ ⚲ ⊕ & ⊕ – ⚑ –
A proximité : ⚲ ⚲
15 avril-15 oct. – **R** – ▣ *2 pers. 30, pers. suppl. 10* ⚡ *10 (16A)*

---

# NOVALAISE 73 Savoie – 🄷🄷 ⑮ – voir à Aiguebelette (Lac d')

---

# NOYAL-MUZILLAC 56 Morbihan – 🄶🄶 ⑭ – rattaché à Muzillac

---

# NOYANT

🄶 – 🄺🄺 ⑬

49490 M.-et-L. – 1 722 h.

⚠ **Municipal Relais du Petit Verger,** ℘ 41 89 57 92, sortie E par D 766 rte de Château-la-Vallière et à droite
0,25 ha (18 empl.) plat, herbeux ⊡ – ⚲ ⚲ ⚲ ⊕ – ⚑
juin-1er sept. – **R** – *Tarif 91 :* ☘ *5,60* ▣ *6,20* ⚡ *6,20 (6A)*

---

# NOYANT-LA-GRAVOYÈRE

🄸 – 🄶🄶 ⑨

49780 M.-et-L. – 1 813 h.

⚠ **Parc de St-Blaise** ⚲ ⚲, ℘ 41 61 75 39, à 0,7 km au nord de la commune, à 200 m d'un étang (accès direct)
1,2 ha (47 empl.) ⚬⚲ peu incliné à incliné, en terrasses, herbeux, pierreux ⊡ –
⚲ ⚲ ⚲ ⊕ & ⊕ ☂ ⚲ – ⚲ ⚲ (plage) ⚲ poneys
4 avril-4 oct. – **R** *conseillée juil.-août* – ☘ *7* ⚲ *4* ▣ *8* ⚡ *10 (3A) 13 (5A)*

---

# NOYELLES-SUR-MER

🄸 – 🄻🄻 ⑥

80133 Somme – 802 h.

⚠ **Aux Haies de Nolette** ⚲, ℘ 22 23 24 08, NE : 1,5 km par D 111, rte de Nouvion et chemin à droite, à Nolette
1 ha (45 empl.) ⚬⚲ plat, herbeux ⊡ – ⚲ ⚲ ⚲ ⚲ & ⊕ ☂ – ⚑ ⚲
avril-oct. – **R** – ☘ *17* ▣ *17* ⚡ *17 (4A) 22 (6A) 28 (10A)*

## NOYERS-SUR-CHER
**41140** L.-et-Ch. – 2 603 h.

🔺 **Municipal**, 🕿 54 75 02 76, au bourg, r. du Port, bord du bassin
0,7 ha (53 empl.) plat, herbeux 🛝 – 🗑
mai-sept. – **R** *conseillée juil.-août* – *Tarif 91 :* ⚹ *5,75* 🔳 *5,75*

5 – 64 ⑰

---

## NOZAY
**44170** Loire-Atl. – 3 050 h.

🔺 **Camp du S.I.**, 🕿 40 87 94 33, au N du bourg, par D 121
0,3 ha (20 empl.) o— plat, herbeux 🛝 – 🗑 🔥 🕭 ❷ – A proximité : 🏊
15 mai-sept. – **R** – ⚹ *6* 🚗 *5* 🔳 *8* 🔌 *10 (6A)*

4 – 63 ⑰

---

## NUEIL-SUR-LAYON
**49560** M.-etL. – 1 431 h.

🔺 **Municipal le Moulin d'eau** (aire naturelle) 🦢, au Sud du bourg, allée du stade,
à 70 m du layon
0,3 ha (25 empl.) peu incliné, herbeux – 🗑 ⚘ 🕭 – A proximité : 🍴
juin-sept. – **R**

9 – 64 ⑪

---

## NYONS ⬨
**26110** Drôme – 6 353 h.
🛈 Office de Tourisme, pl. de la
Libération 🕿 75 26 10 35

🔺🔺 **Les Clos** ◁, 🕿 75 26 29 90, NE : 1,7 km par D 94, au bord de l'Eygues
2,2 ha (130 empl.) o— plat et peu incliné, pierreux 🛝 – 🗑 ⚘ 🖾 🔥 🕭 🍴 ❷ 🏊
🌳 🏊 🍴 – 🚗 🏊 🏊 – Location : 🏠
Permanent – **R** *conseillée juil.-août* – 🔳 *élect. (2A) et piscine comprises 3 pers.*
*75*

🔺🔺 **L'Or Vert** ◁ « Entrée fleurie », 🕿 75 26 24 85 ☒ 26110 Aubres, à **Aubres**, NE :
3 km par D 94 rte de Serres, bord de l'Eygues – ✂ juil.-août
1 ha (80 empl.) o— plat et en terrasses, pierreux et petit verger 🍃 – 🗑 🔥 ❷ 🍴
réfrigérateurs individuels – 🖾 🏊
avril-1er nov. – **R** *conseillée juil.-août* – ⚹ *12* 🔳 *12* 🔌 *10 (3A) 16 (6A)*

16 – 81 ③ G. Provence

---

## OBERBRONN
**67110** B.-Rhin – 2 075 h.

🔺🔺🔺 **Municipal Eichelgarten** 🦢 ◁, 🕿 88 09 71 96, S : 1,5 km par D 28 rte
d'Ingwiller et chemin à gauche, à l'orée d'un bois
4 ha (120 empl.) o— plat et peu incliné, herbeux, pierreux – 🗑 ⚘ 🔥 🔥 🕭 🖾
❷ 🍴 🏊 – 🖾 🍴 🌳 parcours sportif – A proximité : 🏊 – Location : gîte d'étape
fermé 10 fév.-15 mars – **R** – *Tarif 91 :* ⚹ *11,60* 🚗 *5,60* 🔳 *8,20* 🔌 *4 par ampère*

8 – 57 ⑱ G. Alsace Lorraine

---

## OFFRANVILLE
**76550** S.-Mar. – 3 059 h.

🔺🔺🔺 **Municipal du Colombier**, 🕿 35 85 21 14, au bourg, par la r. Loucheur
1,2 ha (80 empl.) o— plat, herbeux 🛝 – 🗑 ⚘ 🔥 🖾 🕭 ❷ 🏊 🌳 – A proximité :
✗ 🍴 🌳 🏊 🚗 – Location : 🏠
avril-15 oct. – **R** *conseillée* – ⚹ *13* 🚗 *8,50* 🔳 *14* 🔌 *9 (6A) 12 (10A)*

6 – 52 ④ G. Normandie Vallée de la Seine

---

## OHAIN
**59132** Nord – 1 153 h.

🔺 **Municipal le Hututu** 🦢 « A l'orée d'un bois », 🕿 27 60 07 33, SE : 2 km
par D 383 puis, après le poste de douane, 0,7 km par chemin à droite, près
d'un étang (accès direct)
3,6 ha (38 empl.) o— plat, herbeux 🍃 – 🗑 ⚘ 🔥 🖾 ❷
15 avril-15 oct. – **R** – *Tarif 91 :* ⚹ *5,40* 🚗 *3,95* 🔳 *3,95* 🔌 *7,05 (5A) 10 (10A)*

2 – 53 ⑯

---

## OLÉRON (Île d')
**17** Char.-Mar.
Pont-viaduc : Passage gratuit

9 – 171 ⑬ ⑭ G. Poitou Vendée Charentes

### La Brée-les-Bains – 644 h. – ☒ 17840 la Brée-les-Bains

🔺🔺 **Pertuis d'Antioche** Ⓜ, 🕿 46 47 92 00, NO : 1 km par D 273 et à droite,
chemin des Proirres, à 150 m de la plage
1,8 ha (110 empl.) o— plat, herbeux 🛝 – 🗑 ⚘ 🔥 🖾 🕭 ❷ 🏊 🚗 🖾 – 🚗
A proximité : 🍴 – Location : 🏠
avril-sept. – **R** *conseillée* – 🔳 *3 pers. 78* 🔌 *18 (5A)*

### Le Château-d'Oléron – 3 544 h. – ☒ 17480 le Château-d'Oléron.
🛈 Office du Tourisme, pl. de la République 🕿 46 47 60 51

🔺🔺🔺 **La Brande**, 🕿 46 47 62 37, NO : 2,5 km, à 250 m de la mer
3 ha (200 empl.) o— plat, herbeux, sablonneux 🍃 – 🗑 ⚘ 🔥 🔥 🖾 🕭 ❷ 🏊
🍴 🚗 🖾 – 🖾 🌳 🚗 🏊 – A proximité : 🍴
15 mars-15 nov. – **R** *conseillée juil.-août* – 🔳 *piscine comprise 2 pers. 75, pers.*
*suppl. 24* 🔌 *13 (3A) 17 (6A) 20 (10A)*

🔺🔺 **Fief-Melin** 🦢, 🕿 46 47 60 85, O : 1,7 km par rte de St-Pierre-d'Oléron puis
0,6 km par r. des Alizés à droite
2,2 ha (100 empl.) o— plat, herbeux 🛝 – 🗑 ⚘ 🔥 🖾 ❷ 🏊 🖾 – 🚗
juin-15 sept. – **R** *conseillée juil.-août* – 🔳 *piscine comprise 3 pers. 68* 🔌 *17 (5A)*

🔺 **Le Pigeonnier**, 🕿 46 47 62 20, O : 1,5 km rte de St-Pierre-d'Oléron
1,3 ha (100 empl.) o— plat, herbeux 🛝 🍃 – 🗑 🔥 ❷ 🏊
15 mai-15 sept. – **R** *conseillée juil.-août* – *Tarif 91 :* 🔳 *piscine comprise 3 pers*
*57*

**La Cotinière** – ⊠ 17310 St-Pierre-d'Oléron

Ⱥ **Les Tamaris** « Cadre agréable », ♪ 46 47 10 51, à 150 m de la plage
2,9 ha (150 empl.) o─┐ plat, sablonneux, herbeux ⊡ ⚥ – ⋒ ⇔ ⊟ ⊞ ⊕ snack
⋟ ⊟ – ⚶ – Location : ⛢
15 mars-14 oct. – **R** conseillée – ⊡ 2 pers. 72, 3 pers. 80 ⦗ƒ⦘ 16 (4A)

Ⱥ **Le Sous Bois,** ♪ 46 47 22 46, NO : 0,5 km, à 150 m de la plage
2 ha (169 empl.) o─┐ plat, sablonneux ⚏ – ⋒ ⇔ ⊟ ⊕ – A proximité : ⚞
⟊ ✕ ⚶ –
Pâques-sept. – **R** conseillée juil. – Tarif 91 : ⊡ 3 pers. 55 ⦗ƒ⦘ 11 (3A) 15 (6A)

Ⱥ **Les Pins,** ♪ 46 47 11 32, NO : 0,5 km, bord de plage
1,6 ha (60 empl.) o─┐ plat et en terrasses, sablonneux ⚥ – ⋒ ⇔ ⊟ ⊕ –
A proximité : ⚞ ⟊ ✕ ⚶
20 mars-sept. – **R** conseillée juil.août – ⊡ 3 pers. 56 ⦗ƒ⦘ 8,50 (2A) 12,50 (4A)
16 (6A)

**Dolus-d'Oléron** – 2 440 h. – ⊠ 17550 Dolus-d'Oléron.
🛈 Syndicat d'Initiative, pl. Hôtel de Ville (fermé après-midi 15 sept.-avril)
♪ 46 75 32 84

Ⱥ **Ostréa** ⚘, ♪ 46 47 62 36, E : 3,5 km, près de la mer
3,5 ha (180 empl.) o─┐ plat, sablonneux, herbeux ⚥ – ⋒ ⇔ ⋒ ⊟ ⊕ ⚞ ⚶ ⟿
⊟ – ⚶ – Location : ⛢ ⛢
avril-sept. – **R** conseillée juil.-août – ⊡ 2 pers. 56, 3 pers. 68, pers. suppl. 15,50
⦗ƒ⦘ 13,50 (3A) 17 (6A)

Ⱥ **La Perroche Leitner** ⚘, ♪ 46 75 37 33, SO : 4 km, à la Perroche, bord de
mer
1,5 ha (100 empl.) o─┐ plat, sablonneux ⚲ – ⋒ ⇔ ⊟ ⚥ ⊕ ⚞ ⚶ – ⚶ –
A proximité : ⟊ ✕
juin-15 sept. – **R** conseillée juil.-août – ⊡ 1 à 3 pers. 75, pers. suppl. 24 ⦗ƒ⦘ 17
(5A)

Ⱥ **Les Floralies** ⚘, ♪ 46 75 30 75, NO : 1,8 km par D 734 et rte de Bussac
à gauche
3,5 ha (200 empl.) o─┐ plat, herbeux ⊡ ⚲ (1,5 ha) – ⋒ ⇔ ⊟ ⊞ ⊕ ⊟ – ⚶ –
A proximité : 🐎
mai-sept. – **R** conseillée – ☀ 15 piscine comprise ⊡ 15 ⦗ƒ⦘ 14 (5A)

**Le Grand-Village-Plage** – 718 h. – ⊠ 17370 le-Grand-Village-Plage

Ⱥ **Le Maine,** ♪ 46 75 42 76, N : 2,5 km
1,5 ha (95 empl.) o─┐ plat, herbeux ⊡ ⚲ – ⋒ ⇔ ⊟ ⊞ ⚥ ⫪ ⊕ ⚶ ⚶ ⊟ – ⛢
– A proximité : ⚞ ⟊
Permanent – **R** indispensable – ⊡ 2 pers. 58 ⦗ƒ⦘ 10

**St-Denis-d'Oléron** – 1 107 h. – ⊠ 17650 St-Denis-d'Oléron

Ⱥ **Les Oliviers** ⚘, ♪ 46 47 93 42, SO : 3,5 km rte de Chaucre, à 300 m de la
plage
4 ha (150 empl.) o─┐ plat, sablonneux, herbeux ⚥ (0,6 ha) – ⋒ ⇔ ⊟ ⊞ ⚥ ⊕
⚞ ⋟ ⊟ – ⛢ ✂
30 avril-sept. – **R** conseillée juil. – ⊡ 3 pers. 73, pers. suppl. 17 ⦗ƒ⦘ 16 (jusqu'à
6A)

Ⱥ **Les Hûttes** ⚘, ♪ 46 47 86 93, SO : 2 km, à 400 m de la mer
4 ha (200 empl.) o─┐ (saison) plat, herbeux, sablonneux – ⋒ ⇔ ⊟ ⊕ ⟊ snack
⊟ – A proximité : ⚞ 🐎
Pâques-15 nov. – **R** conseillée juil.-août – Tarif 91 : ⊡ 1 à 3 pers. 55,50, pers.
suppl. 13 ⦗ƒ⦘ 15 (10A)

Ⱥ **Phare-Ouest** ⚘ ≼, ♪ 46 47 90 00, NO : 1 km par rte du phare de Chassiron
et à droite, près de la mer
4 ha (298 empl.) o─┐ plat, herbeux, sablonneux – ⋒ ⇔ ⊟ ⊕ ⚞ ⚶ – Location :
⛢
Pâques-sept. – **R** conseillée – Tarif 91 : ⊡ 1 à 3 pers. 46,20, pers. suppl. 9,45
⦗ƒ⦘ 13,80 (5A)

Ⱥ **Les Seulières** ⚘, ♪ 46 47 90 51, SO : 3,5 km rte de Chaucre, à 400 m de
la plage
1,6 ha (100 empl.) o─┐ plat, herbeux, sablonneux – ⋒ ⇔ ⊟ ⚥ ⊕ ⊟ – A proximité :
✕ – Location : ⛢
15 juin-15 sept. – **R** conseillée juil.-août – ⊡ 3 pers. 55 ⦗ƒ⦘ 15 (5A)

Ⱥ **Le Sabia** ≼, ♪ 46 47 97 84, NO : 1 km par D 734 rte du phare de Chassiron,
à 100 m de la mer
0,5 ha (40 empl.) o─┐ (saison) plat, herbeux, sablonneux ⊡ – ⋒ ⇔ ⊟ ⚥ ⊕
avril-sept. – **R** conseillée juil.-août – Tarif 91 : ⊡ 1 à 3 pers. 50 ⦗ƒ⦘ 14,50 (10A)

**St-Georges-d'Oléron** – 3 144 h. – ⊠ 17190 St-Georges-d'Oléron.
🛈 Syndicat d'Initiative, 391 r. de la République (saison) ♪ 46 76 63 77

Ⱥ **Verébleu** ⚘, ♪ 46 76 57 70, SE : 1,7 km par D 273 et rte de Sauzelle à
gauche
7,5 ha (333 empl.) o─┐ plat, herbeux, sablonneux – ⋒ ⇔ ⊟ ⊞ ⊕ ⚞ ⚶ ⚶ ⊟ ⚶
⊟ – ✕ ⚶ ⚶ ⊟ toboggan aquatique – Location : ⛢ ⛢
mai-sept. – **R** conseillée – ⊡ piscine comprise 2 pers. 70 ⦗ƒ⦘ 18 (6A)

Ⱥ **Les Quatre Vents** ⓜ ⚘, ♪ 46 76 65 47, SE : 2 km par D 273 et rte de Sauzelle
à gauche
1,2 ha (66 empl.) o─┐ plat, herbeux ⊡ – ⋒ ⇔ ⊟ ⊞ ⚥ ⊕

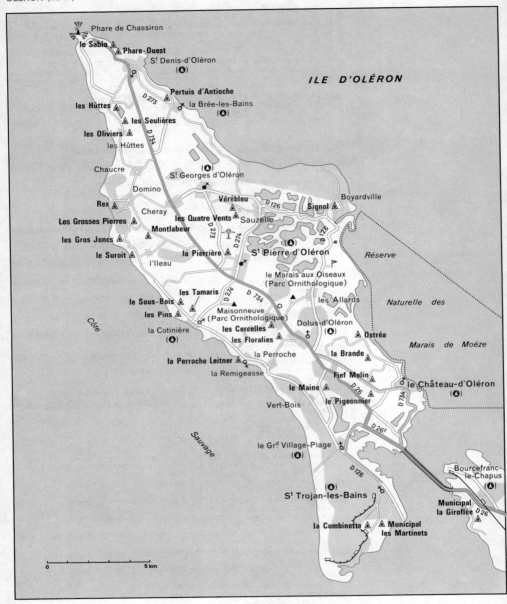

ILE D'OLÉRON

Phare de Chassiron
le Sabia
Phare-Ouest
S! Denis-d'Oléron

Pertuis d'Antioche
les Hûttes
la Brée-les-Bains
les Seulières
les Oliviers
les Hûttes

Chaucre
S! Georges d'Oléron
Domino
Véréblau
Boyardville
Rex
Signol
Cheray
Les Grosses Pierres
les Quatre Vents
Sauzelle
Montlabeur
les Gros Joncs
la Pierrière
S! Pierre d'Oléron
le Suroit
Réserve
l'Ileau
le Marais aux Oiseaux
(Parc Ornithologique)
les Tamaris
Naturelle des
le Sous-Bois
les Pins
Maisonneuve
les Allards
(Parc Ornithologique)
la Cotinière
les Cercelles
Dolus-d'Oléron
les Floralies
Ostréa
Marais de Moëze
Côte
la Perroche Leitner
la Perroche
la Brande
la Remigeasse
Fief Melin
le Château-d'Oléron
le Maine
le Pigeonnier
Vert-Bois
Sauvage
le Gr? Village-Plage
Bourcefranc-
le-Chapus
S! Trojan-les-Bains
Municipal
la Combinette
Municipal
la Giroflée
les Martinets

0      5 km

Côte Ouest :

**Les Gros Joncs** ≪ Décoration florale ≫, ☎ 46 76 52 29, SO : 5 km, à 300 m de la mer
3 ha (185 empl.) ⟶ plat, accidenté et en terrasses, sablonneux – sauna – Location :
28 mars-15 oct. – **R** conseillée – Tarif 91 : piscine comprise 1 à 3 pers.
120, pers. suppl. 30 10 à 20 (3 à 16A)

**Rex,** ☎ 46 76 55 97, O : 5 km, près de la plage de Domino
9 ha (450 empl.) ⟶ accidenté et en terrasses, sablonneux
Pâques-15 sept. – **R** conseillée – Tarif 91 : 2 pers. 84, pers. suppl. 16 15
(3A) 24 (6A)

⋀⋀ **Montlabeur** ⌂, ℘ 46 76 52 22, SO : 4,3 km
7 ha (368 empl.) ⊶ plat, herbeux ⚍⚍ – ⬔ ⬒ ⬓ ⬔ ⊛ ⬚ ☼ ✕ ⬚ ◫ – ⌂
⬚ ⬚ ⌁ toboggan aquatique – A proximité : ⌁ – Location : ⬚, bungalows
toilés
15 mai-sept. – **R** *conseillée* – ▣ *piscine comprise 2 pers. 75, pers. suppl. 22*
*⚂ 16 (5A)*

⋀⋀ **Le Suroît,** ℘ 46 47 07 25, SO : 5 km, au lieu-dit l'Ileau, accès direct à la plage
5 ha (247 empl.) ⊶ plat et accidenté, sablonneux ⚍ ⚌⚌ (3 ha) – ⬔ ⬒ ⬓ ⬚ ⬚
⬔ ⬚ ⊛ ⬚ ☼ ✕ ⬚ ◫ – ⬚ – A proximité : ⬚
avril-sept. – **R** *conseillée juil.-août* – ▣ *1 à 3 pers. 95*

⋀⋀ **Les Grosses Pierres,** ℘ 46 76 52 19, SO : 4 km
4 ha (265 empl.) ⊶ plat, herbeux ⚍ – ⬔ ⬒ ⬓ ⬚ ⬔ ⊛ ⬚ ☼ ✕ ◫ – ⬚ ⌁
– A proximité : ✕ ⌁ – Location : ⬚ ⬚
avril-sept. – **R** *conseillée juil.-août* – ▣ *piscine comprise 2 pers. 60, pers. suppl.*
*18 ⚂ 17 (8A)*

*Côte Est :*

⋀⋀ **Signol** ⌂ « Agréable pinède », ℘ 46 47 01 22, **à Boyardville** – ✕ juil.-août
5 ha (300 empl.) ⊶ plat, accidenté, sablonneux ⚍⚍ – ⬔ ⬒ ⬓ ⬚ ⊛ ⬚ – ⌂
⌁ – A proximité : ✕
Pâques-fin sept. – **R** *indispensable juil.-août* – Tarif 91 : ▣ *piscine comprise 3 pers.*
*96, pers. suppl. 20 ⚂ 15 (3 à 6A)*

**St-Pierre-d'Oléron** – 5 365 h. – ✉ 17310 St-Pierre-d'Oléron.
🛈 Office de Tourisme, pl. Gambetta ℘ 46 47 11 39

⋀⋀ **La Pierrière** Ⓜ « Cadre agréable », ℘ 46 47 08 29, sortie NO par rte de
St-Georges-d'Oléron
2,5 ha (140 empl.) ⊶ plat, herbeux ⚍ – ⬔ ⬒ ⬓ ⬚ ⬔ ⊛ ✕ ⬚ ◫ – ⌁ –
A proximité : half court ✕ ⌁
avril-sept. – **R** *conseillée juil.-août* – ▣ *piscine comprise 3 pers. 85* ⚂ *18*
*(4A)*

⋀⋀ **Les Cercelles** ⌂, ℘ 46 47 19 24, SE : 4 km, au lieu-dit le Marais Doux
1,2 ha (87 empl.) ⊶ plat, herbeux ⚍⚍ – ⬔ ⬒ ⬓ ⬚ ⊛ ✕ ⬚ ◫ – ⬚ ⬚ (bassin)
– Location : ⬚
Permanent – **R** *conseillée juil.-août* – ▣ *3 pers. 68, pers. suppl. 18,70*

**St-Trojan-les-Bains** – 1 490 h. – ✉ 17370 St-Trojan-les-Bains.
🛈 Office de Tourisme, carrefour du Port ℘ 46 76 00 86

⋀⋀ **La Combinette** ⌂, ℘ 46 76 00 47, SO : 1,5 km
4 ha (250 empl.) ⊶ plat et accidenté, sablonneux, herbeux ⚍⚍ pinède – ⬔ ⬚
⬚ ⊛ ⬚ ⬚ ⬚ ☼ ✕ ⬚ ◫ – ⬚ – A proximité : ✕ – Location : studios
avril-sept. – **R** *indispensable juil.-août* – Tarif 91 : ▣ *2 pers. 33,20, 3 pers.*
*44,60, pers. suppl. 12* ⚂ *11,90 (2 à 4A) 14,80 (4 à 6A)*

⋀⋀ **Municipal les Martinets** ⌂, ℘ 46 76 02 39, SO : 1,3 km
5 ha (300 empl.) ⊶ accidenté, sablonneux ⚍⚍ pinède – ⬔ ⬒ ⬚ ⬚ ◫ – ⬚
– A proximité : ⬚ ✕ parcours sportif
avril-sept. – **R** – ⚘ *11* ⬚ *4,15* ▣ *4,15* ⚂ *11,25 (3 ou 6A)*

---

**OLIVET** **45** Loiret – ⬛⬛ ⑨ – rattaché à Orléans

---

## Les OLLIÈRES-SUR-EYRIEUX

⬛⬛ – ⬛⬛ ⑲

**07360** Ardèche – 769 h.

⋀⋀ **Domaine des Plantas** ≼ « Cadre agréable », ℘ 75 66 21 53, à 2,5 km à l'est du
bourg par rte étroite, accès près du pont, bord de l'Eyrieux
27 ha/7 campables (125 empl.) ⊶ en terrasses, pierreux, herbeux ⚍ ⚍⚍ – ⬔
⬒ ⬓ ⬚ ⊛ ⬚ ☼ ✕ ⬚ ◫ – ⬚ discothèque ⬚ – *Réservé aux couples et aux*
*familles*

⋀⋀ **le Mas de Champel** ≼, ℘ 75 66 23 23, au Nord du bourg par D 120 rte de
la Voulte-sur-Rhône et chemin à gauche, près de l'Eyrieux
2,3 ha (60 empl.) ⊶ en terrasses, pierreux, herbeux – ⬔ ⬒ ⬓ ⬚ ⬔ ⊛ ⬚ ☼
snack ⬚ – ⬚ ⌁ – Location : ⬚
18 avril-sept. – **R** *conseillée juil.-août* – ▣ *piscine comprise 3 pers. 90, pers. suppl.*
*22* ⚂ *16 à 37 (2 à 10A)*

⋀⋀ **Eyrieux-Camping** ≼, ℘ 75 66 30 08, sortie E par D 120 rte de la Voulte-
sur-Rhône et chemin à droite, à 100 m de l'Eyrieux (accès direct)
1,5 ha (58 empl.) ⊶ plat et en terrasses, gravier, herbeux – ⬔ ⊛ ☼ – ✕ ⌁ vélos
– Location : ⬚ ⬚
15 avril-15 sept. – **R** *conseillée* – Tarif 91 : ▣ *piscine comprise 2 pers. 49, pers.*
*suppl. 14,50* ⚂ *11 (2A)*

---

**OLLIERGUES**

⬛⬛ – ⬛⬛ ⑯ G. Auvergne

**63880** P.-de-D. – 1 015 h.

⋀⋀ Les Chelles ⌂ ≼, ℘ 73 95 54 16, NE : 3,5 km par D 37 rte de Brugeron puis
1,8 km par rte à gauche – alt. 600
3 ha (60 empl.) ⊶ accidenté, en terrasses, pierreux, herbeux, petit étang, bois
attenant ⚍ – ⬔ ⬒ ⬓ ⬚ ⊛ ⬚ ◫ – ✕

---

**OLMETO** **2A** Corse-du-Sud – ⬛⬛ ⑱ – voir à Corse

## OLONNE-SUR-MER 85 Vendée – 🚗 ⑫ – rattaché aux Sables-d'Olonne

## OLORON-STE-MARIE 🚗
🔢 – 🔢 ⑥ G. Pyrénées Aquitaine

**64400** Pyr.-Atl. – 11 067 h.
🅱 Office de Tourisme, pl. de la Résistance ☎ 59 39 98 00

**Municipal du Stade** ⤳, ☎ 59 39 11 26, SO : 2 km par rte de Tardets-Sorholus, bord de la Mielle
3 ha (120 empl.) ⚬ plat, herbeux ⚤ – ⛺ ⛺ 🔲 ④ – �🚗 – A proximité : ✗
15 juin-sept. – **R** *conseillée* – 🔲 *1 à 5 pers. 18 à 58/25 à 65 avec élect.*

## OMONVILLE
1 – 🔢 ⑭

**76730** S.-Mar. – 263 h.

**Omonvillage** ⤳, ☎ 35 83 70 75, au NE du bourg par D 308, près du Château
1 ha (50 empl.) ⚬ plat, herbeux ⛊ – ⛺ ⛺ 🔲 ④ – 🚗 – Garage pour caravanes
avril-15 oct. – **R** *conseillée juil.-août* – ★ *11* 🔲 *11* 🔌 *8 (4A) 11 (6A)*

## ONDRES
🔢 – 🔢 ⑰

**40440** Landes – 3 100 h.

**Lou Pignada** « Entrée fleurie, cadre agréable », ☎ 59 45 30 65, NO : 1,5 km par D 26 rte de la plage
2 ha (135 empl.) ⚬ (saison) plat, herbeux ⛊ ⚤ – ⛺ ⛤ ⛼ 🔲 ④ 🚗 ⚘ 🏊
☗ ✗ 🍴 🔲 – 🚗 – Location : 🚐 🚐
Pâques-sept. – **R** *conseillée 15 juil.-15 août* – *Tarif 91 :* ★ *13,40* 🔲 *19,10/30,75*
🔌 *11,55 (6A)*

## ONESSE-ET-LAHARIE
🔢 – 🔢 ⑤

**40110** Landes – 981 h.

**Municipal Bienvenu,** ☎ 58 07 30 49, à Onesse, sortie NO rte de Mimizan
1,2 ha (100 empl.) ⚬ plat, herbeux, sablonneux ⚤ – ⛺ ⛼ 🔲 ④ ⚘ 🏊 – 🚗
15 juin-15 sept. – **R** – *Tarif 91 :* ★ *10,30* 🚗 *6,90* 🔲 *10,30* 🔌 *4*

## ONZAIN
5 – 🔢 ⑯

**41150** L.-et-Ch. – 3 080 h.

**La ferme de Dugny** ⤳, ☎ 54 20 70 66, NE : 1,3 km par rte de Chouzy-sur-Cisse puis 2,7 km par D 45 rte de Chambon-sur-Cisse et chemin à gauche, bord d'un étang
2 ha (35 empl.) ⚬ peu incliné, herbeux, pierreux ⛊ – ⛺ ⛤ ⛼ 🔲 ♿ ⛏ ④ ⚘
🏊 snack ☗ 🔲 – 🐎 poneys – Location : gîtes
Permanent – **R** *conseillée – Tarif 91 :* 🔲 *piscine comprise 1 pers. 25* 🔌 *9 (10A)*

**Municipal,** ☎ 54 20 85 15, SE : 1,5 km par D 1 rte de Chaumont-sur-Loire, à 300 m de la Loire
1,4 ha (66 empl.) plat, herbeux ⚤ – ⛺ 🏊 ④ – 🚗 – A proximité : ✗
30 avril-6 sept. – **R** – *Tarif 91 :* ★ *7,50* 🔲 *5,20* 🔌 *5 (10A)*

## OPIO
🔢 – 🔢 ⑧ ⑨

**06650** Alpes-Mar. – 1 792 h.

**Caravan-Inn**, réservé aux caravanes ⤳ « Cadre agréable », ☎ 93 77 32 00, S : 1,5 km par D 3 – Par A 8 : sortie Cannes-Grasse puis rte de Valbonne – accès aux emplacements par véhicule tracteur
5 ha (120 empl.) ⚬ en terrasses, pierreux, herbeux ⛊ ⚤ – ⛺ ⛤ ⛼ 🔲 ④ 🏊 ☗
🔲 🚗 🔲 – Location : 🚐 🚐
mars-sept. – *Places disponibles pour le passage* – **R** *conseillée – Tarif 91 :* 🔲
*piscine et élect. (2A) comprises jusqu'à 4 pers. 135,20 à 168,90 selon emplacement, pers. suppl. 14,85* 🔌 *10,75 (4A) 13,50 (10A)*

## ORAISON
🔢 – 🔢

**04700** Alpes-de-H.-Pr. – 3 509 h.
🅱 Office de Tourisme, allée Arthur-Gouin (juin-15 sept.) ☎ 92 78 60 80

**Municipal les Oliviers** ⤳, ☎ 92 78 76 52, N : 0,8 km par av. Francis-Richard, à 150 m du canal d'Oraison
2 ha (66 empl.) ⚬ peu incliné, herbeux ⛊ – ⛺ 🏊 🔲 ④ – 🏊 (bassin) –
A proximité : ✗
15 juin-15 sept. – **R** – ★ *13* 🔲 *15* 🔌 *12 (6A)*

## ORANGE
🔢 – 🔢 ⑪ ⑫ G. Provence

**84100** Vaucluse – 26 964 h.
🅱 Office de Tourisme et Accueil de France, cours Aristide-Briand ☎ 90 34 70 88 et pl. Frères Mounet (juin-sept.)

**Le Jonquier** ⤳, ☎ 90 34 19 83, NO : par N 7 rte de Montélimar et rue à gauche passant devant la piscine, quartier du Jonquier, rue Alexis Carrel
2,5 ha (105 empl.) ⚬ plat, herbeux ⛊ – ⛺ ⛤ ⛼ 🔲 ♿ ④ snack 🔲 cases réfrigérées – ✗ 🚗 🏊 (bassin) poneys, vélos – Location : 🚐
15 mars-oct. – **R** *conseillée juil.-août* – ★ *24* 🔲 *28* 🔌 *15 (3A) 18 (6A)*

## ORBEC
5 – 🔢 ⑭ G. Normandie Vallée de la Seine

**14290** Calvados – 2 642 h.
🅱 Syndicat d'Initiative, r. Guillonnière (juin-15 sept. après-midi seul.) ☎ 31 32 87 15

**Districal des Capucins** ⤳, ☎ 31 32 76 22, NE : 1,5 km par D 4 rte de Bernay et chemin à gauche, au terrain de sports
0,8 ha (47 empl.) ⚬ plat, herbeux – ⛺ ⛼ 🔲 ④ ⚘ 🏊 – 🚗 – A proximité :
✗ 🐎

## ORBEY

**68370** H.-Rhin – 3 282 h.

🏢 Office de Tourisme, Mairie
🕾 89 71 30 11 et à Hachimette (mi
juin-mi sept.) 🕾 89 47 53 11

⚠ **Les Moraines** ≤, 🕾 89 71 25 19, SO : 3,5 km rte des lacs, à Pairis, bord d'un
ruisseau – alt. 700
1 ha (54 empl.) ⊶ plat et peu incliné, herbeux, gravier 🏕 ⬭ – 🕭 ⬆ ⊟ 🛋 🍴
⊛ ✗ 🖳 – A proximité : ✖
Permanent – **R** *indispensable juil.-août* – ✶ 16,20 ⬅ 4,40 🔳 8,30 ⚡ 11 (3A)
22 (6A)

## ORCIÈRES

**05170** H.-Alpes – 841 h. alt. 1 439
– ☜.

🏢 Maison du Tourisme
🕾 92 55 70 39

⚠ **Base de Loisirs** ☜ ≤ Parc National des Écrins « Site agréable », à 3,4 km
au SO d'Orcières, à la Base de Loisirs, près du Drac Noir et d'un petit plan d'eau
– alt. 1 280
0,6 ha (40 empl.) ⊶ plat, pierreux, gravillons ⬭ – 🕭 ⬭ 🛋 ⊛ 🍴 snack (hiver seul.)
🖳 – 🛋 – A proximité : 🐎 ⚞ ✖ parcours de santé – Location : gîte d'étape
Permanent – **R** *fév.,* 14 juil.-15 août – ✶ 12 ⬅ 5 🔳 6/11 ⚡ 10 ou 30

## ORCIVAL

**63210** P.-de-D. – 283 h. alt. 890

⚠ **L'Étang de Fléchat** ☜ ≤ « Cadre et situation agréables », 🕾 73 65 82 96,
S : 1,5 km par D 27 rte du Mont-Dore puis 2,5 km par D 74 rte de Rochefort-
Montagne et chemin à droite, bord d'un étang – alt. 920
3 ha (63 empl.) ⊶ plat et en terrasses, herbeux 🏕 ⬭ – 🕭 ⬆ 🛋 ⊟ ⊛ ☜ ⬭ 🍴
snack – 🛋 ⚞ – Location : ⬭
mai-15 sept. – **R** *conseillée juil.-août* – 🔳 2 pers. 60, pers. suppl. 15 ⚡ 13 (5A)

## ORELLE

**73140** Savoie – 324 h. alt. 900

⚠ **Municipal Cime de Caron** ≤, au SE du bourg
0,4 ha (33 empl.) en terrasses, herbeux, pierreux – 🕭 ⬆ 🛋 ⊟ ⊛ ⬭ ⬭ – A
l'entrée : ✖
mai-sept. – **R** *juil.-août* – ✶ 9 🔳 11 ⚡ 10 (15A)

## ORGNAC-L'AVEN

**07150** Ardèche – 327 h.

⚠ **Municipal,** 🕾 75 38 63 68, sortie N sur D 217 rte de Vallon-Pont-d'Arc
2,6 ha (150 empl.) ⊶ plat, pierreux ⬭ chênaie – 🕭 🛋 ⊟ ⬭ ⊛ 🖳 – ⬭ ⚞
⬭ – A proximité : ✖ 🎯 – Location : ⬭
juin-début sept. – **R** *conseillée* – Tarif 91 : 🔳 2 pers. 57, pers. suppl. 11,50
⚡ 11,50 (6A)

## ORLÉANS Ⓟ

**45000** Loiret – 105 111 h.

🏢 Office de Tourisme et Accueil de
France, pl. Albert-Iᵉʳ 🕾 38 53 05 95

*à la Chapelle-St-Mesmin* O : 5 km par N 152
✉ 45380 la Chapelle-St-Mesmin :

⚠ **Municipal du Château** ≤ « Cadre agréable », 🕾 38 43 60 46, rte de Blois
puis à gauche par allée des Tilleuls et rue du Château, près de la Loire
2 ha (90 empl.) ⊶ plat, herbeux, jardin public attenant – 🕭 ⬆ 🛋 ⊟ ⊛ – ⬭
– A proximité : ✖ 🎯 ⚞ 🛋 piste de bi-cross, parcours sportif
avril-sept. – **R** *conseillée juil.-août* – ✶ 9,50 🔳 9 ⚡ 12 (6A)

*à Olivet* S : 4 km par rte de Vierzon – 17 945 h. – ✉ 45160 Olivet :
🏢 Office de Tourisme, 226 r. Paul-Génain 🕾 38 63 49 68

⚠ **Municipal,** 🕾 38 63 53 94, SE : 2 km par D 14 rte de St-Cyr-en-Val, bord du
Loiret
1 ha (82 empl.) ⊶ plat, herbeux ⬭ – 🕭 ⬆ 🛋 ⬭ ⊟ ⬭ ⊛ ⬭ ⬭
saison – **R** – Tarif 91 : ✶ 8 ⬅ 5 🔳 3,40/5 (14,80 avec élect.)

## ORLÉAT

**63190** P.-de-D. – 1 569 h.

⚠ **Municipal** ≤, 🕾 73 53 64 40, E : 5 km par D 85 puis D 224 et chemin, à
Pont-Astier, près de la Dore
1,2 ha (98 empl.) ⊶ plat, herbeux – 🕭 ⬆ 🛋 ⬭ ⊛ – ⚞ – A l'entrée : ⬭ ☜
✖ ⬭ ⬭
juin-sept. – **R** – ✶ 10 🔳 11 ⚡ 14

## Les ORMES

**86220** Vienne – 1 386 h.

⚠ **Municipal,** rue de Buxière, bord de la Vienne
1 ha (100 empl.) ⊶ peu incliné, herbeux ⬭ – 🕭 ⬆ 🛋
avril-sept. – **R** – ✶ 6,80 ⬅ 3,50 🔳 4,50

## ORNANS

**25290** Doubs – 4 016 h.

🏢 Office de Tourisme, r. P.-Vernier
(avril-sept.) 🕾 81 62 21 50

⚠ **Le Chanet** ☜ ≤, 🕾 81 62 23 44, SO : 1,5 km par D 241 rte de Chassagne-
St-Denis et chemin à droite, à 100 m de la Loue
1,4 ha (70 empl.) ⊶ incliné et peu incliné, herbeux ⬭ (0,5 ha) – 🕭 ⬆ 🛋 ⊟ 🖳 ⊛
⬭ ⚞ – A proximité : ✖ ⬭ – Location : ⬭, appartements
mars-15 nov. – **R** *conseillée* 14 juil.-15 août – ✶ 14 ⬅ 3 🔳 11/13 ⚡ 9
(2 ou 3A) 13,50 (5 ou 6A) 18 (9 ou 10A)

## ORPIERRE

**05700** H.-Alpes – 335 h. alt. 683

**Les Princes d'Orange** ☜ ≼ Orpierre et montagnes « Site agréable », ℰ 92 66 22 53, à 300 m au sud du bourg, à 150 m du Céans – Accès aux emplacements par pente à 12 %
20 ha/4 campables (100 empl.) •━ plat et peu incliné, en terrasses, pierreux, herbeux – 🗊 ⇄ 🚿 🖪 ⊕ 💲 🖪 – 🖴 🗊 toboggan aquatique – A proximité : ⛴ – Location : 🛖
31 mars-15 nov. – **R** conseillée – 🖪 piscine comprise 3 pers. 90, pers. suppl. 20 ⚡ 13 (4A)

---

## ORTHEZ

**64300** Pyr.-Atl. – 10 159 h.
🖪 Office de Tourisme, Maison Jeanne-d'Albret ℰ 59 69 02 75

**La Source,** ℰ 59 67 04 81, à l'Est de la ville, sur la route reliant N 117 et D 933, bord d'un ruisseau
2 ha (66 empl.) •━ plat et peu incliné, herbeux – 🗊 ⊟ ⊕ 🚿 ⊽ – A proximité : ⛴
juin-15 sept. – **R** – ✚ 6,30 ⟵ 3,90 🖪 5,70/8,40

---

## ORVILLERS-SOREL

**60490** Oise – 320 h.

**Château de Sorel** ☜, ℰ 44 85 02 74, S : 1 km par N 17 et rte à gauche
3,8 ha (100 empl.) •━ plat, herbeux – 🗊 ⇄ 🚿 🔟 ⊕ 🖪 – 🖴
fermé 16 déc.-janv. – **R** – 🖪 1 ou 2 pers. 48 ⚡ 15 (6A)

---

## OSANI **2A** Corse-du-Sud – 90 ⑮ – voir à Corse

---

## OSSÉJA

**66340** Pyr.-Or. – 1 274 h. alt. 1 247.
🖪 Syndicat d'Initiative, r. St-Roch ℰ 68 04 53 86

**Municipal Els Pallès** ☜ ≼, ℰ 68 04 51 73, SE : 1 km sur route forestière, à 200 m de la Vanéra
2 ha (100 empl.) •━ en terrasses, herbeux ⚲ verger – 🗊 🚿 ⊕ – 🖴 🛷
15 juin-15 sept. – **R** conseillée

---

## OSSES

**64780** Pyr.-Atl. – 692 h.

**Mendikaa** (aire naturelle) ☜ ≼, ℰ 59 37 70 29, à 1,8 km au SE du bourg, bord d'un ruisseau – Croisement difficile pour caravanes
1 ha (25 empl.) plat, incliné, herbeux – 🗊 ⇄ ⊟ – 🖴
15 juin-15 sept. – **R** conseillée – 🖪 2 à 5 pers. 32 à 50 ⚡ 9 (3A)

---

## OUCQUES

**41290** L.-et-Ch. – 1 473 h.

**Municipal,** sortie N par rte de Châteaudun
0,8 ha (33 empl.) plat, herbeux 🖙 – 🗊 ⊕ 🚿 ⊽ – A proximité : ⛴ 🗲
Pâques-Toussaint – **R** – ✚ 8 🖪 8 ⚡ 6 (3A) 10 (6A)

---

## OUDON

**44521** Loire-Atl. – 2 353 h.

**Municipal,** ℰ 40 83 80 22, au SO du bourg, derrière la gare, près de la Loire
0,7 ha (70 empl.) plat, herbeux – 🗊 ⊕
mai-sept. – **R** – Tarif 91 : ✚ 5 ⟵ 3,50 🖪 5 ⚡ 6,30 (6A)

---

## OUISTREHAM

**14150** Calvados – 6 709 h.
🖪 Office de Tourisme, Jardins du Casino (saison) ℰ 31 97 18 63

**Parc Municipal des Pommiers,** ℰ 31 97 12 66, S : 0,6 km par D 514 rte de Caen, accès direct au canal
4,5 ha (433 empl.) •━ ⚲ (2 ha) – 🗊 ⇄ ⊟ 🚿 🖪 🕭 🔟 ⊕ – ⛴
Permanent – Places disponibles pour le passage – **R** – Tarif 91 : ✚ 14,60 🖪 14,6 ⚡ 5,60 à 31,50 (2 à 20A)

**Municipal les Prairies de la Mer,** ℰ 31 96 26 84, sortie NO par av. Général-Leclerc (D514) rte de Courseulles-sur-Mer et à gauche, bord d'un étang
5 ha (150 empl.) •━ plat, sablonneux, herbeux – 🗊 ⇄ ⊟ 🖪 🕭 ⊕ 🚿 ⊽
A proximité : ⛴
15 mars-15 oct. – **R** – Tarif 91 : ✚ 14,60 🖪 14,60 ou 17,10 ⚡ 5,60 à 31,5 (2 à 20A)

---

## OUNANS

**39380** Jura – 323 h.

**la Plage Blanche** ☜, ℰ 84 37 69 63, S : 1,5 km par D 71 rte de Montbare et chemin à gauche, bord de la Loue
4 ha (100 empl.) •━ plat, herbeux – 🗊 ⇄ ⊟ 🖪 🕭 ⊕ 💲 🛁 🖪 – 🛷
A proximité : 🎣
avril-15 oct. – **R** indispensable 15 juin-20 août – ✚ 15,50 🖪 19 ⚡ 12 (4A)

292

## OUST
**09140** Ariège – 449 h.                                      14 – 86 ③

    ▲▲▲ **Le Mirabat** Ⓜ ⌂ ≤ « Site agréable », ℰ 61 96 55 55, sortie SE par rte d'Aulus-les-Bains, bord du Garbet
3 ha (100 empl.) ⊶ plat et peu incliné, herbeux ⊡ – 🎣 ⇔ ⌂ 🗟 ⅗ ▥ ☺ ⚲
♀ ✗ ⚊ 🛢 – Location : ▱(hôtel)
Permanent – **R** – ★ *15* 🗉 *20* 🖭 *10 (5A) 20 (10A) 30 (15A)*

    ▲ **Municipal la Côte** ≤, ℰ 61 96 50 53, sortie S, rte de Seix, bord du Salat
1 ha (64 empl.) ⊶ plat, herbeux – 🎣 ⇔ ⌂ 🗟 ⅗ ☺ – 🖾
15 juin-15 sept. – **R** – ★ *10* ⇌ *4* 🗉 *4/6,50* 🖭 *12*

## OYE-PLAGE
**62215** P.-de-C. – 5 678 h.                                   1 – 51 ②

    ▲▲▲ **Les Oyats** ⌂, NO : 4,5 km, 272 Digue Verte, à 100 m de la plage (accès direct)
3 ha (120 empl.) ⊶ plat, sablonneux, herbeux ⊡ – 🎣 ⇔ ⌂ 🗟 ☺ ⚲ 🛢 – 🖾
🚣
15 juin-15 sept. – **R** *conseillée* – ★ *13* 🗉 *15* 🖭 *10 (4A)*

## La PACAUDIÈRE
**42310** Loire – 1 182 h.                                      11 – 73 ⑦

    ▲▲ **Municipal Beausoleil,** ℰ 77 64 11 50, E : 0,5 km par D 35 rte de Vivans et à droite, près du terrain de sports et du collège
1 ha (35 empl.) peu incliné, herbeux ⊡ – 🎣 ⇔ ⌂ 🗟 ☺ ∀ – ✗ 🄼 🛝
15 mai-sept. – **R** – ★ *9,80* ⇌ *5,40* 🗉 *6,40* 🖭 *9,80*

## PADIRAC
**46500** Lot – 160 h.                                          13 – 75 ⑲

    ▲▲ **Les Chênes,** ℰ 65 33 65 54, NE : 1,5 km par D 90, rte du Gouffre
4 ha (70 empl.) ⊶ (saison) peu incliné et incliné, en terrasses, pierreux, herbeux
♀♀ – 🎣 ⇔ ⌂ ⚲ 🗟 ⅗ ☺ 🛝 snack 🛢 – 🖾 🛝
Pâques-15 sept. – **R** *conseillée 15 juil.-août* – ★ *16,50 piscine comprise* 🗉 *16,50*
🖭 *11 (5 ou 10A)*

## PAIMBOEUF
**44560** Loire-Atl. – 2 842 h.                                 4 – 67 ②

    ▲▲ Municipal de l'estuaire ⌂, ℰ 40 27 52 12, sortie O rte de St-Brévin, bord de la Loire
3 ha (100 empl.) ⊶ plat et peu incliné, sablonneux ♀♀♀ – 🎣 ⚲ 🗟 ⅗ ☺ 🛢 –
🖾 🚣 vélos – A proximité : 🄲 🛝 ♨ – Location : 🏠

## PAIMPOL
**22500** C.-d'Armor – 7 856 h.                          3 – 59 ② G. Bretagne
🏢 Office de Tourisme, r. Pierre-
Feutren ℰ 96 20 83 16

    ▲▲ **Municipal de Cruckin-Kérity,** ℰ 96 20 78 47, à Kérity, SE : 2 km par D 786 rte de St-Quay-Portrieux, attenant au stade, à 100 m de la plage de Cruckin
2 ha (200 empl.) ⊶ (saison) plat, herbeux ⊡ – 🎣 ⌂ ☺
15 mai-15 sept. – **R** *conseillée* – ★ *6,50* ⇌ *4,50* 🗉 *5,50* 🖭 *9 (6A) 12 (6 à 12A)*

## Le PALAIS 56 Morbihan – 63 ⑪ – voir à Belle-Ile-en-Mer

## PALAU-DE-CERDAGNE
**66340** Pyr.-Or. – 275 h. alt. 1 200                          15 – 86 ⑯

    ▲▲ **Las Aspéras** ⌂ ≤, ℰ 68 04 62 08, au sud du bourg, par D 30B rte de la frontière, près de la Vanéra
1,2 ha (75 empl.) ⊶ plat, herbeux, pierreux – 🎣 ⇔ ⌂ ⅗ – 🖾
29 juin-août – **R** – 🗉 *2 pers. 45, pers. suppl. 13*

## PALAU-DEL-VIDRE
**66690** Pyr.-Or. – 2 004 h.                                   15 – 86 ⑲

    ▲▲▲ **Le Haras** « Cadre agréable », ℰ 68 22 14 50, sortie NE par D 11
2,3 ha (75 empl.) ⊶ plat, herbeux ⊡ ♀ – 🎣 ⇔ ⌂ 🗟 ⅗ ☺ ⚲ ∀ 🛝 ♀ snack
🛢 – 🖾 🚣 🛝 – Location : 🏠
Permanent – **R** *conseillée juil.-août* – ★ *18 piscine comprise* 🗉 *35* 🖭 *13,50 (3A)*
*17,50 (6A) 21,50 (10A)*

## PALAVAS-LES-FLOTS
**34250** Hérault – 4 748 h.                         16 – 83 ⑦ G. Gorges du Tarn
🏢 Office de Tourisme, bd Joffre
ℰ 67 07 73 34

    ▲▲▲ Les Roquilles, ℰ 67 68 03 47, 267 bis av. St-Maurice, rte de Carnon-Plage, à 100 m de la plage – ✗
15 ha (792 empl.) ⊶ plat, sablonneux, herbeux ♀ – 🎣 ⌂ ⚲ 🗟 ☺ 🛝 ♀ 🛢
– ✗ 🛝 – Location : 🏠 🏠

## PALISSE
**19160** Corrèze – 256 h. alt. 600                            10 – 76 ①

    ▲▲▲ **Intercommunal de Palisse** Ⓜ ⌂ ≤ « Ensemble agréable »,
ℰ 55 95 87 22, N : 1 km par D 47 puis à droite
1 ha (53 empl.) ⊶ plat, peu incliné, herbeux, gravillons, étang ♀ – 🎣 ⇔ ⌂ 🗟
☺ – 🖾 ✗ 🚣
22 juin-8 sept. – **R** *conseillée juil.-août* – ★ *14 piscine et tennis compris* ⇌ *8*
🗉 *13,50/20* 🖭 *5,70 (8A)*

**La PALMYRE** **17** Char.-Mar. – **171** ⑮ – rattaché aux Mathes

---

## PAMPELONNE
**81190** Tarn – 715 h.

⚠ **Municipal de Thuriès** 🦢 « Site agréable », NE : 2 km par D 78, bord du Viaur
1 ha (35 empl.) ⟞ plat, herbeux ♀♀ (0,5 ha) – 🏕 🦢 🛁 🖪 ⊕ – 🛒
15 juin-sept. – **R** – ⚐ *10* 📧 *6* ⚡ *7*

**15** – **80** ⑪

---

## PAMPROUX
**79800** Deux-Sèvres – 1 728 h.

⚠⚠ **Municipal,** au bourg, près de la piscine
0,7 ha (30 empl.) peu incliné, herbeux 🎪 – 🏕 🦢 🛁 ⊕ 🛋 – A proximité : 🎾
🏧 🚣 🏊 – **R** – *Tarif 91 :* ⚐ *8,40* 📧 *8,40* ⚡ *8,40*

**9** – **68** ⑫

---

## PARAME **35** I.-et-V. – **59** ⑥ – voir à St-Malo

---

## PARAY-LE-MONIAL
**71600** S.-et-L. – 9 859 h.
🛈 Office de Tourisme, av. Jean-Paul-II
🅿 85 81 10 92

⚠⚠⚠ **Mambré,** 🅿 85 88 89 20, sortie NO vers Digoin et rte du Gué-Léger, près de la Bourbince
3,8 ha (198 empl.) ⟞ plat, herbeux – 🏕 🏞 🖪 ⚡ 🛒 ⊕ 🛋 🐾 🖼 – vélos – Location : 🏠
Permanent – **R** *conseillée* – ⚐ *17,50* 📧 *38,50* ⚡ *14 (10A)*

**11** – **69** ⑰ G. Bourgogne

---

## PARAY-SOUS-BRIAILLES
**03500** Allier – 495 h.

⚠ **Municipal le Moulin du Pré,** sortie N par D 142 vers Pont-de-Chazeuil et à gauche, bord d'une rivière
1,5 ha (20 empl.) ⟞ plat, herbeux – 🏕 🦢 🛁 🖪 ⊕ – 🎾
Pâques-sept. – **R** *indispensable* – ⚐ *5,60* 🚐 *4,40* 📧 *4,40* ⚡ *7,90 (16A)*

**11** – **73** ⑤

---

## PARCEY **39** Jura – **170** ③ – rattaché à Dole

---

## PARCOUL
**24410** Dordogne – 363 h.

⚠⚠⚠ **Le Paradou** Ⓜ ≤, 🅿 53 91 42 78, SO : 2 km par D 674 rte de La Roche Chalais
20 ha/2 campables (100 empl.) ⟞ plat, pierreux, herbeux, étangs, bois 🎪 – 🏕 🦢 🛁 🖪 ⚡ ⊕ 🛋 🛶 🍴 cafétéria 🛒 🖼 – 🛒 🎾 🏧 🚣 🛶 (étang) toboggan aquatique, parc de loisirs
mai-15 sept. – **R** *conseillée juil.-août* – 📧 *élect. comprise 2 pers. 60, pers. suppl* *14*

**9** – **75** ③ G. Périgord Quercy

---

## PARENTIS-EN-BORN
**40160** Landes – 4 056 h.
🛈 Syndicat d'Initiative, pl. Gén.-de-Gaulle 🅿 58 78 43 60

⚠⚠⚠ **L'Arbre d'Or,** 🅿 58 78 41 56, O : 1,5 km par D 43 rte de l'étang
4 ha (200 empl.) ⟞ (saison) plat, sablonneux ♀♀ pinède – 🏕 🦢 🏞 🖪 ⊕ 🍴 ✗ 🛒 🖼 – 🚣 🏊 – Location : 🏠
mai-sept. – **R** *conseillée juil.-août*

⚠⚠ **Municipal Pipiou** 🦢, 🅿 58 78 57 25, O : 2,5 km par D 43 et rte à droite à 100 m du lac
2 ha (127 empl.) ⟞ plat, sablonneux 🎪 – 🏕 🦢 🛁 🛎 ⊕ 🖼 – 🚣 – A proximité ✗ 🏧 🛶
19 avril-17 nov. – **R** *indispensable juil.-août* – 📧 *1 à 7 pers. 29,50 à 85 ou 39,50 à 95 avec élect., pers. suppl. 9*

**13** – **78** ③ G. Pyrénées Aquitaine

---

## PARIS Ⓟ
**75** V.-de-Paris – 2 152 333 h.

Voir ressources à *Champigny-sur-Marne, Choisy-le-Roi* et *Maisons-Laffitte*

plan **10** et carte **101** G. Paris

---

## PARRANQUET
**47210** L.-et-G. – 127 h.

⚠⚠ **Moulin de Mandassagne,** 🅿 53 36 04 02, SO : 0,7 km, bord d'un ruisseau
4 ha/0,8 campable (35 empl.) plat, herbeux 🎪 – 🏕 🦢 🛁 ⚡ ⊕ 🛋 – 🏊
A proximité : 🎾
avril-oct. – **R** *conseillée* – ⚐ *15 piscine comprise* 📧 *18* ⚡ *9 (4A)*

**14** – **79** ⑥

---

## PARTHENAY 🚲
**79200** Deux-Sèvres – 10 809 h.

⚠⚠ **Base de Loisirs,** 🅿 49 94 39 52, à l'Est de la localité, bord du Thouet
2 ha (90 empl.) ⟞ plat, herbeux 🎪 – 🏕 🦢 🛁 🖪 🛎 ⊕ snack – A proximité ✗ 🏧 🚣 🏊
Permanent – **R** *conseillée juil.-août* – ⚐ *10* 🚐 *6* 📧 *8* ⚡ *7,50 (3A) 10,50 (6A) 17 (12A)*

**9** – **67** ⑲ G. Poitou Vendée Charente

---

## PATORNAY **39** Jura – **170** ⑭ – rattaché à Pont-de-Poitte

294

## PAU 🅿

**64000** Pyr.-Atl. – 82 157 h.

🅱 Office Municipal de Tourisme, pl. Royale ☎ 59 27 27 08 et pl. Monnaie ☎ 59 27 41 24

⚠⚠⚠ **Le Terrier** « Entrée fleurie », ☎ 59 81 01 82 ⊠ 64230 Lescar, NO : 6,5 km par N 117 puis D 501 à gauche, bord du Gave – Par A 64 sens O. E. : sortie Artix
2 ha (100 empl.) ⚬ plat, gravier, herbeux, pierreux 🖵 ♀ – 🔟 ♨ 🗑 ⊙ 🗻 🔽 🍴 🖥 – 🔾 ✕ ☇ 🔟 – A proximité : golf
Permanent – **R** conseillée juil.-août – Tarif 91 : ⚑ 14,50 🔲 22 🕻 été : 10 (3A) 15 (6A) hiver : 28 (6A)

⚠⚠⚠ **Municipal de la Plaine** 🅼, ☎ 59 02 30 49, N : 4,5 km par rte de Bordeaux et bd du Cami-Salié à gauche
1,5 ha (67 empl.) ⚬ plat, herbeux ♀ – 🔟 ♨ 🗑 🖐 ⊙ 🗻 🔽 – 🔾 ✕ – A proximité : 🔲
5 juin-courant sept. – **R** – Tarif 91 : ⚑ 12,10 🔲 22,70 🕻 9,10 (3A) 24,30 (6A) 33,50 (10A)

## PAULHAGUET

**43230** H.-Loire – 921 h.

⚠ **Municipal la Fridière** 🦵, ☎ 71 76 65 54, SE : 0,8 km par D 4, bord de la Senouire
0,8 ha (32 empl.) ⚬ plat, herbeux 🖵 ♀ – 🔟 ♨ 🗑 ⊙ 🗻 🔽 – ☇
avril-oct. – **R** conseillée 15 juil.-15 août

## PAYRAC

**46350** Lot – 492 h.

⚠⚠⚠ **Les Pins** « Beau parc », ☎ 65 37 96 32, sortie S par N 20 rte de Cahors
4 ha (90 empl.) ⚬ plat, peu incliné, en terrasses, herbeux 🟰 pinède – 🔟 ♨ 🔾 🖥 ⊙ 🗻 ♀ ✕ snack 🔾 🖥 – ✕ ☇ 🔟 toboggan aquatique, parc de loisirs – Location : 🔾
avril-sept. – **R** conseillée – ⚑ 27 🔲 40 🕻 15 (6A)

## PAYZAC

**07230** Ardèche – 436 h.

⚠ **Lou Cigalou** 🦵 « Cadre agréable », ☎ 75 39 48 68, E : 1 km par rte de Lablachère et chemin à droite
1,2 ha (25 empl.) ⚬ plat et en terrasses, herbeux ♀♀ – 🔟 🗻 🖥 ⊙ – ☇ vélos – Location : 🔾
juil.-août – **R** conseillée – 🔲 2 pers. 36 🕻 10 (3A)

## PÉGOMAS

**06580** Alpes-Mar. – 4 618 h.

⚠⚠⚠ **Le Cabrol**, ☎ 93 42 21 56, SO : 0,8 km par rte de Mandelieu et à droite après le pont, près de la Siagne
2 ha (104 empl.) ⚬ plat, herbeux ♀♀ (1,5 ha) – 🔟 🖥 ⊙ 🗻 🔽 🔾 🔾 – 🔟 15 avril-15 sept. – **R** conseillée juil.-août – 🔲 piscine comprise 3 pers. 84 ou 95 🕻 15 (5A)

⚠⚠⚠ **Le Pré de Fanton**, ☎ 93 42 29 41, NO : 1,3 km sur D 9 rte de Grasse
1,2 ha (67 empl.) ⚬ plat et peu incliné, terrasses, herbeux ♀ – 🔟 🖥 ⊙ – 🔾
mai-sept. – **R** conseillée juil.-août – 🔲 2 pers. 57, pers. suppl. 16

à St-Jean SE : 2 km par D 9 rte de Cannes
⊠ 06550 la Roquette-sur-Siagne :

⚠⚠⚠ **Saint-Louis** 🦵 « Cadre agréable », ☎ 93 42 26 67, NO : 1 km sur D 9
5 ha (150 empl.) ⚬ en terrasses et peu incliné, herbeux 🖵 ♀♀ – 🔟 ♨ 🗻 🖥 ⊙ 🗻 🔽 🔾 ♀ ✕ 🔾 🖥 – 🔾 🔟 half-court – A proximité : ✕ – Location : 🔾
mars-15 oct. – **R** conseillée juil.-août – Tarif 91 : 🔲 piscine comprise 2 à 4 pers. 82 à 150/124 à 172 avec élect.

## PEILLON

**06440** Alpes-Mar. – 1 139 h.

⚠ **La Laune** 🦵, ☎ 93 79 91 61, à 3 km au SO du bourg, carrefour de la D 21, au lieu-dit Le Moulin
0,3 ha (33 empl.) ⚬ plat, pierreux, herbeux – 🔟 🖥 ⊙
juin-sept. – **R**

## PEISEY-NANCROIX

**73210** Savoie – 521 h. alt. 1 300.

🅱 Office de Tourisme ☎ 79 07 94 28

⚠⚠ **Les Lanchettes** 🦵 🦵, ☎ 79 07 93 07, SE : 3 km par rte des Lanches, bord du Ponturin et près du Parc National de la Vanoise
2 ha (88 empl.) ⚬ incliné, en terrasses, plat et herbeux – 🔟 ♨ 🗑 🎽 ⊙ 🗻 ♀ 🔾 🖥 – 🔾 – A proximité : ✕ – Location : 🔾
janv.-10 mai, 31 mai-26 sept. et 24 oct.-déc. – **R** conseillée vac. scolaires – ⚑ 18 🔲 18 🕻 12 à 40 (2 à 10A)

⚠ **Municipal les Glières** 🦵 🦵, ☎ 79 07 92 65, SE : 4 km par rte des Lanches, bord du Ponturin et près du Parc National de la Vanoise – alt. 1 470
2 ha (135 empl.) ⚬ non clos, plat et accidenté, herbeux – 🔟 ♨ 🗻 – 🔾 ✕ – A proximité : ♀ ✕ 🐾
15 juin-14 sept. – **R** – Tarif 91 : ⚑ 13,50 🔲 12,50

## PÉLUSSIN

**42410** Loire – 3 132 h.

▲ **Bel'Époque du Pilat** ⚓ ≤, ℰ 74 87 66 60, sortie vers Chavanay puis 1,5 km par D 79 rte de Malleval
1,5 ha (50 empl.) ⊶ incliné et en terrasses, herbeux ⌐ – 🖩 🏊 🗓 ⊛ 🖫 – 🐴
avril-oct. – **R** *conseillée* – ⚲ *16,50 piscine comprise* 🚗 *6,20* 🖪 *17,50* 🛗 *11,50 (6A)*

---

## PENDÉ

**80230** Somme – 1 055 h.

▲ **La Baie** ⚓, ℰ 22 60 72 72, N : 2 km, à Routhiauville, r. de la Baie
1,2 ha (50 empl.) ⊶ plat, herbeux, sablonneux – 🖩 🏊 🏊 ⊛ – 🐴 🚤
Pâques-15 oct. – **R** – ⚲ *7,80* 🖪 *10* 🛗 *6,50 (2A) 11 (4A) 15 (6A)*

---

## PÉNESTIN

**56760** Morbihan – 1 394 h.
🖪 Syndicat d'Initiative, r. Tremer
ℰ 99 90 37 74

▲▲ **Inly** ⚓ ≤, ℰ 99 90 35 09 et 99 90 30 39, SE : 2 km par D 201 et rte à gauche, bord d'un étang
30 ha/12 campables (500 empl.) ⊶ plat, herbeux, pierreux ⌐ – 🖩 🏊 🚽 🗓 ⊛ 🏊 🖫 🍴 ✗ crêperie ⚓ 🖫 – 🐴 🏊 🐟 vélos – Location : 🚐
15 mai-15 sept. – **R** – ⚲ *22 piscine comprise* 🚗 *9* 🖪 *47*

▲▲ **Les Îles,** ℰ 99 90 30 24, S : 4,5 km par D 201 et rte à droite, à la Pointe du Bile, bord de mer
2 ha (115 empl.) ⊶ plat, herbeux ⌐ 🍴 – 🖩 🏊 🚽 🗓 🕹 ⊛ 🖫 🍴 snack ⚓ 🖫 – 🐴 🏊 🐟 vélos – A proximité : 🏊 🐴 et poneys
11 avril-sept. – **R** *conseillée 6 juil.-août* – 🖪 *piscine comprise 1 ou 2 pers. 100* 🛗 *13 (6A)*

▲▲ **Le Parc des Îles** 🅼, ℰ 99 90 41 41, S : 4,5 km par D 201 et rte à droite, à la Pointe du Bile, à 200 m de la mer
1 ha (60 empl.) ⊶ (saison) plat, herbeux, étang ⌐ – 🖩 🏊 🚽 🗓 🕹 ⊛ 🏊 🐟 🖫 – 🐴 🍴 🐴 et poneys – A proximité : 🏊 🍴 snack ⚓ 🐟 vélos – Location : 🚐
11 avril-sept. – **R** *conseillée* – 🖪 *piscine comprise 1 ou 2 pers. 100* 🛗 *13 (6A)*

▲ **Le Cénic** ⚓, ℰ 99 90 33 14, E : 1,5 km par D 34 rte de la Roche-Bernard, bord d'un étang
3,5 ha (90 empl.) ⊶ plat, peu incliné, herbeux – 🖩 🏊 🚽 🗓 🕹 ⊛ 🖫 – 🐴 🏊 🏊 – A proximité : 🏊 🐴 et poneys – Garage pour caravanes
Pâques-sept. – **R** *conseillée* – ⚲ *15* 🖪 *22* 🛗 *12*

▲ **Les Parcs,** ℰ 99 90 30 59, E : 0,5 km par D 34 rte de la Roche-Bernard
1 ha (50 empl.) ⊶ peu incliné, herbeux – 🖩 🏊 🚽 🗓 ⊛ 🖫 – 🐴
mai-sept. – **R** *conseillée juil.-août* – ⚲ *13 piscine comprise* 🚗 *5,50* 🖪 *15* 🛗 *9,50 (4A)*

---

## PENMARCH

**29760** Finistère – 6 272 h.

▲ **Les Genêts** ⚓, ℰ 98 58 66 93, E : 2,3 km par D 785 et D 53 rte de Loctudy
3 ha (100 empl.) ⊶ plat, herbeux 🍴 – 🖩 🏊 🚽 🗓 ⊛ 🏊 – 🚤
juin-sept. – **R** *conseillée juil.-août – Tarif 91 :* ⚲ *10* 🚗 *5* 🖪 *11* 🛗 *9 (jusqu'à 10A)*

▲ **Municipal** ⚓, ℰ 98 58 86 88, SE : 1,4 km par rte de Guilvinec par la côte et rte à droite, à 100 m de la plage
3 ha (250 empl.) ⊶ plat, herbeux, sablonneux – 🖩 🚽 ⊛ – 🚤 – A proximité 🐟
juil.-août – **R** – ⚲ *10* 🚗 *5,50* 🖪 *10* 🛗 *8 (3A)*

---

## PENNE-D'AGENAIS

**47140** L.-et-G. – 2 394 h.

▲ **Municipal du Lac de Ferrié,** ℰ 53 41 30 97, SO : 1,4 km sur D 159, à 250 m du D 661, bord du lac
1,6 ha (64 empl.) ⊶ plat et peu incliné, herbeux ⌐ 🍴 – 🖩 🏊 🗓 ⊛ 🏊 🐟 – A proximité : 🏊 🚢 – Location : 🏠
15 juin-15 sept. – **R** *conseillée juil.-août* – ⚲ *13,40* 🖪 *10,10* 🛗 *8,40 (6A)*

---

## PENTREZ-PLAGE

**29550** Finistère

Schéma à Plomodiern

▲ **Ménez-Bichen** ≤, ℰ 98 26 50 82, près de la plage
3 ha (280 empl.) ⊶ (saison) plat et peu incliné, herbeux – 🖩 🏊 🗓 ⊛ 🖫 – 🚤
🐟 – A proximité : 🏊
juin-sept. – **R** – ⚲ *12,50* 🚗 *5,30* 🖪 *10,50* 🛗 *8,60 (2A) 9,50 (4A) 11 (6A)*

▲ **Ker-Ys,** ℰ 98 26 53 95, près de la plage
1,8 ha (125 empl.) ⊶ (saison) plat et peu incliné, herbeux – 🖩 🏊 🏊 ⊛ 🖫
🐟 🐟 – A proximité : 🏊
mai-15 nov. – **R** *conseillée* – ⚲ *13* 🚗 *6* 🖪 *14* 🛗 *10 (5A)*

▲ **Les Tamaris,** ℰ 98 26 53 75, près de la plage
0,8 ha (70 empl.) ⊶ plat et peu incliné, herbeux – 🖩 🏊 🗓 ⊛ 🖫 – A proximité 🏊
Pâques, 1ᵉʳ mai-15 sept. – **R** *conseillée* – ⚲ *12,50* 🚗 *6* 🖪 *11*

## PÉRIGUEUX ℗

**24000** Dordogne – 30 280 h.
🛈 Office de Tourisme, 26 pl.
Francheville ✆ 53 53 10 63

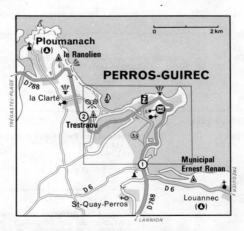

**Barnabé-Plage** « Situation agréable », ✆ 53 53 41 45, E : 2 km rte de Brive-la-Gaillarde – En deux parties sur chaque rive de l'Isle ; bac pour piétons et cycles
1 ha (80 empl.) ⚡ plat, herbeux ⌧ 🜂 – 🗟 🜂 🖵 ⊕ 🍴 – 🖾 🏠 🛥
Permanent – **R** – 🏋 12 🚗 7,50 ▣ 11,50 🔌 11,50 (3A) 13,50 (5A)

*à Atur* S : 6 km par D 2 – ⊠ 24750 Atur :

**Le Grand Dague** Ⓜ 🏊, ✆ 53 04 21 01, NE : 3 km par rte de St-Laurent-sur-Manoire et chemin – Par déviation S, venant de Brive ou Limoges, prendre direction Bergerac et chemin à droite
22 ha/7 campables (93 empl.) ⚡ incliné, herbeux ⌧ – 🗟 🜂 🖵 🖵 ♿ ⊕ 🜂 🜂
🜂 🍴 ✕ 🖵 – 🖾 🜂 🜂 – Location : 🖾 🖾 🏠
Pâques-20 oct. – **R** *conseillée* – 🏋 25 piscine comprise ▣ 30 🔌 13

*à Trélissac* E : 5 km – ⊠ 24750 Trélissac :

**Municipal les Garennes,** ✆ 53 54 45 88, au bourg
0,5 ha (35 empl.) ⚡ plat, herbeux 🜂 – 🗟 🜂 🜂 🖵 ⊕
15 mai-sept. – **R** *conseillée août* – 🏋 8,20 🚗 5 ▣ 6,80

## PÉRONNE ⟨SP⟩

**80200** Somme – 8 497 h.
🛈 Office de Tourisme, pl. Château
✆ 22 84 42 38

**Port de Plaisance,** ✆ 22 84 19 31, sortie S rte de Paris, près du canal du Nord, entre le port de plaisance et le port de commerce
2 ha (90 empl.) ⚡ plat, herbeux – 🗟 🜂 🖵 ♿ 🎱 ⊕ 🜂 – 🜂
Permanent – **R** *conseillée juil.-août* – 🏋 10,70 🚗 4,50 ▣ 9,70 🔌 5A : 10 (hiver 14) 10A : 19 (hiver 28)

## Le PERRIER

**85300** Vendée – 1 532 h.

**Municipal de la Maison Blanche,** ✆ 51 68 09 05, près de l'église
3,2 ha (250 empl.) ⚡ plat, herbeux 🜂 – 🗟 🜂 🖵 ♿ ⊕ – 🖾
15 juin-15 sept. – **R** *conseillée 1er-15 août* – ▣ 2 pers. 35, pers. suppl. 11 🔌 9 (5A)

**Le Grand Moulin** (aire naturelle), ✆ 51 68 09 17, S : 2 km par D 59, rte de St-Hilaire-de-Riez et chemin à droite
1 ha (25 empl.) ⚡ plat, herbeux, pierreux, étang – 🗟 🜂 🖵 ⊕ – 🖾 (salle d'animation) 🜂 – Location : 🖾
mai-oct. – **R** *conseillée* – 🏋 15 piscine comprise ▣ 18 🔌 13 (4 à 10A)

## PERROS-GUIREC

**22700** C.-d'Armor – 7 497 h.
🛈 Office de Tourisme et Accueil de France, 21 pl. de l'Hôtel-de-Ville
✆ 96 23 21 15

**Trestraou-Camping,** ✆ 96 23 08 11, 89 av. du Casino, à 100 m de la plage
3,8 ha (180 empl.) ⚡ plat et peu incliné, herbeux – 🗟 🜂 🜂 🖵 ♿ ⊕ 🜂 – A proximité : ✕ 🜂 🍴 – Location : 🖾
juin-sept. – *Tarif 91* : ▣ 2 pers. 80 (95 avec élect. 3 à 10A)

*à Ploumanach* par ② : 6 km – ⊠ 22700 Perros-Guirec :

**Le Ranolien** « Ancienne ferme restaurée dans un cadre sauvage », ✆ 96 91 43 58, SE : 1 km, à 200 m de la mer
10 ha (450 empl.) ⚡ plat, peu incliné et accidenté, herbeux ⌧ 🜂 (3 ha) – 🗟 🜂 🜂 🖵 ♿ ⊕ 🜂 ⚡ 🜂 🍴 ✕ crêperie 🜂 🜂 – 🖾 discothèque ✕ 🜂 🜂 – Location : 🖾
2 fév.-15 nov. – **R** *conseillée saison* – ▣ piscine comprise 2 pers. 95, 3 pers. 105, pers. suppl. 28 🔌 18 (4 ou 6A)

*à Louannec* par ① : 5 km – ⊠ 22700 Perros-Guirec :

▲▲▲ **Municipal Ernest Renan** ≤, ℰ 96 23 11 78, O : 1 km, bord de mer
4 ha (200 empl.) •⇝ plat, herbeux – 🗃 ⇗ 🖰 🖫 🕹 ⊛ 🕮 ⊽ ⚊ 🍽 – 🖛 ⚗
🝐
juin-15 sept. – **R** – 🛉 *10,10* ⇔ *6,30* 🗉 *7,60/9,50 (34 avec plate forme am.)*

---

## PERS
**15290** Cantal – 209 h.                                   🔟 – 🔢 ⑪

▲ **Le Viaduc** ⩥ ≤, ℰ 71 64 70 08, NE : 5 km par D 32, D 61 et chemin du
Ribeyres à gauche, bord du lac
1 ha (65 empl.) •⇝ (saison) en terrasses, herbeux, gravillons – (🗃 ⇗ 🔼 saison)
⊛ 🍽 – 🍽
mai-oct. – **R** *conseillée 14 juil.-15 août* – 🗉 *2 pers. 42, pers. suppl. 14,50* 🝐 *12
(10A)*

---

## PERTUIS
**84120** Vaucluse – 15 791 h.                              🔢 – 🔢 ③ G. Provence
🛈 Office de Tourisme, pl. Mirabeau
ℰ 90 79 15 56

▲▲▲ **Municipal les Pinèdes** ⩥ ≤ « Cadre agréable », ℰ 90 79 10 98, E : 2 km
par D 973 et av. Pierre-Augier à droite
8 ha (200 empl.) •⇝ peu incliné, en terrasses, herbeux, pierreux 🖙 🝐🝐 – 🗃 🔼
🖫 ⊛ 🕮 ⊽ ⚊ 🍽 – 🍽 – A proximité : 🔼 (couverte l'hiver)
mars-oct. – **R** *conseillée* – 🛉 *10,80* 🗉 *7,60/8,50* 🝐 *8,50 (5A) 16,40 (10A)*

---

## PETICHET
**38** Isère – alt. 908                                      🔢 – 🔢 ⑤
⊠ 38119 Pierre-Châtel

▲▲▲ **Ser-Sirant** ⩥ ≤, ℰ 76 83 91 97, sortie E et chemin à gauche, bord du lac de
Laffrey
2 ha (100 empl.) •⇝ plat, terrasse, herbeux, pierreux – 🗃 ⇗ 🖰 🖫 ⊛ – 🖛 –
A proximité : 🝐
juil.-21 août – **R** – 🗉 *1 à 6 pers. 33 à 108* 🝐 *11 (3A) 20 (6A) 28 (10A)*

---

## Le PETIT-BORNAND-LES-GLIÈRES
**74130** H.-Savoie – 743 h. alt. 717                        🔢 – 🔢 ⑦ G. Alpes du Nord

▲▲▲ **Municipal les Marronniers** ⩥ ≤ « Situation agréable », ℰ 50 03 54 74,
N : 1,6 km par D 12 et rte à gauche, bord d'un torrent et à 100 m du Borne
1,8 ha (60 empl.) •⇝ en terrasses, herbeux, pierreux, gravillons 🝐 – 🗃 🔼 ⊛ –
A proximité : 🏖
juin-sept. – **R** *conseillée juil.-août* – 🛉 *9,50* ⇔ *4* 🗉 *8* 🝐 *7,50 (2A)*

---

## PETIT-PALAIS-ET-CORNEMPS
**33570** Gironde – 565 h.                                   🔢 – 🔢 ⑫ ⑬ G. Pyrénées Aquitaine

▲▲▲ **Le Pressoir** ⩥, ℰ 57 69 73 25, NO : 1,7 km par D 21 rte de St-Médard-de-
Guizières et chemin de Queyray à gauche
2 ha (100 empl.) •⇝ peu incliné et plat, herbeux 🖙 – 🗃 ⇗ 🖰 🖫 ⊛ ⊽ 🍽 ✕
🖫 – ⚗ 🔼 – Location : bungalows toilés
mai-sept. – **R** *conseillée juil.-août* – 🛉 *20* 🗉 *22,50* 🝐 *12,50 (15A)*

---

## PEYNIER
**13790** B.-du-R. – 2 475 h.                               🔢 – 🔢 ④ ⑭

▲▲▲ **Municipal de la Garenne** ⩥ « En forêt », ℰ 42 53 05 21, O : 1,5 km par
D 56ᴮ et D 57ᴬ rte de Fuveau puis chemin à gauche
1,5 ha (81 empl.) •⇝ peu incliné, en terrasses, pierreux 🝐🝐 pinède – 🗃 ⇗ 🔼
🖫 ⊛ – 🖛 – A proximité : 🏖
juin-sept. – **R** – 🛉 *15* 🗉 *15* 🝐 *6,50 (6A)*

---

## PEYRAT-LE-CHÂTEAU
**87470** H.-Vienne – 1 194 h.                              🔟 – 🔢 ⑲ G. Berry Limousin

▲▲▲ **Municipal les Peyrades d'Auphelle** ≤ « Site agréable », ℰ 55 69 41 32,
E : 7 km par D 13 et D 222 à droite, près du lac de Vassivière – alt. 650
3 ha (134 empl.) •⇝ (saison) peu incliné, herbeux – 🗃 🔼 ⊛ – 🍽 (plage) 🝐 –
A proximité : ⚊ 🍽 ✕ 🏖 🝐
2 mai-sept. – **R** – 🛉 *11* 🗉 *11* 🝐 *9 (16A)*

---

## PEYRIGNAC
**24210** Dordogne – 372 h.                                 🔟 – 🔢 ⑦

▲ **Municipal la Garenne** ⩥, au Nord du bourg, près du stade
1,5 ha (35 empl.) plat, herbeux 🝐🝐 – 🗃 ⇗ 🖰 🖫 ⊛
15 juin-sept. – **R** *conseillée* – 🛉 *14* 🗉 *18* 🝐 *12 (10A)*

---

## PEYRILLAC-ET-MILLAC
**24370** Dordogne – 214 h.                                 🔢 – 🔢 ⑱

▲▲▲ **Millac** ⩥ ≤, ℰ 53 29 77 93, N : 2,3 km par rte du Bouscandier
2,8 ha (60 empl.) •⇝ (saison) incliné, en terrasses, pierreux, herbeux – 🗃 ⇗ 🖰
⊛ 🍽 🖫 – 🔼
avril-sept. – **R** *conseillée* – 🗉 *piscine comprise 2 pers. 60* 🝐 *14 (10A)*

## PEYRUIS

**04310** Alpes-de-H.-P. – 2 036 h.

17 – 81 ⑯ G. Alpes du Sud

🚙 **La Marcouline** ≼, ℘ 92 68 07 34, NE : 3,5 km par N 96 rte de Sisteron
3 ha (260 empl.) ⊶ en terrasses, peu incliné, pierreux, herbeux ♀ oliveraie – 🏠
🍴 🎣 🕭 🏛 🕭 🛱 ✕ 🖳 – 🛏 ※ 🔥 🐟 🏊 toboggan aquatique, vélos
– Location : 🛏 🛏 (hôtel), appartements

---

## PEYSSIES

**31390** H.-Gar. – 333 h.

14 – 82 ⑰

🚙 **Municipal les Peupliers** 🦯, ℘ 61 87 91 54, NO : 1 km par D 73 rte de
Labastide-Clermont, bord de la Louge et près de 2 lacs
2 ha (110 empl.) ⊶ plat, herbeux ♀ – 🏠 🍴 🛏 🕭 ✕ 🖳 – 🛏 ※ 🔥 🐟 (bassin)
– A proximité : ♨
Permanent – *Places disponibles pour le passsage* – **R** *conseillée* – 🅔 *3 pers.
70, pers. suppl. 15*

---

## PÉZENAS

**34120** Hérault – 7 613 h.

15 – 83 ⑮ G. Gorges du Tarn

🚙 **Municipal le Castelsec** ≼, ℘ 67 98 04 02, sortie SO rte de Béziers et rue
à droite après le centre commercial Montlaur
0,8 ha (36 empl.) ⊶ plat et en terrasses, herbeux, pinède attenante 🖂 – 🏠 🍴
🛏 🎣 🎣 🕭 – 🛏 ※ 🔥 🐟 – A proximité : 🍴 – Location : 🛏, gîtes
30 mars-oct. – **R** *conseillée juil.-août* – ⚡ *11* 🅔 *22/26* 🔋 *8,20 (10A)*

🚙 **St-Christol,** ℘ 67 98 09 00, NO : 0,6 km par D 30ᴱ rte de Nizas et chemin à
droite
1,5 ha (100 empl.) ⊶ plat, herbeux, graviers 🖂 ♀ – 🏠 🛏 🎣 🎣 🕭 🖳 – 🛏 🏊
15 juin-10 sept. – **R** *conseillée 14 juil.-15 août* – ⚡ *12 piscine comprise* 🅔 *27/32*
🔋 *9 (8A)*

---

## PEZOU

**41100** L.-et-Ch. – 861 h.

6 – 64 ⑥

🚙 **Municipal,** sortie SE par D 12 rte de Lignières, à 50 m du Loir .
1 ha (33 empl.) plat, herbeux – 🏠 🎣 🎣 🕭 🎣 – A proximité : ※
15 mai-6 sept. – **R** – ⚡ *8* 🅔 *7* 🔋 *9*

---

## PHALSBOURG

**57370** Moselle – 4 189 h.
🅱 Syndicat d'Initiative, r. Lobau
(juin-sept.) ℘ 87 24 29 97

8 – 57 ⑰ G. Alsace Lorraine

🚙 **Municipal du Vieux Château** « Cadre agréable », ℘ 87 24 13 72, par
centre ville, vers sortie E rte de Saverne, r. de la Manutention
0,6 ha (50 empl.) ⊶ plat, herbeux ♀ – 🏠 🛏 🕭
avril-oct. – **R** – ⚡ *12* 🚙 *7* 🅔 *5,50* 🔋 *8,50*

---

## PIANA 2A Corse-du-Sud – 90 ⑮ – voir à Corse

---

## PICHERANDE

**63113** P.-de-D. – 491 h. alt. 1 125

11 – 73 ⑬

🚙 **Municipal** 🦯 ≼ Monts du Cantal, NE : 0,6 km par chemin face à l'église et
à droite
0,7 ha (66 empl.) non clos, plat, peu incliné, herbeux, pierreux – 🏠 🛏 🕭 – 🛏
※ 🔥
15 juin-15 sept. – **R** – ⚡ *6,30* 🚙 *5,50* 🅔 *5,50* 🔋 *8,80*

---

## PIÉGUT-PLUVIERS

**24360** Dordogne – 1 471 h.

10 – 72 ⑮

🚙 **Municipal des Garennes** 🦯, NO par D 91 vers Montbron et rte du stade
à gauche
1 ha (25 empl.) peu incliné, plat, herbeux – 🏠 🎣 🛏 🕭 – A proximité : ※
15 juin-15 sept. – **R** – ⚡ *7,50* 🅔 *6* 🔋 *5*

---

## PIERREFITTE-SUR-SAULDRE

**41300** L.-et-Ch. – 835 h.

6 – 64 ⑳

🚙 **La Sauldre** 🦯 « Site et cadre agréables en Sologne », ℘ 54 88 63 34, NE :
6 km par D 126 et D 126ᴮ, au Domaine des Alicourts, bord d'un étang
21 ha/8 campables (100 empl.) ⊶ plat, herbeux, sablonneux 🖂 ♀♀ – 🏠 🎣 🛏
🎣 🕭 🖳 🍴 🎣 🎣 – 🛏 ※ 🔥 🐟 🏊 ≛ vélos – Location : 🛏
Pâques-sept. – **R** *conseillée juil.-août* – *Tarif 91* : 🅔 *piscine comprise 2 pers.
69,50, pers. suppl. 25* 🔋 *11 à 19 (2 à 10A)*

---

## PIERREFONDS

**60350** Oise – 1 548 h.

6 – 56 ③ G. Flandres Artois Picardie

🚙 **Municipal de Batigny,** ℘ 44 42 80 83, sortie NO par D 973 rte de
Compiègne
0,6 ha (60 empl.) ⊶ plat, terrasse, herbeux 🖂 – 🏠 🛏 🎣 🎣 🕭 🎣 🕭
29 mars-10 nov. – **R** *conseillée* – ⚡ *11,90* 🚙 *2,60* 🅔 *2,40* 🔋 *8,80*

## PIERRELONGUE

**26170** Drôme – 104 h.

△ **Les Castors** ≼, ℰ 75 28 74 67, SO : 0,6 km par D 5 rte de Mollans, bord de l'Ouvèze
1,3 ha (50 empl.) ⊶ plat et terrasses, pierreux, herbeux ⚲ – 🗑 🖪 ④ – 🏊 –
Location : 🚐
juil.-août – **R** – 🗐 piscine comprise 2 pers. 48,50 🔌 13 (5A)

## PIERREVAL

**76750** S.-Mar. – 358 h.

🔟 – 🔟🔟 ⑦

△△ **La Malmaison,** ℰ 35 34 91 53, à 1 km à l'Est du D 928, au carrefour des D 15 et D 122
2 ha (80 empl.) ⊶ plat, herbeux ⊡ ⚲⚲ – 🗑 ⇆ 🛏 🖪 ④ – 🚐 ✕ ⚓ – garage pour caravanes
15 mai-15 sept. – **R** – Tarif 91 : 🕈 17 🗐 17 🔌 13 (6A)

## Les PIEUX

**50340** Manche – 3 203 h.

🔟 – 🔟🔟 ①

△△ **Le Grand Large** ⚞ ≼, ℰ 33 52 40 75, SO : 3 km par D 117 et D 517 à droite puis 1 km par chemin à gauche, bord de la plage de Sciotot
3,7 ha (200 empl.) ⊶ plat, sablonneux, herbeux ⊡ – 🗑 ⇆ 🛏 🖪 🕭 ④ 🕈 snack
🍴 🖪 – 🚐 ✕ ⚓ 🏊 – Location : 🚐
11 avril-13 sept. – **R** conseillée – 🗐 piscine comprise 2 pers. 68, pers. suppl. 17 🔌 15 (6A)

△△ **la Forgette,** ℰ 33 52 51 95, au sud du bourg, rue de la Forgette
4 ha (150 empl.) ⊶ incliné, herbeux ⊡ ⚲ (1 ha) – 🗑 ⇆ 🛏 🖪 ④ 🔥 ☂ 🖪 –
✕ ⚓ – A proximité : 🔥 ✕ – Location : 🚐
avril-sept. – **R** conseillée 15 juil.-15 août – 🕈 20 🗐 20 🔌 15 (10A)

## PINARELLU **2A** Corse-du-Sud – 🔟🔟 ⑧ – voir à Corse

## PINOLS

**43300** H.-Loire – 321 h. alt. 1 020

🔟🔟 – 🔟🔟 ⑤

△ **Municipal,** sortie E par D 590 rte de Langeac
0,2 ha (19 empl.) plat et terrasse, herbeux – 🗑 ⇆ 🛏 🕭 ④ – Location : gîte d'étape
juil.-sept. – **R** – 🕈 10 ⇌ 5 🗐 5 🔌 10

## PIRIAC-SUR-MER

**44420** Loire-Atl. – 1 442 h.

🔟 – 🔟🔟 ⑬ G. Bretagne

△△ **Pouldroit** ⚞, ℰ 40 23 50 91, E : 1 km sur D 52 rte de Mesquer, à 300 m de l'océan
12 ha (276 empl.) ⊶ plat, herbeux – 🗑 ⇆ 🛏 🖪 🕭 ④ 🔥 snack 🖪 – 🚐 ✕
⚓ 🏊 tir à l'arc – Location : bungalows toilés
juin-15 sept. – **R** conseillée juil.-août – 🕈 21 piscine comprise ⇌ 15 🗐 10 🔌 14 (4A) 26 (10A)

△△ Parc du Guibel ⚞ « Cadre agréable, plantations arbustives », ℰ 40 23 52 67, E : 3,5 km par D 52 rte de Mesquer et rte de Kerdrien à gauche
10 ha (321 empl.) ⊶ plat, peu incliné, herbeux ⊡ ⚲⚲ (6 ha) – 🗑 ⇆ 🛏 🖪
④ 🔥 ☂ 🔥 🕈 snack 🖪 – 🏊 vélos – 🚐 🖪
△△ **Armor Héol** « Entrée fleurie », ℰ 40 23 57 80, SE : 1 km sur D 333 rte de Guérande
4,5 ha (200 empl.) ⊶ plat, herbeux, étang ⊡ arbustes – 🗑 🛏 🖪 🕭 ④ 🖪
– ⚓ 🏊 – Location : 🚐
avril-oct. – **R** conseillée juil-août – 🗐 piscine comprise 2 pers. 63, pers. suppl. 17 🔌 13,50 (5A)

△△ **Mon Calme,** ℰ 40 23 60 77, S : 1 km par rte de la Turballe et à gauche, à 450 m de l'océan
1 ha (100 empl.) ⊶ plat, herbeux – 🗑 🛏 ④ – A proximité : 🔥
15 juin-15 sept. – **R** – Tarif 91 : 🗐 1 ou 2 pers. 50, pers. suppl. 16 🔌 12 (3 à 6A)

## La PLAINE-SUR-MER

**44770** Loire-Atl. – 2 104 h.

🔟 – 🔟🔟 ①

△△ **Le Ranch,** ℰ 40 21 52 62, NE : 3 km par D 96 rte de St-Michel-Chef-Chef
2,3 ha (115 empl.) ⊶ plat, herbeux – 🗑 ⇆ 🛏 ⚫ 🖪 🕭 ④ 🖪 – ⚓ – Garage pour caravanes
mars-oct. – **R** conseillée – 🗐 2 pers. 55, pers. suppl. 13,20 🔌 13 (6A)

△△ **La Tabardière et les Courtyls** ⚞, ℰ 40 21 52 18, E : 3,5 km par D 13 rte de Pornic et rte à gauche
2,5 ha (165 empl.) ⊶ (saison) en terrasses, herbeux ⚲⚲ (0,5 ha) – 🗑 ⚫ 🖪 ④
🔥 🕈 🖪 – ⚓ half-court – Location : 🚐 🚐 – garage pour caravanes
avril-oct. – **R** conseillée juil.-août – 🕈 14,50 ⇌ 4,80 🗐 12,30 🔌 9,50 (3A) 12 (4A) 14,50 (5A)

△ **Bernier,** ℰ 40 21 04 31, N : 1,5 km par rte de Port-Giraud
0,6 ha (60 empl.) ⊶ plat, herbeux – 🗑 ⚫ 🖪 🕭 ④ 🖪 – Location : 🚐
avril-sept. – **R** conseillée 6 juil.-17 août – 🗐 2 pers. 58 🔌 10 (4A) 12,50 (5A, 20 (10A)

## PLANCHEZ

**58230** Nièvre – 395 h. alt. 640

11 – 65 ⑯

  ▲ **Municipal le Renard** ⚲ ≼, sortie NE rte de Montsauche et chemin à droite
1 ha (90 empl.) incliné et en terrasses, herbeux ⌂ – ⌂ ⚲ ⓖ ⊕ ⚘ ⬛ – ⚲
juin-sept. – **R** – ✶ 9 ⇦ 6 🅴 7 〔ℓ〕 8 (4A)

---

## PLANCOËT

**22130** C.-d'Armor – 2 507 h.

4 – 59 ⑤

  ▲▲▲ **Municipal du Verger,** ℰ 96 84 03 42, vers sortie SE rte de Dinan, derrière
la caserne des sapeurs-pompiers, bord de l'Arguenon
1,2 ha (100 empl.) ⚬⚊ plat, herbeux – ⌂ ⚲ ⓖ ⚹ ⊕ – A proximité : piste de
bi-cross
15 juin-15 sept. – **R** – ✶ 8,50 ⇦ 3,50 🅴 7 〔ℓ〕 7 (6A)

---

## PLANGUENOUAL

**22400** C.-d'Armor – 1 518 h.

4 – 59 ④

  ▲ **Municipal le Val** ⚲ ≼, ℰ 96 32 71 93, NO : 2,5 km par D 59
1,5 ha (64 empl.) ⚬⚊ (juil.-août) plat et en terrasses, herbeux – ⌂ ⓖ ⊕ ⬛
15 juin-15 sept. – **R** – Tarif 91 : ✶ 7,20 ⇦ 3,10 🅴 3,60/5,20 〔ℓ〕 8,20

---

## Le PLANTAY

**01330** Ain – 344 h.

12 – 74 ②

  ▲ **Les Jonquilles** (aire naturelle) ⚲, ℰ 74 98 16 57, sortie S par D 61 rte de
Versailleux et 3,5 km par chemin à droite
1 ha (25 empl.) plat, herbeux – ⌂ ⚲ ⊕ ✗
avril-oct. – **R** – ✶ 12,50 🅴 10 〔ℓ〕 12 (5A)

---

## Les PLANTIERS

**30122** Gard – 221 h. alt. 779

15 – 80 ⑯

  ▲ **Le Caylou** ⚲ ≼, ℰ 66 83 92 85, NE : 1 km par D 20 rte de Saumane, bord
du Gardon au Borgne
3,6 ha (100 empl.) ⚬⚊ en terrasses et peu incliné, pierreux, herbeux – ⌂ ⚲ ⚹
⊕ – ✗ ⛝
Permanent – **R** conseillée juil.-août – 🅴 tennis compris 2 pers. 39, pers. suppl.
10 〔ℓ〕 11 (6A)

---

## PLAZAC

**24580** Dordogne – 543 h.

13 – 75 ⑥ G. Périgord Quercy

  ▲▲▲ **Le Lac** ⚲, ℰ 53 50 75 86, SE : 0,8 km par D 45 rte de Thonac, près d'un lac
1,5 ha (100 empl.) ⚬⚊ (juil.-août) peu incliné, herbeux ⌂ ♁♁ – ⌂ ⇄ ⚹ ⓖ ⚹
⊕ ▼ ⬛ – ⛺ ✗ ⛝ ⛝
Pâques-15 oct. – **R** conseillée – ✶ 21 piscine comprise 🅴 19 〔ℓ〕 12 (10A)

---

## PLEAUX

**15700** Cantal – 2 146 h. alt. 642

10 – 76 ①

  ▲▲▲ **Municipal d'Entassit** ⚲ « Entrée fleurie », ℰ 71 40 40 05, au nord du
bourg par D 6 rte de Rilhac-Xaintrie et chemin à droite
1,2 ha (109 empl.) ⚬⚊ plat, herbeux ⌂ – ⌂ ⚲ ⊕ ⬛ – ⛺ ⚡ – A proximité :
✗ ⛝ ⛝ – Location : huttes
mai-oct. – **R** – Tarif 91 : ✶ 8 ⇦ 4,50 🅴 4,50 〔ℓ〕 5,50 à 13 (2 à 10A)

  ▲ **Municipal de Longayroux** ⚲ ≼ « Dans un site agréable », ℰ 71 40 48 30,
S : 13,5 km par rte de Longayroux, près du lac d'Enchanet
0,6 ha (60 empl.) ⚬⚊ (saison) peu incliné, herbeux ♁ – ⌂ ⚲ ⚹ ⊕ – ⛺ –
A proximité : ▼ ✗
mai-oct. – **R** – Tarif 91 : ✶ 6 ⇦ 4 🅴 4 〔ℓ〕 7,50 (6A)

---

## PLÉHÉDEL

**22290** C.-d'Armor – 1 085 h.

3 – 59 ②

  ▲ **Municipal,** ℰ 96 22 31 31, S : 0,5 km par D 21 rte de Plouha et à droite, bord
d'un étang
2 ha (130 empl.) peu incliné, herbeux – ⌂ ⚲ ⊕
juil.-août – **R** – Tarif 91 : ✶ 14,92 ⇦ 3,91 🅴 3,91 〔ℓ〕 8,97

---

## PLÉLO

**22170** C.-d'Armor – 2 359 h.

3 – 58 ⑨

  ▲▲▲ **Le Minihy** « Décoration arbustive », ℰ 96 74 26 92, N : 3 km par D 79 rte de
Lanvollon et D 84 à droite rte de Tréguidel, à l'orée d'une forêt
2 ha (80 empl.) ⚬⚊ (juil.-août) plat, herbeux ⌂ – ⌂ ⇄ ⚹ ⓖ ⚹ ⊕ ⚘ ⬛ – ⛺
✗ ⛝ ⛝ half-court
avril-1er nov. – **R** conseillée – ✶ 18 piscine et tennis compris ⇦ 5 🅴 20 〔ℓ〕 10
(4A)

---

▶ *This Guide is not intended as a list of all the camping sites in France ;*
*its aim is to provide a selection of the best sites in each category.*

## PLÉNEUF-VAL-ANDRÉ

**22370** C.-d'Armor – 3 600 h.
🏢 Office de Tourisme, au Val André
1 r. W.-Churchill ☎ 96 72 20 55

⁴ – 59 ④ G. Bretagne

⋀⋀ **Municipal les Monts Colleux** ⌇ ≤, ☎ 96 72 95 10, r. Jean-Le Brun
4 ha (200 empl.) ⊶ plat, incliné et en terrasses, herbeux – 🔊 ⌇ 🗓 👍 ⊕ 🖭 –
🛏 – A proximité : 🎯 🔲 – Location : bungalows toilés
avril-1er oct. – **R** conseillée juil.-août – 🖭 1 pers. 40, pers. suppl. 14,50 ⊠ 10,40

⋀⋀ **Le Minihy,** ☎ 96 72 22 95, SO : rte du port de Dahouët, r. du Minihy
1 ha (65 empl.) ⊶ plat et peu incliné, herbeux – 🔊 ⇆ ⌷ 🗓 ⊕ 🖭 – 🛏 –
Location : 🏠
15 juin-15 sept. – **R** conseillée – 🖭 2 pers. 51, pers. suppl. 14 ⊠ 12 (6A)

⋀⋀ **Plage de la Ville Berneuf** ⌇ ≤, ☎ 96 72 28 20, NE : 4 km, à 100 m de la plage
1,2 ha (57 empl.) ⊶ (saison) en terrasses, herbeux – 🔊 ⇆ ⌷ 🗓 👍 ⊕ 🖭 –
A proximité : 🏖 🍴 – Location : 🛺
avril-sept. – **R** juil.-août – 🕴 11,50 ⇔ 7,50

---

## PLÉRIN **22** C.-d'Armor – 59 ③ – rattaché à St-Brieuc

---

## Le PLESSIS-DORIN

**41170** L.-et-Ch. – 218 h.

⁶ – 60 ⑮

⋀⋀ **Municipal Beaulieu-Loisirs** ⌇, ☎ 54 80 85 35, NE : 1,2 km par rte de St-Avit, bord d'un étang
0,5 ha (30 empl.) ⊶ en terrasses et peu incliné, herbeux – (🔊 ⇆ ⌷ avril-nov.)
⊕ – 🛺 🎯 ♨ – Location : 🛏, gîte d'étape
Permanent – **R** juil.-août – 🕴 9,80 🖭 5,70 ⊠ 5,20

---

## PLESTIN-LES-GRÈVES

**22310** C.-d'Armor – 3 237 h.
🏢 Syndicat d'Initiative, Mairie (vacances scolaires) ☎ 96 35 61 93

³ – 58 ⑦ G. Bretagne

⋀ **Kerdréhoret** ⌇ ≤, ☎ 96 35 61 58, NE : 3,5 km par D 786 rte de St-Efflam et D 42 à gauche, à 300 m de la mer
0,6 ha (40 empl.) ⊶ peu incliné, herbeux ⊡ ♀ – 🔊 ⇆ ⌷ ⊕
juin-15 sept. – **R** conseillée – 🕴 14 ⇔ 6 🖭 12 ⊠ 9 (2A)

---

## PLEUBIAN

**22610** C.-d'Armor – 2 963 h.

³ – 59 ② G. Bretagne

⋀⋀⋀ **Port la Chaîne** ⌇ ≤, ☎ 96 22 92 38, N : 2 km par D 20 rte de Larmor-Pleubian et rte à gauche, bord de mer
4,9 ha (200 empl.) ⊶ en terrasses et peu incliné, herbeux ♀ – 🔊 ⇆ ⌷ ⌇ 🗓
⊕ 👍 ⇋ 🍴 🛒 🖭 – 🛺 –
juin-10 sept. – **R** conseillée juil.-août – 🕴 17 🖭 29 ⊠ 13 (6A)

---

## PLEUMEUR-BODOU

**22560** C.-d'Armor – 3 677 h.
Schéma à Trébeurden

³ – 59 ① G. Bretagne

⋀⋀ **Le Port** ⌇ ≤ « Situation agréable », ☎ 96 23 87 79, à Landrellec, N : 6 km, bord de mer
2 ha (80 empl.) ⊶ (saison) plat et accidenté, herbeux – 🔊 ⇆ ⌷ 🗓 ⊕ ⇋ – 🛶
Pâques-sept. – **R** conseillée juil.-août – 🖭 2 pers. 60 ⊠ 14

---

## PLÉVEN

**22130** C.-d'Armor – 578 h.

⁴ – 59 ⑤

⋀ **Municipal** « Dans le parc de la mairie », ☎ 96 84 46 71, au bourg
1 ha (60 empl.) plat et peu incliné, herbeux ♀ – 🔊 ⇆ ⌷ ⊕ – 🛏
Permanent – **R** – 🕴 8 ⇔ 4 🖭 4 ⊠ 6 (12A)

---

## PLOBANNALEC

**29138** Finistère – 3 022 h.

³ – 58 ⑭

⋀⋀⋀ **Manoir de Kerlut,** ☎ 98 82 23 89, S : 1,6 km par D 102, rte de Lesconil et chemin à gauche
14 ha (200 empl.) ⊶ plat, herbeux – 🔊 ⇆ ⌷ 🗓 👍 ⊕ 🛺 🍴 🖭 – 🛏 🛒 ♨
vélos, tir à l'arc – Location : 🛺
15 mai-15 sept. – **R** 15 juil.-15 août – 🕴 25 piscine comprise 🖭 50 ⊠ 10 (2A)
16 (6A)

---

## PLOEMEL

**56400** Morbihan – 1 892 h.

³ – 63 ②

⋀⋀ **Kergo** ⌇ « Cadre agréable », ☎ 97 56 80 66, SE : 2 km par D 186 rte de la Trinité-sur-Mer et à gauche
2 ha (135 empl.) ⊶ peu incliné et plat, herbeux ♀ – 🔊 ⇆ ⌷ 🗓 ⊕ 🖭 – 🛏
15 juin-15 sept. – **R** – Tarif 91 : 🕴 14 ⇔ 7,50 🖭 18,50 ⊠ 10 (3 ou 6A)

⋀⋀ **St-Laurent,** ☎ 97 56 85 90, NO : 2,5 km rte de Belz, à proximité du carrefour D 22 et D 186
3 ha (90 empl.) ⊶ plat, peu incliné, herbeux ♀ pinède – 🔊 ⇆ ⌷ 🗓 ⊕ 🖭 – ♨
Permanent – **R** conseillée – 🕴 17 piscine comprise 🖭 25 ⊠ 10 (10A)

---

## PLOEMEUR

**56210** Morbihan – 17 637 h.

³ – 58 ⑫

à **Fort Bloqué** O : 5 km par D 162ᴱ – ✉ 56270 Ploemeur :

⋀⋀ **l'Atlantys,** ☎ 97 05 99 81, SE : 0,7 km sur D 152, près de la mer
2 ha (150 empl.) ⊶ plat, sablonneux, herbeux – 🔊 ⇆ ⌷ ⊕ 🖭
15 mai-15 oct. – **R** juil.-août – 🕴 15 ⇔ 10 🖭 22 ⊠ 12 (4A) 15 (6A)

## PLOÉVEN

**29127** Finistère – 450 h.

Schéma à Plomodiern

 

🄰 **La Mer,** ℘ 98 81 52 94, SO : 3 km, à 300 m de la plage de Ty-an-Quer
1 ha (65 empl.) ⊶ plat, herbeux – 🗟 🛆 🛋 ⊛
15 juin-15 sept. – **R** – *Tarif 91 :* 🛉 *9* 🚙 *5* 🗉 *10* 🗷 *9 (6A)*

🄰 **Ty-Anquer-Plage** 🔊 ⪡ « Situation agréable », ℘ 98 81 52 96, SO : 3 km, à
100 m de la plage
1,6 ha (60 empl.) ⊶ en terrasses, herbeux – 🗟 🛆 ⊛ – 🛒
15 juin-15 sept. – **R** *conseillée* – 🛉 *11* 🚙 *5* 🗉 *14* 🗷 *12*

---

## PLOMBIÈRES-LES-BAINS

**88370** Vosges – 2 084 h. –
♨ 27 avril-3 oct.
🛈 Office de Tourisme, r. Stanislas
(fermé matin oct.-avril) ℘ 29 66 01 30

☒ – 🖸🖻 ⑯ G. Alsace Lorraine

🄼 **Municipal le Fraiteux** 🔊, ℘ 29 66 00 71, à Ruaux, O : 4 km par D 20 et
D 20E
0,8 ha (50 empl.) ⊶ plat et peu incliné, herbeux, gravier 🖂 – 🗟 🛋 🛋 🗟 ⊛
🏢
vac. de printemps et mai-sept. – **R** *conseillée juil.-août* – *Tarif 91 :* 🛉 *11,50* 🚙
*6,50* 🗉 *6,50* 🗷 *6,50 (jusqu'à 3A) 9 (4 à 6A)*

---

▶ *Kataloge der Michelin–Veröffentlichungen erhalten Sie beim Buchhändler*
*und direkt von Michelin (Karlsruhe).*

---

## PLOMEUR

**29120** Finistère – 3 272 h.

☒ – 🖸🖻 ⑭ G. Bretagne

🄼 **La Pointe de la Torche** 🔊, ℘ 98 58 62 82, O : 3,5 km par rte de Penmarch
puis rte de la Pointe de la Torche et chemin à gauche
2,6 ha (155 empl.) ⊶ plat, sablonneux, herbeux 🖂 – 🗟 🛋 🛋 🗟 ⊛ 🛉 snack
🛃 🛋 🛋 🛋 – A proximité : 🛉 – Location : 🚐
juin-sept. – **R** – 🗉 *2 pers. 65, pers. suppl. 16* 🗷 *14*

🄼 **la Crêpe** 🔊, ℘ 98 82 00 75, NO : 3,5 km par D 57 rte de Plonéour-Lanvern
puis à gauche rte de la chapelle Beuzec et chemin à droite
2,2 ha (120 empl.) ⊶ plat, herbeux – 🗟 🛋 🛋 ⊛ 🛉 crêperie – 🛒
juin-sept. – **R** *conseillée 15 juil.-15 août* – 🛉 *9,90* 🚙 *5,55* 🗉 *11,85*

---

## PLOMODIERN

**29550** Finistère – 1 912 h.

☒ – 🖸🖻 ⑭ ⑮ G. Bretagne

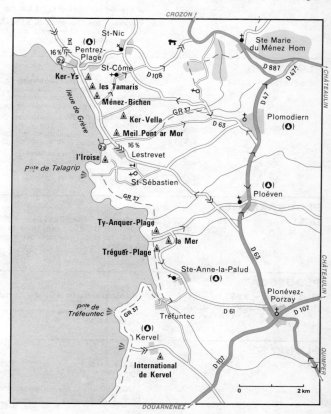

▲▲ **L'Iroise** ⌁ ≼ Lieue de Grève, ℘ 98 81 52 72, SO : 5 km, à 150 m de la plage de Pors ar Vag
2,2 ha (132 empl.) ⊶ peu incliné, en terrasses, herbeux – 🛖 ⇔ 🛆 🖫 🕭 ⊕ ⚏
🍴 🖭 – 🖾 🖮 ⚓ half-court – A proximité : ✗ – Location : 🚐 🛏 – garage pour caravanes
avril-25 oct. – **R** *conseillée* – 🏋 *16* 🚗 *6,50* 🖪 *18* 🚿 *10 (6A)*

▲▲ **Ker Vella** ⌁, ℘ 98 26 50 14, O : 3 km par D 63 rte de St-Nic puis 1,3 km par rte à gauche
2 ha (100 empl.) ⊶ plat et peu incliné, terrasses, herbeux – 🛖 ⇔ 🛆 🕭 🖫 ⊕
🖭 – 🖾 – Location : gîtes d'étapes
juil.-août – **R** *conseillée* – 🏋 *9,50* 🚗 *5* 🖪 *9,50* 🚿 *8,50 (4A)*

▲ **Meil Pont ar Mor,** ℘ 98 81 58 83, O : 4,5 km, à 150 m de la plage de Lestrevet
1,5 ha (50 empl.) ⊶ plat et peu incliné, herbeux – 🛖 ⇔ 🕭 ⊕ – A proximité : 🍴
⚏ 🍴
juil.-août – **R** *conseillée* – 🏋 *14* 🚗 *4,30* 🖪 *7,20* 🚿 *7 (2A) 8 (4A)*

Voir aussi à *Pentrez-Plage, Ploéven* et *Plonévez-Porzay*

---

## PLONÉOUR-LANVERN

**29720** Finistère – 4 619 h.

▲▲ **Municipal de Mariano** « Beaux emplacements », ℘ 98 87 74 80, N : impasse du Plateau
0,5 ha (45 empl.) plat, herbeux 🖾 – 🛖 🕭 ⊕ – ✗
15 juin-15 sept. – **R** – *Tarif 91 :* 🏋 *10* 🚗 *5,50* 🖪 *11* 🚿 *11 (1,5A)*

3 – 58 ⑭

---

## PLONÉVEZ-PORZAY

**29127** Finistère – 1 663 h.

Schéma à Plomodiern

3 – 58 ⑮

*à Kervel* SO : 5 km par rte de Douarnenez et rte à droite
✉ 29127 Plomodiern :

▲▲ **International de Kervel** « Décoration arbustive », ℘ 98 92 51 54
7 ha (250 empl.) ⊶ plat, herbeux – 🛖 ⇔ 🛆 🖫 🕭 ⊕ ⚏ 🏊 ⚑ 🍴 🍴 🖭 – 🖾 –
✗ 🖮 🏊 vélos, toboggan aquatique – Location : 🛏
mai-15 sept. – **R** *conseillée* – 🏋 *22 piscine comprise* 🖪 *50* 🚿 *12 (3A) 15 (6A)*
*18 (10A)*

*à Ste-Anne-la-Palud* O : 3 km par D 61 – ✉ 29127 Plomodiern :

▲ **Tréguer-Plage** ⌁, ℘ 98 92 53 52, N : 1,3 km, bord de plage
5,6 ha (333 empl.) ⊶ plat, sablonneux, herbeux – 🛖 🕭 ⊕ ⚏ 🍴 🍴 🖭 – 🖾 – 🖮
vélos – Location : bungalows toilés

---

## PLOUARZEL

**29810** Finistère – 2 042 h.

3 – 58 ③

▲ **Municipal de Portsévigné** ⌁ ≼, ℘ 98 89 69 16, O : 5,2 km par rte de Trezien et rte à droite (île Segal), à 100 m de la mer (plage)
2,2 ha (100 empl.) peu incliné, herbeux – 🛖 ⇔ 🛆 🕭
15 mai-15 sept. – **R** *conseillée saison* – 🖪 *5 pers. 37/44*

▲ **Municipal de Ruscumunoc** ⌁ ≼, ℘ 98 89 63 49, SO : 4 km par rte de Trezien, à 100 de la mer
0,6 ha (50 empl.) vallonné, herbeux – 🛖 ⇔ 🛆 🕭
15 mai-15 sept. – **R** *juil.-août* – 🖪 *5 pers. 37/44*

▲ **Municipal de Porscuidic** ⌁, ℘ 98 84 08 52, O : 4,2 km par rte de Trezien et rte à droite, (île Ségal), à 100 m de la mer (plage)
1 ha (50 empl.) vallonné, herbeux – 🛖 ⇔ 🛆 🕭
15 mai-15 sept. – **R** *juil.-août* – 🖪 *5 pers. 37/44*

---

## PLOUBAZLANEC

**22620** C.-d'Armor – 3 725 h.

3 – 59 ②

▲ **Rohou** ⌁ ≼ archipel bréatin, ℘ 96 55 87 22, à la pointe de l'Arcouest, NE : 3 km par D 789, à 500 m de la mer
1 ha (45 empl.) ⊶ plat, peu incliné, herbeux – 🛖 ⇔ 🕭 🖫 🕭 ⊕ ⚏ ⚑ –
A proximité : ⚏
Permanent – **R** *juil.-août* – 🏋 *15* 🚗 *10* 🖪 *10* 🚿 *3*

---

## PLOUESCAT

**29430** Finistère – 3 689 h.

🛈 Syndicat d'Initiative, r. Saint Julien (15 juin-août) ℘ 98 69 62 18 et Mairie ℘ 98 69 60 13

3 – 58 ⑤ G. Bretagne

▲▲ **Municipal de la Baie de Kernic,** ℘ 98 69 86 60, O : 3 km, à 200 m de la plage
4 ha (243 empl.) ⊶ plat, herbeux – 🛖 ⇔ 🛆 🖫 🕭 ⊕ 🖭 – 🖾 ✗
15 juin-août – **R** – 🏋 *9* 🚗 *3,40* 🖪 *3,60* 🚿 *7,80 (10A)*

---

## PLOUÉZEC

**22470** C.-d'Armor – 3 089 h.

3 – 59 ②

▲▲ **Le Cap Horn** ⌁ ≼ Anse de Paimpol et île de Bréhat « Situation et cadre agréables », ℘ 96 20 64 28, à Port-Lazo, NE : 2,3 km par D 77, accès direct à la mer
2 ha (100 empl.) ⊶ en terrasses et peu incliné, herbeux, pierreux – 🛖 ⇔ 🕭
🖫 ⊕ 🍴 🖭 – 🖾
avril-15 oct. – **R** – 🏋 *15* 🚗 *8* 🖪 *17* 🚿 *15 (2 ou 3A) 25 (5A et plus)*

## PLOUÉZOCH

29252 Finistère – 1 625 h.

▲▲▲ **Baie de Térénez**, ℰ 98 67 26 80, NO : 3,5 km par D 76 rte de Térénez, près de la baie – ❀
2,3 ha (150 empl.) ⚬━ plat et peu incliné, herbeux – ⌂ ⇆ ⊟ ☒ ⚌ ☺ ☎ ▣ –
⚐ ⚐ ⛵ ⚏ tir à l'arc
Pâques-sept. – **R** *conseillée* – ⚡ *19 piscine comprise* ▣ *30* ⓯ *12 (4 ou 6A)*

## PLOUGASNOU

29630 Finistère – 3 530 h.
❚ Syndicat d'Initiative, r. des Martyrs
(fermé après-midi hors saison)
ℰ 98 67 31 88

▲ **Municipal Mélin-ar-Mesquéau** ⚘ « Plantations décoratives »,
ℰ 98 67 37 45, S : 3,5 km par D 46 rte de Morlaix puis 0,8 km par rte à gauche,
à 100 m d'un plan d'eau (accès direct)
17 ha/6 campables (100 empl.) ⚬━ (saison) plat, herbeux – ⌂ ⇆ ⊟ ☒ ⚌ ⚑ ☎
– ⚐ ❀ ⛵ ▣
avril-fin sept. – **R** – ⚡ *7,45* ⚗ *3* ▣ *3,10* ⓯ *7,30 (6 à 10A)*

▲ **Trégor** ⚘, ℰ 98 67 37 64, S : 1,5 km par D 46 rte de Morlaix et à droite
1 ha (60 empl.) ⚬━ plat, herbeux – ⌂ ⇆ ⊟ ☒ ☒ ⚌ ☺ ▣ – ⛵ – Location : ⚐
juin-sept. – **R** – ⚡ *8* ⚗ *4,50* ▣ *7,50* ⓯ *8,50 (4A) 12,50 (6A)*

## PLOUGOULM

29250 Finistère – 1 693 h.

▲▲▲ **Municipal du Bois de la Palud** ⚘ ⚞, ℰ 98 29 81 82, à 0,9 km à l'ouest
du carrefour D 10-D 69 (croissant de Plougoulm), par rte de Plouescat et
chemin à droite
0,7 ha (34 empl.) ⚬━ en terrasses et peu incliné, herbeux ⊟ – ⌂ ⇆ ⊟ ⚑ ⚌
⚐
15 juin-15 sept. – **R** *conseillée* – ⚡ *15* ▣ *18* ⓯ *12 (6A)*

## PLOUGOUMELEN

56400 Morbihan – 1 544 h.

▲▲▲ **Municipal Kergouguec**, ℰ 97 57 88 74, à 0,5 km au sud du bourg, par rte
de Baden, au stade
1,5 ha (78 empl.) plat à peu incliné, herbeux – ⌂ ⇆ ⊟ ⚑ ⚌ – ❀
15 juin-15 sept. – **R** *août* – ⚡ *7* ⚗ *3,50* ▣ *4,50* ⓯ *10 (5A)*

## PLOUGRESCANT

22820 C.-d'Armor – 1 471 h.

▲▲▲ **Le Varlen** ⚘, ℰ 96 92 52 15, NE : 2 km rte de Porz-Hir, à 200 m de la
mer
1 ha (60 empl.) ⚬━ plat, herbeux ⊟ – ⌂ ⇆ ☒ ☒ ⚌ ☺ ⚏ ☎ – ⚐ – Location :
⚐ ⚐
Pâques-sept. – **R** *conseillée juil.-août* – ⚡ *13* ⚗ *7* ▣ *12* ⓯ *9 (3A) 15 (6A)*

▲ **Municipal Beg-ar-Vilin** ⚘ « Situation agréable », ℰ 96 92 56 15, NE :
2 km, bord de mer
3 ha (100 empl.) plat, sablonneux, herbeux – ⌂ ☒ ⚌ ⚑ – Location : bungalows
toilés
15 juin-août – **R** – ⚡ *6* ⚗ *3,50* ▣ *4,50* ⓯ *7*

## PLOUGUERNÉVEL

22110 C.-d'Armor – 3 255 h.

▲ **Municipal Kermarc'h** ⚘, ℰ 96 29 10 95, SO : 3,8 km, au village de
vacances
3,5 ha/0,5 campable (29 empl.) ⚬━ peu incliné et en terrasses, herbeux ⊟ – ⌂
⇆ ⊟ ⚌ – Location : gîte d'étape
Permanent – **R** *conseillée été* – ⚡ *10* ⚗ *7* ▣ *8 avec élect.*

## PLOUHA

22580 C.-d'Armor – 4 197 h.

▲▲▲ **Domaine de Kéraval** Ⓜ ⚘ « Parc autour d'un manoir », ℰ 96 22 49 13,
NE : 2 km rte de la Trinité, près de la chapelle
5 ha/2,5 campables (90 empl.) ⚬━ en terrasses et peu incliné, herbeux ⊟ ⚬ –
⌂ ⇆ ⊟ ☒ ⚑ ⚌ ☺ ⚐ ✗ ⚏ ⚐ – ⚐ ⛵ ⚏
mai-15 sept. – **R** *conseillée juil.-août* – ⚡ *26 piscine comprise* ▣ *42* ⓯ *16 (10A)*

## PLOUHARNEL

56720 Morbihan – 1 653 h.

▲ **L'Étang de Loperhet** ⚘, ℰ 97 52 34 68, NO : 4 km par D 781 rte de Lorient
et rte à gauche, près de l'étang
2,5 ha (165 empl.) ⚬━ plat et peu incliné, sablonneux, herbeux – ⌂ ⇆ ⊟ ☒ ⚌
⚐ ⚞ – ⚐ ⚞ – A proximité : ⚏ crêperie
avril-oct. – **R** *conseillée juil.-août* – ⚡ *19* ▣ *20* ⓯ *9 (6A)*

▲ **Kersily** ⚘, ℰ 97 52 39 65, NO : 2,5 km par D 781 rte de Lorient et rte de
Ste-Barbe, à gauche
1,6 ha (120 empl.) ⚬━ plat et peu incliné, herbeux ⊟ – ⌂ ⇆ ⊟ ☒ ⚑ ⚌ ▣ –
⚐ ⛵ – Location : ⚐
Pâques-oct. – **R** *conseillée* – ⚡ *15* ⚗ *8* ▣ *22* ⓯ *10 (6A)*

    ▲▲ **La Lande,** _&_ 97 52 31 48, O : 0,5 km, sortie vers Quiberon et rte à droite
1 ha (90 empl.) ⊶ plat et peu incliné, herbeux – 🛱 ⇔ 🖰 🖃 – Location : 🚐
15 juin-8 sept. – **R** _conseillée_ – 🛉 _11_ 🚗 _5_ 🛱 _11_ 🖻 _8,50 (4A)_

    ▲▲ Les Goélands ⑧, _&_ 97 52 31 92, E : 1,5 km par D781 rte de Carnac puis
0,5 km par rte à gauche
1,6 ha (80 empl.) ⊶ plat, herbeux – 🛱 ⇔ 🕾 ④
10 juin-10 sept. – **R** _conseillée_

---

# PLOUHINEC
**29780** Finistère – 4 524 h.

    ▲▲ Municipal de Kersiny ⑧ ≤ « Agréable situation », _&_ 98 70 82 44, sortie O par
D 784 rte d'Audierne puis sud, à 1 km par rte de Kersiny, à 100 m de la plage
1,5 ha (100 empl.) ⊶ en terrasses, peu incliné, herbeux – 🛱 ⇔ 🕾 🖃 ④ – 🖾
– A proximité : ✕

    ▲▲ **L'Océan** « Cadre agréable », _&_ 98 70 70 21, SO : 1,2 km, à 500 m de la plage
de Mesperleuc
2 ha (100 empl.) ⊶ peu incliné et plat, herbeux 🖾 – 🛱 🕾 ④
15 juin-15 sept. – **R** _conseillée juil.-août – Tarif 91 :_ 🖃 _1 pers. 45_ 🛱 _10,50 (6A)_

---

# PLOUHINEC
**56680** Morbihan – 4 026 h.

    ▲▲▲ **Moténo,** _&_ 97 36 76 63, SE : 4,5 km par D 781 et à droite, rte du Magouër
4 ha (230 empl.) ⊶ plat, herbeux ❷ – 🛱 ⇔ 🕾 🖃 ④ 🛒 🍷 snack 🖳 🖻 – 🖾
🛏 🏊 – Location : 🚐 🏠
Pâques-15 oct. – **R** _conseillée – Tarif 91 :_ 🛉 _15 piscine comprise_ 🖃 _29,50_ 🛱
_10,50 (4A) 12,90 (6A)_

---

**PLOUMANACH 22** C.-d'Armor – rattaché à Perros-Guirec

---

# PLOUNÉVEZ-LOCHRIST
**29430** Finistère – 2 356 h.

    ▲▲ **Municipal Odé-Vras,** _&_ 98 61 65 17, à 4,5 km au nord du bourg, sur D 10,
à 300 m de la Baie de Kernic (accès direct)
3 ha (135 empl.) ⊶ plat, sablonneux, herbeux 🖾 – 🛱 ⇔ 🕾 🏊 ④ – 🖾
🛏
15 juin-15 sept. – **R** – 🛉 _8,40_ 🚗 _3,25_ 🖃 _4,20 et 5,45 pour eau chaude_
🛱 _8,20_

---

# PLOZÉVET
**29710** Finistère – 2 838 h.

    ▲▲ **La Corniche** ≤, _&_ 98 91 33 94, sortie S par rte de la mer
1,5 ha (80 empl.) ⊶ plat, herbeux – 🛱 ⇔ 🕾 🖃 ④ 🖻 – 🛏 🛏 – Location :
🏠
mai-sept. – **R** _conseillée juil.-août_ – 🛉 _17_ 🚗 _7,50_ 🛱 _23_ 🛱 _13,50 (6A)_

    ▲▲ **Cornouaille** ⑧, _&_ 98 91 30 81, SE : 2 km par rte de Pont-l'Abbé puis chemin
à droite
1,5 ha (100 empl.) ⊶ plat et peu incliné, herbeux – 🛱 🏊 ④ – 🛏
15 juin-sept. – **R** – 🛉 _10_ 🚗 _6_ 🖃 _10_ 🛱 _10 (3A) 13 (10A)_

    ▲ **Pors Poulhan** ≤ mer et côte rocheuse, _&_ 98 91 35 31, O : 3 km, bord de mer
0,7 ha (45 empl.) ⊶ en terrasses, peu incliné, herbeux 🖾 – 🛱 🏊 ④ –
A proximité : ✕
juin-sept. – **R** _conseillée_ – 🛉 _10,50_ 🚗 _6,50_ 🖃 _10,50_ 🛱 _13 (6A)_

---

# PLUFUR
**22310** C.-d'Armor – 520 h.

    ▲ Le Rugadello, _&_ 96 35 16 76, au bourg, sortie S par D 56 (rte face à l'église)
0,4 ha (30 empl.) ⊶ non clos, plat, herbeux – 🛱 🕾 ④ – A proximité : 🖳 🍷
juin-15 sept. – **R**

---

# PLURIEN
**22240** C.-d'Armor – 1 289 h.

    ▲▲ **Municipal la Saline,** _&_ 96 72 17 40, NO : 1,2 km par D 34 rte de Sables-
d'Or-les-Pins, à 500 m de la mer
3 ha (150 empl.) ⊶ plat, peu incliné et en terrasses, herbeux – 🛱 ⇔ 🕾 🖃 🖭
④ 🖭 – 🖾
15 juin-15 sept. – **R** – _Tarif 91 :_ 🛉 _10_ 🚗 _6_ 🖃 _8_ 🛱 _10_

---

**Le POËT-CÉLARD 26** Drôme – rattaché à Bourdeaux

---

# Le POËT-LAVAL
**26160** Drôme – 652 h.

    ▲ **Municipal Lorette** ≤, E : 1 km sur D 540 rte de Dieulefit, bord du Jabron
2 ha (60 empl.) peu incliné, herbeux – 🛱 ⇔ 🕾 🏊 ④ – A proximité : ✕ 🖳
15 juin-15 sept. – **R** – 🛉 _6,50_ 🚗 _3,80_ 🖃 _3,80_ 🛱 _10 (6A)_

---

## Le POIRÉ-SUR-VELLUIRE

**9** - **171** ⑪

**85770** Vendée – 666 h.

△ **Les Petits Prés** ☽, ✆ 51 52 30 46, au sud du bourg, bord de la Vendée
1,5 ha (15 empl.) 🔑 plat, herbeux – 🚿 ⊛ – 🛝
Permanent – Ɍ – *👤 5,80 ▣ 8,20 🔌 9 (6A)*

## POITIERS Ⓟ

**10** - **67** ⑳ G. Poitou Vendée Charentes

**86000** Vienne – 78 894 h.
ℹ Office de Tourisme, 8 r. des Grandes-Écoles ✆ 49 41 21 24

*à Chasseneuil-du-Poitou* N : 7 km par N 10
✉ 86360 Chasseneuil-du-Poitou :

△ **Parc des Ecluzelles,** ✆ 49 52 88 30, au Nord du bourg, rue du stade
0,3 ha (16 empl.) 🔑 plat, herbeux ⌧ – 🚿 ⛲ ⊔ ♿ ⊛ – A proximité : 🍴 ⛳ 🛝 🏊
*27 avril-sept.* – **R** *conseillée – Tarif 91 : ▣ 2 pers. 30 (35 avec élect. 10 à 16A), pers. suppl. 6*

*à St-Benoît* S : 4 km - Accès par D 88 – ✉ 86280 St-Benoît :

△△ **Districal de St-Benoît,** ✆ 49 88 48 55, au SO du bourg, au pied du viaduc, bord du Clain
1,2 ha (63 empl.) 🔑 plat, herbeux 🌳 – 🚿 ♿ ⊛ ⚙
avril-sept. – Ɍ – *Tarif 91 : 👤 4,65 🚗 2,15 ▣ 2,15 🔌 4,25 (3A)*

## POIX-DE-PICARDIE

**1** - **52** ⑰ G. Flandres Artois Picardie

**80290** Somme – 2 191 h.
ℹ Office de Tourisme, r. Saint-Denis ✆ 22 90 08 25

△△△ **Municipal le Bois des Pêcheurs,** ✆ 22 90 11 71, sortie O par D 919 rte de Forges-les-Eaux
1,6 ha (86 empl.) 🔑 plat, herbeux – 🚿 ⛲ ⊔ ⊡ ♿ ⊛ ⚙ 🛒 – ⌂
avril-sept. – **R** – *▣ 2 pers. 47 🔌 9 (3A) 16 (6A) 24 (10A)*

## POLIGNY

**17** - **77** ⑯

**05500** H.-Alpes – 237 h. alt. 1 050

△ **Les Écrins** ☽ < montagnes du Champsaur, ✆ 92 50 50 94, sortie E et à droite
2 ha (35 empl.) 🔑 en terrasses, herbeux, gravier, pinède – 🚿 ⌒ ⊡ ♿ ⊛ ⚙ 🛒 – 🍴 ≋ bassin
20 juin-10 sept. – **R** *conseillée – 👤 12 piscine comprise 🚗 4 ▣ 30 🔌 8 (10A)*

## POLMINHAC

**11** - **76** ⑫ G. Auvergne

**15800** Cantal – 1 135 h. alt. 650

△△ Municipal le Val de Cère ☽ <, ✆ 71 47 41 03, SE : 0,8 km par rte de Badailhac, bord de la Cère
2,5 ha (133 empl.) 🔑 plat, herbeux – 🚿 ⛲ ⊔ ⊛ – 🍴 🛝 – A proximité : ⛳

## POMÉROLS

**15** - **83** ⑯

**34810** Hérault – 1 584 h.

△△ **Bahia** ☽, ✆ 67 77 10 04, S : 0,5 km sur D 161E rte d'Agde
1,1 ha (76 empl.) 🔑 plat, pierreux, herbeux 🌳🌳 – 🚿 ⊡ ⊛ – ⌂ 🏊
15 juin-15 sept. – **R** *conseillée juil.-août – ▣ piscine comprise 2 pers. 68, pers. suppl. 11 🔌 14,50 (5A)*

## La POMMERAIE-SUR-SÈVRE

**9** - **67** ⑯ G. Poitou Vendée Charentes

**85700** Vendée – 964 h.

△ **Municipal,** sortie NE, sur D 43 rte de Mauléon, à 150 m de la Sèvre Nantaise
0,6 ha (33 empl.) plat, herbeux – 🚿 ⊔ – 🍴
15 mars-15 nov. – **R** – *▣ 2 pers. 22/27,50, pers. suppl. 8,80*

## POMMIER-DE-BEAUREPAIRE

**12** - **77** ②

**38260** Isère – 571 h.

△△ **La Bissera** ☽ <, ✆ 74 54 22 54, O : 3,6 km par D 51, rte de Sonnay et chemin à droite
2,2 ha (60 empl.) 🔑 peu incliné, terrasses, herbeux, pierreux – 🚿 ⛲ ⊔ ⊡ ♿ ⊛ ⚙ 🛒 🍷 snack – 🏊
Permanent – *Places limitées pour le passage* – **R** *conseillée – 👤 15 🚗 7,50 ▣ 15 🔌 15 (3A)*

## PONCIN

**12** - **74** ③

**01450** Ain – 1 229 h.

△△ **Municipal,** ✆ 74 37 20 78, NO : 0,5 km par D 91 et D 81 rte de Meyriat, près de l'Ain
1,5 ha (100 empl.) 🔑 plat et terrasse, herbeux 🌳 – 🚿 ⛲ ⌒ ⊡ ⊛ ▤ – ⌂ 🛝 – A proximité : 🍴 ≋
avril-15 oct. – *Places disponibles pour le passage* – **R** *conseillée juil.-20 août – 👤 7,50 🚗 3,80 ▣ 3,80 🔌 7 (5A)*

## PONS

**17800** Char.-Mar. – 4 412 h.
🄱 Syndicat d'Initiative, Donjon de
Pons (15 juin-15 sept.)
🖉 46 96 13 31

⚠️ Municipal « Cadre agréable », 🖉 46 91 36 72, à l'ouest de la ville
1 ha (60 empl.) ⚊ plat, herbeux ♀ – 🗓 ⛺ ⛱ 🗓 ⊕ – 🚂 – A proximité : 🔟
mai-3 sept. – **R** conseillée juil.-août

⚠️ **Chardon** (aire naturelle) 🦢, 🖉 46 94 04 86, O : 2 km par D 732 rte de
Gémozac puis 0,6 km par chemin à gauche
1 ha (21 empl.) ⚊ plat, herbeux 🗔 – 🗓 ⊕
15 avril-sept. – **R** – ⚡ 9 🔳 14 🔞 11 (5A)

---

## PONS

**12** Aveyron
✉️ 12140 Entraygues-sur-Truyère

⚠️ **Municipal de la Rivière** 🦢 ≤, 🖉 65 66 18 16, à 1 km au SE du bourg, sur
D 526 rte d'Entraygues-sur-Truyère, bord du Goul
0,9 ha (30 empl.) ⚊ plat, herbeux 🗔 – 🗓 ⛺ ⛱ 🗓 ⊕ 🌊 – 🦵 🏊 (bassin)
15 juin-15 sept. – **R** – 🔳 2 pers. 45, pers. suppl. 13,50 🔞 14,50

---

## PONTACQ

**64530** Pyr.-Atl. – 2 683 h.

⚠️ **L'Étoile**, 🖉 59 53 51 04, sortie rte de Pau, 12 av. Henri-IV
0,3 ha (40 empl.) ⚊ plat, herbeux ♀ – 🗓 🗓 ⊕ ⚡ – 🚂
fin juin-août – **R** – ⚡ 6,20 🔳 9,30 🔞 8 (6A)

⚠️ **La Piscine** 🦢, 🖉 59 53 55 13, E : près de la piscine et des écoles, bord d'un
ruisseau
0,6 ha (50 empl.) ⚊ plat, herbeux ♀ – 🗓 ⊕ – A proximité : 🦵 🔟
15 juin-15 sept. – **R** – ⚡ 6 🚗 5 🔳 8 🔞 7,75 (3A)

---

## PONTAILLER-SUR-SAÔNE

**21270** Côte-d'Or – 1 318 h.

⚠️ **S.I. la Chanoie**, 🖉 80 36 10 58, NE : 0,8 km par rte de Besançon et chemin
à gauche après le pont, bord de la Saône
4,3 ha (120 empl.) ⚊ plat, herbeux ♀ – 🗓 ⛺ ⛱ ⊕ ⚡ – 🦵 🏊
mai-sept. – **R** conseillée – ⚡ 10 🚗 5 🔳 5 🔞 12 (6A) 20 (10A) 32 (16A)

---

## PONTAUMUR

**63380** P.-de-D. – 859 h.

⚠️ **Municipal le Grand Pré,** sortie S par D 941 rte de Clermont-Ferrand et à
droite, bord du Sioulet
1,3 ha (79 empl.) plat, herbeux – (🗓 🌊 saison) 🗓 ⊕ – 🦵 🏊
avril-oct. – **R** – ⚡ 6,30 🚗 3,70 🔳 3,70 🔞 13 (6A)

---

## PONT-AUTHOU

**27290** Eure – 613 h.

⚠️ **Municipal les Maronniers,** 🖉 32 42 75 06, au sud du bourg, sur D 130 rte
de Brionne, bord d'un ruisseau
2,5 ha (64 empl.) plat, herbeux – 🗓 ⛺ ⛱ 🗓 🏛 ⊕
15 mars-15 nov. – **R** – ⚡ 11 🚗 6 🔳 6/11 🔞 15 (10A)

---

## PONT-AVEN

**29930** Finistère – 3 031 h.
🄱 Office de Tourisme, pl. Hôtel de
Ville 🖉 98 06 04 70

⚠️ **Le Spinnaker** 🦢 « Agréable cadre boisé », 🖉 98 06 01 77, O : 4 km par
D 783 rte de Concarneau et D 77 à gauche, rte de Névez
15 ha (320 empl.) ⚊ plat et accidenté, herbeux 🗔 ♀♀ – 🗓 ⛺ ⛱ 🌊 🗓 ♿ ⊕
🦵 ⚡ 🛒 – 🔳 – 🚂 Garderie, nurserie 🦵 🔟 🦵 🔟 – Location : 🏠
mai-15 oct. – **R** conseillée juil.-août – 🔳 piscine comprise 2 pers. 75, pers. suppl.
22 🔞 10 (5A)

---

## Le PONT-CHRÉTIEN-CHABENET

**36800** Indre – 879 h.

⚠️ **Municipal les Rives,** sortie vers St-Gaultier, à gauche après le pont, bord
de la Bouzanne
0,7 ha (50 empl.) plat, herbeux ♀ – 🗓 ⛺ ⊕
15 juin-15 sept. – **R** août – Tarif 91 : 🔳 1 à 6 pers. 30,40 à 60 selon durée de
séjour, pers. suppl. 4 à 5 🔞 8

---

## PONT-CROIX

**29790** Finistère – 1 762 h.

⚠️ **Municipal de Langroas** 🦢, sortie NE, au stade
2 ha (100 empl.) ⚊ plat, herbeux ♀ – 🗓 🌊 ⊕ 🗓
15 juin-15 sept. – ⚡ 11 🚗 5 🔳 5

---

▶ *Dans ce guide*
*un même symbole, un même mot,*
*imprimés en* **noir** *ou en rouge, en maigre ou en* **gras,**
*n'ont pas tout à fait la même signification.*
*Lisez attentivement les pages explicatives.*

## PONT DE MENAT

**63** P.-de-D. – ⊠ 63560 Menat

⚠ **Municipal les Tarteaux** ⚲ ⟨ « Site agréable », ℘ 73 85 52 47, SO :
0,8 km, rive gauche de la Sioule
1,7 ha (100 empl.) ⚬━ (saison) plat et peu incliné, herbeux ⚲ – (⚲ ⚲ saison) ☺
– A proximité : ⚲ ✕ ⚲ – Location : ⚲
avril-sept. – **R** – *Tarif 91 :* ⚲ *7,50* ⚲ *4,20* ▣ *4,20* ⚡ *20 (10A)*

## PONT-DE-POITTE

**39130** Jura – 638 h.

⚲ **Les Pêcheurs,** ℘ 84 48 31 33, sortie par rte de Lons-le-Saunier et chemin à
droite, près de l'Ain
3,2 ha (200 empl.) ⚬━ plat, herbeux, pierreux ⚲ – ⚲ ⚲ ⚲ ⚲ ⚲ ⚲ ⚲ ☺ ▣ – ⚲
– A proximité : ⚲ – Location : ⚲
fermé du 16 déc.-14 janv. – **R** *conseillée juil.-août* – ⚲ *12,70* ▣ *16,60* ⚡ *11
(4A)*

*à Mesnois* NO : 1,7 km par rte de Lons-le-Saunier et D 151 à droite
⊠ 39130 Clairvaux-les-Lacs :

⚲ **Beauregard** ⟨, ℘ 84 48 32 51, sortie S
3 ha (120 empl.) ⚬━ peu incliné et en terrasses, herbeux – ⚲ ⚲ ⚲ ⚲ ▣ ⚲
☺ – ⚲ half-court
avril-sept. – **R** *conseillée* – ▣ *piscine comprise 2 pers. 50* ⚡ *8 (5A)*

*à Patornay* E : 0,5 km par N 78 – ⊠ 39130 Clairvaux-les-Lacs :

⚲ **Le Moulin** « Site et cadre agréables », ℘ 84 48 31 21, sortie NE par N 78 rte
de Clairvaux-les-Lacs et chemin à gauche, bord de l'Ain
5 ha (160 empl.) ⚬━ plat et en terrasses, herbeux, pierreux ⚲ – ⚲ ⚲ ⚲ ▣ ⚲
☺ ⚲ snack ▣ – ⚲ ⚲ ⚲ – A proximité : ⚲
mai-15 sept. – **R** *conseillée juil.-août* – *Tarif 91 :* ▣ *piscine comprise 3 pers. 80
ou 100* ⚡ *15 (5A)*

## PONT-DE-SALARS

**12290** Aveyron – 1 422 h. alt. 690

⚲ Les Terrasses du Lac ⚲ ⟨ « Situation agréable », ℘ 65 46 88 18, N : 4 km par
D 523 rte du Vibal, près du lac
4 ha (73 empl.) ⚬━ en terrasses, herbeux ⚲ – ⚲ ⚲ ⚲ ▣ ☺ ⚲ ⚲ ⚲ – ⚲
⚲ ⚲ – A proximité : ⚲
15 juin-15 sept. – **R** *indispensable juil.-20 août*

⚲ **Le Lac** ⟨, ℘ 65 46 84 86, N : 1,5 km par D 523 rte du Vibal, bord du lac –
⚲
4,8 ha (200 empl.) ⚬━ peu incliné, en terrasses, herbeux, pierreux ⚲ – ⚲ ⚲ ⚲
▣ ☺ ⚲ ⚲ ⚲ – ⚲ ⚲ – A proximité : ⚲ ⚲ ⚲ ⚲
15 juin-7 sept. – **R** *conseillée juil.-août* – ▣ *3 pers. 68* ⚡ *12 (3A) 16 (6A)*

## PONT DU FOSSÉ

**05** H.-Alpes – ⚲ ⑯ ⑰ – rattaché à St-Jean-St-Nicolas

## PONT DU GARD

**30** Gard – ⊠ 30210 Remoulins.
⚲ Maison du Tourisme (saison)
℘ 66 37 00 02

⚲ **International Gorges du Gardon,** ℘ 66 22 81 81, NO : 3,5 km par D 981
rte d'Uzès et rte à gauche, bord du Gardon
3 ha (240 empl.) ⚬━ plat et peu incliné, pierreux, herbeux ⚲ ⚲ – ⚲ ⚲ ☺ ⚲
⚲ ▣ – ⚲ – Location : ⚲
mars-oct. – **R** *conseillée juil.-août* – ▣ *2 pers. 49* ⚡ *9 (2A) 12 (6A) 15 (10A)*

## PONT-EN-ROYANS

**38680** Isère – 879 h.

⚠ **Municipal Les Seraines** ⟨, ℘ 76 36 06 30, en 2 parties distinctes, accès
par D 531 rte de Valence, bord de la Bourne
2 ha (113 empl.) ⚬━ (saison) plat ou en terrasses, herbeux, pierreux ⚲ ⚲
(0,5 ha) – ⚲ ⚲ ☺ – ⚲
15 avril-sept. – **R** – *Tarif 91 :* ⚲ *9,50* ⚲ *4,10* ▣ *5* ⚡ *9,50*

## PONTENX-LES-FORGES

13 – 78 ④

**40200** Landes – 1 138 h.

△ **Municipal le Guilleman** ⌖, ℰ 58 07 40 48, sortie SE rte de Labouheyre puis rte de Ménéou et à droite
3 ha (100 empl.) plat, herbeux, sablonneux ♀♀ pinède – ⌂ ☺
juin-sept. – **R** *juil.-août* – ☂ *12* ⇔ *8* 🖭 *10* 🚿 *11 (6A)*

---

## Le PONTET 84 Vaucluse – 81 ⑫ – rattaché à Avignon

---

## PONT-ET-MASSÈNE 21 Côte-d'Or – 65 ⑰ ⑱ – rattaché à Semur-en-Auxois

---

## PONTGIBAUD

11 – 73 ⑬ G. Auvergne

**63230** P.-de-D. – 801 h. alt. 672

⛰ **Municipal,** ℰ 73 88 96 99, SO : 0,5 km par D 986 rte de Rochefort-Montagne, bord de la Sioule
4,5 ha (100 empl.) ⊶ (saison) plat, herbeux – ⌂ ⇔ ⊟ ᗷ ☺ – ☂
15 avril-15 oct. – **R** *conseillée juil.-août* – ☂ *9* 🖭 *12,30* 🚿 *11,30 (6A) 17,70 (10A)*

---

## PONT-L'ABBÉ-D'ARNOULT

9 – 171 ⑭ G. Poitou Vendée Charentes

**17250** Char.-Mar. – 1 385 h.

⛰ **Municipal la Garenne** ⌖, « Cadre agréable », ℰ 46 97 01 46, sortie SE par D 125 rte de Saintes
2,7 ha (100 empl.) ⊶ plat, herbeux ⊡ ♨ – ⌂ ⇔ ⊟ ☺ 🖭 – ☂ ✖ ⚓
– A proximité : ⚊
15 juin-15 sept. – **R** *conseillée 14 juil.-15 août* – 🖭 *tennis compris 2 pers.
45, pers. suppl. 14* 🚿 *12 (6A)*

---

## PONT-L'ÉVÊQUE

5 – 54 ⑰ ⑱ G. Normandie Vallée de la Seine

**14130** Calvados – 3 843 h.
🅱 Syndicat d'Initiative, Mairie
ℰ 31 64 12 77

⛰ **La Cour de France** ⟨, ℰ 31 64 17 38, SE : 2 km par D 48 rte de Coquain-villiers, au Centre de Loisirs, entre la Touques et un plan d'eau
6 ha (288 empl.) ⊶ plat, herbeux – ⌂ ⇔ ⊟ ᗷ ☺ ⚓ ▽ ⚊ – A proximité :
☂ grill ✖ ♒ ⚓ ≊ – ☂ ⚓
mars-1er oct. – **R** – ☂ *24* 🖭 *24* 🚿 *24 (6A) 34 (10A)*

---

## PONT-RÉAN

4 – 63 ⑥

**35580** I.-et-V.

⛰ **Base Nautique de Pont-Réan,** ℰ 99 42 21 91, sortie N par D 177, près de la Vilaine
1 ha (60 empl.) ⊶ plat, herbeux ⊡ ♀ – ⌂ ♒ 🖭 ☺ – ⚓
avril-sept. – **R** – ☂ *10* ⇔ *5,50* 🖭 *11* 🚿 *10 (10A)*

---

## PONTRIEUX

3 – 59 ②

**22260** C.-d'Armor – 1 050 h.
🅱 Syndicat d'Initiative, Mairie
ℰ 96 95 60 31

△ **Traou-Méledern** (aire naturelle), ℰ 96 95 68 72, à 400 m au sud du bourg, bord du Trieux
1 ha (25 empl.) ⊶ plat, herbeux – ⌂ ⇔ ♒ ᗷ ☺
Permanent – **R** – ☂ *10* ⇔ *4* 🖭 *5* 🚿 *10 (3 à 6A)*

---

## PONT-ST-MAMET

10 – 75 ⑮

**24** Dordogne – ✉ 24140
Villamblard

⛰ **Lestaubière** ⌖ ⟨, ℰ 53 82 98 15, N : 0,5 km par N 21 rte de Périgueux
5 ha (66 empl.) ⊶ plat et incliné, herbeux ♨ – ⌂ ⇔ ⊟ ☺ ⚊ ☂ 🖭 – ⚓
⚓ ⚊ ≊ (étang)
15 mai-7 sept. – **R** *conseillée* – ☂ *21 piscine comprise* 🖭 *25* 🚿 *13,50 (3A)*

---

## Les PONTS-DE-CÉ 49 M.-et-L. – 63 ⑳ – rattaché à Angers

---

## PORDIC

3 – 59 ③

**22590** C.-d'Armor – 4 635 h.

⛰ **Les Madières** ⌖ « Cadre agréable et fleuri », ℰ 96 79 02 48, NE : 2 km par rte de Binic et à droite, rte de Vau Madec
1,6 ha (83 empl.) ⊶ plat et peu incliné, herbeux ♀ – ⌂ ⇔ ⊟ ☺ ☂ ✖ ☂
juin-sept. – **R** *Tarif 91 :* ☂ *12* ⇔ *8* 🖭 *10* 🚿 *14 (10A)*

---

## Le PORGE

9 – 78 ①

**33680** Loire-Atl. – 1 230 h.

⛰ **Municipal la Grigne** ⌖ « Cadre agréable », ℰ 56 26 54 88, O : 9,5 km par D 107, à 1 km du Porge-Océan
46 ha (800 empl.) ⊶ vallonné et accidenté, sablonneux ♀♀ pinède – ⌂ ⇔
🖭 ᗷ ☺ ⚊ ☂ ☂ – ☂
mai-sept. – **R** *conseillée saison* – ☂ *15,75* ⇔ *7,50* 🖭 *24,15/25,20*

⛰ **Les Lucioles** (aire naturelle), ℰ 56 26 59 22, S : 1,8 km par D 3, rte de Lege-Cap-Ferret
2 ha (25 empl.) ⊶ plat, herbeux, sablonneux ♀♀ Pinède – ⌂ ⇔ ⊟ ☺ ⚊
avril-sept. – **R** *conseillée juil.-août* – ☂ *12* 🖭 *18* 🚿 *12 (12A)*

## PORNIC

**44210** Loire-Atl. – 9 815 h.

🛈 Office de Tourisme, quai du Cdt L'Herminier ☎ 40 82 04 40

🄳 – 🄺🄸 ① G. Poitou Vendée Charentes

⛰ **La Boutinardière** ⚜, ☎ 40 82 05 68, SE : 5 km par D 13 et rte à droite, à 200 m de la plage – ❄
5 ha (380 empl.) ⚡ peu incliné, herbeux 🗑 – 📶 🕭 🛒 🖾 🚿 🛁 ⊙ 🌿 ☂ 🚿
♥ ✕ 🛁 – 🔦 🚣 🏊 half-court – Location : chalets
avril-oct. – **R** indispensable juil.-août – 🅴 piscine comprise 2 pers. 90, 3 pers. 110 🔌 13 (3A)

⛰ **Le Patisseau** ⚜ « Cadre agréable », ☎ 40 82 10 39, E : 3 km par D 751 rte de Nantes et rte à gauche
4 ha (150 empl.) ⚡ plat et peu incliné, terrasses, herbeux 🗑 ♨ (1 ha) – 📶 🕭 🛒 🖾 🛁 ⊙ 🌿 🖾 – 🔦 🚣 🏊 vélos
15 mai-15 sept. – **R** conseillée juil.-août – 🅴 2 pers. 74, pers. suppl. 19 🔌 13,50 (4A) 17,50 (6A) 30 (10A)

⛰ **Le Port Chéri**, ☎ 40 82 34 57, E : 3 km par D 751 rte de Nantes et rte à gauche
1,9 ha (104 empl.) ⚡ peu incliné, terrasses, herbeux – 📶 🖾 🛒 🛁 ⊙ 🖾
Permanent – **R** conseillée juil.-août – 🅴 2 pers. 49 🔌 10 (3A) 20 (6A)

## PORNICHET

**44380** Loire-Atl. – 8 133 h.

🛈 Office de Tourisme, 3 bd de la République ☎ 40 61 33 33 et pl. Aristide-Briand (Pâques-Toussaint) ☎ 40 61 08 92

🄴 – 🄺🄴 ⑭ G. Bretagne

⛰ **Bugeau** « Décoration florale », ☎ 40 61 02 02, SE : 2 km – ❄
2 ha (153 empl.) ⚡ plat, herbeux – 📶 🖾 🛒 🛁 ⊙ 🖾
juin-20 sept. – **R** – ✗ 20 piscine comprise 🅴 40 🔌 15 (4A)

---

## PORT-CAMARGUE **30** Gard – 🄶🄴 ⑧ ⑱ – rattaché au Grau-du-Roi

---

## Les PORTES-EN-RÉ **17** Char.-Mar. – 🄸🄷🄸 ⑫ – voir à Ré (Ile de)

---

## PORT-GRIMAUD **83** Var – 🄶🄸 ⑰ – rattaché à Grimaud

---

## PORTICCIO **2A** Corse-du-Sud – 🄺🄾 ⑰ – voir à Corse

---

## PORTIGLIOLO **2A** Corse-du-Sud – 🄺🄾 ⑱ – voir à Corse

---

## PORTIRAGNES

**34420** Hérault – 1 770 h.

🄸🄴 – 🄺🄴 ⑮

à Portiragnes-Plage S : 4 km par D 37 – ✉ 34420 Portiragnes :

⛰ **Les Sablons**, ☎ 67 90 90 55, sortie N rte de Portiragnes, bord de la plage et d'un étang
10 ha (800 empl.) ⚡ plat, sablonneux, herbeux 🗑 ♨ (5 ha) – 📶 🕭 🛒 🖾 🛁 ⊙ 🌿 ☂ 🛁 ✕ et snack-pizzeria 🖾 🖾 cases réfrigérées – 🔦 🎮 🚿, chalets 🖾 discothèque 🚣 🏊 – A proximité : 📶 🚵 – Location : 🚐
mai-sept. – **R** conseillée – Tarif 91 : 🅴 élect. (5A) et piscine comprises 1 ou 2 pers. 117 (148 avec plate-forme am.), pers. suppl. 18

⛰ **Les Mimosas** ⚜, ☎ 67 90 92 92, NE : 2,5 km par rte de Portiragnes et à droite, puis rte du port à gauche, près du canal du Midi
7 ha (400 empl.) ⚡ plat, herbeux ♨ (1 ha) – 📶 🕭 🛒 🖾 🛁 ⊙ 🌿 🛁 ♥ snack 🖾 cases réfrigérées – 🔦 vélos – Location : 🔦 🎮
mai-sept. – **R** conseillée – 🅴 piscine comprise 2 pers. 85, pers. suppl. 15 🔌 15 (10A)

⛰ **L'Émeraude**, ☎ 67 90 93 76, N : 1 km par rte de Portiragnes
4,2 ha (251 empl.) ⚡ plat, herbeux – 📶 🕭 🛒 🖾 ⊙ 🌿 ☂ 🛁 ♥ snack 🖾 🖾 cases réfrigérées – 🔦 – A proximité : 🚵 – Location : 🚐

---

## PORT-LE-GRAND

**80132** Somme – 332 h.

🄸 – 🄻🄴 ⑥

⛰ **Château des Tilleuls** ≤, ☎ 22 24 07 75, SE : 1,5 km rte d'Abbeville
20 ha/3 campables (120 empl.) ⚡ incliné, herbeux 🗑 – 📶 🕭 🛒 🖾 🛁 ⊙ – 🔦 🖾 – Garage pour caravanes
mars-1ᵉʳ nov. – **R** conseillée – ✗ 19,50 🚐 7 🅴 30 🔌 14 (16A)

---

## PORT-MANECH

**29** Finistère – ✉ 29139 Névez

🄴 – 🄻🄴 ⑪ G. Bretagne

⛰ **St-Nicolas**, ☎ 98 06 89 75, au N du bourg, à 200 m de la plage
3 ha (160 empl.) ⚡ plat, incliné et en terrasses, herbeux 🗑 ♨ – 📶 🖾 🛒 🛁 ⊙ 🖾 – A proximité : ♥
mai-sept. – **R** conseillée juil.-août – Tarif 91 : ✗ 14,80 🚐 5,70 🅴 15,80 🔌 6,60 (2A) 10,50 (5A)

---

## PORTO **2A** Corse-du-Sud – 🄺🄾 ⑮ – voir à Corse

---

## PORTO-VECCHIO **2A** Corse-du-Sud – 🄺🄾 ⑧ – voir à Corse

## PORT-ST-LOUIS-DU-RHÔNE

**13230** B.-du-R. – 8 624 h.

ᴀᴀ **Rio Camargue** (en cours d'aménagement), *ℰ* 42 86 06 06, SE : 1,4 km par rte Napoléon (route de la plage), près du Rhône
5 ha (130 empl.) o— plat, pierreux – 🗊 ⇆ 🖴 🖪 🗓 ⊕ ⊕ ♒ ⊽ ᴀ ✗ snack ⤴
🖩 garderie – 🖾 🛉 ⚷ 🔋 vélos – Location : 🏠 studios, appartements
Permanent – **R** *conseillée été* – 🛉 *25 piscine comprise* 🖬 *40 avec élect.*

## PORT-ST-PERE

**44710** Loire-Atl. – 1 695 h.

ᴀ Municipal de la Morinière 🐾, au bourg, près de l'Acheneau
0,4 ha (40 empl.) plat et peu incliné, herbeux 🌳 – 🗊 ⊕

## PORT-SUR-SAÔNE

**70170** H.-Saône – 2 521 h.

ᴀᴀ **Municipal la Maladière** 🐾 « Parc boisé », *ℰ* 84 91 51 32, au S par D 6, à la baignade, entre la Saône et le canal
3 ha (100 empl.) o— plat, herbeux 🖾 🌳 – 🗊 ⇆ 🖴 🖪 ⊕ – 🏠 ✗ ⚷ –
A proximité : 🛉 ✗ ⚓
15 mai-15 sept. – **R** *conseillée* – 🛉 *8* ⟜ *5* 🖬 *8* 🔋 *12 (16A)*

## POSES

**27740** Eure – 1 024 h.

ᴀᴀ **Les Étangs des 2 Amants,** *ℰ* 32 59 11 86, SE : 1,5 km par rte de St-Pierre-du-Vauvray, à la Base de Plein Air et de Loisirs, près de la Seine et à 250 m d'un plan d'eau
4 ha (170 empl.) o— plat, herbeux 🌳 – 🗊 ⇆ 🖴 ⊕ ♒ ⊽ – 🖾 – A proximité :
✗ 🖉 ♦
avril-1er nov. – **R** *conseillée* – *Tarif 91 :* 🛉 *12* ⟜ *8* 🖬 *19 avec élect.*

## La POSSONNIÈRE

**49170** M.-et-L. – 1 962 h.

ᴀ **Municipal du Port,** *ℰ* 41 72 22 08, sortie S entre le bourg et la Loire, à 50 m du fleuve
1 ha (35 empl.) plat, herbeux – 🗊 🖴 🖪 ⊕ – ⚷
juin-15 sept. – **R** – 🖬 *2 pers. 25 (30 avec élect.), pers. suppl. 12*

## POUANCÉ

**49420** M.-et-L. – 3 279 h.
🅱 Syndicat d'Initiative, r. de la Porte Angevine (saison) *ℰ* 41 92 45 86

ᴀᴀ **Municipal la Roche Martin** « Cadre agréable », *ℰ* 41 92 43 97, N : par D 6 et D 72 à gauche rte de la Guerche-de-Bretagne, près d'un étang
1 ha (50 empl.) o— en terrasses et peu incliné, herbeux 🌳 – 🗊 ⇆ 🖴 🖪 ⊕ –
A proximité : ⚓ ♒
mai-sept. – **R** – 🛉 *10* ⟜ *3,10* 🖬 *3,10* 🔋 *6,60 (moins de 7A) 12,15 (plus de 7A)*

## POUEYFERRÉ **65** H.-Pyr. – 85 ⑦ – rattaché à Lourdes

## Le POUGET

**34230** Hérault – 1 103 h.

ᴀ **Municipal** 🐾, *ℰ* 67 96 76 14, O : 0,8 km par D 139
0,8 ha (47 empl.) plat, herbeux 🌳 – 🗊 ⊕ – A proximité : ⚓ – Location : gîtes
15 juin-15 sept. – **R** – 🛉 *7* 🖬 *17* 🔋 *10*

## POUGUES-LES-EAUX

**58320** Nièvre – 2 358 h.
🅱 Syndicat d'Initiative, av. Paris (juin-sept.) *ℰ* 86 58 71 15 et Mairie (hors saison) *ℰ* 86 68 85 79

ᴀᴀ **Municipal les Chanternes,** *ℰ* 86 68 86 18, sortie NO par N 7 rte de la Charité-sur-Loire
0,8 ha (75 empl.) o— plat, herbeux 🖾 – 🗊 ♒ ⊕ – ⚷ – A proximité : ✗ 🖉
Pâques-Toussaint – **R** – *Tarif 91 :* 🛉 *6,50* ⟜ *5* 🖬 *5* 🔋 *9*

## POUILLY-EN-AUXOIS

**21320** Côte-d'Or – 1 372 h.

ᴀ **Municipal le Vert Auxois,** sortie NO et rue du 8-Mai à gauche après l'église
1 ha (70 empl.) plat, herbeux – 🗊 ⇆ 🖴 ⊕ ♒ ⊽
Pâques-sept. – **R** – 🛉 *6,30* ⟜ *2,20* 🖬 *2,40*

## POUILLY-SOUS-CHARLIEU

**42720** Loire – 2 834 h.

ᴀ **Municipal les Ilots** 🐾, *ℰ* 77 60 80 67, sortie N par D 482 rte de Digoin et à droite, au stade, bord du Sornin
1,5 ha (30 empl.) o— plat, herbeux 🌳 – 🗊 🖴 ⊕ 🖪 – A proximité : ✗
Pâques-sept. – **R** – *Tarif 91 :* 🛉 *8,50* ⟜ *4,50* 🖬 *4,50* 🔋 *7 à 42 (3 à 15A)*

## POULAINES

**36210** Indre – 911 h.

ᴀᴀ **Municipal de l'Étang du Plessis,** *ℰ* 54 40 95 14, O : 2,5 km par D 960 rte de Valençay et chemin à gauche, bord d'un étang
0,6 ha (23 empl.) plat et peu incliné, herbeux 🖾 – 🗊 ⇆ 🖴 🖪 🖦 ⊕ – ✗
Pâques, Pentecôte et 15 juin-15 sept. – **R** – 🛉 *8* 🖬 *5/8* 🔋 *10 (16A)*

## Le POULDU

**29** Finistère – ✉ 29121 Clohars-Carnoët.

**🛈** Office de Tourisme, r. Ch.-Filiger (fermé oct.) ✆ 98 39 93 42

▲▲ **Les Embruns**, ✆ 98 39 91 07, au bourg, r. du Philosophe-Alain, à 350 m de la plage
3 ha (156 empl.) ⊶ (saison) plat et peu incliné, herbeux, sablonneux 🖾 – 🗂 🖳 –
🖾 🖧 ⊕ 🖩 – 🖾 🖿 🖾 – Location : 🖾 🖾
avril-20 sept. – **R** conseillée juil.-août – 🛉 11,50 🖩 25 🖪 11,50 (3A) 15 (5A)

▲▲ **Le Quinquis** 🖧 « Cadre agréable », ✆ 98 39 92 40, N : 2,5 km par D 49 rte de Quimperlé et chemin à gauche
5 ha (130 empl.) ⊶ plat, peu incliné et incliné, herbeux ♀ – 🗂 🖧 🖿 🖾 🖦 ⊕
🖾 🖳 – 🖾 🖿 🗍 – A proximité : 🖡 – Location : 🖾 🖾
15 mars-15 oct. – **R** conseillée – 🛉 15 piscine comprise 🚗 6 🖩 26 🖪 12 (3A)

▲▲ **Locouarn**, ✆ 98 39 91 79, N : 2 km par D 49 rte de Quimperlé
1,5 ha (100 empl.) ⊶ plat et peu incliné, herbeux – 🗂 🖿 🖾 🖩 ⊕ 🖩 – 🖿 –
A proximité : 🖾 🖡 🖿 – Location : 🖾
juin-15 sept. – **R** conseillée – 🛉 8 🚗 4 🖩 10 🖪 12 (6A)

▲▲ **Keranquernat** 🖧 « Entrée fleurie », ✆ 98 39 92 32, sortie NE
1 ha (100 empl.) ⊶ (saison) plat et peu incliné, herbeux 🖾 ♀ – 🗂 🖿 🖾 🖩 ⊕
– 🖾
Pâques-20 sept. – **R** conseillée – Tarif 91 : 🖩 2 pers. 33, pers. suppl. 8,50
🖪 14 (3A) 17 (5A)

---

## POULE-LES-ECHARMEAUX

**69870** Rhône – 838 h.

▲ **Municipal les Echarmeaux** 🖧 ≼, à l'ouest du bourg, près d'un étang
0,5 ha (24 empl.) en terrasses, gravillons 🖾 – 🗂 🖧 ⊕ 🖳 🛠
avril-1er oct. – **R** – 🖩 élect. comprise 3 pers. 50

---

## POULLAN-SUR-MER **29** Finistère – 🖫🖫 ⑭ – rattaché à Douarnenez

---

## POUYLEBON

**32320** Gers – 178 h.

▲ **Pouylebon** 🖧, ✆ 62 66 72 10, NE : 1 km par D 216 rte de Montesquiou puis 1 km par chemin à droite
1 ha (13 empl.) incliné, herbeux – 🗂 🖾 🖾 – 🖾
Permanent – **R** juil.-août – 🛉 20 🖩 25

---

## POUZAC **65** H.-Pyr. – 🖫🖫 ⑱ – rattaché à Bagnères-de-Bigorre

---

## POUZAUGES

**85700** Vendée – 5 473 h.

**🛈** Office de Tourisme, cour de la Poste (fermé matin hors saison) ✆ 51 91 82 46 et Mairie ✆ 51 57 01 37

▲ **municipal le Lac**, ✆ 51 91 37 55, O : 1,5 km par D 960 Bis rte de Chantonnay et chemin à gauche, à 50 m du lac
0,37 ha (40 empl.) ⊶ terrasse, herbeux – 🗂 🖧 🖿 🖩 – A proximité : 🖾 🖾
avril-nov. – **R** – Tarif 91 : 🖩 1 pers. 28, pers. suppl. 7,80 🖪 10 (hiver : 30)

---

## Le PRADET

**83220** Var – 9 704 h.

**🛈** Office de Tourisme, pl. du Général-de-Gaulle ✆ 94 21 71 69

▲ **Lou Pantaï**, ✆ 94 75 10 77, E : 2 km par rte de Carqueiranne et chemin à droite
1 ha (95 empl.) ⊶ plat et peu incliné, pierreux, herbeux ♀ – 🗂 🖩 🖩
mars-oct. – **R** conseillée juil.-août – 🖩 élect. (3A) comprise 2 pers. 61,50, pers. suppl. 16,40

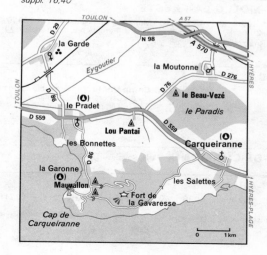

*à la Garonne* S : 2,5 km par D 86 – ⊠ 83220 le Pradet :

△ Mauvallon ≼, ℘ 94 21 78 28 et 94 21 31 73, en 2 camps distincts (Mauvallon I et Mauvallon II), chemin de la Gavaresse, à 500 m de la mer
2,2 ha (140 empl.) ⊶ plat, peu incliné, pierreux, herbeux ⚲ – ⌂ ⇄ 🛁 🗟 ⊕ 🖾 – 🏠

Voir aussi à *Carqueiranne* et *la Moutonne*

---

## PRADONS  🔟 – 🟨 ⑨

**07120** Ardèche – 220 h.

△△ **Laborie,** ℘ 75 39 72 26, NE : 1,8 km par rte d'Aubenas, bord de l'Ardèche
2 ha (100 empl.) ⊶ (saison) plat, herbeux ⚲⚲ – ⌂ ⇄ 🗟 ⊕ 🖾 – 🏠 🖾 🏊 12 (5A)
avril-15 sept. – **R** *conseillée* – 🔲 *2 pers. 54, pers. suppl. 11,50*

△△ **Les Coudoulets** ⚲, ℘ 75 93 94 95, au NO du bourg, accès direct à l'Ardèche
1,5 ha (94 empl.) ⊶ (saison) plat et peu incliné, pierreux, herbeux – ⌂ 🗟 ⊕ – 🏠 ⤳ ▄ 🎾 – A proximité : ✕
Pâques-15 sept. – **R** *conseillée* – 🔲 *piscine comprise 2 pers. 60, pers. suppl. 12* 🔌 *12 (5A)*

△△ **Le Pont,** ℘ 75 93 93 98, O : 0,3 km par D 308 rte de Chauzon, accès direct à l'Ardèche (escalier)
0,8 ha (57 empl.) ⊶ (juil.-août) plat, herbeux, pierreux ▭ ⚲ – ⌂ ⇄ 🔥 🗟 🔥 ⊕ 🖾 – 🏠 ▄ 🏊 – A proximité : toboggan aquatique
Pâques-sept. – **R** *conseillée* – *Tarif 91 :* 🔲 *2 pers. 51, pers. suppl. 11* 🔌 *11 (5A)*

△△ **International,** ℘ 75 39 66 07, NE sur D 579 rte d'Aubenas, accès direct à l'Ardèche (escalier)
1,5 ha (45 empl.) ⊶ peu incliné, herbeux ⚲ – ⌂ ⇄ 🛁 🗟 🔥 ⊕ 🖾 – 🏠 ✕ 🏊 🏊
20 mars-sept. – *Places limitées pour le passage* – **R** *conseillée juil.-août* –
🔲 *2 pers. 90, pers. suppl. 22*

---

## PRAILLES  ⑨ – 🟨 ⑪

**79370** Deux-Sèvres – 584 h.

△△ **Base Districale de Loisirs du Lambon** ⚲ ≼, SE : 2,5 km, à 200 m d'un plan d'eau
1 ha (40 empl.) en terrasses, herbeux – ⌂ 🛁 🔥 ⊕ 🔥 🖾 – A proximité : ⭐ ✕ ✕ 🏊 ▄ 🏊 ⚬ – Location : pavillons
juin-sept. – **R** *conseillée juil.-août* – 🔲 *2 pers. 30,70, pers. suppl. 12,50* 🔌 *8,20 (4A)*

---

## PRALOGNAN-LA-VANOISE  🔟 – 🟨 ⑱ G. Alpes du Nord

**73710** Savoie – 667 h. alt. 1 404 – ⚛.

🅗 Office de Tourisme ℘ 79 08 71 68

△△△ **Parc Isertan** ⚲ ≼ « Site agréable », ℘ 79 08 75 24, au sud du bourg, bord d'un torrent
4,5 ha (300 empl.) ⊶ (saison) non clos, plat, peu incliné à incliné, pierreux, herbeux – ⌂ ⇄ 🛁 🔥 🗟 sauna 🍴 ⊕ ✕ 🍴 – 🏠 – A proximité : ✕ 🏊 🏊 🏊 Patinoire – Location : 🏠 (gîte d'étape)
15 déc.-sept. – **R** *indispensable* – 🚶 *20 (hiver 25)* 🔲 *20 (hiver 25 )* 🔌 *10 (2A) 14 (4A) 18 (6A)*

△△ **Municipal le Chamois** ⚲ ≼ « Site agréable », ℘ 79 08 71 54, au sud du bourg, bord d'un torrent
3 ha (220 empl.) ⊶ plat, peu incliné à incliné, pierreux, herbeux – ⌂ ⇄ 🛁 🔥 ⊕ – A proximité : ✕ 🏊 🏊 🏊 Patinoire
15 déc.-avril, juin-sept. – **R** – *Tarif 91 :* 🚶 *12 (hiver 18,50)* 🔲 *12 (hiver 17)* 🔌 *15 (5A)*

---

## PRATS-DE-MOLLO-LA-PRESTE  🔟 – 🟨 ⑱ G. Pyrénées Roussillon

**66230** Pyr.-Or. – 1 102 h. alt. 745 – ♨ la Preste (avril-26 oct.).

🅗 Office de Tourisme, pl. Le Foiral ℘ 68 39 70 83

△△ Municipal Can Nadal ≼, ℘ 68 39 70 89, O : 1 km par D 115A rte de la Preste
1 ha (54 empl.) ⊶ plat, herbeux ⚲⚲ – ⌂ 🛁 🔥 🔥 ⊕ 🔥 🖾

---

## PRAYSSAC  🔟 – 🟨 ⑦

**46220** Lot – 2 233 h.

△△△ **Camp V.V.F.** ⚲ « Agréable cadre boisé », ℘ 65 22 41 98, E : 2 km par D 911 rte de Cahors et rte à gauche – ✕
3 ha (60 empl.) ⊶ plat, incliné et accidenté, pierreux ⚲⚲ – ⌂ ⇄ 🛁 🗟 ⊕ garderie – 🏠 🏊
15 juin-5 sept. – **R** *conseillée (V.V.F. 3 av. d'Aiguilhe 43000 le Puy* ℘ *71 09 58 09* – *Adhésion V.V.F. obligatoire* – 🔲 *2 pers. 42, pers. suppl. 15* 🔌 *15*

---

## Les PRAZ-DE-CHAMONIX 74 H.-Savoie – 🟨 ⑧ ⑨ – rattaché à Chamonix-Mont-Blanc

---

## PRAZ-SUR-ARLY  🔟 – 🟨 ⑦

**74120** H.-Savoie – 922 h. alt. 1 036 – ⚛.

🅗 Office de Tourisme, pl. de la Mairie ℘ 50 21 90 57

△△ **Les Prés de l'Arly** ❄ ≼, ℘ 50 21 93 24, à 0,5 km au SE du bourg, à 100 m de l'Arly
1 ha (67 empl.) ⊶ plat et terrasse, gravier, herbeux – ⌂ ⇄ 🛁 🗟 🍴 ⊕ 🖾 🏠
Permanent – **R** *indispensable hiver* – 🚶 *12 (hiver 14)* 🚗 *6 (hiver 7)* 🔲 *6 (hiver 7)* 🔌 *été : 12 (3A) hiver : 30 (10A)*

**PRÉCHAC** **65** H.-Pyr. – 85 ⑰ – rattaché à Argelès-Gazost

**PRÉCIGNÉ**

5 – 64 ①

**72410** Sarthe – 2 299 h.

**Municipal des Lices** « Entrée fleurie », ✆ 43 95 46 13, sortie N rte de Sablé-sur-Sarthe et r. de la Piscine à gauche
0,8 ha (50 empl.) plat et peu incliné, herbeux – A proximité :
juin-sept. – **R** – *6,20* *2,50* *2,50* *8,50*

**PRÉCY-SOUS-THIL**

7 – 65 ⑰ G. Bourgogne

**21390** Côte-d'Or – 603 h.

**Municipal** « Dans le parc de l'hôtel de ville », ✆ 80 64 57 18, accès direct au Serein
1 ha (33 empl.) plat, peu incliné, herbeux – – Location :
Pâques-Toussaint – **R** – *7,80* *3,80* *5,60* *8,30*

**PRÉFAILLES**

9 – 67 ①

**44770** Loire-Atl. – 857 h.
Office de Tourisme, Grande-Rue (fermé après-midi sauf juin-15 sept.) ✆ 40 21 62 22

**Les Lambertianas** « Cadre agréable », ✆ 40 21 61 05, E : par r. St-Dominique, à 450 m de l'océan
1 ha (90 empl.) peu incliné, en terrasses, herbeux – –
mai-15 sept. – **R** *conseillée* – *15 à 19,50* *10 à 27* *16 (5A)*

**PREIGNEY**

8 – 166 ④

**70120** H.-Saône – 103 h.

**Le Lac** , S : 1,5 km par D 286 rte de Malvillers, à 150 m d'un plan d'eau
0,9 ha (50 empl.) (saison) en terrasses, herbeux –
mai-15 sept. – **R** – *Tarif 91 :* *9* *10* *10 (3A)*

**PREMEAUX-PRISSEY**

12 – 69 ⑨ ⑩

**21700** Côte-d'Or – 332 h.

**Intercommunal Saule Guillaume,** ✆ 80 62 30 78, E : 1,5 km par D 109G rte de Quincey, près d'un étang
2 ha (83 empl.) plat, herbeux, pierreux – – A proximité :
13 juin-1er sept. – **R** – *7,50* *7 ou 8* *6 ou 8* *13 (6A) 22 (12A)*

Moulin de Prissey, ✆ 80 62 31 15, E, sur D 115E
0,7 ha (50 empl.) plat, herbeux –
avril-oct. – **R** *conseillée juin à août*

**PRÉMERY**

11 – 65 ⑭ G. Bourgogne

**58700** Nièvre – 2 377 h.

**Municipal,** sortie NE par D 977 rte de Clamecy et chemin à droite, près de la Nièvre et d'un plan d'eau
1,6 ha (38 empl.) plat et peu incliné, herbeux, gravillons – – A proximité :
juin-15 oct. – – *Tarif 91 :* *élect. comprise 1 ou 2 pers. 37, pers. suppl. 11*

**PRÉSILLY**

12 – 74 ⑥

**74160** H.-Savoie – 562 h. alt. 683

**Le Terroir** (aire naturelle) , ✆ 50 04 42 07, NE : 2,3 km par D 218 et D 18 à gauche, rte de Viry
1 ha (25 empl.) plat, herbeux, bois attenant – –
10 avril-15 oct. – **R** *conseillée juil.-août* – *9* *3* *12* *10 (3A) 13 (5A)*

**PRESLE** **73** Savoie 12 – 74 ⑯ – rattaché à La Rochette

**PRESLES-ET-BOVES**

6 – 56 ⑤

**02370** Aisne – 347 h.

**Le Domaine de la Nature,** ✆ 23 54 71 91, O : 4 km par D 144, à Pont de Vailly, sur D 14, près du canal de l'Aisne et d'un étang
0,6 ha (30 empl.) plat, herbeux – – A proximité : half-court
avril-28 oct. – *Places limitées pour le passage* – **R** *conseillée* – *1 pers. 35, 2 pers. 58, 3 pers. 78, 4 pers. 94* *10 (2A) 15 (4A) 20 (6A)*

**PREUILLY**

10 – 68 ⑩

**18120** Cher – 368 h.

**Municipal les Épicéas,** ✆ 48 57 12 04, sortie E par D 113 rte de Somme, accès direct au Cher (plan d'eau)
3 ha (114 empl.) plat, herbeux – – A proximité :
mai-15 oct. – **R** *conseillée juil.-août* – *4,50* *7* *7,50 (6A)*

## PREUILLY-SUR-CLAISE

**37290** I.-et-L. – 1 427 h.
🛈 Syndicat d'Initiative, Mairie
𝒫 47 94 50 04

🔟 – 𝟨𝟪 ⑤ ⑥ G. Poitou Vendée Charentes

⚠ **Municipal,** au SO du bourg, près de la piscine, de la Claise et d'un petit plan d'eau
0,7 ha (66 empl.) plat, herbeux – 🗊 ⇄ 📛 ⊕ – A proximité : ✗ ⌁ ⟰ ⟍
mai-15 sept. – **R** – ✶ 5,60 🔲 8 ⑮ 8 (6A)

## PRIMELIN

**29113** Finistère – 931 h.

❸ – 𝟧𝟪 ⑬

⚠ **Municipal de Kermalero** �, 𝒫 98 74 84 75, sortie O vers le port
1 ha (90 empl.) ⚬⚮ (saison) plat et peu incliné, herbeux ⊑ – 🗊 ⇄ 📛 ⊕ –
A proximité : half-court ✗
mars-oct. – **R** conseillée – 🔲 1 pers. 25, pers. suppl. 10 ⑮ 10 (6A)

## PRISCHES

**59550** Nord – 956 h.

❷ – 𝟧𝟥 ⑮

⚠ Municipal, par centre bourg, chemin du Friset, au stade
0,4 ha (23 empl.) plat, herbeux ⊑ – 🗊 ⇄ 📛 ⊕
Permanent

## PRIVAS 🅿

**07000** Ardèche – 10 080 h.
🛈 Office de Tourisme, 3 r.
Elie-Reynier 𝒫 75 64 33 35

🔟𝟨 – 𝟩𝟨 ⑲ G. Vallée du Rhône

⚠ **Municipal d'Ouvèze** ⩽, 𝒫 75 64 05 80, S : 1,5 km par D 2 rte de Montélimar et bd de Paste à droite, bord de l'Ouvèze
5 ha (166 empl.) ⚬⚮ plat à incliné, herbeux ♀ – 🗊 ⩘ (⇄ 📛 saison) 🗊 ⚷ ⊕
🖲 – A proximité : ⨯⧛ ✗ ⟰ ⟍
Pâques-oct. – **R** conseillée – 🔲 2 pers. 43, pers. suppl. 12 ⑮ 10,50 (3A) 15,50 (5A)

## PROPRIANO 2A Corse-du-Sud – 𝟫𝟢 ⑱ – voir à Corse

## PRUILLÉ

**49220** M.-et-L. – 422 h.

❹ – 𝟨𝟥 ⑳

⚠ **Municipal le Port** �, au nord du bourg, bord de la Mayenne
1,2 ha (100 empl.) plat, herbeux – 🗊 ⇄ 📛 ⊕
mai-20 oct. – **R** – Tarif 91 : ✶ 7 ⟺ 3,50 🔲 3,50 ⑮ 6,50

## PRUNAY-CASSEREAU

**41310** L.-et-Ch. – 520 h.

❻ – 𝟨𝟦 ⑥

⚠ **Municipal** �, sortie O par D 79 rte de St-Arnoult, bord d'un plan d'eau
1 ha (33 empl.) peu incliné, herbeux – 🗊 ⇄ 📛 🗊 ⊕ – ⟰
Permanent – **R** conseillée – ✶ 8 🔲 8 ⑮ 8 (6A) 15 (10A)

## PUGET-SUR-ARGENS

**83480** Var – 5 865 h.

𝟣𝟩 – 𝟪𝟦 ⑦ ⑧

⚠⚠ **La Bastiane,** 𝒫 94 45 51 31, N : 2,5 km
3 ha (250 empl.) ⚬⚮ (saison) plat et accidenté, terrasses, pierreux, herbeux ♀♀
– 🗊 ⇄ 📛 ⩘ 🗊 ⚷ ⛊ ⊕ ⩊ ✗ ⫸ 🖲 – 🔲 ✗ ⌁ ⟰ ⟍ – Location : 🚐
🏚 🏠
15 janv.-15 nov. – **R** conseillée juil.-août – Tarif 91 : 🔲 piscine comprise 2 ou 3 pers. 73 ou 84, pers. suppl. 18 ou 20 ⑮ 13 (3A) 17 (6A)

⚠ **Les Aubrèdes,** 𝒫 94 45 51 46, N : 1 km
3,8 ha (200 empl.) ⚬⚮ plat, peu incliné, herbeux ♀♀ pinède – 🗊 ⩊ ⊕ ⩊ ⩐ ⩘
♀ snack ⩊ 🖲 – 🔲 ✗ ⟰ ⟍ – Location : 🚐
avril-sept. – **R** conseillée 15 juin-15 juil., indispensable 16 juil.-15 août – Tarif 91 :
🔲 piscine comprise 2 pers. 70, pers. suppl. 17,50, suppl. pour plate-forme am. 15 ⑮ 14 (10A)

⚠ **C.C.D.F. Domaine J.-J.-Bousquet,** 𝒫 94 45 42 51 ✉ 83520 Roquebrune-sur-Argens, O : 2,5 km par N 7 rte du Muy et à droite rte de la Bouverie
5 ha (150 empl.) ⚬⚮ plat, peu incliné et accidenté, terrasses, pierreux, herbeux
⊑ ♀♀ – 🗊 ⩊ ⩘ 🗊 ⊕ 🖲 – 🔲
Permanent – **R** conseillée juil.-août – Adhésion obligatoire – ✶ 16 piscine comprise ⟺ 9 🔲 16 ⑮ 9 (3A) 10 (4 et 5A) 15 (6A)

## PUGET-THÉNIERS

**06260** Alpes-Mar. – 1 703 h.
🛈 Syndicat d'Initiative (juil.-août)
𝒫 93 05 05 05

𝟣𝟩 – 𝟪𝟣 ⑲ G. Alpes du Sud

⚠ **Municipal** ⩽, 𝒫 93 05 04 11, sortie SE par D 2211ᵃ rte de Roquesteron et chemin à gauche, près du Var
1,2 ha (105 empl.) plat, peu incliné, herbeux, pierreux ♀ – 🗊 ⇄ ⊕ ⩊ ⩘ –
🔲 ✗ ⟍ half-court
avril-15 nov. – ✶ 9,69 🔲 8,55/12,54 ⑮ 6,26

## PUIHARDY

**79** Deux-Sèvres – 44 h.
✉ 79160 Coulonges-sur-l'Autize

𝟫 – 𝟨𝟩 ⑰

⚠ **Municipal** �, à 0,6 km au sud du bourg, près du Saumort – Accès et croisement difficiles pour caravanes (pente à 15%)
0,6 ha (20 empl.) incliné et en terrasses, herbeux, pierreux ⊑ – 🗊 ⇄ 📛 🗊 ⊕
15 juin-sept. – **R** – ✶ 10 🔲 8 ⑮ 9

316

## PUIMICHEL

**04700** Alpes-de-H.-Pr. – 203 h.
alt. 735

🗓 – 📖 ⑯

🔺 **les Matherons** 🔾 ≤ « Situation agréable », *ℰ* 92 79 60 10, S : 3 km par
D 12 rte d'Oraison et chemin à droite – alt. 560 – croisement difficile sur chemin
empierré
72 ha/3 campables (25 empl.) ⟞ plat et peu incliné à incliné, pierreux, herbeux,
bois attenant – 🛖 ⇔ 🛆 🍽 ☺
avril-sept. – **R** *conseillée juil.-août* – Tarif 91 : 🔲 2 pers. 50 🅖 12 (3A)

## PUIMOISSON

**04410** Alpes-de-H.-Pr. – 511 h.
alt. 690

🔺 🗓 – 📖 ⑯ G. Alpes du Sud

🔺 **Municipal** 🔾 ≤, *ℰ* 92 74 71 49, NE : 1 km par D 953 rte de Digne et chemin
à droite
0,5 ha (55 empl.) ⟞ plat, pierreux, herbeux – 🛖 ⇔ 🛆 🕭 ☺
juil.-août – **R** – *Tarif 91* : ★ 10 ⇔ 7 🔲 9 🅖 8 (3A)

## PUYBRUN

**46130** Lot – 672 h.

🔺 🗓 – 📖 ⑲

🔺 **La Sole** 🔾, *ℰ* 65 38 52 37, sortie E rte de Bretenoux et chemin à droite après
la station Shell
2,8 ha (66 empl.) ⟞ plat, herbeux 🗓 ♀ – 🛖 ⇔ 🛆 🍽 ☺ ♣ 🔳 – 🔲 🏊
Location : 🛖 🏕 🏠
avril-sept. – **R** *conseillée juil.-25 août* – ★ 17 piscine comprise 🔲 18 🅖 13 (6A)

## Le PUY-EN-VELAY 🅟

**43000** H.-Loire – 21 743 h. alt. 630.
🅱 Office de Tourisme, pl. du Breuil
*ℰ* 71 09 38 41 et 23 r. des Tables
(juil.-août) *ℰ* 71 05 99 22

🔺 🗓 – 📖 ⑦ G. Auvergne

*à Blavozy* E : 9 km par N 88 re de St-Étienne – ✉ 43700 Blavozy

🔺 **Le Moulin de Barette** ≤, *ℰ* 71 03 00 88, O : 1,8 km par N 88 rte du
Puy-en-Velay et chemin à droite avant le pont, bord de la Sumène – alt. 690
1,3 ha (100 empl.) peu incliné, herbeux – 🛖 🛆 ☺ ♣ ♀ ✗ self ♣ 🔳 – ✗
🏊 tir à l'arc – Location – 🏠 (hotel et motel) 🏠
15 avril-20 nov. – **R** *conseillée* – ★ 15 piscine comprise 🔲 12 🅖 18 (6A)

*à Brives-Charensac* E : 4,5 km par rte de St-Julien-Chapteuil
✉ 43700 Brives-Charensac

🔺 **Municipal Audinet** ≤, *ℰ* 71 09 10 18, S : 0,5 km par D 535 et chemin à droite,
bord de la Loire – alt. 610
3 ha (133 empl.) ⟞ plat, herbeux ♀♀ (2 ha) – 🛖 ⇔ 🛆 🍽 ☺ ♣ – 🏕 🏇
🏊 – A proximité : ✗

## PUY-GUILLAUME

**63290** P.-de-D. – 2 634 h.

🔺 🗓 – 📖 ⑤

🔺 **Municipal de la Dore,** *ℰ* 73 94 78 51, sortie O par D 63 rte de Maringues,
bord de la Dore
2,5 ha (70 empl.) ⟞ plat, herbeux ♀ – 🛖 🏖 ☺ ♣ ♀ – 🏇
mai-sept. – **R** – ★ 5,05 🔲 5,05 🅖 8,80 (10A)

## PUYLAURENS

**81700** Tarn – 2 708 h.

🔺 🗓 – 📖 ⑩

🔺 Municipal la Nouvelle, au S du bourg, r. Edouard Vairette, à 100 m d'un plan
d'eau
0,5 ha (24 empl.) en terrasses et plat, herbeux, pierreux, gravillons 🗓 – 🛖 ⇔ 🛆
🔳 🕭 ☺ – ✗ – A proximité : 🏊

## PUY-L'ÉVÊQUE

**46700** Lot – 2 209 h.

🔺 🗓 – 📖 ⑦ G. Périgord Quercy

🔺 **L'Évasion,** *ℰ* 65 30 80 09, N : 3 km par D 28 rte de Villefranche-du-Périgord
et chemin à droite
2 ha (30 empl.) ⟞ en terrasses, incliné, pierreux, herbeux ♀♀♀ (1 ha) – 🛖 ⇔ 🛆
sauna ☺ 🔳 – ✗ 🏊 – Location : 🛖
juin-sept. – **R** *indispensable juil.-août* – 🔲 *séjour minimum d'une semaine : piscine
et tennis compris jusqu'à 5 pers. 900* 🅖 8 (5A)

## PUYLOUBIER

**13114** B.-du-R. – 1 317 h.

🔺 🗓 – 📖 ④

🔺 **Municipal Cézanne** 🔾 ≤, *ℰ* 42 66 36 33, sortie E par D 57, au stade
0,7 ha (33 empl.) plat, accidenté, en terrasses, pierreux ♀♀ – 🛖 ⇔ 🛆 ☺ – ✗
Pâques-11 nov. – **R** – ★ 9,20 ⇔ 9,20 🔲 9,20 🅖 6,90

## PUYMIROL

**47270** L.-et-G. – 777 h.

🔺 🗓 – 📖 ⑮ G. Pyrénées Aquitaine

🔺 **Municipal de Laman** 🔾, SO : 1,4 km par D 248, D 16 rte d'Agen et chemin
à gauche, près d'un étang
0,3 ha (25 empl.) plat et terrasse, herbeux 🗓 – 🛖 ☺ – A proximité : ✗
mai-oct. – **R** – ★ 10 ⇔ 5 🔲 5 🅖 10 (3 ou 5A)

## PUY-ST-VINCENT

**05290** H.-Alpes – 235 h. alt. 1 390 · ⚞ **Municipal Croque Loisirs** ⚟ ≼ « Site et cadre agréables », ✆ 92 23 44 22, S : 1,8 km par rte de Puy-St-Vincent 1600 et chemin à gauche – alt. 1 400
2 ha (75 empl.) ⊶ plat et terrasses, herbeux, pierreux, bois attenant – 🗐 ⇆ ⛺
🗐 🚿 ⊙ 🗐 – 🍴 m̃
15 juin-13 sept. – **R** *conseillée 1ᵉʳ-15 août* – 🔲 *2 pers. 44, pers. suppl. 16*
⚡ *8 (5A) 12 (10A)*

---

**PYLA-SUR-MER** **33** Gironde – ⬚⬚⬚ ⑳ – voir à Arcachon (Bassin d')

---

## Les QUATRE-ROUTES

⬚⬚ – ⬚⬚ ⑲

**46110** Lot – 588 h. · ⚞ **Municipal le Vignon,** ✆ 65 32 16 43, SE : 0,6 km par D 32 rte de St-Denis-lès-Martel, bord d'un étang et d'un ruisseau
1 ha (27 empl.) ⊶ plat, herbeux 🗠 – 🗐 ⇆ ⛺ ⊙ – ⚎
juil.-août – **R** *conseillée* – ♟ *11* 🔲 *8* ⚡ *11 (6A)*

---

## QUEIGE

⬚⬚ – ⬚⬚ ⑰

**73720** Savoie – 716 h. · ⚞ **Municipal des Glières** ≼, à 1 km au SO du bourg par D 925 rte d'Albertville, bord du Doron de Beaufort
0,5 ha (33 empl.) ⊶ plat, herbeux, pierreux – 🗐 ⇆ ⊙ – ✂ 🏊
15 juin-15 sept. – **R** – ♟ *10* 🚃 *5* 🔲 *5,80* ⚡ *10,50*

▶ *There is no paid publicity in this guide.*

---

## QUEND

⬚ – ⬚⬚ ⑪

**80120** Somme – 1 209 h. · ⚞⚞ **Camp des Roses** ⚟ « Beaux emplacements délimités », ✆ 22 27 76 17, à **Monchaux**, O : 3 km par D 32 et rte à gauche
5 ha (180 empl.) ⊶ plat, herbeux, sablonneux 🗠 ⚵ – 🗐 ⇆ ⛺ 🗐 ⊙ ⚐ ⩫
♟ 🗐 – 🍴 ✂ 🏊
2 mars-oct. – **R** *conseillée* – 🔲 *1 à 3 pers. 53* ⚡ *15 (3A) 16 (4A) 22 (6A)*

⚞ **Les Genêts** ⚟ « Cadre agréable », ✆ 22 27 48 40, à **Routhiauville** : NO : 4 km par D 32, rte de Fort-Mahon-Plage
2 ha (128 empl.) ⊶ plat, herbeux 🗠 ⚵ – 🗐 🗐 🚿 ⊙ 🗐 – 🍴 – Location : ⛺

⚞ **Les Deux Plages** ⚟, ✆ 22 27 77 96, prévu 22 23 48 96, NO : 1,3 km par rte de Quend-Plage-les-Pins et rte à droite
1,8 ha (100 empl.) ⊶ plat, herbeux 🗠 – 🗐 ⇆ ⛺ 🗐 ⊙ 🗐 – 🍴 🏊
mars-nov. – **R** *conseillée juil.-août* – *Tarif 91* : 🔲 *3 pers. 47, pers. suppl. 12,50*
⚡ *10,80 (2A) 17,50 (4A)*

---

## QUESTEMBERT

⬚ – ⬚⬚ ④ G. Bretagne

**56230** Morbihan – 5 076 h. · ⚞ **Municipal de Célac,** ✆ 97 26 11 24, O : 1,2 km par D 1 rte d'Elven, bord d'un étang
2 ha (80 empl.) ⊶ plat, peu incliné, herbeux – 🗐 ⇆ ⛺ ⊙
15 juin-15 sept. – **R** – ♟ *6,75* 🚃 *5,20* 🔲 *4,60* ⚡ *7,90 (12A)*

---

## QUIBERON (Presqu'île de)

⬚ – ⬚⬚ ⑪ G. Bretagne

**56** Morbihan

**Quiberon** – 4 623 h. – ✉ 56170 Quiberon.
🛈 Office de Tourisme et Accueil de France, 7 r. de Verdun ✆ 97 50 07 84

⚞ **Les Joncs du Roch,** ✆ 97 50 24 37, SE : 2 km, r. de l'aérodrome, à 500 m de la mer
2 ha (148 empl.) ⊶ (saison) plat, herbeux 🗠 – 🗐 ⇆ ⛺ 🗐 🚿 ⊙ ⚵
⩫ 🗐
10 avril-sept. – **R** *conseillée 15 juin-août* – *Tarif 91* : ♟ *15* 🔲 *22* ⚡ *11 (jusqu'à 10A)*

**St-Julien** – ✉ 56170 Quiberon

⚞ **Do.Mi.Si.La.Mi.,** ✆ 97 50 22 52, N : 0,6 km, à 50 m de la mer – ✂ juil.-août
2,2 ha (170 empl.) ⊶ plat et peu incliné, herbeux 🗠 – 🗐 ⇆ ⛺ 🗐 🗐 ⊙ ⚵
⩫ 🗐 – 🏊 – A proximité : 🍴 ♟ 🛒 – Location : ⛺
4 avril-2 nov. – **R** – ♟ *15* 🔲 *35* ⚡ *10 (3A) 19 (10A)*

⚞ **la Plage,** ✆ 97 30 46 23, N : 0,5 km, à 150 m de la mer
2,5 ha (180 empl.) ⊶ (saison) plat et peu incliné, herbeux – 🗐 ⇆ ⛺ 🗐 🗐 ⊙
🗐 – A proximité : 🍴 ♟ snack 🛒 – Location : ⛺
avril-sept. – **R** *conseillée juil-août* – ♟ *14* 🔲 *35* ⚡ *13 (3A) 19 (10A)*

⚞ **Beauséjour,** ✆ 97 30 44 93, N : 0,8 km, à 50 m de la mer
2,4 ha (150 empl.) ⊶ plat et peu incliné, herbeux, sablonneux – 🗐 ⇆ ⛺ ⚵
🗐 ⊙ ⚵ ⩫ 🗐 – 🏊 – A proximité : 🍴 ♟ snack 🛒
avril-sept. – **R** *indispensable juil.-août* – ♟ *13* 🔲 *40* ⚡ *12 (3A) 16 (6A) 20 (10A)*

### St-Pierre-Quiberon – 2 184 h. – ⊠ 56510 St-Pierre-Quiberon

ΔΔ **Park er Lann,** ℰ 97 50 24 93, S : 1,5 km par D 768, à 400 m de la mer
1,9 ha (135 empl.) ⊶ plat, herbeux ◻ – 🗟 ⚕ ⊙ 🛉 🖻 – ◻ – Location : 🚃
Ascension-15 sept. – **R** conseillée – Tarif 91 : 🛉 15,35 ⛐ 6,60 🖃 17,10
🔋 16,05 (5A)

---

# QUIMPER ℙ

**29000** Finistère – 59 437 h.
🛈 Office de Tourisme, pl. Résistance
ℰ 98 53 04 05

3 – 58 ⑮ G. Bretagne

ΔΔΔ **L'Orangerie de Lanniron** ⌂ « Prairie fleurie près du château »,
ℰ 98 90 62 02, S : 3 km par Bd périphérique puis sortie vers Bénodet et rte à
droite, près de la zone de Loisirs de Creac'h Gwen, bord de l'Odet
17 ha/4 campables (100 empl.) ⊶ plat, herbeux ◻ ⚲ (2 ha) – 🗟 🍴 😋 🖻 🕹
⚕ 🗻 🛒 🔌 🛉 🖻 – ◻ 🎣 🗳 🏊 tir à l'arc, vélos
mai-15 sept. – **R** conseillée juil.-août – 🛉 22 piscine comprise ⛐ 15 🖃 35
🔋 18 (10A)

---

# QUIMPERLÉ

**29300** Finistère – 10 748 h.
🛈 Office de Tourisme, Pont
Bourgneuf ℰ 98 96 04 32

3 – 58 ⑰ G. Bretagne

ΔΔ **Municipal de Kerbertrand,** ℰ 98 39 31 30, O : 1,5 km par D 783 rte de
Concarneau et chemin à droite, au stade
1 ha (40 empl.) plat, herbeux 🗟 – 🗟 😋 🕹 ⚕ – ◻ – A proximité : 🐎 🗳
juin-15 sept. – **R** conseillée juil.-août – Tarif 91 : 🛉 11,40 ⛐ 4,60 🖃 8,80
🔋 7,20

---

# RABASTENS

**81800** Tarn – 3 825 h.
🛈 Syndicat d'Initiative, 2. r. Amédée
Clausade (saison) ℰ 63 33 70 18

15 – 82 ⑨ G. Pyrénées Roussillon

ΔΔ **Municipal des Auzerals** ⋞ « Cadre et situation agréables », ℰ 63 33 70 36,
sortie vers Toulouse puis 2,5 km par D 12 rte de Grazac à droite, près d'un
plan d'eau
0,5 ha (44 empl.) ⊶ plat, peu incliné et en terrasses, herbeux 🗟 ⚲ – 🗟 😋 🕹
🖻 ⚕ 🗻 🗳 – A proximité : 🏊 🚣
avril-sept. – **R** conseillée juil.-août – 🛉 5,40 🖃 5,40 et 9 pour eau chaude et élect.

---

# RADONVILLIERS

**10500** Aube – 370 h.

7 – 61 ⑱

Δ **Municipal le Garillon,** ℰ 25 92 21 46, sortie SO par D 11 rte de Piney
et à droite, bord d'un ruisseau et à 250 m du lac – (haut de la digue par escalier)
1 ha (55 empl.) ⊶ plat, herbeux – 🗟 🗻 🕹 ⚕ – A proximité : 🗳
mai-sept. – **R** – 🛉 8 🖃 11 🔋 3 (3A) 4,50 (6A)

## RAGUENÈS-PLAGE

**29** Finistère – ✉ 29920 Névez

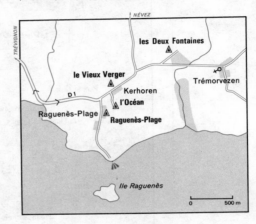

– ⑪ G. Bretagne

△△△ **Raguenès-Plage,** ✆ 98 06 80 69, à 500 m de la mer
5 ha (287 empl.) o─ plat, herbeux ♀ – 🍴 ♨ ⛺ ⚗ 🚿 ⊙ ⊛ 🏊 ☵ ♥ ⛵ 🎣 ♣
🖵 sauna – 🛖 ⚓ – Location : 🚐
15 avril-sept. – **R** conseillée saison – Tarif 91 : 🏃 21 🔲 36 🔌 9 (2A) 16 (6A)

△△△ **Les Deux Fontaines** 🍃, ✆ 98 06 81 91, N : 1,3 km par rte de Névez et rte de Trémorvezen
4 ha (240 empl.) o─ plat, herbeux 🔲 – 🍴 ♨ ⛺ 🖼 🚿 ⊙ ⊛ ☵ ♥ 🏊 🔲 – 🍽
♣ ⚓ 🏊 – Location : 🚐
15 mai-15 sept. – **R** conseillée – Tarif 91 : 🏃 18 🚗 8 🔲 22 🔌 10 (5A)

△△ **L'Océan** 🍃 ≤ « Entrée fleurie », ✆ 98 06 87 13, sortie N par rte de Névez et à droite, à 350 m de la plage (accès direct)
2 ha (150 empl.) o─ plat, herbeux, sablonneux – 🍴 ♨ ⛺ 🖼 🚿 ⊙ 🔲 – 🛖 ⚓
15 mai-15 sept. – **R** conseillée juil.-août – Tarif 91 : 🏃 14 🚗 6,50 🔲 14,50
🔌 9,50 (3A)

△ **Le Vieux Verger,** ✆ 98 06 83 17, sortie N rte de Névez – En 2 parties distinctes
1,5 ha (100 empl.) o─ plat, herbeux – 🍴 ♨ ⛺ ⊙ – ⚓
15 avril-15 sept. – **R** conseillée – Tarif 91 : 🏃 9,60 🚗 4,50 🔲 8 🔌 7,40
(3 ou 4A) 11 (6A) 13 (10A)

---

## RAMATUELLE

**83350** Var – 1 945 h.

Schéma à Grimaud

– ⑰ G. Côte d'Azur

△△△ **Les Tournels** ≤ « Belle entrée fleurie et cadre agréable », ✆ 94 79 80 54, E : 3,5 km rte du Cap Camarat
20 ha (975 empl.) o─ accidenté, en terrasses, herbeux, pierreux 🔲 ♀♀ pinède – 🍴 ♨ ⛺ ⊙ ☵ ♥ 🔲 cases réfrigérées – 🍽 ⚓ 🏊 – A proximité : 🐎 ♣
🍽 ⚓ – Location : 🚐 🏠
fermé 5 janv.-3 fév. – **R** conseillée juil.-août – 🏃 26 piscine comprise 🔲 34,50/44
à 69 avec élect. 3A 🔌 12,60 (8A) 16 (10A)

△△ **La Croix du Sud** ≤, ✆ 94 79 80 84, E : 3 km par D 93 rte de St-Tropez
2 ha (120 empl.) o─ en terrasses, pierreux 🔲 ♀♀ – 🍴 ♨ ⚗ 🏊 🍽 ⚓ 🔲
– 🛖 ⚓ – Location : 🚐
avril-1er oct. – **R** conseillée juil.-août – 🔲 2 pers. 70, 3 pers. 98, pers. suppl. 20
🔌 15 (3A)

---

## RAMBOUILLET ◁Ⓢ▷

**78120** Yvelines – 24 343 h.
🅱 Office de Tourisme, Hôtel-de-Ville
✆ (1) 34 83 21 21

– ⑨ G. Ile de France

△ **Municipal de l'Étang d'Or** « Situation agréable, entrée fleurie »,
✆ (1) 30 41 07 34, S : 3 km, près d'un étang
3,7 ha (230 empl.) o─ plat, gravier, herbeux 🔲 ♀♀♀ – 🍴 ♨ ⛺ 🖼 🚿 ♥ ⚒ ⊙ ☵
♥ – 🔲
Permanent – Places disponibles pour le passage – **R** – Tarif 91 : 🏃 10,70 🔲 13,70
🔌 (3A) : 8,80 (hiver 13,20)

---

## RANSPACH

**68470** H.-Rhin – 907 h.

– ⑱ G. Alsace Lorraine

△△△ **Les Bouleaux** ≤, ✆ 89 82 64 70, S : par N 66
1,75 ha (80 empl.) o─ plat, herbeux 🔲 ♀ – 🍴 ☵ 🖼 ⊙ ☵ ♥ 🍷 – 🛖 🏊 –
Location : 🚐
avril-sept. – **R** conseillée juil.-août – 🏃 14 piscine comprise 🔲 18 🔌 12 (2A) 17
(4A) 25 (6A)

▶ Wilt u een stad of streek bezichtigen ?
Raadpleed de groene Michelingidsen.

320

## RAVENOVILLE
**50480** Manche – 251 h.

◻◻ – ▨▨ ③

▵▵ **Le Cormoran,** *ℰ* 33 41 33 94, NE : 3,5 km sur D 421 rte d'Utah Beach, près de la plage
3 ha (170 empl.) ⊶ plat, herbeux, sablonneux – 🗑 ⬧ 🚻 🔥 🖼 🕹 ⊙ 🧺 🍽 🛒
– 🛖 🍴 🚲 🛶 vélos – Location : 🚐
4 avril-27 sept. – *Places disponibles pour le passage* – **R** *conseillée juil.-août* –
🧍 *19 piscine comprise* 🖼 *23* 🚿 *16 (3A) 21 (6A)*

---

## RAZÈS
**87640** H.-Vienne – 919 h.

◻◻ – ▨▨ ⑦ ⑧ **G. Pyrénées Roussillon**

▵▵ **Santrop** 🖉 ⪻ « Situation agréable », *ℰ* 55 71 08 08, O : 4 km par D 44, bord du lac de St-Pardoux (plage)
4 ha (150 empl.) ⊶ peu incliné à incliné, herbeux, gravier 🎠 (2 ha) – 🗑 🔥 🖼
🕹 ⊙ 🍴 🛒 – 🛖 🍴 – A proximité : 🏊 🛶 toboggan aquatique – Location : huttes
15 juin-15 sept. – **R** *conseillée juil.-15 août* – 🖼 *1 ou 2 pers. 38* 🚿 *12 (16A)*

▸ *If in a given area you are looking for*
*a pleasant camping site (* ▵ *...* ▵▵▵ *),*
*one that is open all year (*Permanent*)*
*or simply a place to stay or break your journey,*
*consult the table of localities in the explanatory chapter.*

---

## RÉ (Île de)
**17** Char.-Mar
Accès : par le pont routier (voir à La Rochelle)

◻ – ▨▨ ⑫ **G. Poitou Vendée Charentes**

### Ars-en-Ré – 1 165 h. – ✉ 17590 Ars-en-Ré.
🅸 Syndicat d'Initiative, pl. Carnot (saison) *ℰ* 46 29 46 09

▵▵ **Le Soleil** 🖉, *ℰ* 46 29 40 62, SO : 0,5 km, à 300 m de l'océan
2 ha (140 empl.) ⊶ plat, sablonneux, herbeux 🛒 🎠 – 🗑 ⬧ 🚻 🖼 🕹 ⊙ ✕ 🛒
🖼 – 🛖 🛶 – A proximité : 🍴 🍴
Permanent – **R** *conseillée* – 🖼 *3 pers. 84,20* 🚿 *15,50 (3A) 22 (plus de 3A)*

▵▵ **Le Cormoran** 🖉, *ℰ* 46 29 46 04, O : 1 km
2,2 ha (150 empl.) ⊶ plat, herbeux, sablonneux 🍴 – 🗑 ⬧ 🚻 🖼 🕹 ⊙ 🧺 🛒
🖼 – 🛖 🍴 – Location : 🚐
avril-sept. – **R** *conseillée 15 juin-15 sept.* – 🖼 *piscine comprise 3 pers. 124*
🚿 *16 (4A) 19 (6A)*

▵▵ **Les Dunes,** *ℰ* 46 29 41 41, NO : 1,5 km
2 ha (165 empl.) ⊶ plat, herbeux, sablonneux 🍴 – 🗑 ⬧ 🚻 🖼 ⊙ 🛒 – 🛖
– Location : 🚐 🚐
Permanent – **R** *conseillée juil.-août – Tarif 91 :* 🖼 *3 pers. 60* 🚿 *11,50 (2A) 16,50*
*(4A) 20,50 (6A)*

▵▵ Camp du S.I. 🖉, *ℰ* 46 29 44 73, SO : 1 km, accès direct à l'océan
1,8 ha (140 empl.) ⊶ plat, sablonneux, herbeux 🍴 (1,2 ha) – 🗑 ⬧ 🚻 🖼 🕹
🖼 – 🛖
13 avril-sept. – **R** *conseillée juil.-août*

▵▵ **Municipal la Combe à l'Eau** 🖉, *ℰ* 46 29 46 42, O : 1,5 km, accès direct à l'océan
5 ha (400 empl.) ⊶ plat et peu accidenté, sablonneux, herbeux – 🗑 🔥 🖼 🕹
🧺 🍴 – 🛖 🛶 – A proximité : 🍴
avril-sept. – **R** – 🧍 *12,70* 🚗 *4,30* 🖼 *4,20* 🚿 *12,70 (6A)*

### Le Bois-Plage-en-Ré – 2 014 h. – ✉ 17580 le Bois-Plage-en-Ré.
🅸 Syndicat d'Initiative, r. de l'Église (fermé après-midi hors saison) *ℰ* 46 09 23 26

▵▵▵ **Interlude-Gros Jonc** 🖉 « Entrée fleurie », *ℰ* 46 09 18 22, SE : 2,3 km, à 150 m de la plage
6 ha (310 empl.) ⊶ peu accidenté et plat, sablonneux, herbeux 🍴 (3 ha) – 🗑
⬧ 🖼 🕹 🔥 🧺 🧺 🍴 🍽 crêperie 🍴 – 🖼 – 🛖 🛶 vélos – A proximité :
🍴 – Location : 🚐
Permanent – **R** *conseillée juil.-août – Tarif 91 :* 🧍 *28* 🖼 *84* 🚿 *26*

▵▵ **La Bonne Etoile,** *ℰ* 46 09 10 16, SE : 2,2 km
3,2 ha (200 empl.) ⊶ plat, herbeux 🛒 – 🗑 ⬧ 🚻 🖼 🕹 ⊙ 🧺 🍴
🖼 – 🛖 🛶 🛶 vélos – Location : 🚐
Permanent – **R** *conseillée* – 🖼 *piscine comprise 3 pers. 95, pers. suppl. 25*
🚿 *18 (10A)*

▵▵ **Antioche** 🖉, *ℰ* 46 09 23 86, SE : 3 km, à 500 m de la plage (accès direct)
3 ha (120 empl.) ⊶ plat et peu incliné, herbeux, sablonneux 🛒 🍴 (1,5 ha) –
🗑 ⬧ 🚻 🖼 🕹 ⊙ 🧺 🍴 – 🛶
20 avril-sept. – **R** *conseillée saison* – 🖼 *2 pers. 85/105 avec élect. 10A*

▵▵ **Les Varennes** 🖉, *ℰ* 46 09 15 43, SE : 1,7 km
2 ha (100 empl.) ⊶ plat, sablonneux, herbeux 🍴 – 🗑 ⬧ 🚻 🖼 🔥 🖼 🕹 ⊙ 🧺
avril-sept. – **R** *conseillée* – 🖼 *3 pers. 86, pers. suppl. 19* 🚿 *16 (6A)*

### La Couarde-sur-Mer – 1 029 h. – ✉ 17670 la Couarde-sur-Mer.
🅸 Office de Tourisme, r. Pasteur *ℰ* 46 29 82 93

▵ **Le Bois Henri IV,** *ℰ* 46 29 87 01, NO : 2,5 km, à 300 m de la plage
1,3 ha (92 empl.) ⊶ plat, herbeux 🍴 – 🗑 ⬧ 🚻 🖼 🕹 ⊙ 🧺 🖼 – vélos
mai-sept. – 🖼 *3 pers. 81* 🚿 *14 (5A)*

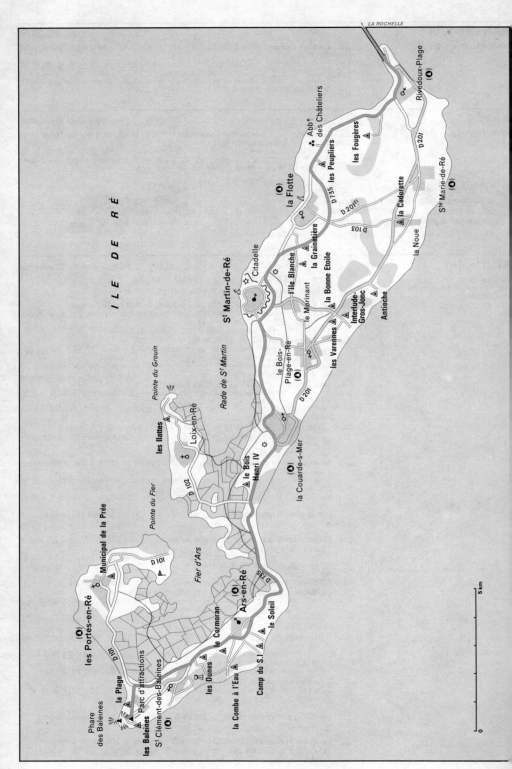

LA ROCHELLE

*ILE DE RÉ*

Phare
des Baleines

les Portes-en-Ré (O)

Municipal de la Prée

*Pointe du Fier*

*Pointe du Grouin*

les Îlattes

Loix-en-Ré

*Rade de St Martin*

St Martin-de-Ré

Citadelle

la Flotte (O)

Abbᵉ
des Châteliers

les Peupliers

les Fougères

Rivedoux-Plage (O)

D 201

Stᵉ Marie-de-Ré (O)

la Cadorette

la Noue

D 103

D 201⁵¹

D 201

Antioche

la Bonne Etoile

Interlude-
Gros-Jonc

les Varennes

le Bois-
Plage-en-Ré (O)

le Bois-
Plage-en-Ré

le Mérinant

la Grainetière

l'Île Blanche

D 735

D 201

le Bois
Henri IV

la Couarde-s-Mer (O)

D 102

la Plage

les Baleines

St Clément-des-Baleines (O)

Parc d'attractions

les Dunes

la Combe à l'Eau

Camp du S.I.

le Soleil

le Cormoran

Ars-en-Ré (O)

D 735

D 101

*Fier d'Ars*

D 101

5 km

0

322

**La Flotte** – 2 452 h. – ⊠ 17630 la Flotte.

🖪 Office de Tourisme, quai Sénac (fermé matin sauf juin-sept.) ✆ 46 09 60 38

▲▲▲ **L'Ile Blanche** ⌕, ✆ 46 09 52 43, O : 2,5 km – Accès conseillé par la déviation
3 ha (176 empl.) ⊶ plat, sablonneux, pierreux ⚱ (1,5 ha) – 🏕 ⇆ 💧 🖽 ⊕ ⚄
🌦 ☕ 🖩 – 🔜 ✕ 🔱 vélos – Location : 🔝
17 avril-11 nov. – **R** conseillée – 🔲 piscine comprise 2 pers. 92, pers. suppl. 26
🚻 20 (15A)

▲▲▲ **Les Peupliers** ⌕, ✆ 46 09 62 35, SE : 1,3 km
3 ha (200 empl.) ⊶ (saison) plat, herbeux, sablonneux ⚱⚱ – 🏕 ⇆ 💧 🔨 🖽 ⚅
⊕ ⚄ 🖩 – 🔜 🔱 vélos – Location : 🔝
20 avril- 20 sept. – **R** conseillée juil.-août – 🔲 piscine comprise 3 pers. 91, pers.
suppl. 18 🚻 18 (5A)

▲▲ **La Grainetière,** ✆ 46 09 68 86, à l'ouest du bourg, près de la déviation –
Accès conseillé par la déviation
2,3 ha (150 empl.) ⊶ plat, sablonneux, herbeux ⚱ – 🏕 💧 🖽 🔨 ⊕ ⚄ 🌦 🖩
– 🔱 vélos – Location : 🔝 🔝
mars-11 nov. – **R** conseillée juil.-août – 🔲 piscine comprise 3 pers. 64 🚻 16,50
(3 à 6A)

**Loix-en-Ré** – 561 h. – ⊠ 17110 Loix-en-Ré

▲▲▲ **les Ilattes** ⌕, ✆ 46 29 05 43, à la sortie E du bourg, en direction de la pointe
du Grouin
4,5 ha (241 empl.) ⊶ plat, herbeux – 🏕 ⇆ 💧 🔨 ⊕ ⚄ 🌦 🔱 snack 🍴 🖩 –
✕ 🔜 🔱 – Location : 🔝 🔝
mars-8 janv. – **R** conseillée – Tarif 91 : 🔥 26 piscine comprise 🔲 80 🚻 24

**Les Portes-en-Ré** – 660 h. – ⊠ 17880 les Portes-en-Ré

🖪 Syndicat d'Initiative, pl. de la Chanterelle ✆ 46 29 52 71

▲▲ **Municipal de la Prée,** ✆ 46 29 51 04, à l'est du bourg, à 300 m de la plage
3,7 ha (145 empl.) plat, sablonneux, herbeux 🔲 – 🏕 ⇆ 💧 ⊕
vac. de printemps-sept. – **R**

**Rivedoux-Plage** – 1 163 h. – ⊠ 17940 Rivedoux-Plage.

🖪 Syndicat d'Initiative, pl. de la République (fermé après-midi hors saison)
✆ 46 09 80 62

▲ **Les Fougères** ⌕, NO : 1,5 km, rue Charles-de-Gaulle – ✕
1,5 ha (100 empl.) ⊶ plat, sablonneux, herbeux ⚱⚱ – 🏕 🔨 ⊕
juil.-15 sept. – **R** conseillée – 🔲 3 pers. 44, pers. suppl. 10 🚻 12 (10A)

**St-Clément-des-Baleines** – 607 h.
⊠ 17590 St-Clément-des-Baleines.

🖪 Syndicat d'Initiative, r. Mairie (fermé après-midi hors saison) ✆ 46 29 24 19

▲▲ **Les Baleines** ⌕, ✆ 46 29 40 76, NO : 2 km par D 735 puis chemin à gauche
avant le phare, accès direct à l'océan
4,5 ha (166 empl.) ⊶ plat, sablonneux, herbeux – 🏕 ⇆ 💧 🖽 ⊕ 🖩 – 🔜 –
Location : 🔝 🔝
avril-sept. – **R** conseillée juil.-15 août – 🔲 2 pers. 65 🚻 12 (3A) 15 (6A) 17 (10A)

▲▲ **La Plage,** ✆ 46 29 42 62, NO : 1,8 km, à 150 m de la plage
2,4 ha (170 empl.) plat, herbeux, sablonneux – 🏕 ⇆ 💧 🖽 ⊕ 🔜 – A proximité : ✕ 🏇
Pâques-sept. – **R** indispensable juil.-août – 🔲 1 à 3 pers. 50

**Ste-Marie-de-Ré** – 1 806 h. – ⊠ 17740 Ste-Marie-de-Ré.

🖪 Syndicat d'Initiative, pl. Antioche ✆ 46 30 22 92

▲▲ **La Cadorette** ⌕, ✆ 46 30 22 59, **à la Noue**
0,7 ha (58 empl.) ⊶ plat, sablonneux, herbeux 🔲 ⚱ – 🏕 ⇆ 💧 🔨 ⊕ 🖩 🖩
Pâques-15 oct. – **R** conseillée juil.-août – 🔲 3 pers. 72 🚻 13 à 18 (5 à 10A)

---

## REALLON

05160 H.-Alpes – 185 h. alt. 1 400

🗺️ 17 – 77 ⑰

▲▲ **Municipal** ⌕ ≤ montagnes « Site agréable », ✆ 92 44 27 08 – alt. 1 434
0,8 ha (50 empl.) ⊶ peu incliné, pierreux, herbeux – 🏕 🔨 ⊕ – 🔜 ✕ 🔜 (bassin)
15 juin-15 sept. – **R** conseillée 15 juil.-15 août – 🔲 élect. comprise 2 pers.
38/40, pers. suppl. 13

---

## RECOUBEAU-JANSAC

26310 Drôme – 197 h. alt. 500

🗺️ 16 – 77 ⑭

▲▲▲ **le Couriou** ≤, ✆ 75 21 33 23, NO : 0,7 km par D 93 rte de Die
4,5 ha (117 empl.) ⊶ non clos, en terrasses, herbeux, pierreux, gravier, bois
attenant – 🏕 ⇆ 🔨 🖽 🔨 ⊕ ⚄ snack 🖩 – 🔜 🔱
juin-8 sept. – **R** conseillée 10 juil.-15 août – 🔥 15 piscine comprise 🔲 25 🚻 11 (10A)

---

## RÉGUINY

56500 Morbihan – 1 490 h.

🗺️ 3 – 63 ③

▲ **Municipal de l'Étang,** ✆ 97 38 61 43, SE : 1,5 km par D 11, près d'un plan d'eau
2 ha (65 empl.) ⊶ plat, herbeux ⚱ – 🏕 ⇆ 💧 ⊕ – 🔜 – A proximité : ♟ ✕
🏇 🔱 parcours sportif
juin-sept. – **R** – 🔥 10 🚗 5 🔲 5 🚻 9 (6A)

## RÉGUSSE
**83630** Var – 820 h.

🔢 17 – 🔢 84 ⑤

▲▲▲ **Les Lacs du Verdon** ⑤ « Cadre agréable », 𝒫 94 70 17 95, NE : 2,8 km par rte de St-Jean
14 ha/8 campables (300 empl.) ⊶ plat, pierreux ⊏⊐ ♀ – 🗟 ⇌ ⊟ 🗟 ⊕ ☂ ▽ ⚑
☒ ▼ snack ⊰ ⊠ – ⊡ ✕ 🗟 ⊸ ⅃ – Location : ⊡ ⊞
mai-15 sept. – **R** conseillée juil.-août – ⚵ 28 piscine comprise 🗐 33/42,50
🔋 15 (6A) 22 (10A)

## REHAUPAL
**88640** Vosges – 163 h.

🔢 8 – 🔢 62 ⑰

▲ **Le Barba** ⑤ ≼, 𝒫 29 33 21 41, au bourg, bord d'un ruisseau
1 ha (100 empl.) plat et peu incliné, herbeux – 🗟 ⇌ – A proximité : ⚊ ▼
mai-sept. – **R** conseillée – ⚵ 6,50 ⇌ 3,75 🗐 3,75

## REMOULINS
**30210** Gard – 1 771 h.

🔢 16 – 🔢 80 ⑲ G. Provence

▲▲▲ **La Soubeyranne** ⑤, 𝒫 66 37 03 21, S : 1,8 km par N 86 et D 986L rte de Beaucaire
5 ha (200 empl.) ⊶ plat, herbeux ⊏⊐ ♀♀ (3,5 ha) – 🗟 ⇌ ⊟ 🗟 ⊕ ☂ ▽ ⚊
✕ ⊰ 🗟 cases réfrigérées – ⊡ ✕ ⊸ ⅃ – Location
mai-15 sept. – **R** conseillée – Groupes non admis – Tarif 91 : 🗐 piscine comprise 2 pers. 76 (91 avec élect.), suppl. pour plate-forme am. 20, pers. suppl. 15

▲▲▲ **Municipal la Sousta** « Agréable cadre boisé », 𝒫 66 37 12 80, NO : 2 km rte du Pont du Gard, bord du Gardon
12 ha (400 empl.) ⊶ plat et accidenté, herbeux, sablonneux ♀♀ – 🗟 ⊼ 🗟 ⅃
⊕ ⚊ ▼ snack ⊰ ⊠ – 🗁 ⅃ ⊸ practice de golf
Permanent – **R** conseillée – 🗐 piscine comprise 2 pers. 69 🔋 14 (6A)

## RÉMUZAT
**26510** Drôme – 364 h. alt. 447

🔢 16 – 🔢 81 ③

▲ **Municipal les Aires** ⑤ ≼, 𝒫 75 27 81 43, sortie S par D 61 et chemin à gauche à 200 m de l'Oule
0,8 ha (39 empl.) plat et peu incliné, terrasse, pierreux, herbeux ⊏⊐ – 🗟 ⅃ ⊕
15 juin-sept. – **R** – ⚵ 9 ⇌ 6 🗐 6 🔋 10 (4A)

## RENAGE
**38140** Isère – 3 318 h.

🔢 12 – 🔢 77 ④

▲ **Municipal du Verdon,** 𝒫 76 91 48 02, sortie vers Rives, près de la piscine
1 ha (75 empl.) ⊶ plat, herbeux ⊏⊐ ♀♀ – 🗟 ⊼ 🗟 ⊕ ⊰ – ⊡ ⊸ ⅃
27 avril-8 sept. – Places disponibles pour le passage – **R** conseillée juil.-août –
Tarif 91 : 🗐 2 pers. 37, pers. suppl. 11 🔋 15 (6 ou 10A)

## RENESCURE
**59173** Nord – 2 221 h.

🔢 1 – 🔢 51 ④

▲ **le Bloemstraete** ⑤ « Entrée fleurie », 𝒫 28 49 85 65, sortie N par D 406
1 ha (30 empl.) ⊶ plat, herbeux ⊏⊐ – 🗟 ⇌ ⊼ ⊕ ☂ ▽ – ⊡ – Location :

Pâques-Toussaint – Places limitées pour le passage – **R** – 🗐 élect (3A) comprise 1 pers. 28

## RENNES ℗
**35000** I.-et-V. – 197 536 h.
🅳 Office de Tourisme et Accueil de France, Pont de Nemours 𝒫 99 79 01 98

🔢 4 – 🔢 59 ⑯ ⑰ G. Bretagne

▲▲ **Municipal des Gayeulles** ⑤ « Belle décoration arbustive », 𝒫 99 36 91 22, sortie NE vers N 12 rte de Fougères puis av. des Gayeulles et r. Maurice-Audin, près d'un étang
2 ha (100 empl.) ⊶ plat, herbeux – 🗟 ⊼ ⊕ – A proximité : ✕ ⅃ ⊸ 🗟 parc animalier
avril-sept. – **R** – ⚵ 11 ⇌ 4,40 🗐 9,90/13 🔋 11 (4A) 15,33 (10A)

## RENNES-LES-BAINS
**11190** Aude – 221 h. – ♨

🔢 15 – 🔢 86 ⑦

▲▲ Municipal la Bernède ⑤ « Site agréable », 𝒫 68 69 86 49, sortie S par D 14 rte de Bugarach et chemin à gauche, près de la Sals
0,6 ha (50 empl.) ⊶ plat et peu incliné, herbeux – 🗟 ⊟ ⅃ ⊕ – A proximité :
▼ ✕ ⅃ ⊸ ⊸
15 avril-15 nov. – **R** conseillée

## La RÉOLE
**33190** Gironde – 4 273 h.
🅳 Office de Tourisme (fermé matin sauf juin-15 sept.) 𝒫 56 61 13 55

🔢 14 – 🔢 75 ⑬ G. Pyrénées Aquitaine

▲ **Municipal du Rouergue,** sortie S par D 9, rte de Bazas, bord de la Garonne (rive gauche)
0,3 ha (60 empl.) – 🗟 ⇌ ⊟ ⊕
15 mai-15 oct. – **R** – ⚵ 9 ⇌ 4,50 🗐 6,50/8,40 🔋 8,50

## RÉOTIER
**05600** H.-Alpes – 136 h. alt. 900

🔢 17 – 🔢 77 ⑱ G. Alpes du Sud

▲▲ **Municipal la Fontaine** ⑤ ≼, 𝒫 92 45 16 84, NE : 2,5 km sur D 38 rte de St-Crépin, à 150 m de la Durance
1 ha (80 empl.) ⊶ en terrasses, pierreux ♀ – 🗟 ⇌ ⊼ ⅃ ⊕ 🗟
15 juin-15 sept. – **R** conseillée 15 juil.-20 août – ⚵ 11 🗐 12 🔋 10 (5A)

## Le REPOSOIR

**74300** H.-Savoie – 289 h. alt. 1 000

12 – 74 ⑦ G. Alpes du Nord

△ **Le Reposoir** ≼ « Site agréable », ℰ 50 98 01 71, E : 0,4 km par rte de Nancy-s-Cluses, à 250 m du Foron
0,7 ha (44 empl.) ⊶ peu incliné, plat, herbeux – 🛖 ⚄ & ⊕ ✕
15 juin-15 sept. – **R** – 🗉 2 pers. 50 [g] 12 (4A) 15 (12A)

## RESSONS-LE-LONG

**02290** Aisnes – 711 h.

6 – 56 ③

🛦🛦 **La Halte de Mainville,** ℰ 23 74 26 69, sortie NE du bourg, rue du Routy
1 ha (48 empl.) ⊶ plat, herbeux – 🛖 ⚄ 🖄 🖳 & ⊞ ⊕ 🏖 ⊽ – 🚎 mini tennis
Permanent – **R** conseillée – 🗉 1 à 5 pers. 40 à 100 [g] 12 (4A) 16 (6A)

## REVEL

**31250** H.-Gar. – 7 520 h.
🚏 Syndicat d'Initiative, pl. Philippe-VI-de-Valois ℰ 61 83 50 06

15 – 82 ⑳ G. Gorges du Tarn

△ **Municipal du Moulin du Roy,** ℰ 61 83 32 47, sortie E par D 1 rte de Dourgne et à droite
1,2 ha (40 empl.) plat, herbeux – 🛖 ⊕ 🖄 – A proximité : 🦆 🏊 🛝
15 juin-15 sept. – **R** – 🛉 7,30 🚗 2,50 🗉 4,80 [g] 8 (5A)

## RÉVILLE **50** Manche – 54 ③ – rattaché à St-Vaast-la-Hougue

## REVIN

**08500** Ardennes – 9 371 h.
🚏 Syndicat d'Initiative, r. Victor-Hugo ℰ 24 40 19 59

2 – 53 ⑱ G. Champagne

△ **Municipal des Bateaux** ≼, ℰ 24 40 15 65, au nord de la ville par quai Edgar-Quinet, bord de la Meuse
1 ha (100 empl.) ⊶ plat, herbeux – 🛖 ⚄ ⊕ 🖄 ⊽
Pâques-sept. – **R** conseillée juil.-août – Tarif 91 : 🛉 8,20 🚗 5 🗉 5 [g] 8,70 (3 ou 6A)

## RHINAU

**67860** B.-Rhin – 2 286 h.

8 – 62 ⑩ G. Alsace Lorraine

🛦🛦🛦 **Ferme des Tuileries** 🌲, ℰ 88 74 60 45, sortie NO rte de Benfeld – 🦌
4 ha (100 empl.) plat, herbeux ⚱ – 🛖 ⚄ 🖄 🖳 ⊞ ⊕ 🏖 🖳 – 🚎 🦆 🏸 🛝
avril-sept. – **R** – 🛉 12 piscine comprise 🗉 12 [g] 9 (2A) 16 (4A) 21 (6A)

## RIA-SIRACH

**66500** Pyr.-Or. – 1 017 h.

15 – 86 ⑰

🛦 **Bellevue** 🌲 ≼, ℰ 68 96 48 96, à Sirach, SE : 1,5 km par D 26A
2,2 ha (110 empl.) ⊶ en terrasses, pierreux, herbeux 🏕 ⚱⚱ – 🛖 ⚄ 🖳 & 🖄
🍽 🖳 🚴
avril-15 oct. – **R** juil.-août – Tarif 91 : 🛉 14 🗉 15 [g] 11 (3A)

## RIBEAUVILLÉ ⟨SP⟩

**68150** H.-Rhin – 4 774 h.
🚏 Office de Tourisme, Grand'Rue ℰ 89 73 62 22

8 – 62 ⑲ G. Alsace Lorraine

🛦🛦🛦 **Municipal Pierre-de-Coubertin** Ⓜ 🌲 ≼, ℰ 89 73 66 71, sortie E par D 106 puis rue de Landau à gauche
3,5 ha (280 empl.) ⊶ plat, herbeux ⚱ – 🛖 ⚄ 🖄 🖳 ⊞ ⊕ 🏖 ⊽ 🖳 🖳 – 🚎
🦆 – A proximité : 🏊
fermé fév.-15 mars – **R** – 🛉 14 🚗 6,50 🗉 6,50 [g] 7,30 à 28 (1 à 6A)

## RIBÉRAC

**24600** Dordogne – 4 118 h.
🚏 Syndicat d'Initiative, pl. du Général-de-Gaulle (fermé après-midi sauf 15 avril-15 oct.) ℰ 53 90 03 10

9 – 75 ④ G. Périgord Quercy

🛦🛦 **Municipal de la Dronne,** ℰ 53 90 50 08, sortie N par D 708 rte de Nontron, après le pont, bord de la Dronne
2 ha (100 empl.) ⊶ plat, herbeux 🏕 – 🛖 ⚄ 🖳 & ⊕ – 🚎 – A proximité : 🧺
15 juin-15 sept. – **R** – 🛉 8,50 🗉 8,50 [g] 6 (16A)

## RIBES

**07260** Ardèche – 309 h.

16 – 80 ⑧

🛦 **Les Cruses** 🌲 « Agréable sous-bois », ℰ 75 39 54 69, à 1 km au SE du bourg sur D 450
0,7 ha (45 empl.) ⊶ en terrasses ⚱⚱⚱ – 🛖 ⚄ ⊕ – vélos – A proximité : 🦆
juin-15 sept. – **R** conseillée juil.-août – 🗉 2 pers. 48 [g] 11,20 (4A)

🛦 **Les Châtaigniers** 🌲 ≼ « Belle situation dominante sur la vallée », ℰ 75 39 54 98, au NE du bourg
0,3 ha (23 empl.) en terrasses, pierreux, herbeux ⚱ – 🛖 ⊕
15 juin-sept. – **R** conseillée – 🗉 2 pers. 31, pers. suppl. 6,50 [g] 8

## RIBIERS

**05300** H.-Alpes – 637 h.

17 – 81 ⑤

🛦 **La Fontaine** ≼, ℰ 92 62 20 09, SE : 1,3 km par D 948 rte de Sisteron, près d'un plan d'eau
0,8 ha (45 empl.) ⊶ plat, pierreux, herbeux – 🛖 ⚄ 🖳 & ⊕ – A proximité : 🛝 toboggan aquatique
15 mars-oct. – **R** conseillée – 🗉 2 pers. 53 [g] 14 (6A)

La **RICHARDAIS 35** I.-et-V. – 59 ⑤ ⑥ – rattaché à Dinard

## RICHELIEU

**37120** I.-et-L. – 2 223 h.

🅘 Office de Tourisme, Grande-Rue (Pâques-sept.) ✆ 47 58 13 62

▲▲ **Municipal,** ✆ 47 58 15 02, sortie S par D 749 rte de Châtellerault, à 100 m d'un plan d'eau
1 ha (34 empl.) ⚬⚬ plat, herbeux 🔲 – 🛖 📇 🖼 🕁 ☺ – A proximité : 🎾 🏊
15 juin-15 sept. – **R** – 🕏 *9* 🔲 *8* 🕍 *8 (3A)*

## RIEC-SUR-BÉLON

**29340** Finistère – 4 014 h.

🅘 Syndicat d'Initiative, pl. de l'Église (fermé après-midi hors saison) ✆ 98 06 97 65

▲ **Château de Bélon** 🐾, ✆ 98 06 41 43, S : 3,5 km par rte de Bélon (rive droite), à 300 m du Bélon (mer)
5 ha (150 empl.) ⚬⚬ (saison) plat, peu incliné, herbeux ⚲ – 🛖 🍴 🖼 ☺ – 🚐
– A proximité : 🍷 ✗ – Garage pour caravanes et bateaux
mars-15 nov. – **R** *conseillée juil.-août* – 🕏 *11* 🚗 *7* 🔲 *10* 🕍 *8 (4 à 6A)*

## RIEL-LES-EAUX

**21570** Côte-d'Or – 94 h.

▲ **le Plan d'eau de Riel,** ✆ 80 93 72 76, O : 2,2 km, sur D 13 rte d'Autricourt, près du plan d'eau
0,3 ha (18 empl.) plat, herbeux, pierreux 🔲 – 🛖 🔦 🖼 🕁 ☺ – A proximité : 🏊
avril-oct. – **R** – 🕏 *6* 🚗 *3,50* 🔲 *6,50* 🕍 *8*

## RIGNAC

**12390** Aveyron – 1 668 h.

▲▲ **Municipal la Peyrade** Ⓜ « Belle piscine attenante », ✆ 65 64 44 64, au Sud du bourg, pl. du Foirail, près d'un plan d'eau
0,7 ha (33 empl.) ⚬⚬ en terrasses, peu incliné, herbeux 🔲 – 🛖 🍴 🖼 🕁 ☺
🔦 🏐 🖼 – A proximité : 🎾 🏊
15 juin-août – **R** *indispensable* – 🔲 *élect., piscine et tennis compris 3 pers. 90, pers. suppl. 20*

## RIGNY-USSÉ

**37420** I.-et-L. – 509 h.

▲ Municipal, ✆ 47 95 42 36, sortie NE rte d'Azay-le-Rideau et chemin à gauche, bord d'un plan d'eau et près de l'Indre
1 ha (33 empl.) plat, herbeux – 🛖 🔦 🖼 🕁 ☺ – vélos

## RIOM-ÈS-MONTAGNES

**15400** Cantal – 3 225 h. alt. 842.

🅘 Office de Tourisme, pl. du Général-de-Gaulle ✆ 71 78 07 37

▲▲▲ **Municipal le Sédour** « Cadre agréable », ✆ 71 78 05 71, sortie E par D 678 rte de Condat, bord de la Véronne
2 ha (180 empl.) ⚬⚬ plat, incliné et en terrasses, herbeux ⚲ – 🛖 🍴 🖼 ☺ 🖼
🏐 – 🔦
mai-15 sept. – **R** *conseillée* – 🔲 *2 pers. 30, pers. suppl. 8,30* 🕍 *13*

## RIOZ

**70190** H.-Saône – 883 h.

▲▲ **Municipal,** ✆ 84 91 91 59, sortie E par D 15 rte de Montbozon, à 150 m d'un plan d'eau
1,6 ha (57 empl.) plat, peu incliné, herbeux, gravier ⚲⚲ – 🛖 🖼 ☺ – A proximité
🎾 🏊 (bassin)
avril-sept. – **R** *conseillée juil.-août – Tarif 91 :* 🕏 *9* 🔲 *12* 🕍 *8*

## RIQUEWIHR

**68340** H.-Rhin – 1 075 h.

🅘 Office de Tourisme, r. de la 1ère-Armée (vacances scolaires, mars-nov.) ✆ 89 47 80 80

▲▲▲ **Intercommunal** ≤, ✆ 89 47 90 08, E : 2 km, sur D 1B
4 ha (150 empl.) ⚬⚬ plat et peu incliné, herbeux ⚲ ⚲ – 🛖 🍴 🖼 ☺ 🖼 – 🚐
🔦 – A proximité : 🎾
Pâques-fin oct. – **R** – 🕏 *14,50* 🚗 *7,50* 🔲 *7,50* 🕍 *13 (3A) 25 (6A)*

## RISCLE

**32400** Gers – 1 778 h.

▲ **Municipal du Pont de l'Adour** 🐾, ✆ 62 69 72 45, sortie N rte de Nogaro et chemin à droite avant le pont, bord de l'Adour
2,5 ha (60 empl.) ⚬⚬ plat, herbeux 🔲 ⚲⚲ – 🛖 🔦 – 🚐 – A proximité : 🎾
🏊
15 juin-15 sept. – **R** *conseillée* – 🕏 *5,50* 🔲 *13,20* 🕍 *7*

## RIVEDOUX-PLAGE 17 Char.-Mar. – 🔟🔢🔟 ⑫ – voir à Ré (Ile de)

## RIVIÈRES

**81600** Tarn – 616 h.

▲▲▲ Les Pommiers d'Aiguelèze, ✆ 63 41 51 31 ✉ 81600 Gaillac, à **Aiguelèze**, SE 2,3 km, à 200 m du Tarn (port de plaisance et plan d'eau)
2,7 ha (50 empl.) plat, herbeux, verger – 🛖 🍴 🖼 ☺ 🖼 – 🚐 🏊 (bassin)
A proximité : 🍷 ✗ 🎾 🔦 🚣 🛶 🐬 golf (practice et compact) – Location bungalows toilés, studios

## RIVIÈRE-SUR-TARN

**12640** Aveyron – 757 h.

△△△ **Peyrelade** < « Entrée fleurie », ℘ 65 62 62 54, E : 2 km par D 907 rte de Florac, bord du Tarn
4 ha (140 empl.) ⚬━ plat et en terrasses, herbeux, pierreux ⚐⚐ – 🗻 🗐 🗻 🗔 ☺ ♨ 🍴 🔶 🍴 – 🗒 🗻 🛒 🗻 – A proximité : ❀ – Location : 🚐
juin-15 sept. – **R** conseillée juil.-20 août – 🔲 piscine comprise 2 pers. 85, pers. suppl. 16 🔌 15 (5A)

△△ **les Peupliers,** ℘ 65 59 85 17, à la sortie sud du bourg, bord du Tarn
1,5 ha (80 empl.) ⚬━ plat, herbeux 🗒 ⚐⚐ – 🗻 🔶 🗔 🗐 🗻 🔶 ♨ ⚓ 🔶 🗻 🔶 – 🗻 vélos
avril-oct. – **R** conseillée juil.-août – ✚ 22 piscine comprise 🚐 10 🔲 10 🔌 12 (6A)

## ROCAMADOUR

🏆 – 🔢 ⑱ ⑲ G. Périgord Quercy

**46500** Lot – 627 h.
🅱 Office de Tourisme, Mairie (avril-oct.) ℘ 65 33 62 59

△△ **Les Tilleuls,** ℘ 65 33 64 66, NE : 5 km, sur N 140
0,9 ha (32 empl.) ⚬━ peu incliné, herbeux, pierreux 🗒 – 🗻 🔶 🗔 🗐 ☺ – 🗒 🗻
🗻 🗻 – Location : 🚐
Pentecôte-15 sept. – **R** juil.-août – ✚ 13 piscine comprise 🔲 13 🔌 9 (10A)

*à L'Hospitalet* NE : 1 km

△△△ **Les Cigales** M 🗻, ℘ 65 33 64 44, sortie E par D 36 rte de Rignac
3 ha (100 empl.) ⚬━ plat et peu incliné, pierreux, herbeux ⚐ – 🗻 🔶 🗔 🗐 🗻 ☺
🗻 ⚓ 🗻 🍴 snack 🗐 – 🗒 🛒 🗻 – Location : 🚐
juil.-15 sept. – **R** indispensable 15 juil.-20 août – Tarif 91 : ✚ 20 piscine comprise 🔲 20 🔌 12 (6A)

△△ **Le Roc,** ℘ 65 33 68 50, NE : 3 km sur D 673 rte d'Alvignac, à la gare
0,5 ha (35 empl.) ⚬━ peu incliné, pierreux, herbeux ⚐ – 🗻 🔶 🗔 🗻 🗐 ☺ 🗻
⚓ – 🗒 🗻
avril-oct. – **R** conseillée juil.-août – ✚ 15/16 piscine comprise 🔲 15/16 🔌 11 (5A)

△△ **Le Relais du Campeur,** ℘ 65 33 63 28, au bourg
1,5 ha (100 empl.) ⚬━ plat, pierreux, herbeux – 🗻 🔶 🗻 🗐 ☺ 🗻 🍴 snack –
🗻
avril-15 oct. – **R** conseillée juil.-août – Tarif 91 : ✚ 14 piscine comprise 🔲 14 🔌 12 (6A)

## La ROCHE-BERNARD

🔢 – 🔢 ⑭ G. Bretagne

**56130** Morbihan – 766 h.

△△ **Municipal le Pâtis** <, ℘ 99 90 60 13, accès par centre ville, sortie SO par rte de la Baule, bord de la Vilaine
1 ha (60 empl.) ⚬━ plat, herbeux – 🗻 🔶 🗔 🗐 🗻 🎮 ☺ 🗻 🔶 – 🗒 🛒 –
A proximité : ❀
15 mars-oct. – **R** juil.-août – ✚ 12 🚗 5,25 🔲 12 🔌 10,90 (10A)

## La ROCHE-CHALAIS

🔢 – 🔢 ③

**24490** Dordogne – 2 860 h.

△△△ **Municipal de Gerbes** 🗻, ℘ 53 91 40 65, à 0,8 km, à l'ouest de la localité, par la rue de la Dronne, bord de la rivière
3 ha (100 empl.) ⚬━ plat et en terrasses, herbeux 🗒 ⚐ – 🗻 🗻 🗐 ☺ – 🗒 🛒
🔶
Permanent – **R** conseillée juil.-août – ✚ 9 🔲 10 🔌 8 (5A) 19 (10A)

## ROCHECHOUART

🔢 – 🔢 ⑯ G. Berry Limousin

**87600** H.-Vienne – 3 985 h.
🅱 Office de Tourisme, r. Victor Hugo (fermé matin hors saison)
℘ 55 03 72 73

△△ Municipal du Lac de Boischenu 🗻 « Cadre boisé près d'un plan d'eau »,
℘ 55 03 65 96, S : 1,5 km par D 675, rte de St-Mathieu et D 10 à droite, rte de la Rochefoucauld
1,5 ha (80 empl.) ⚬━ en terrasses, herbeux 🗒 ⚐⚐ – 🗻 🗻 ☺ 🗻 ⚓ – A proximité :
🍴 snack ❀ 🛒 🔶 (plage) – Location : huttes

## La ROCHE-DE-RAME

🔢 – 🔢 ⑱

**05310** H.-Alpes – 702 h. alt. 947

△△ **Le Verger** 🗻 <, ℘ 92 20 92 23, NO : 1,2 km par N 94 rte de Briançon et chemin des Gillis à droite
1,6 ha (50 empl.) ⚬━ peu incliné, en terrasses, herbeux – 🗻 🔶 🗔 🗐 ☺ – 🗒
Permanent – **R** conseillée juil.-août – 🔲 2 pers. 38 🔌 10 (3A) 13 (6A) 16 (10A)

## La ROCHE DES ARNAUDS

🔢 – 🔢 ⑯

**05400** H.-Alpes – 845 h. alt. 940

△△△ **Au Blanc Manteau** ❆ 🗻 <, ℘ 92 57 82 56 ✉ Manteyer 05400, SO : 1,3 km par D 18 rte de Ceüze, bord d'un torrent – alt. 900
4 ha (40 empl.) ⚬━ plat, herbeux, pierreux ⚐ – 🗻 🔶 🗔 🗐 🎮 ☺ 🍴 snack 🗻 –
❀ 🛒
Permanent – **R** conseillée juil.-août – 🔲 piscine comprise 2 pers. 67 🔌 15 (2A) 23 (5A) 35 (10A)

327

## ROCHEFORT

**17300** Char.-Mar. – 25 561 h. –
⚓ 10 fév.-19 déc.
**Pont de Martrou.** Péage en 1991 :
auto 30 F (AR 45 F), voiture et
caravane 45 F. Renseignements :
Régie d'Exploitation des Ponts
🖍 46 83 01 01

🛈 Office de Tourisme, av. Sadi-Carnot
🖍 46 99 08 60

⚠ **Le Bateau** 🅂, 🖍 46 99 41 00, par rocade Ouest (Boulevard Bignon) et rte du
Port Neuf, près du Centre Nautique
1 ha (85 empl.) ⊶ plat, pierreux, herbeux ⊏⊐ – 🗔 ⛲ ⊟ 🖸 & ⊛ ⊿ ⊽ 📖 📗
– 🖾 ✕ ≋ (bassin) – A proximité : ◊ (centre nautique) – Location : 🚐
Permanent – **R** conseillée été – 🖸 élect. et tennis compris 3 pers. 77, pers. suppl.
16,50

---

## ROCHEFORT-EN-TERRE

**56220** Morbihan – 645 h.

⚠ **Municipal de Bogeais** 🅂, SO : 1 km par D 774 rte de la Roche-Bernard
et à droite, au stade
1 ha (100 empl.) peu incliné, herbeux – 🗔 ⛲ ⊟ ⊛
Pâques-sept. – **R** – ☀ 9 ⇔ 4,50 🖸 4,50 🔌 10

---

▶ *In deze gids*
*heeft een zelfde letter of teken, **zwart** of **rood**,*
*dun of **dik** gedrukt niet helemaal dezelfde betekenis.*
*Lees aandachtig de bladzijden met verklarende tekst.*

---

## La ROCHELLE ℙ

**17000** Char.-Mar. – 71 094 h.
**Pont de l'Île de Ré par** ⑤. Péage en
1991 (AR) : auto 110 F (saison)
60 F (hors saison), camion 115 à
335 F, moto 30 F, vélo 10 F,
caravane 110 F (saison) 60 F (hors
saison). Renseignements par Régie
d'Exploitation des Ponts
🖍 46 42 61 48

🛈 Office de Tourisme et Accueil de
France, quartier du Gabut, pl. de la
Petite Sirène 🖍 46 41 14 68

⚠ **Municipal du Soleil,** 🖍 46 44 42 53, au SO de la ville, r. des Minimes, près
du port de plaisance
2,6 ha (166 empl.) ⊶ (saison) plat, gravier, herbeux – 🗔 ⛲ ⊟ 🖸 & ⊛ ⊿ ⊽
– A proximité : ✕
26 avril-18 sept. – **R** conseillée – Tarif 91 : 🖸 2 pers. 37, pers. suppl. 11,50
🔌 12 (6A)

⚠ **Beaulieu** (Municipal de Puilboreau), 🖍 46 68 04 38 ⊠ 17138 Puilboreau, NE :
5 km par N 11 rte de Niort, près du centre commercial
1,7 ha (117 empl.) ⊶ (saison) plat, herbeux, gravier ⊏⊐ – 🗔 ⊼ 🖸 🏧 ⊛ ⊿ ⊽
– 🖾 – A proximité : 🍴
Permanent – **R** conseillée juil.-août – Tarif 91 : 🖸 1 à 4 pers. 18 à 49,15, pers.
suppl. 10,10 🔌 14,60 (5A) 17,45 (6A)

⚠ **Municipal du Port Neuf,** 🖍 46 43 81 20, à l'Ouest de la ville, par av. Jean
Guiton, Bld Aristide Rondeau
2,5 ha (167 empl.) ⊶ plat, herbeux, gravier ♀ – 🗔 ⊼ & ⊛ ⊿ ⊽ ≈ – 🖾
Permanent – **R** conseillée – Tarif 91 : 🖸 2 pers. 37, pers. suppl. 11,50 🔌 12
ou 15 (6A)

**Voir aussi à** *L'Houmeau* **et** *Lagord*

---

## La ROCHE-POSAY

**86270** Vienne – 1 444 h. – ⚓.

🛈 Office de Tourisme, cours Pasteur
🖍 49 86 20 37

⚠ **Municipal le Riveau** 🅂, 🖍 49 86 21 23, N : 1,5 km par D 5 rte de Lésigny,
bord de la Creuse
4,5 ha (200 empl.) ⊶ plat et peu incliné, herbeux ⊏⊐ ♀ (1 ha) – 🗔 ⛲ ⊟ 🖸 ⊛
– 🖾 🚣 – A proximité : 🏊
mars-oct. – **R** – 🖸 1 pers. 21, pers. suppl. 11,60 🔌 15

---

**ROCHETAILLÉE** **38** Isère – 🔢 ⑥ – rattaché au Bourg-d'Oisans

---

**La ROCHETTE** **05** H.-Alpes – 🔢 ⑯ – rattaché à Gap

---

## La ROCHETTE

**73110** Savoie – 3 124 h.

⚠ **Municipal du Lac St-Clair** ≼, 🖍 79 25 73 55, SO : 1,4 km par D 202 et rte
de Détrier à gauche, bord du lac
1,8 ha (65 empl.) ⊶ plat et incliné, herbeux – 🗔 ⊼ ⊛ ⊿ ⊽
15 avril-oct. – **R** conseillée – ☀ 12 ⇔ 5 🖸 9 🔌 8,50 à 11,50 (2 à 5A)

**à** *Presle* SE : 3,5 km par D 207 – ⊠ 73110 Presle :

⚠ **Combe Léat** 🅂 ≼ « Cadre agréable », 🖍 79 25 54 02, NE : 1,5 km sur
D 207
1 ha (50 empl.) ⊶ en terrasses et incliné, herbeux, étang ⊏⊐ ♀ – 🗔 ⊼ 🗗 ⊛ ⊽
15 juin-août – **R** – ☀ 15 🖸 15 🔌 9,50 (3A) 12 (6A)

---

## RODEZ ℙ

**12000** Aveyron – 24 701 h.
alt. 632.

🛈 Office de Tourisme, pl. Foch
🖍 65 68 02 27

⚠ **Municipal de Layoule** ≼ « Cadre agréable », 🖍 65 67 09 52, au NE de la
ville, près de l'Aveyron
2 ha (80 empl.) ⊶ plat et en terrasses, herbeux, gravier ⊏⊐ ♀ – 🗔 ⛲ ⊟ 🖸 &
⊛ ⊿ ⊽ – 🖾
juin-sept. – **R** conseillée juil.-août – Tarif 91 : 🖸 1 à 3 pers. 50 (65 avec élect.
6A)

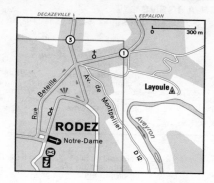

DECAZEVILLE — ESPALION

0 — 300 m

Layoule

Av. de Montpellier

Rue Beteille

Aveyron

D 12

**RODEZ**

Notre-Dame

---

## ROMAGNE-SOUS-MONTFAUCON

☐7 ☐☐ ⑩ G. Alsace Lorraine

**55110** Meuse – 193 h.

△ **Le Nantrisé** « Cadre agréable », ℰ 29 85 12 63, sortie S sur D 998
0,4 ha (26 empl.) plat, herbeux – 🛒 🍴 ☐ ◎ – 🏊
Pâques-sept. – **R** – ⭐ 6,50 🅴 6,50 ⓖ 10 (6A)

---

## ROMANS-SUR-ISÈRE

☐☐ – ☐☐ ② G. Vallée du Rhône

**26100** Drôme – 32 734 h.
🅱 Office de Tourisme, Le Neuilly, pl.
J.-Jaurès ℰ 75 02 28 72

🏕 **Municipal les Chasses,** ℰ 75 72 35 27, NE : 3,5 km par N 92 rte de St-Marcellin puis 0,9 km par rte à gauche, près de l'aérodrome
1 ha (40 empl.) ⊶ plat, herbeux ☐ 🍴 – 🛒 🍴 ☐ 🍴 ◎ 🍴 – A proximité : 🍴 ✕
🍴 🍴
26 mai-sept. – **R** conseillée – Interdit aux caravanes de plus de 5,80 m – ⭐ 8,70
🚗 5,40 🅴 10,90 ⓖ 8,90 (2,5A) 11,20 (6A) 17,40 (10A)

---

## ROMBACH-LE-FRANC

☐8 – ☐☐ ⑱

**68660** H.-Rhin – 764 h.

△ **Municipal les Bouleaux** ⊱, ℰ 89 58 93 99, NO : 1,5 km par rte de la
Hingrie, bord d'un ruisseau
1,3 ha (50 empl.) ⊶ plat et peu incliné, herbeux, gravillons 🍴 (0,5 ha) – 🛒 ☐
◎
mai-août – **R** conseillée juil.-août – ⭐ 5,90 🚗 3,45 🅴 3,55 ⓖ 7,85
(6A)

---

## ROMORANTIN-LANTHENAY ◁SP▷

☐6 – ☐☐ ⑱ G. Châteaux de la Loire

**41200** L.-et-Ch. – 17 865 h.
🅱 Office de Tourisme, pl. de la Paix
ℰ 54 76 43 89

🏕 **Municipal de Tournefeuille** ⊱, ℰ 54 76 16 60, sortie E rte de Salbris, r.
de Long-Eaton, bord de la Sauldre
1,5 ha (96 empl.) ⊶ plat, herbeux 🍴 – 🛒 🍴 ☐ 🍴 ◎ 🍴 🍴 – 🛒 🏊 –
A proximité : 🍴 🏊
Rameaux-fin sept – **R** conseillée juil.-août – 🅴 1 ou 2 pers. 35, pers. suppl. 12,50
ⓖ 9 (6A)

---

## RONCE-LES-BAINS

☐9 – ☐☐ ⑭ G. Poitou Vendée Charentes

**17** Char.-Mar. – ✉ 17390 la
Tremblade.
🅱 Syndicat d'Initiative, pl. Brochard
(fermé après-midi hors saison)
ℰ 46 36 06 02

Schéma aux Mathes

🏕 **La Pignade** ⊱, ℰ 46 36 25 25, S : 1,5 km par av. du Monard
15 ha (448 empl.) ⊶ plat et vallonné, sablonneux ☐ 🍴 pinède – 🛒 🍴 ☐ 🍴
🍴 ◎ 🍴 🍴 🍴 🍴 ✕ 🍴 🍴 🍴 – 🛒 🍴 🍴 🏊 toboggan aquatique – A proximité :
19 mai-15 sept. – **R** conseillée – Tarif 91 : 🅴 piscine comprise 2 pers. 89
ⓖ 16 (6A)

🏕 **Les Ombrages,** ℰ 46 36 08 41, S : 1,2 km
4 ha (200 empl.) ⊶ plat et peu accidenté, sablonneux 🍴 pinède – 🛒 🍴 🍴 🍴
◎ 🍴 🍴 🍴 – 🛒 🍴 – A proximité : 🍴
juin-15 sept. – **R** juil. – **R** août – 🅴 1 à 3 pers. 47, pers. suppl. 10,50 ⓖ 10,50
(3 ou 4A) 13,50 (6A)

---

## ROQUEBILLIÈRE

☐☐ – ☐☐ ⑲ G. Côte d'Azur

**06450** Alpes-Mar. – 1 539 h.
alt. 612.
🅱 Syndicat d'Initiative, av. Corniglion-
Molinier ℰ 93 03 51 60

🏕 **Les Templiers** ⊱ ≼ « Site agréable », ℰ 93 03 40 28, à 0,5 km au sud
du vieux village par D 69 et chemin à gauche (forte pente), bord de la
Vésubie
1,5 ha (136 empl.) ⊶ plat et terrasses, herbeux, pierreux 🍴 (0,7 ha) – 🛒 🍴 🍴
◎ – 🛒 – Location – 🍴
Permanent – Places disponibles pour le passage – **R** conseillée juil.-août – Tarif
91 : ⭐ 12 🅴 14 ⓖ 10,50 (3A) 17,50 (5A) 35 (10A)

## ROQUEBRUNE-SUR-ARGENS

17 – 84 ⑦ G. Côte d'Azur

83520 Var – 10 389 h.

▲▲▲ **Lei Suves** ⑤, ℰ 94 45 43 95, N : 4 km par D 7 et passage sous l'autoroute A 8
7 ha (195 empl.) ⚬━ plat et vallonné, en terrasses, pierreux, herbeux ▭ ♀♀ – ⑳
⑪ ⚏ ⚐ 🛁 ⚘ ⚙ 🅿 ✕ ⛱ – 🍴 ⚑━ ⚓ 🏊
15 mars-15 nov. – **R** conseillée juil.-août – Tarif 91 : ⚕ 25 piscine comprise 🅴
30 ⒣ 13 (4A)

▲▲▲ **Moulin des Iscles** ⑤, ℰ 94 45 70 74, E : 1,8 km par D 7 rte de St-Aygulf
et chemin à gauche, bord de l'Argens
1,5 ha (90 empl.) ⚬━ plat, herbeux ♀ – ⑳ ⚲ 🅵 ⚏ ⛾ ⚐ ⚘ ⚒ ⚙ ✕ ⛱ 🅿
– ⚑━ – Location : ⚑, studios
avril-oct. – **R** conseillée – 🅴 3 pers. 85, pers. suppl. 16 ⒣ 12 (2A) 14 (4A) 16
(6A)

## ROQUECOURBE

15 – 83 ①

81210 Tarn – 2 266 h.

△ **Municipal de Siloé** ⑤, sortie E par D 30 puis 0,5 km par chemin à droite après
le pont, bord de l'Agout
0,7 ha (39 empl.) plat, herbeux – ⑳ ⚲ ⚐ – A proximité : ✕

## La ROQUE-D'ANTHÉRON

16 – 84 ② G. Provence

13640 B.-du-R. – 3 923 h.

▲▲△ **Domaine des Iscles** ⑤ ⚞, ℰ 42 50 44 25, N : 1,8 km par D 67ᶜ et chemin
à droite après le tunnel sous le canal, près d'un plan d'eau et à 200 m de la
Durance
10 ha/4 campables (270 empl.) ⚬━ plat, herbeux, pierreux ♀ – ⑳ ⚙ ⚲ 🅵 ⚏ ⚐
⚑ ⚐ ⚘ ⚒ ✕ ⛱ 🅿 garderie – ⚑━ ✕ ⚑━ 🏊 practice de golf – A proximité :
⚒ – Location : ⚑
Permanent – **R** conseillée – ⚕ 21 piscine comprise 🅴 29 ⒣ 17 (4A) 21 (10A)

▲▲▲ **Municipal Silvacane en Provence** ⚞ « Cadre agréable », ℰ 42 50 40 54,
sortie O par D 561 rte de Charleval, près du canal
3 ha (140 empl.) ⚬━ plat, peu incliné, en terrasses, pierreux, herbeux ♀♀♀ pinède
– ⑳ ⚘ ⚏ 🅵 ⚐ ⚐ ⚘ – ⚑━ ⚑━ 🏊
Permanent – **R** conseillée juil.-août – Tarif 91 : 🅴 piscine comprise 2 pers.
29, pers. suppl. 12,50 ⒣ 11,40

## La ROQUE-ESCLAPON

17 – 84 ⑦

83840 Var – 150 h. alt. 1 000

△ **Municipal Notre-Dame** ⑤ ⚞, au SO du bourg par rte de Draguignan et
chemin à droite
4 ha (230 empl.) en terrasses, peu incliné, herbeux, pierreux – ⑳ ⚘ ⚐ – ⚑
A proximité : ✕ ⚑━ 🏊
Permanent – **R̶** ⚕ 12 🅴 14 ⒣ 12 (2A)

## La ROQUE-GAGEAC

13 75 ⑰ G. Périgord Quercy

24250 Dordogne – 447 h.

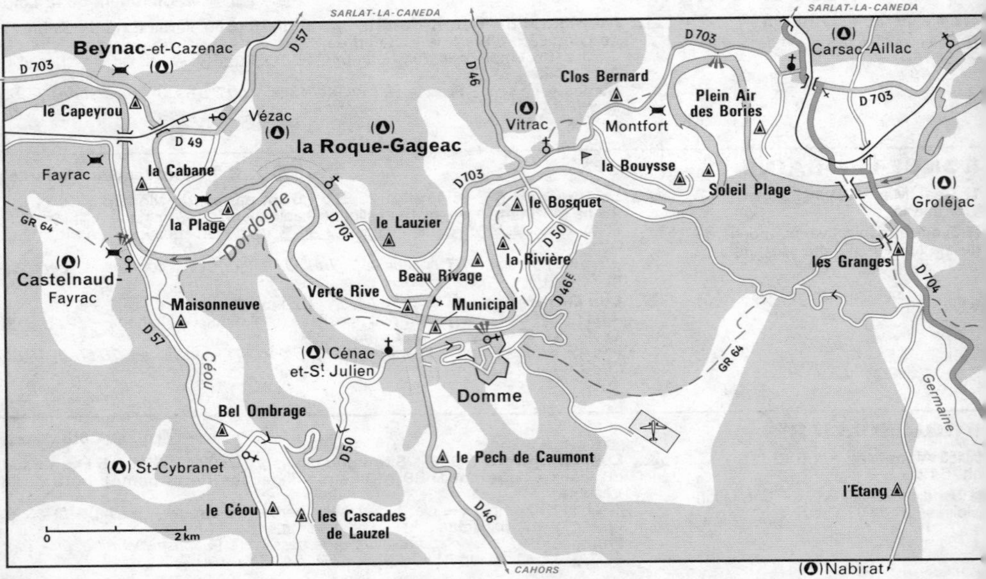

▲▲▲ **Beau Rivage,** 𝒫 53 28 32 05, E : 4 km, bord de la Dordogne
6,4 ha (187 empl.) ⚬━ plat et en terrasses, herbeux, sablonneux ⚹⚹ – 🗂 ⇆ ⊟
🖩 ⚏ 🌳 👬 🔻 🍽 📵 – 🔜 🏊 🚲 🚣
15 janv.-14 déc. – **R** conseillée – ✗ 20 📧 25 🛂 13 (3A) 17 (4A) 25 (6A)

▲▲▲ **Le Lauzier** ≤ « Cadre agréable », 𝒫 53 29 54 59, SE : 1,5 km
2 ha (70 empl.) ⚬━ en terrasses, pierreux, herbeux 🖾 ⚹⚹ – 🗂 ⇆ ⊟ 🔻 📵 📵
– 🔻 🔜 🚣
15 juin-15 sept. – **R** conseillée – ✗ 20 piscine comprise 📧 23 🛂 15 (12A)

▲▲▲ **La Plage** ≤, 𝒫 53 29 50 83 ✉ 24220 St-Cyprien, O : 1 km, bord de la
Dordogne
2 ha (83 empl.) ⚬━ plat, herbeux ⚘ – 🗂 ⇆ ⊟ 📵 – 🚣
avril-20 oct. – **R** conseillée juil.-août – ✗ 14 🚗 7 📧 7 🛂 11 (3A) 13 (4A) 15
(5 ou 6A)

▲▲▲ **Verte Rive,** 𝒫 53 28 30 04, SE : 2,5 km, bord de la Dordogne
1,5 ha (60 empl.) ⚬━ (15 juil.-15 août) plat et peu incliné, herbeux ⚘ – 🗂 ⇆ 🔻
📵 – 🔜 🚣
20 juin-20 sept. – **R**

Voir aussi à *Carsac-Aillac, Castelnaud-Fayrac, Cénac-et-St-Julien, Domme,
Grolèjac, St-Cybranet, Vézac, Vitrac.*

---

# ROQUESTERON
**06910** Alpes-Mar. – 509 h.                     🔢 – 🔢 ⑳ G. Alpes du Sud

▲ **Les Fines Roches** 🔻 ≤, 𝒫 93 05 91 85, SE : 3 km par D 17 rte de Pierrefeu
puis à droite, bord de l'Estéron – Accès aux emplacements par pente à 12 %
3 ha (30 empl.) ⚬━ plat, pierreux 🖾 – 🗂 ⇆ ⊟ 🔻 🌳 🔻 🔻 📵 – tir à l'arc
mai-sept. – **R** conseillée juil.-août – 📧 2 pers. 48/60 🛂 12 (5A)

---

# La ROQUE-SUR-CEZE
**30200** Gard – 153 h.                          🔢 – 🔢 ⑨

▲▲▲ **la Masade** 🔻, 𝒫 66 79 01 10, S : 2,2 km par D 166 puis 1,4 km par chemin
à gauche, bord de la Cèze – accès conseillé par D 6 pour les caravanes
14 ha/3 campables (90 empl.) ⚬━ accidenté, plat et en terrasses, pierreux,
gravier ⚹⚹ – 🗂 ⇆ 🔻 📵 ⚏ 🌳 🔻 🔻 snack – 🔜 🚣 🚣 – Location : 🏠
avril-sept. – **R** conseillée juil.-août – 📧 2 pers. 51 🛂 12 (6A)

---

# La ROSIÈRE DE MONTVALEZAN
**73700** Savoie – alt. 1 820 – 🎿.
🏢 Office de Tourisme (15 déc.-
12 mai) 𝒫 79 06 80 51                          🔢 – 🔢 ⑱ G. Alpes du Nord

▲▲ **La Forêt** ❄ ≤, 𝒫 79 06 86 21, S : 2 km par N 90 rte de Bourg-St-Maurice –
accès aux emplacements par véhicule tracteur – croisement difficile pour
caravanes
1,7 ha (67 empl.) ⚬━ en terrasses, accidenté, pierreux ⚹⚹ – 🗂 ⇆ ⊟ 📵 🌳 🌋
📵 🔻 snack, crêperie – A proximité : 🔻 🚣
15 déc.-15 mai, 15 juin-15 sept. – **R** conseillée vac. hiver, 15 juil.-25 août –
✗ 18 (hiver 20) 📧 13/19 (hiver 22 ) 🛂 18 (6A)

---

# ROSIÈRES
**07260** Ardèche – 911 h.                        🔢 – 🔢 ⑧

▲▲▲ **Arleblanc** « Situation agréable au bord de la Beaume », 𝒫 75 39 53 11, sortie
NE rte d'Aubenas et 2,8 km par chemin à droite – Croisement difficile pour
caravanes
7 ha (165 empl.) ⚬━ plat, herbeux ⚹⚹ – 🗂 🔻 📵 🌳 🌋 🔻 🍽 🚲 🔜 – 🚣 🚣 🚣
🔻 🚣 vélos – A proximité : 🔻 – Location : 🏠
mars-11 nov. – **R** conseillée – 📧 piscine comprise 2 pers. 70 🛂 15

▲▲▲ **le Grillou,** 𝒫 75 39 51 50, sortie SO par rte de Joyeuse, à 100 m de la Beaume
2,2 ha (95 empl.) ⚬━ plat et en terrasses, herbeux, pierreux ⚘ – 🗂 🔻 📵 🌋
📵 🔻 🍽 ✗ self service 🚲 🔜 – 🔜 salle d'animation 🚣 toboggan aquatique
– A proximité : 🚣 – Location : 🏠
15 mars-15 nov. – **R** conseillée juil.-août – Tarif 91 : 📧 piscine comprise 2 pers.
55, pers. suppl. 11 🛂 9 (3A) 11 (5A) 13 (7A)

▲▲▲ **La Plaine** « Entrée fleurie », 𝒫 75 39 51 35, NE : 0,7 km par D 104 rte
d'Aubenas
1,2 ha (60 empl.) ⚬━ plat, peu incliné, herbeux 🖾 ⚹⚹ – 🗂 🔻 📵 🌳 🌋 🔻 📵
– 🔜 🚣 🔻 🚗
Pâques-sept. – **R** conseillée – 📧 piscine comprise 2 pers. 62, pers. suppl. 11.
🛂 14 (6A) 16 (10A)

▲▲ **Les Platanes** 🔻 ≤, 𝒫 75 39 52 31, sortie NE rte d'Aubenas et 3,7 km
par chemin à droite, bord de la Beaume – Croisement difficile pour caravanes
2 ha (90 empl.) ⚬━ (saison) plat, herbeux ⚘ – 🗂 🔻 📵 🌳 🌋 🔻 📵 – 🚣 🚣 –
A proximité : 🔻
Pâques-sept. – **R** conseillée juil.-août – 📧 piscine comprise 2 pers. 52, pers. suppl.
12 🛂 11,50

---

# .es ROSIERS
**49350** M.-et-L. – 2 204 h.
🏢 Syndicat d'Initiative, pl. Mail
(juin-sept.) 𝒫 41 51 90 22                       🔢 – 🔢 ⑫ G. Châteaux de la Loire

▲▲▲ **Districal le Val de Loire** Ⓜ « Entrée fleurie », 𝒫 41 51 94 33, sortie N par
D 59 rte de Beaufort-en-Vallée, près du carrefour avec la D 79
2,2 ha (76 empl.) ⚬━ plat, herbeux 🖾 – 🗂 ⇆ ⊟ 📵 🌳 🌋 🔻 🔻 📵 – 🔜 🚗
– A proximité : 🚣 🔻 🚣
mai-sept. – **R** conseillée – 📧 piscine et tennis compris 3 pers. 85, pers. suppl.
23 🛂 8,50 (6A)

## ROSNAY

**36300** Indre – 537 h.

△ **Municipal** ॐ, ℰ 54 37 83 53, N : 0,5 km par D 44 rte de St-Michel-en-Brenne
bord d'un plan d'eau
0,7 ha (18 empl.) plat, herbeux – 🗊 🖴 🗔 🕭 ⊕ – ✖ ❅
Permanent – **R** – ✖ *5* 🚗 *4* 🗐 *5* 🗓 *8 (3A) 15 (6A)*

## ROSPORDEN

**29140** Finistère – 6 485 h.
🖪 Syndicat d'Initiative, r. Ernest
Prévost (juil.-août) ℰ 98 59 27 26

🔼🔼 **Municipal Roz-an-Duc** « Cadre agréable », ℰ 98 59 90 27, N : 1 km pa
D 36 rte de Châteauneuf-du-Faou et à droite à la piscine, bord de l'Aven et
100 m d'un étang
1 ha (50 empl.) ⊶ plat et en terrasses, herbeux 🗀 – 🗊 🕭 🖴 🕭 ⊕ – A proximité
❅ 🔲
15 juin-août – **R** – ✖ *11* 🚗 *4,00* 🗐 *10,00* 🗓 *9 (3A)*

## ROTHAU

**67570** B.-Rhin – 1 583 h.

🔼🔼 **Municipal,** ℰ 88 97 07 50, sortie SO par N 420 rte de St-Dié et chemin à
droite, bord de la Bruche
1 ha (73 empl.) ⊶ (saison) plat et terrasse, herbeux, gravillons 🗀 – 🗊 🕭 🖴
🕭
avril-sept. – **R** conseillée – ✖ *14,50* 🚗 *5* 🗐 *5* 🗓 *8,50 (2A) 16 (6A) 24 (10A*

## ROUEN ℙ

**76000** S.-Mar. – 102 723 h.
🖪 Office de Tourisme et Accueil de
France, 25 pl. de la Cathédrale
ℰ 35 71 41 77

à *Déville-lès-Rouen* NO par N 15 rte de Dieppe
✉ 76250 Déville-lès-Rouen :

🔼🔼 **Municipal,** ℰ 35 74 07 59, rue Jules-Ferry
1,5 ha (100 empl.) ⊶ plat, herbeux, gravillons – 🗊 🕭 🖴 🗔 🕮 ⊕ 🗚 ✇
fermé fév. – **R** conseillée 15 juin-15 sept. – ✖ *17* 🚗 *5* 🗐 *5/10*

## ROUFFACH

**68250** H.-Rhin – 4 303 h.

△ **Municipal** ॐ, ℰ 89 49 53 46, au Sud du bourg, près du stade
0,4 ha (30 empl.) ⊶ (juil.-août) plat, herbeux, pierreux 🗀 – 🗊 🖴 ⊕ – 🚐
A proximité : ❅
juin-sept. – **R** conseillée – ✖ *8* 🗐 *8* 🗓 *10 (4A)*

## ROUFFIGNAC

**24** Dordogne – 1 465 h.
✉ 24580 Rouffignac-St-Cernin

🔼🔼🔼 **Cantegrel** ⩺ « Cadre agréable », ℰ 53 05 48 30, N : 1,5 km par D 31 rte d
Thenon et rte à droite
40 ha/3 campables (50 empl.) ⊶ peu incliné et incliné, herbeux 🗀 ♀ – 🗊 🖀
🖴 🗔 🕭 ⊕ 🗚 ❡ ✖ 🖾 – 🚐 discothèque ❅ 🡢 🏊 🖂 vélos – Location
chalets
28 mars-oct. – **R** conseillée juil.-août – 🗐 piscine comprise 1 à 3 pers. 85 🗓 1
(6A)

🔼🔼 **La Nouvelle Croze** 🅼 ॐ, ℰ 53 05 38 90, SE : 2,5 km par D 31, rte de Fleura
1,3 ha (40 empl.) ⊶ plat, herbeux 🗀 – 🗊 🕭 🖴 🗔 🕭 ⊕ 🗚 ❡ 🖾 – 🚐
avril-1ᵉʳ oct. – **R** conseillée juil.-août – ✖ *20 piscine comprise* 🗐 *24* 🗓 *14 (5A*

## ROUFFILLAC

**24** Dordogne – ✉ 24370 Carlux

🔼🔼 **Les Ombrages de la Dordogne,** ℰ 53 29 70 24, près du D 703, bord
la Dordogne
1,3 ha (80 empl.) ⊶ plat, herbeux ♀♀ (0,5 ha) – 🗊 🕭 🖴 ⊕ 🗚 🖾 – ❅ 🡢
– A proximité : ❡ ✖ 🦽 🏊 🖂
15 juin-15 sept. – **R** conseillée – ✖ *12* 🗐 *12 à 16* 🗓 *9,50 (4A) 13 (6A)*

## ROUGEMONT

**25680** Doubs – 1 200 h.

à *Bonnal* N : 3,5 km par D 18 – ✉ 25680 Bonnal :

🔼🔼🔼 **Le Val de Bonnal** ॐ « Site agréable et décoration arbustive »
ℰ 81 86 90 87, bord de l'Ognon et près d'un plan d'eau
120 ha/15 campables (200 empl.) ⊶ plat, herbeux 🗀 ♀ (2 ha) – 🗊 🕭 🖴 🖂
🗔 🕭 ⊕ 🗚 ✇ 🖳 ❡ ✖ grill 🦽 🖾 – 🚐 🖂
15 mai-15 sept. – **R** conseillée – 🗐 élect. (5A) comprise 3 pers. 129, pers. sup
25

## ROUQUIÉ

**81** Tarn – alt. 700 – ✉ 81260
Brassac

△ **Rouquié** ॐ ⩺, ℰ 63 70 98 06, bord du lac de la Raviège
1,5 ha (66 empl.) ⊶ très incliné, en terrasses, herbeux ♀ – 🗊 ⊕ ❡
Permanent – **R** conseillée – 🗐 2 pers. 46, pers. suppl. 14 🗓 10 (3A) 15 (10

## ROUSSES

**48400** Lozère – 69 h. alt. 743

⬠ **La Quillette** (aire naturelle) ⬡ ⬡, ℘ 66 44 00 29, au S du bourg sur D 119 rte du Mont Aigoual, bord du Tarnon
2 ha (25 empl.) en terrasses, peu incliné et plat, herbeux ♀ (1 ha) – ⬡ – ⬡
15 juin-15 sept. – **R** - ✱ *6,50* ▣ *9,50*

## ROUSSILLON

**84220** Vaucluse – 1 165 h.
🏢 Office de Tourisme, pl. Poste (avril-oct.) ℘ 90 05 60 25

⬠ **Arc-en-Ciel** ⬡ « Cadre et site agréables », ℘ 90 05 73 96, SO : 2,5 km par D 105 et D 104 rte de Goult
2 ha (34 empl.) ⊶ (saison) accidenté et en terrasses ♀♀ – ⬡ ⬡ ▣ ⊙ – ⬡
⬡ (bassins)
avril-oct. – **R** *conseillée juil.-août* – ✱ *11* ⬡ *7* ▣ *7* ⒣ *13 (4A) 15 (6A)*

## ROYAN

**17200** Char.-Mar. – 16 837 h.
🏢 Office de Tourisme, Palais des Congrès ℘ 46 38 65 11 et pl. de la Poste ℘ 46 05 04 71

⬠⬠⬠ **Clairefontaine** « Cadre agréable », ℘ 46 39 08 11, à **Pontaillac**, allée des Peupliers, à 400 m de la plage
3 ha (300 empl.) ⊶ plat, herbeux ♀♀ – ⬡ ⬡ ⬡ ▣ & ⊙ ⬡ ⬡ ▣ – ⬡ ⬡
⬡
juin-10 sept. – **R** – ▣ *3 pers. 120* ⒣ *20 (6A)*

⬠⬠ **Les Coquelicots,** ℘ 46 38 23 21, N : 2 km
3 ha (123 empl.) ⊶ plat, herbeux ♀♀♀ (0,6 ha) – ⬡ ⬡ ▣ ⊙ ⬡ – ⬡
avril-15 oct. – **R** *conseillée juil.-août* – ▣ *3 pers. 56, pers. suppl. 13* ⒣ *15 (3 à 6A)*

⬠⬠ **Walmone,** ℘ 46 39 15 81, N : 4 km – ⬡
1,5 ha (100 empl.) ⊶ plat, herbeux ♀♀ – ⬡ ⬡ ⬡ ⬡ ▣ ⬡ ⬡ ♀ ▣ – salle de musculation ⬡ ⬡ – **R** *conseillée août* – ▣ *3 pers. 50,50, pers. suppl. 14,70*

⬠ **Le Royan,** ℘ 46 39 09 06, NO : 2,5 km
2 ha (180 empl.) ⊶ plat, herbeux – ⬡ ⬡ ⊙ ⬡ ⬡ ⬡ – ⬡ ⬡ – Location :
⬡
15 mars-1ᵉʳ oct. – **R** *conseillée* – ▣ *piscine comprise 3 pers. 49,70* ⒣ *13,40 (3A)*

⬠ **L'Orée des Bois,** ℘ 46 39 07 92, N : 2,5 km
1,5 ha (90 empl.) ⊶ (saison) plat, herbeux ♀ – ⬡ ⬡ ▣ & ⊙ ⬡ – ⬡
juin-sept. – **R** *conseillée août*

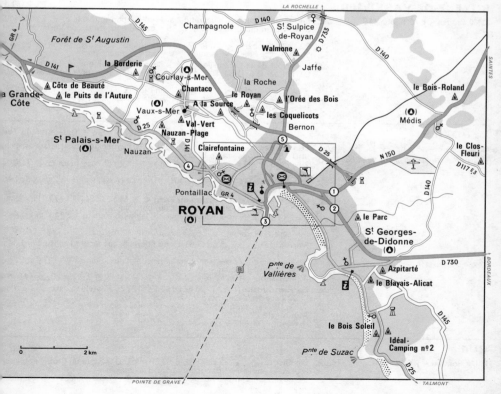

à *Vaux-sur-Mer* NO : 4,5 km – ⊠ 17640 Vaux-sur-Mer :

⚠ Municipal de Nauzan-Plage, ℰ 46 38 29 13, av. de Nauzan, à 500 m de la plage
3,9 ha (220 empl.) •– plat, herbeux ⊏⊐ – 🍴 ⇔ 🛁 🖻 ⚙ ❄ ⚓ ☡ 🔭 ⛽ snack
🛒 🖻 – 🛒 🏊 – A proximité : ✕ 🏊

⚠ **A la Source,** ℰ 46 39 10 51, E : 0,7 km, 58 r. de Royan – ✕
2,5 ha (167 empl.) •– plat, herbeux ⚲ – 🍴 ⇔ 🛁 🖻 ⚙ ⚱ ☡ 🛒 – 🛒 🏊
Pâques-Toussaint – **R** *conseillée* – 🖻 *piscine comprise 3 pers. 62, pers. suppl.*
*25* 🚱 *12 (3A) 16 (6A)*

⚠ **Val-Vert,** ℰ 46 38 25 51, au SO du bourg, 106 av. F. Garnier, bord d'un
ruisseau
2,6 ha (100 empl.) •– (juil.-août) plat et terrasse, herbeux, pierreux ⊏⊐ – 🍴 ⇔
🛁 🖻 ⚙ 🛒 – 🛒 🏊 – A proximité : ☡ ✕ 🏊 ⚓
juin-25 sept. – **R** *conseillée* – 🖻 *3 pers. 63, pers. suppl. 15,70* 🚱 *13,20 (3A)*
*16 (6A) 19 (10A)*

⚠ **Chantaco,** ℰ 46 39 12 08, sortie NO rte de Courlay-sur-Mer
2 ha (100 empl.) •– (saison) plat et peu incliné, herbeux – 🍴 ⚱ ⚙ ⚱ 🛒 – 🛒
mai-sept. – **R** *conseillée juil.-août – Tarif 91 :* 🖻 *1 à 3 pers. 50* 🚱 *14 (3A) 16*
*(5A)*

Voir aussi à *Médis, St-Georges-de-Didonne, St-Palais-sur-Mer*

---

## ROYAT

**63130** P.-de-D. – 3 950 h. –
♨ avril-oct.
🅱 Office de Tourisme, pl. Allard
ℰ 73 35 81 87

⚠ **Municipal de l'Oclède,** ℰ 73 35 97 05, SE : 2 km par D 941ᶜ rte du
Mont-Dore et à droite D 5 rte de Charade
7 ha (197 empl.) •– en terrasses, peu incliné, gravier, herbeux ⊏⊐ ⚲ – 🍴 ⇔ 🛁
🖻 🎮 ⚙ ⚱ ☡ – 🛒 ✕ – Location : 🏠
avril-25 oct. – **R** *conseillée – Tarif 91 :* 🚶 *10* 🚗 *6* 🖻 *7* 🚱 *6 (2A) 12 (4A) 18*
*(6A)*

---

## ROYBON

**38940** Isère – 1 269 h.

⚠ **Municipal Aigue-Noire,** ℰ 76 36 23 67, S : 1,5 km par D 20, bord d'un plan
d'eau et d'un ruisseau
1,2 ha (100 empl.) •– plat et peu incliné, terrasses, gravier, herbeux – 🍴 🛁 🛒
⚙ – 🛒 ⚓ – A proximité : toboggan aquatique
avril-sept. – **R** *conseillée juil.-août* – 🚶 *12* 🚗 *5* 🖻 *10* 🚱 *15 (5A)*

---

## ROYERE-DE-VASSIVIERE

**23460** Creuse – 670 h. alt. 718

⚠ Centre de Vacances Masgrangeas ≤ « Situation agréable », ℰ 55 64 71 65,
SO : 4,5 km par D 3, D 34 et D 35 à droite, bord du lac de Vassivière – alt.
659
22 ha/2 campables (110 empl.) plat et peu incliné, herbeux ⚲ – 🍴 ⇔ 🛁 ⚙ ☡
✕ 🖻 – 🛒 ⚱ 🏊 – Location : 🏠 – adhésion obligatoire

⚠ Municipal de la Presqu'île 🏖 ≤ « Situation agréable », ℰ 55 64 78 28, S :
8,5 km par D 8, D 34, D 3 et rte à droite, à Broussac, près du lac de Vassivière
– alt. 650
3 ha (150 empl.) •– (juin-sept.) incliné et accidenté, herbeux, gravier ⊏⊐ ⚲⚲
(1,5 ha) – 🍴 🏊 🖻 ⚙ – ⚱ – A proximité : discothèque
Permanent – **R** *juil.-août*

---

## Le ROZIER

**48150** Lozère – 157 h.
🅱 Syndicat d'Initiative ℰ 65 62 60 89

⚠ **Les Prades** 🏖 ≤, ℰ 65 62 62 09 ⊠ 12720 Peyreleau, O : 4 km par Peyreleau
et D 187 à droite rte de la Cresse, bord du Tarn
2 ha (110 empl.) •– plat, herbeux, sablonneux ⚲⚲ (1 ha) – 🍴 ⇔ 🛁 🖻 ⚙ ⚱
⚱ – ✕ 🏊
juin-20 sept. – **R** *conseillée juil.-août* – 🖻 *piscine et tennis compris 2 pers. 55 pers.*
*suppl. 9* 🚱 *10 (3 à 5A)*

⚠ **International des Gorges du Tarn** ≤, ℰ 65 62 62 94 ⊠ 12720 Peyreleau,
NO : 1,5 km sur D 907 rte de Millau, bord du Tarn
2,3 ha (110 empl.) •– plat, sablonneux, herbeux, pierreux ⊏⊐ ⚲⚲ – 🍴 ⇔ 🛁 🖻
🛒 ⚙ ⚱ 🛒 🖻 – ⚱ – Location : 🏠
mai-sept. – **R** *conseillée* – 🖻 *2 pers. 63* 🚱 *10 (6A)*

⚠ **Municipal** 🏖 ≤, ℰ 65 62 63 98, au bourg, accès face à l'église, bord de la
Jonte
3,5 ha (165 empl.) •– plat et peu incliné, herbeux, pierreux ⚲ – 🍴 ⇔ 🏊 🖻 ⚱
⚙ 🖻 – 🛒 bibliothèque
12 avril-sept. – **R** *conseillée juil.-août* – 🚶 *19* 🚗 *7* 🖻 *9,50* 🚱 *10 (3A) 13 (6A)*

⚠ **Le Randonneur** ≤, ℰ 65 62 60 62 ⊠ 12720 Peyreleau, NO : 1,2 km sur
D 907 rte de Millau, bord du Tarn
0,5 ha (25 empl.) •– plat, terrasse, pierreux, herbeux ⚲ – 🍴 ⇔ ⚱ ⚙ – ⚱
A proximité : ✕
mai-sept. – **R** – 🖻 *2 pers. 34* 🚱 *7 (5A)*

---

## RUE

**80120** Somme – 2 942 h.

⚠ Les Oiseaux 🏖, ℰ 22 25 71 82, S : 3,2 km par D 940 rte du Crotoy et chemin
à gauche, au lieu-dit Becquerel, bord d'un ruisseau
0,8 ha (48 empl.) plat, herbeux ⊏⊐ – 🍴 ⇔ 🛁 ⚙ – *Places limitées pour le passage*

## RUFFEC

**16700** Charente – 3 893 h.
🏛 Office de Tourisme, pl. d'Armes
☎ 45 31 05 42

🗓 – 72 ④ **G. Poitou Vendée Charentes**

⛰ Le Rejallant 🏊, ☎ 45 31 29 06, sortie S par D 911 puis 1,4 km par rte à gauche, à 250 m de la Charente – Croisement difficile pour caravanes
1 ha (60 empl.) plat et terrasses, herbeux 🏕 – 🗑 🛁 🚿 ⊕ – A proximité : 
🍴 crêperie 🏊
mai-oct. – ⊮

---

## RUFFEC

**36300** Indre – 594 h.

🔟 – 68 ⑯

⛰ **Municipal,** sortie S par D 15 rte de Belâbre, bord de la Creuse
0,7 ha (23 empl.) plat, herbeux 🏕 ⚲ – 🗑 ⊕ – A proximité : 🍴
mai-15 sept. – **R** juil.-août – ⭑ 6 🚐 6 🔲 6 🗒 8 (6A)

---

## RUFFIEUX

**73310** Savoie – 540 h.

🔢 – 74 ⑤

⛰ **Saumont,** ☎ 79 54 26 26, O : 1,2 km par D 991 rte d'Aix-les-Bains et chemin, bord d'un ruisseau
0,5 ha (31 empl.) plat, herbeux 🏕 ⚲ – 🗑 🚿 🔲 🚿 🕍 ⊕ – 🏊 🍴
mai-sept. – **R** conseillée juil.-août – ⭑ 9,50 🚐 6 🔲 12 🗒 10 (5A)

---

## RUILLE-SUR-LOIR

**72340** Sarthe – 1 287 h.

⑤ – 64 ④

⛰ **Municipal** 🏊 « Cadre agréable », au sud du bourg, rue de l'Industrie, bord du Loir
0,4 ha (30 empl.) plat, herbeux ⚲ – 🗑 🚿 🛁 🔲 🚿 ⊕
mai-sept. – **R** – ⭑ 5,20 🚐 2,60 🔲 2,60 🗒 8

---

## RUMILLY

**74150** H.-Savoie – 9 991 h.

🔢 – 74 ⑤ **G. Alpes du Nord**

⛰ **le Madrid** 🅼, ☎ 50 01 12 57, SE : 3 km par D 910 rte d'Aix-les-Bains puis D 3 à gauche et D 53 à droite rte de St-Félix
3,2 ha (101 empl.) ⛲ plat, herbeux, pierreux 🏕 – 🗑 🚿 🛁 🔲 🚿 ⊕ 🏊 🚿 🔲 cases réfrigérées – 🏊 – Location : 🚐 🏠
avril-oct. – **R** conseillée juil.-août – ⭑ 16 🚐 5 🔲 17/22 🗒 10 (3A) 15 (5A) 25 (10A)

---

## RUOMS

**07120** Ardèche – 1 858 h.

🔢 – 80 ⑧ ⑨ **G. Provence**

⛰ **Domaine de Chaussy** 🏊, ☎ 75 93 99 66, E : 2,3 km par D 559 rte de Lagorce
5,5 ha (183 empl.) ⛲ plat, herbeux ⚲⚲ – 🗑 🚿 🛁 🔲 🚿 ⊕ 🏊 🍴 ✗ 🏊 🔲 – 🏊 discothèque 🍴 🏊 🏊 parcours de santé, tir à l'arc, vélos – Location : 🚐
🛏 (hôtel), pavillons
avril-sept. – **R** conseillée 15 juin-août – 🔲 piscine comprise 2 pers. 110, pers. suppl. 24 🗒 16 (5A)

⛰ **La Bastide** ≤, ☎ 75 39 64 72, SO : 4 km, à Labastide, accès direct à l'Ardèche
7 ha (200 empl.) ⛲ plat, herbeux, pierreux ⚲⚲ – 🗑 🚿 🛁 🔲 🚿 🕍 ⊕ 🏊 🚿 🔲
🍴 🔲 – 🏊 🏊 🏊 vélos – Location : 🚐
15 mars-sept. – **R** conseillée juil.-août – Tarif 91 : 🔲 2 pers. 68, pers. suppl. 15 🗒 15 (3A)

⛰ **Le Ternis** 🏊 ≤, ☎ 75 93 93 15, E : 2 km par D 559 rte de Lagorce puis chemin à droite
3 ha (150 empl.) ⛲ peu incliné et en terrasses, pierreux ⚲⚲ – 🗑 🚿 🛁 🔲 🚿
⊕ 🏊 🚿 🔲 🍴 🏊 🔲 – 🏊 🏊 🏊 vélos – Location : 🚐 🏠
Pâques-20 sept. – **R** conseillée juil.-août – 🔲 piscine comprise 2 pers. 76, pers. suppl. 16 🗒 16 (3A) 20 (6A)

⛰ **La Plaine** 🏊, ☎ 75 39 65 83, S : 3,5 km, bord de l'Ardèche
2 ha (100 empl.) ⛲ plat et accidenté, sablonneux, herbeux ⚲⚲ (1 ha) – 🗑 🚿
🏊 🔲 ⊕ 🏊 🍴 🔲 – 🏊 🏊
Pâques-sept. – **R** conseillée juil.-août – Tarif 91 : 🔲 2 pers. 63, pers. suppl. 13,50 🗒 12 (6A)

⛰ **le Mas de Barry** ≤, ☎ 75 39 67 61, S : 2 km
1,5 ha (80 empl.) ⛲ plat, peu incliné, herbeux 🏕 ⚲ – 🗑 🚿 🛁 🔲 ⊕ 🏊 🚿 🍴
snack 🔲 – 🏊 🏊 🏊
Pâques-15 sept. – **R** – Tarif 91 : 🔲 piscine comprise 2 pers. 65, pers. suppl. 14 🗒 12 (3A)

⛰ **Ruoms-Bateaux,** ☎ 75 39 62 05, N : 0,6 km par D 579 rte de Pradons et chemin à gauche
1 ha (40 empl.) ⛲ plat, herbeux 🏕 – 🗑 🚿 🛁 🔲 🚿 ⊕ 🏊 🚿 – 🏊 – Location : 🚐
Pâques-sept. – **R** conseillée – 🔲 élect. (3A) comprise 2 pers. 80, pers. suppl. 20

⛰ **La Chapoulière** 🏊, ☎ 75 39 64 98, S : 3,5 km, bord de l'Ardèche
2,5 ha (100 empl.) ⛲ plat et peu incliné, herbeux ⚲⚲ – 🗑 🏊 🔲 🚿 ⊕ 🏊 🔲
– 🏊 🏊 vélos
avril-10 sept. – **R** conseillée – Tarif 91 : 🔲 2 pers. 62 🗒 11 (3A)

⛰ **La Grand'Terre,** ☎ 75 39 64 94, S : 3,5 km, accès direct à l'Ardèche
4,5 ha (200 empl.) ⛲ plat, sablonneux, herbeux ⚲⚲ – 🗑 🏊 🔲 ⊕ 🏊 🍴 🏊 🔲
– 🏊 🏊 🏊
juin-15 sept. – **R** – Tarif 91 : 🔲 2 pers. 62, pers. suppl. 14 🗒 12 (6A)

⛰ **Le Petit Bois** ⚲, ℘ 75 39 60 72, à 0,8 km au N du bourg, à 80 m de l'Ardèche (hors schéma) - Accès pietons à la rivière par rampe abrupte
1,2 ha (50 empl.) ⌁ peu incliné et plat, en terrasses, pierreux, herbeux – 🏠 ⚲
🖼 ⚙ ⊕ ⚎ – 🔆
avril-sept. – **R** conseillée juil.-25 août – ▣ piscine comprise 2 pers. 59 ⑂ 12 (2 à 4A) 15 (6A et plus)

⛰ **le Sartre,** ℘ 75 39 68 40 ⊠ St-Alban-Auriolles 07120, à **Auriolles,** SO : 3,2 km
1 ha (25 empl.) ⌁ plat et peu incliné, en terrasses, pierreux, herbeux ⚲ – 🏠 ⚄
⚙ ⊕
15 juin-15 sept. – **R** conseillée – ▣ 2 pers. 43, pers. suppl. 12 ⑂ 10 (3A)

⛰ **le Carpenti,** ℘ 75 39 74 29, S : 3,6 km, accès direct à l'Ardèche
0,7 ha (45 empl.) ⌁ plat, pierreux, herbeux – 🏠 ⚄ ⚲ 🖼 ⊕ ⚎
juin-août – **R** – ▣ 2 pers. 51

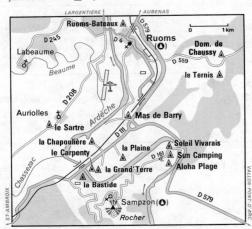

à *Sampzon* S : 6 km – ⊠ 07120 Sampzon :

⛰ **Soleil Vivarais** ≼, ℘ 75 39 67 56, bord de l'Ardèche
6 ha (200 empl.) ⌁ plat, herbeux, pierreux ⚲ – 🏠 ⚄ ⚙ ⚎ ⚙ ⊕ ⚎ 🍽 ✗ 🏪
🖼 – 🛒 discothèque ⚽ ⛵ 🔆 ⚎ vélos – Location : 🏠
avril-oct. – **R** conseillée 15 juin-août – ▣ piscine comprise 2 pers. 98 ⑂ 15 (10A)

⛰ **Aloha Plage,** ℘ 75 39 67 62, à 50 m de l'Ardèche (accès direct)
1,5 ha (120 empl.) ⌁ plat, terrasses, herbeux ⚲⚲ – 🏠 ⚄ ⚲ 🖼 ⊕ 🍽 snack 🏪
🖼 – ⚎ half-court – Location : 🛒
Pâques-sept. – **R** conseillée juil.-août – ▣ 2 pers. 58 ⑂ 12 (3 à 10A)

⛰ **Sun Camping,** ℘ 75 39 76 12, à 200 m de l'Ardèche
1,5 ha (35 empl.) ⌁ plat et en terrasses ⚲⚲ – 🏠 ⚲ ⚙ ⊕ – 🛒 – A proximité :
⚎ 🍽 ✗ 🏪 – 🔆
juin-sept. – **R** conseillée juil.-août – ▣ 2 pers. 55, pers. suppl. 13

---

**RUPPIONE-PLAGE** **2A** Corse-du-Sud – 🔟 ⑰ – voir à Corse

---

## Le RUSSEY                                    🔟2 – 🔟66 ⑱

**25210** Doubs – 1 824 h. alt. 870   ⛰ **Municipal les Sorbiers,** ℘ 81 43 75 86, au bourg, r. Foch
1 ha (60 empl.) ⌁ plat, gravier – 🏠 ⚄ ⚄ 🖼 ▥ ⊕ – ⚽ 🔆 – A proximité :
🛒
Permanent – **R** juil.-août – ⚹ 5,80 ⛟ 2,90 ▣ 2,90 ⑂ 6,95

---

## RUSTREL                                       🔟6 – 🔟1 ⑭

**84400** Vaucluse – 636 h.   ⛰ **Le Colorado** ⚲, ℘ 90 04 90 37, SO : 2 km par D 22 rte d'Apt et chemin à gauche
4 ha (100 empl.) ⌁ plat, accidenté et terrasses, pierreux, herbeux, sablonneux
🔻 ⚲⚲ – 🏠 ⚲ 🖼 ⊕ ⚎ ⚎ 🍽 ✗ – 🔆
mars-oct. – **R** conseillée juil.-août – ⚹ 16 piscine comprise ⛟ 5 ▣ 10/12 ⑂ 10 (6A)

---

## RUYNES-EN-MARGERIDE                           🔟1 – 🔟6 ⑭ ⑮ G. Auvergne

**15320** Cantal – 605 h. alt. 914   ⛰ **Municipal le Petit Bois** ⚲ ≼ monts du Cantal et montagne de la Margeride « Site agréable », ℘ 71 23 42 26, SO : 0,5 km par D 13 rte de Garabit
10 ha (240 empl.) ⌁ plat, incliné et accidenté, herbeux, pierreux ⚲⚲ pinède (3 ha) – 🏠 ⚄ ⚄ 🖼 ▥ ⊕ ⚎ 🔆 vélos – Location : 🏠
Permanent – **R** – ⚹ 9 ⛟ 8 ▣ 8 ⑂ 12 (4 à 6A)

## Les **SABLES-D'OLONNE** ⟨SP⟩

9 – 🔲 ⑫ G. Poitou Vendée Charentes

**85100** Vendée – 15 830 h.
🅱 Office Municipal de Tourisme et Accueil de France, r. Mar.-Leclerc ℘ 51 32 03 28 et pl. Navarin (juil.-août)

⚠ **Le Puits Rochais** Ⓜ, ℘ 51 21 42 33 ✉ 85100 le Château-d'Olonne, SE : 3,5 km
4,2 ha (220 empl.) ⊶ plat, herbeux 🔲 – 🔲 ⌂ ⌂ 🔲 & ⊕ 🔲 ↝ 🔲 ▼ 🔲 🔲 – 🔲 ✂ 🔲 🔲 – Location : 🔲
avril-sept. – **R** conseillée juil.-août – 🔲 élect. (10A) et piscine comprises 3 pers. 112

⚠ **Municipal les Roses,** ℘ 51 95 10 42, r. des Roses, à 400 m de la plage
3,9 ha (205 empl.) ⊶ plat et peu incliné, herbeux 🔲 🔲 – 🔲 ⌂ ⌂ 🔲 ⊕ 🔲 ▼ 🔲 – 🔲 🔲 – A proximité : ▼ 🔲
11 avril-oct. – **R** indispensable juil.-août – Tarif 91 : 🔲 élect. (8A) et piscine comprises 2 pers. 85, pers. suppl. 22

⚠ **Les Pirons** 🔲, ℘ 51 95 26 75, SE : 3,5 km, à la Pironnière, à 500 m de l'océan
4,8 ha (435 empl.) ⊶ plat, herbeux ◯ – 🔲 ⌂ 🔲 🔲 & ⊕ 🔲 ↝ 🔲 ▼ 🔲 – ✂ 🔲 🔲
avril-sept. – **R** conseillée – 🔲 piscine comprise 1 à 3 pers. 85 (105 avec élect.), pers. suppl. 15

⚠ **Municipal les Dunes** 🔲 ◁, ℘ 51 32 31 21, NO : 4,5 km, près de la plage
7,4 ha (300 empl.) ⊶ accidenté, sablonneux, herbeux, gravier – 🔲 ⌂ ⌂ 🔲 🔲 ▼ 🔲 🔲 – 🔲
15 juin-15 sept. – **R** – Tarif 91 : 🔲 2 pers. 45 (60 avec élect.), pers. suppl. 15 🔲 12 (8A)

⚠ **Les Fosses Rouges** Ⓜ 🔲, ℘ 51 95 17 95, SE : 3 km, à la Pironnière
3,5 ha (300 empl.) ⊶ (saison) plat, herbeux ◯ – 🔲 ⌂ ⌂ 🔲 & ⊕ 🔲 ▼ 🔲 🔲 – 🔲 🔲
avril-sept. – **R** conseillée juil.-août – 🔲 piscine comprise 2 pers. 65/80 avec élect. 10A, pers. suppl. 13

⚠ **Le Petit Paris** Ⓜ, ℘ 51 22 04 44 ✉ 85100 le Château d'Olonne, SE : 5,5 km
1,3 ha (81 empl.) ⊶ plat, herbeux 🔲 – 🔲 ⌂ ⌂ 🔲 & ⊕ 🔲 ↝ 🔲 🔲 – 🔲 🔲 – Location : 🔲
mai-25 sept. – **R** conseillée août – Tarif 91 : 🔲 3 pers. 65 (76 avec élect. 6A)

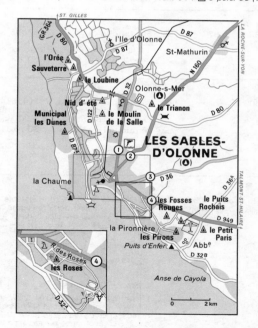

à Olonne-sur-Mer N : 5 km par D 32 – ✉ 85340 Olonne-sur-Mer :

⚠ **Le Trianon** « Cadre agréable », ℘ 51 95 30 50, E : 1 km
10 ha (515 empl.) ⊶ plat, herbeux ◯ 🔲 (5 ha) – 🔲 ⌂ ⌂ 🔲 & ⊕ 🔲 ↝ 🔲 ▼ ✗ crêperie 🔲 🔲 – 🔲 discothèque 🔲 🔲 🔲 – Location : 🔲 🔲
mai-15 oct. – **R** indispensable 15 juil.-25 août – 🔲 piscine comprise 2 pers. 102 (114 ou 132 avec élect. 3A)

⚠ **La Loubine** « Cadre agréable », ℘ 51 33 12 92, O : 3 km – 🔲
5 ha (206 empl.) ⊶ plat, herbeux 🔲 – 🔲 ⌂ ⌂ 🔲 & ⊕ 🔲 ↝ 🔲 ▼ self 🔲 🔲 – 🔲 🔲 🔲 vélos – A proximité : poneys – Location : 🔲
15 avril-sept. – **R** conseillée juil.-août – 🔲 piscine comprise 3 pers. 120 (135 ou 145 avec élect. 4A)

&#x25B2;&#x25B2;&#x25B2; **Le Moulin de la Salle,** &#x260E; 51 95 99 10, O : 2,7 km
2,7 ha (129 empl.) plat, herbeux – half-court – Location : (gîtes)
juin-sept. – **R** conseillée 15 juil.-20 août – piscine comprise 2 pers. 85 (95 avec élect. 4 à 6A)

&#x25B2;&#x25B2;&#x25B2; **L'Orée,** &#x260E; 51 33 10 59, O : 3 km
5 ha (310 empl.) plat, herbeux (3,5 ha) – snack half-court – Location :
avril-sept. – **R** conseillée – piscine comprise 2 pers. 100 15 (4A)

&#x25B2;&#x25B2; **Sauveterre,** &#x260E; 51 33 10 58, O : 3 km
2,2 ha (170 empl.) plat, herbeux – mai-15 sept. – **R** conseillée juil.-août – 2 pers. 45 10 (2 à 6A)

&#x25B2;&#x25B2; **Nid d'Été** &#x260E; 51 95 34 38, O : 2,5 km
1,5 ha (113 empl.) plat, herbeux, petit étang – Location :
20 avril-sept. – **R** conseillée – 2 pers. 45 11 (6A)

# SABLÉ-SUR-SARTHE
**72300** Sarthe – 12 178 h.
Office de Tourisme, pl. Raphaël-Elizé &#x260E; 43 95 00 60

&#x24D8; G. Châteaux de la Loire

&#x25B2;&#x25B2; **Municipal de l'Hippodrome** &#x260E; 43 95 42 61, S : sortie vers Angers et à gauche, attenant à l'hippodrome, bord de la Sarthe
2 ha (133 empl.) plat, herbeux – – A proximité :
avril-sept. – **R** conseillée juil.-août – 11,40 7,25 7,25 11,50 (20A)

# SABLIÈRES
**07260** Ardèche – 149 h.

&#x25B2;&#x25B2;&#x25B2; La Drobie &#x260E; 75 36 95 22, O : 3 km bord de rivière – Pour caravanes : itinéraire conseillé depuis Lablachère par D 4
1,5 ha (80 empl.) incliné, en terrasses, herbeux, pierreux – vélos – Location :

# SAHORRE
**66360** Pyr.-Or. – 333 h. alt. 677

&#x25B2; **Fontanelle** &#x260E; 68 05 53 15, sortie N par D 6 rte de Villefranche-de-Conflent
1,2 ha (45 empl.) plat, herbeux, pierreux – mai-15 nov. – **R** conseillée – 12 12 12 9,50 (6 ou 8A)

# SAIGNES
**15240** Cantal – 1 009 h.

&#x24D2; G. Auvergne

&#x25B2;&#x25B2; **Municipal Bellevue,** &#x260E; 71 40 68 40, sortie NO du bourg, au stade
1 ha (42 empl.) plat, herbeux – A l'entrée :
juil.-août – **R** – Tarif 91 : 8,30 4 5 8,70

&#x25B2; **Municipal de Vialle** SO : 0,8 km par D 22 rte de Sauvat et chemin de Rampaneire à gauche
1 ha (33 empl.) plat et peu incliné, herbeux – Location : huttes
juil.-août – **R** – Tarif 91 : 5 2 2,50 7,50

# SAILLAGOUSE
**66800** Pyr.-Or. – 825 h. alt. 1 305.
Syndicat d'Initiative (fermé matin) &#x260E; 68 04 72 89

G. Pyrénées Roussillon

&#x25B2;&#x25B2; **Le Cerdan** « Cadre agréable », &#x260E; 68 04 70 46, à l'ouest du bourg par petite rte d'Estavar derrière l'église
0,8 ha (50 empl.) plat, herbeux – fermé oct. – **R** conseillée juil.-août – Tarif 91 : 2 pers. 55 (69 à 85 avec élect. 3 à 10A)

&#x25B2; Le Sègre « Cadre agréable », &#x260E; 68 04 74 72, à l'ouest du bourg, accès par rue du Torrent, bord du Sègre –
1 ha (80 empl.) plat et en terrasses, herbeux –

à Estavar O : 4 km par D 33 alt. 1 200 – 66800 Estavar :

&#x25B2;&#x25B2;&#x25B2; **L'Enclave** &#x260E; 68 04 72 27, sortie E près du D 33, bord de l'Angoust
3,5 ha (199 empl.) plat et peu incliné, en terrasses, pierreux, herbeux (2 ha) – – A proximité : – Location : , appartements
Permanent – **R** juil.-août – piscine comprise 2 pers. 72, pers. suppl. 23 (3A) 21 (6A) 32 (10A)

&#x25B2;&#x25B2; Le Miracle &#x260E; 68 04 73 83, à Bajande, E : 1,2 km par D 33 et D 33 D –
0,7 ha (40 empl.) plat et peu incliné, pierreux, herbeux –

# ST-AGNAN-EN-VERCORS
**26420** Drôme – 363 h. alt. 804

G.

&#x25B2; Municipal N : 1 km par D 518 rte de la Chapelle-en-Vercors
0,4 ha (30 empl.) plat, herbeux –

## ST-AGRÈVE

**07320** Ardèche – 2 762 h.
alt. 1 050.
🛈 Syndicat d'Initiative, Mairie
(juin-1er oct., vacances scolaires)
🕿 75 30 15 06

⏹ – 🎯 ⑨ ⑲ G. Vallée du Rhône

🏔 **Lacour** ≤ « Cadre agréable », 🕿 75 30 27 09, accès par centre ville en
direction d'Annonay puis E : 2,1 km par rte à droite
3 ha (70 empl.) ⊶ plat, peu incliné, herbeux ⊏⊐ ᎧᎧ – ⍫ ⇌ ⌁ ⊛ ⊠ – A proximité :
🏕
15 juin-15 sept. – **R** conseillée 14 juil.-15 août – ⚘ 13 ⇔ 8 ▣ 13 ⚡ 13

## ST-AIGNAN

**41110** L.-et-Ch. – 3 672 h.
🛈 Office de Tourisme (juil.-août)
🕿 54 75 22 85

⏹ – 🎯 ⑰ G. Châteaux de la Loire

🏔 **Municipal les Cochards,** 🕿 54 75 15 59, SE : 1 km par D 17 rte de Couffi,
bord du Cher
4 ha (227 empl.) ⊶ plat, herbeux Ꭷ – ⍫ ⇌ ⌁ ▣ ⊛ ⊒⚊ – ⌂ 🏕
15 mars-15 oct. – **R** conseillée – ⚘ 11 ⇔ 2,50 ▣ 9,35

## ST-ALBAN

**22400** C.-d'Armor – 1 662 h.

④ – 🎯 ④

🏔 **Municipal les Jonquilles** ≤, 🕿 96 32 96 05, sortie N par D 58 rte de
Pléneuf
1 ha (98 empl.) ⊶ en terrasses, plat et peu incliné, herbeux – ⍫ ⌁ ⚲ ⊛ –
A proximité : ✗
15 juin-15 sept. – **R** – ⚘ 8,30 ⇔ 3 ▣ 3 ⚡ 7,90 (3A)

## ST-ALBAN-AURIOLLES

**07120** Ardèche – 584 h.

⑯ – 🎯 ⑧

🏔 **Le Ranc Davaine,** 🕿 75 39 60 55, SO : 2,3 km par D 208 rte de Chandolas,
près du Chassezac
7 ha (200 empl.) ⊶ plat et peu incliné, rocailleux, herbeux Ꭷ – ⍫ ⇌ ⌁ ⌁ ▣
⚲ ⊛ ⌂ ✗ ✗ ⇌ 🍴 🔥 ⊒⚊ ⊒ ≋ vélos – Location : ⌂ 🏠 –
Pâques-15 sept. – **R** conseillée juil.-août – Tarif 91 : ▣ piscine comprise 2 pers.
83, pers. suppl. 17 ⚡ 14 (3 ou 6A)

## ST-ALBAN-DE-MONTBEL **73** Savoie – 🎯 ⑮ – rattaché à Aiguebelette (Lac d')

## ST-ALBAN-LES-EAUX

**42370** Loire – 843 h.

⏹ – 🎯 ⑦

🏔 **La Belle Étoile** ⚲ ≤, 🕿 77 65 84 07, NE : 1,5 km par D 8 et chemin à droite
0,3 ha (30 empl.) ⊶ plat et peu incliné, herbeux ⊏⊐ – ⍫ ⌁ ▣ ⊛ – ≋ (bassin)
avril-oct. – **R** – ⚘ 8,50 ▣ 11 ⚡ 9,50 (4A)

## ST-ALBAN-SUR-LIMAGNOLE

**48120** Lozère – 1 928 h. alt. 950

⑮ – 🎯 ⑮

🏔 **Le Galier,** 🕿 66 31 58 80, O : 1,5 km par D 987 rte d'Aumont-Aubrac, bord
de la Limagnole
4 ha (50 empl.) ⊶ plat et accidenté, herbeux – ⍫ ⇌ ⌁ ⊛ ⚲ – ⌂ –
A proximité : ✗
mars-15 nov. – **R** conseillée – ▣ 1 pers. 33, pers. suppl. 11 ⚡ 12 (5A) 20 (10A)

## ST-ALYRE-D'ARLANC

**63220** P.-de-D. – 219 h. alt. 842

⏹ – 🎯 ⑥

🏔 **Municipal les Besses** ⚲, au NO du bourg, bord d'un ruisseau
0,6 ha (32 empl.) plat et peu incliné, herbeux – ⍫ ⇌ ⌁ ⊛ ⚲
juil.-15 sept. – **R** – ⚘ 4,50 ⇔ 3 ▣ 3 ⚡ 4,50

## ST-AMANDIN

**15190** Cantal – 284 h. alt. 820

⏹ – 🎯 ③

🏔 **Municipal** ⚲ ≤, 🕿 71 78 18 28, sortie NE sur D 678 rte de Condat
1 ha (40 empl.) ⊶ plat, peu incliné, herbeux, pierreux – ⍫ ⇌ ⌁ ▣ ⚲ ⊛ ⚲
– ✗ ⚲ – A proximité : ✗
15 juin-15 sept. – **R** conseillée 15 juil.-août – ▣ piscine comprise 2 pers. 22, pers.
suppl. 6

## ST-AMAND-LES-EAUX

**59230** Nord – 16 776 h. –
⚑ avril-oct.
🛈 Office de Tourisme, 91
Grand'Place 🕿 27 27 85 00

② – 🎯 ⑰ G. Flandres Artois Picardie

🏔 **Mont des Bruyères** ⚲, 🕿 27 48 56 87, SE : 3,5 km, en forêt de St-Amand
3,5 ha (94 empl.) ⊶ plat et en terrasses, sablonneux, herbeux ⊏⊐ ᎧᎧ – ⍫ ⇌
⌁ ▣ 🍴 ⊛ ⚲ ⇌ ⚲ ✗ – ⌂ 🏕
mars-nov. – **R** conseillée – ▣ 2 pers. 41, pers. suppl. 15 ⚡ 17 (4,5A) 25 (7,5A)

## ST-AMAND-MONTROND ◀▶

**18200** Cher – 11 937 h.
🛈 Office de Tourisme, pl. République
🕿 48 96 16 86

⑩ – 🎯 ① ⑪ G. Berry Limousin

🏔 Municipal de la Roche ⚲ « Cadre agréable », 🕿 48 96 09 36, sortie SE par
N 144 rte de Montluçon et chemin de la Roche à droite avant le canal, près
du Cher
4 ha (150 empl.) ⊶ (saison) plat, peu incliné, herbeux ⊏⊐ ᎧᎧ – ⍫ ⇌ ⌁ ⊛ ⚲
– ⌂ ✗ 🏕
avril-sept. – **R**

## ST-AMANS-DES-COTS

**12460** Aveyron – 859 h. alt. 730

⛰ **Les Tours** ⚲ ≤, 𝒫 65 44 88 10, SE : 6 km par D 97 et D 599 à gauche, bord du lac de la Selves – alt. 600
15 ha/10 campables (195 empl.) ⌁ incliné, en terrasses, herbeux, pierreux ⌂ 
⚘ (3,5 ha) – 🍳 ⇄ 🚿 🖳 ⚄ ⊙ ⟲ ≈ 🛒 ⚑ ✕ 🛒 – 🗐 – 🔲 ✕ 🐎 🛶 🚣 🌊 vélos
– Location : 🏠
25 mai-sept. – **R** conseillée 25 juin-25 août – 🅴 piscine comprise 2 pers. 90, pers. suppl. 21 (12) 15 (5A)

⛰ **La Romiguière** ⚲ ≤ « Site agréable », 𝒫 65 44 44 64 ✉ 12210 Montpeyroux, SE : 8,5 km par D 97 et D 599 à gauche, près du lac de la Selves, accès direct – alt. 600
1 ha (40 empl.) ⌁ en terrasses, pierreux, herbeux – 🍳 ⇄ 🚿 ⊙ ≈ ⚑ ⚑ ⟲ 🛒
– 🌊
15 juin-15 sept. – **R** conseillée juil.-août – 🅴 2 pers. 55, pers. suppl. 18 (12) 12 (10A)

## ST-AMANT-ROCHE-SAVINE

**63890** P.-de-D. – 500 h. alt. 900

⛰ **Municipal Saviloisirs,** 𝒫 73 95 73 60, à l'est du bourg
0,3 ha (15 empl.) ⌁ plat et en terrasses, herbeux ⌂ – 🍳 ⇄ 🚿 ⚄ 🏭 ⊙ ≈ ⚑ ⚑
🗐 – 🔲 🚣 – A proximité : ✕
mai-sept. – **R̶** – ⚑ 10 élect. comprise ⟲ 4 🅴 3/5

▶ *Pour une meilleure utilisation de cet ouvrage,*
 *LISEZ ATTENTIVEMENT LE CHAPITRE EXPLICATIF.*

## ST-AMBROIX

**30500** Gard – 3 517 h.

🇫 Office de Tourisme, pl. de l'Ancien Temple (fermé après-midi hors saison) 𝒫 66 24 33 36

⛰ **Moulinet-Beau-Rivage** ⚲ ≤, 𝒫 66 24 10 17, SE : 3,5 km par D 37 rte de Lussan, bord de la Cèze
3,5 ha (132 empl.) ⌁ en terrasses, herbeux, pierreux ⌂ ⚘⚘ – 🍳 ⚄ ⊙ ≈ – 🛶 🚣
🌊
avril-sept. – **R** conseillée juil.-août – ⚑ 14 🅴 16 (12) 10 (2A) 12 (4A) 14 (6A)

⛰ **La Tour** ≤ « Site et cadre agréables », 𝒫 66 24 00 45, sortie SO par D 904 rte d'Alès
0,7 ha (35 empl.) ⌁ en terrasses, herbeux, pierreux ⚘⚘ – 🍳 🖳 ⚄ ⊙ – 🌊 (bassin)
– A proximité : ✕ 🚣
Pâques-15 oct. – **R** conseillée 10 juil.-15 août – ⚑ 10 ⟲ 6 🅴 11 (12) 10 (10A)

## ST-ANDIOL

**13670** B.-du-R. – 2 253 h.

⛰ **St-Andiol,** 𝒫 90 95 01 13, sortie SE par N 7 rte d'Aix-en-Provence
1 ha (44 empl.) ⌁ plat, herbeux ⌂ ⚘⚘ – 🍳 🏭 ⊙ ≈ ⚑ ⚑ 🛒 – 🚣 – 🅴 18,40
mars-oct. – **R** conseillée juil.-août – Tarif 91 : ⚑ 14 piscine comprise 🅴 18,40

## ST-ANDRÉ-DE-ROQUEPERTUIS

**30630** Gard – 361 h.

⛰ **Municipal la Plage,** 𝒫 66 82 26 11, NO : 1 km sur D 980 rte de Barjac, bord de la Cèze
1,8 ha (80 empl.) ⌁ plat, herbeux ⚘⚘ – 🍳 ⇄ 🚿 🖳 ⚄ ⊙ 🚣 🛒 – 🔲 🐎 🌊
15 juin-août – **R** conseillée – 🅴 2 pers. 40, pers. suppl. 10 (12) 10

⛰ **Le Martel,** 𝒫 66 82 25 44, NO : 2 km sur D 980 rte de Barjac, bord de la Cèze
1,4 ha (70 empl.) ⌁ plat, herbeux ⚘⚘ – 🍳 ⇄ 🚿 🖳 🚣 🗐 – 🌊
15 juin-15 sept. – **R** conseillée – 🅴 2 pers. 42, pers. suppl.15 (12) 12 (6A)

⛰ **Municipal la Rouvière,** 𝒫 66 82 29 81, NO : 1,5 km par D 980, rte de Barjac et D 167 à gauche, rte de Méjannes-le-Clap puis chemin à droite à 100 m de la Cèze – (accès direct) – Accès au camping et aux emplacements par pente à 10 %
0,5 ha (40 empl.) en terrasses, pierreux, herbeux ⌂ – 🍳 ⇄ 🚿 ⚄ ⊙ 🚣 – ✕
🐎 – A proximité : 🌊
juin-sept. – **R** conseillée – 🅴 2 pers. 40 (12) 10

## ST-ANDRÉ-DE-SANGONIS

**34150** Hérault – 3 472 h.

⛰ **Le Septimanien** ⚲, 𝒫 67 57 84 23, SO : 1 km par D 4 rte de Brignac
2,3 ha (60 empl.) ⌁ plat et en terrasses, pierreux ⌂ – 🍳 🖳 ⊙ ⚑ 🗐 – 🔲 🚣
15 mars-nov. – **R** conseillée juil.-août – 🅴 piscine comprise 2 pers. 52, pers. suppl. 17 (12) 15 (5A)

## ST-ANDRE-DES-EAUX

**44117** Loire-Atl. – 2 919 h.

⛰ **Municipal des Chalands Fleuris** Ⓜ ⚲, 𝒫 40 01 20 40, au NE du bourg, près du complexe sportif
2,5 ha (74 empl.) ⌁ (saison) plat, herbeux ⌂ – 🍳 ⇄ 🚿 🖳 ⚄ ⊙ ≈ 🗐 – 🔲
– A proximité : ✕ 🏊
mai-sept. – ⚑ 18 🅴 35 (45 avec élect.)

## ST-ANDRÉ-DE-SEIGNANX

**40390** Landes – 1 271 h.

⚠ **Le Ruisseau** 🐾, ℰ 59 56 71 92, O : 1 km par D 54 rte de St-Martin-de-Seignanx
1 ha (60 empl.) ⚬━ peu incliné, en terrasses, herbeux ⌇𝟤 – 🞢 🕹 🗠 🖫 ⊕ 🖳 – 🚗 🏊
Permanent – **R** *conseillée juil.-août* – ✶ *14 piscine comprise* 🔲 *18* 🚰 *10 (2A) 15 (4A) 20 (6A)*

13 – 78 ⑰

## ST-ANDRÉ-DE-VALBORGNE

**30940** Gard – 437 h.

⚠ **Municipal le Pont de Lelze** ≼, ℰ 66 60 33 25, SE : 1,2 km par D 907, rte de St-Jean-du-Gard, près du Gardon de St-Jean
0,5 ha (37 empl.) ⚬━ en terrasses, herbeux, pierreux – 🞢 🕹 🖫 🖳 ⊕
*juil.-5 sept.* – **R** – 🔲 *1 pers. 26, 2 pers. 42, pers. suppl. 10* 🚰 *11,50*

15 – 80 ⑯

## ST-ANDRÉ-LES-ALPES

**04170** Alpes de H.-Pr. – 794 h.
🄱 Syndicat d'Initiative, pl. M.-Pastorelli (15 juin-15 sept.) ℰ 92 89 02 39

⚠ **Municipal les Iscles,** ℰ 92 89 02 29, S : 1 km par N 202 rte d'Annot et à gauche, à 300 m du Verdon – alt. 894
2,5 ha (200 empl.) ⚬━ plat, pierreux, herbeux 𝟢𝟢 pinède – 🞢 🕹 🗠 🖫 ⊕ 🖫 –
🚗 – A proximité : 🏇 🏌 🛖 parcours sportif, vélos
*avril-sept.* – **R** *juil.-août* – ✶ *15,50* 🔲 *9* 🚰 *6,60 (4A)*

17 – 81 ⑱ G. Alpes du Sud

## ST-ANTOINE-DE-BREUILH

**24230** Dordogne – 1 756 h.

⚠ **Municipal St-Aulaye** 🐾, ℰ 53 24 82 80, SO : 3 km, à St-Aulaye, à 100 m de la Dordogne
1,5 ha (60 empl.) ⚬━ plat, herbeux 𝟢 – 🞢 🕹 🖫 🖳 ⊕ 🛒 – 🚗 – A proximité : 🏌
*15 juin-15 sept.* – **R** – *Tarif 91* : ✶ *8* 🔲 *8 (16 avec élect. 4A)*

9 – 75 ⑬

## ST-ANTONIN-NOBLE-VAL

**82140** T.-et-G. – 1 867 h.
🄱 Office de Tourisme, Mairie ℰ 63 30 63 47

⚠ **Les Trois Cantons** 🐾, ℰ 63 31 98 57, NO : 8,5 km, près du D 926 (rte Caussade-Villefranche-de-R.) – Entre Septfonds (6 km) et Caylus (9 km)
20 ha/4 campables (80 empl.) ⚬━ plat, peu incliné, pierreux, herbeux 𝟢𝟢 – 🞢 🕹
🗠 🖫 🖳 ⊕ 🖫 🚑 🛒 – 🚗 🏊 vélos
*mai-sept.* – **R** *conseillée juil.-20 août* – ✶ *22* 🔲 *25* 🚰 *9,50 (2A) 18 (5A)*

14 – 79 ⑲ G. Périgord Quercy

## ST-APOLLINAIRE

**05160** H.-Alpes – 99 h.

⚠ **Municipal le Clos du Lac** 🐾 ≼ lac de Serre-Ponçon et montagnes « Belle situation dominante », ℰ 92 44 27 43, NO : 2,3 km par D 509, à 50 m du lac de St-Apollonaire – alt. 1 450
2 ha (73 empl.) ⚬━ en terrasses et peu incliné, herbeux – 🞢 🗠 🖫 ⊕ – A proximité :
🍴 snack 🛖 🛒
*15 juin-15 sept.* – **R** – 🔲 *2 pers. 38, pers. suppl. 13*

17 – 77 ⑰

## ST-ARNOULT 14 Calvados – 54 ⑰ – rattaché à Deauville

## ST-ASTIER

**24110** Dordogne – 4 780 h.

⚠ **Municipal du Pontet** « Situation agréable », ℰ 53 54 14 22, sortie E par D 41 rte de Montanceix, bord de l'Isle
3,5 ha (100 empl.) ⚬━ plat, herbeux 𝟢 – 🞢 🕹 🗠 🖫 ⊕ – 🛒 🚣 🚗 🛒
*mai-sept.* – **R** *conseillée juil.-août* – ✶ *15* 🔲 *20* 🚰 *15 (3A)*

10 – 75 ⑤ G. Périgord Quercy

## ST-AUBIN-DE-NABIRAT

**24250** Dordogne – 124 h.

⚠ **Municipal la Vieille Église** Ⓜ 🐾, à 1,5 km au NO de la commune, au lieudit St-Aubin, près des ruines de l'église
2 ha (33 empl.) en terrasses et peu incliné, pierreux, herbeux 𝟢 – 🞢 🕹 🖫 🖳 ⊕
⊕
*15 juin-15 sept.* – **R** – ✶ *10* 🔲 *12* 🚰 *8 (6A)*

13 – 75 ⑰

## ST-AUBIN-DU-CORMIER

**35140** I.-et-V. – 2 040 h.

⚠ **Municipal,** au SE du bourg, rue du Four Banal, près d'un étang
0,4 ha (40 empl.) peu incliné, herbeux – 🞢 🕹 🖫 ⊕
*30 mars-26 oct.* – **R** – ✶ *8,50* 🔲 *7* 🚰 *8,50 (6A) 12 (10A)*

5 – 59 ⑱ G. Bretagne

## ST-AUBIN-LE-CLOUD

**79450** Deux-Sèvres – 1 901 h.

⚠ **Municipal Montplaisir** 🐾, sortie E par D 140 rte de Parthenay et à gauche, près d'un plan d'eau
0,8 ha (70 empl.) peu incliné, herbeux – 🞢 🗠 ⊕ – A proximité : 🏌 🚣
*juin-sept.* – *Tarif 91* : ✶ *6* 🚗 *5* 🔲 *5* 🚰 *10*

9 – 68 ⑪

341

## ST-AUBIN-SUR-MER
**76740** S.-Mar. – 281 h.

1 – 52 ③ G. Normandie Cotentin

▲▲▲ **Municipal le Mesnil** ⏃ « Ancienne ferme normande », ℘ 35 83 02 83, O :
2 km par D 68 rte de Veules-les-Roses
2,2 ha (114 empl.) ⊶ plat et en terrasses, herbeux ⊏⊐ – 🗂 ⏚ 🖾 🕹 ▥ ⊛
🛱 🖃 – 🍴
30 mars-27 oct. – **R** conseillée juil.-août – Tarif 91 : 🏕 18 ⊶ 9 🖾 14,50
🔌 16 (10A)

---

## ST-AUBIN-SUR-MER
**14750** Calvados – 1 526 h.
🅸 Office de Tourisme, Digue
Favereau (vacances scolaires,
juin-sept.) ℘ 31 97 30 41

5 – 55 ① G. Normandie Cotentin

▲▲▲ **La Côte de Nacre,** ℘ 31 97 14 45, au sud du bourg par D 7b
5,6 ha (350 empl.) ⊶ plat, herbeux – 🗂 ⏚ 🖾 🕹 ▥ ⊛ ☒ ▽ 🛒 ⏃ snack
🛱 🖃 – 🍴
Rameaux-11 nov. – **R** conseillée juil.-août – 🏕 22 piscine comprise ⊶ 11
🖾 13,50 🔌 15 (4A) 20 (6A) 25 (10A)

---

## ST-AUGUSTIN-SUR-MER
**17570** Char.-Mar. – 742 h.
Schéma aux Mathes

9 – 171 ⑮

▲▲ **Le Logis du Breuil** ⏃ « A l'orée de la forêt de St-Augustin, agréable
sous-bois », ℘ 46 23 23 45, SE : sur D 145 rte de Royan
8,5 ha (300 empl.) ⊶ plat, sablonneux, herbeux, terrasse ♨♨ (4 ha) – 🗂 ☒ 🖾
🕹 ⊛ pizzeria, crêperie 🖃 – 🛒 ⏃ – A proximité : 🐴 🐎
15 mai-sept. – **R** conseillée – 🏕 14 piscine comprise ⊶ 5 🖾 14 🔌 12 (3A)
14 (6A)

▲▲ **La Ferme de St-Augustin n° 2,** ℘ 46 39 14 46, au bourg
2,3 ha (111 empl.) plat et peu incliné, herbeux, sablonneux ♨♨ – 🗂 ⏚ 🖾 🕹
☒ ▽ 🚲 🛒 ⏃ vélos – A proximité : ✖ 🐎 – Location : 🚐
🏕 🏠 – Permanent – **R** conseillée – 🖾 3 pers. 65, pers. suppl. 15 🔌 15 (6A)

▲ **Municipal Côtes de Saintonge,** ℘ 46 23 23 48, SE : sur D 145 rte de
Royan
2 ha (83 empl.) ⊶ accidenté, sablonneux, herbeux ♨♨ – 🗂 ☒ 🖾 ⊛ – 🛒 –
A proximité : 🐎
juin-sept – **R** conseillée août – 🖾 3 pers. 44, pers. suppl. 13 🔌 13,50 (6A)

▲ **L'Écureuil** ⏃, ℘ 46 39 13 39, à l'ouest du bourg
3 ha (80 empl.) accidenté, sablonneux, herbeux ♨♨ – 🗂 ⏚ 🖾 ⊛ – A proximité :
🖃 ✖ 🛒 ⏃
juil.-août – **R** conseillée – 🖾 3 pers. 65, pers. suppl. 15 🔌 15 (6A)

▲ **Les Vignes** ⏃, ℘ 46 23 23 51, à l'Est du bourg
1,3 ha (96 empl.) peu incliné, herbeux, pierreux – 🗂 ⏚ 🖾 🕹 – A proximité :
🛒
15 juin-sept. – **R** conseillée 14 juil.-15 août – 🖾 3 pers. 40, pers. suppl. 10
🔌 12 (5A) 16 (10A)

---

## ST-AVERTIN 37 I.-et-L. – 64 ⑮ – rattaché à Tours

---

## ST-AVIT-DE-VIALARD
**24260** Dordogne – 113 h.

13 – 75 ⑯

▲▲▲ **St-Avit Loisirs** ⏃ ⪡, ℘ 53 02 64 00, E : 1,8 km par C 201 rte de St-Alvère
40 ha/6 campables (150 empl.) ⊶ plat, peu incliné, herbeux ⊏⊐ ♨♨ – 🗂 ☒ ⏚
🖾 🕹 ⊛ ☒ ▽ 🛒 ⏃ ✖ ⟘ – ✖ 🛒 ⏃ vélos – Location : 🛏 appartements
11 avril-sept. – **R** conseillée juil.-août – 🏕 26,40 piscine comprise 🖾 42 🔌 16,50
(6A)

---

## ST-AVOLD
**57500** Moselle – 16 533 h.
🅸 Office de Tourisme, Mairie
℘ 87 91 30 19

8 – 57 ⑮ G. Alsace Lorraine

▲ **Base de Plein Air du Felsberg** Ⓜ ⏃, ℘ 87 92 75 05, au nord du centre
ville, près N 3, accès par rue en Verrerie, face à la station service Record – Par
A 4 : sortie St-Avold Carling
1,2 ha (30 empl.) ⊶ plat et peu incliné, terrasses, herbeux, pierreux ♨♨ – 🗂 🕹
☒ ⏃ – 🛒 – Location : 🛏 (aub. jeunesse)
Permanent – **R** – 🏕 8 🖾 12/16 🔌 été : 10 (4A) hiver : 20 (6A)

---

## ST-AVRE
**73130** Savoie – 627 h.

12 – 77 ⑦

▲▲ **Le Bois Joli** ⏃ « Cadre boisé », ℘ 79 56 21 28, N : 1 km rte de St-Martin-
sur-la-Chambre, bord d'un ruisseau
3 ha (70 empl.) ⊶ (saison) plat et accidenté, herbeux, rocheux ♨♨♨ – 🗂 ☒ 🖾
⊛ ⏃ – 🛒 ⏃ – Location : 🏠
Pâques, juin-15 sept. – **R** 14 juil.-15 août – Tarif 91 : 🖾 piscine comprise 2 pers.
40, pers. suppl. 18 🔌 10 (2A) 15 (3 à 10A)

▲ **Le Petit Nice** ⏃ ⪡, ℘ 79 56 24 86, N : 3,5 km par D 76, à N.-D.-du-Cruet, bord
d'un torrent
1,2 ha (33 empl.) ⊶ plat et accidenté, herbeux, pierreux ♨♨ – 🗂 ⏚ ☒ ⊛ ✖
(dîner seulement) – 🖗

## ST-AYGULF

**83370** Var

🛈 Office de Tourisme, pl. Poste
𝄢 94 81 22 09

△△△ **L'Étoile d'Argens** ⌂, 𝄢 94 81 01 41, NO : 5 km par D 7 rte de Roquebrune-sur-Argens et D 8 à droite, bord de l'Argens
10 ha (420 empl.) ⊶ plat, herbeux ⌨ ♧ – ⋒ ⇔ ⌕ ⊕ ⚆ ⍩ ⚌ ✕ ⚐ ▣ – ⚒ ♏ ⚓ ⍖ port privé, navette pour les plages
Pâques-sept. – **R** indispensable saison – Tarif 91 : ▣ 3 pers. 146/165 avec élect. 10A, 4 pers. 203 ou 220 avec élect. 20A, pers. suppl. 29

△△△ **Résidence du Campeur,** 𝄢 94 81 01 59, NO : 3 km par D 7 rte de Roquebru-ne-sur-Argens
10 ha (450 empl.) ⊶ plat, herbeux ⌨ ♧ – Sanitaires individuels : ⋒ ⇔ éviers wc, ⊕ ⚐ ♟ ✕ ⚐ – ⚓ discothèque ✕ ♏ ⚓ ⍖ – Location : ⌂
avril-sept. – Places disponibles pour le passage – **R** indispensable juil.-août – ▣ élect., piscine et tennis compris 3 pers. 170

△△△ **Au Paradis des Campeurs,** 𝄢 94 96 93 55, S : 2,5 km par N 98 rte de Ste-Maxime, à la Gaillarde, accès direct à la plage
1,5 ha (130 empl.) ⊶ plat, herbeux ♧ – ⋒ ⇔ ⌕ ▣ ⊕ ⍩ ⍖ ⚌ ♟ pizzeria ⚐ ♏ – ⚓ ⚓ – A proximité : discothèque
Pâques-sept. – **R** – Tarif 91 : 3 pers. 100 🄶 13,50 (3A) 20 (6A)

△△ **Les Lauriers Roses** ⌕, 𝄢 94 81 24 46, NO : 3 km par D 7 rte de Roquebrune-sur-Argens
2 ha (108 empl.) ⊶ accidenté, en terrasses, pierreux ⚌ – ⋒ ⇔ ⌕ ▣ ⊕ ⚌ ♟ ▣ – ⚓ ⚓ – A proximité : ♏ ♏ – Location : ⌂ ⌂
avril-1ᵉʳ oct. – **R** conseillée saison – ▣ piscine comprise 2 pers. 84/105 avec élect. (5A)

△△ **St-Aygulf,** 𝄢 94 81 20 14, sortie N rte de St-Raphaël, accès direct à la plage
22 ha (1 600 empl.) ⊶ plat, herbeux ⚌ – ⋒ ⇔ ⌕ ⊕ ⚐ ♏ ⚌ ▣ – ♏
juin-15 sept. – **R** – Tarif 91 : ▣ 2 pers. 90 avec élect. (10A), pers. suppl. 20

△ **Vaudois,** 𝄢 94 81 37 70 ✉ 83520 Roquebrune-sur-Argens, NO : 4,5 km par D 7 rte de Roquebrune-sur-Argens, à 300 m d'un plan d'eau
3 ha (50 empl.) ⊶ plat, herbeux ⌨ ⚌ – ⋒ ▣ – ⚓ ♏
15 mai-sept. – **R** conseillée juil.-août – ▣ élect. (3A) comprise 1 ou 2 pers. 70

---

## ST-BAUZILLE-DE-PUTOIS

**34190** Hérault – 1 021 h.

△△ **Municipal les Mûriers** ⌂, 𝄢 67 73 73 63, S : par D 108E et chemin des Sauzèdes
1 ha (90 empl.) ⊶ plat, herbeux ⚌ – ⋒ ⇔ ⌕ ⊕ – A proximité : ✕
11 avril-sept. – **R** conseillée juil.-août – ▣ 2 pers. 45, pers. suppl. 14 🄶 12

---

## ST-BÉAT

**31440** H.-Gar. – 547 h.

△△ **Municipal Clef de France** ⌕ « Site agréable », sortie SE rte de Fos, au confluent de la Garonne et d'un torrent
1 ha (72 empl.) plat, herbeux – ⋒ ⇔ ⌕ ▥ ⊕ – ⚌
Permanent – Pas de places pour le passage l'hiver – **R** – ♦ 7 ▣ 6 🄶 8 (moins de 5A) 18 (10A)

△△ **Theï La Garonnette** ⌕ « Site agréable », 𝄢 61 79 41 36, sortie E par D 44 rte de Boutx, bord de la Garonne
1 ha (60 empl.) ⊶ plat, herbeux, pierreux – ⋒ ⇔ ⌕ ▥ ⊕ – ⚓ – A proximité ⚓
Permanent – Places limitées pour le passage – **R** – Tarif 91 : ♦ 7 ▣ 6,50 🄶 7,40 (2A) 19,80 (6A) 28 (10A)

---

## ST-BEAUZÉLY

**12620** Aveyron – 487 h.

△ **Municipal la Muze,** sortie N par D 30 rte de Millau, bord d'un ruis-seau
0,6 ha (30 empl.) plat, herbeux, pierreux ⚌ – ⋒ ⊕ – ✕ – A proximité : ♟
15 juin-sept. – **R** – ♦ 9 ▣ 9 🄶 9

---

## ST-BENOÎT **86** Vienne – 67 ⑳ – rattaché à Poitiers

---

## ST-BLIMONT

**80960** Somme – 1 046 h.

△△ Municipal les Aillots ⌂, 𝄢 22 30 62 55, au bourg, r. des Écoles
1,5 ha (71 empl.) ⊶ (saison) plat, herbeux ⚌ – ⋒ ⇔ ⌕ ⊕ – ⚓
avril-sept. – **R**

---

## ST-BONNET-DE-JOUX

**71220** S.-et-L. – 845 h.

△ **Municipal,** sortie E par D 7 rte de Salloray-sur-Guye et chemin à gauche, bord d'un étang
0,5 ha (21 empl.) plat et peu incliné, herbeux, gravillons – ⋒ – ✕
juin-oct. – **R** – ♦ 6 ⚓ 5 ▣ 10/20

## ST-BONNET-EN-CHAMPSAUR

17 - 77 ⑯ G. Alpes du Nord

**05500** H.-Alpes – 1 371 h. alt. 1 025.

Syndicat d'Initiative, r. des Maréchaux 92 50 02 57

**Camp V.V.F.** ≤, 92 50 01 86, SE : 0,8 km par D 43 rte de St-Michel-de-Chaillol et à droite –
0,6 ha (28 empl.) en terrasses, peu incliné, herbeux, pierreux – garderie – – A proximité :
12 avril-12 sept. – **R** *conseillée juil.-août – Adhésion V.V.F. obligatoire – 2 pers. 50, pers. suppl. 17*

## ST-BONNET-LE-CHÂTEAU

11 - 76 ⑦ G. Vallée du Rhône

**42380** Loire – 1 687 h. alt. 870

**Municipal du Stade** ≤, 77 50 03 16, E : par D 3 rte de Firminy et chemin, à 450 m d'un plan d'eau
1,4 ha (55 empl.) peu incliné, herbeux – –
A proximité :
Pâques-Toussaint – *Places limitées pour le passage* – **R** – *5,50 3 3 3,50 (3A) 6,50 (6A)*

## ST-BONNET-TRONÇAIS

11 - 69 ⑫ G. Auvergne

**03360** Allier – 913 h.

**Champ Fossé** ≤ « Belle situation au bord de l'étang de St-Bonnet », 70 06 11 30, SO : 0,7 km
3 ha (110 empl.) peu incliné, herbeux – –
– Location : gîtes
avril-sept. – **R** *conseillée juil.-août – 10,20 4,30 4,30 12,50 (7A)*

## ST-BRÉVIN-LES-PINS

4 - 67 ①

**44250** Loire-Atl. – 8 688 h.
**Pont de St-Nazaire** N : 3 km - voir à St-Nazaire

Office de Tourisme, 10 r. de l'Église (saison) 40 27 24 32 et pl. d'Ouessant (saison) 40 27 24 33

**Les Pierres Couchées** « Agréable cadre boisé », 40 27 85 64, S : 5 km par D 213, au lieu-dit l'Ermitage, à 450 m de la plage
14 ha/9 campables (350 empl.) (saison) plat et accidenté, sablonneux, herbeux – ( avril-oct.) – –
A proximité : – Location :
Permanent – **R** *conseillée juil.-août – adhésion obligatoire aux non-mutualistes – piscine comprise 3 pers. 89,55 19,40 (6A)*

**le Fief,** 40 27 23 86, S : 2,4 km par rte de Saint-Brévin-l'Océan et à gauche, chemin du Fief
6 ha (425 empl.) plat, herbeux – – – Location :
Permanent – **R** *conseillée août – piscine comprise 2 pers. 74, pers. suppl. 20 15 (5A)*

**Municipal de la Courance,** 40 27 22 91, sortie S, 100-110 av. du Maréchal-Foch, bord de l'océan
4,6 ha (347 empl.) accidenté, sablonneux – ( avril-oct.) –
Permanent – **R** *juil.-août – élect. (5A) comprise 2 pers. 65*

## ST-BRIAC-SUR-MER

4 - 59 ⑤ G. Bretagne

**35800** I.-et-V. – 1 825 h.

Syndicat d'Initiative, 49 Grande-Rue (vacances de printemps, 15 juin-15 sept.) 99 88 32 47

Émeraude « Entrée fleurie », 99 88 34 55, chemin de la Souris
2,5 ha (200 empl.) plat et peu incliné, herbeux – –

**Municipal** , 99 88 34 64, SE : 0,5 km par D 3 rte de Pleurtuit
3 ha (200 empl.) plat, peu incliné, herbeux – – A proximité :
29 juin-15 sept. – **R** – *7,70 13 10 (3A) 18 (6A)*

## ST-BRIEUC

4 - 59 ③ G. Bretagne

**22000** C.-d'Armor – 44 752 h.

Office de Tourisme, 7 r. Saint-Gouéno 96 33 32 50

*à Plérin* N : 3 km – 22190 Plérin :

**Municipal le Surcouf,** 96 73 06 22, **à St-Laurent-de-la-Mer,** E : 4 km, r. Surcouf
2,8 ha (110 empl.) (saison) plat et peu incliné, herbeux – –
avril-sept. – **R** *conseillée juil.-août – 10,40 8,35 14,60 9,40 (3A)*

Les Mouettes, 96 74 51 48, N : 2,5 km par D 1b rte des Rosaires et à droite
0,7 ha (43 empl.) plat, herbeux –
juin-oct. – **R** *conseillée*

## ST-CALAIS

5 - 64 ⑤ G. Châteaux de la Loire

**72120** Sarthe – 4 063 h.

Office de Tourisme, pl. de l'Hôtel-de-Ville 43 35 82 95

**Municipal du Lac,** 43 35 04 81, sortie N par D 249 rte de Montaillé, près d'un plan d'eau
1,8 ha (60 empl.) plat, herbeux – – – A proximité :
avril-sept. – **R** *conseillée – 6 3,40 3,50 5,80 (3A) 9,40 (6A)*

► *Si vous recherchez un terrain avec tennis ou piscine,*
***consultez le tableau des localités citées, classées par départements.***

## ST-CAST-LE-GUILDO

**22380** C.-d'Armor – 3 093 h.

🛈 Office de Tourisme, pl. du Général-de-Gaulle ℰ 96 41 81 52

🔺🔺 **Le Châtelet** ॐ ≤, ℰ 96 41 96 33, O : 1 km, r. des Nouettes, à 250 m de la mer et de la plage (accès direct)
7,6 ha/3,9 campables (180 empl.) ⚬╼ en terrasses, plat et peu incliné, herbeux, petit étang ⊡ – 🖎 ⚲ ⏚ 🗟 🗟 ⚁ ⊕ 🌣 ⚡ crêperie 🍴 🗟 – 🏠 🐟 – Location : 🚐
mai-20 sept. – **R** conseillée juil.-août – ⚿ 23 piscine comprise 🗐 57 🔌 13 (3A) 16 (6A) 18 (10A)

🔺🔺 **Municipal de la Mare** ॐ ≤ Fort la Latte et mer, ℰ 96 41 89 19, à l'Isle, au NO de St-Cast-le-Guildo, près de la plage de la Mare et face au V.V.F.
1,5 ha (160 empl.) ⚬╼ (saison) en terrasses et peu incliné, herbeux – 🖎 ⚲ ⏚ 🗟 ⏚ ⚁
15 mai-15 sept. – **R** – Tarif 91 : ⚿ 11 ⚗ 5 🗐 6 🔌 9,50 (3A)

## ST-CÉRÉ

**46400** Lot – 3 760 h.

🛈 Office de Tourisme, pl. de la République (fermé matin oct.-mai) ℰ 65 38 11 85

🔺🔺 **Municipal** ॐ « Cadre agréable », ℰ 65 38 12 37, sortie SE par D 48, quai Auguste-Salesses, bord de la Bave
2,5 ha (150 empl.) ⚬╼ (saison) plat, herbeux ⚲ – 🖎 ⚲ ⏚ 🗟 ⚁ 🗟 – ⚗
A proximité : ✖ 🏊

## ST-CHÉRON

**91530** Essonne – 4 082 h.

🔺🔺 **Le Parc des Roches** ◇ ॐ « Cadre agréable en sous-bois », ℰ (1) 64 56 65 50, à la Petite Beauce, SE : 3,4 km par D 132 rte d'Étrechy et chemin à gauche
23 ha/12 campables (300 empl.) ⚬╼ plat et accidenté ⊡ ⚲⚲ – 🖎 ⚲ ⚲ 🗟 ⚡ ⊕ 🌣 ⚡ snack – 🔲 salle d'animation ✖ ⚗ – Location longue durée (6 600F ou 7 450F) – Places limitées pour le passage – **R** conseillée juin à sept. – ⚿ 20 piscine comprise ⚗ 6 🗐 18 🔌 10 (4A)

## ST-CHRISTOLY-DE-BLAYE

**33920** Gironde – 1 765 h.

🔺🔺 **Le Maine Blanc** ॐ, ℰ 57 42 52 81, NE : 2,5 km par D 22 rte de St-Savin et chemin à gauche
2 ha (50 empl.) ⚬╼ (saison) plat, herbeux – 🖎 ⚲ ⏚ ⚁ ⊕ 🌣 🗟 – 🔲 ⚗
🏊 (bassin) – Location : 🚐 🏚
Permanent – **R** conseillée – ⚿ 12 🗐 12/14 🔌 10 (3A) 16 (6A) 20 (10A)

## ST-CHRISTOPHE-DE-DOUBLE

**33230** Gironde – 564 h.

🔺 **Municipal du Centre Nautique et de Loisirs** ॐ ≤, ℰ 57 49 50 02, E : 0,8 km par D 123 et à droite, près d'un lac
0,7 ha (54 empl.) ⚬╼ peu incliné, sablonneux, pierreux ⚲ pinède – 🖎 ⚲ 🗟 ⏚
⚁ 🌣 ⚡ – A proximité : ✖ 🏊
juin-sept. – **R** – ⚿ 9 🗐 16 🔌 12 (16A)

## ST-CHRISTOPHE-EN-OISANS

**38143** Isère – 103 h. alt. 1 468

🔺🔺 **Municipal la Bérarde** ॐ ≤ Parc National des Écrins, ℰ 76 79 20 45, SE : 10,5 km par rte de la Bérarde, bord du Vénéon – D 530 avec fortes pentes, difficile aux caravanes – alt. 1 738 – Croisement parfois impossible à certains passages
2 ha (165 empl.) ⚬╼ peu incliné et plat, en terrasses, pierreux – 🖎 ⚲ ⏚ 🗟 ⚁
– 🔲
juin-sept. – **R** – Tarif 91 : 🗐 1 pers. 30, 2 pers. 45, 3 pers. 60, pers. suppl. 12 🔌 11

## ST-CIRGUES-EN-MONTAGNE

**07510** Ardèche – 361 h. alt. 1 044

🔺🔺 **Les Airelles** ≤, ℰ 75 38 92 49, sortie N rte du Lac-d'Issarlès, rive droite du Vernason
0,7 ha (50 empl.) ⚬╼ en terrasses et peu incliné, pierreux, herbeux – 🖎 ⚲ 🗟
⚁ – 🔲 – A proximité : ✖ ⚗ – Location : 🏚
mai-oct. – **R** juil.-août – 🗐 2 pers. 47, pers. suppl. 12 🔌 12 (3A)

## ST-CIRQ-LAPOPIE

**46330** Lot – 187 h.

🔺🔺🔺 **La Plage** ≤ village « Situation agréable », ℰ 65 30 29 51, NE : 1,4 km par D 8 rte de Tour-de-Faure, à gauche avant le pont, bord du Lot
2,5 ha (100 empl.) ⚬╼ plat, herbeux ⚲⚲ – 🖎 ⚲ ⏚ 🗟 ⏚ ⚁ ⊕ 🌣 ⚡ ⚡ snack 🗟 – 🔲 🏊 – A proximité : ⚲
Pâques-1er nov. – **R** conseillée juil.-août – 🗐 1 pers. 28 🔌 13 (6A) 20 (10A)

🔺 **La Truffière** ॐ ≤ « Agréable chênaie », ℰ 65 30 20 22, S : 3 km sur D 42 rte de Concots
4 ha (50 empl.) ⚬╼ (saison) accidenté, en terrasses et incliné, herbeux, pierreux ⚲⚲ – 🖎 ⚲ ⏚ 🗟 ⚁ – 🐟 – Location : 🏚 (hôtel)
Pâques-1er oct. – **R** conseillée juil.-août – 🗐 piscine comprise 1 pers. 25 🔌 13 (5A) 20 (10A)

**ST-CLAIR** 83 Var – 🗺 84 ⑯ – rattaché au Lavandou

---

**ST-CLAUDE** ◇⒫

🗺 12 – 170 ⑮ G. Jura

**39200** Jura – 12 704 h.

🅱 Office de Tourisme 1 av. de Belfort

🖉 84 45 34 24

⚶ Municipal du Martinet ≤ « Site agréable », 🖉 84 45 00 40, SE : 2 km par rte de Genève et D 290 à droite, au confluent du Flumen et du Tacon

2,9 ha (150 empl.) ⊶ plat et incliné, herbeux ♀♀ – 🗍 ⇄ 🛏 🖪 ⊕ 🗲 🍽 snack

⚓ – 🖾 🏊 - A l'entrée : ✖

15 mai-sept. – 🏚

---

**ST-CLÉMENT-DES-BALEINES** 17 Char.-Mar. – 🗺 171 ⑫ – voir à Ré (Ile de)

---

**ST-CLÉMENT-DE-VALORGUE**

🗺 11 – 73 ⑰

**63660** P.-de-D. – 237 h. alt. 919

⚶ **Les Narcisses** ❀ ≤, 🖉 73 95 45 76, NO : 1,2 km par rte de Mascortel

1,4 ha (35 empl.) ⊶ plat et terrasse, herbeux – 🗍 ⇄ 🛏 🖪 ⊕ – ⚓

15 juin-10 sept. – **R** – ★ 9 ⇔ 5 🖪 5/6,50 ⓖ 7 (5A)

---

**ST-CLEMENT-SUR-DURANCE**

🗺 17 – 77 ⑱

**05600** H.-Alpes – 191 h. alt. 875

⚶ **les Mille Vents** ≤, 🖉 92 45 10 90, E : 1 km par N 94 rte de Briançon et D 994ᴰ à droite après le pont, bord de la rivière

1,6 ha (100 empl.) ⊶ plat et terrasse, pierreux, herbeux – 🗍 🖄 ⚓ ⊕

15 juin-15 sept. – 🏚 – ★ 10 🖪 20 ⓖ 10 (5A)

---

**ST-CONGARD**

🗺 4 – 63 ④

**56140** Morbihan – 664 h.

⚶ **Municipal du Halage,** au bourg, près de l'église et de l'Oust

0,8 ha (60 empl.) plat à peu incliné, herbeux ⌑ – 🗍 ⇄ ⇔ ⚓

15 juin-15 sept. – **R** – ★ 5 ⇔ 2,50 🖪 2,50 et 6 pour eau chaude

---

**ST-CONSTANT**

🗺 15 – 76 ⑪

**15600** Cantal – 659 h.

⚶ **Moulin de Chaules** ❀ « Cadre et situation agréables », 🖉 71 49 11 02, E : 3 km par D 28 rte de Calvinet, bord de la Ressègue et d'un ruisseau – Tracteur à la disposition des caravaniers

2,7 ha (60 empl.) ⊶ plat et en terrasses, pierreux, herbeux ♀ – 🗍 🖄 🖪 ⊕ 🗲

✖ 🖪 – 🖾 ⚌ (bassin) – Location : ⌂

30 mars-oct. – **R** conseillée juil.-août – 🖪 2 pers. 54,50 ⓖ 12 (4A)

---

**ST-COULOMB**

🗺 4 – 59 ⑥

**35350** I.-et-V. – 1 938 h.

⚶ **Du Guesclin** ❀ ≤, NE : 2,5 km par D 355 rte de Cancale et rte à gauche

0,45 ha (30 empl.) ⊶ (saison) peu incliné, herbeux – 🗍 🖄 ⚓ ⊕

Pâques-sept. – **R** conseillée – ★ 11,60 🖪 12,60 ⓖ 8,20 (6A)

---

**ST-CRÉPIN-ET-CARLUCET**

🗺 13 – 75 ⑰ G. Périgord Quercy

**24590** Dordogne – 372 h.

⚶ **Les Peneyrals** Ⓜ ❀, 🖉 53 28 85 71, à St-Crépin, sur D 56 rte de Proissans

8 ha/3 campables (120 empl.) ⊶ en terrasses, herbeux, pierreux, étang ⌑ ♀

– 🗍 ⇄ 🛏 🖪 ⚓ ⊕ 🗲 ✖ ⚓ – 🖾 ⚌ ⚔ 🏊 piste de bi-cross

– Location : ⌂

15 mai-15 sept. – **R** conseillée juil.-août – ★ 24 piscine comprise 🖪 36 ⓖ 12 (5A) 15 (10A)

⚶ **Le Pigeonnier - Club 24,** 🖉 53 28 92 62, NO : 1,3 km sur D 60 rte de Sarlat-la-Canéda

1 ha (65 empl.) ⊶ peu incliné, herbeux ⌑ – 🗍 ⇄ 🛏 🖪 ⚓ ⊕ 🗲 🍽 snack ⚓

– discothèque (samedi soir seulement) 🏊

15 mai-15 sept. – **R** conseillée – ★ 16 piscine comprise 🖪 20 ⓖ 11 (6A) 15 (10A)

---

**ST-CYBRANET**

🗺 13 – 75 ⑰

**24250** Dordogne – 310 h.

Schéma à la Roque-Gageac

⚶ **Le Céou** ❀ ≤, 🖉 53 28 32 12, S : 1 km, à proximité du Céou – ✂

2 ha (66 empl.) ⊶ plat et en terrasses, herbeux, pierreux ⌑ ♀♀ – 🗍 ⇄ 🛏

⊕ ✖ ⚓ 🖪 – 🖾 🏊 - A proximité : ⚌ – Location : ⌂

2 mai-26 sept. – **R** conseillée juil.-août – ★ 30 piscine comprise 🖪 35 ⓖ 15 (5A)

⚶ **Bel Ombrage,** 🖉 53 28 34 14, NO : 0,8 km, bord du Céou

5 ha (140 empl.) ⊶ plat, herbeux ⌑ ♀♀ – 🗍 ⇄ 🛏 🖪 ⊕ – 🖾 ⚔ 🏊 ⚌

juin-5 sept. – **R** conseillée juil.-août – ★ 19 piscine comprise 🖪 35 ⓖ 14 (6A)

⚶ **Les Cascades de Lauzel** ❀, 🖉 53 28 32 26, SE : 1,5 km, bord du Céou

2 ha (60 empl.) ⊶ plat, herbeux – 🗍 ⇄ 🛏 🖪 ⚓ ⊕ – 🖾 🏊 ⚌

15 mai-sept. – **R** conseillée juil.-août – Tarif 91 : ★ 16 piscine comprise 🖪 17 ⓖ 11 (5A)

## ST-CYPRIEN
**24220** Dordogne – 1 593 h.

ᐃᐃ **Municipal le Garrit** ⌇, ℘ 53 29 20 56, S : 1,5 km par D 48 rte de Berbiguières, près de la Dordogne
1,2 ha (90 empl.) ⟊ plat, herbeux ⚼ – ⌂ ⇄ ⛺ ⊟ ⊛ ▣ – ⌂ – A proximité : ⇌
15 mai-sept. – **R** *conseillée* – *Tarif 91 :* ⚹ *14* ▣ *18* ⚡ *10,50 (6A)*

## ST-CYPRIEN
**66750** Pyr.-Or. – 6 892 h.
🛈 Office de Tourisme, parking Nord du Port ℘ 68 21 01 33

13 – 75 ⑯ G. Périgord Quercy

15 – 86 ⑳ G. Pyrénées Roussillon

ᐃᐃ **Municipal Bosc d'en Roug,** ℘ 68 21 07 95, sortie N vers Perpignan et à droite
12 ha (660 empl.) ⟊ plat, herbeux ⚼ – ⌂ ⚑ ⊛ ⊠ ⛟ ⚊ snack ⬚ – ✗
juin-15 sept. – **R** *conseillée – ≭ 20* ▣ *24* ⚡ *13*

*à St-Cyprien-Plage* NE : 3 km – ⊠ 66750 St-Cyprien :

ᐃᐃᐃ **Cala Gogo,** ℘ 68 21 07 12, S : 4 km, aux Capellans, bord de plage
11 ha (694 empl.) ⟊ plat, sablonneux, herbeux, pierreux ⊡ – ⌂ ⇄ ⊟ ⛺ ⊛ ⚑ ⚹ ✗ ⬚ – ▣ discothèque – ⌂ ⚊ ⛷ ≋
juin-sept. – **R** *conseillée juil.-août – ≭ 30 piscine comprise* ▣ *44* ⚡ *13 (10A)*

## ST-CYR
**86** Vienne – 710 h.
⊠ 86130 Jaunay-Clan

10 – 68 ④

ᐃᐃᐃ **Parc de Loisirs de St-Cyr** ⩤, ℘ 49 62 57 22, NE : 1,5 km par D 4, D 82 rte de Bonneuil-Matours et chemin, près d'un plan d'eau – Sur N 10, accès depuis la Tricherie
5,4 ha (80 empl.) ⟊ plat, herbeux, gravillons – ⌂ ⇄ ⛺ ⊟ ⛺ ⚑ ⊛ ⚊ ⛟ ⚊ snack ▣ ⬚ salle de remise en forme ✗ ⚊ ≋ (plage) ♨ parcours sportif, half court, tir à l'arc, vélos – Location : ⛺
15 mars-15 oct. – **R** *conseillée 10 juil.-20 août – ≭ 20 tennis compris* ▣ *30 (45 avec élect. 10A)*

## ST-CYR
**71240** S.-et-L. – 519 h.

12 – 69 ⑲

ᐃᐃ **Le Grison** ⌇, ℘ 85 44 22 83, au sud du bourg, au lieu-dit Chasaux
0,9 ha (56 empl.) ⟊ (saison) plat, herbeux ⊡ – ⌂ ⇄ ⛺ ⊟ ⛺ ⚑ ⊛ ⚑ ⛟ ⚊ – ⬚ ⚊ – A proximité : ⚹
Permanent – **R** *conseillée juil.-août – ≭ 11 piscine comprise* ▣ *13* ⚡ *(Tarif 91) 13 (4A) 19,50 (6A) 26 (8A)*

## ST-CYR-SUR-MER
**83270** Var – 7 033 h.
🛈 Office de Tourisme, pl. Appel 18 Juin aux Lecques ℘ 94 26 13 46

17 – 84 ⑭

ᐃᐃ **Le Clos Ste-Thérèse** ⩤, ℘ 94 32 12 21, SE : 3,5 km sur D 559 rte de Bandol – Accès possible aux emplacements avec véhicule tracteur
1,9 ha (90 empl.) ⟊ accidenté et en terrasses, pierreux ⊡ ⚿ – ⌂ ⚑ ⊟ ⊛ ⚊ ⬚ ⚊ – A proximité : ⚘, poneys – Location : ⛺
avril-sept. – **R** *conseillée juil.-août –* ▣ *piscine comprise 2 pers. 62/70* ⚡ *11 (2A) 14,50 (4A) 18 (6A)*

## ST-CYR-SUR-MORIN **77** S.-et-M. – 56 ⑬ – rattaché à la Ferté-sous-Jouarre

## ST-DENIS-D'OLÉRON **17** Char.-Mar. – 171 ⑬ – voir à Oléron (Ile d')

## ST-DENIS-DU-PAYRÉ
**85580** Vendée – 387 h.

9 – 171 ⑪

ᐃ **Municipal la Fraignaye** ⌇, ℘ 51 27 21 36, N : 0,6 km par rte de Chasnais et r. du Beau Laurier à gauche
0,3 ha (32 empl.) plat, herbeux ⚲ – ⌂ ⚑ ⊛
juil.-15 sept. – **R** *conseillée 1er-15 août – ≭ 8,40* ⇔ *2,70* ▣ *5,80* ⚡ *6,90*

## ST-DIDIER-EN-VELAY
**43140** H.-Loire – 2 723 h. alt. 835

11 – 76 ⑧

ᐃᐃ **La Fressange,** ℘ 71 66 25 28, S : 0,8 km par D 45 rte de St-Romain-Lachalm et à gauche, près d'un ruisseau
1,5 ha (104 empl.) ⟊ peu incliné, en terrasses, herbeux – ⌂ ⚑ ⊟ ⛺ ⊛ ▣ – ⚊ – A proximité : ✗ ⚊
mai-sept. – **R** *conseillée juil.-août – Tarif 91 : ≭ 9,50* ⇔ *5* ▣ *8* ⚡ *12 (5A)*

## ST-DIÉ ⬱
**88100** Vosges – 22 635 h.
🛈 Office de Tourisme, 31 r. Thiers ℘ 29 56 17 62

8 – 62 ⑰ G. Alsace Lorraine

ᐃᐃᐃ **S.I. la Vanne de Pierre,** ℘ 29 56 23 56, à l'est de la ville par le quai du Stade, près de la Meurthe
3,5 ha (135 empl.) ⟊ plat, herbeux ⚲ – ⌂ ⇄ ⛺ ⊟ ⛺ ⚑ ⊛ ▥ ⊛ ⚊ ⚹ ▣ – ⬚
– Location : ⛺
Permanent – **R** *conseillée saison –* ▣ *1 à 6 pers. 31 à 98* ⚡ *10 (3A) 16 (6A) 19 (10A)*

## ST-DISDIER
**05250** H.-Alpes – 157 h. alt. 1 020

△ **La Combe de l'Eau** (aire naturelle) ⌂ ≼, ℰ 92 58 87 25, S : 2,3 km par D 937 rte de Veynes, bord de la Ribière – alt. 1 090
2 ha (25 empl.) ⊶ plat et peu incliné, herbeux, petit étang – 🗟 🗗 ⊕ – 🚗 – Location : ⬚
avril-oct. – **R** – ★ 8 🚗 4 🗉 8 [½] 5 (5A)

🔟 – 🔟 ⑮ G. Alpes du Nord

## ST-DONAT
**63680** P.-de-D. – 334 h. alt. 1 050

△ **Municipal** ≼, au bourg, près de l'église
0,8 ha (50 empl.) plat à peu incliné, herbeux, pierreux – 🗟 ⩘ 🗗 ⊕
15 juin-15 sept. – **R** conseillée août – Tarif 91 : ★ 6 🚗 4 🗉 4 [½] 8 (10A)

🔟 – 🔟 ⑬

## ST-DONAT-SUR-L'HERBASSE
**26260** Drôme – 2 658 h.

△△ **Les Ulezes,** ℰ 75 45 10 91, sortie SE par D 53 rte de Romans et chemin à droite, bord de l'Herbasse
2,5 ha/0,7 campable (40 empl.) ⊶ plat, herbeux, petit étang 🗖 – 🗟 ⛭ 🗗 ⊕ ⩙ ⧖ 🍴 ✗ – 🚗 🦽 ☂
avril-oct. – **R** conseillée – Tarif 91 : ★ 12 piscine comprise 🚗 5 🗉 20 [½] 15 (6A) 20 (10A)

🔟 – 🔟 ② G. Vallée du Rhône

## SAINTE – voir après la nomenclature des Saints

## ST-ÉLOY-LES-MINES
**63700** P.-de-D. – 4 721 h.

△△ **Municipal la Poule d'Eau** ≼, ℰ 73 85 45 47, sortie S par N 144 rte de Clermont puis à droite, 1,3 km par D 110, bord de deux plans d'eau
1,8 ha (50 empl.) ⊶ peu incliné, herbeux 🗖 – 🗟 ⩘ & ⊕ – A proximité : 🏊
juin-sept. – **R** – ★ 8,50 🚗 4,20 🗉 6,50

🔟 – 🔟 ③

## ST-ÉMILION
**33330** Gironde – 2 799 h.
🛈 Office de Tourisme, pl. des Créneaux ℰ 57 24 72 03

△△△ **La Barbanne** ⌂, ℰ 57 24 75 80, N : 3 km par D 122 rte de Lussac et rte à droite, bord d'un plan d'eau
4,5 ha (160 empl.) ⊶ plat, herbeux, gravier ⚲ (2 ha) – 🗟 ⛭ 🗗 ⊕ ▣ – 🚗 ⩙ 🏊 vélos
avril-15 oct. – **R** conseillée juil.-août – ★ 17 🗉 21 [½] 12 (6A)

⑨ – 🔟 ⑫ G. Pyrénées Aquitaine

## ST-ESTÈPHE
**24360** Dordogne – 604 h.

△ **Intercommunal du Grand Étang** ⌂, ℰ 53 56 80 93, E : 1 km, bord de l'étang
2 ha (66 empl.) ⊶ peu incliné, herbeux ⚲⚲ – 🗟 ⛭ 🗗 ⊕ – 🚤 – A proximité : 🍴 ✗ ☂ 🦽

🔟 – 🔟 ⑮ G. Berry Limousin

## ST-ÉTIENNE-DE-CROSSEY
**38960** Isère – 2 081 h.

△△ **Municipal de la Grande Forêt** ≼, ℰ 76 06 05 67, sortie NO par D 49 rte de Chirens, au stade
2 ha (50 empl.) ⊶ plat, herbeux 🗖 – 🗟 ⛭ 🗗 🗟 ▥ ⊕ ⩙ ☂ – ✗ vélos
avril-oct. – **R** juil.-août – Tarif 91 : 🗉 3 pers. 32/44 (54 avec élect.), pers. suppl. 11

🔟 – 🔟 ④

## ST-ÉTIENNE-DE-MONTLUC
**44360** Loire-Atl. – 5 759 h.

△△ **Municipal la Colleterie** « Entrée fleurie », ℰ 40 86 97 44, en ville, sortie vers Sautron
0,75 ha (53 empl.) ⊶ plat et peu incliné, herbeux (camping), gravillons (caravaning) 🗖 – 🗟 ⛭ 🗗 🗟 & ⊕ ⩙ ☂ – ▣
Permanent – Places limitées pour le passage – **R** – ★ 8 🗉 8,80 [½] 15,20 (15A)

④ – 🔟 ⑯

## ST-ÉTIENNE-DE-VILLERÉAL **47** L.-et-G. – 🔟 ⑤ – rattaché à Villeréal

## ST-ÉTIENNE-DU-GRÈS
**13150** B.-du-R. – 1 863 h.

△ **Municipal,** ℰ 90 49 00 03, sortie NO par D 99 rte de Tarascon, au stade, à 50 m de la Vigueira
0,6 ha (50 empl.) ⊶ plat, herbeux, pierreux 🗖 ⚲⚲ (0,3 ha) – 🗟 ⛭ 🗗 ⊕ ⩙ ☂
avril-15 oct. – **R** – ★ 10 🗉 12 [½] 13 (5A)

🔟 – 🔟 ⑩

## ST-ÉTIENNE-EN-DÉVOLUY
**05250** H.-Alpes – 538 h. alt. 1 280

△ **Municipal les Auches** ⌂ ≼, ℰ 92 58 84 71, SE : 1,3 km sur D 17 rte du col du Noyer, bord de la Souloise
1,2 ha (69 empl.) ⊶ plat, pierreux, gravier, herbeux – 🗟 ⛭ ▥ ⊕ – Location gîte d'étape
fermé du 8 au 23 mai et du 8 au 23 oct. – **R** conseillée – Tarif 91 : ★ 15 🗉 25 [½] 12 (3A) 25 (6A)

🔟 – 🔟 ⑮ ⑯ G. Alpes du Nord

## ST-EVROULT-NOTRE-DAME-DU-BOIS
**61550** Orne – 383 h.

🗠 **Municipal de Saints-Pères** ⏎ « Agréable situation », au SE du bourg, bord d'un plan d'eau
0,6 ha (27 empl.) ⚬ (saison) plat et terrasse, herbeux, gravillons, bois attenant
🗀 – 🛱 ⏚ ⏚ ⊛ – 🚗 ⏩ – A proximité : ✗ ₘ
avril-oct. – **R** – 🏃 *8* 🚗 *5* 🅴 *4,50* 🗲 *6 (4A)* *10 (10A)*

🔲 – 🔲 ④ G. Normandie Vallée de la Seine

---

## ST-FARGEAU
**89170** Yonne – 1 884 h.

🗠 Municipal la Calanque ⏎ « Cadre et site agréables », 🞄 86 74 04 55, SE : 6 km par D 85, D 185 à droite et rte à gauche, près du Réservoir de Bourdon
6 ha (270 empl.) ⚬ plat et accidenté, sablonneux, herbeux 🞇 – 🛱 ⊛ –
A proximité : ⏁ ⫴ ⏚
avril-oct. – **R** *conseillée*

🔲 – 🔲 ③ G. Bourgogne

---

## ST-FERRÉOL
**74210** H.-Savoie – 758 h.

🗠 **Municipal** ≤, 🞄 50 27 47 71, à l'est du bourg, près du stade, bord d'un ruisseau
1 ha (83 empl.) ⚬ plat, herbeux ⏚ – 🛱 ⏚ ⏚ 🗐 ⏚ ⊛
15 juin-15 sept. – **R** – 🏃 *7,50* 🚗 *9,30* 🅴 *9,30* 🗲 *7*

🔲 – 🔲 ⑯ ⑰

---

## ST-FERRÉOL
**31350** H.-Gar. – 63 h.

🗠 **En Salvan** ⏎, 🞄 61 83 55 95, SO : 1 km sur D 79D rte de Vaudreuille, près d'une cascade et à 500 m du lac (haut de la digue)
2 ha (150 empl.) ⚬ plat et accidenté, herbeux – 🛱 🞇 ⏚ ⊛ 🞃 garderie – 🚗
⏩ – A proximité : ⏁ ✗ ⏚ ✗ ⏚ – Location : 🚐
avril-oct. – **R** *conseillée juil.-août – Adhésion F.F.C.C. obligatoire –* 🏃 *9,90* 🚗 *4,30* 🅴 *9,90* 🗲 *8,70 (3A)* *13 (6A)* *19,75 (10A)*

🗠 **Las Prades** ⏎, 🞄 61 83 43 20, S : 1,5 km par D 79D² et chemin à gauche, à 1 km du lac (haut de la digue)
1,2 ha (54 empl.) ⚬ plat, herbeux ⏚ – 🛱 🞇 ⏚ ⊛ – 🞃 – A proximité : 🞓 ⫴ ⏚
avril-oct. – **R** – 🏃 *9,90 piscine comprise* 🚗 *3,85* 🅴 *9,90* 🗲 *8,80 (3A)* *19,80 (10A)*

🔲 – 🔲 ⑳ G. Gorges du Tarn

---

## ST-FERRÉOL-TRENTE-PAS
**26110** Drôme – 191 h.

🗠 **Le Pilat** ⏎ ≤, 🞄 75 27 72 09, N : 1 km par D 70 rte de Bourdeaux, bord d'un ruisseau
1 ha (53 empl.) ⚬ (saison) plat, pierreux, herbeux 🗀 – 🛱 🞇 🗐 ⊛ 🞃 – 🚗
⫴ – Location : 🚐
mai-oct. – **R** *conseillée – Tarif 91 :* 🏃 *10,50* 🚗 *2,50* 🅴 *10,50* 🗲 *10 (3A)* *12 (6A)*

🔲 – 🔲 ③

---

## ST-FIRMIN
**05800** H.-Alpes – 408 h. alt. 900

🗠 **la Pra** ⏎ ≤, 🞄 92 55 26 72, 0,8 km au NE du bourg – Pour caravanes accès conseillé par D 985ᴬ rte de St-Maurice en V. et D 58 à gauche
0,5 ha (32 empl.) ⚬ en terrasses, pierreux, herbeux – 🛱 ⏚ ⏚ 🗐 ⊛
15 juin-août – **R** – 🏃 *12* 🅴 *12* 🗲 *10*

🗠 **la Villette** ⏎ ≤, 🞄 92 55 23 55, NO : 0,5 km par D 58 rte des Reculas
0,5 ha (33 empl.) ⚬ en terrasses, peu incliné, herbeux ⏚ – 🛱 🗐 ⊛ –
A proximité : ✗ 🞃
15 juin-15 sept. – **R** – *Tarif 91 :* 🏃 *10,50* 🅴 *11* 🗲 *10 (3A)* *17 (5A)*

🔲 – 🔲 ⑯ G. Alpes du Nord

---

## ST-FLORENT **2B** H.-Corse – 🔲 ③ – voir à Corse

---

## ST-FLOUR ⏎
**15100** Cantal – 7 417 h. alt. 881.
🗗 Office Municipal de Tourisme, 2 pl. d'Armes 🞄 71 60 22 50

🗠 **Municipal de Roche-Murat** (International RN 9) ≤, 🞄 71 60 43 63, NE : 4 km par D 921 et N 9 rte de Clermont-Ferrand
3 ha (130 empl.) ⚬ en terrasses, herbeux, pinède attenante – 🛱 ⏚ ⏚ 🗐 ⏚
📺 ⊛ 🞇 – ⏩
Pâques-Toussaint – **R** – 🏃 *8,50* 🚗 *3,50* 🅴 *5,50* 🗲 *11*

🗠 **Municipal les Orgues** ≤, 🞄 71 60 44 01, 19 av. Dr.-Mallet (Ville-haute)
1 ha (100 empl.) ⚬ (saison) peu incliné, herbeux – 🛱 ⏚ ⏚ 🗐 ⊛ – ✗ ⏩
Pâques-Toussaint – **R** – 🏃 *8,50* 🚗 *3,50* 🅴 *5,50* 🗲 *11*

🔲 – 🔲 ④ ⑭ G. Auvergne

---

## ST-FORT-SUR-GIRONDE
**17240** Char.-Mar. – 1 012 h.

🗠 **Le Port Maubert** ⏎, 🞄 46 49 91 45, SO : 4 km par D 2 rte de Port-Maubert et D 247 à gauche
1,5 ha (50 empl.) ⚬ plat, herbeux 🗀 – 🛱 ⏚ 🗐 ⊛ – 🚗
mai-sept. – **R** – 🏃 *9,05* 🅴 *8,25* 🗲 *10 (6A)*

🔲 – 🔲 ⑥

349

## ST-FORTUNAT-SUR-EYRIEUX

**07360** Ardèche – 531 h.

△ **Municipal** ≼, ℰ 75 65 22 50, sortie S par D 265 rte de St-Vincent-de-Durfort, à gauche après le pont, à proximité de l'Eyrieux
0,7 ha (55 empl.) ⌾ plat, herbeux – 🗑 ⇆ 🖿 ⊕ – 🚐 ✗ – A proximité : 🏊
avril-oct. – **R** – *Tarif 91 :* 🛉 *8* 🚗 *3* 🖾 *3* 🛏 *6 (3A) 12 (6A)*

## ST-GALMIER

**42330** Loire – 4 272 h.
🚩 Office Municipal du Tourisme, bd du Sud ℰ 77 54 06 08

🛆🛆 **Val de Coise,** ℰ 77 54 14 82, E : 2 km par D 6 rte de Chevrières et chemin à gauche, bord de la Coise
1 ha (100 empl.) ⌾ plat, en terrasses, herbeux – 🗑 ⇆ 🖿 🖰 ⊕ 🖳 – 🚐 🏊 🏊
24 mars-13 oct. – **R** – 🖾 *2 pers. 48, pers. suppl. 18* 🛏 *16 (10A)*

## ST-GAL-SUR-SIOULE

**63440** P.-de-D. – 131 h.

🛆 **Le Pont-St-Gal** ⚓, ℰ 73 97 44 71, sortie E par D 16 rte d'Ebreuil, bord de la Sioule
0,75 ha (36 empl.) ⌾ en terrasses et plat, herbeux 🖾 – 🗑 ⇆ 🖿 🖰 ⊕ – 🏊
– Location : 🏠
mars-1ᵉʳ nov. – **R** *conseillée juin à sept.* – 🛉 *10* 🚗 *9* 🖾 *9* 🛏 *8 (5A) 16 (12A)*

## ST-GAULTIER

**36800** Indre – 1 995 h.

🛆 **Municipal l'Ilon** ⚓, ℰ 54 47 11 22, au sud de la ville, près de la Creuse
2 ha (110 empl.) ⌾ (saison) plat, herbeux – 🗑 ⊕ – A proximité : ✗ 🏊 🏊

## ST-GENIÈS

**24590** Dordogne – 735 h.

🛆🛆 **La Bouquerie** ⚓ « Cadre boisé », ℰ 53 28 98 22, NO : 1,5 km par D 704 rte de Montignac et chemin à droite
7 ha/2,5 campables (160 empl.) ⌾ plat, peu incliné et en terrasses, herbeux, pierreux, étang 🖾 ⚏ – 🗑 ⇆ 🖿 🖰 ⊕ 🖳 🏊 ✗ 🛒 🖿 – 🚐 ✗ 🏊
🏊 🏊 (bassin de natation) – Location : 🏠
mai-sept. – **R** *conseillée 15 juin-25 août* – 🛉 *26,50 piscine comprise* 🖾 *36* 🛏 *15 (4 ou 6A)*

## ST-GENIEZ-D'OLT

**12130** Aveyron – 1 988 h.
🚩 Syndicat d'Initiative, les Cloîtres (saison) ℰ 65 70 43 42

🛆🛆🛆 **Club Marmotel** ⚓ ≼ « Cadre agréable », ℰ 65 70 46 51, O : 1,8 km par D 19 rte de Prades-d'Aubrac et chemin à gauche, à l'extrémité du village artisanal, bord du Lot
3 ha (100 empl.) ⌾ plat, herbeux 🖾 – 🗑 ⇆ 🖿 🖰 sauna 🖳 ⊕ 🚲 🖲 ♟ grill (dîner) 🖲 – 🚐 ✗ 🏊 🏊 tir à l'arc
10 juin-15 sept. – **R** *conseillée* – 🖾 *élect. (10A) et piscine comprises 2 pers. 94, 3 pers. 120, 4 pers. 138*

## ST-GEORGES-DE-DIDONNE

**17110** Char.-Mar. – 4 705 h.
🚩 Office de Tourisme, bd Michelet ℰ 46 05 09 73

*Schéma à Royan*

🛆🛆🛆 **Bois-Soleil,** ℰ 46 05 05 94, S par D 25 rte de Meschers-sur-Gironde, bord de plage – ⚓
8 ha (344 empl.) ⌾ plat, accidenté et en terrasses, sablonneux 🖾 ⚏ – 🗑 ⇆ 🖿 🖰 🕌 🖳 ⊕ 🚲 🖲 ♟ snack 🛒 🖲 – 🚐 ✗ 🏊 🏊 – A proximité : ✗ – Location : 🏠 🏠 🏠, studios
avril-sept. – **R** *conseillée juil.-août* – 🖾 *3 pers. 77 à 82/90 à 102 avec élect. (1 ou 2A)*

🛆🛆 **Le Blayais-Alicat,** ℰ 46 05 31 92, en 2 camps distincts, av. de Béteille, à 450 m de la plage
3,5 ha (154 empl.) ⌾ plat, terrasses, sablonneux, herbeux ⚏ chênaie – 🗑 ⇆ 🖿 🖰 ⊕ 🚲 ♟ ✗ 🛒 🖲 – Location : 🏠 🏠
avril-sept. – **R** *conseillée* – 🖾 *3 pers. 87,80, pers. suppl. 23,40* 🛏 *12,50 (3A) 16,70 (5 ou 6A)*

🛆🛆 **Azpitarté,** ℰ 46 05 26 24, en ville, 35 r. Jean Moulin
1 ha (61 empl.) ⌾ plat et peu incliné, herbeux, pierreux – 🗑 ⇆ 🖿 🖰 🖳 ⊕ 🚲 🚐 – 🚐 – Location : 🏠
Permanent – **R** *conseillée juil.-août* – 🖾 *jusqu'à 3 pers. 71,90, pers. suppl. 19,15* 🛏 *21*

🛆🛆 **Idéal-Camping N° 2,** ℰ 46 05 33 31, S par D 25 rte de Meschers-sur-Gironde, à 500 m de la plage – ⚓
3,5 ha (233 empl.) ⌾ plat et accidenté, sablonneux ⚏ – 🗑 🕌 ⊕ 🖳 🚲 🛒 🖲
mai-15 sept. – **R** – 🖾 *3 pers. 59* 🛏 *14 (3A) 19 (6A)*

## ST-GEORGES-DE-LA-RIVIÈRE

**50270** Manche – 183 h.

🛆 **les Dunes de St-Georges** ⚓, ℰ 33 04 80 87, SO : 2 km par D 132, à 200 m de la plage
1 ha (75 empl.) ⌾ plat, sablonneux, herbeux 🖾 – 🗑 ⇆ 🖿 🖰 🕌 ⊕ 🚲 ✗
Permanent – **R** *conseillée juil.-août* – 🖾 *2 pers. 68, pers. suppl. 15* 🛏 *12 (5A)*

## ST-GEORGES-DE-MONS

**63780** P.-de-D. – 2 451 h. alt. 730    🔼   **Municipal,** au NE du bourg
1 ha (50 empl.) plat, herbeux – 🗄 ⊕ – A proximité : ✗ ⫴ – Location : huttes
juin-sept. – **R** conseillée juil.-15 août – Tarif 91 : ✳ 9,50 ⟷ 2,70 🅴 3,10
🛒 4,20 (6A)

⟶ 11 – 73 ③

## ST-GEORGES-D'OLÉRON

**17** Char.-Mar. – 171 ⑬ – voir à Oléron (Ile d')

## ST-GERMAIN-DU-BEL-AIR

**46310** Lot – 422 h.    🔼   **Municipal le Moulin Vieux** ⌇ ≼ « Belle restauration extérieure d'un
moulin », 🅿 65 31 00 71, au NO du bourg, bord du Céou
2 ha (90 empl.) ⊶ plat, herbeux – 🗄 ⇔ 🛁 🗄 ⊕ – ⟷ ✗ ⫴ (plan d'eau) –
A l'entrée : ⫴
juin-15 sept. – **R** conseillée – ✳ 10 🅴 15 🛒 7 (10A)

⟶ 14 – 79 ⑧

## ST-GERMAIN-DU-BOIS

**71330** S.-et-L. – 1 856 h.    🔼   **Municipal de l'Étang Titard,** 🅿 85 72 06 15, sortie S par D 13 rte de
Louhans, bord de l'étang
0,8 ha (40 empl.) ⊶ plat, terrasse, herbeux – 🗄 ⇔ 🛁 ⊕ – A proximité : ✗ ⟷
juin-15 sept. – **R** conseillée – ✳ 5,50 ⟷ 5 🅴 5 🛒 8

⟶ 11 – 170 ③

## ST-GERMAIN-DU-TEIL

**48340** Lozère – 804 h. alt. 800    🔼   **Le Levant** ≼, 🅿 66 32 63 80, au sud du bourg par rte de Montagudet et r.
Peyre-de-Roses à gauche
2 ha/0,4 campable (33 empl.) ⊶ en terrasses et peu incliné, herbeux, pierreux
– 🗄 ⇔ 🛁 ⅍ ⊕ ⫴ ✗ – ⟷ ⫴ vélos – Location : 🚲 🏠
mai-10 oct. – **R** conseillée – 🅴 piscine comprise 2 pers. 48, pers. suppl. 15
🛒 14 (2A) 18 (5A)

⟶ 15 – 80 ④

## ST-GERMAIN-LAVAL

**42260** Loire – 1 510 h.    🔼   **Municipal la Pra,** 🅿 77 65 44 35, E : 1,3 km par D 1 rte de Balbigny, bord
🄵 Syndicat d'Initiative, Mairie      de l'Aix (plan d'eau)
🅿 77 65 41 30      1,2 ha (100 empl.) ⊶ (juin-15 oct.) plat, herbeux – 🗄 ⊕ – ✗
avril-15 oct. – Places limitées pour le passage – **R** – Tarif 91 : ✳ 4,70 ⟷ 2,60
🅴 2,60 🛒 7,50 (3A) 14 (6A)

⟶ 11 – 73 ⑰ G. Vallée du Rhône

## ST-GERMAIN-LEMBRON

**63340** P.-de-D. – 1 671 h.    à **Nonette** NE : 6,5 km par D 214 et D 123 – ✉ 63340 Nonette :

🔼   **Les Loges** ⌇ « Cadre agréable », 🅿 73 71 65 82, S : 2 km par D 722 rte du
Breuil-s-Couze puis 1 km par chemin près du pont, bord de l'Allier
3 ha (126 empl.) ⊶ plat, herbeux 🞊 – 🗄 ⇔ 🗄 ⅍ ⊕ ✗ 🗄 – ⫴ ⟷ – Location :
🚲 🚐
15 avril-sept. – **R** conseillée juil.-août – ✳ 13 piscine comprise 🅴 17 🛒 10 (6A)

⟶ 11 – 73 ⑮ G. Auvergne

## ST-GERMAIN-LES-BELLES

**87380** H.-Vienne – 1 079 h.    🔼   **Municipal de Montréal** ⌇ ≼, 🅿 55 71 86 20, sortie SE, rte de la Porcherie,
bord d'un plan d'eau
0,6 ha (70 empl.) ⊶ plat et terrasse, herbeux 🖵 – 🗄 ⇔ 🛁 🗄 ⅍ ⊕ ✗ – ✗
⟷ (plage)
juin-sept. – **R** conseillée – ✳ 10 ⟷ 5 🅴 5 🛒 9 (10A)

⟶ 10 – 72 ⑱ G. Berry Limousin

## ST-GERMAIN-L'HERM

**63630** P.-de-D. – 533 h. alt. 1 000    🔼   **Municipal St-Éloy** ≼, sortie SE sur D 999 rte de la Chaise-Dieu
0,8 ha (50 empl.) plat et peu incliné, herbeux – 🗄 ⇔ 🛁 ⊕ 🏔 – ⟷ – Location :
huttes
juin-15 sept. – **R** – ✳ 6 ⟷ 3,50 🅴 3,50

⟶ 11 – 73 ⑯ G. Auvergne

## ST-GERMAIN-SUR-AY

**50430** Manche – 638 h.    🔼🔼   **Aux Grands Espaces** ⌇, 🅿 33 07 10 14, O : 4 km par D 306, à St-Ger-
main-Plage
11 ha (580 empl.) ⊶ plat et accidenté, sablonneux, herbeux 🖵 🞊 – 🗄 ⇔ 🛁
⊕ ⅍ ✗ 🗄 – ⟷ ✗ ⫴ – Location : 🚐
avril-sept. – **R** conseillée juil.-août – ✳ 15 piscine comprise 🅴 21 🛒 15 (4A)

⟶ 4 – 54 ⑫

## ST-GERONS

**15150** Cantal – 179 h.    🔼   **La presqu'île d'Espinet** ⌇, 🅿 71 62 28 90, SE : 8,5 km, à 300 m du lac
de St-Etienne-Cantalès
1 ha (100 empl.) ⊶ peu incliné, herbeux – 🗄 ⇔ 🛁 🗄 ⅍ ⊕ – ⟷ – A proximité :
✗ ✗ ⟷
15 juin-15 sept. – **R** – ✳ 11 ⟷ 8 🅴 9 🛒 12

⟶ 10 – 76 ⑪

## ST-GERVAIS

**85230** Vendée – 1 546 h.

▲ **La Fresnerie** ⟨⟩, ℰ 51 68 78 10, NE : 3 km par D 28 rte de Machecoul puis chemin à gauche
1,5 ha (50 empl.) ⊶ plat, herbeux ⊡ 🖳 – 🏠 🔊 ⊕ 🔲 – 🛏 ⩰ (bassin)
avril-sept. – **R** juil.-août – Tarif 91 : ⚹ 7 ⇌ 4 🔳 6 🖾 8 (3A)

---

## ST-GERVAIS-D'AUVERGNE

**63390** P.-de-D. – 1 419 h. alt. 725.
🅱 Syndicat d'Initiative, Mairie
ℰ 73 85 71 53

▲▲ **Municipal de l'Étang Philippe,** ℰ 73 85 74 84, sortie N par D 987 rte de St-Pourçain-sur-Sioule, bord d'un plan d'eau
3 ha (130 empl.) ⊶ (saison) plat et peu incliné, herbeux ⊡ – 🏠 🔊 🖾 🕹 ⊕ –
🛏 ⩰ ⩥ 🎿
Pâques-sept. – **R** conseillée juil.-août – 🔳 élect. (5A) comprise 1 à 3 pers. 47, pers. suppl. 6,50

---

## ST-GERVAIS-LES-BAINS

**74170** H.-Savoie – 5 124 h. alt. 807
– ⚇ 4 mai-21 nov – 🐾.
🅱 Office de Tourisme, av. Mont Paccard ℰ 50 78 22 43

▲▲ **Les Dômes de Miage** ⟨⟩, ⋖, ℰ 50 93 45 96, S : 2 km par D 902 rte des Contamines-Montjoie, au lieudit les Bernards – alt. 890
3 ha (150 empl.) ⊶ plat, herbeux, pierreux – 🏠 ⤴ 🖾 🕹 ⊕ 🍴 ✕ 🛒 – 🔲 –
🛏 vélos – A proximité : practice de golf – Location : 🛏 (hôtel)
20 juin-20 sept. – **R** juil.-août – 🔳 2 pers. 67, 3 pers. 72, pers. suppl. 17 🔌 12 (3A) 14 (4A) 19 (6A)

---

## ST-GILDAS-DE-RHUYS

**56730** Morbihan – 1 141 h.

Schéma à Sarzeau

▲▲ **Le Menhir,** ℰ 97 45 22 88, N : 3,5 km – Accès conseillé par D 780 rte de Port-Navalo – 🐾
3 ha (190 empl.) ⊶ plat et peu incliné, herbeux ⊡ 🖳 (2 ha) – 🏠 ⤴ 🖾 🔊 🖾
🕹 ⊕ 🔊 🍴 🛒 – 🛏 ⩰ ⩥ 🎿 half-court, vélos
mai-15 sept. – **R** conseillée – ⚹ 18 🔳 50 🔌 12 (2 à 6A)

▲▲ **Les Govelins** « Entrée fleurie », ℰ 97 45 21 67, N : 1,5 km, à 300 m de la plage
1 ha (100 empl.) ⊶ plat et peu incliné, herbeux ⊡ 🖳 – 🏠 ⤴ 🖾 🖾 ⊕ 🔲 –
A proximité : 🛏
Pâques-20 sept. – **R** conseillée – Tarif 91 : ⚹ 15 🔳 17 🔌 12 (10A)

---

## ST-GILLES-CROIX-DE-VIE

**85800** Vendée – 6 296 h.
🅱 Office de Tourisme, forum du Port de Plaisance, bd de l'Égalité
ℰ 51 55 03 66

Schéma à St-Hilaire-de-Riez

▲▲▲ **Domaine de Beaulieu,** ℰ 51 55 59 46, SE : 4 km
7 ha (310 empl.) ⊶ plat, herbeux ⊡ 🖾 🕹 🔊 ⊕ 🛒 🍴 crêperie 🛒
🔲 – 🛏 Discothèque ✕ 🛏 ⩥ 🎿 vélos – Location : 🛏 🛏 🛏

▲▲▲ **Europa** « Belle délimitation des emplacements et entrée fleurie »,
ℰ 51 55 32 68 ✉ 85800 Givrand, E : 4 km
3 ha (172 empl.) ⊶ plat, herbeux, petit étang ⊡ – 🏠 ⤴ 🖾 🖾 🕹 ⊕ 🛒 🍴 🛒
🛒 🔲 – 🛏 🎿 – Location : 🛏
mai-sept. – **R** conseillée – ⚹ 21 piscine comprise 🔳 47 (64 avec élect. 3 ou 6A)

▲▲▲ **Les Cyprès** ⟨⟩, ℰ 51 55 38 98, SE : 2,4 km par D38 puis 0,8 km par chemin à droite, accès direct à la mer
3,6 ha (300 empl.) ⊶ plat et peu accidenté, sablonneux ⊡ 🖳 – 🏠 ⤴ 🖾 🖾
🕹 ⊕ 🔊 🛒 🍴 🛒 – 🛏 ⩰ ⩥ 🎿
Pâques-sept. – **R** – 🔳 piscine comprise 2 pers. 63,20, pers. suppl. 17,30 🔌 14,40 (10A)

▲▲ **Bahamas Beach,** ℰ 51 54 69 16, SE : 2,2 km, près du Jaunay
3,5 ha (180 empl.) ⊶ plat, sablonneux, herbeux, pierreux – 🏠 ⤴ 🖾 🖾 🕹 ⊕
– 🛏 🛏
15 juin-août – **R** conseillée – 🔳 2 pers. 60 🔌 12 (2 ou 6A)

▲▲ **Le Petit Pavillon,** ℰ 51 55 14 63, SE : 2,5 km
2 ha (200 empl.) ⊶ plat, herbeux – 🏠 🖾 ⊕ 🔊 🔲 – 🛏
Pâques-20 sept. – **R** – 🔳 2 pers. 45,30 🔌 12,70 (4A) 14,70 (6A)

au Fenouiller NE : 4 km par D 754 – ✉ 85800 le Fenouiller :

▲▲▲ **Domaine le Pas Opton** ⟨⟩ « Cadre agréable », ℰ 51 55 11 98, NE : 2 km, bord de la Vie – 🐾
4,5 ha (183 empl.) ⊶ plat, herbeux ⊡ 🖳 – 🏠 ⤴ 🖾 🖾 🕹 ⊕ 🔊 🛒 🛒 🍴 🛒 –
🔲 – 🛏 ⩥ 🎿 – Location : 🛏
20 mai-10 sept. – **R** conseillée 15 juin-août – Tarif 91 : 🔳 piscine comprise 3 pers. 97/131, pers. suppl. 20 🔌 20 (6A)

---

## ST-GIRONS ⟨SP⟩

**09200** Ariège – 6 596 h.
🅱 Office de Tourisme, pl. Alphonse-Sentein ℰ 61 66 14 11

▲▲▲ Parc Thermal ⟨⟩, ℰ 61 66 44 50 ✉ 09200 Montjoie-en-Couserans, à **Audinac-les-Bains**, NE : 4,5 km par D 117 rte de Foix et D 627 rte de Ste-Croix-Volvestre
15 ha/1,5 campable (100 empl.) ⊶ peu incliné, en terrasses, herbeux 🖳 (0,5 ha) – 🏠 ⤴ 🖾 🖾 🕹 ⊕ 🔊 🛒 🍴 – 🛏 ✕ ⩥ 🎿 squash – Location : gîte d'étape, bungalows toilés

▲ **Pont du Nert,** ℰ 61 66 58 48 ✉ 09200 Encourtiech, SE : 3,6 km par D 3 carrefour avec D 33, près du Salat
1 ha (40 empl.) plat à incliné, herbeux – 🏠 ⊕
juin-15 sept. – **R** – ⚹ 9 🔳 10 🔌 8 (15A)

**ST-GOAZEC** 29 Finistère – 58 ⑯ – rattaché à Châteauneuf-du-Faou

---

## ST-GUINOUX
**35430** I.-et-V. – 736 h.

▲ **Municipal le Bûlot,** ℰ 99 58 88 56, sortie E par D 7 rte de la Fresnais
0,4 ha (48 empl.) ⊶ plat, herbeux – 🗊 🛁 ☺
juil.-15 sept. – **R** – *Tarif 91 :* ⚹ *6,40 et 3,80 pour eau chaude* 🚗 *4,20* 🅴 *4,20*
🅧 *7,70*

---

## ST-HILAIRE-DE-RIEZ
**85270** Vendée – 7 416 h.

🗺 – 67 ⑫ G. Poitou Vendée Charentes

🏔 **La Puerta del Sol** Ⓜ « Cadre agréable », ℰ 51 49 10 10, N : 4,5 km
4 ha (238 empl.) ⊶ plat, herbeux 🖵 ♀ – 🗊 ⏚ 🛁 🗑 ☺ 🞔 ♿ 🛆 ▽ 🌊 ♈ ✗ 🍴 ☕
🖼 garderie – 🍔 salle d'animation 🎾 🏊 – Location : chalets, bungalows toilés
vac. de printemps, mai-sept. – **R** *conseillée* – 🅴 *élect. (6A) et piscine comprises*
*3 pers. 154*

🏔 **Les Biches** 🏖 « Agréable cadre boisé », ℰ 51 54 38 82, N : 2 km
13 ha/9 campables (400 empl.) ⊶ plat, herbeux, sablonneux 🖵 ♀♀ pinède –
🗊 ⏚ 🛁 🗑 🞔 ♿ ▽ 🌊 ♈ ✗ 🍴 🍔 – 🍔 🎾 🏇 🛶 🏊 vélos
18 mai-15 sept. – **R** *indispensable juil.-août* – 🅴 *élect. (10A) et piscine comprises*
*3 pers. 153 ou 163, pers. suppl. 26*

🏔 **Sol à Gogo** Ⓜ ℰ 51 54 29 00, NO : 4,8 km, accès direct à la plage
3,6 ha (196 empl.) ⊶ plat, sablonneux – 🗊 ⏚ 🛁 🗑 ♿ ☺ 🛆 ▽ 🌊 ♈ ✗ 🍴 ☕
🖼 – 🍔 🎾 🏇 🛶 🏊 (toboggan aquatique) half-court – À proximité : vélos 🏇 🖇
15 mai-20 sept. – **R** – 🅴 *élect. et piscine comprises 3 pers. 150, pers. suppl.*
*19*

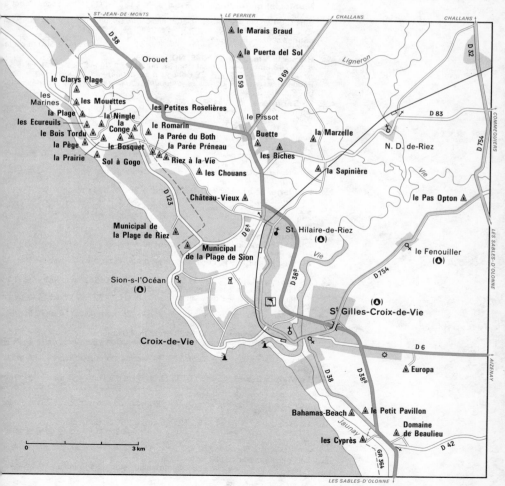

▲▲▲ **Le Bois Tordu** « Entrée fleurie et cadre agréable », ℰ 51 54 33 78, NO : 5,3 km, à 200 m de la plage
1 ha (80 empl.) ⊶ plat, sablonneux, herbeux ⌁ ♀♀ – 🛗 ⌦ 🛁 🔌 & ⊛ 🛒 ▽
🛏 🍴 🛠 – 🖥 – 🍴 🛶 🏊 toboggan aquatique – A proximité : ✗ 🏓 half-court
15 mai-15 sept. – **R** *sauf du 1er au 15 août* – 🔲 *élect. et piscine comprises 3 pers. 150, pers. suppl. 19*

▲▲▲ **Les Écureuils** 🔊, ℰ 51 54 33 71, NO : 5,5 km, à 200 m de la plage
3 ha (210 empl.) ⊶ plat, herbeux, sablonneux ⌁ ♀ – 🛗 ⌦ 🛁 🔌 & ⊛ 🛒 ▽
crêperie 🛠 🖥 – 🍴 ✗ 🏊 – A proximité : 🛏 🍴 🏓
mai-15 sept. – **R** *conseillée – Tarif 91 :* 🔲 *piscine comprise 3 pers. 106 (112 ou 118 avec élect. 2 ou 6A)*

▲▲▲ **La Prairie** 🔊, ℰ 51 54 08 56, NO : 5,5 km, à 500 m de la plage
4 ha (250 empl.) ⊶ plat, herbeux, petit étang ♀ – 🛗 ⌦ 🛁 🔌 & ⊛ 🛒 ▽ 🍴
snack 🛠 🖥 – 🍴 ✗ 🏊 – A proximité : 🏓
25 mai-sept. – **R** *Tarif 91 :* 🔲 *piscine comprise 3 pers. 80* [⚡] *11 (10A)*

▲▲▲ **Château-Vieux** 🔊, ℰ 51 54 35 88, N : 1 km
6 ha (330 empl.) ⊶ plat, sablonneux, herbeux ♀ (0,8 ha) – 🛗 ⌦ 🛁 🛒 🖥 &
⊛ 🛒 ▽ 🛠 🍴 ✗ 🛠 🖥 – 🍴 ✗ 🛶 🏊 toboggan aquatique – Location :
🚐
15 mai- 15 sept. – **R** *conseillée –* 🔲 *élect. (6A) et piscine comprises 3 pers. 130, pers. suppl. 22*

▲▲▲ **La Ningle** 🔊, ℰ 51 54 07 11, NO : 5,7 km
1 ha (107 empl.) ⊶ plat, herbeux, petit étang – 🛗 ⌦ 🛁 🔌 & ⊛ 🖥 – 🍴 🛶
🏊 – A proximité : 🛏 🍴 🛠 🏓
25 juin-15 sept. – **R** *conseillée –* 🔲 *piscine comprise 3 pers. 83 (90 ou 95 avec élect. 3 ou 6A), pers. suppl. 15*

▲▲▲ **Municipal de la Plage de Riez,** ℰ 51 54 36 59, O : 3 km, accès direct à la plage
9 ha (590 empl.) ⊶ (saison) plat et accidenté, sablonneux ⌁ ♀♀ pinède – 🛗
⌦ 🛁 🖥 & ⊛ 🛒 ▽ 🖥 – 🍴 - A l'entrée : 🛒 🍴 ✗ 🛠
Pâques-sept. – 🅁 *– Tarif 91 :* 🔲 *2 pers. 49,50, pers. suppl. 12,50* [⚡] *13 (10A)*

▲▲▲ **Riez à la Vie,** ℰ 51 54 30 49, NO : 3 km
3 ha (248 empl.) ⊶ plat, sablonneux, herbeux ⌁ ♀♀ – 🛗 ⌦ 🛁 🛒 🖥 ⊛ 🛒
▽ 🛒 🍴 🛠 🖥 – 🏓 🛶 🏊 (toboggan aquatique) – Location : 🚐 🚐 🚐
Pâques-15 sept. – **R** *conseillée juil.-août –* 🔲 *piscine comprise 3 pers. 71,50* [⚡] *12 (3A) 15 (6A) 17 (10A)*

▲▲▲ **La Sapinière,** ℰ 51 54 45 74, NE : 2 km
3,6 ha (190 empl.) ⊶ plat, sablonneux, herbeux ⌁ ♀♀ – 🛗 ⌦ 🛁 🔌 & ⊛ 🛒
🍴 🛠 🖥 – 🍴 ✗ 🛶 🏊 vélos
23 mai-15 sept. – **R** *conseillée juil.-août –* 🔲 *piscine comprise 3 pers. 86, pers. suppl. 17* [⚡] *12 (6A) 16 (10A)*

▲▲▲ **Les Chouans,** ℰ 51 54 34 90, NO : 2,5 km
3,7 ha (202 empl.) ⊶ plat, sablonneux, herbeux ⌁ – 🛗 🛁 🖥 ⊛ 🛒 🍴 🛠 🛒
– 🍴 ✗ 🛶 🏊 – A proximité : 🐎 – Location : 🚐
Pâques-15 sept. – **R** *conseillée 14 juil.-15 août –* 🔲 *piscine comprise 3 pers. 85* [⚡] *13 (6 à 10A)*

▲▲▲ **La Plage,** ℰ 51 54 33 93, NO : 5,7 km, à 200 m de la plage
5 ha (420 empl.) ⊶ plat, herbeux, sablonneux ♀ – 🛗 ⌦ 🛁 🛒 🖥 & ⊛ 🖥 –
🍴 ✗ 🛶 🏊 – A proximité : 🛏 🍴 🛠
Pâques-sept. – **R** *conseillée – Tarif 91 :* 🔲 *piscine comprise 1 ou 2 pers. 66* [⚡] *11 (10A)*

▲▲ **Le Romarin,** ℰ 51 54 43 82, NO : 3,8 km
4 ha/1,5 campable (90 empl.) ⊶ plat, vallonné, sablonneux, herbeux ⌁ ♀ – 🛗
⌦ 🛁 🖥 ⊛ 🖥 – 🍴 ✗ 🛶 🏊 – Location : 🚐
20 juin-10 sept. – **R** *conseillée –* 🔲 *piscine comprise 3 pers. 72* [⚡] *12 (6A)*

▲▲ **Le Clarys-Plage** 🔊, ℰ 51 58 10 24 ✉ 85160 St-Jean-de-Monts, NO : 6,5 km, au lieu-dit les Vases, à 500 m de la plage
1,5 ha (124 empl.) ⊶ plat, sablonneux, herbeux ⌁ ♀♀ – 🛗 ⌦ 🛁 🖥 ⊛ 🛒 ▽
🖥 – 🍴 🛶 🏊 – A proximité : 🛒 🍴 ✗ 🛠
juin-7 sept. – **R** *– piscine comprise 3 pers. 76, pers. suppl. 16* [⚡] *12,50 (4A), supplément pour plate forme am. 12*

▲▲ **La Parée Préneau,** ℰ 51 54 33 84, NO : 3,5 km
1,5 ha (100 empl.) ⊶ plat, herbeux, sablonneux ⌁ ♀♀ – 🛗 ⌦ 🛁 🖥 ⊛ 🛒 🖥
– 🍴 🛶 🏊
Pâques-10 sept. – **R** *– Tarif 91 :* 🔲 *piscine comprise 3 pers. 73* [⚡] *11 (6A)*

▲▲ **Le Marais Braud** 🔊, ℰ 51 68 33 71, N : 6 km par D 38 et D 59 rte de Perrier
3 ha (105 empl.) ⊶ plat, sablonneux, herbeux, étang ⌁ ♀ – 🛗 ⌦ 🛁 🖥 & 🖥
snack 🖥 – 🍴 ✗ 🏊 – Location : 🚐
juin-15 sept. – **R** *conseillée – Tarif 91 :* 🔲 *piscine comprise 2 pers. 53, pers. suppl. 15* [⚡] *10 (6A) 12,50 (10A)*

▲▲ **Le Bosquet,** ℰ 51 54 34 61, NO : 5 km, à 250 m de la plage
2 ha (131 empl.) ⊶ plat, herbeux, sablonneux ♀ – 🛗 ⌦ 🛁 🖥 & ⊛ 🍴 snack
🖥 – 🍴 🏊 vélos – A proximité : 🛏 🛠 🏓
juin-15 sept. – 🅁 *– Tarif 91 :* 🔲 *3 pers. 80 (89,50 avec élect.) pers. suppl. 14,50*

▲▲ **La Conge,** ℰ 51 54 32 47, NO : 4 km
2 ha (150 empl.) ⊶ plat et accidenté, sablonneux ⌁ ♀♀ pinède – 🛗 ⌦ 🛁
& ⊛ 🖥 – 🏊
15 juin-15 sept. – 🅁

▲▲ **La Parée du Both,** ℰ 51 54 78 27, NO : 3,8 km
1,4 ha (96 empl.) o━ plat, sablonneux ⌂ – 🛱 ⇌ ⛲ 🔄 ⅃ ⊙ – 🚐 – Location :
⊡
25 juin-10 sept. – **R** *conseillée* – 🔲 *3 pers. 76, pers. suppl. 14* ⊠ *11 (6A)*

▲▲ **Les Petites Roselières** ⚘, ℰ 51 54 30 02, NO : 4,5 km
0,7 ha (65 empl.) o━ plat et peu accidenté, sablonneux ⌂ ⚲ pinède – 🛱 ⇌ ⛲
🔄 ⊙ 🔲 – ⚞
10 juin-10 sept. – **R** *conseillée* – 🔲 *3 pers. 60* ⊠ *13 (6A)*

▲▲ **La Pège,** ℰ 51 54 34 52, NO : 5 km, à 150 m de la plage
1 ha (100 empl.) o━ plat, sablonneux, herbeux ⌂ – 🛱 ⇌ ⛲ 🔄 ⅃ ⊙ 🔲 – ⚞
🛶 – A proximité : vélos 🎣 ⚿ ⚔ 🔺
15 juin-10 sept. – **R** – *Tarif 91 :* 🔲 *piscine comprise 3 pers. 79* ⊠ *11 (6A)*

▲▲ **Les Mouettes** ⚘, ℰ 51 54 33 68, NO : 6 km, à 300 m de la plage
2,3 ha (209 empl.) o━ plat, sablonneux, herbeux ⚲ – 🛱 ⇌ ⛲ 🔄 ⊙ snack 🔲
– 🔺 – A proximité : 🎣
Pâques-15 oct. – **R** *conseillée juil.-août – Tarif 91 :* 🔲 *2 ou 3 pers. 58 (69 avec
élect.), pers. suppl. 12*

▲▲ **La Marzelle,** ℰ 51 54 32 59, NE : 2,5 km
1,5 ha (70 empl.) o━ plat, herbeux, sablonneux ⌂ ⚲⚲ – 🛱 ⚜ ⊙ – ⚞
mai-sept. – **R** *conseillée juil.-août* – 🔲 *2 pers. 45, pers. suppl. 13* ⊠ *13 (6A)*

▲ **Buette,** ℰ 51 54 32 42, N : 2,5 km
3,5 ha (100 empl.) o━ plat, herbeux, sablonneux ⚲⚲ (1,5 ha) – (🛱 ⇌ ⛲ avril-oct.)
⊙ – Location : ⊡
Permanent – **R** *conseillée* – 🔲 *2 pers. 43, pers. suppl. 10* ⊠ *12 (10A)*

*à Sion-sur-l'Océan* SO : 3 km par D 6ᴬ – ⊠ 85270 St-Hilaire-de-Riez :

▲▲▲ **Municipal de la Plage de Sion,** ℰ 51 54 34 23, sortie N, à 350 m de la
plage (accès direct)
3 ha (173 empl.) o━ plat, sablonneux, gravillons ⌂ ⚲ (0,7 ha) – 🛱 ⇌ ⛲ 🔄 ⊙
⚠ 🌂 🔲 – ⚞ ⚞
saison – **R** – *Tarif 91 :* 🔲 *1 ou 2 pers. 58, pers. suppl. 14,50* ⊠ *13 (24 avec
plate-forme am.)*

Voir aussi à *St-Gilles-Croix-de-Vie*

---

# ST-HILAIRE-DU-HARCOUËT
④ – 🗓🗓 ⑨ **G. Normandie Cotentin**

**50600** Manche – 4 489 h.
🛈 Office de Tourisme, pl. de l'Église
(saison) ℰ 33 49 15 27 et Mairie (hors
saison) ℰ 33 49 10 06

▲▲▲ **Municipal de la Sélune,** ℰ 33 49 43 74, NO : 0,7 km par N 176 rte
d'Avranches et à droite, près de la rivière (accès direct)
1,9 ha (100 empl.) o━ plat, herbeux – 🛱 ⇌ ⛲ 🔄 ⅃ ⊙ – ⚞ ⚞
Pâques-15 sept. – **R** *conseillée* – 🚶 *8,80* 🚗 *5* 🔲 *8,80* ⊠ *6,50 (16A)*

---

# ST-HILAIRE-DU-TOUVET
🗓🗓 – 🗓🗓 ⑤ **G. Alpes du Nord**

**38720** Isère – alt. 1 000

▲ **Municipal les Mandières** ⬔, au Sud du bourg par D 30, près du stade –
🅿 (tentes)
1 ha (40 empl.) non clos, incliné et terrasses, herbeux, pierreux – 🛱 ⇌ ⛲ ⅃ ⊙
– ⚿
juin-15 sept. – **R** – 🚶 *11,50* 🚗 *8,50* 🔲 *8,50/11,50*

---

# ST-HILAIRE-LA-FORÊT
⑨ – 🗓🗓 ⑪

**85440** Vendée – 363 h.

▲▲▲ **Les Batardières** ⚘, ℰ 51 33 33 85, à l'ouest du bourg par D 70 et à gauche
rte du Poteau
1,6 ha (73 empl.) o━ plat, herbeux ⌂ ⚲ – 🛱 ⇌ ⛲ 🔄 ⊙ ⚠ 🌂 🔲 – ⚞ ⚿
⚞
juin-5 sept. – **R** *conseillée* – 🔲 *élect. et tennis compris 2 pers. 93, pers. suppl.
16*

▲ **La Grand' Métairie** ⚘, ℰ 51 33 32 38, au nord du bourg par D 70
1,8 ha (86 empl.) o━ plat, herbeux – 🛱 ⇌ ⛲ 🔄 ⊙ 🔲 – ⚞ (bassin enfants)
juin-sept. – **R** *conseillée juil.-août – Tarif 91 :* 🔲 *2 pers. 48 (58 avec élect. 6A) pers.
suppl. 10*

---

# ST-HILAIRE-LES-ANDRÉSIS **45** Loiret – 🗓🗓 ⑬ – rattaché à Courtenay

---

# ST-HILAIRE-LES-PLACES
🗓🗓 – 🗓🗓 ⑰

**87800** H.-Vienne – 785 h.

▲▲▲ **Municipal du Lac,** ℰ 55 58 12 14, à 1 km au sud des Places par D 15A, à
100 m du lac Plaisance
2,5 ha (85 empl.) o━ en terrasses ⌂ ⚲ – 🛱 ⇌ ⛲ 🔄 ⅃ ⊙ 🔲 – ⚞ – A proximité :
toboggan aquatique ⚿ ⚞ ⚞ ⚔
15 juin-15 sept. – **R** *conseillée* – 🚶 *14* 🔲 *12* ⊠ *9 (4A) 12 (6A) 18 (10A)*

---

# ST-HILAIRE-SOUS-ROMILLY
⑥ – 🗓🗓 ⑤

**10100** Aube – 347 h.

▲▲ **La Noue des Rois** ⚘, ℰ 25 24 41 60, NE : 2 km, bord d'un étang et d'une
rivière
30 ha/5 campables (120 empl.) o━ plat, herbeux ⌂ – 🛱 ⇌ ⛲ 🔄 ▥ ⊙ ⚠ 🌂
🎣 crêperie 🔲 – ⚿ ⚞ ⚞ half-court, piste de bi-cross
Permanent – *Places limitées pour le passage* – **R** – 🚶 *18* 🚗 *8* 🔲 *30* ⊠ *10 (3A)*

**ST-HILAIRE-ST-FLORENT** 49 M.-et-L. – ⬛4 ⑫ – rattaché à Saumur

---

**ST-HIPPOLYTE** 63 P.-de-D. – ⬛73 ④ – rattaché à Châtelguyon

---

## ST-HIPPOLYTE
⬛ – ⬛166 ⑱ G. Jura

**25190** Doubs – 1 128 h.
🏛 Syndicat d'Initiative (saison)
☎ 81 96 53 75 et Mairie (hors saison)
☎ 81 96 55 74

⛰ **Les Grands Champs** ⌂ ≼, ☎ 81 96 54 53, sortie E par D 121 rte de Montécheroux et chemin à droite, à 100 m du Doubs, accès direct
2,2 ha (80 empl.) ⊶ (juil.-août) en terrasses et peu incliné, herbeux, pierreux ♀
– 🔲 ⛺ ⊟ 🕹 ⊕ – 🔲
15 mai-15 sept. – **R** – ✶ 6 🚗 6 🔳 6 ⚡ 10 (6A)

---

## ST-HIPPOLYTE-DU-FORT
⬛6 – ⬛80 ⑰

**30170** Gard – 3 515 h.

⛰ **Graniers,** ☎ 66 85 21 44 ✉ 30170 Monoblet, NE : 4 km par rte d'Uzès puis D 13 rte de Monoblet et chemin à droite, bord d'un ruisseau
1,5 ha (50 empl.) ⊶ peu incliné, herbeux, bois attenant – 🔲 ⊕ ⍦ – ⎇
15 juin-5 sept. – **R** – 🔳 *piscine comprise 2 pers. 57, pers. supp.13* ⚡ *12 (4A)*

⛺ **Le Figaret,** ☎ 66 77 26 34, N : 1 km par D 39 rte de Lasalle et chemin à gauche, près du Vidourle
1,4 ha (60 empl.) ⊶ plat, herbeux ♀♀ – 🔲 ⊕ – A proximité : ✕
juil.-août – **R** – ✶ 10 🔳 13 ⚡ 10 (3A)

---

## ST-HONORÉ-LES-BAINS
⬛ – ⬛69 ⑥ G. Bourgogne

**58360** Nièvre – 754 h. –
✚ 30 mars-sept.
🏛 Office de Tourisme, pl. F.-Bazot (mai-sept.) ☎ 86 30 71 70

⛰ **Les Bains,** ☎ 86 30 73 44, 15 av. Jean-Mermoz, sortie O rte de Vandenesse
3 ha (100 empl.) ⊶ plat, herbeux, gravier ⊟ ♀♀ – 🔲 ⛺ ⊟ 🕹 ⊕ ⍦ 🔲 – 🔲
⎇ (toboggan aquatique) poneys – A proximité : ✕ ⎌ – Location : gîtes
avril-sept. – **R** *conseillée juil.-août* – ✶ *18 piscine comprise* 🚗 7 🔳 17 ⚡ 12,50 (2A) 16 (6A)

---

## ST-ILLIERS-LA-VILLE
⬛ – ⬛55 ⑱

**78980** Yvelines – 228 h.

⛰ **Domaine d'Inchelin** ⬦ ⌂, ☎ (1) 34 76 10 11, à 0,8 km au sud du bourg par rte de Bréval et chemin à gauche
8 ha/4 campables (130 empl.) ⊶ plat, herbeux ⊟ ♀ – 🔲 ⛺ ⊟ 🕹 ⊕ ⍦ ⍦ – 🔲 ⎌ ⎇
mars-nov. – Location longue durée – *Places disponibles pour le passage* – **R** *conseillée juil.-août* – 🔳 *piscine comprise 1 pers. 65* ⚡ *20 (2A) 30 (4A) 40 (6A)*

---

## ST-JACQUES-DES-BLATS
⬛ – ⬛76 ③

**15580** Cantal – 352 h. alt. 991

⛰ **Municipal** ⌂ ≼, ☎ 71 47 06 00, à l'Est du bourg, bord de la Cère
0,6 ha (32 empl.) ⊶ plat, herbeux ⊟ – 🔲 ⊟ 🕹 ⊕ ⍦ ⍦ – 🔲 ⎌
A proximité : ✕
juin-sept. – **R** – ✶ 8 🚗 5 🔳 5 ⚡ 10

---

## ST-JACUT-DE-LA-MER
⬛4 – ⬛59 ⑤ G. Bretagne

**22750** C.-d'Armor – 797 h.
🏛 Syndicat d'Initiative, r. du Châtelet (15 juin-15 sept.) ☎ 96 27 71 91

⛰ **Municipal la Manchette** ⌂, ☎ 96 27 70 33, au parc des Sports, près de la plage
3,5 ha (374 empl.) ⊶ plat, herbeux, sablonneux – 🔲 ⛺ ⊟ 🕹 ⊕ 🔲
Rameaux-sept. – **R** – ✶ 12,50 🚗 5 🔳 6 ⚡ 7 (4A) 14 (8A)

---

## ST-JACUT-LES-PINS
⬛4 – ⬛63 ⑤

**56220** Morbihan – 1 570 h.

⛺ **Municipal les Étangs de Bodéan** ⌂, SO : 2,5 km par D 137 rte de St-Gorgon, bord d'un étang
1 ha (50 empl.) plat et peu incliné, herbeux – 🔲 ⍦ ⊕
15 juin-15 sept. – **R** – ✶ 6,50 🔳 6 ⚡ 6

---

## ST-JANS-CAPPEL
⬛2 – ⬛51 ⑤

**59270** Nord – 1 351 h.

⛰ **Domaine de la Sablière,** ☎ 28 49 46 34, NE : 3,5 km par D 10 rte de Poperinge et D 318 à droite, rte de Mont-Noir
3,6 ha (100 empl.) ⊶ en terrasses, pierreux, herbeux ⊟ ♀♀ – 🔲 ⛺ ⊟ ⊕ ⍦
– Location : 🔲
avril-oct. – *Places limitées pour le passage* – **R** – ✶ 12 🚗 10 🔳 10 ⚡ 10 (3A)

---

**ST-JEAN** 06 Alpes-Mar. – ⬛84 ⑧ – rattaché à Pégomas

## ST-JEAN (Col)

**04** Alpes-de-H.-Pr. – alt. 1 333 –
🏠 – ✉ 04140 Seyne-les-Alpes

🔢 – 🔢 ⑦ G. Alpes du Sud

🏔 **L'Étoile des Neiges** 🏊 ≤, 𝒫 92 35 07 08, S : 0,8 km par D 207 et chemin à droite
1 ha (80 empl.) ⚡ incliné, en terrasses, pierreux, herbeux 🔲 ⚲ – 🔧 🚿 🚻 🔲
🏪 ⊕ 🔁 ⚡ 🏪 snack 🍴 – 🔲 – 🔲 🎾 🏊 🐎 – A proximité : 🍽 ✕ 🏇 🐎 –
Location : 🏠
Permanent – **R** conseillée – 🔲 piscine comprise 2 pers. 57/70 avec élect. (2A), pers. suppl. 20

## ST-JEAN-D'ANGÉLY 🔄

**17400** Char.-Mar. – 8 060 h.
🔢 Syndicat d'Initiative, square de la Libération (fermé matin hors saison) 𝒫 46 32 04 72

🔢 – 🔢 ③ ④ G. Poitou Vendée Charentes

🏔 **Municipal du Val de Boutonne** 🏊, 𝒫 46 32 26 16, sortie NO par av. du Port (route de Marennes) et à droite avant le pont, quai de Bernouet, près de la rivière (plan d'eau)
1,8 ha (100 empl.) ⚡ plat, herbeux 🔲 ⚲ – 🔧 🚿 🚻 🔲 🔁 ⊕ – A proximité :
🔻 🏊
juin-sept. – **R** – 🛉 11 🚗 6 🔲 8 🔋 7

## ST-JEAN-D'AULPS

**74430** H.-Savoie – 914 h. alt. 820

🔢 – 🔢 ⑱

🏔 **Le Solerey** 🅼 ❄ ≤, 𝒫 50 79 64 69, sortie SE par D 902 rte de Morzine, bord de la Dranse
0,6 ha (35 empl.) ⚡ (été et hiver) peu incliné et en terrasses, gravillons, herbeux
🔲 – 🔧 🚿 🚻 🔲 🏪 ⊕ 🔲 – 🔲
Permanent – **R** conseillée vac. scolaires – 🔲 2 pers. 50 (hiver 60), pers. suppl. 15 🔋 15 (3A) 20 (6A) 30 (10A)

## ST-JEAN-DE-COUZ

**73160** Savoie – 180 h. alt. 626

🔢 – 🔢 ⑮

🏔 **La Bruyère** 🏊 ≤ « Site agréable », S : 2 km par N 6 et rte de Côte Barrier
1 ha (65 empl.) ⚡ (juil.-août) plat, herbeux – 🔧 🚿 🚻 ⊕ snack – 🔲
15 avril-15 oct. – **R** – 🛉 10 🔲 9 🔋 9 (2 à 10A)

## ST-JEAN-DE-LA-RIVIÈRE **50** Manche – 🔢 ① – rattaché à Barneville-Carteret

## ST-JEAN-DE-LUZ

**64500** Pyr.-Atl. – 13 031 h.
🔢 Office de Tourisme, pl. du Maréchal-Foch 𝒫 59 26 03 16

🔢 – 🔢 ② G. Pyrénées Aquitaine

🏔 **Itsas-Mendi,** 𝒫 59 26 56 50, NE : 5 km, à 500 m de la plage
6 ha (336 empl.) ⚡ incliné et en terrasses, herbeux ⚲ – 🔧 🚿 🚻 🔁 🔲 🏪 ⊕ 🔁
🍽 ✕ 🍴 🔲 sauna, solarium – 🔲 🎾 🏊 🐎 vélos, half-court – Location :
🔲
mai-sept. – **R** conseillée – 🔲 piscine comprise 2 pers. 85 🔋 12,50 (6A)

🏔 **Atlantica** ≤, 𝒫 59 54 75 33, NE : 5 km, à 600 m de la plage
3 ha (150 empl.) ⚡ en terrasses, plat, herbeux – 🔧 🚿 🚻 🔲 🏪 ⊕ 🔁 ⚡ 🔁
🍽 ✕ 🍴 🔲 – 🔲 discothèque 🏊 🏊 half-court – Location : 🔲
Permanent – **R** conseillée – 🔲 piscine comprise 2 pers. 90 (110 avec élect. 5A)

🏔 **International Erromardie** « Entrée fleurie », 𝒫 59 26 07 74, NE : 2 km, près de la plage
4 ha (216 empl.) ⚡ plat, herbeux – 🔧 🚿 🚻 🔲 ⊕ 🔁 ⚡ 🍽 🔲 – 🏊 – Location :
🔲
15 mai-sept. – **R** conseillée – 🔲 piscine comprise 80/100 avec élect. 6A

🏔 Municipal Chibaou-Berria, 𝒫 59 26 11 94, NE : 3 km – Sur une falaise, accès direct à la plage
4 ha (290 empl.) ⚡ peu incliné et en terrasses, herbeux 🔲 – 🔧 🚿 🚻 🔁 🔲
⊕ 🔁 🍽 ✕ 🍴 🔲 – 🔲

🏔 Iratzia, 𝒫 59 26 14 89, NE : 1,5 km, à 300 m de la plage
4,2 ha (300 empl.) ⚡ plat, peu incliné et en terrasses, herbeux ⚲ – 🔧 🚿 🚻 🔁
🔲 ⊕ 🔁 🍽 🍴 🔲 – Location : 🔲

🏔 **Inter-Plages** ≤, 𝒫 59 26 56 94, NE : 5 km – Sur une falaise, à 150 m de la plage (accès direct)
2,5 ha (100 empl.) ⚡ plat, herbeux ⚲ – 🔧 🚿 🚻 🔲 ⊕ 🔲 – A proximité : 🍽
✕ 🍴 salle de musculation 🔲
Pâques-Toussaint – **R** conseillée pour caravanes – 🔲 tentes – Tarif 91 : 🔲 2 pers. 68 🔋 17 (4A) 23 (6A) 33 (10A)

🏔 **Merko-Lacarra** ≤, 𝒫 59 26 56 76, NE : 5 km, à 150 m de la plage
2 ha (150 empl.) ⚡ peu incliné à incliné, herbeux – 🔧 🚿 🚻 🔁 🔲 ⊕ 🔁 ⚡ –
A proximité : 🔲 🍽 ✕ 🍴 salle de musculation, sauna, solarium
mars-oct. – **R** conseillée – Tarif 91 : 🛉 13 🔲 18 🔋 13 (16A)

🏔 **Maya,** 𝒫 59 26 54 91, NE : 4,5 km, à 300 m de la plage
1 ha (115 empl.) ⚡ en terrasses, peu incliné, herbeux ⚲ – 🔧 🔲 ⊕ 🔁 🍽 – A proximité :
🔁 snack – Location : 🔲, studios
15 juin-sept. – **R** 1ᵉʳ au 15 août – 🛉 13,10 🚗 6,50 🔲 11 🔋 13 (6A)

🏔 **Playa** 🏊 ≤, 𝒫 59 26 55 85, NE : 5 km, bord de plage
2,5 ha (125 empl.) ⚡ plat et en terrasses, herbeux 🔲 – 🔧 🚿 🚻 🔁 ⊕ 🍽 ✕
🍴 – A proximité : 🔁 – Location : 🔲
avril-11 nov. – **R** – 🛉 19 🔲 44 🔋 19 (4A)

357

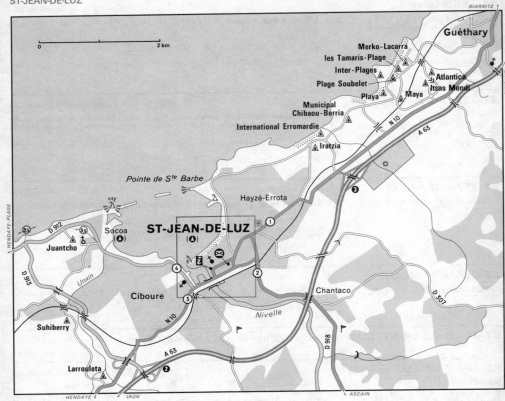

0       2 km

BIARRITZ

**Guéthary**

Merko - Lacarra
les Tamaris - Plage
Inter - Plages
Plage Soubelet
**Atlantica**
**Itsas Mendi**
Playa    Maya
Municipal
Chibaou - Berria
International Erromardie
Iratzia

N 10

A 63

*Pointe de S<sup>te</sup> Barbe*

HENDAYE-PLAGE

D 912

Socoa
(O)

Juantcho

Hayzé-Errota

**ST-JEAN-DE-LUZ**
(O)

❶

❸

Unxin

D 913

Ciboure

❹

❸

❷

Chantaco

D 307

*Nivelle*

N 10

Suhiberry

A 63

D 918

Larrouleta

❷

HENDAYE
IRÙN

ASCAIN

---

🏔 **Les Tamaris-Plage,** 𝒫 59 26 55 90, NE : 5 km, à 80 m de la plage
1,5 ha (60 empl.) ⊶ plat, peu incliné et en terrasses, herbeux – 🔥 ⛺ 🛁 🎣 🍴
🛏 – ⚓ – A proximité : 🏖 🍸 snack 🛋 salle de musculation 🏓
avril-sept. – **R** *conseillée juil.-août – Tarif 91 :* 🔲 *2 pers. 90/120 avec elect., pers.*
*suppl. 18*

🏔 **Plage Soubelet,** 𝒫 59 26 51 60, NE : 5 km, à 80 m de la plage
1,5 ha (120 empl.) ⊶ incliné, en terrasses, herbeux – 🔥 ⚙ 🛁 – A proximité :
🏖 🍸 ✕ 🛋 salle de musculation 🏓
vac. de printemps-15 oct. – **R** *conseillée – Tarif 91 :* 🔥 *13* 🚗 *5,50* 🔲 *12*
🔌 *12,50 (6A)*

*à Socoa* 2 km par ④ – ✉ 64122 Urrugne :

🏔 **Larrouleta,** 𝒫 59 47 37 84, S : 3 km, bord d'un plan d'eau et à 150 m d'une
rivière
5 ha (266 empl.) ⊶ plat et peu incliné, herbeux ♀ – 🔥 🏔 🎣 ⚙ ⛺ ☂ 🏖 🛋
🛏 – 🍴 ✂ 🏓 ⚓ – **R** *conseillée – Tarif 91 :* 🔥 *12* 🚗 *8* 🔲 *12* 🔌 *10 (5A)*

🏔 **Suhiberry** ≤, 𝒫 59 47 06 23, S : 2 km, à 50 m d'une rivière
3 ha (170 empl.) ⊶ en terrasses, herbeux ♀ – 🔥 🏔 🎣 ⚙ ⛺ 🏖 🛁 – 🛋 ✕
juin-sept. – **R** *conseillée juil.-août –* 🔥 *12,10* 🚗 *5,60* 🔲 *14,60* 🔌 *10,30 (4A)*

🏔 **Juantcho,** 𝒫 59 47 11 97, O : 1 km
5 ha (300 empl.) ⊶ en terrasses, peu incliné, herbeux ♀♀ (2,5 ha) – (🔥 ⛺ ⛄
juil.-août) 🎣 ⚙
mai-sept. – **R** *conseillée juil.-août –* 🔥 *15* 🚗 *7,80* 🔲 *15* 🔌 *15*

---

## ST-JEAN-DE-MARUÉJOLS

🔢 _ 🔢 ⑧

**30430** Gard – 766 h.

🏔 **Universal,** 𝒫 66 24 41 26 ✉ 30430 Rochegude, SO : 2,5 km par D 51 rte
de St-Ambroix, bord de la Cèze
4 ha (90 empl.) ⊶ plat, herbeux ♀♀ – 🔥 🏔 🎣 ⛭ ⚙ 🛁 – ≃
mai-sept. – **R** *conseillée 15 juil.-15 août –* 🔥 *13* 🔲 *20* 🔌 *10 (2A) 13 (4A) 16*
*(6A)*

---

▶ 🛋 ✕    *Let op :*
     ⛺ 🛋    *deze gegevens gelden in het algemeen alleen in het seizoen,*
     🛋 🏇    *wat de openingstijden van het terrein ook zijn.*

**85160** Vendée – 5 959 h.

🛈 Office de Tourisme, Palais des Congrès, espl. de la Mer 𝒫 51 58 00 48 et r. Plage (15 juin-15 sept., fermé après-midi sauf juil.-août) 𝒫 51 58 02 21

▲▲▲ **Le Bois Masson,** 𝒫 51 58 62 62, SE : 2 km
7,5 ha (485 empl.) ⊶ plat, herbeux, sablonneux, petit étang ⌷ ⚲ – 🗑 ⇆ 🛁 🗑 sauna 🕭 ⊙ 🗐 ☷ ⛋ 🍴 ❖ ╳ crêperie 🛒 🗐 – 🗑 salle d'animation 🎿 ⚓ 🗑 🧗 toboggan aquatique, vélos – Location : 🛒 🛏 🏠
avril-sept. – **R** *indispensable juil.-août* – 🅴 *piscine comprise 3 pers. 133* 🗑 *20 (4A) 30 (6A)*

▲▲▲ **Les Amiaux,** 𝒫 51 58 22 22, NO : 3,5 km
8 ha (400 empl.) ⊶ plat, herbeux, sablonneux ⌷ ⚲ – 🗑 ⇆ 🛁 🗑 sauna 🕭 ⊙ 🗐 ☷ ⛋ 🍴 ╳ salle d'animation 🛒 🗐 – 🗑 🎿 ╦ ⚓ 🧗 toboggan aquatique, vélos
début mai-26 sept. – **R** *saison* – ⚹ *15 piscine comprise* 🅴 *100 avec élect. 6 ou 10A*

▲▲▲ **La Yole** 🐾 « Entrée fleurie, cadre agréable », 𝒫 51 58 67 17, SE : 7 km – ❖ juil.-août
3 ha (163 empl.) ⊶ plat, sablonneux, herbeux, pinède attenante (2 ha) ⌷ ⚲ – 🗑 ⇆ 🛁 🗑 🕭 ⊙ 🗐 ☷ ⛋ 🍴 ╳ 🛒 🗐 – ❖ ⚓ 🧗
18 mai-14 sept. – **R** *conseillée – Tarif 91 :* 🅴 *élect. (6A) et piscine comprises 3 pers. 128 (140 avec élect. 6A)*

▲▲▲ **L'Abri des Pins** « Entrée fleurie », 𝒫 51 58 83 86, NO : 4 km
3 ha (225 empl.) ⊶ plat, herbeux, sablonneux ⚲⚲ – 🗑 ⇆ 🛁 🗑 ⊙ 🗐 ☷ ⛋ 🍴 snack 🛒 🗐 – 🗑 ❖ ╦ ⚓ – Location : 🏠
15 mai-15 sept. – **R** *conseillée – Tarif 91 :* 🅴 *piscine comprise 3 pers. 117 (124 ou 133 avec élect.), pers. suppl. 19*

▲▲▲ **Le Bois Dormant** Ⓜ, 𝒫 51 58 01 30, SE : 2,2 km
4,5 ha (241 empl.) ⊶ plat et en terrasses, sablonneux, herbeux, petit étang ⌷ ⚲ – 🗑 ⇆ 🛁 🗑 🕭 ⊙ 🗐 ☷ ⛋ 🍴 🛒 🗐 – 🗑 ❖ ⚓ 🧗 toboggan aquatique – A proximité : ╳ crêperie 🗑
15 mai-15 sept. – **R** *conseillée, indispensable juil.-août* – 🅴 *piscine comprise 3 pers. 133* 🗑 *20 (4A) 30 (6A)*

▲▲▲ **Zagarella,** 𝒫 51 58 19 82, SE : 4 km
4 ha (165 empl.) ⊶ plat et accidenté, terrasse, sablonneux ⌷ ⚲ – 🗑 ⇆ 🛁 🗑 🕭 ⊙ 🗐 ☷ ⛋ 🍴 🛒 🗐 – 🗑 🧗 – A proximité : ╦ – Location : appartements
mai-sept. – **R** *conseillée juil.-août – Tarif 91 :* 🅴 *élect. et piscine comprises 3 pers. 140, pers. suppl. 22*

▲▲▲ **La Forêt** Ⓜ « Décoration arbustive », 𝒫 51 58 84 63, NO : 5,5 km (voir schéma de Notre-Dame-de-Monts)
0,93 ha (63 empl.) ⊶ plat, herbeux, sablonneux ⌷ ⚲ – 🗑 ❖ 🛁 🗑 ⊙ 🗐 ☷ 🗐 – 🗑 ⚓ 🧗 – **R** *conseillée – Tarif 91 :* ⚹ *19 piscine comprise* 🅴 *68* 🗑 *10 (6A)*
juin-15 sept.

▲▲▲ **Le Bois Joly** Ⓜ, 𝒫 51 59 11 63, NO : 1 km
4 ha (180 empl.) ⊶ (saison) plat, herbeux, sablonneux ⌷ – 🗑 ❖ 🛁 🗑 🕭 ⊙ 🗐 ☷ ⛋ 🍴 snack 🛒 🗐 – ⚓ 🧗 – A proximité : ╦ – Location : 🗑 🏠
18 avril-17 oct. – **R** *conseillée juil.-août* – 🅴 *piscine comprise 2 pers. 74, 3 pers. 90* 🗑 *12 (4A) 16 (6A)*

▲▲▲ Aux Cœurs Vendéens, 𝒫 51 58 84 91, NO : 4 km
1,5 ha (117 empl.) ⊶ plat, herbeux, sablonneux ⌷ ⚲ – 🗑 ⇆ 🛁 ⅗ 🗑 ⊙ 🗐 ☷ ⛋ 🍴 crêperie 🛒 🗐 – 🗑 ╦ ⚓ 🧗 – A proximité : ❖

▲▲▲ **Les Genêts** Ⓜ, 𝒫 51 58 93 94, SE : 7 km
2,5 ha (160 empl.) ⊶ plat et vallonné, sablonneux ⌷ ⚲⚲ pinède (0,6 ha) – 🗑 ❖ 🛁 🗑 🕭 ⊙ 🗐 ☷ – 🗑 ⚓ 🧗 – A proximité : ╦
15 mai-15 sept. – **R** *conseillée* – 🅴 *élect. (6A) comprise 3 pers. 130, pers. suppl. 22*

▲▲ Plein Sud Ⓜ, 𝒫 51 59 10 40, NO : 4 km
2 ha (110 empl.) ⊶ plat, herbeux, sablonneux ⌷ – 🗑 ❖ 🛁 🗑 🕭 ⊙ 🗐 ⛋ 🍴 🗐 – 🗑 ❖ – A proximité : crêperie 🛒 ╦ 🧗 – Location : 🛒

▲▲ **Les Pins,** 𝒫 51 58 17 42, SE : 2,5 km
1,2 ha (129 empl.) ⊶ plat et en terrasses, sablonneux ⌷ ⚲ – 🗑 ❖ 🛁 🗑 ⊙ – 🗑 – A proximité : ⛋ 🍴 🛒 ❖
13 juin-7 sept. – **R** *conseillée 11 juil.-22 août – Tarif 91 :* 🅴 *piscine comprise 3 pers. 85* 🗑 *6 (6A)*

▲▲ **Les Places Dorées,** 𝒫 51 59 02 93, NO : 4 km
0,8 ha (45 empl.) ⊶ plat, sablonneux, herbeux ⌷ – 🗑 ❖ 🛁 🗑 🕭 ⊙ 🗐 – 🗑 ⚓ – A proximité : ⛋ 🍴 ╳ 🛒 ❖ ╦ 🧗
juil.-août – **R** *conseillée – Tarif 91 :* 🅴 *piscine comprise 3 pers. 83 (93 avec élect.), pers. suppl. 14*

▲▲ C.C.D.F. les Sirènes 🐾, 𝒫 51 58 01 31, SE : av. des Demoiselles, à 500 m de la plage
15 ha/5 campables (500 empl.) ⊶ plat et accidenté, dunes ⚲⚲ pinède – 🗑 🗗 🗑 ⊙ 🗐 – A l'entrée : ⛋ 🍴 snack 🛒
Pâques-17 sept. – **R** *conseillée juil.-août – Adhésion obligatoire* – ⚹ *13* ⬅ *9* 🅴 *13* 🗑 *10 (3A)*

▲▲ **Les Salines,** 𝒫 51 58 11 95, ✉ 85270 St-Hilaire-de-Riez, SE : 5 km, sur D 123
3 ha (140 empl.) ⊶ plat et vallonné, herbeux, sablonneux ⚲⚲ – 🗑 🛁 🗑 ⊙ 🗐 – ⚓
juin-sept. – **R** – 🅴 *3 pers. 52* 🗑 *11 (5A)*

▲▲ **Les Ombrages,** 𝒫 51 58 91 14, ✉ 85270 St-Hilaire-de-Riez, SE : 5 km sur D 123
3 ha (140 empl.) ⊶ plat et vallonné, herbeux, sablonneux ⚲⚲ – 🗑 🗗 🕭 ⊙ 🗐
Pâques-sept. – **R** – 🅴 *3 pers. 52, pers. suppl. 16* 🗑 *11 (5A)*

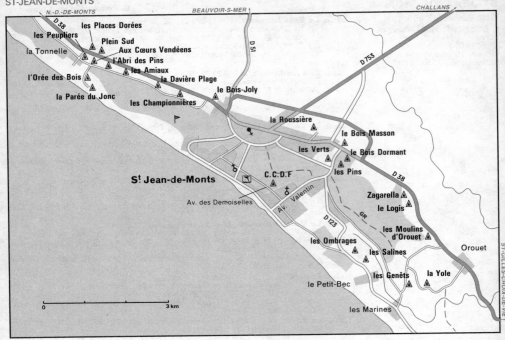

les Places Dorées
les Peupliers
Plein Sud
la Tonnelle
Aux Cœurs Vendéens
l'Abri des Pins
les Amiaux
l'Orée des Bois
la Davière Plage
la Parée du Jonc
le Bois-Joly
les Championnières
la Roussière
le Bois Masson
les Verts
le Bois Dormant
St Jean-de-Monts
C.C.D.F
les Pins
Zagarella
le Logis
Av. des Demoiselles
Av. Valentin
les Moulins d'Orouet
les Ombrages
les Salines
Orouet
les Genêts
la Yole
le Petit-Bec
les Marines

0        3 km

---

🏕️ **La Davière-Plage,** ✆ 51 58 27 99, NO : 3 km
3 ha (162 empl.) ⊶ plat, sablonneux, herbeux – 🍴 ⛟ 🛁 🏪 🔌 ⊛ – A proximité :
🏊 ⚓ ✗ 🎣
15 juin-15 sept. – **R** *conseillée* – *Tarif 91 : 🗵 3 pers. 65* 🔋 *14 (4A) 17 (6A)*

🏕️ **Le Logis,** ✆ 51 58 60 67, SE : 4,3 km
0,8 ha (40 empl.) ⊶ plat et en terrasses, sablonneux, herbeux ⊡ – 🍴 ⛟ 🛁 🏪
🔌 ⊛ – 🚐 🏊 – A proximité : ⚓ ✗ 🎣 – Location : 🚐
10 avril-15 sept. – **R** *conseillée juil.-août* – *Tarif 91 : 🗵 3 pers. 59, pers. suppl.*
*13* 🔋 *8 (2A) 13 (6A)*

🏕️ **La Roussière,** ✆ 51 58 65 73, SE : 1,5 km
1 ha (77 empl.) ⊶ plat, herbeux, sablonneux ⊡ – 🍴 ⛟ 🛁 ⊛ 🏪 – 🏊
Pâques-sept. – **R** – 🗵 *2 pers. 47*

🏕️ **La Parée du Jonc** ⚝, ✆ 51 58 81 19, NO : 4,5 km, à 250 m de la plage
2,9 ha (200 empl.) ⊶ plat et vallonné, sablonneux – 🍴 ⛟ 🏊 🔌 🏪 🏊 –
A proximité : ⚓ ✗ crêperie
juin-15 sept. – **R** *conseillée* – 🗵 *2 pers. 49, pers. suppl. 12* 🔋 *13 (4A) 15 (6A)*

🏕️ **Les Peupliers** Ⓜ, ✆ 51 58 46 07, NO : 4,3 km
0,5 ha (25 empl.) plat, herbeux, sablonneux ⊡ – 🍴 ⛟ 🛁 🏪 🔌 ⊛ – A proximité :
🏊 🎣
avril-sept. – **R** *conseillée août* – 🗵 *3 pers. 62 (85,50 avec élect. 6A), pers. suppl.*
*15*

🏕️ **Les Verts,** ✆ 51 58 47 63, SE : 2,5 km, av. Valentin
3 ha (300 empl.) ⊶ plat et vallonné, sablonneux ⊡ ⚲ – 🍴 🏊 🏪 🔌 ⊛ 🏊 ⚓ ✗
🎣 🏊 – A proximité : ⚝ – Location : ⊨ (hôtel)
30 mai-sept. – **R** – 🗵 *piscine comprise 3 pers. 65* 🔋 *11,60 (3A)*

⚠️ **Les Moulins d'Orouet,** ✆ 51 35 16 71, SE : 5,5 km
2 ha (100 empl.) ⊶ plat, herbeux, sablonneux ⚲⚲ – 🍴 🏊 🏪 ⊛
15 juin-15 sept. – **R** *conseillée août* – ⚓ *12* 🗵 *11* 🔋 *11 (6A)*

⚠️ **L'Orée des Bois** ⚝, ✆ 51 58 45 82, NO : 4,2 km, à 500 m de la plage
0,7 ha (40 empl.) ⊶ plat et peu incliné, sablonneux, pinède attenante ⊡ – 🍴
🏊 🔌 ⊛ – A proximité : ⚓ ✗ crêperie
15 juin-15 sept. – **R** – 🗵 *3 pers. 48* 🔋 *11 (4A) 12 (6A)*

⚠️ **Les Championnières,** ✆ 51 58 61 54, NO : 2,5 km
1,2 ha (102 empl.) ⊶ plat, herbeux, sablonneux – 🍴 🏊 ⊛
mai-sept. – **R** – *Tarif 91 :* 🗵 *2 pers. 35* 🔋 *11 (2A) 12 (4A) 13 (6A)*

---

## ST-JEAN-DE-SIXT

**74450** H.-Savoie – 852 h. alt. 956.
🅱️ Office de Tourisme ✆ 50 02 70 14

12 – 74 ⑦ G. Alpes du Nord

⚠️ **Municipal du Crêt** ≼, ✆ 50 02 38 89, sortie vers le Grand-Bornand et 0,5 km
par chemin à gauche
1,5 ha (54 empl.) ⊶ peu incliné, plat et en terrasses, gravillons, herbeux ⊡ –
🍴 🏊
juin-oct. – **R** – *Tarif 91 :* ⚓ *9* 🗵 *12* 🔋 *8 (2A)*

## ST-JEAN-DU-GARD

**30270** Gard – 2 441 h.

⛰ **La Forêt** ⌂ ≼ « A l'orée d'une vaste pinède », ℰ 66 85 37 00, N : 2 km par D 983 rte de St-Étienne-Vallée-Française puis 2 km par D 333 rte de Falguières
3 ha (60 empl.) ⟞ plat et en terrasses, pierreux, herbeux – 🛉 🚿 🏪 🔥 ⊙ 🚇
🍴 🖥 – 🏊 🏓
avril-15 sept. – **R** conseillée juil.-août – 🅴 piscine comprise 2 pers. 55, pers. suppl.
13 🅖 12 (4A)

⛰ **Les Sources** ⌂ ≼ « Cadre agréable », ℰ 66 85 38 03, NE : 1 km par D 983
et D 50 rte de Mialet
1,5 ha (100 empl.) ⟞ peu incliné et en terrasses, herbeux 🏭 – 🛉 🚿 🏪 🔥 ⊙
– 🏊 🏓
avril-15 sept. – **R** conseillée 15 juin-août – 🅴 piscine comprise 1 ou 2 pers.
43, pers. suppl. 12 🅖 12 (3 à 6A)

⛰ **Le Mas de la Cam** ⌂ ≼, ℰ 66 85 12 02, NO : 3 km par D 907 rte de
St-André-de-Valborgne, bord du Gardon de St-Jean – Accès par pont étroit
6 ha/2,8 campables (200 empl.) ⟞ peu incliné, en terrasses, herbeux 🏭 – 🛉
🚿 🖥 ⊙ 🍴 🖥 – 🏊 🏓
Pâques-sept. – **R** conseillée juil.août – Tarif 91 : 🅴 2 pers. 50, pers. suppl. 12
🅖 12 (3A) 14 (6A)

## ST-JEAN-EN-ROYANS

**26190** Drôme – 2 895 h.

🅱 Syndicat d'Initiative, Pavillon du
Tourisme ℰ 75 48 61 39

⛰ **Municipal** ⌂, ℰ 75 47 74 60, sortie SO par D 70 rte d'Oriol-en-Royans, bord
de la Lyonne
2 ha (140 empl.) ⟞ plat, herbeux 🏭 🏓 (1 ha) – 🛉 🚿 🏪 🖥 ⊙ 🚇 – A proximité :
🍴 🏓
mai-sept. – 🅁

## ST-JEAN-LA-BUSSIÈRE

**69550** Rhône – 847 h.

⛰ **Municipal** ⌂ ≼, sortie S rte de Tarare et chemin à droite, au terrain de sports
0,7 ha (20 empl.) peu incliné, herbeux 🏭 – 🛉 🚿 🏪 ⊙ – 🏊
mai-oct. – **R** – 🍴 6 🚗 4 🅴 5 🅖 7 (3A) 8 (6A)

## ST-JEAN-LE-CENTENIER

**07580** Ardèche – 508 h.

⛰ **Les Arches** ⌂, ℰ 75 36 75 19, SO : 0,5 km par D 458, bord de la Gladuègne
1,8 ha (47 empl.) ⟞ peu incliné, terrasses, herbeux – 🛉 🚿 🏪 🔥 🚇 – 🏊
15 mai-sept. – **R** – 🅴 2 pers. 39, pers. suppl. 11 🅖 10 (6A)

## ST-JEAN-LE-THOMAS

**50530** Manche – 398 h.

⛰ **Municipal Pignochet**, ℰ 33 48 84 02, SO : 1 km par D 483, près de la plage
2 ha (90 empl.) ⟞ plat, sablonneux, herbeux – 🛉 🚿 ⊙ 🚇 – 🏊 – A proximité :
🍴

## ST-JEAN-PIED-DE-PORT

**64220** Pyr.-Atl. – 1 432 h.

🅱 Syndicat d'Initiative, pl. Charles-de-
Gaulle ℰ 59 37 03 57

⛰ **Europ'Camping** Ⓜ ⌂ ≼, ℰ 59 37 12 78, NO : 2 km par D 918 rte de
Bayonne et chemin à gauche, à Ascarat
1,8 ha (94 empl.) ⟞ peu incliné, herbeux – 🛉 🚿 🏪 🔥 🖥 sauna 🏪 ⊙ 🚇 🍴 ✗
🍴 🖥 – 🏊 🏓
Pâques-oct. – **R** conseillée juil.-août – 🍴 26 piscine comprise 🅴 36 🅖 18 (6A)

⛰ **Narbaïtz** ≼, ℰ 59 37 10 13, NO : 2,5 km par D 918 rte de Bayonne et D 303
à gauche, à 50 m de la Nive et bord d'un ruisseau
1,8 ha (133 empl.) ⟞ (saison) plat et peu incliné, herbeux 🏓 (1 ha) – 🛉 🚿
🖥 ⊙ – 🏊
vac. de printemps-oct. – 🅁 – 🍴 9 🚗 5 🅴 7 🅖 10 (moins de 3A)

## ST-JEAN-PLA-DE-CORTS

**66400** Pyr.-Or. – 1 456 h.

⛰ **Les Casteillets** ⌂ ≼ Chaîne des Albères, ℰ 68 83 26 83, sortie vers Amélie-
les-Bains par D 115 et chemin à gauche, bord du Tech
5 ha (150 empl.) ⟞ plat, pierreux, herbeux 🏭 🏓 – 🛉 🚿 🏪 🖥 🏪 ⊙ 🚇 snack
🖥 – ✗ 🏓 – Location : 🏠 ⏏ 🏠

⛰ **Les Deux Rivières** ⌂, ℰ 68 83 23 20, SE : 0,5 km par D 13 rte de Maureil-
las-las-Illas, au confluent du Tech et du Sabaro
8,5 ha (100 empl.) ⟞ plat, pierreux, herbeux 🏭 🏓 – 🛉 🚿 🏪 🏪 ⊙ 🚇 🍴 – 🏊
🏓 – Location : 🏠
mai-sept. – **R** conseillée juil.-août – 🍴 24 piscine comprise 🅴 19 🅖 13 (3A)

▶ *En juillet et août, beaucoup de terrains sont saturés*
*et leurs emplacements retenus longtemps à l'avance.*
*N'attendez pas le dernier moment pour réserver ;*
*ou mieux : choisissez une autre période.*

## ST-JEAN-ST-NICOLAS
**05260** H.-Alpes – 865 h. alt. 1 125 ⟨17 – 77 ⑯⟩

*à Pont du Fossé* sur D 944 – ✉ 05260 Chabottes :

▲▲ **Le Diamant** ≤ « Cadre agréable », ℘ 92 55 91 25, SO : 0,8 km sur D 944 rte
de Gap, bord du Drac
4 ha (80 empl.) ⟶ plat, herbeux, peu pierreux 👥 pinède – 🛁 ⟷ ⟨ ⊡ ☺ – 🚐
🚗 – A proximité : 🏊
juin-sept. – **R** *conseillée juil.-août – Tarif 91 :* ⊡ *2 pers. 59, pers. suppl. 19,50*
⚡ *9 à 19 (1 à 6A)*

▲▲ **Municipal le Châtelard** ⟨≤, ℘ 92 55 94 31, NO : 1,1 km par D 944 e⟩
chemin à droite, bord du Drac
2 ha (60 empl.) ⟶ plat, herbeux, pierreux 🌿 – 🛁 ⟷ ⟷ ☺ – 🚐 ✗
15 juin-15 sept. – **R** *conseillée – Tarif 91 :* 🟊 *15* ⊡ *15/20* ⚡ *10*

## ST-JODARD
**42590** Loire – 421 h. ⟨11 – 73 ⑧⟩

▲ **Municipal,** au bourg, rte de Neulise
0,8 ha (30 empl.) plat, herbeux 🌿 – 🛁 ⟨ ☺ – A proximité : ✗ 🍴
avril-oct. – **R** – 🟊 *6* 🚗 *3* ⊡ *3* ⚡ *10,90 (3A) 15,50 (5A)*

## ST-JORIOZ 74 H.-Savoie – 74 ⑥ – voir à Annecy (Lac d')

## ST-JOUAN-DES-GUÉRETS 35 I.-et-V. – 59 ⑥ – rattaché à St-Malo

## ST-JULIEN 56 Morbihan – 63 ⑪ ⑫ – voir à Quiberon (Presqu'île de)

## ST-JULIEN-CHAPTEUIL
**43260** H.-Loire – 1 664 h. alt. 821. ⟨11 – 76 ⑦ G. Vallée du Rhône⟩
🚩 Syndicat d'Initiative, Mairie
(juil.-août) ℘ 71 08 77 70

▲▲ **Municipal de la Croix-Blanche,** ℘ 71 08 70 01, sortie N par D 28 rte du
Pertuis, à 50 m de la Sumène
0,6 ha (29 empl.) ⟶ plat, terrasse, herbeux – 🛁 ⟨ ⊡ ⟨ ☺ ⟨ ⟶ – 🚐 ✗
🍴
juin-sept. – **R** *conseillée juil.-août* – 🟊 *9* ⊡ *14* ⚡ *10*

## ST-JULIEN-DE-CONCELLES
**44450** Loire-Atl. – 5 418 h. ⟨9 – 63 ⑰⟩

▲▲ **Municipal du Plan d'Eau du Chêne** « Cadre agréable », ℘ 40 54 12 00
E : 1,5 km par D 37 (déviation), près du plan d'eau
2 ha (100 empl.) ⟶ plat, herbeux – 🛁 ⟨ ☺ ⟨ – ✗ 🍴
mars-oct. – **R** *conseillée* – 🟊 *9* 🚗 *4,50* ⊡ *8* ⚡ *10 (6A) 16 (10A)*

## ST-JULIEN-DE-LAMPON
**24** Dordogne – 586 h. ⟨13 – 75 ⑤⟩
✉ 24370 Carlux

▲▲ **Le Mondou** ⟨≥, ℘ 53 29 70 37, E : 0,8 km par D 50 rte de Mareuil et chemin⟩
à droite
1,2 ha (60 empl.) ⟶ (juil.-août) peu incliné, pierreux, herbeux ⟷ – 🛁 ⟷ ⟷ ⊡
⟨ ☺ – 🚐 – A proximité : ✗
juin-sept. – **R** *conseillée – Tarif 91 :* 🟊 *15* ⊡ *17* ⚡ *18 (6 et 10A)*

## ST-JULIEN-DE-PEYROLAS
**30760** Gard – 1 088 h. ⟨16 – 80 ⑨⟩

▲▲▲ **Le Peyrolais** ⟨≥, ℘ 66 82 14 94, E : 3 km par D 141, D 901 rte de Pont-St-⟩
Esprit et chemin à gauche avant le pont, bord de l'Ardèche
5 ha (100 empl.) ⟶ plat, herbeux 👥 – 🛁 ⟷ ⊡ ⟨ ☺ ⟨ ⟨ 🍴 ✗ 🖼 – 🚐 🚗
🏊
15 mars-15 oct. – **R** *conseillée juil.-15 août –* ⊡ *2 pers. 54, pers. suppl. 12*
⚡ *12 (3 ou 6A)*

## ST-JULIEN-DES-LANDES
**85150** Vendée – 1 075 h. ⟨9 – 67 ⑫ ⑬⟩

▲▲▲ **La Garangeoire** ⟨≥ « Agréable domaine : prairies, étangs et bois »⟩
℘ 51 46 65 39, N : 2,8 km par D 21
200 ha/5,5 campables (240 empl.) ⟶ plat et vallonné ⟷ 👥 (1 ha) – 🛁 ⟷ ⟷
⊡ ⟨ ☺ ⟨ ⟶ 🚐 🍴 ✗ ⟨ 🖼 – 🚐 ✗ 🍴 🚗 🐎 vélos
15 mai-15 sept. – **R** *conseillée – Mineurs non accompagnés non admis –* ⊡ *élect.*
*(10A) et piscine comprises 3 pers. 124, pers. suppl. 22*

▲▲▲ **La Forêt** ⟨≥ « Dans les dépendances d'un château », ℘ 51 46 62 11, sortie⟩
NE par D 55 rte de Martinet
50 ha/5 campables (148 empl.) ⟶ plat, herbeux, étangs et bois ⟷ 🌿 – 🛁 ⟨
⟨ ⊡ ⟨ ☺ ⟨ ⟶ 🚐 🍴 crêperie 🚗 🖼 – 🚐 discothèque ✗ 🍴 🚗 🚗
15 mai-15 sept. – **R** *conseillée juil.-août –* ⊡ *piscine comprise 3 pers. 98, pers.*
*suppl. 22* ⚡ *11 (4A)*

## ST-JULIEN-DU-VERDON
**04170** Alpes-de-H.-Pr. – 94 h. ⟨17 – 81 ⑱ G. Alpes du Sud⟩
alt. 914

▲ **Le Lac** ≤, ℘ 92 89 07 93, sortie N sur N 202 rte de St-André-les-Alpes
1 ha (70 empl.) ⟶ plat, peu incliné, herbeux, pierreux – 🛁 ⊡ ⟨ ☺ – 🚐
🚗
15 juin-15 sept. – **R** – 🟊 *12* ⊡ *15* ⚡ *10 (6A)*

## ST-JULIEN-EN-BORN

**40170** Landes – 1 285 h.

🔟🔟 – 🔟🔟 ⑮

ᴧᴧᴧ **Municipal la Lette Fleurie** 🦅, ✆ 58 42 74 09, NO : 4 km par rte de Mimizan et rte de Contis-Plage
8,5 ha (345 empl.) ⊶ accidenté, sablonneux ♀♀ pinède – 🗊 🕾 🛌 🗓 ⓐ 🛝 🚿 🍴 🖦 🖥 – ✂ 🚣
Pâques-sept. – **R** conseillée – 🛊 11,30 🚗 4,60 🔳 13,90 🔋 10,30 (3A)

ᴧ **Le Grand Pont,** sortie N par D 652, rte de Mimizan, près d'un ruisseau
2 ha (75 empl.) plat, herbeux, sablonneux ♀♀ pinède – 🗊 🕾 ⓐ – 🚣
juin-sept. – **R** conseillée 15 juil.-15 août – Tarif 91 : 🛊 9,40 🚗 3,50 🔳 8 🔋 9,50 (10A)

## ST-JULIEN-EN-ST-ALBAN

**07000** Ardèche – 924 h.

🔟🔟 – 🔟🔟 ⑳

ᴧ **le Pampelone,** ✆ 75 66 00 97, sortie O par N 104 rte de Pouzin et à droite, près de l'Ouvèze
1,5 ha (30 empl.) ⊶ plat, herbeux – 🗊 🕾 🔊 🗓 🕭 ⓐ 🍴
mai-sept. – **R** – 🔳 2 pers. 60 🔋 13 (4A)

## ST-JUST

**15390** Cantal – 248 h. alt. 885

🔟🔟 – 🔟🔟 ⑭

ᴧᴧᴧ **Municipal,** ✆ 71 73 72 57, au SE du bourg, bord d'un ruisseau
2 ha (60 empl.) ⊶ plat et peu incliné, terrasse, herbeux 🖂 ♀ – 🗊 🕾 🛌 🗓 ⓐ 🖥 – A proximité : ✂ 🏊 – Location : 🏠
avril-oct. – **R** conseillée juil.-août – 🛊 9,80 🚗 6,20 🔳 8,30 🔋 9 (10A)

## ST-JUSTIN

**40240** Landes – 917 h.

🔟🔟 – 🔟🔟 ⑫

ᴧ **Le Pin,** ✆ 58 44 88 91, N : 2,3 km sur D 626 rte de Roquefort
3 ha (50 empl.) ⊶ plat, herbeux ♀♀ – 🗊 🕾 🛌 ⓐ
avril-oct. – **R** juil.-15 août – 🛊 12 🔳 15 🔋 8 (2A) 12 (5A)

## ST-LAGER-BRESSAC

**07210** Ardèche – 569 h.

🔟🔟 – 🔟🔟 ⑳

ᴧ **Municipal les Civelles d'Ozon,** ✆ 75 65 01 86, sortie E sur D322 rte de Baix, bord d'un ruisseau
1,3 ha (40 empl.) ⊶ (saison) plat, pierreux, herbeux 🖂 – 🗊 🕾 🛌 🕭 ⓐ 🛝 🗦 – 🖦 🏊
mai-15 sept. – **R** conseillée 15 juil.-15 août – 🔳 2 pers. 27,50/38 avec élect. (jusqu'à 6A)

## ST-LAMBERT-DU-LATTAY

**49750** M.-et-L. – 1 352 h.

🔟 – 🔟🔟 ⑳ G. Châteaux de la Loire

ᴧ **S.I. la Coudraye** 🦅, au sud du bourg, près d'un étang
0,5 ha (20 empl.) peu incliné, herbeux – 🗊 🔊 ⓐ 🛝 🗦
15 avril-oct. – **R** – 🛊 9 🔳 8 🔋 9

## ST-LARY-SOULAN

**65170** H.-Pyr. – 1 108 h. alt. 830 – 🚿.

🛈 Office de Tourisme, r. Principale ✆ 62 39 50 81

🔟🔟 – 🔟🔟 ⑲ G. Pyrénées Aquitaine

ᴧᴧᴧ **Municipal** 🅼 ❄ ≼, ✆ 62 39 41 58, au bourg, à l'est du D 929
0,8 ha (76 empl.) ⊶ plat et peu incliné, herbeux, pierreux ♀ – 🗊 🕾 🛌 🗓 🕭 🖦 🕭 – 🖦 – A proximité : ✂ 🏊 – Location : 🖦
fermé 1er nov. au 1er déc. – **R** conseillée – 🛊 21 🔳 22 🔋 14 à 32 (2 à 10A)

## ST-LAURENT-D'AIGOUZE

**30220** Gard – 2 323 h.

🔟🔟 – 🔟🔟 ⑧

ᴧ Port Viel, ✆ 66 88 15 42, S : 2,8 km par D 46
1,2 ha (100 empl.) ⊶ plat, pierreux, herbeux – 🗊 ⓐ 🖥 – Location : 🚐
avril-oct. – **R** conseillée juil.-août

## ST-LAURENT-DE-CERDANS

**66260** Pyr.-Or. – 1 489 h. alt. 675

🔟🔟 – 🔟🔟 ⑱ G. Pyrénées Roussillon

ᴧᴧ **Municipal Verterive** 🦅 ≼, ✆ 68 39 54 64, sortie NO par D 3 rte d'Arles-sur-Tech, bord de la Quéra
1,4 ha (74 empl.) ⊶ (juil.-août) peu incliné, herbeux – 🗊 🛌 ⓐ – 🖦 – A proximité : 🏊
juin-sept. – **R** – 🛊 9,60 🚗 4 🔳 9,60 🔋 12,40 (3 ou 5A)

▶ *Des vacances réussies sont des vacances bien préparées !*
*Ce guide est fait pour vous y aider... mais :*
*– N'attendez pas le dernier moment pour réserver*
*– Évitez la période critique du 14 juillet au 15 août*
*Pensez aux ressources de l'arrière-pays, à l'écart des lieux de grande fréquentation.*

## ST-LAURENT-DU-PAPE

**07800** Ardèche – 1 206 h.

ㅿㅿㅿ **le Plein Sud** (en cours d'aménagement) Ⓜ ஃ ≤ montagnes,
     🏕 75 40 81 96 ✉ 07800 Gilhac et Bruzac, NO : 1,5 km par D 120 rte des
Ollières-sur-Eyrieux puis 2,8 km par D 21 rte de Vernoux-en-Vivarais
100 ha/6 campables (199 empl.) ⚬ᵥ en terrasses, pierreux, herbeux 🏕 – 🗂 ⇄
🛁 🗇 ⅃ 📶 ☺ ⅄ 🖪 – 🔄 🔲 ⚞ poneys – A proximité : ✗
vac. de printemps - début janv. – **R** conseillée – Ⓔ piscine et élect. comprises
2 pers. 85/100

ㅿㅿㅿ **La Garenne,** 🏕 75 62 24 62, au nord du bourg, accès près de la poste
3,5 ha (120 empl.) ⚬ᵥ plat, en terrasses, pierreux, herbeux – 🗂 ⇄ 🛁 🗇 ☺ ▨
snack 🖪 – 🔄 🔲 ⚞ ⚞⚞ ⅃ – A proximité : poneys
avril-oct. – **R** conseillée, indispensable juil.-15 août – Ⓔ piscine comprise 2 pers.
84 🔌 13 (3A)

## ST-LAURENT-DU-VERDON

**04480** Alpes-de-H.-Pr. – 71 h.

ㅿㅿ **La Farigoulette** ஃ, 🏕 92 74 41 62, NE : 1,5 km par rte de Montpezat, près
du Verdon (plan d'eau)
11 ha (280 empl.) ⚬ᵥ peu incliné, pierreux ⚭⚭ – 🗂 ⇄ ⅃ 🛁 ☺ 🗇 ✗ 🔄 🖪
– 🔄 🔲 ⚞ₘ ⚞⚞ 🖪 – ⚞⚞ ⅃ vélos – Location : studios
15 mai-15 sept. – **R** – Ⓔ piscine comprise 2 pers. 67 🔌 15 (5A)

## ST-LAURENT-EN-BEAUMONT

**38350** Isère – 282 h. alt. 850

ㅿ **Belvédère de l'Obiou** ≤, 🏕 76 30 40 80, SO : 1,3 km sur N 85, au lieu-dit les
Egats
1 ha (35 empl.) ⚬ᵥ peu incliné, herbeux – 🗂 ▨ ☺ – ⚞⚞ ⅃ – A proximité
🍴 snack – Location : 🏠
mai-sept. – **R** conseillée juil.-août

## ST-LAURENT-EN-GRANDVAUX

**39150** Jura – 1 781 h. alt. 908

ㅿㅿ **Municipal Champ de Mars** Ⓜ ≤, 🏕 84 60 19 30, sortie E par N 5
3 ha (150 empl.) ⚬ᵥ plat et peu incliné, herbeux – 🗂 ⇄ 🛁 📶 ☺ – 🔄
fermé oct. – **R** indispensable hiver – **R** été – Tarif 91 : ⭐ 7,50 (hiver 14,50)
4 Ⓔ 4 (hiver 10) 🔌 été : 7 (6A) hiver : 16 ou 25 (10A)

## ST-LAURENT-LES-ÉGLISES

**87340** H.-Vienne – 636 h.

ㅿㅿ **Municipal Pont du Dognon** ஃ ≤ « Site agréable », 🏕 55 56 57 25, SE
1,8 km par D 5 rte de St-Léonard-de-Noblat, bord du Taurion (plan d'eau)
3 ha (90 empl.) ⚬ᵥ (saison) en terrasses, pierreux, herbeux 🏕 – 🗂 ⇄ 🛁 ☺ 🖪
– 🔄 ⚞⚞ – A proximité : ⚞ₘ – Location : huttes
mai-oct. – **R** conseillée – ⭐ 5,70 et 5,50 pour eau chaude ⚗ 2,60 Ⓔ 6 🔌 14

## ST-LÉGER-DE-FOUGERET 58 Nièvre – 🖭 ⑥ – rattaché à Château-Chinon

## ST-LÉGER-LES-MÉLÈZES

**05260** H.-Alpes – 182 h. alt. 1 250

ㅿㅿ **La Pause** ❄ ஃ ≤, 🏕 92 50 44 92, à 300 m à l'est du bourg
2,5 ha (80 empl.) ⚬ᵥ peu incliné et en terrasses, herbeux, pierreux – 🗂 ⇄ 🛁
📶 ☺ – 🔄 ⚞⚞ – A proximité : ▨ ⚞
1er nov.-avril et juil.-début sept. – **R** – ⭐ 20 Ⓔ 20 🔌 (2 à 10A) 5 par ampèr

## ST-LÉONARD-DE-NOBLAT

**87400** H.-Vienne – 5 024 h.
🚩 Office de Tourisme, r. Roger-
Salengro 🏕 55 56 25 06

ㅿㅿ **Municipal de Beaufort,** 🏕 55 56 02 79, S : 3 km, bord de la Vienne
2 ha (100 empl.) ⚬ᵥ plat et peu incliné, herbeux 🏕 ⚭ – 🗂 ⇄ 🛁 🗇 🖪 ☺ ⅄
⚞⚞ 🍴 – ⚞⚞
Permanent – **R** – Tarif 91 : Ⓔ 3 pers. 35, pers. suppl. 7,60 🔌 8 (5A) 16 (10A

## ST-LÉON-SUR-VÉZÈRE

**24290** Dordogne – 427 h.

ㅿㅿ **Le Paradis** ஃ, 🏕 53 50 72 64, SO : 4 km sur D 706 rte des Eyzies-de-Taya
bord de la Vézère
4,4 ha (200 empl.) ⚬ᵥ plat, herbeux 🏕 ⚭ – 🗂 ⇄ 🛁 🗇 🖪 ⅄ ☺ 🔄 ⚗ 🍴 ⅄
⇄ 🖪 – 🔄 🔲 ⚞⚞ vélos, piste de bi-cross – Location : 🏠
avril-24 oct. – **R** conseillée juil.-août – Tarif 91 : ⭐ 26,10 piscine comprise Ⓔ
41,30 🔌 13,50 (6A)

## ST-LORMEL

**22130** C.-d'Armor – 787 h.

ㅿ **Municipal,** au bourg, près de l'église
1 ha (50 empl.) plat, herbeux – 🗂 ▨ ☺ – ⚞⚞ ⅃

## ST-LUNAIRE

4 – 59 ⑤ G. Bretagne

**35800** I.-et-V. – 2 163 h.

△△△ **La Touesse,** ℰ 99 46 61 13, E : 2 km par D 786 rte de Dinard, à 400 m de la plage
1,8 ha (135 empl.) ⊶ plat, herbeux ⊏⊐ – 🗑 ⇩ 🛁 🗂 ₺ ⊕ 🛋 ∀ 🗜 🍽 🍴 🐕 🔲
– 🔲 – A proximité : crêperie – Location : 🔲 🔲
avril– 10 oct. – **R** *conseillée* – 🏕 18 ⇔ 12 🔲 19 (⅄) 12 (5A) 15 (10A)

## ST-LYPHARD

4 – 63 ⑭ G. Bretagne

**44410** Loire-Atl. – 2 889 h.

△△△ **Les Brières du Bourg,** ℰ 40 91 43 13, SE : 0,3 km par D 47, près d'un plan d'eau
2 ha (70 empl.) ⊶ (juil.-août) plat et peu incliné, herbeux ⊏⊐ ♀ – 🗑 ⇩ 🛁 🗂 ⊕
🛋 🔲 – 🔲 – A proximité : ✂ 🏋
10 avril-sept. – **R** *conseillée* – 🏕 15 ⇔ 8 🔲 8 (⅄) 12 (5A)

## ST-MACAIRE

14 – 79 ②

**33490** Gironde – 1 459 h.

△ **Municipal les Remparts** ⩽, ℰ 56 62 23 42, au Sud du bourg, à 200 m de la Garonne
1 ha (52 empl.) ⊶ (saison) plat, herbeux ♀ – 🗑 ⇩ 🛁 ₺ ⊕ – 🏊
15 juin-15 sept. – **R** – *Tarif 91 :* 🏕 8 ⇔ 3,50 🔲 12 (⅄) 11 (6A)

## ST-MAIXENT-L'ÉCOLE

9 – 68 ⑪ ⑫ G. Poitou Vendée Charentes

**79400** Deux-Sèvres – 6 893 h.
🛈 Office de Tourisme, Porte de Châlon ℰ 49 05 54 05

△△△ Municipal du Panier Fleuri, ℰ 49 05 53 21, SO : 0,5 km rte de Niort
1,5 ha (100 empl.) ⊶ peu incliné, herbeux ⊏⊐ – 🗑 🗂 ⊕ – 🏊 – A proximité : ✂
Permanent – **R**

## ST-MALO ⟨🆂🅿⟩

4 – 59 ⑥ G. Bretagne

**35400** I.-et-V. – 48 057 h.
🛈 Office de Tourisme, esplanade Saint-Vincent ℰ 99 56 64 48

△△△ **La Ville Huchet,** ℰ 99 81 11 83, S : 5 km par N 137 et rte de la Passagère
6 ha (100 empl.) ⊶ plat, herbeux ♀ – 🗑 ⇩ 🛋 🗂 ₺ ⊕ – 🔲 🏊
Pâques-sept. – **R** *conseillée août* – 🏕 12 ⇔ 6 🔲 12 (⅄) 12 (6A) 16 (10A)

*à Paramé* NE : 5 km – ✉ 35400 St-Malo :

△△△ Municipal Le Nicet ⩽, ℰ 90 40 26 32, à Rotheneuf, av. de la Varde, à 100 m de la plage, accès direct par escalier
2,5 ha (250 empl.) ⊶ (juil.-août) plat et peu incliné, en terrasses, herbeux – 🗑
⇩ 🛁 ⊕
mai-22 sept. – **R**

*à St-Jouan-des-Guérets* SE : 5 km par ③
✉ 35430 St-Jouan-des-Guérets :

△△△ **Le P'tit Bois** 🐕 « Entrée fleurie », ℰ 99 81 48 36, accès par N 137
3 ha (160 empl.) ⊶ plat, herbeux ♀ (1 ha) – 🗑 ⇩ 🛁 🗂 ₺ ⊕ 🛋 ∀ 🍽 🍴 🍴 ✕
🐕 🔲 – 🔲 ✂ 🏋 🏊 vélos – Location : 🔲
mai-15 sept. – **R** *conseillée juil.-août* – 🏕 20 piscine comprise 🔲 48 (⅄) 15 (5A)

## ST-MALO-DE-BEIGNON

4 – 63 ⑤

**56380** Morbihan – 390 h.

△ Municipal du Château 🐕, sortie O rte de Launay, près d'un étang
2 ha (33 empl.) peu incliné, herbeux ♀ – 🗑 🛁 ⊕ – 🏊

## ST-MALÔ-DU-BOIS

9 – 67 ⑤

**85490** Vendée – 1 085 h.

△△△ **Base de Plein Air de Poupet** 🐕, SE : 3 km par D 72 et rte à gauche, bord de la Sèvre Nantaise
1,8 ha (90 empl.) plat, prairie ⊏⊐ ♀ (0,5 ha) – 🗑 ⇩ 🛁 🗂 ⊕ 🛋 – 🏊 – A proximité :
🍴 ✕ poneys
mai-sept. – **R** – 🏕 8 ⇔ 5 🔲 8 (⅄) 8

## ST-MANDRIER-SUR-MER

17 – 84 ⑮ G. Côte d'Azur

**83430** Var – 5 175 h.

△△△ **La Presqu'île,** ℰ 94 94 23 22, O : 2,5 km, carrefour D 18 et rte de la Pointe de Marégau, près du port de plaisance
1,8 ha (150 empl.) ⊶ plat et en terrasses, pierreux ♀ – 🗑 🗂 ⊕ 🍴 snack –
A proximité : 🐎 ✂
20 mai-28 sept. – **R**

## ST-MARC 44 Loire-Atl. – 63 ⑭ – rattaché à St-Nazaire

## ST-MARCAN

4 – 59 ⑦

**35120** I.-et-V. – 401 h.

△ **Le Balcon de la Baie** 🐕 ⩽, ℰ 99 80 22 95, SE : 0,5 km par D 89 rte de Pleine-Fougères et à gauche
2,8 ha (50 empl.) ⊶ peu incliné, plat, herbeux ♀♀ (1,5 ha) – 🗑 ⇩ 🛋 ⊕ 🔲 –
🔲
15 juin-15 sept. – **R** *conseillée* – 🏕 12 ⇔ 7 🔲 4,50 (⅄) 10 (5A)

## ST-MARTIAL-DE-NABIRAT

**24250** Dordogne – 512 h.

△△△ **Le Carbonnier,** ℰ 53 28 42 53, sortie E par D 46, rte de Cahors, bord d'un petit étang
6 ha (150 empl.) ⊶ peu incliné et en terrasses, pierreux, herbeux ⌷ ⚲⚲ – 🛦
🛁 🛁 🗓 🛦 ⊕ 🛦 ▽ 🛦 ♈ 🛦 🖾 garderie – 🔲 ✗ 🛦 🔲 vélos, tir à l'arc
– Location : 🚐
Pâques-sept. – **R** conseillée – Tarif 91 : 🛦 24 piscine comprise 🔲 34 🛦 12,50 (6A)

## ST-MARTIN-CANTALÈS

**15140** Cantal – 207 h. alt. 633

△ **Municipal** 🛦 ≤ « Site agréable », ℰ 71 69 42 76, SO : 6,5 km par D 6 et D 42 à droite, au pont du Rouffet, bord du lac d'Enchanet – Croisement peu facile pour caravanes
0,7 ha (45 empl.) plat à incliné, en terrasses, herbeux – 🛦 🛦 🛦 ⊕
juil.-sept. – **R** – 🛦 6 🛦 4 🔲 5 🛦 6

## ST-MARTIN-D'ARDÈCHE

**07700** Ardèche – 537 h.

△△△ **Les Gorges** ≤, ℰ 75 04 61 09, NO : 1,5 km, au lieu-dit Sauze, bord de l'Ardèche
1,2 ha (100 empl.) ⊶ plat, terrasses, herbeux, pierreux ⚲⚲ – 🛦 🛁 🛁 🛦 🖩 🛦
🛦 ♈ snack 🛦 – 🔲 🛦
avril-sept. – **R** – 🔲 2 pers. 74, pers. suppl. 14 🛦 15 (5A)

△△△ **Le Pontet** 🛦, ℰ 75 04 63 07, E : 1,5 km par D 201 rte de St-Just et chemin à gauche
1,8 ha (100 empl.) ⊶ plat et terrasse, herbeux ♀ – 🛦 🛁 🛁 🗓 ⊕ ♈ snack 🔲
– 🔲 🛦
Pâques-fin sept. – **R** conseillée juil.-août – Tarif 91 : 🔲 piscine comprise 2 pers. 59,50 🛦 13 (6A)

△ La Cerisaie, NO : 1,5 km, au lieu-dit Sauze, à 150 m de l'Ardèche (accès direct)
0,8 ha (44 empl.) ⊶ plat, en terrasses, herbeux, pierreux ⚲⚲ – 🛦 🛁 🛁 ⊕ 🖩
– A proximité : 🛦 ♈ ✗ 🛦 🔲
avril-sept. – **R**

△ **Le Castelas** ≤, ℰ 75 04 66 55, sortie NO par D 290 et chemin à gauche, à 250 m de l'Ardèche
1,1 ha (65 empl.) ⊶ peu incliné, herbeux ♀ – 🛦 🛦 🗓 ⊕ 🖩 – 🔲 🛦 –
A proximité : ✗ 🛦 🔲
avril-sept. – **R** conseillée juin à août – Tarif 91 : 🔲 2 pers. 41 🛦 10 (3A) 11 (4A)

Voir aussi à **Aiguèze**

## ST-MARTIN-D'AUBIGNY

**50190** Manche – 427 h.

△ **Municipal** (aire naturelle) 🛦, au bourg, derrière l'église
0,4 ha (15 empl.) plat, herbeux – 🛦 🛁 – ✗
15 juin-15 sept. – **R** – 🛦 7 🛦 5 🔲 5

## ST-MARTIN-DE-CLELLES

**38930** Isère – 122 h. alt. 700

△ **Municipal la Chabannerie** 🛦 ≤ « Belle situation panoramique »
ℰ 76 34 00 38, au nord du bourg, à proximité de la N 75
2,5 ha (33 empl.) ⊶ non clos, accidenté et en terrasses, pierreux, herbeux ⌷
♀ – 🛦 🛦 ⊕ – 🔲 (bassin)
15 mai-sept. – **R** conseillée juil.-août – Tarif 91 : 🛦 18 🛦 4 🔲 4,50/8,50
🛦 10 (10A)

## ST-MARTIN-DE-LA-PLACE

**49160** M.-et-L. – 1 129 h.

△ **Districal de la Croix Rouge,** sortie SE rte de Saumur, bord de la Loire
2,8 ha (150 empl.) ⊶ plat, herbeux ⚲⚲ – 🛦 🛦 ⊕ – 🛦
juin-15 sept. – **R** – 🛦 8 🔲 9,50 🛦 8,50 (5A)

## ST-MARTIN-DE-LONDRES

15 – 83 ⑥ G. Gorges du Tarn

**34380** Hérault – 1 623 h.

ᐳᐳᐳ **Pic St-Loup** ॐ ≤, ℰ 67 55 00 53, sortie E par D 122 rte de Mas-de-Londres et chemin à gauche
2 ha (80 empl.) ⚬ plat, pierreux, herbeux – 🍴 ♨ 🚿 🖪 ⊕ 🖩 – 🎋 🔟 – Location : 🏠
avril-sept. – **R** conseillée juil.-15 août – 🖪 piscine comprise 2 pers. 46 🔋 9 (6A)

## ST-MARTIN-DE-SEIGNANX

13 – 78 ⑰

**40390** Landes – 3 047 h.

ᐳᐳᐳ **Lou P'tit Poun,** ℰ 59 56 55 79, SO : 4,7 km par N 117 rte de Bayonne et chemin à gauche
3 ha (50 empl.) ⚬ plat et peu incliné, en terrasses, herbeux ⌁ – 🍴 ♨ 🚿 🖪 ❄ ⊕ 🖵 ❤ 🖩 – 🏋 ♨ 🔟
15 juin-15 sept. – **R** conseillée 15 juil.-15 août – 🎋 16,50 piscine comprise 🖪 30,50 🔋 16 (4A) 20 (6A) 24 (10A)

## ST-MARTIN-DE-VALAMAS

11 – 76 ⑲ G. Vallée du Rhône

**07310** Ardèche – 1 386 h.

ᐳᐳᐳ Municipal la Teyre ≤, ℰ 75 30 47 16, N : 0,9 km par D 120 rte de St-Agrève et au pont à droite, près de l'Eyrieux
0,5 ha (40 empl.) ⚬ plat et peu incliné, herbeux, pierreux – 🍴 ♨ 🚿 ♿ ⊕ – A proximité : ॐ ⚓

## ST-MARTIN-D'URIAGE

12 – 77 ⑤ G. Alpes du Nord

**38410** Isère – 3 678 h. alt. 680

ᐳᐳᐳ **Le Luiset** ॐ ≤, ℰ 76 89 77 98, derrière l'église
0,8 ha (60 empl.) ⚬ en terrasses, herbeux ♀ – 🍴 ⊕ 🖪 – A proximité : ॐ 🔟
mai-sept. – **R** conseillée juin à août – 🖪 2 pers. 30, pers. suppl. 8 🔋 8 (2A) 10 (4A)

## ST-MARTIN-EN-VERCORS

12 – 77 ④ G. Alpes du Nord

**26240** Drôme – 275 h. alt. 840

ᐳ **Municipal** ≤, ℰ 75 45 51 10, sortie N par D 103
1,5 ha (66 empl.) ⚬ plat, incliné et en terrasses, herbeux – 🍴 ♨ 🚿 ♨ ❤ ⊕
mai-sept. – **R** juil.-août – Tarif 91 : 🎋 8 ⚗ 3,60 🖪 3,60 🔋 9

## ST-MARTIN-VALMEROUX

10 – 76 ② G. Auvergne

**15140** Cantal – 1 012 h. alt. 630

ᐳᐳᐳ **Municipal,** ℰ 71 69 27 62, sur D 922, au bourg, bord de la Maronne
0,4 ha (40 empl.) ⚬ plat, herbeux ♀ – 🍴 ♨ ⊕ 🖪 – 🖵 🔟 – A proximité : ॐ
15 juin-15 sept. – **R** conseillée 15 juil.-15 août – Tarif 91 : 🎋 7 ⚗ 4 🖪 4 🔋 10

## ST-MARTIN-VÉSUBIE

17 – 84 ⑲ G. Côte d'Azur

**06450** Alpes-Mar. – 1 041 h. alt. 960.

🛈 Syndicat d'Initiative, pl. Félix-Faure (saison) ℰ 93 03 21 28

ᐳ **St-Joseph** ≤, ℰ 93 03 20 14, S : 1 km par D 2565 rte de Nice, à 200 m de la Vésubie
1 ha (50 empl.) ⚬ incliné, herbeux ♀ verger – (🍴 ♨ avril-sept) 🖪 ⊕ – 🖵 – A proximité : ॐ
Permanent – **R** – 🎋 10 ⚗ 9 🖪 16 🔋 10 (3A)

## ST-MATHURIN-SUR-LOIRE

5 – 64 ⑪

**49250** M.-et-L. – 1 995 h.

ᐳ **Districal,** ℰ 41 57 30 11, r. des Gabares, près du pont, à 50 m de la Loire
0,8 ha (67 empl.) ⚬ plat, herbeux – 🍴 ♨ ♨ ⊕ – ⚓ – A proximité : ॐ 🔟
mai-oct. – **R** – 🎋 8 🖪 9,50 🔋 8,50 (5A)

## ST-MAURICE-D'ARDECHE

16 – 80 ⑨

**07200** Ardèche – 214 h.

ᐳ **Le Chamadou** ॐ ≤, ℰ 75 37 70 68 ✉ 07120 Balaruc, SE : 3,2 km, par D 579, rte de Ruoms et chemin à gauche
0,6 ha (25 empl.) ⚬ peu incliné, plat, herbeux ⌁ – 🍴 ♨ ♨ 🖪 ⊕ – 🖵 🔟
avril-sept. – **R** indispensable juil.-août – 🖪 piscine comprise 2 pers. 54 🔋 12 (5A)

## ST-MAURICE-DE-GOURDANS

12 – 74 ⑬ G. Vallée du Rhône

**01800** Ain – 1 575 h.

ᐳ **Sous le Moulin,** ℰ 74 61 88 35, SO : 1,5 km
2,5 ha (75 empl.) ⚬ plat et peu incliné, herbeux – 🍴 🖪 ⊕ ♨ ❤ – A proximité :
Permanent – **R** – 🖪 jusqu'à 5 pers. 38,50

## ST-MAURICE-D'IBIE

16 – 80 ⑨ G. Vallée du Rhône

**07170** Ardèche – 163 h.

ᐳᐳᐳ **Le Sous-Bois** ॐ, ℰ 75 94 86 95, S : 2 km par D 558 rte de Vallon-Pont-d'Arc, bord de l'Ibie
2 ha (50 empl.) ⚬ plat, herbeux, pierreux ♀ – 🍴 ♨ ♨ 🖪 ⊕ ♨ – 🔟 vélos – Location : 🏠
15 juin-15 sept. – **R** conseillée – Tarif 91 : 🖪 piscine comprise 2 pers. 52 🔋 10 (3A)

## ST-MAURICE-EN-VALGODEMARD

7 – 77 ⑯ G. Alpes du Nord

**05800** H.-Alpes – 143 h. alt. 990

△ **Le Bocage** ⊛ ≤ « Cadre agréable », NE : 1,5 km, au Roux, bord de la Séveraisse
0,6 ha (50 empl.) ⊶ plat, pierreux, herbeux ♀♀ – 🛖 ☺ – 🚗
juil.-août – **R** – ⚹ *6,60* 🅴 *8,80* ⚡ *8,80 à 15 (2 à 5A)*

---

## ST-MAURICE-SUR-MOSELLE

8 – 166 ⑧ G. Alsace Lorraine

**88560** Vosges – 1 615 h. – 🚠 au Ballon d'Alsace et à la Tête du Rouge Gazon.
🛈 Syndicat d'Initiative, au Chalet (juil.-août) ℘ 29 25 12 34 et Mairie ℘ 29 25 11 21

🔼 **Les Deux Ballons** ❄ ≤, ℘ 29 25 17 14, sortie SO par N 66 rte du Thillot, bord d'un ruisseau
3 ha (180 empl.) ⊶ plat et en terrasses, herbeux ♀ – 🛖 ⚘ 🍴 🛒 ♿ 🏳 ☺ ⚓ – 🚗 ✂ ⟲ – A proximité : ⚖ – Location : 🏠
vac. de Noël et fév.-Toussaint – **R** *conseillée juil.-août* – *Tarif 91* : ⚹ *14,50 (hiver 15,50) piscine comprise* 🅴 *17 (hiver 16)* ⚡ *13,50 (4A) 18 (15A)*

---

## ST-MAXIMIN-LA-STE-BAUME

17 – 84 ④ ⑤ G. Provence

**83470** Var – 9 594 h.
🛈 Syndicat d'Initiative, Hôtel-de-Ville ℘ 94 78 00 09

🔼 **Provençal** ⊛ « Cadre agréable », ℘ 94 78 16 97, S : 2,5 km par D 64 rte de Mazaugues
5 ha (100 empl.) ⊶ en terrasses et accidenté, pierreux ♀♀ – 🛖 ⚘ 🏔 🏳 ☺ ⚓
✗ ✂ 🖥 – 🔙 ⟲ – Location : 🚐

---

## ST-MICHEL-CHEF-CHEF

9 – 67 ①

**44730** Loire-Atl. – 2 663 h.

🔼 **Thar-Cor** ⊛ « Entrée fleurie », ℘ 40 27 82 81, à Tharon-Plage, 43 av. du Cormier, à 300 m de la plage
3 ha (202 empl.) ⊶ plat et peu incliné, herbeux ♀ (2 ha) – 🛖 ⚘ 🍴 🏳 ♿ ☺
🖥 – 🔙 🚤
Permanent – **R** *conseillée juil.-août* – 🅴 *2 pers. 81,50, pers. suppl. 26* ⚡ *10,50 (3A) 14,50 (5A) 20,50 (8A)*

🔼 **La Poplinière,** ℘ 40 27 85 71, SO : 10 km sur la D 96, rte de Tharon-Plage
3 ha (250 empl.) ⊶ plat et peu incliné, herbeux ♀♀ (0,7 ha) – 🛖 🏔 ☺ 🖥 – 🔙
mai-sept. – **R** *conseillée juil.-août* – 🅴 *2 pers. 46* ⚡ *10 (2A) 20 (6A)*

---

## ST-MICHEL-DE-CHAILLOL

17 – 77 ⑯

**05260** H.-Alpes – 336 h. alt. 1 470

△ **Lou Seignour** ❄ ⊛ ≤, ℘ 92 50 48 11, NO par rte de Chaillol, à la Villette – alt. 1 371
0,6 ha (50 empl.) ⊶ peu incliné, herbeux – 🛖 ⚘ 🍴 🛒 ☺ – 🚗
15 juin-15 sept. et nov.-1er mai – **R** – ⚹ *11,80* 🚗 *4,20 (hiv.6,20)* 🅴 *4,20/5,20* ⚡ *9,50 (2A)*

---

## ST-MICHEL-EN-GRÈVE

3 – 58 ⑦ G. Bretagne

**22300** C.-d'Armor – 376 h.

🔼 **Les Capucines** ⊛ « Cadre agréable », ℘ 96 35 72 28 ✉ 22300 Trédrez, N : 1,5 km par rte de Lannion et chemin à gauche – ❄
4 ha (90 empl.) ⊶ peu incliné, herbeux ♀ (1,5 ha) – 🛖 ⚘ 🍴 🏔 🏳 ☺ 🚗
🏐 🍴 🖥 – 🔙 ✂ 🏓 🚤 – **R** *conseillée 15 juil.-15 août* – ⚹ *20,50 piscine comprise* 🅴 *27 ou 36* ⚡ *8 (2A) et 2 par ampère suppl.*

🔼 **La Pinède,** ℘ 96 35 44 56 ✉ 22300 Ploumilliau, NE : 2 km par rte de Lannion
1,8 ha (85 empl.) ⊶ peu incliné et en terrasses, herbeux 🔙 ♀ pinède – 🛖 ☺
🍴 ☺ – 🏓 🚤 half-court
15 juin-15 sept. – **R** *conseillée 15 juil.-15 août* – *Tarif 91* : ⚹ *8,50* 🚗 *3,80* 🅴 *6,50* ⚡ *8,50 (4 à 6A)*

---

## ST-MICHEL-EN-L'HERM

9 – 171 ⑪ G. Poitou Vendée Charentes

**85580** Vendée – 1 999 h.

△ **Les Mizottes,** ℘ 51 30 23 63, sortie Sud du bourg, sur D 746 rte de l'Aiguillon-sur-Mer
2 ha (43 empl.) ⊶ plat, herbeux – 🛖 ⚘ 🍴 🏳 ♿ ☺ 🖥
juin-sept. – **R** *conseillée août* – 🅴 *élect. (5A) comprise 3 pers. 58*

---

## ST-MICHEL-ESCALUS

13 – 78 ⑯

**40550** Landes – 161 h.

🔼 **Fontaine St-Antoine** ⊛ « Cadre sauvage », ℘ 58 48 78 50, sur D 142 sortie O de St-Michel, à 200 m d'un ruisseau
11 ha/3 campables (233 empl.) ⊶ (saison) vallonné, accidenté, sablonneux, herbeux ♀♀ pinède – 🛖 ⚘ 🍴 🏳 ☺ 🍴 ✗ 🖥
15 fév.-15 nov. – **R** *conseillée 15 juil.-20 août* – 🅴 *2 pers. 50* ⚡ *10,50 (5A) 11,50 (10A) 13 (15A)*

---

▶ *The Guide changes,*
*so renew your Guide every year.*

## ST-NAZAIRE ⊕

**44600** Loire-Atl. – 64 812 h.
**Pont de St-Nazaire - Péage en 1991 :**
auto 22 à 30 F (conducteur et
passagers compris), auto avec
caravane 38 F, camion et véhicule
supérieur à 1,5 t. : 38 à 95 F,
moto 5 F (gratuit pour vélos et
piétons). Tarifs spéciaux pour les
résidents de la Loire Atlantique
🛈 Office de Tourisme, pl. François-
Blancho ℰ 40 22 40 65

4 – 63 ⑮ G. Bretagne

à *St-Marc* SO : 8 km par D 92 et D 292 – ✉ 44600 Saint-Nazaire :

⚠ Municipal de l'Ève, ℰ 40 91 90 65, E : 1 km par D 292, rte de St-Nazaire –
Passage souterrain donnant accès à la plage
8 ha (402 empl.) ⚬⇥ plat et peu incliné, herbeux ▭ ⚲ – 🍴 ⚫ 🖾 ⊕ 🍻 pizzeria,
crêperie ⟲

Voir aussi à *Pornichet*

## ST-NAZAIRE-EN-ROYANS

**26190** Drôme – 531 h.

12 – 77 ③ G. Alpes du Nord

⚠ Municipal « Entrée fleurie », ℰ 75 48 41 18, SE : 0,7 km rte de St-Jean-en-
Royans, bord de la Bourne (plan d'eau)
0,75 ha (75 empl.) ⚬⇥ plat et peu incliné, herbeux ⚲ – 🍴 ⚬ 🖾 ⚫ 🖾 – ▱
⚓ – A proximité : ✗

## ST-NAZAIRE-LE-DÉSERT

**26340** Drôme – 168 h.

11 – 77 ⑬

⚠ **Municipal** ⚲ ≤, ℰ 75 27 50 03, SE : 1 km par D 135 rte de Volvent et à
gauche
0,85 ha (43 empl.) ⚬⇥ en terrasses et peu incliné, pierreux, herbeux – 🍴 ⚫ ⚫
snack – ▱ 🍽
15 juin-15 sept. – **R** *15 juil.-15 août* – 🟡 *13 piscine comprise* 🖾 *22 avec élect.*

## ST-NECTAIRE

**63710** P.-de-D. – 664 h. alt. 760 –
🏂 3 avril-15 oct.
🛈 Office de Tourisme, Anciens
Thermes (15 mai-sept.)
ℰ 73 88 50 86

11 – 73 ⑭ G. Auvergne

⚠ **Municipal le Viginet** ⚲ ≤, ℰ 73 88 53 80, sortie SE par D 996 puis 0,6 km
par chemin à gauche (face au garage Ford)
2 ha (90 empl.) ⚬⇥ plat, peu incliné et incliné, herbeux, pierreux ⚲ – 🍴 ⚫ ⚫
🖾 ⚫ – ⚓ – Location : huttes
juin-sept. – **R** *conseillée juil.-août* – 🟡 *12* ⚘ *8* 🖾 *13* 🖾 *16 (6A)*

⚠ **La Clé des Champs,** ℰ 73 88 52 33, sortie SE par D 996 et D 146E rte des
Granges, bord d'un ruisseau et à 200 m de la Couze de Chambon
1 ha (50 empl.) ⚬⇥ (saison) plat, peu incliné et en terrasses, herbeux ▭ ⚲ – 🍴
⚫ 🖾 ⊕ ⚫ ⚬ ↻ – ⚓
15 avril-sept. – **R** *conseillée* – **R** *août* – *Tarif 91 :* 🟡 *11* ⚘ *5* 🖾 *10/12* 🖾 *8,50*
*(2A) 11 (3A) 19 (6A)*

⚠ **L'Oasis,** ℰ 73 88 52 68, sortie SE par D 996 et D 146E rte des Granges, bord
d'un ruisseau et de la Couze de Chambon
2 ha (150 empl.) ⚬⇥ (saison) plat et peu incliné, herbeux ▭ ⚲ – 🍴 ⚫ ⚫ 🖾 ⚫
mai-sept. (annexe 15 juin-1er sept.) – **R** *conseillée juil.-août* – *Tarif 91 :* 🟡 *11,50*
⚘ *5* 🖾 *10* 🖾 *11 (3A)*

## ST-NICOLAS-DE-LA-GRAVE

**82210** T.-et-G. – 2 024 h.

14 – 79 ⑯

⚠ Intercommunal du Plan d'Eau, ℰ 63 95 94 61, N : 2,5 km par D 15 rte de
Moissac, à 100 m du plan d'eau du Tarn et de la Garonne
1,6 ha (42 empl.) ⚬⇥ plat, herbeux ⚲ – 🍴 ⚫ – A proximité : ✗ ⚓ ⚓ 🍽 ◊

## ST-NICOLAS-DES-EAUX

**56** Morbihan – ✉ 56310 Bubry

3 – 63 ② G. Bretagne

⚠ **Municipal la Couarde,** ℰ 97 51 83 07, O : 0,8 km rte de Guéméné-sur-Scorff
2 ha (50 empl.) ⚬⇥ plat et incliné, herbeux – 🍴 ⚫ 🖾 ⚫ – ⚓
15 juin-15 sept. – **R** – *Tarif 91 :* 🟡 *4,45* ⚘ *2,30* 🖾 *2,30* 🖾 *7,20*

## ST-NICOLAS-DU-PÉLEM

**22480** C.-d'Armor – 1 922 h.

3 – 59 ⑫ G. Bretagne

⚠ Municipal, à 1 km à l'ouest du centre ville sur rte de Rostrenen, bord d'un
ruisseau
1,5 ha (100 empl.) plat à peu incliné, herbeux – 🍴 ⚫ ⚫ – A proximité : 🍸
snack ⚓ 🍽

## ST-NIZIER-LE-BOUCHOUX

**01560** Ain – 625 h.

12 – 70 ⑫

⚠ **Municipal,** SE : 3 km par D 56 rte de St-Amour, bord du plan d'eau de
Mépillat
1,7 ha (28 empl.) ⚬⇥ (juil.-août) plat et en terrasses, herbeux – 🍴 ⚫ – 🏊 (bassin)
mai-1er sept. – **R** – 🟡 *6,25* 🖾 *4,70* 🖾 *7,25 (7A)*

## ST-OMER ⊕

**62500** P.-de-C. – 14 434 h.
🛈 Office de Tourisme, bd Pierre-
Guillain ℰ 21 98 70 00

1 – 51 ③ G. Flandres Artois Picardie

⚠ **Château du Ganspette** ◇ ⚲ « Parc boisé », ℰ 21 93 43 93 ✉ 62910
Moulle, **à Eperlecques-Ganspette,** NO : 11,5 km par N 43 et D 207 rte de Watten
8 ha/2 campables (126 empl.) ⚬⇥ peu incliné, herbeux – 🍴 ⚫ ⚫ 🖾 ⚫ 🍸 grill
🖾 – ▱ ✗ 🍽 ⚫ poneys
avril-sept. – Location longue durée – *Places limitées pour le passage* –
**R** *conseillée juil.-août* – *Tarif 91 :* 🖾 *piscine comprise 2 pers. 65* 🖾 *12 (3A)*

## ST-ORADOUX-DE-CHIROUZE
**23100** Creuse – 55 h. alt. 783

⚠ **Intercommunal de l'Étang de la Méouze**, NE : 1 km sur D 996 rte de Flayat, bord de l'étang
2 ha (66 empl.) o— peu incliné, accidenté, herbeux ♀♀ pinède – 🛖 ♨ 🚽 🔒
15 juin-15 sept. – **R** – ⭐ *6* 🚗 *5* 🔲 *4/6* 🅗 *8 (10A)*

10 – 73 ⑪

## ST-PAIR-SUR-MER
**50380** Manche – 3 114 h.
🄱 Syndicat d'Initiative, r. Charles-Mathurin (Pâques-15 sept.)
🖋 33 50 52 77

*Schéma à Jullouville*

4 – 59 ⑦ G. Normandie Cotentin

⚠⚠ **La Chanterie** 🌿, 🖋 33 90 79 62, SE : 3,5 km rte à droite
2,5 ha (168 empl.) o— plat, herbeux – 🛖 ♒ ⊛ – 🔒 🦺 🏊 – Location : 🏕
juil.-sept. – **R** *conseillée juil.-août* – 🔲 *piscine comprise 2 pers. 46, pers. suppl. 14,50* 🅗 *10 (3A) 16,50 (6A)*

⚠⚠ **Angomesnil** 🌿, 🖋 33 51 64 33, SE : 4,9 km par D 21 rte de St-Michel-des-Loups et D 154 à gauche, rte de St-Aubin-des-Préaux
1,2 ha (40 empl.) o— plat, herbeux – 🛖 ♨ ♒ 🔲 🚿 ⊛ – 🔒 🦺
juil.-août

⚠⚠ **L'Ecutot**, 🖋 33 50 26 29, E : 1,3 km par D 309 et D 151 rte de St-Planchers
2 ha (170 empl.) o— plat et peu incliné, herbeux 🗔 – 🛖 ♨ 🚽 ⊛ 🍽 🔲 – 🔒 🦺 🏊 – Location : 🏕, studios et appartements
30 avril-sept. – **R** – ⭐ *21* 🔲 *18* 🅗 *10 (2A)*

⚠⚠ **La Mariénée** 🌿, 🖋 33 50 05 71, SE : 2,5 km, sur D 21
1,2 ha (70 empl.) o— peu incliné, herbeux, sablonneux – 🛖 ♒ ⊛ – 🔒
avril-sept. – **R** *saison – Tarif 91 :* ⭐ *10,50* 🅗 *8 (2A) 11 (3A) et 2 par ampère suppl.*

⚠ **La Gicquelière** 🌿, 🖋 33 50 62 27, SE : 3 km par D 21 et rte à droite
1,5 ha (50 empl.) o— peu incliné et plat, herbeux – 🛖 ♨ 🚽 ⊛
juin-15 sept. – **R** *14 juil.-15 août* – ⭐ *11,50* 🚗 *4,50* 🔲 *4,50* 🅗 *7,20 (3A)*

**Voir aussi à** *Granville*

## ST-PALAIS
**64120** Pyr.-Atl. – 2 055 h.
🄱 Syndicat d'Initiative, pl. de l'Hôtel-de-Ville 🖋 59 65 71 78

13 – 78 ⑧ ⑨ G. Pyrénées Aquitaine

⚠⚠⚠ **Municipal Ur-Alde** « Cadre agréable », 🖋 59 65 72 01, sortie E rte de Mauléon-Licharre, bord de la Bidouze
2 ha (80 empl.) o— plat, herbeux 🗔 ♀♀ (1 ha) – 🛖 ♨ 🚽 ⊛ 🚿 ♒ 🐎 – 🔒 🦺 – A proximité : 🎾 🏊 🏊
juin-15 sept. – **R** *conseillée juil.-août* – 🔲 *élect. et piscine comprises 3 pers. 55*

## ST-PALAIS
**33820** Gironde – 409 h.

9 – 171 ⑦

⚠ **Chez Gendron** 🌿 ⬅, 🖋 57 32 96 47, O : 1,5 km par rte de St-Ciers-sur-Gironde et rte à droite
1,5 ha (33 empl.) o— en terrasses, incliné, herbeux ♀ – 🛖 🚽 ⊛ 🍽 – 🔒 🏊 – Location : 🏕 🏘
Permanent – **R** – ⭐ *12 piscine comprise* 🚗 *8* 🔲 *20* 🅗 *10 (5A)*

## ST-PALAIS-SUR-MER
**17420** Char.-Mar. – 2 736 h.
🄱 Syndicat d'Initiative, Résidence Saint-Palais (fermé après-midi nov.-fév.) 🖋 46 23 11 09

*Schéma à Royan*

9 – 171 ⑮ G. Poitou Vendée Charentes

⚠⚠⚠ **Le Puits de l'Auture** « Cadre agréable », 🖋 46 23 20 31, NO : 2,5 km, à 50 m de la mer – 🌊
5 ha (400 empl.) o— plat, herbeux 🗔 ♀♀ – 🛖 ♨ 🚽 🔲 ⊛ 🖥 🍽 🦺 🖼 – 🦺 🏊 – Location : 🏕
mai-sept. – **R** *conseillée – Tarif 91 :* 🔲 *1 à 3 pers. 115 (135 avec élect. 5A), pers. suppl. 25*

⚠⚠ **Côte de Beauté** « Entrée fleurie », 🖋 46 23 20 59, NO : 2,5 km, à 50 m de la mer
1 ha (100 empl.) o— plat, herbeux ♀♀ – 🛖 ♒ 🖥 ⊛ – A proximité : 🖥 🍽 🏃 ⬅
juin-10 sept. – **R** *conseillée*

**à** *Courlay-sur-Mer* NE : 2 km – ✉ 17420 St-Palais-sur-Mer :

⚠⚠ **La Borderie** 🌿, 🖋 46 23 30 58, O : 0,5 km par av. des Châtaigniers
2 ha (100 empl.) o— plat, herbeux ♀ – 🛖 ♒ 🖥 ⊛ 🖥 🏃 – 🔒
15 juin-15 sept. – **R** *conseillée* – 🔲 *3 pers. 60* 🅗 *14 (6A)*

## ST-PAL-DE-CHALENCON
**43500** H.-Loire – 1 029 h. alt. 870

11 – 76 ⑦ G. Vallée du Rhône

⚠ **Municipal Sainte-Reine** 🌿 ⬅, 🖋 71 61 33 87, sortie E par D 12 rte de Bas-en-Basset et à droite, à la piscine
0,2 ha (18 empl.) o— (saison) plat, herbeux 🗔 ♀ – 🛖 ♨ 🚽 ♒ 🔒 🦺 – 🔒
avril-oct. – **R** *conseillée juil.-août* – ⭐ *7* 🔲 *8* 🅗 *11 (4A) 15 (6A)*

## ST-PANTALÉON
**46800** Lot – 160 h.

14 – 79 ⑰

⚠⚠⚠ **Moulin de Saint-Martial** « Belle restauration d'un moulin », 🖋 65 22 92 27, E : 5,3 km sur D 653 rte de Cahors, au lieu-dit St-Martial, bord de la Barguelonnette
12 ha/2,6 campables (33 empl.) o— plat, herbeux, pierreux, petit étang 🗔 ♀♀ – 🛖 ♨ ♒ 🖥 ⊛ 🦺 🍽 🗙 🏃 – 🦺 🏊 vélos – Location : 🏕
mars-15 nov. – **R** *indispensable 14 juil.-15 août* – ⭐ *15 piscine comprise* 🔲 *18* 🅗 *11 (6A)*

## ST-PANTALEON-DE-LAPLEAU

**19160** Corrèze – 65 h. alt. 612

🔺 **Municipal les Combes,** ℰ 55 27 56 90, sortie N par D 55, rte de Lamazière-Basse
0,7 ha (30 empl.) ⚬━ peu incliné, herbeux – 🏕 ⚄ 🛁 ⊙ – 🛒 ✗ 🛋 –
A proximité : 🍸 ✗
Permanent – **R** *conseillée juil.-août* – 🚶 7 🔲 8,50 🔌 7 (16A)

🔟 – 🔟 ①

## ST-PARDOUX

**87250** H.-Vienne – 482 h.

🔺 **le Friaudour** 🏖, ℰ 55 76 57 22, S : 1,2 km, sur le site de Friaudour, bord du lac de St-Pardoux
2 ha (100 empl.) ⚬━ (juil.-août) peu incliné, herbeux 🌳 (0,3 ha) – 🏕 🏖 📵 🔌 ⊙
🍸 – 🛒 ✗ 🛋 🏊 (plage aménagée) – Location : gîtes
juin-sept. – **R** *conseillée juil.-août* – 🔲 2 pers. 38 🔌 12 (16A)

🔟 – 🔟 ⑦

## ST-PATERNE-RACAN

**37370** I.-et-L. – 1 449 h.

🔺 Intercommunal de l'Escotais, sortie NO par D 6 rte de St-Christophe-sur-le-Nais, bord de la rivière
1 ha (33 empl.) plat, herbeux – 🏕 ⊙ – 🛋 – A proximité : ✗ 🏊

5 – 🔟 ④ G. Châteaux de la Loire

## ST-PAUL 60 Oise – 🔟 ⑨ – rattaché à Beauvais

## ST-PAUL

**04530** Alpes-de-H.-Pr. – 198 h.
alt. 1 470

🔺 **Bel Iscle** 🏖 ≼ « Situation agréable », ℰ 92 84 32 05, au NE du bourg, par D 25 et chemin à droite, bord de l'Ubaye (petit plan d'eau)
1 ha (50 empl.) plat, peu incliné, accidenté, pierreux, rocheux, herbeux 🛏 🌳 (0,8 ha) – 🏕 ⚄ 🏖 📵 🔌 ⊙ – ✗ 🛋 – A proximité : snack
15 juin-15 sept. – **R** – 🚶 9,30 🛋 7,75 🔲 10,30 🔌 11 (3A)

🔟 – 🔟 ⑧ G. Alpes du Sud

## ST-PAUL-DE-VARAX

**01240** Ain – 1 081 h.

🔺 **Municipal Étang du Moulin** « Dans un site agréable », ℰ 74 42 53 30, à la Base de Plein Air, SE : 2 km par D 70B rte de St-Nizier-le-Désert puis 1,5 km par rte à gauche, près d'un étang
34 ha/3 campables (140 empl.) ⚬━ (saison) plat, herbeux, bois attenant 🌳 – 🏕 ⚄ 🛁 📵 🔌 ⊙ 🔲 – ✗ 🛋 🏊 (beau plan d'eau avec toboggan aquatique)
mai-15 sept. – **R** *indispensable saison* – Tarif 91 : 🚶 14 🛋 12 🔲 8 🔌 10 (5A)

🔟 – 🔟 ② G. Vallée du Rhône

## ST-PAUL-DE-VÉZELIN

**42590** Loire – 308 h.

🔺 Arpheuilles 🏖 ≼ « Belle situation dans les gorges de la Loire », ℰ 77 63 43 43, N : 4 km, à Port Piset, près du fleuve (plan d'eau) – Croisement peu facile pour caravanes
1,5 ha (68 empl.) ⚬━ peu incliné, en terrasses, herbeux 🛏 – 🏕 ⚄ 🛁 📵 🔌 ⊙ 🔺 🖤 🔲 – 🛋

🔟 – 🔟 ⑦

## ST-PAUL-EN-BORN

**40200** Landes – 597 h.

🔺 **Lou Talucat** 🏖, ℰ 58 07 44 16, sortie E rte de Pontenx-les-Forges et 1 km par chemin à gauche, bord d'un ruisseau
3,3 ha (166 empl.) ⚬━ plat, herbeux, sablonneux 🌳 (1,5 ha) – 🏕 ⚄ 🛁 ⊙ 🔺 🖤 🍸 🔲 – 🛋
avril-sept. – **R** *conseillée juil.-août* – Tarif 91 : 🔲 2 pers. 46, pers. suppl. 11 🔌 13 (5A)

🔟 – 🔟 ④ ⑭

## ST-PAUL-EN-FORÊT

**83440** Var – 812 h.

🔺 **Le Parc** 🏖 « Cadre agréable », ℰ 94 76 15 35, N : 3 km par D 4 rte de Fayence puis chemin à droite
3 ha (100 empl.) ⚬━ accidenté et en terrasses, pierreux, herbeux 🌳🌳 – 🏕 ⚄ 🛁 📵 ⊙ 🏊 ✗ 🛒 🔲 – 🛒 🛋 – Location : 🏠
Permanent – **R** *conseillée juil.-août* – 🚶 24,20 piscine comprise 🔲 28,70 🔌 14 (6A)

🔺 **Trestaure** (aire naturelle) 🏖 « Cadre agréable », ℰ 94 76 15 56, N : 3,5 km par D 4 rte de Fayence puis chemin à droite
3 ha (25 empl.) non clos, accidenté, en terrasses, pierreux, herbeux 🌳🌳 – 🏕 ⚄ 🛁 ⊙
Permanent – **R** *conseillée* – 🚶 13,50 🔲 13,50 🔌 10 (3A) 12 (6A) 14 (10A)

🔟 – 🔟 ⑦ ⑧ G. Côte d'Azur

## ST-PAUL-TROIS-CHÂTEAUX

**26130** Drôme – 6 789 h.
🏢 Office de Tourisme, r. de la République ℰ 75 96 61 29

🔺 **Municipal de Bellevue,** ℰ 75 04 90 13, O : 1,2 km par D 59 rte de Pierrelatte et à gauche
1 ha (88 empl.) ⚬━ plat, herbeux – 🏕 ⚄ 🛁 ⊙ 🔺 🖤 🛋 – A proximité : 🏊
15 mai-sept. – **R** – 🚶 4 🛋 5 🔲 5 🔌 5 (5A) 10 (10A) 15 (15A)

🔟 – 🔟 ① G. Vallée du Rhône

## ST-PÉ-DE-BIGORRE

13 – 82 ⑫ G. Pyrénées Aquitaine

65270 H.-Pyr. – 1 296 h.

⚑ **Le Barou** Ⓜ, ℰ 62 41 80 81, E : 1,5 km par D 937 rte de Lourdes, puis 1 km par D 151 rte de la forêt de Lourdes, après Rieulhes, à 150 m du Gave de Pau
1,5 ha (50 empl.) plat et peu incliné, herbeux – ⌂ ⛺ – ⛱
15 juin-15 sept. – **R** – ⚹ 10 ▣ 10

## ST-PÉE-SUR-NIVELLE

13 – 78 ⑫ ⑱ G. Pyrénées Aquitaine

64310 Pyr.-Atl. – 3 463 h.

*à Ibarron* O : 2 km par D 918 rte de St-Jean-de-Luz – ⊠ 64310 Ascain :

▲▲ **Goyetchea** ⟶ ≤ « Cadre agréable », ℰ 59 54 19 59, N : 0,8 km rte d'Ahetze et à droite
1,7 ha (100 empl.) ⟶ plat et peu incliné, herbeux ⌂ ⟐ – ⌂ ⛺ ▣ ⊛ ⤶ ⟍
▣ – ⛱
juin-sept. – **R** *conseillée juil.-août* – ⚹ 17 *piscine comprise* ▣ 22 ⊞ 13 (6A)

▲▲ **Ibarron,** ℰ 59 54 10 43, sortie O rte de St-Jean-de-Luz, près de la Nivelle
2,8 ha (200 empl.) ⟶ plat, herbeux ⌂ ⟐ – ⌂ ⟍ ▣ ⊛ – ⛱ ⛝ – Location :
⛺
15 juin-sept. – **R** – ⚹ 12,40 ▣ 21 ⊞ 12,30 (6A)

## ST-PÈRE 89 Yonne – 65 ⑮ ⑯ – rattaché à Vézelay

## ST-PÈRE

4 – 59 ⑥

35430 I.-et-V. – 1 516 h.

▲▲ **Bel Évent,** ℰ 99 58 83 79, SE : 1,5 km par D 74 rte de Châteauneuf et chemin à droite
2,5 ha (96 empl.) ⟶ plat, herbeux – ⌂ ⛺ ⟍ ▣ ⅋ ⊛ – ⛱ ⛝ vélos
Permanent – **R** *conseillée juil.-août* – ⚹ 11 *piscine comprise* ▣ 25 ⊞ 10 (10A)

## ST-PÈRE-EN-RETZ

9 – 67 ① ②

44320 Loire-Atl. – 3 250 h.

▲▲ **Municipal le Grand Fay,** ℰ 40 21 77 57, sortie E par D 78 rte de Frossay puis 0,5 km par rue à droite, près de la salle des sports
1,2 ha (100 empl.) plat et peu incliné, herbeux – ⌂ ⛺ ⛺ ⊛ – A proximité : ⚹
15 juin-15 sept. – **R** – ⚹ 7,50 ⇔ 4,50 ▣ 7,50 ⊞ 9 (2A)

## ST-PÈRE-SUR-LOIRE

6 – 65 ①

45600 Loiret – 1 043 h.

▲▲▲ **Caravaning St-Père,** ℰ 38 36 35 94, à l'ouest du bourg, sur D 60 rte de Châteauneuf-sur-Loire, près du fleuve
2,7 ha (80 empl.) ⟶ plat, herbeux, pierreux, gravier – ⌂ ⛺ ⛺ ▣ ▥ ⊛ ⤶ ⟍
– ⛝ ⛱ ⤶
avril-oct. – **R** *conseillée juil.-août* – ⚹ 10,70 ⇔ 5,10 ▣ 10,70 ⊞ 8,40 (3A) 15,90
(6A) 20,10 (10A)

## ST-PÉREUSE

11 – 69 ⑥

58110 Nièvre – 260 h.

▲▲▲ **Manoir de Bezolle** ⟶ ≤ « Parc », ℰ 86 84 42 55, SE : sur D 11, à 300 m de la D 978 rte de Château-Chinon
8 ha/5 campables (100 empl.) ⟶ en terrasses, plat, peu incliné, herbeux ⟐
(2 ha) – ⌂ ⛺ ⛺ ▣ ⅋ ▥ ⊛ ⤶ ⟍ ⥎ ⅋ ⚹ ✕ ⛱ ⊛ – ⛱ ⛝ ⤶
fermé 12 nov.-14 déc. – **R** *conseillée juil.-août* – ▣ *piscine comprise 2 pers.*
84, pers. suppl. 20

## ST-PHILIBERT

3 – 63 ⑫

56470 Morbihan – 1 187 h.

Schéma à Carnac

▲▲ **Le Chat Noir** « Entrée fleurie », ℰ 97 55 04 90, N : 1 km
1,5 ha (100 empl.) ⟶ plat et peu incliné, herbeux ⌂ ⟐ – ⌂ ⛺ ⛺ ▣ ⊛ ▣
– ⛱ ⤶ ⤶ – A proximité : ✕
juin-sept. – **R** *conseillée* – ⚹ 16 ▣ 23 ⊞ 10 (6A)

▲▲ **Au Vieux Logis** « Ancienne ferme fleurie », ℰ 97 55 01 17, O : 2 km, à 500 m de la Rivière de Crach (mer)
1,5 ha (90 empl.) ⟶ plat et peu incliné, herbeux ⟐ – ⌂ ⛺ ⛺ ▣ ⊛ ⛱ – ⤶
– A proximité : ⚹ – Location : ⛺
Pâques-15 sept. – **R** – ⚹ 16 ⇔ 6 ▣ 18 ⊞ 10 (3A) 13 (6A)

## ST-PIERRE

8 – 62 ⑨

67140 B.-Rhin – 460 h.

▲▲ **Municipal Beau Séjour** ⟶, ℰ 88 08 52 24, au bourg, derrière l'église, bord du Muttlbach
0,6 ha (47 empl.) plat, herbeux ⌂ – ⌂ ⛺ ⛺ ⊛ ⊛ – ⚹
juin-sept. – **R** – ⚹ 12 ⇔ 6 ▣ 9 ⊞ 10 (3A) 20 (6A)

## ST PIERRE D'ALBIGNY

12 – 74 ⑯

73250 Savoie – 3 151 h. alt. 450

▲▲ **C.C.D.F. Le Carouge** Ⓜ ≤, ℰ 79 28 58 16, S : 2,8 km par D 911 et chemin à gauche, à 300 m de la N 6, bord d'un plan d'eau
1 ha (100 empl.) ⟶ plat, herbeux, pierreux ⌂ – ⌂ ⛺ ⛺ ▣ ⅋ ⊛ ⤶ – A proximité :
⛜
15 juin-15 sept. – **R** – ⚹ 13 ⇔ 7 ▣ 13 ⊞ 15 (6A)

## ST-PIERRE-D'AURILLAC

**33490** Gironde – 1 249 h.

  ▲▲  **Municipal la Carreyre**, ✆ 56 63 39 00, au S du bourg et à 300 m de la Garonne
1,3 ha (50 empl.) ⌒ (saison) plat, herbeux – 🔟 ⇌ 🖄 🛦 ⊛ – 🔲 – Location : gîtes
15 juin-15 sept. – **R** – ✶ 7,35 ▣ 10 🔌 7 (10A)

14 – 79 ②

## ST-PIERRE-DE-BOEUF

**42410** Loire – 1 174 h.

  ▲▲  La Lône, ✆ 74 87 11 89, à la Base de Loisirs, E : sortie vers Chavanay et av. du Rhône à droite, bord d'un canal
1,5 ha (100 empl.) ⌒ plat, herbeux, pierreux ♀ – 🔟 ⚲ 🛦 ⊛ 🔲 – A proximité : ✗ – *Places limitées pour le passage*

11 – 77 ①

## ST-PIERRE-DE-CHARTREUSE

**38380** Isère – 650 h. alt. 888 – ✎.
🛈 Office de Tourisme ✆ 76 88 62 08

  ▲▲  **Martinière** ❄ ≤ « Site agréable », ✆ 76 88 60 36, SO : 2,5 km par rte de Grenoble
1,5 ha (100 empl.) ⌒ non clos, plat et peu incliné, herbeux – 🔟 ⇌ 🖄 ⚲ 🗗 ▥ ⊛ ✗ ⊜ – 🔲 – ↠
25 mai-20 sept., déc.-avril – **R** *indispensable* – ▣ *2 pers. 49, pers. suppl. 14,50* 🔌 *11,50 (2A) 16 (3A) 21 (4A)*

12 – 77 ⑤ G. Alpes du Nord

## ST-PIERRE-DE-CURTILLE

**73310** Savoie – 277 h.

  ▲  **Municipal Bel Air,** ✆ 79 54 57 41, au bourg
1 ha (35 empl.) peu incliné, herbeux – 🔟 ⇌ 🖄 🛦 ⊛ ⚲ 🍽 – ✗
avril-oct. – **R** – ✶ 8 ⇔ 5 ▣ 5/15 avec élect. (5A)

12 – 74 ⑮

## ST-PIERRE-DE-MAILLÉ

**86260** Vienne – 959 h.

  ▲▲  **Municipal,** ✆ 49 48 64 11, sortie NO par D 11 rte de Vicq, bord de la Gartempe
1 ha (93 empl.) plat et peu incliné, herbeux ♀ – 🔟 ⇌ 🖄 🗗 ⊛ 🔲 – ↠
15 avril-15 oct. – **R** – *Tarif 91* : ✶ 7 ⇔ 3,50 ▣ 3,50/6 🔌 7

10 – 68 ⑮

## ST-PIERRE-D'OLÉRON 17 Char.-Mar. – 171 ⑬ – voir à Oléron (Ile d')

## ST-PIERRE-EN-PORT

**76540** S.-Mar. – 832 h.

  ▲▲  **Municipal les Falaises** ✎, ✆ 35 29 51 58, à l'ouest du bourg
1 ha (70 empl.) ⌒ plat, herbeux ⌂ – ⇌ 🖄 🛦 ⊛ – ↠
avril-sept. – **R** *juil.-août* – ✶ 9,50 ⇔ 3 ▣ 3 🔌 8 (6A) 11 (10A)

1 – 52 ⑫

## ST-PIERRE-LAFEUILLE

**46090** Lot – 217 h.

  ▲▲▲  **Quercy-Vacances** Ⓜ ✎, ✆ 65 36 87 15, NE : 1,5 km par N 20, rte de Brive et chemin à gauche – ✗
3 ha (80 empl.) ⌒ peu incliné, herbeux – 🔟 ⇌ 🖄 🗗 ⊛ ⚲ 🍷 ✗ (dîner seulement) ⚲ 🖄 – 🔲 – ↠
15 mai-15 sept. – **R** – ✶ 20 piscine comprise ▣ 25 🔌 8 (2A) 15 (6A)

  ▲  **Les Graves,** ✆ 65 36 83 12, NE : 0,4 km par N 20, rte de Brive
1 ha (25 empl.) ⌒ peu incliné à incliné, herbeux – 🔟 ⇌ 🖄 ⊛ – 🔲
avril-oct. – **R** – ✶ 14 ▣ 15 🔌 9 (3A)

14 – 79 ⑧

## ST-PIERRE-QUIBERON 56 Morbihan – 63 ⑪ ⑫ – voir à Quiberon (Presqu'île de)

## ST-PIERRE-SUR-DIVES

**14170** Calvados – 3 993 h.
🛈 Syndicat d'Initiative, 12 r. Saint-Benoist ✆ 31 20 81 68

  ▲▲  **Municipal** ✎, sortie SE par D 102 rte de Lieury et à gauche
1,5 ha (40 empl.) plat, herbeux – 🔟 ⚲ 🛦 ⊛ – A proximité : ✗ ↠
juin-sept. – **R** – ✶ 10 piscine comprise ▣ 10 🔌 7 (5A)

5 – 55 ⑫ ⑬ G. Normandie-Cotentin

## ST-POINT-LAC

**25160** Doubs – 134 h. alt. 900

  ▲▲▲  **Municipal** ≤, ✆ 81 69 61 64, au bourg, bord du lac
1 ha (74 empl.) ⌒ plat, herbeux – 🔟 ⇌ 🖄 🗗 ⊛ ⚲ ⚲ 🍷 🖄 – 🔲 – A proximité : ✗ ↠
10 mai-sept. – **R** *conseillée* – ▣ *2 pers. 52* 🔌 *12*

12 – 170 ⑥ G. Jura

## ST-POL-DE-LÉON

**29250** Finistère – 7 261 h.
🛈 Office de Tourisme, pl. de l'Évêché ✆ 98 69 05 69

  ▲▲  **Ar Kleguer** ≤ « Situation agréable », ✆ 98 69 18 81 et 98 69 05 39, à l'est de la ville, rte de Ste-Anne, près de la plage
2,5 ha (110 empl.) ⌒ (saison) plat, peu incliné, accidenté, herbeux, rochers ⌂ – 🔟 🖄 ⊛ 🍷 🍽 ⚲ 🖄 – 🔲
avril-sept. – **R** *conseillée juil.-août* – *Tarif 91* : ✶ *17 piscine comprise* ⇔ *7* ▣ *25* 🔌 *13 (5A)*

3 – 58 ⑥ G. Bretagne

## ST-POMPONT

**24170** Dordogne – 452 h.

🏔 **Le Trel** ⌖, ℰ 53 28 43 78, E : 1,3 km par D 60 et chemin à droite, bord d'un ruisseau
3 ha (100 empl.) ⊶ plat, peu incliné, herbeux – 🗊 🗻 ⊕ - 🍽 ✕ 🛶 🏊 🛶 (bassin) – Location : 🚐
juin-15 sept. – **R** *10 juil.-20 août* – ✳ *15 piscine comprise* 🖪 *13* 🚿 *12 (5A)*

---

## ST-PONS-LES-MÛRES 83 Var – ⑧④ ⑰ – rattaché à Grimaud

---

## ST-POURÇAIN-SUR-SIOULE

**03500** Allier – 5 159 h.
🛈 Syndicat d'Initiative, bd Ledru-Rollin
ℰ 70 45 32 73

🏔 **Municipal de l'Île de la Ronde** « Cadre agréable », ℰ 70 45 45 43, quai de la Ronde, bord de la Sioule
1,5 ha (50 empl.) ⊶ plat, herbeux 🖾 – 🗊 🗻 ⊕ - 🍽 🛶
juin-15 sept. – **R** *conseillée juil.-août* – ✳ *10* 🚐 *5* 🖪 *7* 🚿 *8 (6A)*

🏔 **Municipal de la Moutte** ⌖, ℰ 70 45 91 94, au stade par r. de la Moutte, bord de la Sioule
0,5 ha (35 empl.) ⊶ plat, herbeux ♀ – 🗊 🗻 ⊕ - ✕ 🏊
15 mai-sept. – **R** *conseillée juil.-août* – ✳ *7,50* 🚐 *5* 🖪 *6* 🚿 *8,50 (5A)*

---

## ST-PRIEST-DES-CHAMPS

**63640** P.-de-D. – 662 h. alt. 680

🏔 **Municipal,** au bourg, face à la mairie
0,2 ha (12 empl.) plat, herbeux – 🗊 🗻 🗻 ⊕
15 juin-15 sept. – **R** – ✳ *5,30* 🖪 *6,40* 🚿 *7,20*

---

## ST-PRIM

**38370** Isère – 733 h.

🏔 **Le Bois des Sources** ⌖ « Cadre boisé », ℰ 74 84 95 11, SE : 2,5 km par D 37 rte d'Auberives et chemin à droite, bord de la Varèze – Accès conseillé par N 7 et D 37
3 ha (80 empl.) ⊶ plat, herbeux, pierreux 🖾 ♀♀ – 🗊 🗻 🗻 ⊕ - 🗻
15 avril-15 sept. – **R** – *Tarif 91* : 🖪 *2 pers. 44, pers. suppl. 10,50*

---

## ST-PRIVAT 07 Ardèche – ⑦⑥ ⑲ – rattaché à Aubenas

---

## ST-PRIVAT-D'ALLIER

**43460** H.-Loire – 430 h. alt. 800

🏔 **Municipal** ⌖, au N du bourg
0,5 ha (19 empl.) peu incliné et en terrasses, herbeux, pierreux 🖾 – 🗊 🗻 🗻 ⊕
– A proximité : ✕
mai-oct. – **R** *juil.-août* – ✳ *17 et 2,80 pour eau chaude* 🚐 *2,30* 🖪 *3* 🚿 *6,10*

---

## ST-QUAY-PORTRIEUX

**22410** C.-d'Armor – 3 018 h.
🛈 Office de Tourisme et Accueil de France, 17 bis r. Jeanne-d'Arc
ℰ 96 70 40 64

🏔 **Bellevue** ⌖ ⌖ mer « Site agréable », ℰ 96 70 41 84, vers sortie N rte de Paimpol et bd du Littoral à droite, accès direct à la mer
2,8 ha (200 empl.) ⊶ plat, incliné et en terrasses, herbeux – 🗊 🗻 🗻 🗻 🗻 ⊕
🗻 - 🗻
mai-15 sept. – **R** – 🖪 *2 pers. 50, pers. suppl. 15* 🚿 *10 (2A) 15 (plus 2A)*

---

## ST-QUENTIN ⑤

**02100** Aisne – 60 644 h.
🛈 Office de Tourisme, espace Saint-Jacques, 14 r. de la Sellerie
ℰ 23 67 05 00

🏔 **Municipal** « Décoration florale et arbustive », ℰ 23 62 68 66, NE : bd J.-Bouin, à 50 m du canal
1,3 ha (66 empl.) ⊶ plat et terrasse, herbeux, gravillons 🖾 – 🗊 🗻 ⊕ 🗻 🗻
– 🗻 - A proximité : 🗻 (découverte l'été)
mars-nov. – **R** – ✳ *5,50* 🚐 *2,90* 🖪 *3,10/3,60* 🚿 *7,50 (jusqu'à 4A) 10,90 (5A et plus)*

---

## ST-QUENTIN-EN-TOURMONT

**80120** Somme – 309 h.

🏔 **Le Bout des Crocs,** ℰ 22 25 73 33, S : 1 km par D 204, rte de Rue et à droite
1,4 ha (100 empl.) ⊶ plat, herbeux 🖾 – 🗊 🗻 🗻 ⊕ - 🗻
avril-1er nov. – *Places limitées pour le passage* – **R** – ✳ *10* 🚐 *4* 🖪 *6/9* 🚿 *9 (3A) 10 (4A) 12 (6A)*

---

▶ *Si vous recherchez :*
*un terrain agréable ou très tranquille,*
*ouvert toute l'année, avec tennis ou piscine,*

Consultez le tableau des localités citées, classées par départements.

## ST-RAPHAËL

**83700** Var – 26 616 h.
🛈 Maison du Tourisme, r. Waldeck-Rousseau ℰ 94 95 16 87

⬜ – ⬜ ⑧ G. Côte d'Azur

**Douce Quiétude** ⟨ < « Cadre agréable », ℰ 94 44 30 00, sortie NE vers Valescure puis 3 km par Boulevard Jacques Baudino
10 ha (400 empl.) ⚬ plat, peu incliné, en terrasses, herbeux, pierreux ⚑ – salle de musculation, discothèque
– Location : 🚐
mars-sept. – **R** conseillée juil.-août – ⊡ piscine et élect. (6A) comprises 3 pers. 176

**Le Val Fleury** « Cadre agréable », ℰ 94 95 21 52, **à Boulouris**, E : 4 km, à 50 m de la plage
1 ha (90 empl.) ⚬ en terrasses
– A proximité : 🍴
Permanent – **R** indispensable été – ⊡ selon emplacement 1 à 4 pers. 135 ou 165, pers. suppl. 25 ⑭ 16 (2A) 21 (6A)

## ST-REMÈZE

**07700** Ardèche – 454 h.

⬜ – ⬜ ⑨

**Carrefour de l'Ardèche** <, ℰ 75 04 15 75, sortie E sur D 4 rte de Bourg-St-Andéol
1,3 ha (66 empl.) ⚬ plat et peu incliné, herbeux, pierreux
– Location : 🚐 🚐
juin-15 sept. – **R** conseillée juil.-août – ⊡ piscine comprise 2 pers. 61 ⑭ 14 (6A)

## ST-REMY-DE-MAURIENNE

**73660** Savoie – 962 h.

⬜ – ⬜ ⑯

**le Lac Bleu** <, ℰ 79 83 16 59, au NE du bourg, à 300 m de la N 6, bord d'un ruisseau et près d'un plan d'eau
2 ha (100 empl.) ⚬ plat, herbeux – A proximité : 🍴
15 juin-15 sept. – **R** – 🚶 11 🚗 6 ⊡ 6 ⑭ 14

## ST-RÉMY-DE-PROVENCE

**13210** B.-du-R. – 9 340 h.
🛈 Office de Tourisme, pl. Jean-Jaurès ℰ 90 92 05 22

⬜ – ⬜ ⑫ G. Provence

**Municipal Mas de Nicolas** ⟨ < « Cadre agréable », ℰ 90 92 27 05, sortie N rte d'Avignon puis 1 km par rte de Mollégès et r. Théodore-Aubanel
4 ha (138 empl.) ⚬ plat, peu incliné, herbeux
15 mars-oct. – **R** conseillée – ⊡ 2 pers. 60 ⑭ 13 (6A)

**Pégomas,** ℰ 90 92 01 21, sortie E rte de Cavaillon et D 30 rte de Noves à gauche
2 ha (100 empl.) ⚬ plat, herbeux – cases réfrigérées – A proximité : 🍴
mars-oct. – **R** conseillée juil.-août – Tarif 91 : ⊡ piscine comprise 1 pers. 43, pers. suppl. 22 ⑭ 15 (5A)

**Monplaisir** ⟨, ℰ 90 92 22 70, NO : 0,8 km par D 5 rte de Maillane et rte à gauche
1,3 ha (90 empl.) ⚬ plat, herbeux
mars-15 nov. – **R** conseillée saison – Tarif 91 : 🚶 13,50 ⊡ 14,50 ⑭ 9,50 (4A)

## ST-RÉMY-SUR-AVRE

**28380** E.-et-L. – 3 568 h.

⬜ – ⬜ ⑦

**Municipal du Pré de l'Église,** ℰ 37 48 93 87, au bourg, bord de l'Avre
0,7 ha (50 empl.) ⚬ plat, herbeux
A proximité : 🍴
avril-sept. – 🏕

## ST-RÉMY-SUR-DUROLLE

**63550** P.-de-D. – 2 033 h. alt. 650

⬜ – ⬜ ⑥ G. Auvergne

**Municipal les Chanterelles** ⟨ « Situation agréable », ℰ 73 94 31 71, NE : 3 km par D 201 et chemin à droite, à proximité d'un plan d'eau
5 ha (85 empl.) ⚬ incliné et en terrasses, herbeux
– A proximité : Au plan d'eau : 🍴 squash
mai-sept. – **R** conseillée août – Tarif 91 : 🚶 9 🚗 4,50 ⊡ 4,50/5,90 ⑭ 11,80 (3A)

## ST-RENAN

**29290** Finistère – 6 576 h.
🛈 Syndicat d'Initiative, Les Halles, r. Saint-Yves (saison) ℰ 98 84 23 78

⬜ – ⬜ ③

**Municipal de Lokournan** ⟨, ℰ 98 84 37 67, sortie NO par D 27 et chemin à droite, près du stade et d'un petit lac
0,8 ha (30 empl.) ⚬ plat, sablonneux, herbeux – A proximité : 🍴
15 juin-15 sept. – **R** – 🚶 11 ⊡ 9 ⑭ 9 (3A) 12 (6A)

## ST-REVEREND

**85220** Vendée – 812 h.

⬜ – ⬜ ⑫

**Municipal** ⟨, ℰ 51 54 68 50, Sortie Sud du bourg, sur D 94, à proximité du Gué Gorand
2,2 ha (25 empl.) plat et peu incliné, herbeux
juil.-août – **R** – ⊡ élect. et piscine comprises 3 pers. 70, pers. suppl. 15

## ST-ROME-DE-DOLAN

**48500** Lozère – 54 h. alt. 850

△ **Municipal** ⊱ ≤ vallée du Tarn, ℰ 66 48 80 66, au bourg – Route et croisement difficiles pour caravanes venant des Vignes
0,6 ha (50 empl.) ⊶ plat et en terrasses, pierreux, herbeux – 🛒 ⚲ 🖃 ⊛ – A proximité : ✕
juin-sept. – **R** – ⭢ 10 🚗 6 🖃 12 (½) 8 (3A) 10 (6A)

15 – 80 ④

## ST-ROME-DE-TARN

**12490** Aveyron – 676 h.

△△△ **La Cascade** ⊱ ≤, ℰ 65 62 56 59, N : 0,3 km par D 993 rte de Rodez, bord du Tarn
3 ha (45 empl.) ⊶ en terrasses et peu incliné, herbeux ⊏ ◑◑ (1 ha) – 🛒 ⚯ ⚲ 🖃 ⊛ ☒ 🖃 – ⚖ ✕ ⭢ 🖃
avril-sept. – **R** conseillée juil.-20 août – 🖃 2 pers. 58 (70 avec élect. 6A)

15 – 80 ⑬

## ST-SALVADOU

**12200** Aveyron – 505 h.

△△△ **Le Muret** ⊱, ℰ 65 81 80 69, SE : 3 km, bord d'un plan d'eau – Pour caravanes, accès conseillé par D 911, D 905A et chemin à droite
1,5 ha (40 empl.) ⊶ (saison) plat et peu incliné, herbeux – 🛒 ⚲ & ⊛ ☂ – ⭢ – A proximité : ⭢ – Location : ⬚
mai-1er oct. – **R** – ⭢ 11 🚗 6 🖃 10/12 (½) 11 (10A)

15 – 79 ⑳

## ST-SALVADOUR

**19700** Corrèze – 292 h.

△ **Municipal** ⊱, O : 0,7 km par rte de Seilhac, près d'un plan d'eau
0,6 ha (25 empl.) plat et terrasse, herbeux – 🛒 ⚯ ⊟ & ⊛ – ⭢
20 avril-29 sept. – **R** – ⭢ 6 🖃 5/6,50 (½) 9

10 – 75 ⑨

## ST-SAMSON-SUR-RANCE **22** C.-d'Armor – 59 ⑤ ⑥ – rattaché à Dinan

## ST-SAUD-LACOUSSIÈRE

**24470** Dordogne – 951 h.

△△△ **Château Le Verdoyer** ⊱ ≤ « Site agréable », ℰ 53 56 94 66 ✉ 24470 Champs-Romain, NO : 2,5 km par D 79 rte de Nontron et D 96 rte d'Abjat-sur-Bandiat, près d'étangs
9 ha/3 campables (120 empl.) ⊶ peu incliné à incliné, en terrasses, pierreux, herbeux ⊏ ◑◑ – 🛒 ⚯ ⊟ 🖃 & ⊛ ⚖ ☂ ✕ ⭢ 🖃 – ⭢ ✕ ⭢ – A proximité : ⭢ – Location : ⬚
15 avril-sept. – **R** conseillée – ⭢ 25 piscine comprise 🖃 33 (½) 13 (5A) 25 (10A)

10 – 72 ⑯

## ST-SAUVEUR-D'AUNIS

**17540** Char.-Mar. – 899 h.

△ **Municipal,** au bourg, derrière la mairie
0,3 ha (20 empl.) plat, herbeux ◑◑ – 🛒 ⊟ – A proximité : 🐎 poneys (centre équestre) ✕ ⭢
juin-15 sept. – **R** conseillée août – ⭢ 8 🖃 11

9 – 171 ⑫

## ST-SAUVEUR-DE-CRUZIÈRES

**07460** Ardèche – 441 h.

△△ **La Claysse,** ℰ 75 39 30 61, au NO du bourg, bord de rivière
1 ha (60 empl.) ⊶ plat, herbeux ◗ – 🛒 ⚲ 🖃 ⊛ 🖃 – ⭢ ⚖ ⭢ ⭢ – Location : ⬚
Pâques-sept. – **R** conseillée juil.-août – 🖃 piscine comprise 2 pers. 50 (½) 11

16 – 80 ⑧

## ST-SAUVEUR-DE-MONTAGUT

**07190** Ardèche – 1 396 h.

⣿ – ⣿ ⑲

⣿⣿⣿ **L'Ardéchois** ≤ « Dans un site agréable », ☎ 75 66 61 87, O : 8,5 km sur D102 rte d'Albon, bord de la Glueyre
37 ha/3,5 campables (95 empl.) ⚬⚬ en terrasses, herbeux – ⛺ ⛺ ⛺ ⛺ ⛺ ⛺
✗ ⛺ – ⛺ vélos – Location : ⛺ ⛺
Pâques-sept. – **R** conseillée juil.-15 août – ⛺ 2 pers. 78, pers. suppl. 12 ⛺ 15
(3 à 15A)

## ST-SAUVEUR-EN-RUE

**42220** Loire – 1 053 h. alt. 790

⣿⣿ – ⣿ ⑨

⣿ **Municipal des Régnières** ≤, ☎ 77 39 24 71, SO : 0,8 km par D 503 rte de Monfaucon, près de la Deûme
1 ha (40 empl.) en terrasses, plat, herbeux, pierreux ⛺ – ⛺ ⛺ ⛺ ⛺ ⛺ ⛺ –
⛺ ⛺ (bassin) – A proximité : ⛺
30 mars-oct. – Places limitées pour le passage – **R**

## ST-SAUVEUR-SUR-TINÉE

**06420** Alpes-Mar. – 337 h.

⣿ – ⣿ ⑩ ⑳ G. Alpes du Sud

⣿ **Municipal** ≤, ☎ 93 02 03 20, N : 0,8 km sur D 30 rte de Roubion, avant le pont, bord de la Tinée – Chemin piétons direct pour rejoindre le village – ⑫
(tentes)
0,37 ha (20 empl.) ⚬⚬ plat et terrasses, pierreux, gravillons – ⛺ ⛺ ⛺ ⛺ – ✗
15 juin-15 sept. – **R** conseillée – ⛺ 1 pers. 25/29, pers. suppl. 10 ⛺ 12 (3A)

## ST-SAVIN

**86310** Vienne – 1 089 h.

⣿⣿ – ⣿ ⑮ G. Poitou Vendée Charentes

⣿⣿⣿ **Municipal du Moulin de la Gassotte** ⛺, ☎ 49 48 18 02, vers sortie N par D 11 rte de St-Pierre-de-Maillé
1,5 ha (45 empl.) ⚬⚬ plat, herbeux – ⛺ ⛺ ⛺ ⛺ – ⛺ – A proximité : ⛺ –
Location : ⛺ (gîte d'étape)
15 juin-15 sept. – **R** – ⛺ 7,40 ⛺ 5,05 ⛺ 4,40/6,25 ⛺ 6,90

## ST-SAVINIEN

**17350** Char.-Mar. – 2 340 h.
⛺ Office de Tourisme, r. Bel Air
☎ 46 90 21 07

⣿ – ⣿ ④ G. Poitou Vendée Charentes

⣿⣿⣿ **La Grenouillette**, ☎ 46 90 35 11, O : 0,5 km par D 18 rte de Pont-l'Abbé-d'Arnoult, entre la Charente et le canal, à 200 m d'un plan d'eau
1,8 ha (67 empl.) ⚬⚬ plat, herbeux – ⛺ ⛺ ⛺ ⛺ ⛺ ⛺ – A proximité : ✗ ⛺
toboggan aquatique, parcours sportif
juin-15 sept. – **R** conseillée

## ST-SÉBASTIEN-SUR-LOIRE **44** Loire-Atl. – ⣿ ③ – rattaché à Nantes

## ST-SERNIN

**47120** L.-et-G. – 340 h.

⣿⣿ – ⣿ ⑬ ⑭

⣿⣿⣿ **Lac de Castelgaillard** ⛺, ≤ « Site agréable », ☎ 53 94 78 74, S : 2,5 km par D 311 et rte à gauche, bord du lac
1,5 ha (82 empl.) ⚬⚬ (saison) peu incliné, herbeux ⛺ – ⛺ ⛺ ⛺ ⛺ ⛺ – ⛺ ⛺
mai-sept. – **R** conseillée – ⛺ 15,50 ⛺ 17,50 ⛺ 15,50

⣿ **Le Moulin de la Borie Neuve** (aire naturelle), ☎ 53 94 76 57, à 2,5 km au N du bourg, accès conseillé par D 708, rte de Ste-Foy-la-Grande et D244 à droite, bord d'un ruisseau
1 ha (25 empl.) ⚬⚬ plat, herbeux ⛺ – ⛺ ⛺ ⛺ ⛺
15 mai-15 oct. – **R** conseillée – ⛺ 10,50 ⛺ 12 ⛺ 10

## ST-SEURIN-DE-PRATS

**24230** Dordogne – 491 h.

⣿ – ⣿ ⑬

⣿⣿⣿ **La Plage** ⛺, ☎ 53 58 61 07, S : 0,7 km par D 11, bord de la Dordogne (rive droite)
5 ha (80 empl.) ⚬⚬ plat et peu incliné, herbeux ⛺⛺ – ⛺ ⛺ ⛺ ⛺ ⛺ ⛺ ⛺ ⛺ ⛺
– ⛺ ✗ ⛺ ⛺ – Location : ⛺ (hôtel), studios
15 mai-15 sept. – **R** conseillée – ⛺ 16 piscine comprise ⛺ 12 ⛺ 22 ⛺ 14
(6A) 16 (10A)

## ST-SEURIN D'UZET

**17** Char.-Mar. – ⛺ 17120 Cozes

⣿ – ⣿ ⑯

⣿ **Municipal** ⛺, ☎ 46 90 67 23, au bourg, près de l'église, bord d'un chenal
1 ha (53 empl.) ⚬⚬ (juil.-août) plat, herbeux ⛺ – ⛺ ⛺ – Location : ⛺
juin-sept. – **R** conseillée – Tarif 91 : ⛺ 2 pers. 25, pers. suppl. 8 ⛺ 10

## ST-SEVER

**40500** Landes – 4 536 h.
⛺ Office de Tourisme, pl. Tour-du-Sol
☎ 58 76 34 64

⣿⣿ – ⣿ ⑥ G. Pyrénées Aquitaine

⣿⣿⣿ **Municipal les Rives de l'Adour** ⛺, ☎ 58 76 04 60, N : 1,5 km, au stade municipal Louis-Lafaurie, accès direct à l'Adour
2 ha (100 empl.) ⚬⚬ plat, herbeux ⛺ – ⛺ ⛺ ⛺ – ⛺ ✗ ⛺
Permanent – **R** conseillée juil.-août

377

## ST-SORNIN
**17600** Char.-Mar. – 322 h.

⚠ **Le Valerick** ⅏, ℰ 46 85 15 95, NE : 1,3 km par D 118 rte de Pont-l'Abbé
1,5 ha (50 empl.) ⌒ plat, incliné, herbeux – 🗂 ⌷ 🛁 – ⚒
avril-sept. – **R** conseillée août – 🔲 3 pers. 39, pers. suppl. 11 🔌 11 (4A) 15 (6A)

## ST-SULPICE
**46160** Lot – 126 h.

⚠ **Municipal** ⪦, au sud du bourg, bord du Célé
1 ha (60 empl.) plat, herbeux – 🗂 ⌷ 🛁 – ⚒
15 mars-15 oct. – **R** conseillée – ⚓ 9 🔲 9

## ST-SULPICE-LES-FEUILLES
**87160** H.-Vienne – 1 422 h.

⚠ **Municipal du Mondelet** ⅏, ℰ 55 76 77 45, sortie S sur D 84 rte d'Arnac-la-Poste
0,6 ha (30 empl.) ⌒ plat, peu incliné, herbeux – 🗂 ⌷ 🛁 ⊕ – ⚒
mars-déc. – **R** – ⚓ 8 🔲 10 🔌 15 (15A)

## ST-SYLVESTRE-SUR-LOT
**47140** L.-et-G. – 2 040 h.

⚠ **Le Sablon** (aire naturelle) ⅏, ℰ 53 41 37 74, sortie O par D 911, rte de Villeneuve-sur-Lot et 0,8 km par chemin à gauche, bord d'un étang
1,5 ha (25 empl.) ⌒ plat, herbeux ♀ – 🗂 ⌷ 🛁 🖽 ⊕ – 🖳 ⏄ avec toboggan aquatique
Permanent – **R** conseillée – ⚓ 7 🔲 7 🔌 7 (6A) 10 (10A)

⚠ **Municipal,** dans le bourg, derrière la mairie, près du Lot
0,4 ha (30 empl.) ⌒ plat, herbeux – 🗂 ⌷ 🛁 🖽 ⊕ 🖳 ⏚ – A proximité : 🛒
20 juin-15 sept. – **R** – ⚓ 7 🔲 8 🔌 7 (10A)

## ST-SYMPHORIEN-DE-THÉNIÈRES
**12460** Aveyron – 251 h. alt. 750

⚠ **Municipal St-Gervais** ⅏ ⪦, ℰ 65 44 82 43, à St-Gervais, O : 5 km par D 504, près d'un plan d'eau et à proximité d'un lac
1 ha (41 empl.) ⌒ plat, en terrasses et peu incliné, herbeux ⊟ – 🗂 ⌷ 🛁 🖽 ⊕ ⏚ 🖳 – 🗔 ⚒ – A proximité : 🛶 ◊
fermé hiver – **R** conseillée – Tarif 91 : 🔲 élect. comprise 1 ou 2 pers. 50, pers. suppl. 14

## ST-SYMPHORIEN-SUR-COISE
**69590** Rhône – 3 211 h.

⚠ **Intercommunal Centre de Loisirs de Hurongues** ⅏, ℰ 78 48 44 29, O : 3,5 km par D 2 rte de Chazelles-sur-Lyon, à 400 m d'un plan d'eau
3,6 ha (118 empl.) ⌒ peu incliné et en terrasses, pierreux ⊟ ♀♀ – 🗂 ⌷ 🛁 🖽 ⊕ 🖳 – 🗔 – A proximité : ⚒ 🖳 ⏄ (couverte l'hiver)
30 mars-13 oct. – **R** juil.-août – Tarif 91 : ⚓ 10,40 🔲 12 🔌 6,80 (3A) 11 (5A)

## ST-THURIAL
**35310** I.-et-V. – 1 273 h.

⚠ **Ker-Landes,** ℰ 99 61 39 95, sortie O par D 36, près d'un étang
2 ha (50 empl.) ⌒ (saison) peu incliné et en terrasses, herbeux, pierreux ⊟ ♀♀ – 🗂 ⌷ 🛁 🖽 ⊕ – 🖳
Permanent – **R** – Tarif 91 : ⚓ 11,60 ⚗ 4,80 🔲 9,20 🔌 9,80 (6A)

## ST-TROJAN-LES-BAINS 17 Char.-Mar. – **171** ⑭ – voir à Oléron (Ile d')

## ST-VAAST-LA-HOUGUE
**50550** Manche – 2 134 h.
🅸 Syndicat d'Initiative, quai Vauban (avril-sept.) ℰ 33 54 41 37

à Réville N : 3 km – ✉ 50760 Réville :

⚠ **Municipal de Jonville,** ℰ 33 54 48 41, SE : 2 km sur D 328, à la Pointe de Saire, accès direct à la plage
1,8 ha (149 empl.) ⌒ plat, herbeux, sablonneux – 🗂 🖽 ⊕
15 juin-15 sept. – **R** conseillée – Tarif 91 : ⚓ 10 ⚗ 6 🔲 6 🔌 8 (6A) 11 (10A)

## ST-VALERY-EN-CAUX
**76460** S.-Mar. – 4 595 h.
🅸 Office de Tourisme, pl. Hôtel de Ville (transfert prévu) ℰ 35 97 00 63

⚠ **Municipal Etennemare** ⅏, ℰ 35 97 15 79, au SO de la ville, vers le hameau du bois d'Entennemare
4 ha (116 empl.) ⌒ plat, herbeux ⊟ – 🗂 ⌷ 🛁 🖽 🖳 🏕 ⊕ ⏚ 🖳 🗔 – 🗔 – Location : 🏠
Permanent – **R** – 🔲 élect. (6A) comprise 2 pers. 68, pers. suppl. 13 🔌 7,50 (10A)

## ST-VALERY-SUR-SOMME

80230 Somme – 2 769 h.

1 – 52 ⑥ G. Flandres Artois Picardie

▲▲▲ **Domaine du Château de Drancourt** ⌖, *ℰ* 22 26 93 45, S : 3,5 km par D 48 et rte à gauche après avoir traversé le CD 940
5 ha (200 empl.) ⊶ plat et peu incliné, herbeux 🔄 ⚲⚲ verger et parc – 🏠 🚻 🛁 🛒 🍽 🎣 🛁 – 🔲 discothèque 🎾 🎿 🏊 practice de golf, vélos, poneys
avril-15 sept. – **R** *conseillée juil.-août* – 🚶 23 piscine comprise 🚗 7,50 🅴 37 🔌 14 (6A)

▲▲ **Le Picardy** « Cadre agréable », *ℰ* 22 60 85 59, SE : 2,5 km par D 3, à Pinche-falise
2 ha (70 empl.) ⊶ plat et peu incliné, herbeux 🔄 – 🏠 🚻 🛁 🔲 🛒 🍽 🛁 – 🔲 – *Places limitées pour le passage*

## ST-VALLIER

26240 Drôme – 4 115 h.

12 – 77 ① G. Vallée du Rhône

▲▲▲ **Municipal** ⌖, *ℰ* 75 23 22 17, N par av. de Québec (N7) et chemin à gauche, près du Rhône
1,35 ha (94 empl.) ⊶ plat, herbeux 🔄 ⚲ – 🏠 🚻 🛁 🔲 🛒 🛁 – A proximité : 🎾

## ST-VARENT

79330 Deux-Sèvres – 2 557 h.

9 – 67 ⑱

▲▲▲ **Municipal,** NO : 1 km par D 28, près de la piscine
0,5 ha (25 empl.) plat, herbeux 🔄 – 🏠 🚻 🛁 🛒 – 🎿 – A proximité : 🎾
15 mars-sept. – **R** – 🚶 6 🚗 4 🅴 5 🔌 9

## ST-VAURY

23320 Creuse – 2 059 h.

10 – 72 ⑨ G. Berry Limousin

▲ **Municipal la Valette,** N : 2 km par D 22 rte de Bussière-Dunoise, à 80 m d'un étang
1,6 ha (24 empl.) non clos, plat et terrasse, herbeux – 🏠 🚻 🛁 🔲 🛒
15 juin-15 sept. – **R** – Tarif 91 : 🚶 4,45 🚗 2,30 🅴 2,30 🔌 4,45 (16A)

## ST-VICTOR

03410 Allier – 1 752 h.

11 – 69 ⑫

▲▲▲ **Municipal de l'Écluse de Perreguines,** NO : 1,8 km par D 302 et chemin à droite, entre le Cher et le canal du Berry
2,2 ha (70 empl.) plat, herbeux ⚲⚲ – 🏠 🚻 🛁 🔲 🛒 – 🎿 🎣 – 🏊
Pâques-15 oct. – **R** – Tarif 91 : 🚶 6,20 🚗 2,60 🅴 4,70 🔌 9,30 (6A) 16,50 (10A)

## ST-VICTURNIEN

87420 H.-Vienne – 1 447 h.

10 – 72 ⑥ G. Berry Limousin

▲ **Municipal** ⌖, SE : 0,8 km par D 32 rte d'Aixe-sur-Vienne, bord de la Vienne
0,4 ha (22 empl.) plat, herbeux – 🏠 🗻 🛒
juin-15 sept. – **R** – 🚶 6,30 🚗 3,70 🅴 3,70 🔌 8,40

## ST-VINCENT-DE-BARRÈS

07210 Ardèche – 524 h.

16 – 76 ⑳ G. Vallée du Rhône

▲▲▲ **Municipal le Rieutord** ⌖, *ℰ* 75 65 07 73, O : 2 km par D 322 et chemin à gauche
1,4 ha (67 empl.) ⊶ (saison) plat et incliné, herbeux, pierreux ⚲ – 🏠 🚻 🛁 🔲 🛒 🗻 🎣 🛒 snack 🔲 – 🔲 🎾 🏊 toboggan aquatique
juin-sept. – **R** *conseillée* – 🚶 11 piscine et tennis compris et 8 pour eau chaude 🚗 7 🅴 8/12 🔌 13 (8A)

## ST-VINCENT-SUR-JARD

85520 Vendée – 658 h.
🛈 Syndicat d'Initiative, le Bourg (juil.-août) *ℰ* 51 33 62 06

Schéma à Jard-sur-Mer

9 – 67 ⑪ G. Poitou Vendée Charentes

▲▲▲ **La Bolée d'Air,** *ℰ* 51 90 36 05, E : 2 km par D 21 et à droite
5,7 ha (280 empl.) ⊶ plat, herbeux 🔄 ⚲ – 🏠 🚻 🛁 🔲 🛒 🔲 🛁 🎣 🛒 🛒 – 🏠 🎾 🗻 🏊 toboggan aquatique – Location : 🔲 🔲, chalets
avril-15 oct. – **R** *conseillée* – 🅴 piscine comprise 2 pers. 90, pers. suppl. 21 🔌 15 (6A)

## ST-VINCENT-SUR-OUST

56350 Morbihan – 1 112 h.

4 – 63 ⑤

▲ **Municipal de Painfaut-Île-aux-Pies** ⌖, NE : 2,2 km par rte de l'Île-aux-Pies et chemin à gauche, à 250 m de l'Oust (canal)
1,5 ha (30 empl.) peu incliné, herbeux, bois attenant – 🏠 🚻 🛁 🛒 🔲
15 juin-15 sept. – **R** – 🚶 5,20 🚗 3,20 🅴 3,20 🔌 8

## ST-YORRE

03270 Allier – 3 003 h.

11 – 73 ⑤ G. Auvergne

▲▲▲ **Municipal la Gravière,** *ℰ* 70 59 21 00, sortie SO par D 55ᴱ rte de Randan, près de l'Allier avec accès direct (rive gauche)
1,5 ha (82 empl.) ⊶ plat, herbeux 🔄 ⚲⚲ – 🏠 🚻 🗻 🔲 🛒 🛁 🔲 – A proximité : 🎾 🎿
Pâques-sept. – **R** *conseillée juil.-août* – Tarif 91 : 🚶 10,80 🅴 12,90 🔌 9,60 (5A)

## ST-YRIEIX-LA-PERCHE

**87500** H.-Vienne – 7 558 h.

🅱 Office de Tourisme, 6 r. Plaisances (saison) 🅟 55 75 94 60 et Mairie (hors saison) 🅟 55 75 00 04

⛰⛰ **Municipal d'Arfeuille** ⚲ ≤ « Cadre et situation agréables », 🅟 55 75 08 75, N : 2,5 km par rte de Limoges et chemin à gauche, bord d'un étang (plage)
2 ha (102 empl.) ⟶ en terrasses, pierreux, herbeux 🏠 ⚲ (0,8 ha) – 🏕 ⚙ 🚻 🛁
⊛ 🍴 ✗ – 🏪 m̄ 🛒 🛒 🚣
juin-15 sept. – **R** conseillée juil.-20 août – Tarif 91 : ⚡ 12 🅴 18 élect. (10A) comprise

## ST-YVI

**29140** Finistère – 2 386 h.

⛰⛰ **Municipal du Bois de Pleuven** ⚲ « Cadre agréable en forêt », 🅟 98 94 70 47, SO : 4 km
12 ha (320 empl.) ⟶ plat, herbeux, gravier 🏠 ⚲⚲ – (🏕 ⚙ 🚻 saison) ⊛ 🔷 🍴
🛁 – 🏪 ✗ 🏊 – A proximité : ✗ – Location : bungalows toilés
Pâques-15 sept. – **R** conseillée – ⚡ 10 �car 5,20 🅴 18 ⚡ 10

⛰ **Koatmor** ⚲, 🅟 98 94 71 25, SO : 3,7 km, dans le bois de Pleuven
1,5 ha (95 empl.) ⟶ (15 juin-août) plat, herbeux, gravier 🏠 ⚲⚲ – 🏕 ⚙ 🔀 🛁
⊛ – 🏪 ✗ 🏊 – A proximité : 🍴 ✗
15 juin-15 sept. – **R** conseillée 14 juil.-15 août – ⚡ 10 🅴 15 ⚡ 12 (4 ou 6A)

## STE-ANASTASIE-SUR-ISSOLE

**83136** Var – 1 205 h.

⛰ **La Vidaresse** ≤, 🅟 94 72 21 75, S : sur D 15
1,8 ha (130 empl.) ⟶ plat et terrasses, pierreux 🏠 – 🏕 ⚙ 🔀 🎱 ⊛ 🍴 pizzeria
– ✗ 🏊 – Location : 🚐
Permanent – **R** conseillée – 🅴 piscine comprise 1 à 3 pers. 76 ⚡ 15 (3A)

## STE-ANNE-D'AURAY

**56400** Morbihan – 1 630 h.

⛰ **Municipal du Motten**, 🅟 97 57 60 27, SO : 1 km par D 17 rte d'Auray et r. du Parc à droite
1 ha (100 empl.) ⟶ plat, herbeux – 🏕 ⚙ 🛁 ⊛ – 🏪 🔀 🛒
juin-sept. – **R** juil.-août – ⚡ 7,30 🚗 3,80 🅴 5,50 ou 16 ⚡ 8,50 (6A)

## STE-ANNE-LA-PALUD **29** Finistère – 5️8️ ⑭ – rattaché à Plonévez-Porzay

## STE-CATHERINE

**69440** Rhône – 770 h. alt. 691

⛰ **Municipal du Châtelard** ⚲ ≤ Mont Pilat, 🅟 78 81 80 60, S : 2 km – alt. 800
4 ha (63 empl.) en terrasses, gravier – 🏕 ⚙ 🛁 🔀 ⊛
mars-nov. – **R** – ⚡ 8,50 🅴 10,50 ⚡ 11 ou 13

## STE-CATHERINE-DE-FIERBOIS

**37800** I.-et-L. – 539 h.

⛰⛰ **Parc de Fierbois**, 🅟 47 65 43 35, S : 1,2 km
100 ha/6 campables (150 empl.) ⟶ plat et terrasses, prairie, sous-bois, lac 🏠
🎱🎱 (3 ha) – 🏕 ⚙ 🛁 🔀 🛗 & ⊛ 🏊 ⛵ 🚤 ✗ (dîner seulement) 👶 🔷 – 🏪 ✗
🛒 🏊 🛶 (plage) vélos – Location : gîtes
24 mai-14 sept. – **R** conseillée juil.-20 août – Tarif 91 : 🅴 piscine comprise 3 pers.
114 (141 avec plate-forme am.) ⚡ 14 (3 ou 4A)

## STE-COLOMBE-SUR-L'HERS

**11230** Aude – 530 h.

⛰ La Prade, O : 0,6 km par D 620 rte de Lavelanet
0,8 ha (20 empl.) plat, herbeux – 🏕 ⚙ 🛁 ⊛ – Location : gîtes ruraux

## STE-ÉNIMIE

**48210** Lozère – 473 h.

🅱 Office de Tourisme, Mairie
🅟 66 48 53 44

⛰⛰ **Couderc**, 🅟 66 48 50 53, SO : 2 km par D 907 bis rte de Millau, bord du Tarn
1,5 ha (50 empl.) ⟶ en terrasses, pierreux, herbeux ⚲⚲ – 🏕 ⚙ 🛁 🔀 & ⊛ 🍴
🛁 – 🛒
avril-15 oct. – **R** conseillée – 🅴 2 pers. 45, pers. suppl. 13 ⚡ 10

⛰ **le Site de Castelbouc** ⚲ ≤ gorges « Site agréable », 🅟 66 48 51 89, SE : 7 km par D 907ᴮ, rte d'Ispagnac puis 0,5 km par rte de Castelbouc à droite, bord du Tarn
0,7 ha (40 empl.) ⟶ plat, peu incliné, herbeux ⚲ – 🏕 🔀 🔀 & ⊛ – 🛒
Pâques-fin sept. – **R** conseillée juil.-août – 🅴 2 pers. 41, pers. suppl. 12 ⚡ 10 (5A)

## STE-EUGENIE-DE-VILLENEUVE

**43230** H.-Loire – 102 h. alt. 965

⛰ **Les Sources** ⚲ ≤ montagnes, 🅟 71 74 20 26 ✉ 43300 Langeac, S 3,5 km, à Lachaud-Curmilhac
5 ha (45 empl.) ⟶ incliné et en terrasses, herbeux – 🏕 ⚙ 🛁 🔀 ⊛ 🍴 –
🛒
15 mai-oct. – **R** conseillée – Tarif 91 : 🅴 2 pers. 35, pers. suppl. 8 ⚡ 12,50 (6 à 10A)

## STE-EULALIE-D'OLT

12130 Aveyron – 310 h.

15 – 80 ④

△ **Municipal la Grave** ⌇, à l'est du bourg, bord du Lot
0,6 ha (25 empl.) plat, herbeux – ⌂ ⇌ ⇎ ᵍ ⊙ - ⌂ ✕ ⇲
15 juin-15 sept. – **R** – ⊟ 2 pers. 24 ⒣ 13

## STE-EULALIE-EN-BORN

40200 Landes – 773 h.

13 – 78 ⑭

▲▲▲ **Les Bruyères** Ⓜ ⌇, 𝒫 58 09 73 36, N : 2,5 km par D 652 et rte de Lafont
1,2 ha (90 empl.) ⊶ plat, sablonneux, herbeux ♀ - ⌂ ⇌ ⇎ 𝄞 ᵍ ⊙ ⇲ ⚏ ▨
- ⊒ ✕ ⚒ - Location : ⎙
juin-sept. – **R** conseillée juil.-août – ⚹ 16,60 piscine comprise ⇌ 5,50 ⊟ 21,50
⒣ 12 (6A)

▲▲ **Domaine de Labadan** ⌇, 𝒫 58 09 71 98, S : 2,7 km par D 652 rte de
St-Paul-en-Born et rte à droite
3 ha (240 empl.) ⊶ plat, herbeux, sablonneux ♀♀ (1,5 ha) - ⌂ ⇌ ⇎ 𝄞 ⊙ ▨
15 juin-15 sept. – **R** conseillée – Tarif 91 : ⚹ 11 ⇌ 4 ⊟ 20 ⒣ 10 (6A)

▲▲ **Municipal du Lac** ⌇, 𝒫 58 09 70 10, N : 4 km par D 652 et rte à gauche
après le château d'eau, à 100 m d'un étang
3 ha (150 empl.) ⊶ plat, sablonneux, herbeux ♀♀ - ⌂ ⇌ ⇎ ᵍ ⊙ ▨ -
A proximité :
juin-15 sept. – **R** – Tarif 91 : ⚹ 9,50 ⇌ 3,10 ⊟ 9,90 ⒣ 7 (4A) 9,20 (6A)

## STE-HÉLÈNE-DU-LAC

73800 Savoie – 543 h.

12 – 74 ⑯

△ **L'Escale** ≼, 𝒫 79 84 04 11, sur D 923, à la gare
1,5 ha (33 empl.) ⊶ plat, herbeux ♀ - ⌂ ⇌ ⇎ ⌇ ⊙ ⚏ ♍ ▨
fermé oct.-5 nov. – **R** conseillée juil.-août – ⚹ 6 ⇌ 3,30 ⊟ 6 (16 hiver) ⒣ 9
ou 12 (4A)

## STE-LIVRADE-SUR-LOT

47110 L.-et-G. – 5 938 h.
🄱 Syndicat d'Initiative, av.
René-Bouchon (saison) 𝒫 53 01 45 88
et Mairie (hors saison) 𝒫 53 01 04 76

14 – 79 ⑤

△ **Municipal Fonfrède**, 𝒫 53 01 00 64, E : 1 km par D 911ᴱ, rte de Villeneuve-
sur-Lot et chemin à gauche, derrière le stade
2 ha (100 empl.) ⊶ plat, herbeux – ⌂ ⇌ ⇎ ᵍ ⊙ - ⊒ ⚡ - A proximité :
✕ ⚒
15 juin-15 sept. – **R** – ⚹ 8,50 ⊟ 7,50 ⒣ 7,50

## STE-LUCE-SUR-LOIRE 44 Loire-Atl. – 67 ③ – rattaché à Nantes

## STE-LUCIE-DE-PORTO-VECCHIO 2A Corse-du-Sud – 90 ⑧ – voir à Corse

## STE-MARIE

66470 Pyr.-Or. – 2 171 h.

15 – 86 ⑳

▲▲▲ **Le Lamparo,** 𝒫 68 73 83 87, sortie E vers Ste-Marie-Plage et à droite
2,5 ha (171 empl.) ⊶ plat, sablonneux, herbeux ⊡ – ⌂ ⇌ ⇎ ᵍ ⊙ ⚏ ♏ ♀ ✕
⚡ ▨ – ⊒ ✕ ⚒ half-court
Pâques-sept. – **R** conseillée juil.-août – ⊟ piscine comprise 2 pers. 82, pers. suppl.
21 ⒣ 18 (10A)

**à Ste-Marie-Plage** E : 2 km – ✉ 66470 Ste-Marie :

▲▲▲ **Le Palais de la Mer,** 𝒫 68 73 07 94, à 600 m au nord de la station, à 150 m
de la plage
2,6 ha (185 empl.) ⊶ plat, sablonneux ⊡ – ⌂ ⇌ ⇎ ᵍ 𝄞 ⊙ ⚏ ⚏ ⚡ ♀ snack
⚡ ▨ – ⊒ salle de musculation, discothèque ⚡ ⚒ half-court – Location :
⎙
juin-15 sept. – **R** conseillée juil.-août – ⊟ piscine comprise 2 pers. 85, pers. suppl.
22 ⒣ 14 (6A)

▲▲ **Municipal de la Plage,** 𝒫 68 80 68 59, à 600 m au nord de la station, à
150 m de la plage, accès direct
7 ha (378 empl.) ⊶ plat, sablonneux ⊡ – ⌂ ⇌ ⇎ ᵍ 𝄞 ⊙ ⚏ ⚏ ⚡ ♀ snack
⚡ – ⊒ tir à l'arc, vélos – Location : ⎙ ⎙
mars-oct. – **R** conseillée – ⊟ 2 pers. 63, pers. suppl. 20 ⒣ 11,50 (6A)

## STE-MARIE-AUX-MINES

8160 H.-Rhin – 5 767 h.

8 – 87 ⑯ G. Alsace Lorraine

▲▲ **Les Reflets du Val d'Argent** ≼, 𝒫 89 58 64 83, SO : 0,8 km par D 48 rte
du Col du Bonhomme et chemin à gauche, bord de la Liepvrette
1,5 ha (70 empl.) plat et peu incliné, herbeux – ⌂ ⇌ ⚐ ᵍ 𝄞 ♍ ⊙ ▨
Permanent – **R** conseillée été – ⚹ 10 ⇌ 5 ⊟ 10 ⒣ 10 (5A) 20 (10A) 30 (15A)

▸ *En juin et septembre les camps sont plus calmes, moins fréquentés*
*et pratiquent souvent des tarifs « hors saison ».*

## STE-MARIE-DE-CAMPAN

**65** H.-Pyr. – alt. 857 – ⊠ 65710 Campan

▲▲▲ **L'Orée des Monts** ❄, ≤, 🀫 62 91 83 98, SE : 3 km par D 918 rte du col d'Aspin, bord de l'Adour de Payolle – alt. 950
1,8 ha (88 empl.) ⊶ plat et peu incliné, herbeux – 🀫 🀫 🀫 ⊕ 🀫 🀫 – 🀫 – 🀫 🀫 – Location : 🀫 🀫
Permanent – **R** conseillée – Tarif 91 : 🀫 16,50 (hiver 17) piscine comprise 🀫 17 (hiver 18) [🀫] 5 par ampère

▲▲▲ **Les Rives de l'Adour** ≤, 🀫 62 91 83 08, S : 1 km par D 918 rte de la Mongie, accès direct à la rivière – alt. 898
1 ha (50 empl.) ⊶ incliné, en terrasses, plat, herbeux – 🀫 🀫 ⊕ 🀫 – 🀫
Permanent – **R** conseillée – 🀫 9,50 🀫 8 [🀫] 12 (2A) 24 (4A) 36 (6A)

---

## STE-MARIE-DE-RÉ 17 Char.-Mar. – 🀫🀫🀫 ⑫ – voir à Ré (Ile de)

---

## STE-MARIE-DU-LAC-NUISEMENT

**7** – 🀫🀫 ⑨ G. Champagne

**51290** Marne – 237 h.

▲▲▲ **La Cornée du Der,** 🀫 26 72 66 23, à 1,5 km au SE de Ste-Marie-du-Lac (les Grandes Côtes) par D 60 D 560 et rte de la plage, à 200 m du lac
4 ha (100 empl.) ⊶ plat, herbeux 🀫🀫 – 🀫 🀫 🀫 ⊕ 🀫 – 🀫 – Location : 🀫
25 avril-sept. – **R** conseillée juil.-août – 🀫 7,50 🀫 7 [🀫] 10 (10A)

---

## STE-MARIE-DU-MONT

**4** – 🀫🀫 ③ G. Normandie Cotentin

**50790** Manche – 779 h.

▲ **La Baie des Veys,** 🀫 33 71 56 90, SE : 5 km par D 913 et D 115 à droite, au Grand Vey, près de la mer
0,5 ha (50 empl.) ⊶ plat, herbeux 🀫 – 🀫 🀫 🀫 🀫 ⊕ – 🀫 – A proximité : 🀫
Pâques, Ascension, Pentecôte et 15 juin-15 sept. – **R** août – 🀫 8,60 🀫 3 🀫 5,50 [🀫] 9 (4A) 12,50 (6A)

▲ **Utah-Beach** 🀫, 🀫 33 71 53 69, NE : 6 km par D 913 et D 421, à 150 m de la plage
3,2 ha (100 empl.) ⊶ plat et peu incliné, herbeux – 🀫 🀫 🀫 ⊕ 🀫 🀫 – 🀫 –
A proximité : 🀫 🀫 – Location : 🀫
avril-sept. – **R** – 🀫 12 🀫 19

---

## STE-MARINE 29 Finistère – 🀫🀫 ⑮ – rattaché à Bénodet

---

## STE-MAURE-DE-TOURAINE

**10** – 🀫🀫 ④ G. Châteaux de la Loire

**37800** I.-et-L. – 3 983 h.
🀫 Syndicat d'Initiative, r. du Château (juil.-août) 🀫 47 65 66 20

▲▲▲ **Municipal de Marans** 🀫, 🀫 47 65 44 93, SE : 1,5 km par D 760 rte de Loches, et à gauche, r. de Toizelet, à 150 m d'un plan d'eau
1 ha (66 empl.) ⊶ plat et peu incliné, herbeux, pierreux – 🀫 🀫 🀫 ⊕ 🀫 – 🀫
15 mai-15 sept. – **R** saison – 🀫 7,50 🀫 6,50 [🀫] 7,50

---

## STE-MENEHOULD 🀫

**7** – 🀫🀫 ⑲ G. Champagne

**51800** Marne – 5 177 h.
🀫 Office de Tourisme, 15 pl. du Général-Leclerc (fermé matin sept.-juin) 🀫 26 60 85 83

▲▲▲ **Municipal de la Grelette,** sortie E rte de Metz et 1er pont à droite après la gare, bord de l'Aisne
0,5 ha (50 empl.) plat, herbeux – 🀫 🀫 🀫 🀫 ⊕ – A proximité : 🀫
mai-sept. – Tarif 91 : 🀫 8,80 🀫 2,70 🀫 2,70 [🀫] 7,80 (4A) 15,50 (plus de 4A)

---

## STE-MÈRE-ÉGLISE

**4** – 🀫🀫 ③ G. Normandie Cotentin

**50480** Manche – 1 556 h.

▲▲ Municipal 🀫, 🀫 33 41 35 22, sortie E par D 17 et à droite, près du terrain de sports
1,3 ha (78 empl.) ⊶ plat, herbeux, verger – 🀫 🀫 🀫 ⊕ – 🀫 🀫 🀫

---

## STE-MONTAINE

**6** – 🀫🀫 ⑳

**18700** Cher – 206 h.

▲ **Municipal,** au bourg, par D 79 rte de Ménétréol-sur-Sauldre
0,6 ha (33 empl.) plat, herbeux – 🀫 🀫 🀫 ⊕ – 🀫
15 avril-15 oct. – **R** – Tarif 91 : 🀫 6,30 🀫 3,40 [🀫] 11 ou 20

---

## STE-REINE-DE-BRETAGNE

**4** – 🀫🀫 ⑮

**44160** Loire-Atl. – 1 779 h.

▲▲▲ **Château du Deffay** 🀫 « Parc boisé près d'un étang », 🀫 40 88 00 57, E : 3 km par D 33 rte de Pontchâteau et à gauche
60 ha/2 campables (70 empl.) ⊶ plat, peu incliné, en terrasses, herbeux 🀫 🀫🀫
(1 ha) – 🀫 🀫 🀫 🀫 ⊕ 🀫 🀫 🀫 🀫 – 🀫 🀫 🀫 🀫 🀫 🀫 – Location appartements, chalets
15 mai-15 sept. – **R** conseillée – 🀫 19 piscine et tennis compris 🀫 47 (62 ou 71 avec élect. 4A)

## SAINTES ⟨SP⟩

**17100** Char.-Mar. – 25 874 h.
🏢 Office de Tourisme, Villa Musso, 62 cours National ☎ 46 74 23 82

9 – 171 ④ G. Poitou Vendée Charentes

⚠ **Au fil de l'Eau,** ☎ 46 93 08 00, N : par D128, rte de Courbiac, bord de la Charente
3 ha (214 empl.) ⚊ plat, herbeux ⚱ – 🛝 ⚙ 🔥 ⚹ 🐕 snack 🏪 – 🛖 ⚓ ⚡
– À l'entrée : 🛁
15 mai-15 sept. – **R** *conseillée 10 juil.-20 août* – ⚹ 12 🅴 15 ⟨⚡⟩ 10 (3A) 12 (5A)

---

## STE-SÉVÈRE-SUR-INDRE

**36160** Indre – 939 h.

10 – 68 ⑲ G. Berry Limousin

⚠ **Municipal,** au bourg, sur rte de la Châtre
0,5 ha (20 empl.) plat et terrasse, herbeux – 🛝 🔥 🗑 ⚹ – 🛖
avril-15 oct. – **R** – ⚹ *6,50* ⚗ *6,50* 🅴 *6,50* ⟨⚡⟩ *7 (6A)*

---

## STE-SIGOLÈNE

**43600** H.-Loire – 5 236 h. alt. 810

11 – 76 ⑧

⚠ **Camping de Vaubarlet** ⚓ ≤ « Site agréable », ☎ 71 66 64 95, SO : 6 km par D 43 rte de Grazac, bord de la Dunière – alt. 600
5 ha (131 empl.) ⚊ plat, herbeux – 🛝 🔥 🗑 ⚹ ⚗ – 🛖 ⚓
avril-oct. – **R** *conseillée juil.-août* – ⚹ *11* ⚗ *6* 🅴 *11/20 avec élect.*

---

## STES-MARIES-DE-LA-MER

**13460** B.-du-R. – 2 232 h.
🏢 Office de Tourisme, av. Van-Gogh ☎ 90 47 82 55

16 – 83 ⑲ G. Provence

⚠ **Municipal le Clos du Rhône,** ☎ 90 97 85 99 ✉ 13731 Stes-Maries-de-la-Mer, O : 2 km par D 38 et à gauche, près du Petit Rhône et de la plage
7 ha (450 empl.) ⚊ plat, sablonneux ⚏ – 🛝 🔥 🗑 ⚹ ⚙ 🐕 ⚗ 🔥 🅿 cases réfrigérées – 🛖 ⚓ vélos – A proximité : 🛁 – Location : 🏠
avril-sept. – **R** *conseillée juil.-août* – ⚹ *26,60 piscine comprise* 🅴 *25,20* ⟨⚡⟩ *14,20 (4A)*

⚠ **Municipal la Brise,** ☎ 90 97 84 67 ✉ 13731 Stes-Maries-de-la-M Cedex, sortie NE par D 85A et à droite, près de la plage est
27 ha (1 910 empl.) ⚊ plat, sablonneux – 🛝 🔥 ⚹ 🅿 cases réfrigérées – 🛖
⚓ – A proximité : 🔥 🍴 ✗ 🍴
Permanent – **R** *conseillée juil.-août* – ⚹ *20,80* 🅴 *17,30* ⟨⚡⟩ *14,20 (4A)*

---

## STE-TULLE

**04220** Alpes-de-H.-Pr. – 2 855 h.

17 – 84 ④

⚠ **Municipal le Chaffère** « Cadre agréable », ☎ 92 78 22 75, sortie O, bord du Chaffère – 🅿
0,8 ha (56 empl.) ⚊ plat et peu incliné, terrasses, herbeux ⚏ ⚱ – 🛝 🔥 🗑 ⚹ 🐕 – ⚓ – A proximité : ✗ 🔥
mai-sept. – **R** *été* – ⚹ *9,80* 🅴 *13,40* ⟨⚡⟩ *8,80 (3A) 16,90 (6A)*

---

## SAISIES (Col des)

**73** Savoie – alt. 1 633 – ⚡

12 – 74 ⑰ G. Alpes du Nord

⚠ **Caravaneige Intercommunal du Grand Tétras** ❄ ⚓, ☎ 79 38 93 92 ✉ 73270 Villard-sur-Doron, sortie S par D 218 rte d'Auteluce et 1,8 km par route à droite
0,8 ha (50 empl.) ⚊ plat, gravillons – 🛝 🔥 🗑 ⚹ – 🛖 – A proximité : 🔥 ✗
Permanent (réservé pour J.O. jusqu'en mai 92) – **R** – *interdit aux tentes hors saison*

---

## SAISSAC

**11310** Aude – 867 h.

15 – 83 ⑪ G. Gorges du Tarn

⚠ **Val** ≤, ☎ 68 24 44 89, sortie NO par D 629 rte de Revel et à gauche
2 ha (94 empl.) ⚊ (juil.-août) plat et peu incliné, herbeux – 🛝 🔥 🗑 ⚹ – 🛖
⚗ – A proximité : ✗
20 juin-12 sept. – **R** *conseillée – Adhésion association V.A.L obligatoire pour séjour supérieur à une nuit –* 🅴 *jusqu'à 4 pers. 43 à 100 selon durée du séjour, pers. suppl. 11 à 15* ⟨⚡⟩ *12*

---

**SALAVAS 07** Ardèche – 80 ⑨ – rattaché à Vallon-Pont-d'Arc

---

## SALBRIS

**41300** L.-et-Ch. – 6 083 h.

6 – 64 ⑲ G. Châteaux de la Loire

⚠ **Municipal de Sologne,** ☎ 54 97 06 38, sortie NE par D 55 rte de Pierrefitte-sur-Sauldre et à droite, bord de la Sauldre et d'un plan d'eau
2 ha (67 empl.) ⚊ plat, herbeux, caillouteux – 🛝 🔥 🗑 ⚹ 🐕 ⚙ – A proximité : ✗ ⚓ 🔥 🛁
avril-sept. – **R** – ⚹ *11* 🅴 *11 (17 avec élect. 10A)*

---

## SALENCY

**60400** Oise – 861 h.

7 – 56 ③

⚠ **L'Étang du Moulin** ⚓, ☎ 44 09 99 81, au bourg, 54 rue du Moulin
0,36 ha (30 empl.) ⚊ plat et peu incliné, herbeux – 🛝 🔥 ⚹ 🐕 – A proximité : 🔥
Permanent – **R** – ⚹ *6* ⚗ *4* 🅴 *10* ⟨⚡⟩ *5,50 (2A)*

## SALERNES

**83690** Var – 3 012 h.

🏕 **Municipal des Arnauds** Ⓜ, ℰ 94 67 51 95, sortie NO par D 560 rte de
Sillans-la-Cascade et chemin à gauche, près de la Bresque
0,75 ha (60 empl.) ⚬ plat, pierreux – 🛁 ⚬ ⚐ ⊕ ⚓ 🗤 🗐 cases réfrigérées
– A proximité : 🏊 (plan d'eau aménagé)
mai-sept. – **R** juil.-août – ⚡ 20 🗐 25/40 avec élect.

## SALERS

**15140** Cantal – 439 h. alt. 951

🏕 **Municipal le Mouriol,** ℰ 71 40 73 09, NE : 1 km par D 680 rte du Puy
Mary
1 ha (45 empl.) ⚬ (saison) plat, peu incliné, herbeux – 🛁 ⚬ ⚐ 🗐 ⚓ ⊕ – 🗐
🗶
15 mai-15 oct. – **R** – ⚡ 9,50 ⛟ 3,50 🗐 3,50 ⚡ 10

## SALIES-DE-BÉARN

**64270** Pyr.-Atl. – 4 974 h. –
⚓ fév.-déc.
🚩 Office de Tourisme, 1 bd
Saint-Guily ℰ 59 38 00 33

🏕 **Municipal de Mosqueros** Ⓜ 🐾, ℰ 59 38 12 94, sortie O rte de Bayonne,
à la Base de Plein Air
0,7 ha (55 empl.) ⚬ en terrasses, plat, herbeux – 🛁 ⚬ ⚐ 🗐 ⊕ ⚓ 🗤 🗐
🗐 – A proximité : 🗶 🗐
avril-oct. – **R** conseillée juil.-août – ⚡ 9,60 🗐 10,10/19,10 avec élect.

## SALIGNAC-EYVIGUES

**24590** Dordogne – 964 h.

🏕 **Le Temps de Vivre** 🐾, ℰ 53 28 93 21, S : 1,5 km par D 61, rte de Camus
et chemin à droite
1 ha (50 empl.) ⚬ en terrasses et peu incliné, pierreux, herbeux, bois attenant
– 🛁 ⚬ ⚐ 🗐 ⚓ ⊕ 🗐 🗐 – 🗐
juin-15 sept. – **R** conseillée – ⚡ 14 piscine comprise 🗐 12 ⚡ 10,50 (3A)

## SALINS-LES-BAINS

**39110** Jura – 3 629 h. –
⚓ 6 avril-28 nov.
🚩 Syndicat d'Initiative, pl. des Salines
ℰ 84 73 01 34

🏕 **Municipal,** sortie N rte de Besançon, près de l'ancienne gare
1 ha (40 empl.) ⚬ plat, herbeux, gravillons – 🛁 ⚬ ⚐ ⚓ ⊕
15 juin-15 sept. – **R** – ⚡ 8 ⛟ 5 🗐 6/8 ⚡ 8,80 (6A)

## SALLANCHES

**74700** H.-Savoie – 12 767 h. – 🐾
🚩 Office de Tourisme, 31 quai
Hôtel-de-Ville ℰ 50 58 04 25

🏕 **Mont-Blanc-Village** ≤ « Cadre agréable », ℰ 50 58 43 67 ✉ 74703
Sallanches Cedex, SE : 2 km
6,5 ha (130 empl.) ⚬ plat, herbeux, pierreux, plan d'eau 🏊🏊 – 🛁 ⚬ ⚐ 🗐 🗐
⊕ ⚓ 🗶 🗶 ⚒ 🗐 – 🗐 – Location : 🏠
20 mars-15 sept. – **R** – ⚡ 18 ⛟ 15 🗐 15 ⚡ 12 (7A)

🏕 **Les Îles** (Municipal de Passy) 🐾 ≤ « Cadre agréable », ℰ 50 58 45 36 ✉
74190 Passy, SE : 2 km, bord d'un ruisseau et à 250 m d'un plan d'eau
3 ha (220 empl.) ⚬ plat, herbeux, pierreux 🗐 🏊 (1,5 ha) – 🛁 ⚬ ⚐ ⚓ ⊕ ⚓
– A proximité : 🏊
mai-sept. – **R** conseillée – Tarif 91 : ⚡ 14,50 ⛟ 5 🗐 15,50 ⚡ 10 (8A)

## SALLERTAINE

**85300** Vendée – 2 245 h.

🏕 **Municipal de Bel Air** 🐾, ℰ 51 35 30 00, à 0,5 km à l'est du bourg
0,7 ha (69 empl.) plat, herbeux 🗐 – 🛁 ⚬ ⚐ 🗐 ⊕ ⚓
15 juin-15 sept. – **R** août – ⚡ 8,70 🗐 6,80 ⚡ 8,20 (6A)

## SALLES

**33770** Gironde – 3 957 h.

ΛΛΛ **Le Val de l'Eyre** ❀, ℰ 56 88 47 03, sortie SO par D 108ᴱˢ, rte de Lugos - par A 63 : sortie 21, bord de l'Eyre et d'un étang
13 ha/4 campables (100 empl.) ⊶ (saison) plat, vallonné, sablonneux, herbeux ◯◯ (6 ha) – 🏠 ⇔ 🛁 🔄 👌 ⊕ 🛒 ❡ snack 🖻 – 🖕
Permanent – **R** *conseillée 15 juil.-15 août*

ΛΛ **Le Bilos** ❀, ℰ 56 88 40 27, SO : 4 km par D 108 rte de Lugos et rte à droite
1 ha (63 empl.) ⊶ plat, herbeux, sablonneux – 🏠 🔊 mars-oct.) 🔄 👌 ⊕ 🛒
Permanent – **R** *conseillée juil.-août* – ♣ 7 🔲 9 🔌 7 (3A) 11,50 (5A) 13,50 (6A)

## SALLES-CURAN

**12410** Aveyron – 1 277 h. alt. 833

ΛΛΛ **Beau Rivage** ≤ « Situation agréable au bord du lac de Pareloup », ℰ 65 46 33 32, N : 3,5 km par D 993 et D 243 à gauche
2 ha (81 empl.) ⊶ en terrasses, herbeux ◻ – 🏠 ⇔ 🛁 🔄 ⊕ 🛒 🔀 🛒 ❡ 🖾 – 🛒 🛒 ◊
juin-sept. – **R** *indispensable juil.-août* – *Tarif 91* : 🔲 *3 pers. 90* 🔌 *25 (6 ou 10A)*

ΛΛΛ **Les Genêts** ❀ ≤, ℰ 65 46 35 34, O : 5 km par D 577 puis 2 km par chemin à droite, bord du lac de Pareloup
3,5 ha (140 empl.) ⊶ peu incliné et incliné, herbeux ◻ ♀ (1,5 ha) – 🏠 ⇔ 🛁 🔄 ⊕ 🛒 🔀 🛒 ❡ snack 🖻 – 🛒 discothèque 🛒 🛒 – Location : 🏠
juin-sept. – **R** *conseillée* – 🔲 *élect. et piscine comprises 2 ou 3 pers. 130, pers. suppl. 25*

## SALLES-ET-PRATVIEL 31 H.-Gar. – 85 ⑳ – rattaché à Luchon

## Les SALLES-SUR-VERDON

**83630** Var – 154 h.

ΛΛΛ **Les Pins,** ℰ 94 70 20 80, sortie S par D 71 puis 1,2 km par chemin à droite, à 100 m du lac de Ste-Croix – Accès direct pour piétons du centre bourg
2 ha (100 empl.) ⊶ plat et en terrasses, graviers, pierreux, herbeux ◻ – 🏠 ⇔ 🛁 🔄 ⊕ 🛒 🔀 🖻 cases réfrigérées – 🛒 – A proximité : 🛒
avril-oct. – **R** *conseillée, indispensable 15 juin-août* – ♣ *20* 🔲 *élect. comprise 20 à 48*

ΛΛ **La Source,** ℰ 94 70 20 40, sortie S par D 71 puis 1 km par chemin à droite, à 100 m du lac de Ste-Croix – Accès direct pour piétons du centre bourg
2 ha (89 empl.) ⊶ plat et en terrasses, gravier, pierreux, herbeux ♀ – 🏠 ⇔ 🛁 🔄 👌 ⊕ 🛒 🔀 🛒 – 🛒 – A proximité : 🛒 ◊
avril-oct. – **R** *indispensable juil.-août* – 🔲 *1 pers. 45, pers. suppl. 16* 🔌 *10 (3A) 16 (6A)*

## SALORNAY-SUR-GUYE

**71810** S.-et-L. – 663 h.

Λ **Municipal de la Clochette** ❀, au bourg, accès par chemin devant la poste, bord du Guye
2 ha (64 empl.) plat et terrasse, herbeux ♀ (0,3 ha) – 🏠 👌 ⊕ – A proximité : 🛒
15 avril-15 oct. – **R** – *Tarif 91* : ♣ *5,50* 🔲 *6,50* 🔌 *6,50 (moins de 4A) 8,50 (plus de 4A)*

## La SALVETAT-SUR-AGOUT

**34330** Hérault – 1 153 h. alt. 663

ΛΛ **La Blaquière,** ℰ 67 97 61 29, sortie N rte de Lacaune, bord de l'Agout
0,8 ha (60 empl.) ⊶ plat, herbeux – 🏠 🔊 ⊕
15 juin-15 sept. – **R** – 🔲 *2 pers. 35, pers. suppl. 13* 🔌 *12*

## SALVIAC

**46340** Lot – 1 003 h.

Λ **Municipal la Réquillou,** ℰ 65 41 55 98, sortie E rte de Gourdon
0,6 ha (33 empl.) ⊶ plat, herbeux ♀ – 🏠 ⇔ 🛁 ⊕ – 🛒 🛒
15 juin-15 sept. – **R** *conseillée* – *Tarif 91* : ♣ *7* 🔲 *10* 🔌 *10*

## SAMOËNS

**74340** H.-Savoie – 2 148 h. alt. 714 🚇.

Office de Tourisme ℰ 50 34 40 28

ΛΛΛ Municipal le Giffre ❄ ≤ « Site agréable », ℰ 50 34 41 92, SO : 1 km sur D 4 rte de Morillon, bord du Giffre et près d'un lac
6 ha (275 empl.) ⊶ plat, herbeux, pierreux ♀ – 🏠 ⇔ 🛁 🔄 👌 🏭 ⊕ 🛒 🔀 – 🛒 – A proximité : crêperie 🛒 🛒 (tobbogan aquatique) 🛒 – Location : studios

Λ **Le Chanosset** (aire naturelle) ❀ ≤ « Agréable situation dominante », ℰ 50 34 43 54, SO : 2,5 km, à Vercland - alt. 820
1 ha (25 empl.) ⊶ plat et incliné, herbeux, verger – 🏠 ⊕ – A proximité : ❡ 🛒
25 juin-10 sept. – **R** *juil.-août* – 🔲 *1 pers. 13/14* 🔌 *5,60 (3A)*

## SAMPZON 07 Ardèche – 80 ⑧ ⑨ – rattaché à Ruoms

385

## SANARY-SUR-MER

**83110** Var – 14 730 h.

🏛 Maison du Tourisme, Jardins de la Ville ℰ 94 74 01 04

🔟 – 🔞 ⑭ G. Côte d'Azur

▲▲▲ **Le Mas de Pierredon,** ℰ 94 74 25 02, N : 3 km par rte d'Ollioules et à gauche après le pont de l'autoroute (quartier Pierredon)
3,8 ha (180 empl.) ⚬━ plat et en terrasses, pierreux, herbeux ♀♀ – 🛖 ⇔ 🚻 🖼 -18 sanitaires individuels (🛖 ⇔ wc) ⊕ ⚎ ⚐ 🍽 ✗ 👶 🖼 – 🔒 ✂ 🏊 – Location : 🏚, bungalows toilés
30 avril-sept. – **R** *conseillée, indispensable juil.-août* – 👤 *20 piscine comprise* 🔲 *42* 🔌 *15 (3A)*

---

## SANCHEY **88** Vosges – 🔢 ⑮ – rattaché à Épinal

---

## SANGUINET

**40460** Landes – 1 695 h.

🔞 – 🔞 ③ G. Pyrénées Aquitaine

▲▲▲ **Municipal Lou Broustaricq** ⚲ « Cadre agréable », ℰ 58 78 62 62, NO : 2,8 km par rte de Bordeaux et chemin de Langeot, à 300 m de l'étang de Cazaux
16 ha (555 empl.) ⚬━ plat, sablonneux, gravillons 🚮 ♀♀ – (🛖 ⇔ 🚻 avril-oct.) 🖼 ⊕ ⚎ ⚐ 🍽 👶 🖼 – 🔒 – A proximité : ⚓ – Location : 🏚
Permanent – **R** *conseillée juil.-août* – 🔌 *élect. (6A) comprise 1 ou 2 pers. 74/109, 3 ou 4 pers. 97/137*

▲▲ **Les Grands Pins,** ℰ 58 78 61 74, O : 1,4 km rte du lac, près de l'étang de Cazaux
5,7 ha (190 empl.) ⚬━ (saison) plat, sablonneux, herbeux ♀♀ pinède – 🛖 ⇔ 🚻 🖼 👶 snack 🖼 – ✗ vélos – Location : 🏚 🏚
Permanent – **R** *conseillée 15 juin-15 sept.* – 🔲 *4 pers. 108* 🔌 *14 (3A) 18 (6A)*

▲▲ **Municipal le Lac,** ℰ 58 78 61 94, O : 1,8 km, près de l'étang de Cazaux
8,5 ha (330 empl.) ⚬━ (saison) plat, sablonneux ♀ (3 ha) – 🛖 ⇔ 🚻 🖼 👶 ⊕ 🖼 – A proximité : 👶 ⚓
avril-sept. – **R** *conseillée juil.-15 août* – *Tarif 91 :* 🔲 *1 ou 2 pers. 37/2 ou 3 pers. 63 avec élect. 6A*

---

## SANXAY

**86600** Vienne – 630 h.

⑨ – 🔢 ⑫ G. Poitou Vendée Charentes

▲ **Municipal,** sortie O par D 3 rte de Ménigoute, près de la Vonne
0,6 ha (30 empl.) plat, herbeux ♀ – 🛖 ⚒ ⊕ – A proximité : ⚓ 🏊
mai-1ᵉʳ oct. – **R** – *Tarif 91 :* 👤 *7,50* ⚛ *5* 🔲 *5* 🔌 *8*

---

## SAOU

**26400** Drôme – 378 h.

🔟 – 🔞 ⑫ G. Vallée du Rhône

▲ **Municipal** ⚲ ≤ « Site pittoresque », NE : 1,5 km par D 136 et chemin à droite, bord de la Vèbre
1 ha (40 empl.) plat et peu incliné, herbeux, pierreux ♀ – 🛖
avril-15 oct. – **R** – *Tarif 91 :* 👤 *9* 🔲 *10*

---

## SARBAZAN

**40120** Landes – 940 h.

🔞 – 🔞 ⑪

▲ **Municipal** ⚲, à l'est du bourg, près d'un plan d'eau
1 ha (50 empl.) non clos, plat, herbeux, sablonneux ♀♀ pinède – 🛖 ⇔ 🚻 👶 ⊕ – A proximité : ✗
avril-oct. – **R** – *Tarif 91 :* 👤 *4,60* ⚛ *2,30* 🔲 *9,20* 🔌 *6,90 (5A) 13,80 (10A)*

---

## SARE

**64310** Pyr.-Atl. – 2 054 h.

🔞 – 🔢 ② G. Pyrénées Aquitaine

▲▲ **La Petite Rhune** ⚲ ≤, S : 2 km sur rte reliant D 406 et D 306
1,5 ha (52 empl.) ⚬━ (saison) peu incliné, herbeux ♀ – 🛖 ⇔ 🚻 ⚒ 🖼 ⊕ 🖼 – 🔒 ✗ – A proximité : 🍽 ✗
avril-oct. – **R** *conseillée* – 🔲 *2 pers. 39* 🔌 *10 (6A)*

▲ **Goyenetche** ≤, ℰ 59 54 21 71, S : 3,5 km par D 306 rte des grottes, bord d'un ruisseau
1 ha (70 empl.) ⚬━ plat, prairie – 🛖 ⇔ ⚒ 🖼 ⊕
juin-1ᵉʳ oct. – **R** *conseillée juil.-août* – 👤 *9,50* ⚛ *4* 🔲 *10* 🔌 *9,50 (16A)*

---

## SARLAT-LA-CANÉDA ⭘

**24200** Dordogne – 9 909 h.

🏛 Office de Tourisme, pl. de la Liberté ℰ 53 59 27 67 et av. du Général-de-Gaulle (juil.-août) ℰ 53 59 18 87

🔞 – 🔞 ⑰ G. Périgord Quercy

▲▲▲ **Les Grottes de Roffy** ⚲ ≤ « Cadre agréable », ℰ 53 39 15 61 ✉ 24200 Ste-Nathalène, E : 8 km
5 ha (125 empl.) ⚬━ en terrasses, herbeux 🚮 – 🛖 ⇔ 🚻 🖼 ⊕ ⚎ ⚐ ⚑ 🍽 ✗ 👶 🖼 – 🔒 ✂ 🏊
avril-sept. – **R** *conseillée* – *Tarif 91 :* 👤 *26,50 piscine comprise* 🔲 *37* 🔌 *13 (6A,*

▲▲▲ **Les Périères** ⚲ ≤ « Cadre agréable, belle entrée fleurie », ℰ 53 59 05 84 ✉ 24203 Sarlat-la-Canéda Cedex, NE : 1 km
11 ha/4 campables (100 empl.) ⚬━ en terrasses, herbeux 🚮 ♀♀ – 🛖 ⇔ 🚻 🖼 👶 ⊕ ⚎ ⚐ ⚑ 🍽 ✗ 👶 – 🔒 ✂ ⚓ 🏊 parcours sportif – Location : villas
avril-sept. – **R** *conseillée juil.-août* – 🔌 *élect. (5A) et piscine comprises 3 pers. 135,40, pers. suppl. 25,70*

▲▲ **La Palombière** Ⓜ ⚲, ℰ 53 59 42 34 ✉ 24200 Ste-Nathalène, NE : 9 km
7,6 ha (120 empl.) ⚬━ peu incliné et en terrasses, pierreux, herbeux 🚮 ♀♀ – 🛖 ⇔ 🚻 👶 ⊕ ⚎ ⚐ ⚑ 🍽 ✗ 👶 🖼 – 🔒 ✂ 👶 🏊 vélos – Location 🏚
avril-22 sept. – **R** *conseillée 30 juin-25 août* – 👤 *28 piscine comprise* 🔲 *40,8* 🔌 *13,50 (4 à 6A)*

**La Châtaigneraie** ⌂ « Cadre agréable », ℰ 53 59 03 61 ✉ 24370 Prats-de-Carlux, E : 10 km
3 ha (70 empl.) ⊶ en terrasses, plat, herbeux, sablonneux ⌨ ⚲⚲ (0,5 ha) – 🔥 ⌂ 🔥 🔥 🔥 ⊛ 🔥 🔥 ✗ 🔥 – 🔥 ✗ 🔥 🔥 🔥 – A proximité : piste de bi-cross
15 juin-15 sept. – **R** conseillée juil.-15 août – ✸ 19,50 piscine comprise ▣ 25 ⌷ 15 (6A)

**Le Val d'Ussel** ⌂, ℰ 53 59 28 73 ✉ 24200 Proissans, N : 4,5 km par D 704 puis 3,5 km par rte de Proissans à droite, bord d'un étang (hors schéma)
7 ha/4,2 campables (175 empl.) ⊶ plat, peu incliné et en terrasses, herbeux, pierreux ⌨ – 🔥 🔥 🔥 🔥 🔥 ⊛ 🔥 🔥 ✗ 🔥 – 🔥 ✗ 🔥 🔥 – Location : bungalows toilés
mai-sept. – **R** conseillée juil.-août – ✸ 29 piscine comprise ▣ 37 ⌷ 19 (6A) 23 (10A)

**Le Moulin du Roch** « Cadre agréable », ℰ 53 59 20 27 ✉ 24200 St-André-d'Allas, NO : 10 km, bord d'un ruisseau (hors schéma) – ✗ juil.-août
7 ha/5 campables (160 empl.) ⊶ plat, peu incliné et en terrasses, herbeux ⌨ ⚲⚲ – 🔥 🔥 🔥 🔥 🔥 🔥 ⊛ 🔥 🔥 ✗ 🔥 – 🔥 ✗ 🔥 – Location : ▦
mai-sept. – **R** conseillée juil.-août – ▣ piscine comprise 3 pers. 117 ⌷ 12 (6A)

**Les Chênes Verts** ⌂ « Cadre agréable », ℰ 53 59 21 07 ✉ 24370 Calviac-en-Périgord, SE : 8,5 km
8 ha (123 empl.) ⊶ plat, peu incliné, en terrasses, herbeux ⌨ ⚲⚲ – 🔥 🔥 🔥 🔥 ⊛ 🔥 🔥 ✗ 🔥 – 🔥 🔥 🔥
mai-sept. – **R** conseillée juil.-août – Tarif 91 : ✸ 18 piscine comprise ▣ 31 ⌷ 13 (10A)

**Aqua Viva** ⌂, ℰ 53 59 21 09 ✉ 24200 Carsac-Aillac, SE : 7 km, bord de l'Énéa et d'un petit étang
8 ha (166 empl.) ⊶ plat, accidenté et en terrasses, herbeux ⚲⚲ – 🔥 🔥 🔥 🔥 🔥 ⊛ 🔥 🔥 ✗ 🔥 – 🔥 🔥 🔥 🔥 vélos – Location : ▦ ☎
18 avril-18 oct. – **R** conseillée juil.-août – ✸ 24 piscine comprise ▣ 35 ⌷ 11 (3A) 16 (6A) 21 (10A)

**Maillac** ⌂, ℰ 53 59 22 12 ✉ 24200 Ste-Nathalène, NE : 7 km
4 ha (100 empl.) ⊶ plat, peu incliné, herbeux ⌨ ⚲⚲ – 🔥 🔥 🔥 🔥 🔥 ⊛ 🔥 🔥 🔥 🔥 ✗ 🔥 – 🔥 🔥 🔥
15 mai-sept. – **R** conseillée juil.-août – ✸ 16,50 piscine comprise ▣ 23 ⌷ 13 (6A) 16 (12A)

**le Montant** ⌂ <, ℰ 53 59 18 50, SE : 2 km par D 57 rte de Bergerac puis 23 km par chemin à droite
3 ha (70 empl.) ⊶ en terrasses, herbeux ⌨ – 🔥 🔥 🔥 🔥 🔥 ⊛ 🔥 🔥 🔥 🔥 – 🔥 🔥
avril-sept. – **R** conseillée juil.-août – ✸ 16 piscine comprise ▣ 20 ⌷ 12 (5 ou 10A)

**Rivaux** <, ℰ 53 59 04 41, NO : 3,5 km
4 ha (100 empl.) ⊶ plat, peu incliné et accidenté, herbeux ⌨ ⚲⚲ pinède (1 ha) – 🔥 🔥 🔥 🔥 🔥 ⊛ 🔥 🔥 – 🔥 🔥
avril-1er oct. – **R** – ✸ 13 🔥 5 ▣ 10 ⌷ 9 (2A) 14,50 (6A)

**Villeneuve** ⌂ <, ℰ 53 59 23 13 ✉ 24200 St-André-d'Allas, NO : 8 km par D 47 et rte à gauche
2,5 ha (60 empl.) incliné, terrasses, herbeux ⌨ ⚲⚲⚲ (0,5 ha) – 🔥 🔥 🔥 🔥 🔥 ⊛ – 🔥
mai- oct. – **R** conseillée – ✸ 14 ▣ 12

**Les Charmes,** ℰ 53 31 02 89 ✉ St-André d'Allas 24200, O : 12 km par D 47, rte des Eyzies-de-Tayac et rte à gauche (hors schéma)
1,8 ha (85 empl.) ⊶ plat et peu incliné, en terrasses, herbeux, pierreux ⚲ – 🔥 🔥 🔥 ⊛ – 🔥
avril-oct. – **R** conseillée juil.-août – ✸ 15 piscine comprise ▣ 15/19 ⌷ 12 (4A) 13,50 (6A)

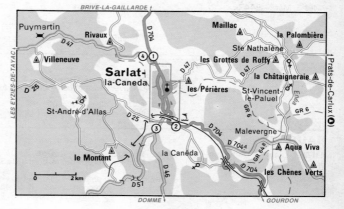

## SARRIANS

**84260** Vaucluse – 5 094 h.

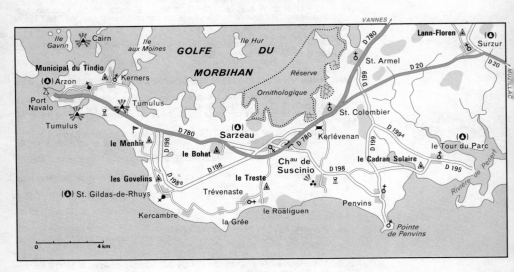

⚠ Municipal Ste-Croix ≤, ℰ 90 65 30 51, au SE du bourg, accès par D 221
2 ha (40 empl.) ⚬━ plat, herbeux – 🗑 ⊛ 🗗 ⊙ – 🍴 piste de bi-cross – A proximité :
🍴

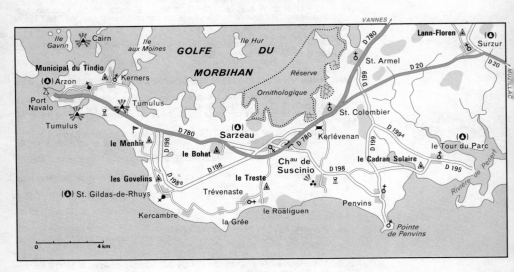

⬜ 🔟 – 🔞 ⑫ G. Provence

## SARZEAU

**56370** Morbihan – 4 972 h.

🚩 Syndicat d'Initiative, Bâtiment des
Trinitaires, r. du Général-de-Gaulle
(fermé après-midi hors saison)
ℰ 97 41 82 37

🔟 – 🔞 ⑬ G. Bretagne

⚠ **Le Bohat** 🏊, ℰ 97 41 78 68, O : 2,8 km
4 ha (225 empl.) ⚬━ plat, herbeux 🌳 verger (2 ha) – 🗑 ⇆ 🗗 🗗 🗑 & ⊛ ⚐ ⚒
crêperie 🗑 – 🗗 🚗 🛶 vélos
18 mai-15 sept. – **R** conseillée 15 juil.-18 août – 🍴 19 piscine comprise 🗐 37
🚩 11 (6 ou 12A)

⚠ **Le Treste** « Entrée fleurie », ℰ 97 41 79 60, S : 2,5 km rte du Roaliguen
2,5 ha (190 empl.) ⚬━ plat, herbeux – 🗑 ⇆ 🗗 🗗 🗑 ⊛ 🗑 – 🗗 🚗 🛶
20 avril-20 sept. – **R** conseillée – Tarif 91 : 🍴 14,60 🗐 27,50 🚩 9,50 (4A) 11,50
(6A) 13 (8A)

**Voir aussi à** *Arzon, St-Gildas-de-Rhuys, Surzur*

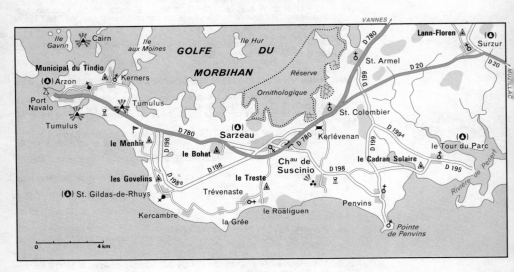

## SASSEGNIES

**59145** Nord – 289 h.

② – 🔞 ⑤

⚠ **Le Petit Paris**, réservé aux caravanes, ℰ 27 67 37 59, sortie SO par rte de
Maroilles et chemin à gauche, bord de la Sambre et d'un étang – 🍴
0,45 ha (30 empl.) ⚬━ plat, herbeux 🗗 – 🗑 ⇆ ⊛ 🍴 – 🍴
avril-sept. – Places limitées pour le passage – **R** conseillée – 🗐 2 pers. 40 🚩 8
(5A)

## SASSETOT-LE-MAUCONDUIT

**76450** S.-Mar. – 944 h.

① – 🔞 ⑫

⚠ **Les Trois Plages** 🏊 ≤, ℰ 35 27 40 11, SO : 1,3 km, entre le bourg et la
D 925
4 ha (67 empl.) ⚬━ plat et peu incliné, herbeux – 🗑 ⇆ 🗗 🗗 ⊛ ⚒ 🚗 🗑 –
15 avril-15 sept. – **R** – 🍴 15 🗐 20 🚩 10 (3A) 17,50 (6A)

## SATILLIEU

**07290** Ardèche – 1 818 h.

🔢 – 🔞 ⑨

⚠ **Municipal de Grangeon** ≤, ℰ 75 34 96 41, SO : 1,1 km par D 578^A rte de
Lalouvesc et à gauche, bord de l'Ay
1 ha (70 empl.) ⚬━ en terrasses, herbeux – 🗑 ⇆ 🗗 & ⊛ 🚗 ⚐ – A proximité :
🚣 (plan d'eau aménagé)
juil.-août – **R** – 🍴 7 🚗 3 🗐 3/7 🚩 12 (6A)

## SAUGUES

**43170** H.-Loire – 2 089 h. alt. 960.

🚩 Syndicat d'Initiative, Mairie (juil.-
15 sept.) ℰ 71 77 84 46

🔢 – 🔞 ⑯ G. Auvergne

⚠ **Sporting de la Seuge** ≤, ℰ 71 77 80 62, sortie O par D 589 rte du
Malzieu-Ville et à droite, bord de la Seuge et près de deux plans d'eau et d'une
pinède
3 ha (100 empl.) ⚬━ plat, herbeux, pierreux – 🗑 ⇆ 🗗 🗗 & ⊛ 🗑 – 🗗 🍴
tir à l'arc, parcours sportif – A proximité : 🎾 🚣 🐎 – Location : gîte d'étape
15 juin-15 sept. – **R** conseillée – 🍴 12 🗐 10

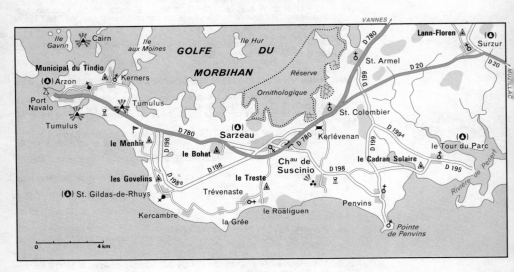

## SAULIEU

**21210** Côte-d'Or – 2 917 h.
🔹 Maison du Tourisme, r. d'Argentine
𝒫 80 64 00 21

△△△ **Municipal le Perron,** 𝒫 80 64 16 19, NO : 1 km par N 6 rte de Paris, près d'un plan d'eau
3,5 ha (135 empl.) ⊶ plat et peu incliné, herbeux ⊡ – 🗏 ⇆ ⩔ 🖪 ⅄ ☺ ⌀ ⟿
⇆ ⋈ – ⛆ ⟿ – vélos – Location : huttes
avril-oct. – **R** conseillée – Tarif 91 : ⭑ 12 piscine et tennis compris ▣ 20/25
[⅄] 10 (10A)

## SAULT

**84390** Vaucluse – 1 206 h. alt. 765.
🔹 Office de Tourisme, av. Promenade (saison) 𝒫 90 64 01 21

△△ **Municipal du Deffends,** 𝒫 90 64 07 18, NE : 1,7 km par D 950 rte de St-Trinit, au stade
9 ha (175 empl.) ⊶ plat et peu incliné, pierreux, sous-bois ♙♙♙ – 🗏 ⇆ ⅄ ☺ –
⟿ – A proximité : ✖
juin-sept. – **R** – ⭑ 12 ▣ 10 [⅄] 9,50 (5 ou 6A)

## SAUMANE

**30125** Gard – 183 h.

△ **Le Verdier,** 𝒫 66 83 92 22, SE : 1 km sur D 907 rte de St-Jean-du-Gard, à 50 m du Gardon
1,6 ha (70 empl.) ⊶ plat, peu incliné et en terrasses, herbeux ♙♙♙ – 🗏 ☺ ⟿ –
half-court – A proximité : ⚌
15 juin-15 sept. – **R** conseillée – ▣ 1 pers. 32, 2 pers. 45, pers. suppl. 10
[⅄] 8,50 (3A) 11,50 (6A)

## SAUMUR ⟨ℙ⟩

**49400** M.-et-L. – 30 131 h.
🔹 Office de Tourisme et Accueil de France, pl. Bilange 𝒫 41 51 03 06

△△△ **L'Ile d'Offard** Ⓜ ⩴ château, 𝒫 41 67 45 00, accès par centre ville, dans une île de la Loire
3,5 ha (266 empl.) ⊶ plat, herbeux ⊡ – 🗏 ⇆ ⅄ ⅄ 🖪 ⅄ ▥ ☺ ⟿ ⟿ ⟿ ⅄ ⊤ brasserie
▤ – ⌖ ⋈ ⅄ ⟿ – A proximité : ✖
Permanent – **R** conseillée juil.-août – ⭑ 22 piscine comprise ▣ 39

*à Dampierre-sur-Loire* SE : 4 km par D 947 – ✉ 49400 Saumur :

△ **Municipal,** 𝒫 41 67 87 99, au bourg, bord d'un bras de la Loire
1 ha (100 empl.) ⊶ plat, herbeux – 🗏 ⇆ ⅄ ☺
mai-15 sept. – **R** conseillée – ⭑ 11 ⇆ 5,50 ▣ 5,50

*à St-Hilaire-St-Florent* NO : 2 km – ✉ 49400 Saumur :

△△△ **Chantepie** (accueil spécial pour handicapés) Ⓜ ⥥ ⩴ vallée de la Loire, 𝒫 41 67 95 34 ✉ 49400, NO : 5,5 km par D 751 rte de Gennes et chemin à gauche, à la Mimerolle
3,5 ha (150 empl.) ⊶ plat, herbeux ⊡ – 🗏 ⇆ ⅄ 🖪 ⅄ ☺ ⟿ ▤ – ⌖ ⋈ ⅄
mai-15 sept. – **R** conseillée juil.-août – ⭑ 19,50 piscine comprise ⇆ 25 ▣ 25
[⅄] 16 (6A)

## SAUVE

**30610** Gard – 1 606 h.

△△△ **Domaine de Bagard,** 𝒫 66 77 55 99, SE : 1,2 km par D 999 rte de Nîmes, bord du Vidourle
12 ha/6 campables (150 empl.) ⊶ plat, herbeux, pierreux ⊡ ♙♙ – 🗏 ⇆ ⅄ 🖪
☺ ⟿ ⟿ ⅄ ✖ ⅄ ▤ – ⌖ ✖ ⟿ – vélos – Location : gîtes
avril-sept. – **R** indispensable juil.-août – ▤ élect. (10A) et piscine comprises 2 pers.
110

## SAUVETERRE-DE-BÉARN

**64390** Pyr.-Atl. – 1 366 h.
🔹 Syndicat d'Initiative, Mairie
𝒫 59 38 50 17

△△ **Municipal le Gave** ⥥, 𝒫 59 38 53 30, sortie S par D 933 rte de St-Palais puis chemin à gauche avant le pont, bord du Gave d'Oloron
1,3 ha (100 empl.) ⊶ plat, herbeux ♙♙ – 🗏 ⇆ ⅄ ☺ ⟿ ✖
Permanent – **R** conseillée juil.-août – Tarif 91 : ⭑ 8,50 ⇆ 12 ▣ 6/9 [⅄] 8,50
(3A) 13,90 (6A)

## SAUVETERRE-LA-LÉMANCE

**47500** L.-et-G. – 685 h.

△△△ **Moulin du Périé** ⥥ « Ancien moulin restauré », 𝒫 53 40 67 26, E : 3 km par rte de Loubejac, bord d'un ruisseau
2,5 ha (75 empl.) ⊶ plat, herbeux ♙♙ peupleraie – 🗏 ⇆ ⅄ 🖪 ⅄ ☺ ⟿ ⅄ ▤
– ⌖ ⅄ ⚌ (petit étang)
Pâques-sept. – **R** conseillée juin-août – ⭑ 26 piscine comprise ⇆ 7,50 ▣ 39
[⅄] 15,50 (6A)

▶ *Si vous désirez réserver un emplacement pour vos vacances,*
*faites-vous préciser au préalable les conditions particulières de séjour,*
*les modalités de réservation, les tarifs en vigueur et les conditions de paiement.*

## SAUVIAN

**34410** Hérault – 3 178 h.

⚠ La Gabinelle, ♐ 67 39 50 87, au SE du bourg, rte de Sérignan
3 ha (193 empl.) ⊶ plat, herbeux, pierreux – 🛋 🗻 🖼 🕭 ☺ 🍽 🖪 – 🏕 🏊 –
A proximité : 🍴 – **R** conseillée
15 juin-15 sept. – **R** conseillée

⚠ **Municipal,** ♐ 67 32 33 16, sortie O, av. du Stade
1 ha (50 empl.) ⊶ plat, herbeux 🖂 – 🛋 🗻 ☺
15 mai-sept. – **R** conseillée – 🗉 2 pers. 46, pers. suppl. 16 🔌 13

---

## SAUZÉ-VAUSSAIS

**79190** Deux-Sèvres – 1 755 h.

⚠ **Municipal,** ♐ 49 07 61 33, SO : 1 km par D 1 rte de Chef-Boutonne
1 ha (40 empl.) peu incliné et plat, herbeux, bois attenant 🖂 – 🛋 ⚊ 🗻 ☺ – 🍴
piste de bi-cross – A proximité : 🏕 🏊 – Location : gîtes
16 juin-15 sept. – **R** – 🕏 5,70 🚙 3,50 🗉 4,70 🔌 6 (20A)

---

## SAVENAY

**44260** Loire-Atl. – 5 314 h.

⚠ **Municipal du Lac** 🏞 ⩽ « Site agréable », ♐ 40 58 31 76, E : 1,8 km par rte
de Malville, au lac
1 ha (97 empl.) ⊶ en terrasses, herbeux – 🛋 ⚊ 🗻 🖼 🕭 ▥ ☺ 🏊 🛶 – A l'entrée
🍴 🏊 – A proximité : 🍶 crêperie 🛖
mai-sept. – **R** – 🕏 6,45 🚙 3,20 🗉 3,95 🔌 6,10 (2A) et 2,15 par ampère suppl.

---

## SAVERNE ⊛

**67700** B.-Rhin – 10 278 h.
🛈 Office de Tourisme, Château des
Rohan ♐ 88 91 80 47

⚠ **Municipal** ⩽ « Entrée fleurie », ♐ 88 91 35 65, SO : 1,3 km par D 171 rte du
Haut-Barr et r. Knoepffler à gauche
2,1 ha (145 empl.) ⊶ peu incliné, plat, herbeux – 🛋 ⚊ 🗻 🖼 🕭 ☺ 🏊 🍶 –
🏕 🏊
avril-sept. – 🕏 11 🗉 11/16 🔌 4 à 16

---

## SAVIGNY-LÈS-BEAUNE 21 Côte-d'Or – 69 ⑨ – rattaché à Beaune

---

## SAVINES-LE-LAC

**05160** H.-Alpes – 759 h. alt. 810.
🛈 Office de Tourisme ♐ 92 44 20 44

⚠ **Le Nautic** ⩽ lac et montagnes, ♐ 92 50 62 49 ✉ 05230 Prunières, O : 4,5 km
par N 94 rte de Gap, bord du lac de Serre-Ponçon
2,6 ha (100 empl.) ⊶ en terrasses, pierreux, gravillons 🍶 (1 ha) – 🛋 🗻 🖼 ☺
🏊 🍶 – 🏊 🛶
15 juin-15 sept. – **R** – Tarif 91 : 🗉 piscine comprise 3 pers. 97, pers. suppl. 22
🔌 17 (5A)

---

## SCIEZ

**74140** H.-Savoie – 3 371 h.

⚠ **Le Grand Foc** 🏞, ♐ 50 72 62 70, NE : 3 km par N 5 rte de Thonon-les-Bains
et rte du port de Sciez-Plage à gauche, à 300 m de la plage
1,3 ha (65 empl.) ⊶ peu incliné, plat, herbeux, pierreux 🖂 🍶 – 🛋 ⚊ 🗻 ☺ 🍶
🍽 🏊 🖪 – A proximité : 🛶 – Location : 🛖
25 mars-5 oct. – **R** conseillée juil.-août – 🗉 2 pers. 42, pers. suppl. 12,50 🔌 10
à 16,50 (2 à 6A)

⚠ **Le Chatelet** 🏞, ♐ 50 72 52 60, NE : 3 km par N 5 rte de Thonon-les-Bains
et rte du port de Sciez-Plage à gauche, à 300 m de la plage
1,6 ha (43 empl.) ⊶ plat, herbeux, pierreux – 🛋 🗻 🖼 🕭 ☺ 🖪 – A proximité :
🛶
avril-sept. – Places limitées pour le passage – **R** conseillée juil.-août – 🗉 2 pers.
42, pers. suppl. 13,50 🔌 10 (4A) 12 (6A)

⚠ **Brise du Léman** 🏞, NE : 2 km par N 5 rte de Thonon-les-Bains et rte du
port de Sciez-Plage à gauche, à 100 m de la plage
1,8 ha (100 empl.) ⊶ plat et peu incliné, herbeux 🍶 – 🛋 🗻 ☺ 🖪 – A proximité :
🛶
avril-sept. – **R** – 🗉 3 pers. 45,50, pers. suppl. 10 🔌 11,90 (3A) 17,50 (6A)

---

## SECONDIGNY

**79130** Deux-Sèvres – 1 907 h.

⚠ **Municipal du Moulin des Effres,** sortie S par rte de Niort puis 0,4 km par
rte à gauche, près d'un plan d'eau
2 ha (60 empl.) peu incliné et plat, herbeux 🍶 – 🛋 ☺ – A proximité : 🍶 🍴 🍽
🛖 🏊
avril-15 oct. – **R** – Tarif 91 : 🕏 7 🚙 5 🗉 5 🔌 11

---

## SEDAN

**08200** Ardennes – 21 667 h.
🛈 Office de Tourisme, parking du
Château (fermé matin 16 sept.-
14 mars) ♐ 24 27 73 73

⚠ **Municipal,** ♐ 24 27 13 05, à la prairie de Torcy, Bd Fabert, bord de la Meuse
1,5 ha (130 empl.) ⊶ plat, herbeux 🍶 (0,5 ha) – 🛋 ⚊ 🗻 🖼 🕭 – 🚲 vélos
15 avril-14 oct. – **R** conseillée juil.-août – Tarif 91 : 🕏 8 🚙 7 🗉 8 🔌 8 (5 ou
10A)

## SÉDERON

**26560** Drôme – 245 h. alt. 809

⚠ **Municipal les Biaux** ⌕, à l'est du bourg, bord de la Méouge
1 ha (26 empl.) plat, herbeux – 🚿 ⛲ ⊛
juin-août – **R** - ⚡ 9 🚗 4 🔲 6 🔌 10

## SÉEZ

**73700** Savoie – 1 662 h. alt. 904.
🛈 Syndicat d'Initiative ✆ 79 41 00 15

🔺 **Municipal le Reclus** ❄, ✆ 79 41 01 05, sortie NO par N 90 rte de Bourg-St-
Maurice, bord du Reclus
1,5 ha (108 empl.) ⌫ peu incliné et en terrasses, herbeux, pierreux ⚭ – 🚿 ⛲
🏊 📶 ⊛ – 🛒
Permanent – **R** conseillée été, indispensable hiver – ⚡ 11,50 🚗 6,50 🔲 9,50
🔌 11 à 35 (3 à 10A)

## SEICHES-SUR-LE-LOIR

**49140** M.-et-L. – 2 248 h.

🔺 **Municipal de la Vallée du Loir** ⌕, ✆ 41 76 63 44, NO : par D 79 rte de
Tiercé puis à droite, rte de l'église, bord de la rivière
1 ha (108 empl.) plat, terrasse, herbeux – 🚿 📶 & ⊛
Pâques-sept. – **R** - 🔲 1 pers. 16,90, 2 pers. 22, 3 pers. 27 🔌 7 (6A)

▶ *Utilisez les **cartes Michelin** détaillées à 1/200 000,*
*complément indispensable de ce guide.*

⊙ *Localité sélectionnée dans le guide Michelin*
*« CAMPING CARAVANING FRANCE ».*

## SEIGNOSSE

**40510** Landes – 1 630 h.

🔺 **La Pomme de Pin,** ✆ 58 77 00 71 ✉ 40230 Saubion, SE : 2 km par D 652
et D 337 rte de Saubion
2,8 ha (150 empl.) ⌫ plat, sablonneux ⚱ – 🚿 ⛲ ⛺ 🏊 📶 ⊛ 🔲
juin-15 sept. – **R** conseillée août – ⚡ 13 🚗 6 🔲 15 🔌 11 (5A)

*à Seignosse-le-Penon* O : 5 km – ✉ 40510 Seignosse :

🔺 **Les Oyats,** ✆ 58 43 37 94, N : 4,5 km par D 79 et rte des Casernes à gauche
15 ha (360 empl.) ⌫ plat, vallonné, sablonneux ⚱⚱ pinède – 🚿 ⛲ ⛺ 📶 ⊛ 🛒
🍴 ✗ 🚿 🔲 – 🛒 ⚓ 🐟 – Location : 🏠 ⛱, bungalows toilés
2 juin-29 sept. – **R** - 🔲 tennis compris 2 pers. 76, pers. suppl. 23 🔌 17 (4A)

🔺 **Les Chevreuils** ⌕, ✆ 58 43 32 80, N : 3,5 km sur D 79 rte de Vieux-Boucau-
les-Bains
8 ha (240 empl.) ⌫ plat, sablonneux ⚱⚱ pinède – 🚿 ⛺ ⊛ 🔋 🍴 ✗ 🚿 🔲
🛒 ✗ 🚿 – Location : 🏠
juin-15 sept. – **R** indispensable 14 juil.-20 août – Tarif 91 : 🔲 élect. (3A), piscine
et tennis compris 2 à 5 pers. 66 à 106/86 à 126 🔌 8,50 (6A)

🔺 **V.V.F. Les Estagnots** ⌕, ✆ 58 43 30 20, sortie S, à 300 m de la plage –
❄
6 ha (240 empl.) ⌫ (saison) accidenté, sablonneux ⛻ (caravanes) ⚱⚱ – 🚿 ⛲
⛺ ⛱ ⚓ 🔔 garderie – 🛒 ✗ 🛒 🐟 – A proximité : 🛒 ✗ 🚿 🔲
6 juin-13 sept. – **R** conseillée juil.-août – Adhésion V.V.F. obligatoire
✆ 56 34 57 57 - mineurs non accompagnés non admis – 🔲 piscine comprise
2 pers. 84, pers. suppl. 26 🔌 15 (5A)

🔺 Municipal, ✆ 58 43 30 30, sur D 79E
16 ha (350 empl.) ⌫ plat, accidenté, sablonneux ⚱⚱ pinède – 🚿 ⛲ ⛺ 🏊 📶
⊛ 🛒 🍴 🐟 🔲 – 🛒 – A proximité : ✗

## SEILHAC

**19700** Corrèze – 1 540 h.

🔺 Municipal lac de Bournazel ⌕ ⋖, ✆ 55 27 05 65, NO : 1,5 km par N 120 rte
d'Uzerche puis 1 km à droite, à 100 m du lac
4 ha (155 empl.) ⌫ (saison) en terrasses, pierreux, herbeux ⛻ ⚱ – 🚿 ⛲ ⛺ 🏊
📶 ⊛ 🔲 – 🛒 ⚓ – A proximité : 🍴 🛒 ✗ 🔔 🏊

## SEIX

**09140** Ariège – 806 h.

🔺 **Le Haut Salat** ❄ ⌕ ⋖, ✆ 61 66 81 78, NE : 0,8 km par D 3 rte de St-Girons,
bord du Salat
1,5 ha (127 empl.) ⌫ plat, herbeux ⛻ ⚱⚱ – 🚿 ⛲ ⛺ 📶 ⊛ 🍴 🛒 – 🛒 🐟
– Location : 🏠
3 janv.-15 sept. et 15 oct.-22 déc. – **R** conseillée juil.-août – ⚡ 13,80 🔲 13,80
🔌 10,80 (5A) 27,60 (7A)

## SÉLESTAT ⊛

**67600** B.-Rhin – 15 538 h.
🛈 Office de Tourisme, La
Commanderie, bd du Général-Leclerc
✆ 88 92 02 66

⚠ **Municipal les Cigognes,** ✆ 88 92 03 98, rue de la 1ère D.F.L.
0,7 ha (50 empl.) ⌫ plat, herbeux ⚱ (0,3 ha) – 🚿 ⛲ ⛺ ⊛ – A proximité : ✗
mai-15 oct. – **R** - Tarif 91 : ⚡ 6 🚗 5 🔲 5 🔌 7 (5 à 10A)

---

## SELONGEY

**21260** Côte-d'Or – 2 386 h.

7 – 65 ⑩

⚠ **Municipal les Courvelles,** au S du bourg par rte de l'Is-sur-Tille, près du stade, rue Henri Gevain
0,6 ha (22 empl.) peu incliné, herbeux – 🗋 ⌂ 🚻 ⊕ – A proximité : 🍴
mai-sept. – **R** – 🏕 6 🚗 5 🅴 5/6 🅖 6 (16A)

---

## SEMBADEL-GARE

**43160** H.-Loire – alt. 1 091

11 – 76 ⑥

⚠ **Municipal les Casses,** O : 1 km par D 22 rte de Paulhaguet
1 ha (24 empl.) plat et peu incliné, pierreux, herbeux ♀ – 🗋 ⌂ 🚻 🗓 ⊕ –
🍴 15 juin-sept. – **R** – Tarif 91 : 🏕 10 🅴 10 🅖 10

---

## SEMUR-EN-AUXOIS

**21140** Côte-d'Or – 4 545 h.
🅱 Maison du Tourisme, 2 pl. Gaveau 𝒫 80 97 05 96

7 – 65 ⑰ ⑱ G. Bourgogne

*à Allerey* S : 8 km par D 103B et D 103F – ✉ 21140 Semur-en-Auxois :

⚠⚠⚠ **Camp V.V.F** 🦰, 𝒫 80 97 12 99, à 0,6 km à l'est du hameau, à 250 m du lac de Pont (accès direct) – 🍴
1 ha (20 empl.) ⛺ peu incliné et incliné, gravier, herbeux 🔲 – Sanitaires individuels : 🗋 ⌂ 🚻 wc, ⊕ 🅱 garderie – 🛋 🍴 🦰
20 avril-1er nov. – **R** conseillée (V.V.F. 91410 Dourdan 𝒫 (1) 64 59 78 18) – Adhésion V.V.F obligatoire – 🅴 élect. comprise 2 pers. 80

*à Pont-et-Massène* SE : 3,5 km par D 103B
✉ 21140 Pont-et-Massène :

⚠⚠⚠ **Municipal du Lac de Pont** 🦰 ≤, 𝒫 80 97 01 26, par D 103F, à 50 m du lac
2 ha (120 empl.) ⛺ plat, peu incliné, herbeux 🔲 ♀♀ – 🗋 ⌂ 🏊 🗓 ⅛ ⊕ 🦰
🅱 – 🛋 🍴 🚤 – A proximité : 🍴 🍴 🛥
mai-sept. – **R** – 🏕 9,50 🚗 5 🅴 7,50 🅖 10

---

## SEMUSSAC

**17120** Char.-Mar. – 1 208 h.

9 – 171 ⑮

⚠⚠ **Le Bois de la Chasse** 🦰 « Agréable sous-bois », 𝒫 46 05 18 01, SE : 0,8 km par rte de Bardécille et rte de Fontenille à gauche
2,5 ha (150 empl.) ⛺ plat, herbeux 🔲 chênaie – 🗋 ⌂ 🏊 🗓 ⊕ 🦰
juin-15 sept. – **R** conseillée – Tarif 91 : 🏕 13,80 🅴 10 🅖 14 (3A)

---

**SÉNÉ 56** Morbihan – 63 ③ – rattaché à Vannes

---

## SÉNERGUES

**12320** Aveyron – 608 h.

15 – 80 ②

⚠⚠ **Camp de l'Etang** Ⓜ, 𝒫 65 44 62 25, SO : 6 km par D 242 rte de Dourdou, bord de l'étang
2,5 ha (60 empl.) ⛺ peu incliné, herbeux ♀ – 🗋 ⌂ 🚻 🗓 ⅛ ⊕ – 🛋
juin-15 oct. – **R** conseillée juil.-août – 🅴 3 pers. 53, pers. suppl. 11 🅖 6

---

## SENNELY

**45240** Loiret – 437 h.

6 – 64 ⑩

⚠ **Municipal de Villechaume** 🦰, 𝒫 38 76 93 76, NO : 1 km par rte de Marcilly-en-Villette, à 80 m d'un étang
1 ha (33 empl.) ⛺ plat, herbeux – 🗋 ⌂ 🚻 🗓 ⊕ 🍴 🍴 🐟 – A l'entrée : 🏊
14 mars-sept. – **R** – 🏕 7 🚗 3 🅴 7 🅖 6 (2A) 9 (3 ou 4A) 15 (6A)

---

## SENONCHES

**28250** E.-et-L. – 3 171 h.

5 – 60 ⑥

⚠ **Municipal du Lac** 🦰, 𝒫 37 37 94 63, sortie S vers Belhomert-Guéhouville, r. de la Tourbière, bord d'un étang
0,8 ha (40 empl.) plat, herbeux 🔲 – 🗋 ⊕ – A proximité : 🍴 🛥
mai-sept. – **R** – 🏕 5,40 🚗 6 🅴 6 🅖 9,70

---

## SENONES
**88210** Vosges – 3 157 h.

⬜ – 🔲 ⑦ G. Alsace Lorraine

⩜ **Municipal Jean-Jaurès** ⬚ « Cadre intime et agréable », 🕿 29 57 94 47,
E : 1 km par D 49B rte de Vieux-Moulin et chemin du Plateau St-Maurice à
droite
0,5 ha (30 empl.) ⟿ plat et peu incliné, herbeux ⟐ ◷◷ – 🔟 🖰 🗟 ⊕
15 juin-15 sept. – **R** – *Tarif 91 :* 🏕 *7* 🚗 *4* 🗉 *5* 🔋 *12 (6A)*

---

## SENS-DE-BRETAGNE
**35490** I.-et-V. – 1 393 h.

◻ – 🔳 ⑰

⩘ **Municipal,** sortie E par D 794 et à droite avant le carrefour de la N 175, près
d'un étang
0,8 ha (20 empl.) peu incliné, herbeux – 🔟 🖰 ◷ 🖑 🖰 ⊕ – 🛶 – A proximité :
💥
avril-sept. – **R** – 🏕 *8* 🚗 *5* 🗉 *5* 🔋 *8 (4A)*

---

## SEPPOIS-LE-BAS
**68580** H.-Rhin – 836 h.

⬜ – 🔢 ⑨

⩜ **Municipal les Lupins** ⬚, 🕿 89 25 65 37, sortie NE par D 17¹¹ rte d'Altkirch
et r. de la gare à droite
3 ha (133 empl.) ⟿ plat, herbeux – 🔟 🖰 ◷ 🗟 🖑 ⊕ 🖩 – 🗟 ▸ 🛶 ⟍ –
A proximité : 💥
avril-oct. – **R** *conseillée juil.-août* – 🏕 *16 piscine comprise* 🗉 *16* 🔋 *14 (6A)*

---

## SÉRANON
**06750** Alpes-Mar. – 280 h.
alt. 1 080

⑰ – 🔢 ⑱ G. Alpes du Sud

⩜ **Séranon,** 🕿 93 60 30 49, sur N 85
1,4 ha (90 empl.) ⟿ peu incliné, herbeux ◷◷ pinède – 🔟 🖰 ◿ 🗟 🖩 ⊕ ⩘
✗ 🍴 – ⟍ – A proximité : 💥 – Location : 🏠
Permanent – **R** *conseillée juil.-août* – 🗉 *piscine comprise 2 pers. 43* 🔋 *11,20
(2 ou 3A) 13,50 (4A) 23,50 (6 ou 10A)*

---

## SERAUCOURT-LE-GRAND
**02791** Aisne – 738 h.

◻ – 🔢 ⑭

⩜ **le Vivier aux Carpes,** 🕿 23 60 50 10, au nord du bourg, sur D 321, près de
la poste, bord de deux étangs et à 200 m de la Somme
2 ha (50 empl.) ⟿ plat, herbeux – 🔟 🖰 ◷ 🗟 🖑 🖩 ⊕ – 🗟
Permanent – **R** – 🗉 *2 pers. 48* 🔋 *12 (3A) 18 (6A)*

---

## SÉRENT
**56460** Morbihan – 2 686 h.

◻ – 🔢 ④

⩜ **Municipal du Pont Salmon,** 🕿 97 75 91 98, au bourg, vers rte de Ploërmel,
au stade
1 ha (40 empl.) ⟿ plat, herbeux – 🔟 🖰 ◷ 🗟 🖑 🖩 ⊕ – 🛶 ⟍ – A proximité :
💥
Permanent – **R** – 🏕 *5,60* 🚗 *4,60* 🗉 *4,60* 🔋 *9,50 (hiver 40)*

---

## SÉRIGNAN
**34410** Hérault – 5 173 h.

⑮ – 🔢 ⑮ G. Gorges du Tarn

⩜ **Le Paradis,** 🕿 67 32 24 03, S : 1,5 km par rte de Valras-Plage
1,5 ha (125 empl.) ⟿ plat, herbeux ⟐ ◷◷ – 🔟 ◿ ⊕ 🖩 – 🗟 🛶 ⟍ –
A proximité : 🎾 – Location : 🛒
avril-sept. – **R** *conseillée juil.-août* – 🗉 *piscine comprise 3 pers. 78* 🔋 *11,50
(3 à 6A)*

*à Sérignan-Plage* SE : 5 km par D 37ᴱ – ✉ 34410 Sérignan :

⩜ **Le Clos Virgile,** 🕿 67 32 20 64, à 500 m de la plage
5 ha (300 empl.) ⟿ plat, sablonneux, herbeux ◷ – 🔟 🖰 ◷ 🗟 🖑 ⊕ ⩘ 🍷 ✗
🍴 🗟 – ⟍ – A proximité : 🏓 🐎 – Location : 🛒
mai-sept. – **R** *conseillée juil.-août* – 🗉 *piscine comprise 2 pers. 90, pers. suppl.
15* 🔋 *15 (3A)*

⩜ **La Camargue,** 🕿 67 32 19 64, bord de la Grande Maïre et près de la plage
2,6 ha (162 empl.) ⟿ plat, sablonneux, gravillons – 🔟 🖰 ◿ 🗟 ⊕ ⩘ 🍷 🖩 –
A proximité : 🐎 poneys – Location : 🛒 🛒
15 mars-15 oct. – **R** *conseillée* – 🗉 *élect. (10A) comprise 2 pers. 95*

---

## SERQUES
**62910** P.-de-C. – 893 h.

◻ – 🔢 ③

⩘ **le Frémont,** 🕿 21 93 01 15, SO : 1,5 km, sur N 43 rte de St-Omer
1,5 ha (50 empl.) ⟿ peu incliné, herbeux ⟐ – 🔟 ◿ 🖑 ⊕
juil.-1ᵉʳ nov. – *Places disponibles pour le passage* – **R** – 🏕 *8,60* 🚗 *7* 🗉 *7*

---

## SERRAVAL
**74230** H.-Savoie – 430 h. alt. 763

⑫ – 🔢 ⑰

⩘ **La Bottière** (aire naturelle), 🕿 50 27 50 56, N : 2 km par D 12 rte de Thônes
et chemin à droite
1,8 ha (25 empl.) ⟿ non clos, incliné, herbeux ◷ – 🔟 🗟 ⊕ – 🗟
15 juin-15 sept. – **R** *15 juil.-15 août* – 🏕 *7* 🗉 *13* 🔋 *8 (5A)*

## SERRES

**05700** H.-Alpes – 1 106 h. alt. 663.
🅱 Syndicat d'Initiative, pl. Lac
📞 92 67 00 67

🔟 – 🎱 ⑤ G. Alpes du Sud

🏔 **Domaine des Deux Soleils** 🦢 « Belle situation ⩻ montagnes et vallée du Buëch, site agréable », 📞 92 67 01 33, SE : 0,8 km par N 75 rte de Sisteron puis 1 km par rte à gauche, à Super-Serres – alt. 800
26 ha/12 campables (72 empl.) ⚡ en terrasses, pierreux, herbeux 🛒 ♀ – 🗟 🍴
🔥 🖼 🍴 snack 🍴 🖼 – 🚤 🏊 toboggan aquatique – Location : 🏠
mai-sept. – **R** conseillée juil.-août – 🔲 piscine comprise 2 pers. 69,90 🔌 17,15 (5 ou 6A)

## SERRIERES-DE-BRIORD

**01470** Ain – 834 h.

🔢 – 🔢 ⑬

🏔 **Municipal du Point Vert** 🦢 ⩻ « Cadre agréable », 📞 74 36 13 45, O : 2,6 km, à la base de Loisirs, bord d'un plan d'eau
1,9 ha (100 empl.) ⚡ plat, herbeux – 🗟 🍴 🖼 🍴 ⚙ 🛒 🚩 🍴 ✗ 🍴 – 🖼
🍴 🏊 (plage) vélos
15 avril-oct. – **R** saison – 🍴 12 🚗 4 🔲 10 🔌 10 (8A)

## SERVERETTE

**48700** Lozère – 324 h. alt. 976

🔢 – 🔢 ⑮

🏔 **Municipal**, S : 0,4 km par rte d'Aumont-Aubrac, bord de la Truyère
0,9 ha (30 empl.) plat et en terrasses, pierreux, herbeux, gravillons – 🗟 🍴 🖼
🍴 ⚙
15 juin-15 sept. – **R** – 🍴 9,50 🔲 9,50 🔌 9,50 (6A)

## SERVIÈRES-LE-CHÂTEAU

**19220** Corrèze – 772 h.

🔢 – 🔢 ⑩ G. Berry Limousin

🏔 **Municipal du Lac de Feyt** 🦢 ⩻ « Site et cadre agréables », 📞 55 28 25 42, NE : 4 km par D 75 et rte à droite, bord du lac
2,8 ha (84 empl.) ⚡ peu incliné, herbeux 🛒 ♀♀ – 🗟 🍴 🔥 🖼 – 🖼 🍴
🚤 🏊 – A proximité : 🍴 ✗
avril-oct. – **R** conseillée juil.-août – 🍴 9,40 🔲 6,40 🔌 8,10 (5A)

## SERVON

**50170** Manche – 202 h.

4 – 🔢 ⑧

🏔 Espace de Vacances St-Grégoire, 📞 33 60 27 97, sortie SE par D 107
1,2 ha (97 empl.) ⚡ (saison) plat, herbeux – 🗟 🍴 🖼 🍴 ⚙ 🖼 – 🖼 🚤 🏊

## SERVOZ

**74310** H.-Savoie – 619 h. alt. 815.
🅱 Syndicat d'Initiative, Le Bouchet, pl. de l'Église (saison) 📞 50 47 21 68

🔢 – 🔢 ⑧ G. Alpes du Nord

🏔 **La Plaine St-Jean** ⩻, 📞 50 47 21 87, sortie E par D 13 rte de Chamonix-Mont-Blanc, au confluent de l'Arve et de la Diosaz
5 ha (200 empl.) ⚡ plat, herbeux, étang – 🗟 🍴 🖼 🍴 ⚙ 🖼 – 🖼 ✗ 🚤
– Location : 🏠
15 mai-15 sept. – **R** conseillée – 🍴 18 🔲 20 🔌 12 à 32 (2 à 10A)

## SÈTE

**34200** Hérault – 41 510 h.
🅱 Office de Tourisme, 60 Grand'Rue Mario-Roustan 📞 67 74 71 71

🔢 – 🎱 ⑯ G. Gorges du Tarn

🏔 **Le Castellas,** 📞 67 53 26 24, SO : 11 km par N 112 rte d'Agde, près de la plage
19 ha (856 empl.) ⚡ plat, sablonneux, gravillons – 🗟 🍴 🔥 🖼 🍴 ⚙ 🚩 🍴 ✗
🚤 🖼 cases réfrigérées – 🖼 ✗ 🚤 🐫 – Location : 🏠
juin-15 sept. – **R** conseillée – 🔲 2 pers. 105 (123 avec élect.)

## Les SETTONS

**58** Nièvre
✉ 58230 Montsauche-les-Settons

🔢 – 🔢 ⑯ ⑰ G. Bourgogne

🏔 Plage du Midi ⩻ « Cadre agréable », 📞 86 84 51 97, SE : 2,5 km par D 193 et rte à droite, bord du lac
4 ha (160 empl.) ⚡ peu incliné, herbeux ♀ (0,5 ha) – 🗟 🍴 🖼 🍴 ⚙ 🖼 🍴
🖼 – 🖼 vélos – A proximité : ✗ 🍴

🏔 Les Mésanges Ⓜ 🦢, 📞 86 84 55 77, S : 4 km par D193, D 520 rte de Planchez et rte de Chevigny à gauche, à 200 m du lac
3,5 ha (76 empl.) ⚡ en terrasses, herbeux, étang 🛒 – 🗟 🍴 🖼 🍴 ⚙ 🛒 🚩
🚤 – 🍴 🚤 – A proximité : 🏊
mai-15 sept. – **R** conseillée juil.-août

🏔 **La Plage des Settons** Ⓜ 🦢 ⩻, 📞 86 84 51 99, à 300 m au S du barrage, bord du lac
2,6 ha (68 empl.) ⚡ en terrasses – 🗟 🍴 🖼 🍴 ⚙ 🛒 – 🖼 🍴 –
A proximité : 🍴 ✗ 🍴 🍴
mai-15 sept. – **R** conseillée – 🍴 15 🚗 9 🔲 10 🔌 10 (3A) 13 (5A) 20 (10A)

🏔 **La Cabane Verte** 🦢, 📞 86 84 52 33 ✉ 58230 Moux-en-Morvan, S : 8 km par D 193, D 520 rte de Planchez puis à gauche, par Chevigny, rte de Gien-sur-Cure et D 501 à gauche, près du lac
2 ha (107 empl.) ⚡ en terrasses, peu incliné, herbeux 🛒 – 🗟 🍴 🖼 🍴 ⚙
– 🖼 – A proximité : 🏊
20 mai-20 sept. – **R** conseillée juil. – 🍴 16 🚗 11 🔲 13 🔌 13 (6A)

**SEVERAC-LE-CHATEAU**

15 – 80 ④ G. Gorges du Tarn

12150 Aveyron – 2 486 h. alt. 750.
Syndicat d'Initiative, r. des Douves
(15 juin-août) ℰ 65 47 67 31

▲▲ **Municipal les Calquières** ⌂, ≤, ℰ 65 47 64 82, S : 1,2 km par N 9 rte de Millau et chemin à droite
1,3 ha (110 empl.) ⊶ plat, en terrasses, herbeux ⊡ – 🔟 🛁 🖪 ⊕ – A proximité : ※ 🔟
15 juin-15 sept. – **R** – Tarif 91 : 🔆 8 ⊷ 3,30 🔳 4,50 🛱 4,80 (3A) 9,60 (6A)

---

**SÉVRIER** 74 H.-Savoie – 74 ⑥ – voir à Annecy (Lac d')

---

**SEYNE**

17 – 81 ⑦ G. Alpes du Sud

04 Alpes-de-H.-Pr. – 1 222 h.
alt. 1 200 – 🐏
🖸 04140 Seyne-les-Alpes.
Syndicat d'Initiative, pl. d'Armes
(vacances scolaires) ℰ 92 35 11 00

▲▲ **Les Prairies** ⌂, ≤, ℰ 92 35 10 21, S : 1 km par D 7 rte d'Auzet et chemin à gauche, bord de la Blanche
3,6 ha (100 empl.) ⊶ plat, pierreux, herbeux – 🔟 ⇆ 🛁 🖪 🏧 ⊕ 🖻 – ⌂ 🔟
– A proximité : ※ 🚵 🔁 – Location : 🚐 🏚
Permanent – **R** conseillée fév. et juil.-août – 🔆 17 piscine comprise 🔳 17 🛱 11 à 26 (2 à 10A)

---

**SEYSSEL**

12 – 74 ⑤ G. Jura

74910 H.-Savoie – 1 630 h.
Office de Tourisme, Maison du Pays ℰ 50 59 26 56

▲▲ **le Nant-Matraz** ≤, ℰ 50 59 03 68, sortie N par D 992, près du Rhône (accès direct)
1 ha (100 empl.) ⊶ plat et peu incliné, herbeux ⁋ – 🔟 🛁 🖪 ⊕ 🖻 – 🚵 –
A proximité : 🍴
juin-15 sept. – **R** conseillée – 🔳 2 pers. 38, pers. suppl. 15 🛱 6 (3A) 10 (6A)

---

**SÉZANNE**

7 – 61 ⑤ G. Champagne

51120 Marne – 5 829 h.
Syndicat d'Initiative, pl. de la République (saison) ℰ 26 80 51 43

▲ **Municipal,** ℰ 26 80 57 00, O : 1,5 km par D 239 rte de Launat
1 ha (100 empl.) ⊶ incliné, herbeux ⁋ – 🔟 🛁 ⊕ – 🚵 🔟 – A proximité : ※
Pâques-15 oct. – **R** conseillée – 🔆 5,50 ⊷ 3 🔳 3 🛱 8,30

---

**SIDIAILLES**

10 – 68 ⑳

18270 Cher – 375 h.

▲ **Municipal** ≤, ℰ 48 56 60 59, au bourg
0,7 ha (35 empl.) peu incliné, herbeux – 🔟 ⊕ – A proximité : poneys
mai-sept. – **R** conseillée – 🔆 6 🔳 11 🛱 6 (15A)

---

**SIGEAN**

15 – 86 ⑩ G. Pyrénées Roussillon

11130 Aude – 3 373 h.

▲▲▲ **la Grange Neuve,** ℰ 68 48 58 70, N : 5,6 km par N 9 rte de Narbonne, à 800 m de la « Réserve Africaine »
2,45 ha (36 empl.) ⊶ vallonné, en terrasses, pierreux – 🔟 ⇆ 🛁 🖪 🏧 ⊕ 🚿 snack 🛒 🖻 – 🚤 (bassin) – A proximité : ✖ – Location : 🚐
Permanent – **R** conseillée juil.-août – Tarif 91 : 🔳 2 pers. 63, pers. suppl. 17 🛱 13 (4A)

---

**SIGNES**

17 – 84 ⑭ ⑮

83870 Var – 1 340 h.

▲▲ Les Promenades, ℰ 94 90 88 12, sortie E par D 2 rte de Méounes-lès-Montrieux, à la station Avia
2 ha (91 empl.) ⊶ plat et peu incliné, pierreux ⊡ – 🔟 ⇆ 🛁 🖪 ⊕ 🚿 ⿻ – 🚵 🔟 – A proximité : ※ 🚤
Permanent – Places disponibles pour le passage – **R** conseillée juil.-août

---

**SIGNY-L'ABBAYE**

2 – 53 ⑰ G. Champagne

08460 Ardennes – 1 422 h.

▲ **Municipal l'Abbaye,** au Nord du bourg, près du stade, bord de la Vaux
1,2 ha (60 empl.) ⊶ plat, herbeux – 🔟 ⇆ 🛁 ⊕ – A proximité : ※
mai-sept. – **R** – 🔆 4,50 ⊷ 2,50 🔳 3,50 🛱 8,50 (6A)

---

**SIGNY-LE-PETIT**

2 – 53 ⑰

08380 Ardennes – 1 280 h.

▲ **Municipal du Pré Hugon** ⌂, ℰ 24 53 54 73, NE : 1 km rte de la Base de Loisirs
0,6 ha (50 empl.) plat, herbeux ⊡ – 🔟 🛁 🏧 ⊕
mai-sept. – **R** – 🔆 6,50 ⊷ 4 🔳 4,50 🛱 8

---

**SILLANS-LA-CASCADE**

17 – 84 ⑥ G. Côte d'Azur

83690 Var – 438 h.

▲▲ **le Relais de la Bresque** ⌂, ℰ 94 04 64 89, N : 2 km par D 560 et D 22 rte d'Aups et r. de la Piscine à droite
1,3 ha (66 empl.) ⊶ plat et peu accidenté, pierreux ⊡ ⁋⁋ – 🔟 ⇆ 🛁 🖪 ⊕ 🚿 ⿻ 🍴 ✖ 🛒 – 🔟 – A proximité : 🖻 (découverte l'été) – Location : 🚐, gîte d'étape
Permanent – **R** conseillée – 🔆 22 🔳 15 🛱 10 (5A)

---

## SILLÉ-LE-GUILLAUME

**72140** Sarthe – 2 583 h.

**⚠ Le Landereau** « Décoration arbustive », 🏕 43 20 12 69, NO : 2 km par D 304 rte de Mayenne
2 ha (75 empl.) ⊶ plat, peu incliné et en terrasses, herbeux ⌷ – 🛆 ⇔ 🛁 ♒
🖪 ☺ 🖫 – 🕳 ♒ ⚡ – Location : 🚐
avril-1ᵉʳ nov. – **R** conseillée – 🛉 10,50 ⇔ 4,70 🔲 2,95/4,10 🅐 8 (2 ou 3A)
10,15 (4A) 11,30 (5A)

**⚠ Les Mollières** ⚘ « Cadre agréable en sous-bois », 🏕 43 20 16 12, N : 2,5 km par D 5, D 105, D 203 et chemin à droite, bord de l'étang du Defais
3 ha (122 empl.) ⊶ plat ⚌ – 🛆 ⇔ ♒ ☺ – ⚡ – A proximité : 🍴 ✗ ◐
avril-oct. – **R** conseillée juil.-août – 🛉 6,50 et 4,40 pour eau chaude ⇔ 3,40
🔲 8 🅐 3,80 (2A) 7,30 (4A) 21,60 (7,5A)

## SILLINGY

**74330** H.-Savoie – 2 116 h.

**⚠ La Mandallaz** ‹, 🏕 50 68 77 50, E : 1,6 km par D17 et N 508 rte d'Annecy, au lieu-dit Chaumontet, près d'un ruisseau
1,4 ha (42 empl.) ⊶ (saison) peu incliné, plat, herbeux ⌷ – 🛆 ⇔ 🛁 🖪 ♨ ☺
⚕ ▽ 🍴 – 🕳 – A proximité : discothèque

## SIMORRE

**32420** Gers – 708 h.

**⚠ Municipal** ⚘, E : 0,8 km par D 129 et D 234 rte de Sauveterre puis chemin à gauche, bord de la Gimone
0,2 ha (12 empl.) plat, herbeux ⌷ – 🛆 ⇔ 🛁 🖪 ♨ ☺ – 🍴

▶ Benutzen Sie
 – zur Wahl der Fahrtroute
 – zur Berechnung der Entfernungen
 – zur exakten Lokalisierung eines Campingplatzes (mit Hilfe der Angaben im Ortstext)
 die für diesen Führer unentbehrlichen **Michelin-Karten** im Maßstab 1 : 200 000.

## SINGLES

**63690** P.-de-D. – 214 h. alt. 730

**⚠ Le Moulin de Serre** ⚘ ‹, 🏕 73 21 16 06, à 1,7 km au sud de la Guinguette sur D 73 rte de Bort-les-Orgues, bord de la Burande
2 ha (92 empl.) ⊶ plat, herbeux ⌷ – 🛆 ⇔ 🛁 ♨ ☺ 🍴 snack – 🍴
fermé 12 au 30 nov. – **R** conseillée – 🔲 2 pers. 30,50, pers. suppl. 8,50 🅐 8,50
(5A)

## SION-SUR-L'OCÉAN 85 Vendée – 🅖🅓 ⑫ – rattaché à St-Hilaire-de-Riez

## SIRAN

**15150** Cantal – 606 h.

**⚠ Municipal** ⚘, sortie NE par D 653 rte de Laroquebrou et chemin à gauche, face au cimetière
1 ha (58 empl.) plat, peu incliné à incliné, herbeux – 🛆 ☺ – 🍴
juil.-août – **R** – 🛉 5,90 ⇔ 3,20 🔲 3,20 🅐 5,90 (5A)

## SISTERON

**04200** Alpes-de-H.-P. – 6 594 h.

🅑 Office de Tourisme, Hôtel-de-Ville
🏕 92 61 12 03

**⚠ Municipal des Prés-Hauts** ⚘ ‹, 🏕 92 61 19 69, N : 3 km par rte de Gap et D 951 à droite rte de la Motte-du-Caire, près de la Durance
4 ha (120 empl.) ⊶ plat et peu incliné, herbeux ⌷ – 🛆 ⇔ 🛁 🖪 ♨ ⚏ ♒ ♒
▽ ⚡
mars-nov. – **R** conseillée juil.-août – Tarif 91 : 🔲 piscine comprise 2 pers. 50, pers. suppl. 12 🅐 17 (6A)

## SIVRY-SUR-MEUSE

**55110** Meuse – 358 h.

**⚠ Le Brouzel**, 🏕 29 85 86 45, à l'ouest du bourg, bord d'un ruisseau et près du canal de l'Est
1,5 ha (50 empl.) ⊶ plat et peu incliné, herbeux ⌷ – 🛆 ♒ ♨ ☺ – 🕳
avril-sept. – **R** – 🛉 9 ⇔ 6 🔲 10 🅐 8,50 (2A) 12,50 (4A) 16,50 (6A)

## SIX-FOURS-LES-PLAGES

**83140** Var – 28 957 h.

🅑 Syndicat d'Initiative, plage de Bonnegrâce 🏕 94 07 02 21 et au Brusc, quai Saint-Pierre (juil.-août)
🏕 94 34 03 88

**⚠ Les Playes** ⚘, 🏕 94 25 57 57, NO : 3 km
1,5 ha (100 empl.) ⊶ en terrasses, pierreux ⚌ – 🛆 ⇔ 🛁 ♨ 🍴
mars-1ᵉʳ nov. – **R** – 🔲 3 pers. 63 🅐 15 (3A)

**⚠ Héliosports,** 🏕 94 25 62 76, O : 1 km – 🍴 juil.-août
1,3 ha (40 empl.) ⊶ plat, herbeux, gravier ⚌ – 🛆 ⇔ 🛁 ♒ 🖪 ♨ ☺ ♒ ▽ 🖥 cases réfrigérées – A proximité : 🏓
25 mars-15 oct. – **R** – 🔲 3 pers. 74 🅐 13 (3A)

## SIXT-FER-À-CHEVAL

12   74 ⑧ G. Alpes du Nord

**74740** H.-Savoie – 715 h. alt. 760   ⚠   Municipal du Fer à Cheval ⚶ ≼ Cirque du Fer à Cheval, ℰ 50 34 12 17, NE : 5,5 km par D 907, à 300 m du Giffre – alt. 915
2,7 ha (100 empl.) ⊶ peu incliné, herbeux, pierreux – 🗊 ⚬ ⛾ – ◻

## SIZUN

3 – 58 ⑤ G. Bretagne

**29237** Finistère – 1 728 h.
🖸 Office de Tourisme, pl. Abbé-Broch
(15 juin-15 sept.) ℰ 98 68 88 40

⚠   **Municipal du Gollen** ⚶, S : 1 km par D 30 rte de St-Cadou et à gauche, bord de l'Elorn - Passerelle piétons pour rejoindre le centre du bourg
0,6 ha (29 empl.) plat, herbeux – 🗊 ⚬ ⛾ 15 mai-sept.) 🖫 ⊕ ⚄ – A proximité :
✂ ⏊
15 avril-sept. – **R** – ✹ 9,50 ⇌ 4 🄴 4/5

## SOCOA **64** Pyr.-Atl. – 85 ② – rattaché à St-Jean-de-Luz

## SOINGS-EN-SOLOGNE

5 – 64 ⑯

**41230** L.-et-C. – 1 289 h.   ⚠   Municipal le Petit Mont-en-Jonc ⚶, sortie S par D 119 puis 0,5 km par rte à gauche et chemin
0,35 ha (22 empl.) plat, herbeux 🗔 – 🗊 ⊕ ⚄ – A proximité : ✂

## SOLESMES

2 – 53 ④

**59730** Nord – 4 892 h.   ⚠   **L'Étang des Peupliers** ⚶, ℰ 27 37 32 08, S : 0,8 km par D 109 rte de Briastre, près de la Selle
0,57 ha (37 empl.) ⊶ plat, herbeux, étangs 🗔 ⚏ – 🗊 ⚬ 🔊 🖫 ⛫ ⊕ 🍺 brasserie
– 🏊
avril-oct. – **R** conseillée juil.-août – ✹ 7,50 ⇌ 5 🄴 12 ⓗ 10 (3A)

## SOLIGNAC-SUR-LOIRE

11 – 76 ⑰

**43370** H.-Loire – 1 029 h. alt. 850   ⚠   **Municipal** ⚶ ≼, SO : 0,8 km par rte de Montagnac, près du terrain de sports
0,8 ha (33 empl.) peu incliné et plat, herbeux – 🗊 ⚬ ⛾ ⊕
15 juin-15 sept. – **ℝ** – ✹ 9 ⇌ 5 🄴 5/10 ⓗ 10 (10 ou 16A)

## SOLLIÈRES-SARDIÈRES

12 – 77 ⑧

**73500** Savoie – 171 h. alt. 1 298   ⚠   **Municipal le Chenantier** ≼, ℰ 79 20 52 34, à l'entrée de Sollières-Envers, à 50 m de l'Arc et de la N 6
1,5 ha (50 empl.) incliné, accidenté et en terrasses, herbeux, pierreux – 🗊 ⊕
28 juin-août – **ℝ** – Tarif 91 : ✹ 5 ⇌ 6 🄴 6 ⓗ 10 (5A)

## SOMMIÈRES

16 – 80 ⑱ G. Gorges du Tarn

**30250** Gard – 3 250 h.
🖸 Office de Tourisme, quai F.-Goussorgues ℰ 66 80 99 30

⚠   Municipal de Garanel, ℰ 66 80 33 49, derrière les arènes, près du Vidourle
1 ha (84 empl.) ⊶ plat, pierreux, herbeux ⚑ – 🗊 ⊕ ⚄ ⚡ – A proximité : ✂
🏊

## SONGEONS

7 – 52 ⑰

**60380** Oise – 883 h.   ⚠   **Aire Naturelle** ⚶, ℰ 44 82 31 32, NE : 2,9 km, à Séronville
0,7 ha (18 empl.) ⊶ plat, herbeux ⚑ – 🗊 ⊕ ⚄
15 mars-nov. – Places limitées pour le passage – **ℝ** – ✹ 5 🄴 15 ⓗ 10 (4A et plus)

## SOREZE

15 – 82 ⑳ G. Gorges du Tarn

**81540** Tarn – 1 954 h.   ⚠   **Municipal les Vigariés,** ℰ 63 74 18 06, au nord du bourg, accès par r. de la Mairie, au stade
1 ha (47 empl.) ⊶ plat, herbeux – 🗊 ⚬ ⊕ – ✂
15 juin-15 sept. – **R** – ✹ 5 ⇌ 2 🄴 5 ⓗ 6 (3A)

## SORGEAT

15 - 86 ⑮

**09110** Ariège – 81 h. alt. 1 050

**Municipal** Ⓜ 🙜 ←, ✆ 61 64 36 34, N : 0,8 km
2 ha (40 empl.) en terrasses, plat, herbeux – ...
Permanent – **R** *conseillée saison – ✱ 10,50 ⛟ 6 ▣ 12,50 ⚡ 7 (moins de 5A) 21 (5 à 10A) 31 (plus de 10A)*

## SORNAC

10 - 73 ⑪

**19290** Corrèze – 972 h. alt. 736

**Municipal** 🙜, ✆ 55 94 63 49, NO : 1,5 km par D 117 et rte à gauche, bord d'un plan d'eau
4 ha (50 empl.) ⊶ non clos, peu incliné, herbeux ♀♀ pinède – ... – ✂ ≋ (bassin)
juin-15 sept. – **R** – *✱ 6,80 ▣ 4,80 ⚡ 5,80*

## SOSPEL

17 - 84 ⑲ ⑳ G. Côte d'Azur

**06380** Alpes-Mar. – 2 592 h.

**Domaine Ste-Madeleine** 🙜 ←, ✆ 93 04 10 48, NO : 4,5 km par D 2566 rte du col de Turini
3 ha (90 empl.) ⊶ en terrasses, herbeux, pierreux ♀ – ... – ... – Location : ...
Permanent – **R** *conseillée été – ▣ piscine comprise 2 pers. 65, pers. suppl. 15 ⚡ 10*

## SOTTA 2A Corse-du-Sud – 90 ⑧ – voir à Corse

## SOUDAY

6 - 60 ⑮ G. Châteaux de la Loire

**41170** L.-et-Ch. – 567 h.

**Municipal,** sortie S rte de Valennes, bord d'un petit plan d'eau
0,6 ha (30 empl.) plat, herbeux ... – ... – ... – A proximité : ✂
Pâques-Toussaint – **R** – *✱ 4,80 ⛟ 2,80 ▣ 4,80 ⚡ 6,50*

## SOUILLAC

13 - 75 ⑱ G. Périgord Quercy

**46200** Lot – 3 459 h.
Office de Tourisme, bd Louis-Jean-Malvy ✆ 65 37 81 56

**Domaine de la Paille Basse** 🙜 ← « Vaste domaine accidenté autour d'un vieux hameau restauré », ✆ 65 37 85 48, NO : 6,5 km par D 15 rte de Salignac-Eyvignes puis 2 km par chemin à droite
80 ha/12 campables (220 empl.) ⊶ plat, accidenté et en terrasses, pierreux, herbeux ♀♀ – ... ✕ (dîner) crêperie ... – ... discothèque ✂ ... – Location : ...
15 mai-15 sept. – **R** *conseillée juil.-20 août – ✱ 27 piscine comprise ▣ 44 ou 55*

**La Draille** 🙜 ←, ✆ 53 28 90 31 ✉ 24590 Salignac-Eyvignes, NO : 6 km par D 15, à Bourzoles, bord de la Borrèze
25 ha/6 campables (150 empl.) ⊶ plat, incliné et en terrasses, herbeux ♀ (3 ha) – ... – ... vélos – Location : ...
15 avril-24 oct. – **R** *conseillée juil.-août*

**Verte Rive** 🙜, ✆ 65 37 85 96, sortie S par N 20 vers Cahors puis 2,5 km par D 43 rte de Pinsac et à droite, bord de la Dordogne
1,4 ha (55 empl.) ⊶ plat, herbeux ... ♀ – ... – ... ≋
vac. de printemps-sept. – **R** *conseillée juil.-août – ✱ 20 ▣ 20 ⚡ 12 (4A)*

**Le Pit** Ⓜ 🙜 ← « Site et cadre agréables », ✆ 65 32 25 04 ✉ 46200 Mayrac, E : 9 km par D 703 rte de Martel puis 3 km par D 33 rte de St-Sozy – Véhicule tracteur à la disposition des caravaniers
3 ha (50 empl.) ⊶ en terrasses, herbeux, bois attenant – ... – ... – Location : ...
15 mai-sept. – **R** *indispensable juil.-août – ✱ 20 piscine comprise ⛟ 7 ▣ 23 ⚡ 10 (3A)*

## SOULAC-SUR-MER

9 - 171 ⑮ ⑯ G. Pyrénées Aquitaine

**33780** Gironde – 2 790 h.
Office de Tourisme, r. de la Plage ✆ 56 09 86 61

**Palace** « Cadre agréable », ✆ 56 09 80 22, SO : 1 km rte de l'Amélie-sur-Mer, à 500 m de la plage
16 ha (585 empl.) ⊶ plat et accidenté, sablonneux ... ♀♀ – ... garderie – ... ✂ ... – A proximité : ... – Location : ...
avril-sept. – **R** *indispensable juil.-25 août – Tarif 91 : ✱ 20 ▣ 40/55 ⚡ 15 (10A)*

**Cordouan,** ✆ 56 09 71 42 ✉ 33123 le Verdon-sur-Mer, sortie NE sur D 1 rte du Verdon-sur-Mer
4 ha (250 empl.) ⊶ plat, herbeux ♀♀ – ... – ...
Permanent – **R** *conseillée 14 juil.-15 août – ▣ 2 pers. 42, pers. suppl. 11 ⚡ 6 (2A) 8,50 (4A) 12 (6A)*

**Les Sables d'Argent** 🙜, ✆ 56 09 82 87, SO : 1,5 km par rte de l'Amélie-sur-Mer, accès direct à la plage
2,6 ha (150 empl.) ⊶ accidenté et plat, sablonneux, dunes ♀♀ – ... – ... – A proximité : ✂ ... parcours sportif
Pâques-sept. – **R** *conseillée – Tarif 91 : ▣ 2 pers. 58,50, pers. suppl. 10,50 ⚡ 14,50 (4A) 16,50 (6A)*

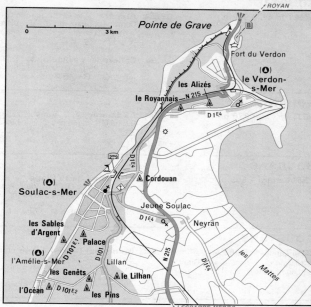

*à l'Amélie-sur-Mer* SO : 4,5 km – ✉ 33780 Soulac-sur-Mer :

△△△ **Les Genêts,** ℰ 56 09 85 79, NE : 2 km sur D 101$^{E2}$
4 ha (300 empl.) ⟶ plat, sablonneux, herbeux ♀♀ – 🎪 ⩗ 🗓 ⊕ 🛒 🚿 🖼 – 🏮
🔩 🥤 – Location : 🚐 🏕, bungalows toilés
Pâques-sept. – **R** *conseillée* – 🖭 *piscine comprise 2 pers. 65* 🔌 *12 à 18 (2 à 10A)*

△△△ **L'Océan** ⬿, ℰ 56 09 76 10, sortie E par D 101$^{E2}$ et D 101, à 300 m de la plage
6 ha (300 empl.) ⟶ plat, sablonneux, herbeux ♀ pinède – 🎪 ⬤ ⩗ 🗓 🛇 ⊕ 🛒
🍴 🥤 🖼 – 🏮 ✂ 🔩 – Location : 🚐
juin-15 sept. – **R** *conseillée juil.-août* – 🖭 *1 pers. 51, pers. suppl. 12* 🔌 *16 (3A) 17 (6A) 18 (10A)*

△△△ **Le Lilhan** ⬿, ℰ 56 09 77 63, E : 2,8 km par D 101$^{E2}$ et D 101
4 ha (120 empl.) ⟶ plat, sablonneux ♀♀ – 🎪 ⬤ ⩗ 🗓 ⊕ 🛒 – 🏮 ✂ 🦞 🔩
juin-15 sept. – **R** *conseillée 10 juil.-20 août – Tarif 91 :* ★ *10 piscine comprise* 🚐 *4,50* 🖭 *35* 🔌 *13 (2A) 15 (4A) 17 (10A)*

△ **Les Pins** ⬿, ℰ 56 09 82 52, E : 1,5 km par D 101$^{e2}$
3,2 ha (150 empl.) ⟶ plat, vallonné, sablonneux ♀♀ – 🎪 ⩗ 🛒 🖼 – 🦞
– Location : 🚐
15 juin-15 sept. – **R** *conseillée 14 juil.-15 août* – 🖭 *2 pers. 40, pers. suppl. 9* 🔌 *13 (4A)*

*Voir aussi au Verdon-sur-Mer*

---

# SOULAINES-DHUYS
**10200** Aube – 254 h.

7 – 61 ⑲

△△△ **Municipal de la Croix Badeau,** au NE du bourg, près de l'église
1 ha (39 empl.) peu incliné, herbeux, gravillons 🟫 – 🎪 ⬤ ⩗ 🛇 ⊕ 🌂 ▽ – 🏮
– A proximité : ✂ 🔩
mai-sept. – **⛺** – ★ *8* 🖭 *20* 🔌 *8*

---

# SOULLANS
**85300** Vendée – 3 045 h.

9 – 67 ⑫

△ **Municipal le Moulin Neuf** ⬿, sortie N par rte de Challans et chemin à droite
1,2 ha (95 empl.) plat, herbeux – 🎪 ⬤ 🛁 ⊕ 🖼
15 juin-15 sept. – **R** *conseillée – Tarif 91 :* 🖭 *2 pers. 29, pers. suppl. 8* 🔌 *7 (4A)*

---

▶ *Si vous recherchez, dans une région déterminée :*
  - *un terrain agréable (* △ *...* △△△△ *)*
  - *un terrain ouvert toute l'année (*Permanent*)*
  - *ou simplement un camp d'étape ou de séjour*
*Consultez le tableau des localités dans le chapitre explicatif.*

## SOURAÏDE

64250 Pyr.-Atl. – 937 h.

▲▲▲ **Alegera** ♋ « Cadre agréable », ℰ 59 93 91 80, sortie E par D 918 rte de Cambo-les-Bains, bord d'un ruisseau
3 ha (230 empl.) ⊶ plat et peu incliné, herbeux, gravillons ⊏⊐ ϙϙ – ⌂ ⇌ ⌘ ⊡ ⊛ ⊠ – ⊑ ⌂ ⌇ ⊐ half-court – A proximité : ⊿, – Location : ⎙, appartements
Permanent – ⊩ – ⚲ 11 piscine comprise ⊟ 16,50 ⒢ 11 (4A)

▲ **Ephera** (aire naturelle) ♋ ≮, N : 2,1 km par rte à droite après l'église
1 ha (30 empl.) en terrasses, herbeux – ⌂ ⌇ ⊛
juil.-août – ⊩ – ⊟ 2 pers. 32 ⒢ 9

⬚ ⬚ – ⬚ ⬚ ②

## SOURNIA

66730 Pyr.-Or. – 376 h.

▲ **La Source** ♋ « Agréable sapinière », au bourg – Accès par rue étroite
0,8 ha (48 empl.) peu incliné, herbeux, pierreux ⊏⊐ ϙϙ – ⌂ ⊛ – A proximité : ⚭
⛲
avril-oct. – ⊩ – ⚲ 5,80 ⚘ 3,10 ⊟ 5,80 ⒢ 6,70 (16A)

⬚ ⬚ – ⬚ ⬚ ⑱

## SOURSAC

19550 Corrèze – 569 h.

▲▲▲ **Municipal de la Plage** ♋ ≮ « Site et cadre agréables », ℰ 55 27 55 43, NE : 1 km par D 16 rte de Mauriac et à gauche, bord d'un plan d'eau
2,5 ha (90 empl.) ⊶ peu incliné, en terrasses, herbeux ⊏⊐ ϙϙ – ⌂ ⊛ ⊠ ⊛ garderie – ⊑ tir à l'arc – A proximité : ⚭ (bassin) – Location : ⌂
15 juin-15 sept. – ⊩ – Tarif 91 : ⚲ 9,25 ⊟ 6,50 ⒢ 8,65 (6A)

⬚ ⬚ – ⬚ ⬚ ①

## SOUSTONS

40140 Landes – 5 283 h.

🛈 Maison du Tourisme, « La Grange de Labouyrie » ℰ 58 41 52 62

▲▲▲ **Municipal l'Airial** « Belle entrée et cadre agréable », ℰ 58 41 12 48, O : 2 km par D 652 rte de Vieux-Boucau-les-Bains, à 200 m de l'étang de Soustons
12 ha (400 empl.) ⊶ plat, vallonné, sablonneux ϙϙ pinède – ⌂ ⌇ ⊡ ⊛ ⊠ ⊿ Pâques-15 oct. – ⊩ conseillée juil.-août – ⚲ 15 ⊟ 18,20 ⒢ 11 (6 ou 10A)

⬚ ⬚ – ⬚ ⑯ G. Pyrénées Aquitaine

## SOUVIGNARGUES

30250 Gard – 545 h.

▲ **Pré-St-André**, ℰ 66 80 95 85, sortie NE par D 22
1,5 ha (80 empl.) ⊶ plat, peu incliné, herbeux ⊏⊐ ϙ – ⌂ ⌇ ⊡ ⊛ – ⊑ ⌇
avril-sept. – ⊩ conseillée – ⊟ piscine comprise 1 ou 2 pers. 45,50 ⒢ 10,50 (3 ou 6A)

⬚ ⬚ – ⬚ ⬚ ⑱

## STAPLE

59190 Nord – 624 h.

▲ **La Rabaude** ♋, ℰ 28 40 03 28, NE : 1,5 km par D 161 rte de Hondeghem et chemin à gauche
1,5 ha (50 empl.) ⊶ plat, herbeux – ⌂ ⊛ ⚶ ✕
Permanent – ⊩ – ⚲ 8 ⚘ 8 ⊟ 8

⬚ – ⬚ ⬚ ④

## STEENBECQUE

59189 Nord – 1 553 h.

▲ **Le Paradiso** ♋, ℰ 28 42 15 08, SE : 1,2 km, 40 r. du Bois, à 400 m du canal de la Nieppe
1 ha (50 empl.) ⊶ plat, herbeux ⊏⊐ – ⌂ ⇌ ⊛ ⊿ ⚟ ✕ – ⊑
avril-15 oct. – Places limitées pour le passage – ⊩ conseillée – ⚲ 9 ⚘ 2 ⊟ 5/9 ⒢ 9 (2A)

⬚ – ⬚ ⬚ ⑭

## SUARTONE 2A Corse-du-Sud – ⬚ ⬚ ⑨ – voir à Corse

## SUÈVRES

41500 L.-et-Ch. – 1 360 h.

▲▲▲ **Château de la Grenouillère** « Parc boisé et verger agréables », ℰ 54 87 80 37, NE : 3 km sur rte d'Orléans
11 ha (150 empl.) ⊶ plat, herbeux ⊏⊐ ϙϙϙ (6 ha) – ⌂ ⇌ ⌇ ⊡ ⊛ ⊛ ⊿ ⊑ snack ⊛ ⊠ sauna – ⊑ ⚟ ⊿ vélos, squash – Location : ⌂
15 mai-15 sept. – ⊩ conseillée – ⊟ piscine comprise 2 pers. 98, pers. suppl. 25 ⒢ 18 (5A)

⬚ – ⬚ ⑦ G. Châteaux de la Loire

## SURRAIN

14710 Calvados – 123 h.

▲▲▲ **la Roseraie**, ℰ 31 21 17 71, au sud du bourg
1 ha (40 empl.) ⊶ plat, herbeux – ⌂ ⇌ ⌇ ⊡ ⊛ ⊛ ⊿ ⚶ – ⊑ ✕ ⌇
15 mai-15 sept. – ⊩ conseillée – ⊟ piscine comprise 2 pers. 70/80, pers. suppl. 24 ⒢ 14 (4A) 20 (6A)

⬚ – ⬚ ⑭

## SURTAINVILLE

50270 Manche – 977 h.

▲ **Municipal les Mielles** ♋, ℰ 33 04 31 04, O : 1,5 km par D 66 et rte de la mer, à 80 m de la plage, accès direct
1,6 ha (130 empl.) ⊶ plat, herbeux, sablonneux, gravillons – ⌂ ⇌ ⌇ ⊡ ⊛ ⎙ ⊛ ⊿ ⚶ ⊠ – ⊑ ⌇ – A proximité : ⊿, ⚟ – Location : gîtes
Permanent – ⊩ – ⚲ 11,70 ⊟ 11,70 ⒢ 13,80 (4A) et 3,50 par ampère suppl.

⬚ – ⬚ ①

## SURZUR
**56450** Morbihan – 2 081 h.
Schéma à Sarzeau

🖪 4 – 🖪🖪 ⑬

🕍 **Municipal Lann-Floren** ⚲, ℰ 97 42 10 74, au N du bourg, au stade
2,5 ha (75 empl.) ⚲⊷ plat, herbeux ⚲⚲ (0,5 ha) – 🏠 ⬥ 🚲 🖪 ⊕ – 🚣 –
A proximité : ⚞.
15 juin-15 sept. – **R** conseillée août – Tarif 91 : 🛉 7,80 🗉 7,80 🚱 7,30

## SUSSAC
**87130** H.-Vienne – 427 h.

🕍 **Municipal Beauséjour** ⚲ ≤, à l'est du bourg, bord d'un étang
1 ha (33 empl.) en terrasses, herbeux ⚲ – 🏠 ⬥ ⊕ – A proximité : 🏊 🚣 ⚞ (plage)
– Location : gîtes
15 juin-15 sept. – **R** conseillée – 🛉 5,90 🚗 3 🗉 3,40 🚱 7

## SUZE-LA-ROUSSE
**26790** Drôme – 1 422 h.

🕍 **Le Lez,** ℰ 75 98 82 83, au nord du bourg, près du Lez
1 ha (35 empl.) ⚲⊷ (saison) plat, herbeux ⚲ – 🏠 ⊕ – ⚞ (bassin)
Pâques-sept. – **R** conseillée juil.-août – 🛉 13 🚗 7 🗉 7 🚱 9,50 (1A) 12 (3A)

## TADEN **22** C.-d'Armor – 🖪🖪 ⑯ – rattaché à Dinan

## TAIN-L'HERMITAGE
**26600** Drôme – 5 003 h.
🚩 Office de Tourisme, 70 av. J.
Jaurès ℰ 75 08 06 81

🕍 **Municipal les Lucs,** ℰ 75 08 32 82, sortie SE par N 7 rte de Valence, près du Rhône
2 ha (100 empl.) ⚲⊷ plat, herbeux, pierreux 🏕 ⚲ (1 ha) – 🏠 🔊 🖪 ⬥ ⊕ – A l'entrée : snack 🍽 – A proximité : 🏓 ⚞ 🚣
15 mars-oct. – **R** – 🛉 11,20 🗉 12,20 🚱 13 (6A)

## TALLOIRES **74** H.-Savoie – 🖪🖪 ⑥ – voir à Annecy (Lac d')

## TALMONT-ST-HILAIRE
**85440** Vendée – 4 409 h.

🖪🖪 – 🖪🖪 ⑪ G. Poitou Vendée Charentes

🕍🕍 **le Littoral,** ℰ 51 22 04 64, SO : 9,3 km par D 949 rte des Sables d'Olonne et à gauche par D 4ᴬ et D 129 rte de Bourgennay
8 ha (452 empl.) ⚲⊷ plat, herbeux 🏕 ⚲ (4 ha) – 🏠 ⬥ 🚲 🖪 ⬥ ⊕ 🔊 ⚞ ▽ 🚲
🍽 ✖ 🔊 – 🖪 sauna – 🏓 ⚞ 🚣 🔊 – Location : 🚐
Pâques-Toussaint – **R** conseillée juil.-août – 🛉 19 piscine comprise 🗉 96 avec élect. (10A)

🕍🕍 **Le Bois Robert** « Cadre agréable », ℰ 51 90 61 24, O : 1,3 km sur D 949 rte des Sables-d'Olonne
2,2 ha (138 empl.) ⚲⊷ plat et peu incliné, herbeux 🏕 ⚲ (0,8 ha) – 🏠 ⬥ 🚲 🖪
⬥ ⊕ 🔊 ▽ 🔊 🍽 🔊 – 🚣 🔊 – A proximité : self
25 juin-5 sept. – **R** juil.-août – 🗉 2 pers. 65/72 🚱 10 (2A) 14 (6A) 18 (10A)

🕍 **Le Bouc Etou,** ℰ 51 22 20 38, SO : 7 km par D 949, D 4ᴬ et à gauche après Querry-Pigeon
1 ha (95 empl.) ⚲⊷ plat, herbeux 🏕 ⚲ – 🏠 🚲 ⊕ 🔊 – 🚣 half-court – Location : 🔊 🚐
mai-sept. – **R** conseillée – 🗉 2 pers. 35 🚱 8,20 (2A)

## TAMNIES
**24620** Dordogne – 313 h.

🕍 **le Pont de Mazerat,** ℰ 53 29 14 95, SE : 2 km, bord de la D 48
1,8 ha (73 empl.) ⚲⊷ plat et en terrasses, herbeux – 🏠 ⬥ 🚲 🖪 ⬥ ⊕ 🍽 🔊 🔊
– A proximité : ⚞ ⚞
15 juin-20 sept. – **R** conseillée juil.-août – 🛉 17 🗉 18 🚱 12 (3A) 15 (6A)

## TANINGES
**74440** H.-Savoie – 2 791 h. alt. 640.
🚩 Office de Tourisme, av. Thézières
ℰ 50 34 25 05

🖪🖪 – 🖪🖪 ⑦ G. Alpes du Nord

🕍 **Municipal des Thézières** ⚲ ≤, ℰ 50 34 25 59, sortie S rte de Cluses, bord du Foron et à 150 m du Giffre
2 ha (113 empl.) plat, herbeux – 🏠 ⬥ 🚲 🖪 🎋 ⊕ – ✖
Permanent – **R** – 🗉 2 pers. 24,50 🚱 9,60 à 30,90

## TARASCON
**13150** B.-du-R. – 10 826 h.
🚩 Office de Tourisme, 59 r. des
Halles ℰ 90 91 03 52

🖪🖪 – 🖪🖪 ⑪ G. Provence

🕍 **St-Gabriel,** ℰ 90 91 19 83, SE : 5 km par N 570 rte d'Arles et D 32 à gauche rte de St-Rémy-de-Provence, près d'un canal
1 ha (44 empl.) ⚲⊷ plat, herbeux 🏕 ⚲⚲ – 🏠 🔊 ⊕ – 🔊
avril-sept. – **R** juil.-août – Tarif 91 : 🛉 13,50 🗉 15 🚱 11 (4 ou 6A)

🕍 **Tartarin,** ℰ 90 91 01 46, sortie NO par D 81A rte de Vallabrègues, près du château, bord du Rhône
0,8 ha (80 empl.) ⚲⊷ (saison) plat, herbeux ⚲⚲ – 🏠 🍽
15 mars-sept. – **R** – 🛉 17 🗉 17

401

## TARASCON-SUR-ARIÈGE

**09400** Ariège – 3 533 h.
🅸 Office de Tourisme, pl. 19 Mars 1962 ✆ 61 05 63 46

**Le Sédour** ⟘ ≼, ✆ 61 05 87 28 ✉ 09400 Surba, NO : 1,8 km par D 618 rte de St-Girons et chemin de Florac à droite
1,5 ha (100 empl.) ⟿ (saison) peu incliné et plat, herbeux, pierreux ⌕ Ω verger
– 🗃 🍴 🚿 🔲 🏧 ⊕ 🗑 – 🞧 🖾
mars-1er nov. – ✳ 12 🅴 12 🄗 10A : 11 (hiver 18)

**Les Grottes** ⟘ ≼, ✆ 61 05 88 21 ✉ 09400 Niaux, sortie S par N 20 rte d'Ax-les-Thermes puis 3,5 km par D 8 à droite rte de Vicdessos, à **Niaux**, près d'un torrent
4 ha (140 empl.) ⟿ (saison) plat, herbeux, étang Ω – 🗃 🍴 🚿 🔲 ⊕ 🗑 ▼ 🗑 – 🞧
juin-15 sept. – **R** conseillée juil.-août – 🅴 piscine comprise 1 ou 2 pers. 30, pers. suppl. 15 🄗 8 (3A) 15 (6A) 22 (9A)

**La Prairie** ≼, ✆ 61 05 81 81 ✉ 09400 Capoulet-et-Junac, sortie S par N 20 rte d'Ax-les-Thermes puis 4 km par D 8 à droite rte de Vicdessos, bord d'un torrent
1 ha (70 empl.) ⟿ plat, herbeux – 🗃 🍴 🚿 🔲 &
juin-sept. – **R** conseillée juil.-août – ✳ 10 🅴 20

---

## TARDETS-SORHOLUS

**64470** Pyr.-Atl. – 704 h.

**Pont d'Abense** ⟘ ≼, ✆ 59 28 58 76, O : 0,5 km par D 57 rte d'Etchebar, à droite après le pont, bord du Saison
1,5 ha (50 empl.) ⟿ (saison) plat, herbeux Ω – 🗃 🍴 🚿 🞧 🔲 ⊕ – A proximité :
✕ ⌕
mars-11 nov. – **R** – 🅴 2 pers. 47,60 🄗 12,60 (3A)

---

## TARGASONNE

**66120** Pyr.-Or. – 133 h. alt. 1 640

**La Griole** ❄ ≼ « Site agréable », ✆ 68 30 16 22, SO : 1 km par D 618 rte de Bourg-Madame
1,5 ha (60 empl.) ⟿ plat et en terrasses, herbeux, rochers ⌕ – 🗃 🍴 🚿 🔲 🏧
⊕ 🞧 ⩊ ▼ ✕ 🗑 – 🖾

---

## TARNAC

**19170** Corrèze – 403 h. alt. 700

**Municipal de l'Enclose** ⟘, sortie SO par D 160 rte de Toy-Viam et chemin à droite, près d'un plan d'eau (accès direct)
1,5 ha (46 empl.) ⟿ (saison) en terrasses, peu incliné, herbeux, pierreux ⌕ ΩΩ
– 🗃 🍴 🚿 & 🞧 – A proximité : ✕ ⌕
15 mai-oct. – **R** – ✳ 9,40 vehicule et emplacement gratuits 🄗 8,20 (3A) 14,50 (6A)

---

## TAUPONT

**56800** Morbihan – 1 853 h.

**La Vallée du Ninian** ⟘, ✆ 97 93 53 01, sortie N par D 8 rte de la Trinité-Porhoët, puis 2,5 km par rte à gauche
1,2 ha (50 empl.) ⟿ plat, herbeux ⌕ – 🗃 🍴 🚿 🔲 & ⊕ 🗑 – 🖾 🞧 – Location :
🏠
mai-sept. – **R** conseillée – 🅴 piscine comprise 2 pers 50 🄗 6 (2A) 10 (4A) 14 (6A)

---

## TAUTAVEL

**66720** Pyr.-Or. – 738 h.

**Le Priourat** ≼, ✆ 68 29 41 45, sortie O, rte d'Estagel
0,5 ha (21 empl.) ⟿ plat, peu incliné, herbeux ⌕ – 🗃 🍴 🚿 & ⊕ – 🞧
15 avril-sept. – **R** conseillée – 🅴 piscine comprise 2 pers. 62 🄗 18 (16A)

---

## TAUVES

**63690** P.-de-D. – 940 h. alt. 840

**Municipal les Aurandeix,** ✆ 73 21 14 06, à l'est du bourg, au stade
1 ha (90 empl.) ⟿ plat, en terrasses, incliné, herbeux ⌕ – 🗃 🍴 🚿 🔲 &
⊕ 🗑 – 🖾 ⬳ – A l'entrée : ✕ – Location : huttes
juin-15 sept. – **R** conseillée 15 juil.-15 août – 🅴 2 pers. 31, pers. suppl. 9,30
🄗 9,30 (4A)

---

## TELGRUC-SUR-MER

**29560** Finistère – 1 811 h.

**Le Panoramic** ⟘ ≼ « Situation et cadre agréables », ✆ 98 27 78 41, SO : 1,5 km par rte de Trez-Bellec Plage
4 ha (173 empl.) ⟿ (saison) en terrasses, herbeux ⌕ Ω – 🗃 🍴 🚿 🔲 &
⊕ 🞧 ⩊ ⬳ ▼ & 🗑 – A proximité : ✕ – Location : 🏠
15 mai-20 sept. – **R** conseillée – 🅴 piscine comprise 2 pers. 80, pers. suppl. 20
🄗 20 (6A) 25 (10A)

**Les Mimosas** ≼, ✆ 98 27 76 06, SO : 1 km rte de Trez-Bellec Plage
1 ha (100 empl.) ⟿ (saison) en terrasses, herbeux – 🗃 🍴 🚿 🔲 & ⊕ – Location :
🏠
mars-15 oct. – **R** conseillée – ✳ 16 ⬳ 5 🅴 12 🄗 10 (10A)

## TENCE

11 – 76 ⑧ G. Vallée du Rhône

**43190** H.-Loire – 2 788 h. alt. 840.
🛈 Office de Tourisme, pl. Chatiague
𝄞 71 59 81 99

⚏ **Municipal la Levée des Frères** ⊗ « Cadre et situation agréables »,
𝄞 71 59 83 10, SO : 1,5 km par rte d'Yssingeaux et rte de Mazelgirard à gauche,
bord du Lignon
3 ha (120 empl.) ⚬— (saison) plat, peu incliné et terrasses, herbeux 🙭 – ⟐ ⇆
⇆ ⬚ ⚐ ⊙ – ▭ ⇆
30 mars-29 oct. – *Places disponibles pour le passage* – **R** *conseillée* – ⚘ 8 ⇔
6 ▣ 9 ⚎ 8 (5A)

---

## TENNIE

5 – 60 ⑫

**72480** Sarthe – 850 h.

⚏ **Municipal de la Vègre,** 𝄞 43 20 59 44, sortie O par D 38 rte de
Ste-Suzanne, bord de rivière
1 ha (50 empl.) ⚬— (saison) plat, herbeux ⚘ – ⟐ ⇆ ⚏ ▭ ⊙ – ⚒ ⎷ ⇆ ≋
(bassin) - A l'entrée : ✗
15 mai-15 oct. – **R** – ⚘ 6 ⇔ 3,50 ▣ 3,50 ⚎ 5 (2A) 10 (6A) 13 (10A)

---

## TERMIGNON

12 – 77 ⑧ G. Alpes du Nord

**73500** Savoie – 367 h. alt. 1 300

⚏ **la Fennaz** ⊗ ≼, 𝄞 79 20 52 46, à 0,8 km au N de la commune
1 ha (83 empl.) ⚬— incliné et plat, en terrasses, herbeux, pierreux ▭ – ⟐ ⇆ ⚏
– ⚒
15 juin-15 sept. – **Ŕ** – ⚘ 13 ▣ 8/10

---

## TERRASSON-LA-VILLEDIEU

10 – 75 ⑦ G. Périgord Quercy

**24120** Dordogne – 6 004 h.
🛈 Syndicat d'Initiative, Porte du
Périgord 𝄞 53 50 37 56

△ **Municipal la Vergne,** 𝄞 53 50 02 81, par la pl. de la Libération, bord de la
Vézère (rive droite)
0,7 ha (50 empl.) ⚬— plat, herbeux ⚘ – ⟐ ⇆ ⚏ ▭ ⊙ – ▭
juin-sept. – **R** 14 juil.-15 août – Tarif 91 : ⚘ 10 ▣ 15 ⚎ 10 (3 ou 5A)

---

## La TESSOUALE

9 – 67 ⑥

**49280** M.-et-L. – 2 781 h.

△ **Municipal du Verdon** ⊗ ≼, 𝄞 41 56 33 96, NE : 2,3 km par rte du barrage
du Verdon, à 75 m du lac (accès direct)
1 ha (28 empl.) peu incliné, herbeux ▭ – ⟐ ⇆ ⚏ ⚐ ⊙ – A proximité : ⚑ ✗
15 mai-15 sept. – **R** – Tarif 91 : ▣ 1 à 3 pers. 40, pers. suppl. 9,50 ⚎ 6,80 (3A)
11 (5A)

---

## La TESTE **33** Gironde – **171** ⑳ – rattaché à Arcachon (Bassin d')

---

## TÉTEGHEM

1 – 51 ④

**59229** Nord – 5 839 h.

⚏ **Le Pont à Cochons,** 𝄞 28 26 03 04, sortie S par D 4 rte de West-Cappel, bord
du canal
1 ha (77 empl.) ⚬— plat, herbeux ▭ – ⟐ ⊙
saison – *Places limitées pour le passage* – **R**

---

## THEIX

4 – 63 ③

**56450** Morbihan – 4 435 h.

⚏ **La Peupleraie** ⊗ « Agréable peupleraieg, 𝄞 97 43 09 46, N : 1,5 km par
D 116 rte de Trefféan puis 1,2 km par chemin à gauche
3 ha (100 empl.) ⚬— plat, herbeux ⚘⚘⚘ – ⟐ ⇆ ⚏ ⚐ ⇆ ▽ ▭
15 avril-15 oct. – **R** conseillée juil.-août – ⚘ 10 ⇔ 3,50 ▣ 10 ⚎ 10 (3A) 12
(5A)

⚏ **Rhuys,** 𝄞 97 54 14 77, à 3,5 km au NO du bourg – Par N 165 venant de
Vannes : sortie Sarzeau
2 ha (50 empl.) ⚬— peu incliné, herbeux – ⟐ ⇆ ⚏ ▭ ⚐ ⊙ ⇆ ▽ ▭ – ⇆
– A proximité : ⚑ – Location : ⬚
15 avril-15 oct. – **R** conseillée juil.-août – ⚘ 16 ▣ 35 ⚎ 10,50 (6A) 15 (10A)

---

## THÉRONDELS

11 – 76 ⑬

**12600** Aveyron – 505 h. alt. 960

⚏ **La Source** ⊗ ≼ lac et collines boisées « Belle situation au bord du lac de
Sarrans », 𝄞 65 66 05 62, S : 8 km par D 139, D 98, D 537 rte de la presqu'île
de Laussac – alt. 647 – Accès aux emplacements par rampe à 12%
4,5 ha (80 empl.) ⚬— en terrasses, peu incliné, herbeux, pierreux – ⟐ ⇆ ⚏ ▭
⚐ ⊙ ⇆ ▽ ⚒ ⚑ snack ⇆ ▭ – ▭ ✗ ⚒ (toboggan aquatique) – Location :
studios
juil.-août – **R** conseillée – ▣ élect. (6A) et piscine comprises 2 pers. 92

---

## Les THÉVENINS

12 – 170 ⑮

**39** Jura – alt. 920
✉ 39150 St-Laurent-en-Grandvaux

△ **Lac des Rouges Truites** ⊗, SE : 0,7 km
0,7 ha (40 empl.) peu incliné et en terrases, herbeux, pierreux ⚘ – ⟐ ⇆ ⚏
⊙ – ⇆ vélos – A proximité : ✗ – Location : gîte d'étape
15 juin-15 sept. – **R** – ⚘ 10 ⇔ 5 ▣ 5

## THEYS

**38570** Isère – 1 321 h. alt. 620

⚠️ **Les Sept Laux** ❄️ ⌂ ⬖, ♟ 76 71 02 69, S : 3,8 km, à 400 m du col des Ayes
– alt. 920
1 ha (55 empl.) ⊶ plat, peu incliné, en terrasses, herbeux, pierreux, bois attenant
– 🎐 ⬯ 🏠 🕎 🎞 ⊕ 🔊 – 🚐
fermé oct. – **R** *conseillée été* – Tarif 91 : 🔲 *1 à 6 pers. 49,50 à 86, pers. suppl.*
*17,50* [🚿] *11 à 32,50*

---

## THEY-SOUS-MONTFORT **88** Vosges – ⑥② ⑭ – rattaché à Vittel

---

## THIÉZAC

**15450** Cantal – 693 h. alt. 805.
🅷 Syndicat d'Initiative, Mairie
♟ 71 47 01 21

⚠️ **Municipal de la Bédisse** ⬖ ⬖, ♟ 71 47 00 41, sortie SE par D 59 rte de
Raulhac et à gauche, sur les deux rives de la Cère
1,5 ha (150 empl.) ⊶ plat, herbeux 🌿🌿 – 🎐 🔊 ⊕ – A proximité : 🍴
15 juin-15 sept. – **R** – *Tarif 91 :* 🚶 *7,70* 🚗 *4,65* 🔲 *5,15* [🚿] *10,30*

---

## Le THILLOT

**88160** Vosges – 4 246 h.

⚠️ **Municipal l'Étang de Chaume,** ♟ 29 25 10 30, NO : 1,3 km par N 66 rte
de Remiremont et chemin à droite, bord d'un étang
1 ha (67 empl.) ⊶ peu incliné et en terrasses, herbeux, pierreux 🌿 – 🎐 ⬯ ⬯
⊕ – A proximité : 🍴 🖼️
Permanent – **R** *conseillée juil.-août* – 🚶 *5,50* 🔲 *15/18 ou 21* [🚿] *6A : 7,50 (hiver*
*18)*

à *Fresse-sur-Moselle* E : 2 km par N 66 rte de Bussang
✉️ 88160 Fresse-sur-Moselle :

⚠️ **Municipal Bon Accueil,** ♟ 29 25 08 98, sortie NO par N 66 rte du Thillot,
à 80 m de la Moselle
0,6 ha (50 empl.) ⊶ plat, herbeux – 🎐 ⊕ – A proximité : 🖼️
avril-11 nov. – **R** – 🚶 *6,50 et 4,10 pour douches chaudes* 🔲 *5,90* [🚿] *5,20 à 13,90*
*(1 à 5A)*

---

## Le THOLY

**88530** Vosges – 1 541 h.
🅷 Syndicat d'Initiative, Mairie
♟ 29 61 81 18

⚠️ **Noirrupt** ⬖, ♟ 29 61 81 27, NO : 1,3 km par D 11 rte d'Epinal et chemin à
gauche
1,2 ha (35 empl.) ⊶ plat, herbeux 🌿 (0,5 ha) – 🎐 ⬯ ⬯ 🖼️ sauna ⊕ ⚡ 🚿 🍷
pizzeria 🔊 – 🚐 🛶 ⛱️ – Location : 🏠
15 avril-15 oct. – **R** – 🔲 *piscine et tennis compris 3 pers. 87,50, pers. suppl.*
*22*

---

## THONAC

**24290** Dordogne – 257 h.

⚠️ **La Castillanderie** ⬖, ♟ 53 50 76 79, NE : 2,5 km par rte de Fanlac puis
chemin à droite, bord d'un plan d'eau
15 ha/2 campables (65 empl.) ⊶ plat et terrasse, peu incliné, herbeux – 🎐 ⬯
⬯ ⊕ 🍷 – 🚐
31 mars-oct. – **R** – 🚶 *20* 🔲 *20* [🚿] *12 (4A)*

---

## THÔNES

**74230** H.-Savoie – 4 619 h. alt. 626.
🅷 Office de Tourisme, pl. Avet
♟ 50 02 00 26

⚠️ **Les Grillons** ⬖, ♟ 50 02 06 63, NO : 1 km rte d'Annecy et chemin à gauche
0,7 ha (60 empl.) ⊶ plat, pierreux, bois attenant – 🎐 🔊 ⊕ – 🚐 🛶
A proximité : 🍴
26 juin-août – **R** – 🚶 *10,20* 🔲 *14,30* [🚿] *11 (2A)*

⚠️ **Le Tréjeux** ⬖ ⬖, ♟ 50 02 06 90, O : 1,5 km rte de Bellossier, bord du
Malnant
1,5 ha (100 empl.) ⊶ plat, pierreux, gravillons 🌿 – 🎐 🔊 ⬯ ⊕ 🔊 – 🚐 –
Location : 🏠
juin-sept. – **R** – 🚶 *10* 🔲 *17* [🚿] *10 (2A)*

⚠️ **le Lachat** ⬖, ♟ 50 02 96 65, NE : 1,5 km par D 909 rte de la Clusaz, bord
du Nom
1,3 ha (100 empl.) ⊶ (juil.-août) plat, herbeux, pierreux 🌿 – 🎐 🔊 ⊕
avril-oct. – **R** – 🚶 *11* 🔲 *15* [🚿] *9 (3A) 12 (4A) 18 (6A)*

---

## THONON-LES-BAINS ⓢⓟ

**74200** H.-Savoie – 29 677 h. –
♨️ 2 janv.-30 déc.
🅷 Office de Tourisme, pl. du Marché
♟ 50 71 55 55

⚠️ **Morcy,** ♟ 50 70 44 87, SO : 2,5 km par N 5 et chemin à gauche
1 ha (60 empl.) ⊶ plat et peu incliné, herbeux 🌿 – 🎐 🔊 🖼️ ⊕ – 🚐
Pâques-10 sept. – **R** – 🚶 *16* 🔲 *16* [🚿] *8 (4A)*

---

## Le THOR

**84250** Vaucluse – 5 941 h.

⚠️ **Lejantou** ⬖, ♟ 90 33 90 07, O : 1,2 km par sortie N vers Bédarrides et rte
à gauche, accès direct à la Sorgue
2 ha (100 empl.) ⊶ plat, herbeux 🌿 – 🎐 ⬯ ⬯ 🖼️ ⊕ 🍷 – 🚐 🛶
avril-sept. – **R** *juil.-août* – 🚶 *17* 🔲 *16* [🚿] *12 (3A) 13 (6A) 14 (10A)*

## THOUARCÉ
**49380** M.-et-L. – 1 546 h.

                                                                 5 – 67 ⑦

**Municipal de l'Écluse,** au SO du bourg par av. des Trois-Ponts, bord du Layon
0,5 ha (35 empl.) plat, herbeux – 🏕 – A proximité : ✗
15 avril-15 oct. – **R** – ✶ 6,30 🚗 2,70 🔲 2,70 🔌 8 (18,20 hors saison)

## THOUX
**32430** Gers – 136 h.

                                                       14 – 82 ⑥

Le Lac ≤ « Cadre agréable », ✆ 62 65 71 29, NE sur D 654, bord du lac
1,5 ha (70 empl.) ⚡ plat, peu incliné, herbeux – A proximité : ♟ ✗ ✦ ⚓ ⛵ (plage) ◊

## THURY-HARCOURT
**14220** Calvados – 1 803 h.
🅱 Office de Tourisme, pl.
Saint-Sauveur (Ascension-15 sept.)
✆ 31 79 70 45

                                    5 – 55 ⑪ G. Normandie Cotentin

Vallée du Traspy ⚘ « Entrée fleurie », ✆ 31 79 61 80, à l'est du bourg par bd du 30-Juin-1944 et chemin à gauche, bord du Traspy et près d'un plan d'eau
1,3 ha (92 empl.) ⚡ plat et terrasse, herbeux –

## TIERCÉ
**49125** M.-et-L. – 3 047 h.

                                              5 – 64 ①

**Municipal,** ✆ 41 42 62 17, sortie E rte de Seiches-sur-le-Loir
2 ha (100 empl.) plat, herbeux – A proximité : ♟ ✗ ⤬
juin-août – **R** – 🔲 1 ou 2 pers. 25, pers. suppl. 5 🔌 10 (6 ou 10A)

## TIGNES
**73320** Savoie – 2 005 h. alt. 2 100
– 🚡.
🅱 Office de Tourisme, au lac
✆ 79 06 15 55

                                    12 – 74 ⑲ G. Alpes du Nord

**L'Escapade** ⚘ ≤, ✆ 79 06 41 27, NE : 7 km entre les Brévières et les Boisses, sur vieille rte de Tignes – Pour les caravanes venant de Bourg-St-Maurice, accès conseillé par rte du barrage – alt. 1 750
3 ha (120 empl.) ⚡ en terrasses et peu incliné, herbeux, pierreux –
15 juin-sept. – **R** conseillée juil.-20 août – ✶ 14 piscine comprise 🚗 8 🔲 7 🔌 11 (8A)

## TIGY
**45510** Loiret – 1 679 h.

                                              6 – 64 ⑩

**Municipal des Brémailles** ⚘, ✆ 38 58 02 61, SE : 0,5 km par D 55 rte de Viglain et chemin à droite, à 50 m d'un étang
1,5 ha (66 empl.) ⚡ (juil.-août) plat, herbeux ⚑ – A proximité : ✗
Pâques-15 sept. – **R** – Tarif 91 : ✶ 7,40 🔲 4,70 🔌 12,35 (10A)

## TINTÉNIAC
**35190** I.-et-V. – 2 163 h.

                                            4 – 59 ⑯ G. Bretagne

**Les Peupliers** ◇ « Agréable sapinière », ✆ 99 45 49 75, SE : 2 km par N 137 rte de Rennes, à la Besnelais, bord d'étangs – ✗ juil.-août
4 ha (100 empl.) ⚡ plat, herbeux – A proximité : 📱 – Location : 🏠
mars-oct. – Location longue durée – Places disponibles pour le passage – **R** conseillée – ✶ 15,50 🔲 12,50 🔌 11 (3A) 15 (5A) 30 (10A)

## TIUCCIA **2A** Corse-du-Sud – 90 ⑯ – voir à Corse

## TOCANE-ST-APRE
**24350** Dordogne – 1 377 h.

                                        10 – 75 ④ ⑤

**Municipal le Pré Sec** ⚘, ✆ 53 90 40 60, au nord du bourg, bd Charles-Roby, bord de la Dronne
1,8 ha (80 empl.) ⚡ (saison) plat, herbeux ⚑ ⚑ –
Pâques-sept. – **R** conseillée juil.-août – ✶ 6 🔲 20 🔌 7 (5A)

## TOLLENT
**62390** P.-de-C. – 82 h.

                                              1 – 51 ⑫

**Le Val d'Authie** ◇ « Ancienne ferme picarde », ✆ 21 47 14 27, sortie SE par D 119 rte d'Auxi-le-Château
3,3 ha (80 empl.) ⚡ plat et peu incliné, terrasse, herbeux, petit étang ⚑ –
⛵ (bassin)
avril-sept. – Location longue durée (3 700 F) – Places limitées pour le passage – **R** conseillée – 🔲 élect. comprise (2A) 2 pers. 45, 4 pers. 65

## TONNAY-BOUTONNE
**17380** Char.-Mar. – 1 088 h.

                                        11 – 171 ③ G. Poitou Vendée Charentes

Municipal la Garenne ⚘, sortie O rte de Rochefort, bord de la Boutonne
0,5 ha (50 empl.) peu incliné, plat, herbeux, pierreux ⚑ – A proximité : ✗

## TONNAY-CHARENTE
**17430** Char.-Mar. – 6 814 h.

🔲 – 🔳 ⑬ G. Poitou Vendée Charentes

⚠ **Municipal des Capucins**, ℘ 46 88 72 16, au SE de la ville, en amont du vieux pont suspendu, bord de la Charente
1 ha (76 empl.) ⊶ plat, herbeux, gravillons – 🗟 ⛄ ⚒ 🖭 ⊕
mai-sept. – **R** – ⚐ 7,80 📧 9,50 (ᚷ) 7,40 à 26 (2 à 32A)

---

## TONNEINS
**47400** L.-et-G. – 9 334 h.
🅱 Office de Tourisme, 3 bd Charles-de-Gaulle ℘ 53 79 22 79

⒕ – 🔳 ④

⚠ **Municipal Robinson** « Décoration florale et arbustive », ℘ 53 79 02 28, sortie S par N 113 rte d'Agen, à 100 m de la Garonne
0,6 ha (40 empl.) ⊶ plat, herbeux 🖵 ⚲ – 🗟 ⛄ ⚒ ⚹ ⊕ – ⛵
juin-15 sept. – **R** conseillée – Tarif 91 : ⚐ 4,50 📧 4,50 (ᚷ) 5,50

---

## TONNOY
**54210** M.-et-M. – 607 h.

🔲 – 🔳 ⑤

⚠ **Municipal le Grand Vanné**, ℘ 83 26 62 36, O : par D 74, à 0,5 km de la N 57, bord de la Moselle
7 ha (270 empl.) ⊶ (saison) plat, herbeux, sablonneux – 🗟 ⛄ ⚒ 🖭 ⊕ – ⛵
– A proximité : ✗
31 mai-1er sept., week-ends du 13/4 au 30/5 et du 2/9 au 13/10 – **R** –
⚐ 8,20 📧 10,70 (ᚷ) 10,70 (3A)

---

## TORIGNI-SUR-VIRE
**50160** Manche – 2 659 h.

④ – 🔳 ⑭ G. Normandie Cotentin

⚠ **Municipal du Lac**, ℘ 33 56 91 74, SE : 0,8 km par N 174 rte de Vire, à proximité d'un étang et d'un parc boisé
0,75 ha (40 empl.) ⊶ plat, herbeux 🖵 – 🗟 ⛄ ⚒ 🖭 ⊕ – 🖵 – A proximité :
✗
15 juin-15 sept. – **R** – Tarif 91 : ⚐ 8 📧 8 (ᚷ) 6,80

---

## TORREILLES
**66440** Pyr.-Or. – 1 775 h.

🔳 – 🔳 ⑳

à *Torreilles-Plage* NE : 3 km par D 11E – ✉ 66440 Torreilles :

⚠⚠ **Les Dunes de Torreilles-Plage**, ℘ 68 28 38 29, à 150 m de la plage
16 ha/8 campables (615 empl.) ⊶ plat, sablonneux 🖵 – Sanitaires individuels (🗟 ⛄ wc), ⊕ ☀ ⚐ ✗ 🖭 – 🖵 ✗ ⛵ 🛝 – Location : 🏠 🏘
Permanent – **R** conseillée juil.-août – 📧 élect. (10A) comprise jusqu'à 6 pers. 173

⚠⚠ **Mar I Sol** ⚮, ℘ 68 28 04 07, à 350 m de la plage
7 ha (380 empl.) ⊶ plat, sablonneux 🖵 – 🗟 ⛄ ⚒ ⚹ 🖭 ☀ 🛝 ⚐ ✗
⚭ 🖭 ✗ ⚮ 🛝 tir à l'arc – Location : 🏘 🏠 🏘
mai-sept. – **R** conseillée – ⚐ 26 piscine comprise 📧 38 (ᚷ) 17 (3A)

⚠⚠ **Les Tropiques**, ℘ 68 28 05 09, à 500 m de la plage
5 ha (280 empl.) ⊶ plat, sablonneux, herbeux 🖵 – 🗟 ⛄ ⚒ 🖭 ⚹ 🛝 ⊕ ☀ 🛝, snack ⚭ 🖭 – ✗ 🛝 – Location : 🏘 🏠 🏘 🏠
15 mai-sept. – **R** conseillée juil.-août – ⚐ 39 piscine comprise 📧 39 (ᚷ) 20 (6A)

⚠ **Le Trivoly** ⚮ « Entrée fleurie », ℘ 68 28 20 28
8 ha/3 campables (150 empl.) ⊶ plat, sablonneux, herbeux 🖵 – 🗟 ⛄ ⚒ 🖭 🛝 ⊕ snack ⚭ 🖭 – 🖵 ✗ ⛵ 🛝 tir à l'arc
avril-sept. – **R** conseillée juil.-août – ⚐ 23 piscine comprise 📧 31 (ᚷ) 13 (4A) 16 (6A)

⚠⚠ **Le Calypso**, ℘ 68 28 09 47
5 ha (230 empl.) ⊶ plat, sablonneux, herbeux 🖵 ⚲ – 🗟 ⛄ ⚒ 🛝 🖭 Sanitaires individuels (🗟 ⛄ wc) 🛝 ⊕ 🛝 ⚐ ✗ 🖭 – 🖵 ⛵ – Location : 🏠 🏘
avril-oct. – **R** conseillée – ⚐ 25 piscine comprise 📧 35 (ᚷ) 15 (3A) 20 (6A) 25 (10A)

⚠⚠ **La Palmeraie** « Décoration originale », ℘ 68 28 20 64
3,2 ha (160 empl.) ⊶ plat, sablonneux, herbeux 🖵 – 🗟 ⛄ ⚒ 🖭 🛝 ⊕ ☀ ⚐ ✗ 🛝 🖭 – 🖵 🛝 – A proximité : 🚂 – Location : 🏠
15 mai-15 oct. – **R** conseillée juil.-août – 📧 piscine comprise 2 pers. 89, pers. suppl. 23 (ᚷ) 16 (5 ou 6A)

---

## TORTEQUESNE
**62490** P.-de-C. – 719 h.

② – 🔳 ③

⚠ **Municipal de la Sablière** ⚮, ℘ 21 55 85 22, sortie NE par D 956 rte de Férin et 0,5 km par chemin à droite, bord de deux étangs
1,5 ha (81 empl.) plat, herbeux, pierreux 🖵 – 🗟 ⛄ ⚒ ⊕ – ✗ – A proximité : ⚐ ✗
avril-nov. – **R** – ⚐ 8 ⚓ 5 📧 15 (ᚷ) 9 (2A) 15 (5A)

---

## TOUËT-SUR-VAR
**06710** Alpes-Mar. – 342 h.

⒄ – 🔳 ⑩ G. Alpes du Sud

⚠ **Camping de l'Amitié** ⚮, ℘ 93 05 74 32, **accès conseillé par centre ville**, SE : 1 km par av. Jian Glauffret et chemin à gauche, près du Var – croisement difficile pour caravanes
0,7 ha (30 empl.) ⊶ plat, herbeux, pierreux, gravier – 🗟 ⛄ 🖭 🛝 ⊕ ☀ ⚐ 🛝
– A proximité : ✗
Permanent – **R** conseillée – 📧 1 à 5 pers. 23 à 79/22 à 83, pers. suppl. 16 (ᚷ) 16 (3A)

## TOUFFAILLES

82190 T.-et-G. – 359 h.                                                      14 – 79 ⑯

△ **Municipal,** sur D 41, face à la mairie
0,3 ha (11 empl.) plat, herbeux – 🏠 🚿 – A proximité : 🍴
juin-sept. – 🚿 – ⚲ 5 ▣ 6

## TOUFFREVILLE-SUR-EU

76910 S.-Mar. – 175 h.                                                        1 – 52 ⑤

△ Municipal les Acacias 🦢, ⌀ 35 50 87 46, SE : 1 km par D 226 et D 454 rte
de Guilmecourt
1 ha (50 empl.) plat, herbeux – 🏠 🚿 🚿 🗓 ⊛

## TOULON-SUR-ARROUX

71320 S.-et-L. – 1 867 h.                                                     11 – 69 ⑰

▲▲ **Municipal du Val d'Arroux,** ⌀ 85 79 51 22, à l'ouest de la commune, rte
d'Uxeau, bord de l'Arroux
1 ha (60 empl.) ⊶ (saison) plat, herbeux – 🏠 🚿 🖾 🗓 🚿 – ⊶ m
Pâques-Toussaint – *Places disponibles pour le passage* – **R** *juil.-août* – ⚲ 6,10
⊶ 4,60 ▣ 4,70 🔌 9,40 (10A)

## TOUQUES 14 Calvados – 54 ⑰ – rattaché à Deauville

## La TOUR-D'AIGUES

84240 Vaucluse – 3 328 h.                                       16 – 84 ③ G. Provence

△ **Municipal** 🦢, sortie NE par D 956 rte de Forcalquier et chemin à droite, bord
de la Leze
1 ha (100 empl.) ⊶ plat, herbeux ⚱ – 🏠 🚿 ⊛ – A proximité : 🍴
15 juin-août – **R** *conseillée* – ⚲ 9 ⊶ 4,50 ▣ 6,50 🔌 12 (8A)

## La TOUR-D'AUVERGNE

63680 P.-de-D. – 778 h. alt. 990 –                              11 – 73 ⑬ G. Auvergne
🦢.
🛈 Syndicat d'Initiative, Mairie
⌀ 73 21 54 80

△ **La Vallée** 🦢 ⬉, ⌀ 73 21 54 43, à 1,7 km au sud du bourg, accès par sortie
SO rte de Bagnols et chemin à gauche à la hauteur des tennis, bord de la
Burande
3 ha (50 empl.) ⊶ plat, incliné, terrasse, herbeux – 🏠 🚿 🖾 ⊛ 🎿 – 🚿 –
Location : 🚐
saison – **R** *conseillée* – ▣ 2 pers. 36 🔌 10 (3A) 16 (6A)

## La TOUR-DU-MEIX

39270 Jura – 167 h.                                                          12 – 170 ⑭

▲▲ Surchauffant 🦢 ⬉ « Entrée fleurie », ⌀ 84 25 41 08, au Pont de la Pyle, SE :
1 km par D 470 et chemin à gauche, à 150 m du lac de Vouglans (accès direct)
2,5 ha (200 empl.) ⊶ plat, herbeux, pierreux – 🏠 🚿 🖾 ⊛ 🎿 💢 🗓 –
🚐 🚿 – A proximité : 🚣 – Location : bungalows toilés
mai-sept. – **R** *conseillée juil.-20 août*

## TOURNEHEM-SUR-LA-HEM

62890 P.-de-C. – 1 069 h.                                               1 – 51 ② ③

▲▲ **Bal Caravaning** ⬉, ⌀ 21 35 65 90, sortie E par D 218
2,5 ha (63 empl.) ⊶ peu incliné, herbeux – 🏠 🖾 🗓 💢 ⊛ – 🚐 – A proximité :
🍴 🍴 🚿 🦌 🚿 (parc d'attractions) – Location : 🚐
Permanent – **R** *juil.-août* – ⚲ 13 ▣ 16 🔌 13 (4A)

## TOURNON-D'AGENAIS

47370 L.-et-G. – 839 h.                                   14 – 79 ⑥ G. Pyrénées Aquitaine

▲▲▲ **Camp Beau** ⬉, ⌀ 53 40 78 88, N : 1 km par D 102 rte de Fumel, près de la
Base de Loisir et d'un plan d'eau
2 ha (25 empl.) ⊶ plat, herbeux – 🏠 🚿 🖾 🗓 🚿 ⊛ 🎿 💢 🍴 🍴 🚿 – A proximité :
🚿 – Location : gîtes
avril-oct. – **R** *conseillée juil.-août* – ⚲ 19 ⊶ 7 ▣ 14 🔌 9 (4A)

## TOURNON-SUR-RHÔNE ⊖

07300 Ardèche – 9 546 h.                              11 – 76 ⑩ G. Vallée du Rhône
🛈 Office de Tourisme, Hôtel Tourette
⌀ 75 08 10 23

▲▲ **Les Acacias,** ⌀ 75 08 83 90, O : 2,6 km par D 532 rte de Lamastre, accès
direct au Doux
2,7 ha (80 empl.) ⊶ plat, herbeux ⚱ – 🏠 🚿 🖾 🗓 🚿 ⊛ ▣ – 🚐 🚿 🚿 – Location :
🚐
avril-sept. – **R** *juil.-août* – ▣ *piscine comprise* 2 pers. 66, pers. suppl. 12,50
🔌 12,50 (4A)

▲▲ **Municipal** ⬉ « Entrée fleurie », ⌀ 75 08 05 28, sortie NO, près de la N 86,
digue du Doux, bord du Rhône
1 ha (80 empl.) ⊶ plat, herbeux ⚱⚱ – 🏠 🚿 🚿 🗓 💢 ⊛ – 🚐 🚿
mars-nov. – **R** – ⚲ 16 ⊶ 9,50 ▣ 9,50 🔌 11 (6A)

▶ *Des vacances réussies sont des vacances bien préparées !*

*Ce guide est fait pour vous y aider... mais :*
  *– N'attendez pas le dernier moment pour réserver*
  *– Évitez la période critique du 14 juillet au 15 août*

*Pensez aux ressources de l'arrière-pays, à l'écart des lieux de grande fréquentation.*

## TOURS Ⓟ

**37000** I.-et-L. – 129 509 h.

Ⓗ Office de Tourisme et Accueil de France, bd Heurteloup ℰ 47 05 58 08

⚠ **Municipal Edouard Péron,** ℰ 47 54 11 11 ⊠ 37100 Tours, E : 3 km, à Ste-Radegonde, bord de la Loire
1,4 ha (62 empl.) ⚬ plat, herbeux, gravillons ⊏⊐ (caravaning) – 🏠 ⊕ 🏊 ⛱
11 mai-8 sept. – ℛ – Tarif 91 : 🕈 11 ▣ 7,50/8

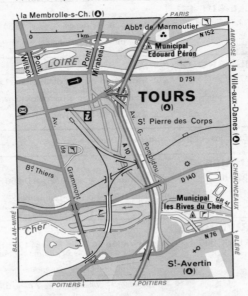

*à la Membrolle-sur-Choisille* NO : 7 km, rte du Mans ⊠ 37390 la Membrolle-sur-Choisille :

⚠ **Municipal,** ℰ 47 41 20 40, rte de Fondettes, au stade, bord de la Choisille (hors schéma)
1,2 ha (88 empl.) ⚬ plat, herbeux ♀ – 🏠 🔄 🛁 🗄 ⊕ 🏊 – ❌
mai-sept. – ℛ – Tarif 91 : 🕈 7 ▣ 6,50

*à St-Avertin* SE : 5 km – ⊠ 37550 St-Avertin :

⚠ Municipal les Rives du Cher, ℰ 47 27 27 60, N par rive gauche du Cher, près d'un plan d'eau
2,6 ha (150 empl.) ⚬ plat, herbeux ⊏⊐ – 🏠 🏊 🗄 🎱 ⊕ 🏊 ⛱ – 🏡 🔄 🖼
découverte l'été – A proximité : 🍷 snack ❌ ♦ – Interdit aux caravanes de plus de 6 m

*à la Ville-aux-Dames* E : 6 km par D 751 – ⊠ 37700 St-Pierre-des-Corps :

⚠ **Municipal les Acacias,** ℰ 47 44 08 16, au NE du bourg, près du D 751 (hors schéma)
1 ha (120 empl.) ⚬ plat, herbeux ♀♀ (0,5 ha) – 🏠 🔄 🛁 🎱 ⊕ – 🔄
A proximité : 🍷
avril-sept. – ℛ – ▣ 2 pers. 30 (§) 10 (4A) 20 (8A) 50 (16A)

Voir aussi à *Ballan-Miré*

---

## La TOUR-SUR-ORB

**34260** Hérault – 1 039 h.

⚠ **La Sieste** ♨, ℰ 67 23 72 96, NE : 3,5 km par D 35 rte de Lodève, à Véreilles, bord de l'Orb
2 ha (60 empl.) ⚬ plat, pierreux, herbeux, bois ♀ – 🏠 🗄 ⊕ 🕪 🍷 🍴 – ⚞
Location : 🚐
juin-sept. – ℛ conseillée juil.-août – ▣ 1 pers. 35, 2 pers. 50, 3 ou 4 pers. 60 (§) 12 (6A)

---

## TOUSSAINT

**76400** S.-Mar. – 741 h.

⚠ **Municipal du Canada,** ℰ 35 29 78 34, NO : 0,5 km par D 26 rte de Fécamp et chemin à gauche
2,5 ha (100 empl.) ⚬ plat et peu incliné, herbeux ⊏⊐ ♀♀ – 🏠 🔄 🛁 🗄 🕪 🏊
🏊 – A proximité : ❌
avril-15 oct. – ℛ conseillée – 🕈 9 �car 3,50 ▣ 3,50 (§) 8 (4 ou 6A)

▶ *Si vous recherchez un terrain avec tennis ou piscine,*
*consultez le tableau des localités citées, classées par départements.*

## La TOUSSUIRE

**73** Savoie – alt. 1 690 – ☜
✉ 73300 Fontcouverte-la-
Toussuire.
🛈 Office de Tourisme 🖀 79 56 70 15

⟨⟩ – ⟨⟩ ⑥ ⑦ G. Alpes du Nord

**⋀⋀ Caravaneige du Col** ❄ ⚬ ⩽ Aiguilles d'Arves, 🖀 79 83 00 80, à 1 km à l'est de la station sur rte de St-Jean-de-Maurienne – alt. 1 560
1 ha (62 empl.) ⊶ plat, peu incliné, pierreux, herbeux ⌂ – ⁊ ⇔ ⛫ ⊡ ▥ ⊛
– 🛒 – Location : ⌂
15 déc.-15 mai et 15 juin-15 sept. – **R** *conseillée 15 juil.-15 août* – ⚲ 18 ▣
10 ⒣ 2 à 10A : 16,50 à 30 (hiver 23 à 35)

## TOUZAC

**46700** Lot – 412 h.

⟨⟩ – ⟨⟩ ⑥

**⋀⋀ Le Clos Bouyssac** ⚬ ⩽, 🖀 65 36 52 21, S : 2 km par D 65, bord du Lot
1,5 ha (85 empl.) ⊶ plat et en terrasses, herbeux, pierreux ⚬⚬ – ⁊ ⇔ ⛫ ⩚
⊡ ⊛ ⛆ ▣ – 🛒 ⤥ ⌇ – Location : ⌂
avril-sept. – **R** *conseillée juil.-août* – ⚲ 21 piscine comprise ▣ 21 ⒣ 12 (5A)

**⋀⋀ Le Ch'Timi,** 🖀 65 36 52 36, E : 0,8 km par D 8
2 ha (70 empl.) ⊶ plat et peu incliné, herbeux ⚬⚬ – ⁊ ⛫ ⊡ ⊛ ⛆ ⚟ ⛾ ✕ (dîner
seulement) ⤥ – 🛒 ⤥ ⌇ – Location : ⌂
15 mai-sept. – **R** *indispensable 10 juil.-août* – ⚲ 17 piscine comprise ▣ 25
⒣ 10 (5A)

▶ ⁊ ⇔ ⛫

*Douches, wastafels en washuizen met **warm water**.*
*Indien deze symbolen niet in de tekst voorkomen,*
*zijn bovengenoemde installaties wel aanwezig doch*
*uitsluitend met koud water.*

## La TRANCHE-SUR-MER

**85360** Vendée – 2 065 h.
🛈 Office de Tourisme, pl. de la
Liberté 🖀 51 30 33 96

⟨⟩ – ⟨⟩ ⑪ G. Poitou Vendée Charentes

**⋀⋀⋀ La Savinière** Ⓜ ⚬, 🖀 51 27 42 70, NO : 1,5 km par D 105 rte des Sables-
d'Olonne
2 ha (106 empl.) ⊶ plat, peu accidenté, sablonneux ⌂ ⚬⚬ pinède – ⁊ ⇔ ⛫
⊡ ⩚ ⊛ ⛆ ✕ ⤥ – 🛒 ⌇ half-court – Location : ⌂
30 mars-sept. – **R** *indispensable juil.-août* – ▣ piscine comprise 3 pers. 84 (94
ou 104 avec élect. 10A), pers. suppl. 16

**⋀⋀⋀ Le Jard** ⚬, 🖀 51 27 43 79, à la Grière, E : 3,8 km rte de l'Aiguillon – ❄ juil.-
25 août
6 ha (350 empl.) ⊶ plat, herbeux ⌂ – ⁊ ⇔ ⛫ ⊡ ⊛ ⛆ ⩚ ⚟ ⛾ ▣ – 🛒
⚔ ⤥ ⌇ – A proximité : ⛾
juin-15 sept. – **R** *conseillée* – Tarif 91 : ▣ piscine comprise 2 ou 3 pers. 92/123
avec plate-forme am. (4A)

**⋀⋀⋀ Camping'Bel,** 🖀 51 30 47 39, sortie E rte de l'Aiguillon et à gauche, à 250 m
de l'océan
3,5 ha (200 empl.) ⊶ plat, sablonneux, herbeux ⌂ ⚬ – ⁊ ⇔ ⛫ ⊡ ⩚ ⊛ ⛆
⚟ ▣ – 🛒 ⚔ ⌇ half-court – A proximité : ⛾
25 mai-15 sept. – **R** *élect. (10A) et piscine comprises 2 pers. 102*

**⋀⋀⋀ La Baie d'Aunis** Ⓜ, 🖀 51 27 47 36, sortie E rte de l'Aiguillon, à 50 m de la plage
– ❄ juil.-août
2,5 ha (160 empl.) ⊶ plat, sablonneux ⌂ ⚬ – ⁊ ⇔ ⛫ ⊡ ⩚ ▥ ⊛ ⛆ ⛾ ✕
⤥ – 🛒 ⚔ ⌇ – Location : ⌂

**⋀⋀⋀ Les Préveils,** 🖀 51 30 30 52, à la Grière, E : 3,5 km rte de l'Aiguillon et à droite,
à 300 m de la plage (accès direct)
4 ha (160 empl.) ⊶ vallonné, sablonneux ⌂ ⚬⚬ pinède – ⁊ ⇔ ⛫ ⊡ ⩚ ⊛ ⛆
⚟ ✕ ⤥ ▣ – 🛒 ⚔ ⤥ ⌇ – A proximité : ⛾ – Location : ⌂ ⊨
appartements
avril-sept. – **R** *conseillée juil-août* – Adhésion familiale obligatoire – ▣ élect. (10A)
et piscine comprises 1 à 3 pers. 120, pers. suppl. 22

**⋀⋀⋀ Les Jonquilles,** 🖀 51 30 47 37, à la Grière, E : 3 km rte de l'Aiguillon
3,5 ha (170 empl.) ⊶ plat, herbeux ⁊ ⇔ ⛫ ⊡ ⊛ ⛆ ⩚ ⚟ ▣ – 🛒 ⚔
⚑ ⤥ ⌇ – Location : ⌂
mai-15 sept. – Location longue durée – *Places disponibles pour le passage* –
**R** *conseillée juil.-août* – ▣ piscine comprise 2 pers. 74,50, 3 pers. 81 ⒣ 15
(5 à 10A)

**⋀⋀⋀ Le Cottage Fleuri** ⚬, 🖀 51 30 34 57, à la Grière, E : 2,5 km rte de l'Aiguillon,
à 500 m de la plage
5 ha (280 empl.) ⊶ plat, sablonneux, herbeux, étang ⚬ (1 ha) – ⁊ ⛫ ⊡ ▣ ⊛
⩚ ⚟ snack ▣ – 🛒 ⚔ ⌇ – A proximité : ⛾ – Location : ⌂
20 mars-15 oct. – **R** *conseillée juil.-août* – ▣ piscine comprise 2 pers. 94 ⒣ 19
(3A) 23 (6A) 29,50 (10A)

**⋀⋀⋀ Le Sable d'Or,** 🖀 51 27 46 74, NO : 3,5 km par D 105 rte des Sables d'Olonne,
à la Terrière
2,7 ha (132 empl.) ⊶ plat, sablonneux, herbeux – ⁊ ⇔ ⛫ ⊡ ⩚ ⊛ ⛆ ⚟ ▣
– 🛒 ⚔ ⌇ – Location : ⌂
20 mai-15 sept. – **R** *conseillée juil.-août* – ▣ 3 pers. 98 piscine comprise ⒣ 11
(4A) 19 (6A)

**⋀⋀⋀ L'Escale du Pertuis,** 🖀 51 30 38 96, E : 4 km rte de l'Aiguillon, bord de
l'océan
6 ha (500 empl.) ⊶ plat, sablonneux, herbeux ⚬⚬ – ⁊ ⇔ ⩚ ⊡ ⩚ ⊛ ⛆ – 🛒
⚔ ✕ toboggan aquatique – A proximité : ⛾ ⛾ ⛾ discothèque ⌇
avril-sept. – *places disponibles pour le passage* – **R** – ▣ piscine comprise 3 pers.
67 ⒣ 10 (2A) 20 (10A)

Voir aussi à **l'Aiguillon-sur-Mer, la Faute-sur-Mer**

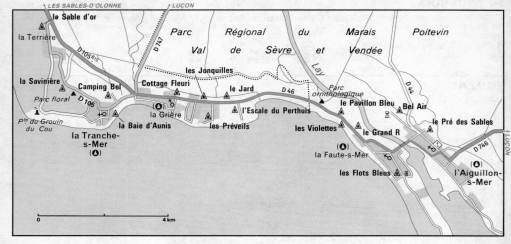

## TRÈBES

**11800** Aude – 5 575 h.

▲▲ **Municipal,** ℰ 68 78 61 75, chemin de la Lande, bord de l'Aude
1,5 ha (85 empl.) ⟷ plat, herbeux ﹐﹐ – ⌂ 🗓 👤 ⊕ – A proximité : ✕ ⟋
juin-15 sept. – **R** *conseillée* – 🚶 *11,50* 🔲 *15,80/21* 🔌 *15 (6A)*

## TRÉBEURDEN

**22560** C.-d'Armor – 3 094 h.

🅘 Office de Tourisme, pl. Crech'Héry
(fermé après-midi oct.-déc.)
ℰ 96 23 51 64

▲▲ **Roz ar Mor** ⟍ ⪡ « Entrée fleurie », ℰ 96 23 58 12, S : 1,5 km, à 200 m de la
plage de Porz Mabo – Accès peu facile pour caravanes
0,8 ha (35 empl.) ⟷ en terrasses, herbeux – ⌂ ♨ ⟍ 🗓 👤 ⊕ – 🏠 –
A proximité : 🍴 crêperie – Location : 🚐
Pâques-15 sept. – **R** *conseillée*

▲ **Kerdual** ⟍ ⪡ « Entrée fleurie », ℰ 96 23 54 86, S : 1,5 km, à la plage de Porz
Mabo **(accès direct)** – Accès peu facile pour caravanes
0,4 ha (33 empl.) ⟷ (saison) en terrasses, herbeux ♀ – ⌂ ♨ ⟍ 🗓 👤 ⊕ –
A proximité : ✕ crêperie
30 avril-20 sept. – **R** *conseillée juil.-août* – 🔲 *3 pers. 72, pers. suppl. 16* 🔌 *13 (3A)*

Voir aussi à *Pleumeur-Bodou*

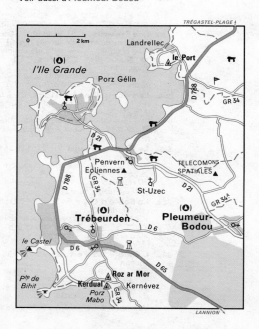

**TRÉBOUL** **29** Finistère – 🔢 ⑭ – rattaché à Douarnenez

## TRÉDION
🔢 – 🔢 ③ G. Bretagne

**56250** Morbihan – 875 h.

🏔 **Municipal l'Étang aux Biches** 🗻 ⬈ « Situation agréable au bord de deux étangs », 𝒫 97 67 14 06, S : 1,3 km par D 1 rte d'Elven
10 ha/0,5 campable (34 empl.) peu incliné et plat, herbeux, bois 🔲 – 🍳 ⌂ ☺ – 🦌 – A proximité : parcours sportif
juil.-15 sept. – ℞ – 🧍 6,20 🚗 5 🔲 5 ⚡ 9,50 (3A)

## TREFFIAGAT
🔢 – 🔢 ⑭

**29115** Finistère – 2 333 h.

🏔 **Les Ormes** 🗻, 𝒫 98 58 21 27, S : 2 km, à Kerlay, à 500 m de la plage (accès direct)
1 ha (75 empl.) ⚡ (juil.-août) plat, herbeux – (🍳 ⌂ juil.-sept) ☺ – 🦌 – A proximité : ◊
juin-sept. – ℞ juil.-août – groupe non admis – Tarif 91 : 🧍 9,50 🚗 6,50 🔲 10,50 ⚡ 8,50 (3A) 10 (6A)

🏔 **Municipal le Merlot,** 𝒫 98 58 03 09, à 1 km au SE du bourg, au stade
3,5 ha (125 empl.) ⚡ plat, herbeux – 🍳 🔅 ☺ – 🔲 🦌
15 juin-15 sept. – ℞ 14 juil.-15 août – 🧍 9 🚗 6 🔲 15 ⚡ 10 (4A)

🏔 **Karreg Skividen** 🗻, 𝒫 98 58 22 78, SE : 1,8 km par rte de Lesconil et à droite, à 400 m de la plage (accès direct) – en 2 parties distinctes
1 ha (75 empl.) ⚡ plat, herbeux 🔲 – 🍳 ⌂ 🔲 🦽 ☺ – A proximité : 🛏 ◊ – Location : 🚐 – Garage pour caravanes
15 juin-15 sept. – ℞ conseillée juil.-août – 🧍 12 🚗 6 🔲 10 ⚡ 10

## TRÉFLEZ
🔢 – 🔢 ⑤

**29221** Finistère – 763 h.

🏔 Municipal Ker Emma 🗻 « Cadre sauvage », 𝒫 98 61 62 79, NO : 3,5 km, chemin d'accès sur D 10, près de la Grève de Goulven (accès direct)
4,5 ha (240 empl.) ⚡ plat, herbeux, sablonneux 🔲 – 🍳 🔅 ⌂ ☺ 📺 – 🛏
15 juin-août – ℞

## TREGARVAN
🔢 – 🔢 ⑮ G. Bretagne

**29146** Finistère – 164 h.

🏔 **Ker Beuz** 🗻, 𝒫 98 26 02 76, S : 2 km à Kerbeuz, accès par D 60 rte de Chateaulin et chemin à droite
5 ha (35 empl.) ⚡ plat, herbeux 🔲 🎾 – 🍳 🔅 ⌂ 🔲 🦽 ☺ 🍴 🦌 – 📺 – 🛏 salle d'animation 🦐 🏊 – Location : 🛏
avril-sept. – ℞ – Adhésion obligatoire – 🧍 22 piscine et tennis compris 🔲 20/33 ⚡ 12

## TREGASTEL
🔢 – 🔢 ① G. Bretagne

**22730** C.-d'Armor – 2 201 h.
🅸 Office de Tourisme, pl. Ste-Anne
𝒫 96 23 88 67

🏔 **Tourony-Camping,** 𝒫 96 23 86 61, E : 1,8 km par D 788 rte de Perros-Guirrec, près de la mer et d'un étang, à 500 m de la plage
2 ha (100 empl.) ⚡ plat, herbeux ◊ – 🍳 🔅 🔅 🔲 🦽 ☺ ⛲ 🦌 📺 🛏 – 🛏 – A proximité : 🦐 – Location : 🚐
Pâques-sept. – ℞ conseillée – 🧍 15 🚗 7,50 🔲 17 ⚡ 8 (2A) 11 (4A) 16 (6A)

## TREGOUREZ
🔢 – 🔢 ⑯

**29155** Finistère – 939 h.

🏔 **Municipal,** au bourg, par chemin à gauche de la mairie, au stade
0,6 ha (40 empl.) plat, herbeux 🔲 – 🍳 🔅 ⌂ ☺ – 🦐
juin-15 sept. – ℞ – 🧍 5,50 🚗 3 🔲 10 ⚡ 6

## TRÉGUENNEC
🔢 – 🔢 ⑭

**29167** Finistère – 303 h.

🏔 **Kerlaz,** 𝒫 98 87 76 79, au bourg, sur D 156
1,25 ha (66 empl.) ⚡ plat, herbeux – 🍳 🔅 🔲 ☺ 🍴 – 🛏 – A proximité : crêperie – Location : 🏠
avril-sept. – ℞ conseillée juil.-août – 🧍 20 🚗 8 🔲 25 ⚡ 10 (3A) 12 (6A) 13 (10A)

## TRÉGUNC
🔢 – 🔢 ⑪ ⑯

**29910** Finistère – 6 130 h.

🏔 **Le Pendruc** 🗻, 𝒫 98 97 66 28, SO : 2,8 km rte de Pendruc et à gauche
3,6 ha (150 empl.) ⚡ plat, herbeux 🔲 – 🍳 🔅 ⌂ ☺ 📺 – 🛏 🦌 🏊 – Location : 🚐
mi avril-15 sept. – ℞ conseillée – Tarif 91 : 🧍 16,50 piscine comprise 🚗 6,50 🔲 16,50 ⚡ 11 (6A)

🏔 **Les Étangs** 🗻 ⬈, 𝒫 98 50 00 41, sortie SO par rte de Pendruc puis à gauche 5 km par rte de Trevignon, à Kerviniec
3 ha (180 empl.) ⚡ plat, herbeux 🔲 – 🍳 🔅 ⌂ 🦽 ☺ 📺 – 🛏 🦌 🏊
juin-15 sept. – ℞ conseillée 15 juil.-15 août – 🧍 15,75 piscine comprise 🚗 6,90 🔲 19 ⚡ 9,50 (4A)

🏔 **Loc'h-Ven** 🗻 « Cadre agréable », 𝒫 98 50 26 20, SO : 4 km, à Pendruc-Plage, à 100 m de la mer
2,8 ha (199 empl.) ⚡ plat et peu incliné, herbeux – 🍳 🔅 ☺ – 🦌
juin-sept. – ℞ – 🧍 8,70 🚗 5,50 🔲 10

## TREIGNAC

**19260** Corrèze – 1 520 h.

⚠️ **Municipal de la Plage** ⚲ ≤, 🕿 55 98 08 54, N : 4,5 km par rte d'Eymoutiers, à 50 m du lac des Barriousses
2 ha (150 empl.) ⚊ en terrasses et peu incliné, pierreux, herbeux ⛺ ♀ – 🗑 🍴 ⤴️ ⚤ ⊕ 🅿️ – 🚐 – A proximité : 🏓 ⛵ 🏊
15 juin-10 sept. – **R** – ⚹ 9,50 🅴 9,50/13,50 🚘 8,50

---

## TRÉLÉVERN

**22660** C.-d'Armor – 1 254 h.

⚠️ **Port-l'Épine** ⚲ ≤, 🕿 96 23 71 94, NO : 1,5 km puis chemin à gauche à Port-l'Épine, bord de mer
2,5 ha (120 empl.) ⚊ plat, peu incliné, herbeux ⛺ ♀ – 🗑 🍴 ⤴️ ⚤ 🏊 🅿️ ⚤ ⊕ ☕ crêperie ⤴️ – 🏊
mai-sept. – **R** conseillée juil.-août – 🅴 piscine comprise 2 pers. 55, 3 pers. 65, pers. suppl. 20 🚘 15 (4 à 10A)

---

## TRÉLISSAC 24 Dordogne – 🗗 ⑤ ⑥ – rattaché à Périgueux

---

## TREMOLAT

**24510** Dordogne – 625 h.

⚠️ Bassin Nautique « Site et cadre agréables », 🕿 53 22 81 18, NO : 0,7 km par D 30ᵉ, rte de Mauzac et chemin de la Base Nautique, bord de la Dordogne (plan d'eau)
2 ha (100 empl.) ⚊ plat, herbeux ⛺ ♀ – 🗑 ⤴️ ⚤ 🅿️ ⚤ ⊕ 🅿️ – 🚐 🏊 – A proximité : toboggans aquatiques, parcours sportif ☕ snack 🍴 🏓 🏊 🏊
Location : 🏠, studios
mai-sept. – **R** indispensable juil.-sept. (Office Départemental Touristique 16 r. Wilson 24000 Périgueux 🕿 53 53 44 35)

---

## TRENTELS

**47140** L.-et-G. – 836 h.

⚠️ **Municipal de Lustrac** ⚲, E : 1,7 km par rte de Lustrac, bord du Lot
0,7 ha (36 empl.) plat, herbeux ⛺ – 🗑 ⤴️ ⚤ ⊕ – A proximité : 🏊
juin-août – **R** conseillée – ⚹ 6 🚘 4 🅴 6

---

## Le TRÉPORT

**76470** S.-Mar. – 6 227 h.
🅱 Office de Tourisme, esplanade de la Plage Louis-Aragon 🕿 35 86 05 69

⚠️ **Parc International du Golf** « Parc agréable », 🕿 35 86 33 80, sortie SO sur D 940 rte de Dieppe
5 ha/3 campables (200 empl.) ⚊ plat, herbeux ⛺ ♀♀ – 🗑 ⤴️ ⚤ 🅿️ ⚤ ⊕ ⚤ 🏊 ☕ 🍴 – 🚐
avril-15 sept. – **R** conseillée juil.-août – Tarif 91 : 🅴 2 pers. 40 à 53, pers. suppl. 10 à 15 🚘 18 (2A) 24 (4A) 32 (8A)

⚠️ **Municipal les Boucaniers**, 🕿 35 86 35 47, av. des Canadiens, près du stade
5,5 ha (400 empl.) ⚊ plat, herbeux – 🗑 ⤴️ ⚤ 🅿️ ⚤ ⊕ – 🚐 🏊 – A proximité : 🏊 – Location : 🏠
Pâques-sept. – **R** – Tarif 91 : ⚹ 10,50 🚘 10,50 🅴 10 (27 avec élect. 6A)

---

## TREPT

**38460** Isère – 1 164 h.

⚠️ **Le Lac** ⚲, 🕿 74 92 92 06, E : 2,7 km par D 517 rte de Morestel et chemin à droite, près de deux plans d'eau
25 ha/3 campables (160 empl.) ⚊ plat, herbeux – 🗑 ⤴️ ⚤ 🅿️ ⚤ ⊕ 🅿️ – 🚐 🏊 – A proximité : ☕ 🍴 🏊 🏊 toboggan aquatique – Location : 🏠
Pâques-sept. – **R** conseillée juil.-août – ⚹ 22 🚘 5 🅴 20 🚘 10 (4A) 14 (6A)

---

## TRÈVES-CUNAULT

**49** M.-et-L.
✉ 49350 Chenehutte-Trèves-Cunault

⚠️ **Districal**, sur D 751 rte de Cunault, bord de la Loire
2 ha (60 empl.) plat, herbeux ♀ – 🗑 ⊕ – 🏊
15 juin-août – **R** – ⚹ 6,50 🅴 9,50 🚘 8,50 (5A)

---

## TRÉVIÈRES

**14710** Calvados – 889 h.

⚠️ **Municipal**, sortie N par D 30 rte de Formigny, près d'un ruisseau
1,2 ha (76 empl.) ⚊ (juil.-août) plat, herbeux ⛺ – 🗑 ⚤ ⊕
Pâques-15 sept. – **R** – ⚹ 12 🚘 6 🅴 9

---

## TRÉVOU-TRÉGUIGNEC

**22660** C.-d'Armor – 1 210 h.

⚠️ **Port le Goff**, 🕿 96 23 71 45, sortie N rte de Port Blanc et à gauche, à 500 m de la mer
1 ha (45 empl.) ⚊ plat, herbeux ⛺ ♀ – 🗑 🏊 ⊕
mai-sept. – **R** conseillée – ⚹ 7,60 🚘 4,20 🅴 6,30/8 🚘 9 (6A)

## TRÉZELLES

**03220** Allier – 414 h.

11 – 69 ⑮

▲ **Municipal** ⚲, au sud du bourg, bord de la Besbre
1,5 ha (33 empl.) plat, herbeux – 🗊 ⚬ 🚽 ⊛ ⚴ – ✗ 🚲 🛶
juin-sept. – **R** – Tarif 91 : ♣ 7,50 ⇔ 4,50 🅴 4,50 🐾 7,50 (5A)

---

## TRIAIZE

**85580** Vendée – 1 027 h.

9 – 171 ⑪

▲ **Municipal** ⚲, ℰ 51 56 12 76, au bourg, par r. du stade
0,7 ha (70 empl.) plat, pierreux, herbeux, petit étang 🗀 – 🗊 ⚬ 🚽 ⊛ – ✗ 🚾
juil.-août – **R** – Tarif 91 : ♣ 9 ⇔ 4 🅴 6,50 🐾 8 (2 à 10A)

---

## La TRINITÉ-PORHOËT

**56710** Morbihan – 901 h.

4 – 58 ⑳

▲ **Municipal St-Yves** ⚲, sortie NE par D 175 rte de Gomené et à gauche, près d'un plan d'eau
0,6 ha (60 empl.) plat, herbeux – 🗊 ⚬ 🚽 ⊛ – 🚲 🛶 (bassin) parcours sportif
15 juin-15 sept. – **R** – Tarif 91 : ♣ 4 ⇔ 2,50 🅴 2,50 🐾 10

---

## La TRINITÉ-SUR-MER

**56470** Morbihan – 1 433 h.
🛈 Office de Tourisme, Môle
Loïc-Caradec ℰ 97 55 72 21

Schéma à Carnac

3 – 63 ⑫ G. Bretagne

▲▲▲ **La Plage** « Cadre et site agréables », ℰ 97 55 73 28, S : 1 km, accès direct à la plage de Kervilen
3 ha (200 empl.) ⚬ plat, herbeux, sablonneux 🗀 ⚥ – 🗊 ⚬ 🚽 🖩 🗄 ⊛ ⚴ 🌣
🖩 – 🗋 🛶 ⚏ (toboggan aquatique) vélos – A proximité : 🏊 ♈ crêperie 🗣
8 mai-17 sept. – **R** conseillée 15 juin à août – Tarif 91 : ♣ 24 piscine comprise
🅴 63 🐾 11 (6A)

▲▲▲ **La Baie** « Entrée fleurie », ℰ 97 55 73 42, S : 1,5 km, à 100 m de la plage de Kervilen
2,2 ha (170 empl.) ⚬ plat, herbeux, sablonneux 🗀 ⚥ – 🗊 ⚬ 🚽 🖩 🗄 ⚓ ⊛ ⚴
♈ ✗ ₥ – Location : 🚐 toboggan aquatique, vélos – A proximité : 🏊 ♈ crêperie
11 mai-15 sept. – **R** conseillée – Tarif 91 : ♣ 20 piscine comprise 🅴 76 🐾 12
(6A) 15 (10A)

▲▲▲ **Park-Plijadur,** ℰ 97 55 72 05, NO : 1,3 km sur D781 rte de Carnac, bord d'un petit plan d'eau
5 ha (198 empl.) ⚬ plat, herbeux, sablonneux 🗀 – 🗊 ⚬ 🚽 🗄 ⚓ ⊛ 🏊 ♈ 🖩
– 🗋 🛶
juin-sept. – **R** conseillée juil.-août – 🅴 piscine comprise 2 pers. 66,25, pers. suppl.
18 🐾 10,50 (5 ou 6A)

▲▲▲ **Kervilor** « Entrée fleurie », ℰ 97 55 76 75, N : 1,6 km
3,5 ha (200 empl.) ⚬ plat et peu incliné, herbeux 🗀 ⚥ – 🗊 ⚬ 🚽 ⚏ 🗄 ⚓ ⊛ ♈
🖩 – ✗ ₥ 🛶 ⚏ vélos – Location : 🚐
mi-mai-15 sept. – **R** conseillée – ♣ 18 piscine comprise 🅴 44 🐾 9 (3A) 11
(6A)

▲▲ **Le Lac** ⚲ « Cadre et site agréables », ℰ 97 55 78 78 ✉ 56340 Carnac, N : 4,5 km par D 186 et à droite, bord de la Rivière de Crach (mer)
2,5 ha (140 empl.) ⚬ (saison) vallonné, herbeux – 🗊 ⚓ ⚴ ⊛ 🏊 🖩 – 🗀
🛶
avril-sept. – **R** conseillée 14 juil.-15 août – ♣ 19 🅴 25 🐾 10 (4A) 12
(6A)

▲▲ **La Rivière** ⚲ « Cadre agréable », ℰ 97 55 78 29 ✉ 56340 Carnac, N : 4,5 km par D 186 et à droite, près de la Rivière de Crach (mer)
0,5 ha (33 empl.) plat, herbeux 🗀 ⚥ – 🗊 ⚬ 🚽 🗄 ⊛ – 🛶
Pâques-nov. – **R** – Tarif 91 : ♣ 8,70 ⇔ 5 🅴 6 🐾 9,20 (3A) 11,50 (6A)

---

## TRIZAC

**15400** Cantal – 754 h. alt. 960.
🛈 Office de Tourisme, Mairie
ℰ 71 78 60 37

10 – 76 ② G. Auvergne

▲▲ **Municipal le Pioulat** ⚟, sortie S rte de Mauriac, près d'un petit lac
1,5 ha (66 empl.) ⚬ plat, peu incliné en terrasses, herbeux – 🗊 ⚬ 🚽 ⊛ –
🛶 – A proximité : ✗ – Location : 🏠
juin-15 sept. – **R** – ♣ 6,80 ⇔ 3,60 🅴 4 🐾 8 (2 à 5A)

---

## TROGUES

**37220** I.-et-L. – 292 h.

10 – 68 ④

▲▲ **La Rivière et les Étangs** ⚲ « Entrée fleurie », ℰ 47 95 24 04, S : 2 km par D 109 rte de Pouzay et chemin à droite, bord d'un étang et près de la Vienne
2,7 ha (80 empl.) ⚬ plat, herbeux ⚥ – 🗊 ⚴ ⊛ – 🛶
juin-sept. – ♣ 15 ⇔ 15 🅴 15 🐾 12 (3 ou 4A)

---

## TROYES ℙ

**10000** Aube – 59 255 h.
🛈 Office de Tourisme et Accueil de France, 16 bd Carnot ℰ 25 73 00 36
et 24 quai Dampierre (juil.-15 sept.)
ℰ 25 73 36 88

7 – 61 ⑯ ⑰ G. Champagne

▲▲ Municipal, ℰ 25 81 02 64 ✉ 10150 Pont-Ste-Marie, NE : 2 km par rte de Nancy
3 ha (100 empl.) ⚬ plat, herbeux ⚥ – 🗊 ⚴ 🗄 ⊛
avril-15 oct. – 🇷

413

## Le TRUEL
**12430** Aveyron – 384 h.

    **Municipal la Prade** ≤ « Situation agréable », ℰ 65 46 41 46, à l'est du bourg par D 31, à gauche après le pont, bord du Tarn (plan d'eau)
0,6 ha (28 empl.) ⊶ plat, pierreux, herbeux ⌂ – 🚿 ⊜ ⊟ 🖽 ⊛ – 🛶 - A la Base de Loisirs : 🍴 🎿 🏊
15 juin-15 sept. – **R** – ⚹ 9 🅴 18 🔌 10 (5 ou 6A) 16 (10A)

---

## TULETTE
**26790** Drôme – 1 575 h.

    **les Rives de l'Aygues** 🏔 « Cadre agréable », ℰ 75 98 37 50, S : 3 km par D 193 rte de Cairanne et à gauche
3 ha (99 empl.) ⊶ plat, pierreux, herbeux ⌂ – 🚿 ⊜ & 🖽 ⊜ ⌂ – 🏊
18 mars-oct. – **R** conseillée juin à août – 🅴 piscine comprise 3 pers. 75, pers. suppl. 16 🔌 14 (4A)

---

## TULLE ℗
**19000** Corrèze – 17 164 h.
🅱 Office de Tourisme, quai Baluze
ℰ 55 26 59 61

    **Municipal Bourbacoup,** ℰ 55 26 75 97, NE : 2,5 km par D 23, bord de la Corrèze
1 ha (68 empl.) ⊶ plat et terrasse, herbeux ♀ (0,5 ha) – 🚿 ⊜ ⊟ 🖽 & ⊛ ⌂
– 🛶 – A proximité : 🍴 🎿
mai-sept. – **R** – ⚹ 9,80 🅴 9,80/12,80 🔌 7

    *à Laguenne* SE : 4,2 km par N 120 rte d'Aurillac – ⊠ 19150 Laguenne :

    **Le Pré du Moulin** 🏔 « Agréable situation », ℰ 55 20 18 60, sortie NO rte de Tulle puis 1,3 km par chemin à droite avant le pont, bord de la St-Bonnette
0,8 ha (28 empl.) ⊶ plat, herbeux ⌂ – 🚿 ⊜ ⊟ 🖽 ⊛ ⌂ ⊛
juil.-sept. – **R** indispensable 1er-15 août – ⚹ 15 🅴 12 🔌 8 (3A)

---

## La TURBALLE
**44420** Loire-Atl. – 3 587 h.
🅱 Office de Tourisme, pl. Charles-de-Gaulle ℰ 40 23 32 01

    **Parc Ste-Brigitte** « Agréable domaine boisé », ℰ 40 23 30 42 et 40 24 88 91, SE : 3 km rte de Guérande
10 ha/4 campables (150 empl.) ⊶ plat, herbeux ♨ – 🚿 ⊜ ⊟ 🖽 ⊛ ⌂ ⚓ 🏊
🍴 ⌂ 🛒 – 🛶 🏊 🎿 – A proximité : ⚹ 20 piscine comprise 🚗 11 🅴 22 (44 avec plate-forme am. 4 ou 6A)

    **Municipal des Chardons Bleus** Ⓜ, ℰ 40 62 80 60, S : 2,5 km, bd de la Grande Falaise, bord de plage
5 ha (300 empl.) ⊶ (juil.-août) plat, sablonneux, herbeux – 🚿 ⊟ 🖽 & ⊛ 🏊 🏊
– 🛶 – A proximité : 🎿 parcours sportif, toboggan aquatique
Pâques-sept. – **R** – ⚹ 15,50 🚗 7 🅴 17,80 🔌 11,50 (6A)

    **Le Panorama,** ℰ 40 24 79 41, SE : 3 km rte de Guérande
1,2 ha (70 empl.) ⊶ plat et peu incliné, herbeux – 🚿 ⊜ 🏊 🖽 ⊛ 🖽
avril-oct. – **R** conseillée juil.-août – ⚹ 14,50 🚗 8 🅴 13 🔌 10 (6A)

---

## TURCKHEIM
**68230** H.-Rhin – 3 567 h.
🅱 Office de Tourisme, pl. Turenne
ℰ 89 27 38 44

    **Municipal les Cigognes,** ℰ 89 27 02 00, sortie O rte de Munster, près de la Fecht
2,5 ha (135 empl.) ⊶ plat, herbeux ⌂ ♀ – 🚿 ⊜ ⊟ 🖽 ⊛ ⊛ 🖽 – 🛶 🎿
– A proximité : 🎿
mars-26 oct. – **R** – Tarif 91 : ⚹ 15 🚗 5 🅴 10 🔌 13,50 (3A) 15 (5A) 25 (10A)

---

## TURSAC
**24** Dordogne – 75 ⑯ – rattaché aux Eyzies-de-Tayac

---

## URBÈS
**68121** H.-Rhin – 502 h.

    **Municipal Benelux-Bâle** ≤, ℰ 89 82 78 76, sortie O rte de Bussang et chemin à droite
3,5 ha (200 empl.) ⊶ (saison) plat, herbeux – 🚿 🏊 ⊛
Pâques-15 oct. – **R** conseillée juil.-août – ⚹ 5,50 🅴 6,40 🔌 12 (4A) 18 (6A) 26 (10A)

---

## URÇAY
**03360** Allier – 294 h.

    **Municipal la Plage du Cher,** sortie O par rte de Saulzais-le-Potier, bord du Cher
0,7 ha (30 empl.) plat, herbeux – (🚿 🏊 saison) ⊛
30 mars-sept. – **R** conseillée – ⚹ 3,80 🚗 1,90 🅴 3,90 🔌 8 (3A) 12 (5A)

---

## URDOS
**64490** Pyr.-Atl. – 162 h. alt. 760

    **Municipal** 🏔 ≤, ℰ 59 34 88 26, NO : 1,5 km par N 134 et chemin devant l'ancienne gare, bord du Gave d'Aspe
1,5 ha (40 empl.) ⊶ plat et terrasse, pierreux, herbeux – 🚿 ⊜ ⊟ ⊛ – 🛶
A proximité : 🎿
15 déc.-avril, 15 juin-15 sept. – **R** – Tarif 91 : ⚹ 9,50 (hiver 10) 🚗 4,50 🅴
8/11 (hiver 15,50) 🔌 9,50 (12 hiver)

## URRUGNE

**64122** Pyr.-Atl. – 6 098 h.

⑬ – ⑧⑤ ② G. Pyrénées Aquitaine

ᴍ **Col d'Ibardin** ⚹ « Entrée fleurie », ☏ 59 54 31 21, S : 4 km par D 4 rte d'Ascain, bord d'un ruisseau
4,5 ha (183 empl.) ⚡ (saison) peu incliné, herbeux ⌁ ⚏ chênaie – 🎪 ⚙ ♨
🔲 ⚙ ⚥ ▽ ⚑ ⚖ ▣ – ⚑ ✗ ⚡
Pâques-sept. – **R** conseillée juil.-août – ▣ piscine comprise 2 pers. 76 🏕 14 (4A)

ᴍ **Mendi Azpian** ≼, ☏ 59 54 33 46, SE : 3,5 km par D 4 rte du col d'Ibardin et chemin à droite
3 ha (100 empl.) ⚡ peu incliné, en terrasses, herbeux – 🎪 ♨ ⚱ ♨ ⚙ – 🚗
– Location : 🏠 🏠
avril-oct. – **R** conseillée 1er au 19 août – ⚹ 11 ▣ 14 🏕 10 (3A)

## USSEL ⚑

**19200** Corrèze – 11 448 h. alt. 631.
🏛 Office de Tourisme, pl. Voltaire
☏ 55 72 11 50

⑩ – ⑦⑧ ⑪ G. Berry Limousin

ᴍ **Municipal de Ponty** « Site agréable », ☏ 55 72 30 05, O : 2,7 km par rte de Tulle et D 157 à droite, près d'un plan d'eau
3,5 ha (140 empl.) ⚡ plat et peu incliné, herbeux, pierreux ⚏ – 🎪 ♨ 🔲 ⚙ ▣
– 🚗 ⚖ – A proximité : ⚡ ✗ ✗ ≈
mars-nov. – **R** conseillée juil.-août – Tarif 91 : ⚹ 11,24 ▣ 11,24 🏕 8,11 (6A)

► LESEN SIE DIE ERLÄUTERUNGEN *aufmerksam durch,*
*damit Sie diesen Camping-Führer mit der Vielfalt der gegebenen*
*Auskünfte wirklich ausnutzen können.*

## UZÈS

**30700** Gard – 7 649 h.
🏛 Office de Tourisme, av. de la Libération ☏ 66 22 68 88

⑯ – ⑧⓪ ⑲ G. Provence

ᴍ **Le Moulin Neuf** ⚹ « Cadre agréable », ☏ 66 22 17 21 ✉ 30700 St-Quentin-la-Poterie, NE : 4,5 km par D 982 rte de Bagnols-sur-Cèze et D 5 à gauche
4 ha (100 empl.) ⚡ plat, herbeux ⌁ ⚏ – 🎪 ♨ ⚱ 🔲 ⚙ ⚥ ▽ ⚑ ⚖ ▣ –
🚗 ✗ ♨ ≈ – Location : 🏠
Pâques-15 sept. – **R** conseillée saison – Tarif 91 : ▣ piscine comprise 2 pers. 69, pers. suppl. 13 🏕 11 (2 à 5A)

ᴍ **Le Mas de Rey** ⚹, ☏ 66 22 18 27 ✉ 30700 Arpaillargues, SO : 3 km par D 982 rte d'Arpaillargues puis chemin à gauche
2,5 ha (60 empl.) ⚡ plat, herbeux ⌁ ⚋ – 🎪 ♨ ⚱ 🔲 ⚙ ⚙ ⚖ – ⚡
27 mars-15 oct. – **R** conseillée juil.-août – ▣ piscine comprise 2 pers. 62 🏕 12 (10A)

ᴍ **La Paillote** ⚹, ☏ 66 22 38 55, N : 1 km par r. du Collège et chemin du cimetière
1 ha (60 empl.) ⚡ peu incliné et en terrasses, herbeux, pierreux ⌁ ⚋ – 🎪 ♨
⚱ 🔲 ⚙ ⚖ ▣ – ⚡ A l'entrée : ✗ – A proximité : 🐴 et poneys
20 mars-20 oct. – **R** conseillée juil.-août – ▣ piscine comprise 2 pers. 68 🏕 15

## VACQUEYRAS

**84190** Vaucluse – 943 h.

⑯ – ⑧⓵ ⑫

ᴀ **Municipal les Queirades,** sortie N rte de Bollène
1 ha (40 empl.) ⚡ (juil.-août) plat, herbeux, pierreux ⌁ – 🎪 ♨ ⚙ ⚥ – ✗ ⚡
juil.-août – **R** – ⚹ 6 ⚗ 6 ▣ 9/13 🏕 8

## VAGNAS

**07150** Ardèche – 383 h.

⑯ – ⑧⓪ ⑨

ᴍ **La Rouvière-Les Pins** ⚹, ☏ 75 38 61 41, sortie S par rte de Barjac puis 1,5 km par chemin à droite
2 ha (100 empl.) ⚡ plat et peu incliné, herbeux ⌁ – 🎪 ♨ ⚱ ♨ 🔲 ⚙ ⚥ ▽
⚡ – ⚗ ♨ – Location : 🏠
Pâques-sept. – **R** conseillée – ▣ piscine comprise 2 pers. 69 🏕 17 (3A) 23,50 (6A)

## VAGNEY

**88120** Vosges – 3 772 h.

⑧ – ⑥⑫ ⑰

ᴀ **Municipal du Mettey** ⚹ ≼ « Cadre boisé », E : 1,3 km par rte de Gérardmer et chemin à droite
2 ha (100 empl.) ⚡ peu incliné et en terrasses, herbeux, pierreux ⚋ – 🎪 ⚱
⚙
15 juin-15 sept. – **R** – Tarif 91 : ▣ 2 pers. 25, pers. suppl. 18 🏕 7 (4A)

## VAIRÉ

**85150** Vendée – 942 h.

⑨ – ⑥⑦ ⑫

ᴀ **Municipal la Croix,** ☏ 51 33 75 69, sortie E rte de la Mothe-Achard
2,2 ha (170 empl.) ⚡ plat, herbeux – 🎪 ♨ ⚱ ⚙ – ✗
juil.-août – **R** – Tarif 91 : ▣ 3 pers. 36

ᴀ **Le Roc,** ☏ 51 33 71 89, NE : 1,5 km par D 32, rte de Landevieille et rte de Brem-sur-Mer à gauche
1,4 ha (24 empl.) ⚡ peu incliné, herbeux ⌁ – 🎪 ♨ ⚱ ⚙ – 🚗
mai-1er oct. – **R** conseillée août – ▣ 2 pers. 43, 3 pers. 48, pers. suppl. 8,50
🏕 10 (6A)

## VAISON-LA-ROMAINE

**84110** Vaucluse – 5 663 h.

🛈 Maison du Tourisme, pl. Chanoine-Sautel 🖉 90 36 02 11

▲▲▲ **Le Moulin de César,** 🖉 90 36 06 91, à 1 km au SE du centre ville par rte de St-Marcellin, bord de l'Ouvèze
3,5 ha (260 empl.) ⊶ plat, herbeux ⌑ ⚬⚬ – 🛖 🍳 🖭 🗐 🔥 ⊕ ⊝ 🛒 ✕ 🗐 – 🛶 vélos
18 mars-oct. – **R** conseillée juin à août – 🛉 18 🗐 11/13 🛱 9 (3A) 16 (6A)

▲▲ **Le Voconce** 🦢 ◁ Mont Ventoux, 🖉 90 36 28 10 ⊠ 84110 St-Marcellin, SE : 3 km par D 151 et chemin à droite à l'entrée de St-Marcellin, accès direct à l'Ouvèze
2 ha (150 empl.) ⊶ (saison) plat, pierreux, herbeux ⌑ – 🛖 🍳 🖭 🗐 🔥 ⊕ ♈
🗐 – 🛶
avril sept. – **R** – 🛉 13 🗐 13 🛱 13 (10A)

▲▲ **L'Ayguette** 🦢 « Cadre sauvage », 🖉 90 46 40 35 ⊠ 84110 Faucon, sortie E par D 938 rte de Nyons et 4,1 km par D 71 à droite et D 86
3 ha (100 empl.) ⊶ plat, accidenté et en terrasses, herbeux, pierreux ⌑ ⚬⚬
pinède – 🛖 🍳 🖭 ⊕ – 🛒
15 mars-15 oct. – **R** conseillée juil.-août – 🗐 piscine comprise 2 pers. 60 🛱 15 (3A)

## VAL-D'ISÈRE

**73150** Savoie – 1 701 h. alt. 1 840 – 🚡.

🛈 Office de Tourisme, Maison de Val-d'Isère 🖉 79 06 10 83

▲ **Les Richardes** 🦢 ◁, 🖉 79 06 26 60, sortie E par D 902 rte du col de l'Iseran, bord de l'Isère
0,9 ha (75 empl.) ⊶ plat et accidenté, herbeux, pierreux – 🛖 🖭 ⊕ – A proximité : 🎿
15 juin-sept. – **R** – Tarif 91 : 🛉 7,50 ⇦ 4,50 🗐 5,50 🛱 10 (3A) 18 (5A)

## VALENÇAY

**36600** Indre – 2 912 h.

🛈 Office de Tourisme, Hôtel-de-Ville 🖉 54 00 14 33 et av. Résistance (15 juin-15 sept.) 🖉 54 00 04 42

▲▲▲ **Municipal les Chênes** Ⓜ, 🖉 54 00 03 92, O : 1 km sur D 960 rte de Luçay-le-Mâle
4 ha (50 empl.) ⊶ plat et peu incliné, herbeux, étang ⌑ – 🛖 🍳 🖭 🗐 ⊕ – 🛒
🏊
4 avril-4 oct. – **R** conseillée 15 juin-15 sept. – Tarif 91 : 🛉 12 🗐 12/15 🛱 10 (10A)

## VALENCE ℗

**26000** Drôme – 63 437 h.

🛈 Office de Tourisme, pl. Leclerc 🖉 75 43 04 88

▲▲▲ **L'Épervière,** 🖉 75 42 32 00, S : 2 km par av. de Provence et chemin de l'Épervière, bord du Rhône
2,5 ha (150 empl.) ⊶ plat, pierreux, herbeux, gravier ⌑ ⚬⚬⚬ (1,5 ha) – 🛖 🍳 🖭
🗐 🔥 🎱 ⊕ ⊝ 🛒 🏊 – A proximité : ♈ ✕ self �️ 🎿 🛶 – Location
🏠 (hôtel et Auberge de jeunesse)
Permanent – **R** – Tarif 91 : 🗐 piscine comprise 1 pers. 38, pers. suppl. 2 1
🛱 15 (6A) 26,50 (10A)

## VALEUIL

**24310** Dordogne – 283 h.

▲ **Le Bas Meygnaud** 🦢 « Cadre boisé », 🖉 53 05 72 11, E : 2,3 km par chemin de Lassère
1,5 ha (50 empl.) ⊶ plat et peu incliné, herbeux ⚬⚬⚬ – 🛖 🖭 🔥 ⊕
avril-sept. – **R** juil.-août – 🗐 3 pers. 50 🛱 11 (3A)

## VALLABRÈGUES

**30300** Gard – 1 016 h.

▲▲ **Lou Vincen,** 🖉 66 59 21 29, à l'ouest du bourg, à 100 m du Rhône et d'un petit lac
1,4 ha (75 empl.) ⊶ plat, herbeux ♈ – 🛖 🍳 🖭 🗐 ⊕ ⊝ 🛒 ♈ 🗐 – 🏊 – A proximité
🎿 🛶
mars-oct. – **R** conseillée – 🗐 piscine comprise 2 pers. 48/60 avec élect. (6A

## VALLERAUGUE

**30570** Gard – 1 091 h.

▲▲ **Le Pied de l'Aigoual** ◁, 🖉 67 82 24 40, O : 2,2 km par D 986 rte de l'Espérou, à 60 m de l'Hérault
2,7 ha (80 empl.) ⊶ plat, herbeux ⚬⚬ verger – 🛖 🖭 ⊕ – ⟿ 🏊
juin-sept. – **R** conseillée 14 juil.-15 août – 🗐 piscine comprise 2 pers. 42, pers. suppl. 12 🛱 10 (3A) 13 (6A)

## VALLET

**44330** Loire-Atl. – 6 116 h.

🛈 Syndicat d'Initiative, 4 pl. Charles-de-Gaulle (15 avril-sept.) 🖉 40 36 35 87

▲▲ **Municipal les Dorices,** 🖉 40 33 95 03, N : 2 km par D 763 rte d'Ancenis et chemin à droite
0,9 ha (100 empl.) ⊶ (saison) plat, herbeux ⚬⚬⚬ – 🛖 🍳 🖭 ⊕ – 🛒 🏊
15 mai-sept. – **R** – Tarif 91 : 🛉 7 ⇦ 3,50 🗐 5,70 🛱 6,70 (6A)

## VALLIÈRES

**23120** Creuse – 814 h.

▲ Municipal 🦢, N : 0,7 km par rte de Masvaudier, à proximité d'un plan d'eau
1 ha (33 empl.) peu incliné, pierreux, herbeux ⚬⚬ – 🛖 ⊕
15 juin-15 sept. – **R**

## VALLOIRE

**73450** Savoie – 1 012 h. alt. 1 430

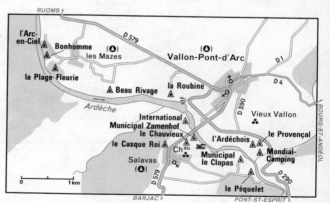

⋀⋀⋀ **Ste Thècle** M ≤, ℰ 79 83 30 11, au N de la localité, au confluent de 2 torrents
1,5 ha (81 empl.) ⌐ peu incliné et plat, pierreux, herbeux – 🔊 🖐 🖾 🗑 ⅙ ⊞
⊛ – 🔄 – A proximité : ⅍ 🏌 🚵 🚣
15 juin-15 sept. – **R** conseillée 15 juil.-15 août – 🔲 1 pers. 20 [⅄] 8 (6A)

---

## VALLON-PONT-D'ARC

**07150** Ardèche – 1 914 h.

⋀⋀⋀ **L'Ardéchois** ≤, ℰ 75 88 06 63, SE : 1,5 km, accès direct à l'Ardèche
5 ha (244 empl.) ⌐ plat, herbeux ♀♀ – 🔊 🖐 🖾 🗑 ⅙ ⊛ 🚵 ⅍ 🍷 snack
🔄 ➖ 🔄 ⅍ 🚵 🚣 – A proximité : ⅍ – Location : 🔲
avril-15 oct. – **R** conseillée juil.-août – 🔲 piscine comprise 2 pers. 109 [⅄] 17 (6A)

⋀⋀⋀ **Mondial-Camping** ≤, ℰ 75 88 00 44, SE : 1,5 km, accès direct à l'Ardèche
4 ha (240 empl.) ⌐ plat, herbeux ♀♀ – 🔊 🖐 🖾 🗑 🔊 🚵 🍷 snack 🔄 🖾
➖ ⅍ 🚵 🔄 🚣 – A proximité : ⅍ – Location : 🔲 🔲
20 mars-10 oct. – **R** conseillée 20 juin-août – 🔲 piscine comprise 2 pers. 95
[⅄] 16 (5 à 10A)

⋀⋀⋀ **International** ≤, ℰ 75 88 00 99, SO : 1 km, bord de l'Ardèche
1,5 ha (130 empl.) ⌐ plat, peu incliné, herbeux, sablonneux ♀♀ – 🔊 🖐 🖾
🗑 ⅙ ⊛ 🚵 🍷 snack 🔄 ➖ 🔄 🚣 – A proximité : ⅍
27 avril-sept. – **R** conseillée 6 juil.-25 août – 🔲 2 pers. 70, pers. suppl. 15
[⅄] 13 (6A)

⋀⋀⋀ **La Roubine** 🍃 ≤, ℰ 75 88 04 56, O : 1,5 km, bord de l'Ardèche
3 ha (135 empl.) ⌐ plat, herbeux, sablonneux ♀♀ – 🔊 🖐 🖾 🗑 ⊛ 🚵 🍷 snack
🔄 🖾 ➖ 🚵 🚣 half court
mai-sept. – **R** – 🔲 2 pers. 80

⋀⋀⋀ **Le Chauvieux,** ℰ 75 88 05 37, SO : 1 km, à 100 m de l'Ardèche
1,8 ha (100 empl.) ⌐ plat et peu incliné, herbeux, sablonneux ♀♀ – 🔊 🚵 🔊
🗑 ⅙ ⊛ 🚵 ⅍ 🚵 🚣 ➖ 🔄 🚵 🚣 – A proximité : snack 🔄 ⅍ 🚣
mai-20 sept. – **R** conseillée – 🔲 2 pers. 68 [⅄] 13 (4A)

⋀⋀⋀ **Le Provençal** ≤, ℰ 75 88 00 48, SE : 1,5 km, accès direct à l'Ardèche
3,5 ha (240 empl.) ⌐ plat, herbeux ♀♀ – 🔊 🖐 🚵 🗑 ⅙ ⊞ ⊛ 🚵 🍷 ✕ 🔄 🖾
➖ ⅍ 🚵 🚣 – A proximité : ⅍
15 mars-10 oct. – **R** conseillée juil.-août – 🔲 piscine comprise 2 pers. 88 [⅄] 16
(6A)

⋀⋀ **Municipal Zamenhof,** ℰ 75 88 04 73, SO : 1 km, à 30 m de l'Ardèche
1,5 ha (150 empl.) ⌐ plat, herbeux, sablonneux 🔲 ♀ (0,8 ha) – 🔊 🖐 🖾 🗑 ⅙
⊛ ➖ 🚣
29 mars-29 sept. – **R** conseillée juil.-août – 🔲 2 pers. 46, pers. suppl. 10 [⅄] 11
(5A)

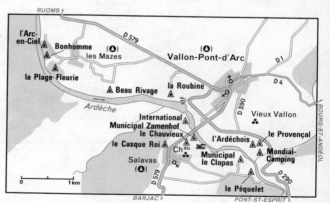

*aux Mazes* O : 3,5 km – 🖂 07150 Vallon-Pont-d'Arc :

⋀⋀⋀ **La Plage Fleurie** 🍃 ≤, ℰ 75 88 01 15, bord de l'Ardèche – ℗ (150 empl.)
12 ha/6 campables (300 empl.) ⌐ plat et peu incliné, terrasse, herbeux, pierreux
♀♀ (7 ha) – 🔊 🖾 🚵 🗑 ⅙ ⊛ 🚵 🍷 🔄 🖾 ➖ 🚵 🚣
Pâques-sept. – **R** – 🔲 2 pers. 70, pers. suppl. 18

⋀⋀⋀ **L'Arc-en-Ciel** 🍃, ℰ 75 88 04 65, bord de l'Ardèche
5 ha (218 empl.) ⌐ plat et peu incliné, herbeux, pierreux ♀♀ – 🔊 🚵 🗑 ⅙ ⊛
🚵 🍷 snack 🔄 🖾 ➖ 🔄 🚵 🚣 – Location : 🔲
30 mars-sept. – **R** conseillée – 🔲 2 pers. 78 [⅄] 16 (6A)

⋀⋀ Beau Rivage 🍃 « Entrée fleurie », ℰ 75 88 03 54, bord de l'Ardèche
1,6 ha (100 empl.) ⌐ plat et terrasse, herbeux ♀♀ – 🔊 🖐 🚵 🔊 ⊛ 🚵 🖾 ➖
🚵 🚣
mai-10 sept. – **R** conseillée

⋀⋀ **Bonhomme** 🍃, ℰ 75 88 04 62, bord de l'Ardèche
1,5 ha (100 empl.) ⌐ plat, herbeux, pierreux ♀ – 🔊 🖐 🖾 ⅗ ⊛ snack 🖾 ➖ 🚣
– A proximité : 🚵 – Location : 🔲 🔲
Permanent – **R** conseillée – 🔲 2 pers. 65 [⅄] 13 (5A) 20 (10A)

*à Salavas* SO : 2 km – ✉ 07150 Salavas :

▲▲ **Le Péquelet** ⟳, ☎ 75 88 04 49, sortie S par D 579 rte de Barjac et 2 km par rte à gauche, bord de l'Ardèche
2 ha (60 empl.) ⟳ (saison) plat, herbeux ⌕ 💯 – 🛏 ⟳ 🛆 🗄 ⊕ 🚿 🖩 – 🛖
✂ 🚤 🚥
Pâques-sept. – **R** *conseillée* – 🖼 *2 pers. 63* [⚡] *12,50 (3 ou 6A)*

▲▲ **Municipal le Clapas** ⟳, ☎ 75 37 14 76, sortie S par D 579 rte de Barjac et 2 km par rte à gauche, bord de l'Ardèche
1,8 ha (85 empl.) ⟳ peu incliné et terrasse, pierreux, herbeux ♀ (0,8 ha) – 🛏
⟳ 🛆 🗄 ⊕ 🚿 – 🚥
15 mai-20 sept. – **R** *conseillée 15 juil.-15 août* – ⚓ *12* 🖼 *35* [⚡] *10*

▲ **Le Casque Roi,** ☎ 75 88 04 23, à la sortie N du bourg, rte de Vallon-Pont-d'Arc
0,4 ha (40 empl.) ⟳ plat, herbeux 💯 – 🛏 🗄 ⊕ – 🛖
mars-1ᵉʳ nov. – **R** *conseillée juil.-août* – *Tarif 91* : 🖼 *2 pers. 51* [⚡] *10 (6A)*

---

# VALRAS-PLAGE

🄸🄵 – 🞩🞩 ⑮ G. Gorges du Tarn

**34350** Hérault – 3 043 h.
🅱 Office de Tourisme, pl. R.-Cassin
☎ 67 32 36 04

▲▲▲ **La Yole,** ☎ 67 37 33 87, SO : 2 km, à 500 m de la plage
20 ha (1007 empl.) ⟳ plat et peu incliné, herbeux, sablonneux ⌕ ♀♀ (12 ha)
– 🛏 ⟳ 🛆 🗄 ⊕ 🚿 ⚒ 🍴 🖎 🛒 🖩 – 🛖 ✂ 🚤 🚥 🏊 half-court, vélos
– Location : 🛖 🏠
9 mai-18 sept. – **R** *conseillée 15 juil.-20 août* – 🖼 *élect. (5A) et piscine comprises 2 pers. 120, pers. suppl. 15,50*

▲▲▲ **Les Foulègues** « Cadre agréable », ☎ 67 37 33 65, à Grau de Vendres, SO : 5 km, à 400 m de la plage
4 ha (290 empl.) ⟳ plat, herbeux, sablonneux ⌕ ♀♀ – 🛏 ⟳ 🛆 🗄 ⊕ 🚿
🖩 🍴 🖎 🖩 – ✂ 🚤 🏊 – A proximité : 🐎
15 mai-sept. – **R** *conseillée juil.-août* – 🖼 *piscine comprise 2 pers. 110, pers. suppl. 15*

▲▲▲ **Lou Village,** ☎ 67 37 33 79, SO : 2 km, à 100 m de la plage (accès direct
10 ha (520 empl.) ⟳ plat, sablonneux, herbeux ⌕ ♀♀ (6 ha) – 🛏 🛆 🗄 ⊕ 🚿
🍴 🖎 🖩 – 🛖 ✂ 🚤 🚥 (étang) – A proximité : 🐎
20 mai-10 sept. – **R** *conseillée* – 🖼 *3 pers. 105* [⚡] *13 (5A)*

▲▲▲ La Plage et du Bord de Mer « Entrée fleurie », ☎ 67 37 34 38, SO : 1,5 km, bord de plage – 🖎
10 ha (500 empl.) ⟳ plat, herbeux, sablonneux ⌕ – 🛏 ⟳ 🛆 🗄 ⚒ ⊕ 🚿 🖎
🖎 🖩 – ✂ 🖩 vélos – A proximité : 🐎

▲▲▲ **Les Vagues,** ☎ 67 37 33 12, à Grau-de-vendres, SO : 2,5 km, à 450 m de la plage
(accès direct)
5 ha (300 empl.) ⟳ plat, sablonneux, herbeux ♀ (2 ha) – 🛏 ⟳ 🛆 🗄 ⚒ ⊕
🚿 🍴 snack 🖎 🖩 – 🏊 – Location : 🛖
15 avril-15 sept. – **R** *conseillée juil.-août* – 🖼 *piscine comprise 1 ou 2 pers. 95, 3 ou 4 pers. 110, pers. suppl. 20* [⚡] *14 (3A)*

▲▲▲ **Monplaisir** ⟳, ☎ 67 37 35 92, à Grau de Vendres, SO : 2,5 km, à 400 m de la plage (accès direct)
3,4 ha (240 empl.) ⟳ plat, sablonneux, herbeux ♀ (1,5 ha) – 🛏 ⟳ 🛆 🗄 ⚒ ⊕
🛆 ⚒ 🚿 🍴 🖎 🖩 – vélos – Location : 🛖 🏠, bungalows toilés
Pâques-sept. – **R** *conseillée* – *Tarif 91* : 🖼 *2 pers. 87, 3 pers. 99, pers. suppl. 11* [⚡] *13 (6A)*

▲▲ **Blue-Bayou** ⟳, ☎ 67 37 41 97, à Grau-de-Vendres SO : 5 km, à 400 m de la plage
4,5 ha (256 empl.) ⟳ – 🛏 ⟳ 🛆 🗄 🚿 ⊕ 🚿 ⚒ 🍴 🖎 – 🛖 – A proximité : 🐎
Pâques-sept. – **R** *conseillée juil.-août* – *Tarif 91* : 🖼 *élect. comprise 2 pers. 9*

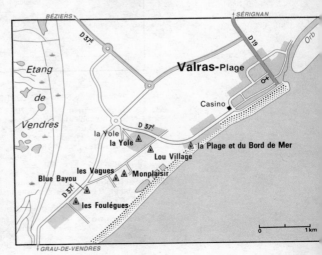

## VALRÉAS

**84600** Vaucluse – 9 069 h.

🛈 Office de Tourisme, pl. Aristide-Briand ☎ 90 35 04 71

🛆🛆 **Municipal la Coronne** ⚲ « Cadre agréable », ☎ 90 35 03 78, N : 1 km par D 10 et D 196 à droite rte du Pègue, bord de la Coronne
1,8 ha (130 empl.) ⊶ plat, herbeux, pierreux 🛇🛇 – ⌂ ⚲ ⚙
mars-sept. – 🏪 – ⚓ 8,90 🔲 7,30 🔋 7,60 (3A) 9,40 (6A)

## VALROS

**34290** Hérault – 1 021 h.

16 – 83 ⑮

🛆🛆 **Domaine de Mont Rose,** ☎ 67 98 52 10 ✉ Tourbes Pézenas 34120, NE : 2 km par N 113, rte de Pézenas et chemin à gauche
2,2 ha (140 empl.) ⊶ plat, pierreux ⛫ ⚲ – ⌂ ⬥ ⌂ 🔲 🕭 ⚙ 🛆 ▽ 🏊 🔲 – 🛏 – Location : 🚐 🚐 🚐
avril-oct. – **R** conseillée juil.-août – 🔲 piscine comprise 1 à 4 pers. 52 à 82, pers. suppl. 11 🔋 11 (4 ou 6A)

## VALVIGNÈRES

**07400** Ardèche – 336 h.

16 – 80 ⑨

🛆 **Municipal les Termes** ⚲, sortie E vers St-Thome et chemin à droite
1 ha (40 empl.) plat, herbeux, pierreux – ⌂ ⚙ – 🍽
juin-15 sept. – 🔲 1 pers. 32, pers. suppl. 10 🔋 8

## VANDENESSE-EN-AUXOIS

**21320** Côte-d'Or – 220 h.

11 – 65 ⑱

🛆🛆🛆 **Le Lac de Panthier** ⚲ ≤ « Site agréable », ☎ 80 49 21 94, NE : 2,5 km par D 977 bis rte de Commarin et rte à gauche, près du lac
1,7 ha (100 empl.) ⊶ plat et peu incliné, herbeux – ⌂ ⬥ ⌂ 🔲 ⚙ 🚲 🍷 grill, pizzeria 🛆 🔲 – 🛏 🔋 🕭
mai-sept. – **R** conseillée juil.-août – ⚓ 14 🔲 17 🔋 12 (6A)

🛆🛆 **Les Voiliers** ⚲ ≤ « Site agréable », ☎ 80 49 21 94, NE : 2,5 km par D 977 bis rte de Commarin et rte à gauche, près du lac
3,5 ha (120 empl.) ⊶ en terrasses, herbeux ⛫ – ⌂ ⬥ ⌂ 🔲 ⚙ 🛆 ▽ 🔲 – 🛏 🕭 🔋 – A proximité : 🚲, grill-pizzeria
mai-sept. – **R** conseillée juil.-août – ⚓ 16,50 🔲 27,50 🔋 12 (6A)

## Les VANS

**07140** Ardèche – 2 668 h.

🛈 Office de Tourisme, pl. Ollier (fermé après-midi hors saison) ☎ 75 37 24 48

16 – 80 ⑧ G. Gorges du Tarn

🛆 **le Pradal,** ☎ 75 37 25 16, O : 1,5 km par D 901 rte de Villefort
1 ha (25 empl.) ⊶ en terrasses, peu incliné, herbeux – ⌂ 🔲 🕭 ⚙ – 🚐 🏊
Pâques-oct. – **R** juil.-août – 🔲 piscine comprise 1 pers. 20 🔋 10 (6A)

à Chassagnes E : 4 km par D 104A rte d'Aubenas et D 295 à droite ✉ 07140 les Vans :

🛆 **Lou Rouchétou** ⚲ ≤, ☎ 75 37 33 13, bord du Chassezac
1,5 ha (100 empl.) ⊶ plat et peu incliné, herbeux, pierreux ⚲ – ⌂ ⌂ ⚙ 🔲 – 🏊

🛆 **Les Chênes** ⚲ ≤, ☎ 75 37 34 35
2,5 ha (85 empl.) ⊶ peu incliné et en terrasses, herbeux, pierreux ⚲ – ⌂ 🏊 ⚙ 🔲 – 🛏 – Location : 🚐
avril-sept. – **R** conseillée juil.-août – 🔲 piscine comprise 2 pers. 60 🔋 10 (3A)

à Gravières NO : 4,5 km par D 901 rte de Villefort et D 113 à droite ✉ 07140 Gravières :

🛆 **Le Mas du Serre** (Aire naturelle) ⚲ ≤, ☎ 75 37 33 84, SE : 1,3 km par D 113 et chemin, à 300 m du Chassezac
1 ha (25 empl.) ⊶ plat, peu incliné, herbeux ⚲ – ⌂ 🔲 ⚙ – A proximité : 🏊 – Location : 🚐
Permanent – **R** conseillée – 🔲 1 pers. 22 🔋 10 (5A)

## La VARENNE

**49270** M.-et-L. – 1 278 h.

4 – 63 ⑱

🛆 **Municipal des Grenettes** ⚲, ☎ 40 98 58 92, sortie E rte de Champtoceaux puis à gauche 2 km par rte du bord de Loire – 🍽
0,7 ha (50 empl.) plat et peu incliné, herbeux ⚲ – ⌂ ⌂ ⚙ – 🛏 – A proximité : 🍽
juin-sept. – 🏪 – Tarif 91 : ⚓ 8 🔲 10,50/19 avec élect. (5A)

## VARENNES-EN-ARGONNE

**55270** Meuse – 679 h.

7 – 56 ⑩ ⑳ G. Champagne

🛆🛆 **Municipal le Paquis** ⚲, près du pont, bord de l'Aire
1,5 ha (150 empl.) plat, herbeux – ⌂ ⌂ 🔲 ⚙
24 mars-sept. – 🏪 – ⚓ 6,50 ⇔ 3 🔲 4 🔋 12 (6A)

14

## VARENNES-SUR-ALLIER

11 – 69 ⑭

**03150** Allier – 4 413 h.
🗊 Syndicat d'Initiative, Mairie
(15 juin-15 sept.) 🗺 70 45 84 37

ᴍᴍ **Château de Chazeuil** 🕭 « Agréable parc boisé », 🗺 70 45 00 10, NO : 2 km
rte de Moulins, carrefour N 7 et D 46
12 ha/1,5 campable (60 empl.) ⊶ plat, herbeux ♀ – 🗊 ⇆ 📛 🗊 ⊕ 🕭 🖙 🗊
– 🗖 🖧 ⚞
15 avril-15 oct. – **R** conseillée – 🏌 *22 piscine comprise* ⇍ 16 ▣ 17 (ₐ) 16
*(5A)*

ᴍᴍ **Les Plans d'Eau** ≤, 🗺 70 45 01 55, NO : 4 km par N 7 et D 46 à gauche rte
de St-Pourcain-sur-Sioule
3,5 ha (83 empl.) ⊶ plat, prairie, sous-bois, plans d'eau ♀ (2ha) – 🗊 ⇆ 🕭 🗊
⊕ – 🖉 🖙 🗊
15 mai-15 sept. – **R** – 🏌 *18 piscine et tennis compris* ⇍ 10 ▣ 10 (ₐ) 10 (3A)
18 *(5A)*

## VARENNES-SUR-LOIRE

9 – 64 ⑬

**49870** M.-et-L. – 1 847 h.

ᴍᴍ **L'Étang de la Brèche** 🕭, 🗺 41 51 22 92, O : 6 km par N 152 rte de Saumur,
bord d'un étang
14 ha/7 campables (175 empl.) ⊶ plat, herbeux, sablonneux 🔲 ♀ – 🗊 ⇆ 📛
🗊 🕭 ⊕ 🖳 🏌 ✗ 🗁 🖴 🗖 – 🗖 🖧 🖙 🗊 *vélos*
15 mai-14 sept. – **R** *indispensable juil.-août* – ▣ *piscine comprise 2 pers. 100,
3 pers.110, pers. suppl. 18* (ₐ) 13 (6 ou 10A)

## VARENNE-SUR-LE-DOUBS

12 – 170 ②

**71270** S.-et-L. – 46 h.

ᴀ **Municipal La Jeannette** (aire naturelle) 🕭, sortie NO par D 473, bord du
Doubs
1 ha (25 empl.) plat, herbeux – 🗊 ⇆ 📛 ⊕
avril-sept. – 🏌 *6* ▣ *6* (ₐ) *12 (5A)*

## VARREDDES

6 – 56 ⑬

**77910** S.-et-M. – 1 520 h.

ᴍᴍ **L'Île du Bac** ⬦*caravanes seulement,* 🗺 (1) 64 34 80 80, E : 1 km par D 121 rte
de Congis-sur-Thérouanne, près de la Marne (accès direct) et du canal de
l'Ourcq
6,8 ha (224 empl.) ⊶ plat, peu incliné, herbeux 🔲 – 🗊 ⇆ 🕭 🎟 ⊕ 🕭 🖙 –
🗖 🖧 ⚞
fermé 16 déc.-14 janv. – **Location longue durée** – *Places disponibles pour le
passage* – 🛱

## VARZY

6 – 65 ⑭ G. Bourgogne

**58210** Nièvre – 1 455 h.

ᴀ **Municipal du Moulin Naudin** ≤, 🗺 86 29 43 12, N : 1,5 km par D 977, près
d'un plan d'eau
1,5 ha (40 empl.) ⊶ plat, peu incliné et terrasse, herbeux 🔲 – 🗊 ⇆ 📛 ⊕ 🕭
🖙 – A proximité : 🏌 ✗ 🖉
juin-sept. – **R** *conseillée* – 🏌 *9* ⇍ *5* ▣ *5* (ₐ) *10 (5A)*

## VATAN

9 – 68 ⑧ ⑨ G. Berry Limousin

**36150** Indre – 2 022 h.
🗊 Syndicat d'Initiative (juil.-août)
🗺 54 49 71 69 et Mairie (hors saison)
🗺 54 49 76 31

ᴍᴍ **Municipal** Ⓜ 🕭, 🗺 54 49 91 37, sortie O par D 34 rte de Guilly, près du
collège et bord d'un étang
2,3 ha (27 empl.) plat, herbeux – 🗊 ⇆ 📛 🗊 🕭 ⊕ 🕭 🖙 – A proximité : 🖉 🗖
Pâques-15 sept. – **R** – ▣ *2 pers. 28, pers. suppl. 10* (ₐ) *10 (10A)*

## VAUFREY

8 – 166 ⑱

**25190** Doubs – 157 h.

ᴀ Municipal le Paquier ≤, O : 0,3 km, près du Doubs
1 ha (25 empl.) plat, pierreux, herbeux – 🗊 🕭 🎟 ⊕ – *Places limitées pour le
passage*

## VAUVERT

16 – 83 ⑧

**30600** Gard – 10 296 h.
🗊 Syndicat d'Initiative, pl. E.-Renan
🗺 66 88 28 52

ᴍᴍ **Les Mourgues,** 🗺 66 73 30 88 ✉ Gallician 30600 Vauvert, SE : 5 km par
N 572 rte de St-Gilles
2 ha (100 empl.) ⊶ plat, pierreux – 🗊 📛 🕭 ⊕ – 🗖 – Location : 🛏
avril-sept. – **R** *conseillée juil.-août* – *Tarif 91* : ▣ *piscine comprise 2 pers. 51, pers.
suppl. 15* (ₐ) *12 (2A) 16 (4A) 19 (6A)*

## VAUX-SUR-MER 17 Char.-Mar. – 171 ⑮ – rattaché à Royan

## VEBRET

11 – 76 ② G. Auvergne

**15240** Cantal – 533 h.

ᴀ Municipal 🕭, au sud du bourg, sur D 15, bord de rivière
0,8 ha (50 empl.) plat, herbeux – 🗊 🕭 ⊕
juin-sept. – 🛱

## VEDÈNE

**84270** Vaucluse – 6 675 h.

⚠ **Flory,** ℰ 90 31 00 51, NE : 1,5 km par D 53 rte d'Entraigues
6 ha (134 empl.) ⚬⇌ (saison) plat, peu incliné, accidenté, herbeux, sablonneux, rocheux ⚬⚬ (3 ha) – 🏠 🗐 ⊕ 🍴 ✗ 🚲 – 🍴 – ✶ 15 piscine comprise 🔲 15 ㈦ 12 (6A)

15 mars-15 oct. – **R** conseillée juil.-août – ✶ 15 piscine comprise 🔲 15 ㈦ 12 (6A)

🗓 16 – 81 ⑫

## VEIGNE

**37250** I.-et-L. – 4 520 h.

⚠ **La Plage,** ℰ 47 26 23 00, sortie N par D 50 rte de Tours, bord de l'Indre
2 ha (125 empl.) ⚬⇌ plat, herbeux ⚤ – 🏠 ♨ 👝 🗐 ⊕ 🚲 – 🚲 🚣 (bassin)
29 avril-sept. – **R** conseillée juil.-août – Interdit aux caravanes de plus de 6 m – ✶ 13 🚗 7 🔲 10/15 ㈦ 10 (3A) 17 (6A)

🗓 10 – 64 ⑮

## VENAREY-LES-LAUMES

**21150** Côte-d'Or – 3 544 h.

⚠ **Municipal Alésia,** ℰ 80 96 07 76, NE : 1 km par D 954 rte des Laumes et à gauche après le 2ᵉ pont, près de la Brenne et d'un plan d'eau
1,5 ha (67 empl.) ⚬⇌ plat, herbeux, goudronné ▱ – 🏠 ♨ 👝 ▥ ⊕ 🚲 🚜 – 🍴 🚲 – A proximité : 🚣 (plage)
Permanent – **R** – ✶ 6,30 🚗 3,70 🔲 3,70 ㈦ 9 (5A)

🗓 7 – 65 ⑱ G. Bourgogne

## VENCE

**06140** Alpes-Mar. – 15 330 h.
🗓 Office de Tourisme, pl. Grand-Jardin ℰ 93 58 06 38

⚠ **Domaine de la Bergerie** 🏖, ℰ 93 58 09 36, O : 4 km par sortie ②
30 ha/13 campables (430 empl.) ⚬⇌ plat et accidenté, rocailleux, herbeux ▱ ⚬⚬ – 🏠 👝 🔥 🖩 🛢 ⊕ 🚲 🚜 🍴 ✗ 🚲 – 🍴 – A proximité : parcours sportif
15 mars-fin oct. – **R** conseillée seulement pour empl. aménagés caravanes – Mineurs non accompagnés non admis – Tarif 91 : 🔲 3 pers. 65 (79 ou 93 avec élect. 2A), pers. suppl. 16

🗓 17 – 84 ⑨ G. Côte d'Azur

## VENDAYS-MONTALIVET

**33930** Gironde – 1 681 h.

⚠ **Laouba** (aire naturelle) 🏖, SO : 1,2 km par D 101 rte d'Hourtin et 0,4 km par chemin à droite
1,75 ha (25 empl.) plat, herbeux ⚤ (1 ha) – 🏠 ⊕
juin-sept. – **R** conseillée juil.-août – ✶ 10 🔲 10 ㈦ 10 (6A)

🗓 9 – 171 ⑯

## VENDOEUVRES

**36500** Indre – 1 042 h.

⚠ **Municipal de Bellebouche-Vendoeuvres** 🏖 ← « Site agréable », ℰ 54 38 32 36, O : 4 km par D 925 rte de Mézières-en-Brenne et chemin à gauche, à 80 m de l'étang
1,8 ha (100 empl.) ⚬⇌ plat et peu incliné, herbeux – 🏠 ♨ 👝 ⊕ – A proximité : 🚣 🕭

🗓 10 – 68 ⑦

## VENEUX-LES-SABLONS

**77250** S.-et-M. – 4 298 h.

⚠ **Les Courtilles du Lido,** ℰ (1) 60 70 46 05, NE : 1,5 km, chemin du Passeur
3,5 ha (150 empl.) ⚬⇌ plat, herbeux ▱ ⚤ – 🏠 ♨ 🔥 🗐 ⊕ 🍴 🛢 – 🍴 🕭 🚲 🔥 half-court, tir à l'arc
avril-sept. – Places disponibles pour le passage – **R** – ✶ 16,50 piscine comprise 🚗 9 🔲 11/14 ㈦ 11,50 (2A) 14,50 (6A)

🗓 6 – 61 ⑫

## VENSAC

**33590** Gironde – 658 h.

⚠ **Les Acacias,** ℰ 56 09 58 81, NE : 1,5 km par N 215 rte de Verdon-sur-Mer et chemin à droite
3,5 ha (170 empl.) ⚬⇌ plat, herbeux, sablonneux ⚤ – 🏠 ♨ 👝 ⊕ 🚲 – 🍴 – Location : 🚐
30 juin-10 sept. – **R** – 🔲 2 pers. 50/60, pers. suppl. 10

⚠ **Tastesoule** 🏖, ℰ 56 09 54 50, à 5 km à l'ouest de la commune – Accès conseillé par D 101
3 ha (100 empl.) ⚬⇌ plat, sablonneux, herbeux ⚤ pinède – 🏠 ⊕ – 🚲
20 juin-8 sept. – **R** conseillée – 🔲 piscine comprise 1 à 4 pers. 39 à 59, pers. suppl. 11 ㈦ 15 (4A)

⚠ **Les Chênes** (aire naturelle) 🏖, ℰ 56 09 40 57, O : 3 km du bourg – Accès conseillé par D 101
0,5 ha (14 empl.) ⚬⇌ plat, herbeux, sablonneux ⚬⚬ – 🏠
juin-sept. – **R** conseillée – ✶ 9 🔲 11

🗓 9 – 171 ⑯

## VENTHON 73 Savoie – 74 ⑰ – rattaché à Albertville

## VERCHAIX

**74440** H.-Savoie – 391 h. alt. 787

⚠ **Municipal Lac et Montagne** ❄ ←, ℰ 50 90 10 12, S : 1,8 km sur D 907, à Verchaix-Gare, bord du Giffre – alt. 660
2 ha (100 empl.) ⚬⇌ (juin à sept.) non clos, plat, pierreux, herbeux, bois attenant – 🏠 ♨ 🔥 🖩 ⊕ – 🚲 🕭
Permanent – **R** conseillée juil. à sept. – ✶ 8 (hiver 10) 🚗 4 🔲 5 (hiver 6) ㈦ 5A : 15 (hiver 18) 10A : 30 (hiver 36)

🗓 12 – 74 ⑧

## VERCHENY
**26340** Drôme – 427 h.

▲▲ **Camp de Base** « Cadre et site agréables », ℰ 75 21 72 51, SO : 2 km sur D 93 rte de Crest, bord de la Drôme
3 ha (90 empl.) ⊶ plat, pierreux, herbeux ⚏⚏ – 🗊 ⇄ 🗻 ⊕ 🗻 ⊋ – 🗺 ⛴
avril-sept. – **R** *conseillée juil.-août* – 🏕 *13* 🖃 *15* 🕅 *10 (3A)*

▲ **Le Gap** ≤, ℰ 75 21 72 62, NE : 1,2 km par D 93 rte de Die, accès direct à la Drôme
4 ha (90 empl.) ⊶ plat, herbeux – 🗊 ⇄ 🗻 ⊕ – 🗻 – A proximité : 🜨
mai-sept. – **R** *conseillée juil.-août* – 🏕 *14* 🖃 *15* 🕅 *10 (3A) 13 (6A)*

## VERDELOT
**77510** S.-et-M. – 613 h.

▲▲ **Ferme de la Fée** 🅜 ◇ ⅏ ≤, ℰ (1) 64 04 86 52, S : 0,5 km par rte de St-Barthélémy et à droite, bord du Petit Morin et d'un petit étang
4 ha (80 empl.) ⊶ peu incliné, herbeux ☲ ♀ verger – 🗊 ⇄ 🖆 🗐 🏭 ⊕ 🗻 ⅏
– 🗺 – A proximité : ⅏
fermé 15 déc.-21 janv. – **Location longue durée** *(7 500 F)* – *Places limitées pour le passage* – **R** *conseillée juin à août* – 🏕 *27* 🖃 *élect. comprise 37*

## La VERDIÈRE
**83560** Var – 646 h.

▲ **Municipal de Fontvieille** ⅏, N : 0,5 km par D 554 rte de Manosque
1,8 ha (31 empl.) plat et peu incliné, en terrasses, herbeux – 🗊 ⇄ 🖆 ⊕ – ⅏
🗺⛴
15 juin-15 sept. – **R** – 🏕 *12* 🖃 *15* 🕅 *15*

## Le VERDON-SUR-MER
**33123** Gironde – 1 344 h.
🅱 Syndicat d'Initiative, r. F.-Lebreton
ℰ 56 09 61 78 et à la Pointe de
Grave (juil.-août) ℰ 56 09 65 56

Schéma à Soulac-sur-Mer

▲▲ **Les Alizés** ⅏, ℰ 56 09 67 54, SO : 1,6 km par l'ancienne rte de Soulac-sur-Mer puis 0,7 km par rue à droite, chemin de Grayan
1,8 ha (75 empl.) ⊶ plat, sablonneux ☲ ⚏⚏ – 🗊 ⇄ 🗻 🕭 ⊕ 🍸 – Location :
🚋
Permanent – **R** *conseillée* – 🖃 *2 pers. 52, pers. suppl. 16* 🕅 *15 (3A) 20 (6A) 30 (10A)*

▲▲ **Le Royannais**, ℰ 56 09 61 12, SO : 2 km, sur l'ancienne rte de Soulac-sur-Mer
2 ha (116 empl.) ⊶ plat, sablonneux ⚏⚏ – 🗊 ⇄ 🖆 ⊕ 🗻
15 juin-15 sept. – **R** *conseillée juil.-août* – 🖃 *2 pers. 40, pers. suppl. 12* 🕅 *18 (4A)*

## VERETZ
**37270** I.-et-L. – 2 709 h.

▲▲ **Municipal**, ℰ 47 50 50 48, sur N 76, rte de Bléré, bord du Cher
1 ha (64 empl.) ⊶ (saison) plat, herbeux, pierreux ♀ – 🗊 ⇄ 🖆 🗐 🕭 ⊕ 🗻 ⛴
juin.-sept. – **R** – *Tarif 91 :* 🏕 *9* 🚗 *7* 🖃 *9* 🕅 *10 (6A) 15 (16A)*

## VERGEROUX
**17300** Char.-Mar. – 551 h.

▲▲ **Municipal le Pré Cornu,** ℰ 46 99 72 58, au nord du bourg, près de la N 137 et à 200 m d'un étang
2,7 ha (130 empl.) ⊶ (juil.-août) plat, herbeux ☲ – 🗊 ⇄ 🖆 ⊕ – 🗺 ⅏ –
A proximité : 🎣
15 juin-sept. – **R** – 🏕 *10* 🖃 *17,50* 🕅 *9 (4A) 12 (10A)*

## VERGT
**24380** Dordogne – 1 422 h.

▲▲ **Intercommunal du Lac de Neufont** ⅏ « Cadre et situation agréables »
ℰ 53 54 93 90, SO : 3,3 km par D 8, D 21 rte de Bergerac et rte à gauche, bord du lac
1 ha (50 empl.) ⊶ peu incliné ⚏⚏ sous-bois – 🗊 ⇄ 🖆 ⊕ – ⅏ (toboggan aquatique)
15 juin-15 sept. – **R** – 🏕 *10,70* 🚗 *3,20* 🖃 *5,90* 🕅 *8 (5A) 10,70 (6 à 10A)*

## VERMENTON
**89270** Yonne – 1 105 h.

▲▲ **Municipal les Coulemières,** ℰ 86 81 53 02, au SO de la localité, derrière la gare, près de la Cure
1 ha (40 empl.) ⊶ plat, herbeux ♀ – 🗊 ⇄ 🖆 🗐 🕭 🏭 ⊕ – ⅏ – A proximité
⅏
15 avril-15 oct. – **R** *conseillée* – 🏕 *14* 🚗 *8* 🖃 *8* 🕅 *12 (6A)*

## VERNANTES
**49390** M.-et-L. – 1 749 h.

▲ **Intercommunal de la Grande Pâture,** E : 1 km par D 58 rte de Vernoil puis chemin à gauche
1,8 ha (33 empl.) plat, herbeux – 🗊 ⊕ – ⅏ 🗺 – A proximité : 🐎
15 mai-15 sept. – **R** – 🏕 *5,70* 🚗 *3,10* 🖃 *3,10* 🕅 *6,70*

## Le VERNET

**04140** Alpes-de-H.-Pr. – 110 h.
alt. 1 200

**Lou Passavous** ≼, ☎ 92 35 14 67, N : 0,8 km par rte de Roussimat, bord du Bès
1,5 ha (80 empl.) ⊶ peu incliné et plat, pierreux – 🏠 ⇔ 🚽 ♿ 🏧 ⊛ 🚮 pizzeria
– A proximité : 🐎
Permanent – **R** *juil.-août* – 🏕 *14 (hiver 15,50)* 🔲 *12 (hiver 14)* 🔋 *12 (3A)*

## VERNET-LA-VARENNE

**63580** P.-de-D. – 642 h. alt. 817

**Municipal Bellevue,** ☎ 73 71 30 41, O : 1,3 km par rte d'Issoire puis chemin à gauche
2 ha (70 empl.) ⊶ peu incliné à incliné, herbeux, petit sous-bois – 🏠 🚽 ⊛ –
15 juin-15 sept. – **R** – *Tarif 91 :* 🏕 *7* �car *3,50* 🔲 *4 et 5 pour eau chaude*
🔋 *8 (15A)*

## VERNET-LES-BAINS

**66820** Pyr.-Or. – 1 489 h. alt. 650 –
♨ 27 janv.-19 déc.
🅱 Office de Tourisme, pl. de la Mairie
☎ 68 05 55 35

**L'Eau Vive** 🌲 ≼ « Site agréable », ☎ 68 05 54 14, sortie vers Sahorre puis, après le pont, 1,3 km par av. St-Saturnin à droite, près du Cady
1,2 ha (58 empl.) ⊶ plat et peu incliné, herbeux 🔲 – 🏠 ⇔ 🚽 🗄 ♿ ⊛ 🚮 ⚡
🚿 – 🏊 (plan d'eau) vélos – Location : bungalows toilés
fermé du 13 nov. au 20 déc. – **R** *conseillée* – 🔲 *élect. comprise 2 pers. 94, pers. suppl. 15*

**Del Bosc** « Cadre sauvage », ☎ 68 05 54 54, sortie N rte de Villefranche-de-Conflent, près d'un torrent (accès direct)
2,5 ha (115 empl.) ⊶ (saison) accidenté et en terrasses, pierreux, rochers 🔲 🌳
– 🏠 🗄 ♿ ⊛ 🚮
avril-oct. – **R** *indispensable juil.-août* – 🏕 *16* 🚗 *18* 🔋 *9,50 (3A) 12 (10A)*

*à Corneilla-de-Conflent* N : 2,5 km par D 116
✉ 66820 Corneilla-de-Conflent :

**Las Closes** 🌲 ≼, ☎ 68 05 64 60, E : 0,5 km par D 47 rte de Fillols – alt. 600
2,2 ha (79 empl.) ⊶ peu incliné et en terrasses, herbeux 🌳 verger – 🏠 🔝 🗄
⊛ 🚮 – 🏊 🚿
Permanent – **R** *conseillée* – 🏕 *13 piscine comprise* 🔲 *12* 🔋 *10 (6A)*

## VERNEUIL-SUR-AVRE

**27130** Eure – 6 446 h.
🅱 Syndicat d'Initiative, 129 pl. de la Madeleine ☎ 32 32 17 17

**Le Vert Bocage,** ☎ 32 32 26 79, O : 1 km par N 26 rte d'Argentan
3,5 ha (103 empl.) ⊶ plat, herbeux 🔲 – 🏠 ⇔ 🚽 🏧 ⊛ 🚮 ⚡ – 🚿 🏊 –
Location : 🏠
fermé janv. – **R** *conseillée juil.-août* – 🏕 *22* 🔲 *11 ou 15*

## VERNIOZ

**38150** Isère – 798 h.

**Bontemps** 🌲, ☎ 74 57 83 52, **à St-Alban-de-Varèze**, E : 4,5 km par D 37 et chemin à droite, bord de la Varèze
6 ha (100 empl.) ⊶ plat, herbeux ⚡ – 🏠 ⇔ 🔝 🗄 ⊛ 🚮 🍽 snack – 🏠 ✳
🔝 🚿 🛷 – 🐎 tir à l'arc
avril-sept. – **R** *conseillée – Tarif 91 :* 🏕 *14 piscine comprise* 🚗 *7* 🔲 *20*
🔋 *13*

## VERNOU-EN-SOLOGNE

**41** L.-et-Ch. – 543 h.
✉ 41230 Mur-de-Sologne

**Aire naturelle municipale,** au Nord du bourg, carrefour D 13 et D 63, à 100 m de la Bonneure et d'un petit étang
1 ha (25 empl.) plat, herbeux ⚡ – 🏠 🚽 🗄 ⊛ – A proximité : ✳
15 avril-sept. – **R** – 🏕 *6* 🔲 *6* 🔋 *6*

## VERNOUX-EN-VIVARAIS

**07240** Ardèche – 2 037 h.

**Municipal Bois de Pra** ≼, ☎ 75 58 14 54, sortie NE sur D 14 rte de Valence
2 ha (83 empl.) ⊶ peu incliné, herbeux ⚡ – 🏠 ⇔ 🚽 🗄 ⊛ 🚮 (découverte l'été) avec toboggan aquatique – A proximité : 🐎 ✳ 🔝 🛷
Pâques-Toussaint – **R** *conseillée juil.-août*

## VERS

**46090** Lot – 390 h.

**La Chêneraie** 🌲 « Cadre agréable », ☎ 65 31 40 29, SO : 2,5 km par D 653 rte de Cahors et chemin à droite après le passage à niveau
0,4 ha (24 empl.) ⊶ plat, pierreux, herbeux 🔲 ⚡ – 🏠 ⇔ 🚽 🗄 ⊛ 🍷 grill – 🏠
✳ 🛷 🏊 – Location : 🏠
15 avril-20 sept. – **R** *conseillée* – 🔲 *piscine comprise 2 pers. 57* 🔋 *10*

## Le VERT

**79170** Deux-Sèvres – 148 h.

**Municipal** 🌲 « Situation agréable au bord de la Boutonne », au bourg, devant la mairie
0,26 ha (20 empl.) plat, herbeux ⚡ – 🏠 ⇔ 🚽 ⊛
15 juin-15 sept. – **R** – 🏕 *7* 🔲 *4,35* 🔋 *5,70 (4A) 13,50 (10A)*

## VESDUN

**18360** Cher – 683 h.

▲ **Municipal les Bergerolles** ⚲, NE du bourg, au terrain de sports
0,5 ha (31 empl.) plat, herbeux – 🗒 ⚕ ♨ ⊕ – A proximité : ✗
Pentecôte-sept. – **R** *juil.-août* – ✹ 5 🗐 5,50 🔌 7

## VESOUL Ⓟ

**70000** H.-Saône – 17 614 h.
🏢 Office de Tourisme, r. des Bains
🖉 84 75 43 66

⑧ – 🗐🗐🗐 ⑤ ⑥ G. Jura

▲▲▲ **International du Lac** ⚲, 🖉 84 76 22 86, O : 2,5 km, près du lac
3 ha (160 empl.) ⟜ plat, herbeux 🖙 – 🗒 ⚕ ♨ 🗐 🏮 ⊕ ♈ 🏆 🗐 – ✗ ⛵
≊
Permanent – **R** *conseillée juil.-août* – Tarif 91 : ✹ 12 ⟞ 7 🗐 12 (23 avec élect.
10A)

## VEULES-LES-ROSES

**76980** S.-Mar. – 753 h.
🏢 Syndicat d'Initiative, r. du Docteur-
Girard (juil.-août) 🖉 35 97 63 05

① – 🗐🗐 ③ G. Normandie Vallée de la Seine

▲▲▲ **Municipal des Mouettes** ⚲, 🖉 35 97 61 98, sortie E sur D 68 rte de
Sotteville-sur-Mer
1,5 ha (100 empl.) ⟜ plat, herbeux – 🗒 ⚕ ♨ 🗐 ⊕ – ⊟
16 janv.-14 nov. – **R** – ✹ 12,05 🗐 9,45 🔌 11,60 (10A)

## VEYNES

**05400** – 3 148 h. alt. 814

🗐🗐 – 🗐🗐 ⑤

▲ **les Près** ⚲ ≤, 🖉 92 57 26 22, NE : 3,4 km par D 994 rte de Gap puis 5,5 km
par D 937 rte du col de Festre et chemin à gauche, au lieu-dit le Petit Vaux,
près de la Béoux – alt. 960
0,35 ha (25 empl.) ⟜ plat et peu incliné, herbeux – 🗒 ⚕ ♨ ⚐ ⊕
15 juin-15 sept. – **R** *conseillée 15 juil.-15 août* – 🗐 2 pers. 38, pers. suppl. 10
🔌 8 (4A) 10 (6A)

## VÉZAC

**24220** Dordogne – 620 h.

Schéma à la Roque-Gageac

🗐🗐 – 🗐🗐 ⑰

▲ **La Cabane** ⚲ ≤, 🖉 53 29 52 28, SO : 1,5 km, bord de la Dordogne
2,25 ha (80 empl.) ⟜ (saison) non clos, plat, herbeux, sablonneux – 🗒 ⚕ 🔥
⚐ ⊕ – ⊟ ✗ ⟰ ≊ – Location : ⌂ 🏠
avril-15 oct. – **R** *conseillée juil.-août* – ✹ 12,50 piscine comprise ⟞ 5 🗐 7
🔌 10 (3A) 12 (4A) 18 (6A)

## VÉZELAY

**89450** Yonne – 571 h.
🏢 Syndicat d'Initiative, r. Saint-Pierre
(avril-oct.) 🖉 86 33 23 69

⑦ – 🗐🗐 ⑮ G. Bourgogne

*à St-Père* SE : 2 km par D 957 – ✉ 89450 Vézelay :

▲ **Municipal**, sortie SE par D 36 rte de Quarré-les-Tombes, bord de la Cure
1 ha (60 empl.) ⟜ (juil.-août) plat, herbeux – 🗒 ⚕ ♨ 🗐 ⊕ – A proximité : ✗
Pâques-sept. – **R** – ✹ 7 ⟞ 4,50 🗐 4,50 🔌 8 (3A)

## VIAM

**19170** Corrèze – 133 h.

🗐🗐 – 🗐🗐 ⑲

▲ **Municipal Puy de Veix** ⚲ ≤ « Situation agréable », au S du bourg, près
d'un plan d'eau, accès direct – alt. 696
2 ha (50 empl.) ⟜ (saison) en terrasses et plat, herbeux, pierreux 🖙 ⚐ – 🗒 🔥
⚐ ⊕ – ≊
juin-15 sept. – **R** *juil.-août* – ✹ 7 ⟞ 3,25 🗐 4/6,40 🔌 5,50 (2A) 7,75 (4A)
13,10 (6A)

## VIAS

**34450** Hérault – 3 517 h.

🗐🗐 – 🗐🗐 ⑮ G. Gorges du Tarn

▲▲▲▲ **La Carabasse** « Cadre agréable », 🖉 67 21 64 01, S : 2 km
20 ha (995 empl.) ⟜ plat, herbeux 🖙 ⚐⚐ (12 ha) – 🗒 ⚕ ♨ 🔥 🗐 – 116
sanitaires individuels (🗒 ⚕ wc) ♿ ⊕ ⚐ ♈ 🏮 🏆 ✗ ⚐ – cases réfrigérées –
⌂ ✗ ⟰ ≊ vélos – A proximité : ◗ – Location : 🚐, studios
19 mai-21 sept. – **R** *conseillée juil.-août* – 🗐 élect (5A) et piscine comprises
2 pers. 130

▲▲▲▲ Domaine de la Dragonnière, 🖉 67 21 67 65, O : 4,5 km par N 112 rte de Béziers
(hors schéma)
10 ha (378 empl.) ⟜ plat, herbeux, sablonneux – 🗒 ⚕ ♨ 🗐 ♿ ⊕ ⚐ ♈ 🏆
🏆 ✗ ⟰ 🗐 cases réfrigérées – ⌂ ✗ ≊ – Location : 🚐 🚐 🏠

▲▲▲ **Farret**, 🖉 67 21 64 45, S : 3 km, bord de plage
7 ha (413 empl.) ⟜ plat, sablonneux, herbeux 🖙 ⚐ – 🗒 ⚕ ♨ 🔥 🗐 ♿ ⊕ 🏆
🏆 ✗ ⟰ 🗐 – salle de spectacle et d'animation ⟰ ≊ vélos – A proximité : ✗
– Location : 🚐 🚐 🏠
mai-sept. – **R** – 🗐 piscine comprise 2 pers. 90 🔌 10 (6A)

▲▲▲ **Les Salisses**, 🖉 67 21 64 07, S : 2 km
7 ha (448 empl.) ⟜ plat, herbeux 🖙 – 🗒 ⚕ ♨ 🗐 sauna ♿ ⊕ ⚐ 🏆 ✗ ⚐
🗐 garderie – ⌂ ✗ ⟰ ≊ toboggan aquatique et half-court – A proximité :
🚣 – Location : 🚐, bungalows toilés
avril-sept. – **R** *conseillée saison* – 🗐 élect. et piscine comprises 2 pers. 118, pers.
suppl. 23

▲▲▲ **Californie Plage**, 🖉 67 21 64 69, SO : 4 km, bord de plage
5,8 ha (381 empl.) ⟜ plat, herbeux, sablonneux ⚐⚐ (4 ha) – 🗒 🔥 🗐 ⊕ ⚐ ♈
✗ ⟰ 🗐 – ⌂ ⟰ ≊
Permanent – **R** *conseillée juin à sept.* – 🗐 élect. (3A) et piscine comprises 2 pers.
120, 3 pers. 149, pers. suppl. 25

▲▲▲ **Hélios** 🏊, ℘ 67 21 63 66, S : 3,5 km, près du Libron et à 250 m de la plage
2,5 ha (160 empl.) ⌾ plat, sablonneux, herbeux ⌐⌐ ?? – ⌐⌐ ⚲ ⌂ ⊕ ⚲ ☂ ⚲
snack ⚲ ▦ – 🔲 🚣
23 mai-sept. – **R** *conseillée juil.-août* – ▣ *2 à 5 pers. 71 à 100, pers. suppl. 14*
*[§] 12 (2A) 14 (3A) 17 (4A)*

▲▲▲ **La Plage,** ℘ 67 21 64 49, S : 3 km, à 300 m de la plage
1,5 ha (75 empl.) ⌾ plat, sablonneux, herbeux ? – ⌐⌐ ⚲ ⌂ ⌐⌐ ⊕ ⚲ ☂ ▦
– ⚲ – A proximité : 🐴 ? ✕ ⚲ salle de spectacle et d'animation 🏊 vélos –
Location : 🏠
20 avril-sept. – **R** – ▣ *piscine comprise 2 pers. 90 [§] 10 (6A)*

▲▲▲ **Le Bourricot** 🏊, ℘ 67 21 64 27, S : 3 km, à Vias-Plage, à 200 m de la plage
2 ha (155 empl.) ⌾ plat, herbeux, sablonneux ⌐⌐ ?? – ⌐⌐ ⚲ ⌂ ⊕ ⚲ ? snack
⚲ cases réfrigérées – 🚣
28 mai-15 sept. – **R** *conseillée juil.-24 août* – ▣ *2 pers. 84, 3 pers. 110, pers.
suppl. 18 [§] 13 (4A)*

▲▲ **La Petite Cosse,** ℘ 67 21 63 83, S : 3 km, à 120 m de la plage, accès
direct
0,7 ha (50 empl.) ⌾ plat, sablonneux, herbeux – ⌐⌐ ⌂ ⚲ ⊕ ☂ ☂ ▦
mai-sept. – **R** *conseillée juil.-août* – ▣ *2 pers. 80 [§] 13,50 (6A)*

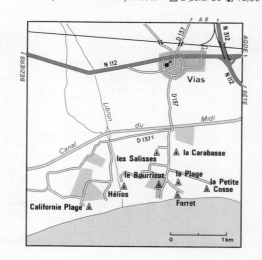

---

# VICDESSOS

🔟🔟 – 🔠🔠 ⑭ **G. Pyrénées Roussillon**

**09220** Ariège – 483 h. alt. 730

▲▲ **Municipal la Bexanelle** ≤, ℘ 61 64 82 22, au S du bourg, par rte d'Olbier,
rive droite du Vicdessos – Passerelle piétons reliant le camp au bourg
1,5 ha (124 empl.) ⌾ plat, herbeux, pierreux ? (0,8 ha) – ⌐⌐ ⚲ ⌂ ▥ ⊕ ☂ ☂
▦ – 🔲 – A proximité : 🏊 ⚲ – Location : bungalows toilés
Permanent – **R** *conseillée juil.-août* – ♣ *10* ▣ *10 [§] 7 (5A)*

---

# VICHY ⊛

🔟🔟 – 🔠🔠 ⑤ **G. Auvergne**

**03200** Allier – 27 714 h. –
⚲ fév.-nov.
🅱 Office de Tourisme et de
Thermalisme avec Accueil de France,
19 r. du Parc ℘ 70 98 71 94

*à Abrest* SE : 3 km par D 426 – ☒ 03200 Abrest :

▲▲ **Municipal de la Croix-St-Martin,** ℘ 70 32 67 74, N par av. des Graviers
et chemin, près de l'Allier
2 ha (100 empl.) ⌾ plat, herbeux ⌐⌐ – ⌐⌐ ⚲ ⌂ ⌐⌐ ⊕ – 🚣
juin-sept. – **R** *conseillée juil.-août* – ♣ *10* ⚲ *8* ▣ *10 [§] 8 (10A)*

*à Bellerive-sur-Allier* SO par D 984 – ☒ 03700 Bellerive-sur-Allier :

▲▲▲ **Les Acacias** « Cadre agréable, décoration arbustive », ℘ 70 32 36 22, r.
Claude-Decloître, près de l'Allier
2 ha (90 empl.) ⌾ plat, herbeux ⌐⌐ ?? – ⌐⌐ ⚲ ⌂ ⚲ ⌂ ⊕ ⚲ ☂ ▦ – 🔲
🚣 🏊 – A proximité : ? ✕ ✂ 🎣 🔳 – Location : 🏠
25 mars-25 oct. – **R** *conseillée juil.-août* – ♣ *23 piscine comprise* 🚗 *12* ▣ *16
[§] 12 (4A)*

▲▲▲ **Beau-Rivage** 🏊, ℘ 70 32 26 85, rue Claude-Decloître, bord de l'Allier
1,5 ha (80 empl.) ⌾ plat, herbeux ⌐⌐ ?? – ⌐⌐ ⚲ ⌂ ⚲ ⌐⌐ ⚲ ☂ ▦ – 🔲 🚣
🏊 (toboggan aquatique) – A proximité : ? ✕ ✂ 🎣 🔳 – Location : 🏠 🏠
mai-sept. – **R** *conseillée* – ▣ *piscine comprise 2 pers. 87 [§] 13 (4A)*

---

*Bonne route avec 36.15 MICHELIN !*

*Economies en temps, en argent, en sécurité.*

## VIC-LA-GARDIOLE

**34110** Hérault – 1 607 h.

▲▲▲ **L'Europe** ⟨⟩, ℰ 67 78 11 50, O : 1,5 km par D 114ᴱ
4,5 ha (280 empl.) ⟶ plat, herbeux, pierreux ⌗ – 🞧 🞧 🞧 🞧 🞧 🞧 🞧 🞧 🞧
🕈 snack 🞧 – 🞧 cases réfrigérées – 🞧 🞧 🞧 🞧 vélos – Location : 🞧
🞧
mai-sept. – **R** conseillée – 🞧 piscine comprise 2 pers. 90 ou 99, pers. suppl. 15
🞧 15 (6 ou 10A)

▲▲▲ **L'Oustalet,** ℰ 67 78 14 09, NO : 1,5 km, carrefour des N 112 et D 114
1,6 ha (78 empl.) ⟶ plat, herbeux ⌗ 🞧 – 🞧 🞧 🞧 🕈 🞧 – 🞧 – 🞧 🞧 🞧
Location : 🞧 🞧
mai-sept. – **R** indispensable août – 🞧 piscine comprise 2 pers. 69 🞧 13 (3A)

## VICQ-SUR-GARTEMPE

**86260** Vienne – 668 h.

▲ Municipal des Rivières, sortie SE par D 5 rte d'Angles-sur-l'Anglin et à droite
après le pont, bord de la Gartempe
1 ha (50 empl.) plat et peu incliné, herbeux 🞧 – 🞧 🞧 🞧 🞧 – 🞧 🞧
mai-sept. – **R**

## VIC-SUR-CÈRE

**15800** Cantal – 1 968 h. alt. 681.
🇧 Office de Tourisme, av. Mercier
ℰ 71 47 50 68

▲▲▲ **La Pommeraie** ❄ ⟨⟩, ≤ les Monts, la vallée et la ville, ℰ 71 47 54 18, SE :
2,5 km par D 54, D 154 et chemin à droite – alt. 750
2,8 ha (80 empl.) ⟶ en terrasses, herbeux, pierreux ⌗ 🞧 – 🞧 🞧 🞧 🞧 🞧 🞧
🞧 🞧 🞧 🕈 ✕ 🞧 – 🞧 sauna – 🞧 🞧 🞧 🞧 tir à l'arc – Location : 🞧 🞧,
studios
mai-15 sept. – **R** conseillée – 🞧 piscine comprise 2 pers. 95 🞧 15 (15A)

▲▲▲ **Municipal** ≤, ℰ 71 47 51 04, rte de Salvanhac, bord de la Cère
3 ha (250 empl.) ⟶ plat, herbeux 🞧🞧 – 🞧 🞧 🞧 🞧 – 🞧 – A proximité : 🞧
🞧 🞧 🞧
avril-sept. – **R** juil.-août – 🞧 11,30 🞧 5,10 🞧 5,10 🞧 9,20 (4A) 11,30 (6A)

## VIDAUBAN

**83550** Var – 5 460 h.
🇧 Syndicat d'Initiative, pl. F.-Maurel
(15 juin-15 sept.) ℰ 94 73 00 07

▲▲▲ **Les Ombrages,** ℰ 94 73 06 95, SO : 4 km par N 7 rte du Luc puis 0,8 km
par chemin du hameau de Ramatuelle à gauche
3,6 ha (120 empl.) ⟶ plat, sablonneux, rocheux 🞧🞧 – (🞧 🞧 15 avril-15 oct.)
🞧 🕈 snack 🞧 – 🞧
mars-nov. – **R** juil.-août – 🞧 15 piscine comprise 🞧 17

▲ Municipal ⟨⟩, NO par r. du Général-Castelneau, bord de l'Argens
1 ha (60 empl.) ⟶ plat, herbeux, pierreux – 🞧 🞧 🞧 🞧
15 juin-août – **R** conseillée

## VIELLE

**40** Landes – ✉ 40560 Vielle-St-
Girons

▲▲▲ **Le Col Vert** « Site agréable », ℰ 58 42 94 06, SO : 1,5 km, bord de l'étang
de Léon
24 ha (500 empl.) ⟶ plat, sablonneux 🞧 🞧🞧 pinède – 🞧 🞧 🞧 🞧 🞧 🞧 🞧 🕈
✕ 🞧 – 🞧 sauna – 🞧 🞧 🞧 🞧 🞧 🞧 – A proximité : 🞧 – Location : 🞧
🞧
15 mars-15 nov. – **R** conseillée 10 juil.-20 août – 🞧 22,50 piscine comprise 🞧
8 🞧 30 🞧 15 (6A)

## VIELLE-AURE

**65** H.-Pyr. – 285 h. alt. 800
✉ 65170 St-Lary-Soulan

▲▲▲ Le Lustou ❄ ≤, ℰ 62 39 40 64, NE : 2 km sur D 19, à Agos, près de la Neste
d'Aure et d'un étang
2,8 ha (65 empl.) ⟶ plat, gravier, herbeux – 🞧 🞧 🞧 🞧 🞧 🞧 🞧 🞧 – 🞧 ✕
🞧 – Location : 🞧(gîte)
Permanent – **R** conseillée

## VIERVILLE-SUR-MER

**14710** Calvados – 256 h.

▲▲▲ **Omaha-Beach** ⟨⟩, ≤, ℰ 31 22 41 73, sortie NO rte de Grandcamp-Maisy et
chemin à droite, accès direct à la plage
4 ha (293 empl.) ⟶ plat, en terrasses, herbeux ⌗ – 🞧 🞧 🞧 🞧 🞧 🞧 🞧 🞧
– 🞧 – A proximité : 🞧
Pâques-mi sept. – **R** – 🞧 15 🞧 15 🞧 15 (6A) 20 (10A)

## VIERZON ⟨⟩

**18100** Cher – 32 235 h.
🇧 Office de Tourisme, pl. de l'Hôtel
de Ville ℰ 48 75 20 03

▲▲ **Municipal de Bellon,** ℰ 48 75 49 10, au SE de la ville par rte d'Issoudun et
à gauche, quartier de Bellon, près du Cher
1,8 ha (130 empl.) ⟶ plat et peu incliné, herbeux ⌗ 🞧🞧 (0,4 ha) – 🞧 🞧 🞧
🞧 🞧 🞧 🞧 🞧
mai-sept. – **R** – 🞧 6,35 et 3,30 pour eau chaude 🞧 7,50 🞧 7,70

## VIEURE
**03430** Allier – 287 h.

▲▲ **Intercommunal la Borde** ℅, ℘ 70 07 20 82, E : 0,5 km par D 94 rte de Bourbon-l'Archambault, puis 2,4 km par chemin à droite, à 150 m d'un plan d'eau
1 ha (50 empl.) ⚬⚬ (saison) peu incliné et plat, herbeux ⊏⊐ – ⌂ 😊 🛁 & ⊛ –
A proximité : ⚑ ✗ 🖼 🎿 🚣 ⚓ ◊ – Location : 🏠
mai-sept. – **R** juil.-août – Tarif 91 : ✱ 9,50 🔲 10 [⚡] 7

## VIEUX-MAREUIL
**24340** Dordogne – 350 h.

▲▲▲ **L'Étang Bleu** « Site et cadre agréables », ℘ 53 60 92 70, N : 2 km par D 93 rte de St-Sulpice-de-Mareuil, bord de l'étang
4 ha (167 empl.) ⚬⚬ plat, herbeux ⊏⊐ ⚬⚬ – ⌂ 😊 ⚒ 🖫 ⊛ ⚘ ⚐ 🏊 ⚑ ✗ 🎣 –
– 🖼 🚣 ⚓ – 15 juin-15 sept. – **R** conseillée 10 juil.-20 août – ✱ 15 🔲 17/31 avec élect. 5A

## Le VIGAN ⊸🅿⊸
**30120** Gard – 4 523 h.
🅱 Office de Tourisme, pl. Marché
℘ 67 81 01 72

▲▲ **Le Val de l'Arre,** ℘ 67 81 02 77, E : 2,5 km par D 999 rte de Ganges et chemin à droite, bord de l'Arre
4 ha (117 empl.) ⚬⚬ plat, peu incliné et en terrasses, herbeux ⚬⚬ – ⌂ 🖫 ⊛
🚣 🖫 – 🖼 – **R** conseillée juil.-août – 🔲 piscine comprise 2 pers. 54 [⚡] 14 (4A)

▲ **Laparot** ℅, ℘ 67 81 13 82 ⊠ 30120 Molières-Cavaillac, SO : 2,8 km par D 999 rte de Millau puis 1,8 km par rte à gauche, bord de l'Arre – Croisement difficile pour caravanes
1,7 ha (50 empl.) ⚬⚬ plat, herbeux ⚬⚬ – ⌂ ⊛ – 🖼 – Location : 🏠
juin-sept. – **R** conseillée août – Tarif 91 : ✱ 9,50 🔲 9,80 [⚡] 11,90 (4A)

▲ **La Tessonne** ≼, ℘ 67 81 17 35 ⊠ 30120 Molières-Cavaillac, SO : 2,5 km par D 999 rte de Millau, à 80 m de l'Arre
0,6 ha (50 empl.) ⚬⚬ (saison) plat, herbeux, pierreux ⚘ verger – ⌂ 🖫 ⊛ –
A proximité : ⚑
Pâques-sept. – **R** juil.-août – ✱ 10 ⊸ 2,50 🔲 7,50 [⚡] 12 (6A)

## Le VIGAN
**46300** Lot – 922 h.

▲▲ **Le Rêve** ℅, ℘ 65 41 25 20, N : 3 km par D 673 puis 2,5 km par chemin à gauche
2 ha (42 empl.) ⚬⚬ plat et peu incliné, herbeux – ⌂ 😊 🛁 & – ⊐
15 mai-sept. – **R** conseillée 15 juil.-15 août – ✱ 13 piscine comprise 🔲 17
[⚡] 6,50 (3A) 10 (6A)

## VIGEOIS
**19410** Corrèze – 1 210 h.

▲▲ **Municipal du Lac de Pontcharal** ℅ ≼ « Site agréable », ℘ 55 98 90 86, SE : 2 km par D 7 rte de Brive, bord du lac
1,7 ha (85 empl.) ⚬⚬ peu incliné et en terrasses, herbeux ⚘ – ⌂ 🖫 ⊛ ⚑ 🎣 –
🖫 – – A proximité : ⚓ (plage)
15 juin-15 sept. – **R** conseillée – Tarif 91 : ✱ 8,19 ⊸ 4,09 🔲 5,41 [⚡] 6,86
(10A)

▲ **Le Bois Coutal** (aire naturelle) ℅, ℘ 55 73 19 33 ⊠ 19410 Estivaux, S : 5,5 km par D 156 rte de Perpezac-le-Noir et à droite rte de la Barrière
1 ha (25 empl.) ⚬⚬ (saison) peu incliné, herbeux – ⌂ 🖫 ⊛ – 🖼
mai-1er oct. – **R** conseillée – Tarif 91 : ✱ 8,20 ⊸ 4,10 🔲 6 [⚡] 7 (2A) 14 (5A)

## VIGNEC
**65170** H.-Pyr. – 135 h. alt. 820

▲ **Artiguette-St-Jacques** ℅ ≼, ℘ 62 39 52 24, sortie N par D 123, près d'une chapelle, bord d'un ruisseau
1 ha (50 empl.) ⚬⚬ (saison) plat, herbeux – ⌂ 😊 🛁 🖫 ⊛ – Location : 🏠
Permanent – **R** conseillée – Tarif 91 : ✱ 9,50 🔲 10,60 [⚡] 6,60 par ampère

## Les VIGNES
**48210** Lozère – 103 h.

▲▲ **Beldoire** ≼ « Site agréable », ℘ 66 48 82 79, N : 0,8 km par D 907Bis rte de Florac, bord du Tarn – Quelques empl. d'accès difficile aux caravanes : véhicule tracteur disponible
3,5 ha ((141 empl.) ⚬⚬ incliné, en terrasses, herbeux, pierreux ⚘ – ⌂ 😊 🛁 🚣
🖫 & ⊛ ⚓ 🚣 🖫
avril-1er oct. – **R** conseillée – 🔲 2 pers. 48 [⚡] 10 (5A)

▲▲ **La Blaquière,** ℘ 66 48 54 93, NE : 6 km par D 907Bis rte de Florac, bord du Tarn
1 ha (50 empl.) ⚬⚬ plat et terrasse, herbeux, pierreux ⚬⚬ – ⌂ 🚣 🖫 ⊛ ⚓ 🚣 🖫
– ⚓
mai-15 sept. – **R** juil.-août – 🔲 2 pers. 44 [⚡] 10 (4A)

**VIGNOLES** 21 Côte-d'Or – – rattaché à Beaune

## VIHIERS

**49310** M.-et-L. – 4 131 h.

🚌 **Municipal de la Vallée du Lys** 🐟, 🕾 41 75 00 14, sortie O par D 960 rte de Cholet puis D 54 à droite rte de Valanjou, bord du Lys
0,4 ha (35 empl.) ⊶ plat, herbeux – 🗟 🍴 🕹 🕭 – 🛒 🏊 vélos
Pentecôte-début sept. – **R** – *Tarif 91* : 🛉 *6,50* 🚗 *3,75* 🗉 *3,75* 🗉 *6,50 (2A)*
*17 (6A) 26 (10A)*

## VILLAMBARD

**24140** Dordogne – 813 h.

🚐 **Municipal** 🐟, 🕾 53 81 91 87, E : 0,8 km par D 39 rte de Douville
1 ha (40 empl.) peu incliné, plat, herbeux – 🗟 🍴 🕁 ⊕
juil.-15 sept. – **R** – 🛉 *9* 🗉 *9* 🗉 *7,50 (5A) 10 (plus de 5A)*

## VILLAR-D'ARÊNE

**05480** H.-Alpes – 178 h. alt. 1 650

🚐 **Municipal d'Arsine** 🐟 ≤ « Site agréable », 🕾 76 79 93 07, sortie E par D 207 à droite, bord d'un torrent
de Briançon puis 2 km par D 207 à droite, bord d'un torrent
1,5 ha (40 empl.) ⊶ plat et peu accidenté, herbeux, pierreux ⚲ – 🗟 🏊 ⊕ –
A proximité : 🍸 ✗ 🕁 🏖 ✗ 🏂
15 juin-15 sept. – **R** *conseillée* – *Tarif 91* : 🛉 *7* 🗉 *14* 🗉 *6 (3A) 10 (6A)*

## VILLARD-DE-LANS

**38250** Isère – 3 346 h. alt. 1 023 – 🐟.
🛈 Office de Tourisme, pl.
Mure-Ravaud 🕾 76 95 10 38

🚌 **Municipal Font Noire** ❄ ≤, 🕾 76 95 14 77, sortie N par D 531 rte de Grenoble
3,8 ha (200 empl.) ⊶ plat, peu incliné, pierreux, herbeux – 🗟 🍴 🕁 🗟 🕹 🎛
⊕ 🖳 – 🖾 🔜
fermé mai et oct. – **R** *vacances scolaires* – 🛉 *17,50* 🗉 *22 à 34 avec élect. (2A)*
🗉 *11 (6A) 21 (10A)*

## VILLAREMBERT

**73300** Savoie – 209 h. alt. 1 300

🚐 **Municipal la Tigny** ≤, 🕾 79 83 02 51
0,3 ha (27 empl.) plat et peu incliné, terrasses, herbeux, pierreux – 🗟 🍴 ⊕ 🏂
🖘
15 juin-15 sept. – **R** – 🛉 *15* 🗉 *10* 🗉 *10*

## VILLAR-LOUBIÉRE

**05800** H.-Alpes – 59 h. alt. 1 000

🚐 **Municipal les Gravières** 🐟 ≤, E : 0,7 km par rte de la Chapelle-en-Valgaudemar et chemin à droite, bord de la Séveraisse (rive gauche)
2 ha (50 empl.) plat, pierreux, herbeux, sous-bois attenant – 🗟 🏊 ⊕ – ✗
22 juin-15 sept. – **R** – 🛉 *6,70* 🗉 *6,50/10* 🗉 *7,50 (2A)*

## VILLARS-COLMARS

**04640** Alpes-de-H.-Pr. – 203 h. alt. 1 200

🚌 **Le Haut-Verdon** 🐟 ≤, 🕾 92 83 40 09, sur D 908, bord du Verdon
3,5 ha (130 empl.) ⊶ plat, pierreux 🖾 ⚲⚲ pinède – 🗟 🍴 🏊 🗟 ⊕ 🏂 🖘 🖳
🍸 ✗ 🕁 🏖 – 🖾 ✗ 🏊🏊
15 juin-15 sept. – **R** *conseillée* – 🛉 *25 piscine comprise* 🗉 *30* 🗉 *10 (3A) 15 (6A) 20 (10A)*

## VILLARS-LES-DOMBES

**01330** Ain – 3 415 h.

🚌 Municipal les Autières « Entrée fleurie et cadre agréable », 🕾 74 98 00 21 sortie SO par rte de Lyon, bord de la Chalaronne
4 ha (250 empl.) ⊶ (saison) plat, herbeux 🖾 ⚲ – 🗟 🍴 🕁 🗟 ⊕ 🍸 – 🖾 –
A proximité : ✗ 🔜
avril-sept. – *Places limitées pour le passage* – **R** *pour le passage*

## La VILLE-AUX-DAMES 37 I.-et-L. – 🗗🗗 ⑮ – rattaché à Tours

## VILLECOMTAL

**12580** Aveyron – 418 h.

🚐 **Municipal Au Vert Dourdou,** sortie SE rte de Rodez, bord du Dourdou
1 ha (53 empl.) plat, herbeux ⚲ – 🗟 🏊 ⊕ – A l'entrée : 🏊🏊
15 mai-15 sept. – **R** *juil.-août* – 🛉 *11* 🚗 *8* 🗉 *5/8* 🗉 *6 (10A)*

## VILLEDIEU-LES-POÊLES

**50800** Manche – 4 356 h.
🛈 Office de Tourisme, pl. des Costils (mai-nov.) 🕾 33 61 05 69

🚌 Municipal le Pré de la Rose 🐟, 🕾 33 61 02 44, accès par centre ville, r. des Costils à gauche de la poste, bord de la Sienne
1,2 ha (100 empl.) ⊶ plat, herbeux, sablonneux, gravillons 🖾 – 🗟 🍴 🕁 🗟 ⊕
– 🖾 ✗ 🏊🏊

## VILLEDÔMER

**37110** I.-et-L. – 1 095 h.

△ **Municipal du Moulin** ⚶, ℰ 47 55 05 50, sortie O par D 73 rte de Crotelles et r. du Lavoir à gauche, bord d'un ruisseau
1 ha (33 empl.) plat, herbeux ⌑ – 氚 ⇄ 凸 ⌸ – A proximité : ℀
15 juin-15 sept. – **R** – ⚹ 9,30 🔳 7

---

## VILLEFORT

**48800** Lozère – 700 h. alt. 605.
🯅 Office de Tourisme, r. Église (juil.-août) ℰ 66 46 87 30

⋀ **La Palhère** ⚶ ≤, ℰ 66 46 80 63, SO : 4 km par D 66 rte du Mas-de-la-Barque, bord d'un torrent – alt. 750
1,8 ha (45 empl.) ⊶ en terrasses, herbeux, pierreux ♀ – 氚 ⇄ ⩘ ⊛ ⚹ ▽ ⨱ – ⛴
avril-oct. – **R** conseillée juil.-août – ⚹ 9,80 ⇔ 4,40 🔳 5/6,30 🔋 10,50 (5A) 12 (6A) 15 (10A)

---

## VILLEFRANCHE-DE-LONCHAT

**24610** Dordogne – 735 h.

⋀ **Intercommunal de Gurson,** ℰ 53 80 77 57, SE : 1,8 km, près du lac
2 ha (100 empl.) ⊶ peu incliné et plat, sablonneux ⨇ – 氚 凸 ⊛ – A proximité : ⛖ avec toboggan aquatique ⚓ ▼ ℀ ℀ ⩤ ⛺ mars-oct. – **R** conseillée – ⚹ 9,90 🔳 8,80 🔋 12 (6A)

---

## VILLEFRANCHE-DE-ROUERGUE ◁SP▷

**12200** Aveyron – 12 291 h.
🯅 Office de Tourisme, Promenade Guiraudet ℰ 65 45 13 18

⋀⋀ **Municipal le Teulel** ≤ « Cadre agréable », ℰ 65 45 16 24, SO : 1,5 km par D 47 rte de Monteils
1,8 ha (100 empl.) ⊶ plat, herbeux ⌑ ♀ – 氚 ⩘ ⌸ ⊛ – ⛴ – A proximité :
Pâques-1er oct. – Tarif 91 : ⚹ 11,50 ⇔ 5 🔳 5 🔋 8,50

---

## VILLEFRANCHE-SUR-SAÔNE ◁SP▷

**69400** Rhône – 29 542 h.
🯅 Office de Tourisme, 290 rte de Thizy ℰ 74 68 05 18

⋀ **Municipal,** ℰ 74 65 33 48, SE : 3,5 km, bord de la Saône et d'un plan d'eau
2 ha (127 empl.) ⊶ plat, herbeux ⨇ – 氚 凸 ⩘ ⚙ ⊛ ▼ ⩤ 🔳 – ⛴ ⛖ (plage)
27 avril-29 sept. – **R** conseillée – Tarif 91 : ⚹ 7,90 ⇔ 4,70 🔳 6,40 🔋 8,70 (6A)

---

## VILLELONGUE-DELS-MONTS

**66740** Pyr.-Or. – 831 h.

△ **Le Soleil d'Or** ≤, ℰ 68 89 72 11, sortie N rte de St-Génis-des-Fontaines
0,6 ha (47 empl.) ⊶ plat, pierreux, herbeux ⌑ ♀ verger – 氚 ⩘ ⚙ ⊛
mai-sept. – **R** conseillée – 🔳 2 pers. 38, pers. suppl. 11 🔋 10 (10A)

---

## VILLEMOUSTAUSSOU

**11600** Aude – 2 729 h.

⋀ **Das Pinhiers** ≤, ℰ 68 47 81 90, à 1 km au nord du bourg
2 ha (49 empl.) ⊶ plat à incliné, en terrasses, sous-bois attenant ⌑ – 氚 ⇄ ⩘ ⌸ ⊛ – ⛴ – **R** conseillée juil.-août – ⚹ 15 piscine comprise 🔳 15 🔋 12 (3A) 15 mars-oct. 16 (6A) 20 (10A)

---

## VILLENAVE-D'ORNON 33 Gironde – ⑰① ⑨ – rattaché à Bordeaux

---

## VILLENEUVE-DE-BERG

**07170** Ardèche – 2 290 h.
🯅 Syndicat d'Initiative, Hôtel du Sénéchal, N 102 (15 juin-15 sept.) ℰ 75 94 70 55

⋀⋀ **Le Pommier** ⚶ ≤ vallée et montagne « Situation agréable », ℰ 75 94 82 81, NE : 2 km sur N 102, bord de la Claduègne – Accès aux emplacements par forte pente
28 ha/5 campables (275 empl.) ⊶ plat et en terrasses, herbeux – 氚 凸 ⌸ ⊛ ⚓ ▼ ℀ 🔳 – ⛴ ℀ ℀ ⩤ avril-15 sept. – **R** conseillée juil.-août – 🔳 piscine et tennis compris 2 pers. 85, pers. suppl. 15 🔋 10 (3A)

---

## VILLENEUVE-DE-LA-RAHO

**66200** H.-Pyr. – 3 189 h.

⋀ **Les Rives du Lac** ⚶ ≤, ℰ 68 55 83 51, O : 2,4 km par D 39, rte de Pallestres et chemin à gauche, bord du lac
2 ha (159 empl.) ⊶ plat, herbeux ⌑ – 氚 ⇄ ⩘ ⌸ ⚙ ⊛ 🔳 – A proximité : ⛖ toboggan aquatique
Permanent – **R** conseillée – 🔳 2 pers. 45/75, pers. suppl. 15 🔋 12 (4A) 15 (6A)

---

## VILLENEUVE-DES-ESCALDES

**66760** Pyr.-Or. – 457 h. alt. 1 350

⋀ Municipal Sol y Neu ≤, ℰ 68 04 66 83, sortie NE par D 618, rte de Font-Romeu, à 100 m de l'Angoustrine
2,5 ha (110 empl.) ⊶ plat et en terrasses, herbeux – 氚 ⇄ ⩘ ⚙ ▥ ⊛ – ⩤

## VILLENEUVE-LÈS-AVIGNON

🔟6️⃣ – 8️⃣1️⃣ ⑪ ⑫ G. Provence

**30400** Gard – 10 730 h.
🛈 Office de Tourisme, 1 pl.
Charles-David ℰ 90 25 61 33

▲▲▲ Municipal de la Laune « Plantations décoratives », ℰ 90 25 76 06, au NE de la ville, chemin St-Honoré, accès par D 980, près du stade et de deux piscines 2,3 ha (127 empl.) ⚬➡ plat, herbeux ⌂ ⚭ – ⌂ ⏥ ⏣ ⊞ ♿ ⊕ ᅟ – ᅟ ᅟ
– A proximité : ✗ ▣ ⚓

## VILLENEUVE-LÈS-BÉZIERS

🔟6️⃣ – 8️⃣3️⃣ ⑮

**34420** Hérault – 2 972 h.

▲▲▲ La Vendangeuse, ℰ 67 39 62 80, sortie N par D 37ᵉ, 32 chemin de la gare, entre la N 112 et la voie ferrée
1 ha (50 empl.) ⚬➡ plat, herbeux – ⌂ ⏥ ⚭ ⊕ ⚓ ᅟ ♈ ▣ – ᅟ
Permanent – **R** *conseillée*

## VILLENEUVE-LES-GENÊTS

6️⃣ – 6️⃣5️⃣ ③

**89350** Yonne – 230 h.

▲▲▲ Le Bois Guillaume ⚓ « Agréable cadre boisé », ℰ 86 45 45 41, NE : 2,7 km
8 ha/2 campables (50 empl.) ⚬➡ plat, sous-bois, étang ⚭⚭ – ⌂ ⏥ ⏣ ⊞ ⊞ ⊕
⚓ ♈ ♈ ✗ ⚓ – ᅟ – Location : ᅟ ᅟ
Permanent – *Places disponibles pour le passage* – **R** *conseillée*

## VILLENEUVE-LOUBET

1️⃣7️⃣ – 8️⃣4️⃣ ⑨ G. Côte d'Azur

**06270** Alpes-Mar. – 11 539 h.

▲▲▲ **Le Sourire et la Tour de la Madone,** ℰ 93 20 96 11, O : 2 km sur D 2085
– ✗ dans locations
8 ha (380 empl.) ⚬➡ plat et terrasses, herbeux, gravier ⌂ ⚭⚭ – ⌂ ⏥ ⚭ ⊞ sauna ▥ ⊕
⚓ ♈ ⚭ ✗ ⚓ – ▣ – ᅟ ᅟ A proximité : ✗ practice de golf – Location : ᅟ ᅟ
24 mars-20 oct. – **R** *conseillée saison* – ▣ *piscine comprise 2 ou 3 pers. 84,60
à 167/128,10 à 177,50* 🅿 *(Tarif 91)* 9 *(2A)* 13,40 *(5A)*

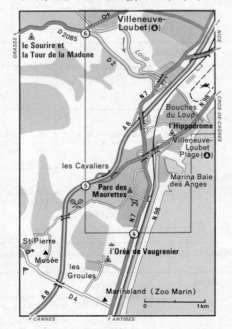

*à Villeneuve-Loubet-Plage* S : 5 km – ✉ 06270 Villeneuve-Loubet :

▲▲▲ **Parc des Maurettes,** ℰ 93 20 91 91, 730 av. du Dr. Lefebvre par N 7 – 🅿 tente
2 ha (140 empl.) ⚬➡ en terrasses, pierreux, gravier ⌂ ⚭⚭ – ⌂ ⏥ ⏣ ⊞ ▥ ⊕ ᅟ
⚓ ♈ ♈ ✗ ⚓ – ▣ – ᅟ ᅟ – A proximité : ᅟ – Location : ᅟ ᅟ
10 janv.-15 nov. – **R** *conseillée* – *Tarif 91 :* ▣ *1 à 4 pers. 47 à 138/2 à 5 pers.
80 à 172, pers. suppl. 21* 🅿 *12 (3A) 14 (6A) 17 (10A)*

▲▲ **L'Orée de Vaugrenier,** réservé aux caravanes ⚓ « Cadre agréable »
ℰ 93 33 57 30, S : 2 km, près du Parc
0,9 ha (51 empl.) ⚬➡ plat, herbeux, gravier ⌂ ⚭ (0,3 ha) – ⌂ ⏥ ⏣ ⊕ ⚓ ♈
▣ – Location : ᅟ
15 mars-oct. – **R** *conseillée* – *Tarif 91 :* ▣ *3 pers. 90, 4 pers. 110 ou 120, pers.
suppl. 16* 🅿 *8 à 14 (2 à 6A)*

▲▲ **L'Hippodrome,** ℰ 93 20 02 00, 1 et 2 av. des Rives, à 400 m de la plage
0,8 ha (72 empl.) ⚬➡ plat, pierreux ⌂ ⚭⚭ – ⌂ ⚭ ⊞ ▥ ⊕ ⚓ ♈ ▣ – ᅟ
A proximité : 🍴 caféteria – Location : studios
Permanent – **R** *indispensable été* – ▣ *2 pers. 49 à 96, pers. suppl. 16* 🅿 *1
(3 à 5A) 13 (6 à 10A)*

## VILLERÉAL

**47210** L.-et-G. – 1 195 h.
**🅱** Maison du Tourisme, pl. Halle
🕿 53 36 09 65

⚠️ **Château de Fonrives** M 🔻 ≤ « Agréable domaine boisé autour d'un lac », 🕿 53 36 63 38, NO : 2,2 km par D 207 rte d'Issigeac et à gauche, au château
10 ha/2 campables (100 empl.) ⚬ plat, en terrasses, pierreux, herbeux ⌂ – 🛖
🌳 🟦 🔥 & 🚿 ⚡ 🟦 ♥ ✕ 🏊 🐟 – 🟦 🎱 🔭 – Location : ⟻
mai-sept. – **R** conseillée – ✗ 25 piscine comprise ▣ 40 ⚡ 18 (4A) 20 (6A) 25 (10A)

⚠️ **Fontaine du Roc** 🔻, 🕿 53 36 08 16, SE : 7,6 km par D 104 rte de Monpazier et à droite par C 1 rte d'Estrade
1,7 ha (20 empl.) ⚬ plat, herbeux – 🛖 🌳 🟦 🔥 & ⚡ ♥ – 🟦 🔭 – Location : ⟻
juin-sept. – **R** – ✗ 18 piscine comprise ▣ 30 ⚡ 16 (5A)

⚠️ **Centre de Loisirs du Pesquié** 🔻, 🕿 53 36 05 63, sortie N par D 207 rte d'Issigeac et à droite, bord d'un plan d'eau et d'un ruisseau
3 ha (60 empl.) ⚬ (juil.-août) plat, herbeux ⌂ – 🛖 🌳 🟦 🔥 ⚡ – 🟦 ✕ 🐟 – Location : ⟻
juin-sept. – ✗ 15 ▣ 10 ⚡ 7 (3A) 10 (5A) 15 (10A)

*à St-Étienne-de-Villeréal* SE : 3 km par D 255 et à droite
✉ 47210 St-Étienne-de-Villeréal :

⚠️ **Les Ormes** 🔻 « Cadre agréable », 🕿 53 36 60 26, à 0,9 km au sud du bourg, bord d'un petit lac
20 ha/6 campables (140 empl.) ⚬ plat, peu incliné et en terrasses, incliné, herbeux, bois attenant ⌂ 🌿 (1,5 ha) – 🛖 🌳 🟦 🔥 & ⚡ 🚿 🟦 – 🟦 ✕ 🏇
🔭 🐟 – Location : chalets
avril-sept. – **R** conseillée – ✗ 20 piscine comprise ▣ 28 ou 32 ⚡ 14 (6A)

---

## VILLEREST

**42300** Loire – 4 104 h.

⚠️ **L'Orée du Lac** 🔻 ≤, 🕿 77 69 60 88, SE : 2 km par D 56 rte du barrage
2,5 ha (38 empl.) ⚬ peu incliné, en terrasses, herbeux ⌂ – 🛖 🌳 🟦 ⚡ –
A proximité : ♥ 🔥 🏊 parc de loisirs
Pâques-15 sept. – **R** conseillée – ▣ 2 pers. 48 ⚡ 10 (4A)

---

## VILLERS-BRÛLIN

**62690** P.-de-C. – 315 h.

⚠️ **La Hulotte** 🔻, 🕿 21 59 00 68, NO : 2 km, à Guestreville
2 ha (48 empl.) ⚬ plat et peu incliné, herbeux ♀ – 🛖 🌳 🟦 ⚡ 🚿 ♥ ✕ –
🟦
avril-oct. – *Places disponibles pour le passage* – **R** – ✗ 14 ▣ 14 ⚡ 16 (4A)

---

## VILLERSEXEL

**70110** H.-Saône – 1 460 h.

⚠️ **Le Chapeau Chinois** 🔻, 🕿 84 63 40 60, N : 1 km par D 486 rte de Lure et chemin à droite après le pont, bord de l'Ognon
1 ha (56 empl.) ⚬ plat, herbeux – 🛖 ⚡ – A proximité : 🔥 half-court – Location :
🟦 (gîte d'étape)
avril-oct. – **R** – ✗ 6,50 🚗 5 ▣ 17 ⚡ 11 (5A)

---

## VILLERS-HÉLON

**02600** Aisne – 173 h.

⚠️ **Castel des Biches** ⬥ 🔻, 🕿 23 96 04 99, sortie N rte de Longpont, au château
7 ha/5 campables (100 empl.) ⚬ plat, herbeux, gravillons ⌂ 🌿 – 🛖 🌳 🟦 🔥 🟦
🔥 & ▥ ⚡ 🚿 ♥ ♥ ✕ – 🟦 ✕ 🏇 – Garage pour caravanes
Permanent – Location longue durée (empl. 2 pers. 5 820 F, pers. suppl. 650F)
– Places disponibles pour le passage – **R** conseillée – ▣ 2 pers. 60/68, pers. suppl. 15 ⚡ 12 (2A)

---

## VILLERS-SUR-AUTHIE

**80120** Somme – 354 h.

⚠️ **Le Val d'Authie** 🔻, 🕿 22 29 92 47, sortie S rte de Vercourt
3,5 ha (117 empl.) ⚬ plat et peu incliné, herbeux ⌂ – 🛖 🌳 🟦 🔥 ⚡ 🚿 – 🟦
🟦
15 mars-oct. – *Places limitées pour le passage* – ▣ 3 pers. 60, pers. suppl. 15 ⚡ 10 (3A)

---

## VILLERS-SUR-MER

**14640** Calvados – 2 019 h.
**🅱** Office de Tourisme, pl. Mermoz
(vacances scolaires, 21 mars-15 nov.)
🕿 31 87 01 18

⚠️ **Les Ammonites** 🔻 ≤, 🕿 31 87 06 06, SO : 3,5 km par rte de Cabourg et, à Auberville, D 163 à droite – 🚫
3,2 ha (100 empl.) ⚬ plat, peu incliné, herbeux ⌂ – 🛖 🌳 🟦 🔥 sauna ⚡ 🚿
♥ crêperie 🟦 – 🟦 ✕ 🏇 🔭
mai-15 sept. – **R** – ▣ piscine comprise 2 pers. 84, pers. suppl. 20 ⚡ 15 (3A) 20 (5A)

## VILLES-SUR-AUZON

**84570** Vaucluse – 915 h.

🎞️ – 🎞️ ⑬ G. Alpes du Sud

ᐯᐯᐯ **Les Verguettes** ⊗ ≼ Mont Ventoux « Cadre agréable », ℰ 90 61 88 18, sortie O par D 942 rte de Carpentras
2 ha (53 empl.) ⊶ plat, peu incliné et terrasses, herbeux, pierreux ⊡ – 🗐 ⏚
⛺ ⅏ ⊛ ⊕ ⅍ ▽ grill (dîner seulement) 🖭 – cases réfrigérées ✕ 🏊
15 mai-sept. – **R** conseillée juil.-août – ✱ 21 piscine comprise ⇌ 11 🗉 17
🛗 12 (5A)

## VIMOUTIERS

**61120** Orne – 4 723 h.

🛈 Office de Tourisme, 10 av. Général-de-Gaulle (fermé janv.-fév.)
ℰ 33 39 30 29

🎞️ – 🎞️ ⑬ G. Normandie Vallée de la Seine

ᐯᐯᐯ **Municipal la Campière** « Entrée fleurie », ℰ 33 39 18 86, N : 0,7 km vers rte de Lisieux, au stade, bord de la Vie
1 ha (53 empl.) ⊶ plat, herbeux ♀ – 🗐 ⏪ ⛺ ⏚ ⅙ 🏛 ⊛ ⅍ ▽ – 🖭 ✕ ⚓
– A proximité : 🐎
Permanent – **R** – ✱ 11,90 tennis compris ⇌ 6,60 🗉 8,40 🛗 8,70 (hiver 13,80)

## VINAY

**38470** Isère – 3 410 h.

🎞️ – 🎞️ ③

ᐯ **Municipal la Vendée,** ℰ 76 36 91 00, au bourg, accès sur N 92 en direction de Valence, près de la piscine
0,8 ha (55 empl.) ⊶ plat, herbeux ♀ – 🗐 ⅏ ⊛ – A l'entrée : 🏊
15 mai-15 sept. – **R** – Tarif 91 : ✱ 8 ⇌ 4,50 🗉 4,50 🛗 10 (6A) 25 (10A)

## VINÇA

**66320** Pyr.-Or. – 1 655 h.

🎞️ – 🎞️ ⑱

ᐯᐯᐯ Municipal des Escoumes ⊗ ≼ « Situation agréable », ℰ 68 05 84 78, E 0,5 km, bord d'un plan d'eau
4,5 ha (140 empl.) ⊶ plat, peu incliné et en terrasses, herbeux ♀♀ – 🗐 🗐 ⅙ ⊛
⅍ 🖭 – ⚓ – A proximité : ✕ 🏊 – Mineurs non accompagnés et groupes de plus de 7 pers. non admis

## VINON-SUR-VERDON

**83560** Var – 2 752 h.

🎞️ – 🎞️ ④

ᐯ **Municipal du Verdon,** ℰ 92 78 81 51, sortie N par D 952 rte de Greoux-les-Bains et à droite après le pont, près du Verdon et d'un plan d'eau
1 ha (70 empl.) ⊶ plat, pierreux, gravier ♀♀ (0,5 ha) – 🗐 ⊛ – A proximité : ⚓
⚓
mai-sept. – **R** – ✱ 12 🗉 12 🛗 11,50 (6A)

## VINSOBRES

**26110** Drôme – 1 062 h.

🎞️ – 🎞️ ②

ᐯᐯᐯ **Sagittaire** ≼ « Cadre agréable », ℰ 75 27 64 39, au Pont-de-Mirabel, angle de D 94 et D 4, près de l'Eygues (accès direct)
14 ha/3 campables (150 empl.) ⊶ plat, herbeux, gravillons ⊡ ♀♀ – 🗐 ⏪
⛺ 🗐 ⅙ ⊛ ⅍ ▽ ⅏ 🍴 ✕ 🛒 🖭 – 🖭 ✕ ⚓ ⚓ (plan d'eau) – Location chalets
Permanent – **R** conseillée juil.-août – 🗉 3 pers. 65, pers. suppl. 16 🛗 9 (3A) 16 (6A)

ᐯ **Municipal** ≼, ℰ 75 27 61 65, au sud du bourg par D 190, au stade
1,9 ha (35 empl.) ⊶ plat, pierreux, herbeux ♀ (1 ha) – 🗐 ⏚ ⊛ – ⚓
20 avril-sept. – **R** conseillée – 🗉 2 pers. 32, pers. suppl. 8 🛗 8 (2 ou 4A) 9 (6A) 10 (8A)

## VIOLS-LE-FORT

**34380** Hérault – 670 h.

🎞️ – 🎞️ ⑥ G. Gorges du Tarn

ᐯᐯᐯ **Domaine de Cantagrils** ⊗ ≼ « Site sauvage », ℰ 67 55 01 88, S : 4,5 km sur D 127 rte de Murles
500 ha/4 campables (100 empl.) ⊶ non clos, accidenté et en terrasses, pierreux
⊡ ♀♀ – 🗐 ⅏ 🗐 ⊛ ⅏ 🍴 ✕ – 🖭 ✕ 🏊 – A proximité : 🐎
avril-oct. – **R** conseillée juil.-août – 🗉 2 pers. 56, pers. suppl. 14 🛗 11 (4 ou 5A)

## VION

**07610** Ardèche – 701 h.

🎞️ – 🎞️ ⑩ G. Vallée du Rhône

ᐯᐯ **L'Iserand** ≼, ℰ 75 08 01 73, N : 1 km par N 86 rte de Lyon
1,3 ha (80 empl.) ⊶ en terrasses, pierreux, herbeux ♀ – 🗐 ⏪ ⅏ ⅙ 🗐 ⊛ ⅍
– 🗐 ⚓ 🏊
avril-sept. – **R** conseillée juil.-août – 🗉 piscine comprise 2 pers. 50, pers. suppl. 20 🛗 12 (4 à 10A)

## VIRIEU-LE-GRAND

**01510** Ain – 922 h.

🎞️ – 🎞️ ⑩

ᐯᐯ **Municipal du Lac** ≼, ℰ 79 87 82 02, S : 2,5 km par D 904 rte d'Ambérieu-en-Bugey et chemin à gauche, bord du lac
1 ha (70 empl.) ⊶ plat et en terrasses, caillouteux, sablonneux – 🗐 ⅏ ⊛ – 🖭
juin-15 sept. – **R** conseillée – ✱ 7,85 ⇌ 5,50 🗉 6,50 🛗 13 (6A)

## VIRONCHAUX

**80150** Somme – 427 h.

🎞️ – 🎞️ ⑩

ᐯ **Les Peupliers,** ℰ 22 23 54 27, au bourg, 221 r. du Cornet
0,9 ha (30 empl.) ⊶ plat, herbeux – 🗐 🗐 ⅙ ⊛ – 🖭
avril-oct. – **R** conseillée août – ✱ 9,50 🗉 9

## VISAN
**84820** Vaucluse – 1 514 h.

⚲ **L'Hérein** ⚲, 🕾 90 41 95 99, O : 1,1 km par D 161 rte de Bouchet, près d'un ruisseau
1,2 ha (75 empl.) ⊶ plat, herbeux, pierreux 🔲 ⚲⚲ (0,6 ha) – 🔳 ⛲ 📛 ⚲ 🔲 &⚬ ⚲ ⚑ – ⚲
avril-sept. – **R** conseillée juil.-août – 🔲 piscine comprise 2 pers. 45 ⛁ 10 (3A) 13 (6A) 15 (10A)

## VITRAC
**24200** Dordogne – 743 h.
    Schéma à la Roque-Gageac

⚲ **Soleil Plage** ⚲ ≤, 🕾 53 28 33 33, E : 2,5 km, bord de la Dordogne
5 ha (180 empl.) ⊶ plat, herbeux 🔲 ⚲⚲ – 🔳 ⛲ 📛 🔲 & ⚬ ⚲ 🍽 🏊 ⚲ – 🔳 🍴 🔲 ⚲ 📛 ⚲ 🔲
avril-sept. – **R** conseillée – 🏊 25 piscine comprise 🔲 38 ⛁ 13 (5A) 20 (10A)

⚲ **Clos Bernard,** 🕾 53 28 33 44, NE : 1 km
3,7 ha (95 empl.) ⊶ plat, peu incliné et en terrasses, herbeux ⚲ – 🔳 ⛲ 📛 🏊 🔲
⚬ – 🔳 – A proximité : 🍽 – Location : ⛺
Pâques-sept. – **R** conseillée juil.-août – Tarif 91 : 🏊 15 🔲 15 ⛁ 9 (3A) 11 (5A)

⚲ **La Bouysse de Caudon** ⚲ ≤, 🕾 53 28 33 05, E : 2,5 km, près de la Dordogne
3 ha (150 empl.) ⊶ plat, peu incliné, herbeux ⚲ – 🔳 ⛲ 🏊 🔲 & ⚬ 🍽 ⚲ 🍴 ⚲
🔲 – 🔳 🍽 ⚲ 🔲 – A proximité : ⚲
avril-sept. – **R** conseillée juil.-15 août – 🏊 20 🔲 20 ⛁ 12 (3A) 15 (6A)

⚲ **Le Bosquet** ⚲ ≤, 🕾 53 28 37 39 ✉ 24250 Domme, S : 0,9 km
0,6 ha (60 empl.) ⊶ plat, herbeux – 🔳 ⛲ 📛 🏊 🔲 & ⚬ – 🔳
mars-sept. – **R** – 🏊 12 🔲 12 ⛁ 12 (5A)

⚲ **La Rivière** ⚲, 🕾 53 28 33 46 ✉ 24250 Domme, S : 1,6 km, à 300 m de la Dordogne
1,5 ha (25 empl.) ⊶ plat et peu incliné, herbeux – 🔳 ⛲ 🏊 & – 🔳 ⚲ –
A proximité : ⚲
15 avril-sept. – **R** conseillée – 🏊 13 piscine comprise 🔲 11

## VITRAC-SUR-MONTANE
**19800** Corrèze – 244 h.

⚲ **Municipal du Pont de la Rivière** ⚲, SE : 0,5 km par D 143 rte d'Égletons, de part et d'autre de la Montane
1,5 ha (83 empl.) ⊶ plat et peu incliné, herbeux – 🔳 🏊 ⚬ – ⚲ – A proximité :
15 juin-15 sept. – **R** – 🏊 8 🔲 6 ⛁ 7,20 (6A)

## VITTEFLEUR
**76450** S.-Mar. – 678 h.

⚲ **Municipal les Grands Prés,** 🕾 35 97 53 82, N : 0,7 km par D 10, rte de Veulettes-s-Mer, bord de la Durdent
2,6 ha (100 empl.) ⊶ plat, herbeux – 🔳 ⛲ 📛 🔲 ⚬ ⚲ ⚑ 🔲 – 🔳
avril-sept. – **R** conseillée juil.-août – 🏊 12 🔲 12 ⛁ 8,40 (6A)

## VITTEL
**88800** Vosges – 6 296 h. –
⚕ 10 fév.-déc.
🛈 Syndicat d'Initiative, av. Bouloumié
🕾 29 08 08 88

⚲ Municipal, 🕾 29 08 02 71, sortie NE, par D 68 rte de Domjulien
2,5 ha (132 empl.) ⊶ plat et peu incliné, herbeux, gravillons 🔲 – 🔳 ⛲ 📛 🔲
🔳 ⚬ 🔲 – 🔳

**à They-sous-Montfort** NE : 4 km par D 68 rte de Domjulien
✉ 88800 They-sous-Montfort :

⚲ **Les Hierottes,** 🕾 29 08 42 42, SO : 0,7 km par D 68 rte de Vittel
0,5 ha (35 empl.) ⊶ plat et peu incliné, herbeux, pierreux, gravillons, étangs 🔲
⚲ (0,2 ha) – 🔳 ⛲ 📛 & ⚬ ⚲ 🍴
avril-sept. – **R** juil.-août – 🏊 7 et 3 pour eau chaude ⚲ 5 🔲 5/7 ⛁ 12 (16A)

## VIVARIO **2B** H.-Corse – 90 ⑨ – voir à Corse

## VIVIERS
**7220** Ardèche – 3 407 h.

⚲ Rochecondrie-Loisirs, 🕾 75 52 74 66, NO : 1,5 km sur N 86 rte de Lyon, accès direct à l'Escoutay
1,5 ha (80 empl.) ⊶ plat, herbeux ⚲ – 🔳 🏊 🔲 ⚬ 🍴 – 🔳 ⚲

## VIZILLE
**8220** Isère – 7 094 h.

⚲ **Municipal du Bois de Cornage** ⚲ ≤, 🕾 76 68 12 39, sortie N vers N 85 rte de Grenoble et av. de Venaria à droite – interdit aux caravanes de 5 m et plus
2,3 ha (128 empl.) ⊶ peu incliné, en terrasses, herbeux ⚲ – 🔳 🏊 🔲 ⚬
15 mai-sept. – **R** conseillée juil.-août – 🔲 2 pers. 28, pers. suppl. 9 ⛁ 13,50 (6A) 18,50 (10A)

## VOGÜÉ
**07200** Ardèche – 631 h.

🔢 – 🔢 ⑨ G. Vallée du Rhône

▲▲▲ **Domaine du Cros d'Auzon** ⚓ « Site et cadre agréables », ✆ 75 37 75 86
⊠ 07200 St-Maurice-d'Ardèche, S : 2,5 km par D 579 et chemin à droite
avant la station Elf, à Vogüé-Gare, bord de l'Ardèche
18 ha/3 campables (200 empl.) ⚬ (saison) plat, pierreux, sablonneux, herbeux
🔲 ♋ – ⌁ ⇄ ⊟ 🔳 ☺ ⚡ ▽ ⛟ 🍴 ✕ ⚓ – ⚕ – 🏠 salle de musculation ✕
⚓ ⚓ 🔣 poneys, parcours sportif, half-court, vélos – Location : 🔣 (hôtel)
mai-15 sept. – **R** indispensable – 🔳 piscine comprise 2 pers. 75 ⟨⟩ 10 (4A) 15
(10A)

▲▲▲ **Les Peupliers** ⚓, ✆ 75 37 71 47, S : 2 km par D 579 et chemin à droite avant
la station Elf, à Vogüé-Gare, bord de l'Ardèche
3 ha (100 empl.) ⚬ (saison) plat, herbeux, sablonneux, pierreux ♋♋ – ⌁ ⇄ ⊟
⚕ ⊟ ☺ ⚕ 🍴 – ⚓ ⇄ (saison) plat, herbeux, sablonneux, pierreux ♋♋
Pâques-août – **R** conseillée juil.-août – 🔳 piscine comprise 2 pers. 73, pers. suppl.
15 ⟨⟩ 13 (4A)

▲▲▲ **Les Roches** ⚓ « Cadre sauvage », ✆ 75 37 70 45, S : 1,5 km par D 579, à
Vogüé-Gare, à 200 m de l'Auzon et de l'Ardèche
2,5 ha (120 empl.) ⚬ accidenté, plat, herbeux, rocheux ♋♋ – ⌁ ⇄ ⚕ ⊟ ☺ ☺
🔳 – 🏠 ✕ ⚕ – A proximité : 🔣
avril-sept. – **R** conseillée juil.-août – 🔳 piscine comprise 2 pers. 74, pers. suppl.
15 ⟨⟩ 13 (6A)

▲ **les Chênes Verts** « Cadre agréable », ✆ 75 37 71 54, SE : 1,7 km par D 103
rte de St-Germain – véhicule tracteur pour placer les caravanes
1 ha (44 empl.) ⚬ en terrasses, peu accidenté, pierreux, herbeux ♋♋ – ⌁ ⇄ ⚕
⚓ – ⚕ vélos
avril-15 oct. – **R** conseillée juil.-août – 🔳 piscine comprise 2 pers. 58 ⟨⟩ 9 ou
15 (6 ou 10A)

## VOIRON
**38500** Isère – 18 686 h.
🏢 Office de Tourisme, 3 r. P.-Vial
✆ 76 05 00 38

🔢 – 🔢 ④ G. Alpes du Nord

▲▲ **Municipal la Porte de Chartreuse,** ✆ 76 05 14 20, NO : 1,5 km par N 75
rte de Bourg-en-Bresse
1,5 ha (70 empl.) ⚬ plat et peu incliné, herbeux, gravier ♀ – ⌁ ⇄ ⚕ ⊟ ☺ ⚕
▽ – 🏠 – A proximité : discothèque
mai-sept. – **R** indispensable juil.-août – 🔳 3 pers. 35/56 avec élect., pers. suppl.
12

## VOLESVRES
**71600** S.-et-L. – 536 h.

🔢 – 🔢 ⑰

▲ **Municipal les Eglantines,** au bourg, par rte de St-Léger-les-Paray
0,6 ha (29 empl.) plat, herbeux – ⌁ ⚕ ⚕ ☺ – A proximité : ✕
10 avril-10 nov. – **R** – ⚓ 9 ⇄ 12 🔳 12 ⟨⟩ 10 (4A)

## VOLLORE-VILLE
**63120** P.-de-D. – 697 h.

🔢 – 🔢 ⑯ G. Auvergne

▲ **Le Mont Bartoux** ⚓ ≤ chaîne des Dômes, ✆ 73 53 70 05, NE : 2 km par
D 7 et D 7E rte de Vollore-Montagne – alt. 650
2 ha (66 empl.) ⚬ peu incliné à incliné, herbeux – ⌁ ☺ 🍴 – 🏠 ⚓
15 mai-sept. – **R** conseillée juil.-août – ⚓ 11 ⇄ 5 🔳 14 ⟨⟩ 14 (15A)

## VOLONNE
**04290** Alpes-de-H.-Pr. – 1 387 h.
🏢 Syndicat d'Initiative, Mairie (saison)
✆ 92 64 07 57

🔢 – 🔢 ⑯ G. Alpes du Sud

▲▲▲ **L'Hippocampe** ≤ « Cadre agréable », ✆ 92 64 05 06, SE : 0,5 km par D 4
bord du lac
5 ha (260 empl.) ⚬ plat, herbeux 🔲 ♀ – ⌁ ⇄ ⚕ ⊟ ⚕ ☺ ⚕ ▽ ⛟ 🍴 sel
⚓ 🔳 – Discothèque ✕ ⚕ tir à l'arc – Location : 🔣, bungalows toilés
avril-sept. – **R** conseillée – Tarif 91 : 🔳 piscine comprise 2 pers. 85 ⟨⟩ 21 (6A

## VOLX
**04130** Alpes-de-H.-Pr. – 2 516 h.

🔢 – 🔢 ⑯

▲▲ **Municipal la Vandelle** ⚓, ✆ 92 79 35 85, à 1,3 km au SO du bourg
1 ha (50 empl.) ⚬ plat, peu incliné et terrasses, herbeux – ⌁ ⇄ ⚕ ⚕ ☺ – ⚕
(bassin)
fin juin-début sept. – **R** conseillée – Tarif 91 : ⚓ 12 ⇄ 5 🔳 13,50 ⟨⟩ 12 (10A

## VONNAS
**01540** Ain – 2 381 h.

🔢 – 🔢 ⓪

▲▲ **Municipal** ⚓, ✆ 74 50 02 75, sortie O par D 96 rte de Biziat, bord de la Veyl
1,8 ha (70 empl.) plat, herbeux ♀ – ⌁ ⇄ ⚕ ☺ – A proximité : ✕ ⚕
avril-oct. – Places limitées pour le passage – **R** conseillée – ⚓ 8,79 ⇄ 4,6
🔳 7,24/17,60 ⟨⟩ 10

## VOREY
**43800** H.-Loire – 1 315 h.

🔢 – 🔢

▲▲ **les Moulettes,** ✆ 71 03 70 48, à l'Ouest du centre bourg, bord de l'Arzo
1 ha (40 empl.) ⚬ plat, herbeux 🔲 – ⌁ ⇄ ⚕ ⚕ ☺ ⚕ ▽ – 🏠 ✕ –
15 juin-5 sept. – **R** – ⚓ 11 ⇄ 7 🔳 11 ⟨⟩ 13 (10A)

## VOUGLANS

**39** Jura – ✉ 39260 Lect

⛰ **Les Cyprès** ≼, sortie NO par D 299 rte de Chancia
1,4 ha (100 empl.) ⚏ (saison) peu incliné, plat, en terrasses, herbeux, pierreux – 🍳 ⊛
avril-oct. – **R** – ✿ 9 🔲 14 🔌 10 (6A)

⒓ – � ⑭ G. Jura

## VOUILLÉ

**86190** Vienne – 2 574 h.

⛰ **Municipal**, au bourg, bord d'un ruisseau
0,5 ha (35 empl.) plat, herbeux ♀ – 🍳 ♻ ☶ 🗓 ⊛ – ⚒ – A proximité : 🍴 tir à l'arc
15 juin-15 sept. – **R** conseillée – Tarif 91 : ✿ 7,50 ⚗ 4,70 🔲 5,20 🔌 9,50 (16A)

⒐ – ⒍8 ⑬

## VOUILLE-LES-MARAIS

**85450** Vendée – 528 h.

⛰ **La Tublerie** ⟋, ☏ 51 52 54 97, à 2 km au NE du bourg, bord de canaux
0,6 ha (27 empl.) plat, herbeux 🖵 – 🍳 ♻ ☶ 🗓 ⅙ ⊛ ♈ 🍴 ▣ – ⚒ 🍴 ⚓ (bassin) – Location : 🏠
juil.-août – **R** conseillée – Au village vacances (adhésion obligatoire) – 🔲 1 pers. 20 🔌 8

⒐ – ⒘1 ⑪

## VUILLAFANS

**25840** Doubs – 649 h.

⛰ **Municipal le Pré Bailly** ≼, au bourg, rive gauche de la Loue
0,8 ha (50 empl.) plat et terrasse, herbeux, gravier – 🍳 ♻ ☶ 🎞 ⊛ – 🍴 – Location : gîte d'étape
avril-sept. – **R** juil.-août – ✿ 8,10 🔲 7 🔌 8 à 16 (4 à 16A)

⒓ – � ⑥ G. Jura

## WARHEM

**59380** Nord – 1 916 h.

⛰ La Becque ⟋, ☏ 28 62 00 40, E : 0,8 km et chemin à gauche
1 ha (87 empl.) ⚏ plat, herbeux 🖵 – 🍳 ⊛ – ⚓ ⚽
15 mars-oct. – **R**

⒈ – ⒌1 ④

## WARLINCOURT-LÈS-PAS

**62760** P.-de-C. – 136 h.

⛰ **La Kilienne** ⟋, ☏ 21 48 21 74, au bourg, sur D 25E, bord de rivière
8 ha (230 empl.) ⚏ plat et en terrasses, herbeux 🖵 – 🍳 ♻ ☶ ⊛ ⚓ ♈ ♈ ▣ – 🛖 ⚽
avril-oct. – Places limitées pour le passage – **R** – 🔲 élect. (4A) comprise 2 pers. 60, pers. suppl. 15

⒈ – ⒌2 ⑨

## WASSELONNE

**67310** B.-Rhin – 4 916 h.
🅸 Office de Tourisme, pl. du Général-Leclerc (15 juin-15 sept.)
☏ 88 87 17 22 et Mairie (hors saison)
☏ 88 87 03 28

⛰ **Municipal** ≼, ☏ 88 87 00 08, O : 1 km par D 224 rte de Wangenbourg
1,5 ha (100 empl.) ⚏ en terrasses, herbeux 🖵 ♀ – 🍳 ♻ ☶ 🗓 ⊛ ⚒ – ⚓
🅇 (découverte l'été) – A proximité : 🍴
avril-15 oct. – **R** juil.-août – ✿ 12,50 🔲 7 🔌 8,30 (4A)

⒏ – ⒍2 ⑨ G. Alsace Lorraine

## WATTEN

**59143** Nord – 3 030 h.

⛰ **Le Val Joly**, ☏ 21 88 23 26, à l'ouest du bourg, près de l'Aa
2,4 ha (68 empl.) ⚏ plat, herbeux 🖵 – (🍳 saison) 🗓 ⊛
avril-oct. – Places disponibles pour le passage – **R** – ✿ 12 🔲 12 🔌 9 (3A)

⒈ – ⒌1 ③ G. Flandres Artois Picardie

## WATTWILLER

**68700** H.-Rhin – 1 506 h.

⛰ **Les Sources** ⟋, ☏ 89 75 44 94, O : 1,7 km par D 5 III, vers la rte des Crêtes
12 ha (250 empl.) ⚏ (saison) en terrasses, pierreux, gravillons 🖵 ♨ – 🍳 ♻ ☶ 🗓 ⅙ ⊛ ♈ ⚓ ♈ 🍴 ♈ – ▣ – ⚒ 🍴 🛖 ⚓ ♈ et poneys (centre équestre) – Location : 🚐 🚐
mars-oct. – **R** conseillée juil.-août – 🔲 piscine comprise 2 pers. 68 🔌 16 (5A)

⒏ – ⒈66 ⑨

## WIHR-AU-VAL

**68230** H.-Rhin – 1 089 h.

⛰ La Route Verte ≼, ☏ 89 71 10 10, 13 r. de la Gare
0,8 ha (40 empl.) ⚏ peu incliné, herbeux 🖵 – 🍳 🗓 ⊛ – ⚓ ⚽
15 avril-sept. – **R** – Tarif 91 : ✿ 8 ⚗ 6,50 🔲 8 🔌 8 (2A)

⒏ – ⒍2 ⑱

## WILLER-SUR-THUR

**68760** H.-Rhin – 1 947 h.

⛰ Le Long Pré ⟋, ☏ 89 82 32 96, NE : 1 km par D 13BVI rte du Grand Ballon, bord d'un ruisseau
1 ha (50 empl.) ⚏ peu incliné, herbeux ♀♀ – 🍳 ♻ ♒ 🗓 ⊛
avril-sept. – Places disponibles pour le passage – **R** – ✿ 12 ⚗ 7 🔲 7 🔌 12 (4A) 16 (6A) 22 (10A)

⒏ – ⒈66 ⑨ G. Alsace Lorraine

## WILLIES

**59740** Nord – 128 h.

ᴧᴧᴧ **Départemental du Val Joly** ⑊ « Site agréable », ℱ 27 61 83 76, E :
1,5 km par D 133 rte d'Eppe-Sauvage, à 300 m du lac
9 ha (250 empl.) ⚡ plat et peu incliné, herbeux – 🍴 ⇆ ♨ 🔖 ⊕ 🅿 – 🛶 ⛵
– A proximité : 🅟 ◊
23 mars-13 oct. – **R** – 🔲 élect. (5A) comprise 1 pers. 33, pers. suppl. 11

---

## XONRUPT-LONGEMER

**88400** Vosges – 1 415 h. alt. 780 –
🐟

ᴧᴧᴧ **Verte Vallée** ❀ ⑊, ℱ 29 63 21 77, SE : 4 km, bord de la Vologne
3 ha (90 empl.) ⚡ plat, herbeux – 🍴 ⇆ ♨ 🔖 🍽 ⊕ 🅿 – 🛶 ⛵ – Location :
gîte d'étape
Permanent – **R** conseillée hiver – 🚶 9 (hiver 9,50) 🔲 9,50 (hiver 11,50) 🗲 8
(2A) 12,50 (4A) 20 (6A)

ᴧᴧᴧ **Les Jonquilles** ⑊ lac et montagnes boisées, ℱ 29 63 34 01, SE : 2,5 km, bord
du lac
3 ha (220 empl.) ⚡ peu incliné, herbeux – 🍴 ⇆ ♨ ⊕ 🔲 🍽 🛶
avril-15 oct. – **R** juil.-20 août – 🔲 2 pers. 42, pers. suppl. 10 🗲 13 (5A) 18 (7A)
25 (10A)

ᴧ **La Vologne** ⑊, ℱ 29 63 06 57, SE : 4,5 km, bord de la Vologne
2,5 ha (70 empl.) ⚡ (saison) plat, herbeux – 🍴 🔖 ⊕ – ⛵
15 mai-15 sept. – **R** – 🚶 8,50 🔲 8,50 🗲 9 (2A) 13 (4A)

ᴧ **Belle-Rive** ⑊ lac et montagnes boisées, ℱ 29 63 31 12, SE : 2,5 km, bord du
lac
1,5 ha (66 empl.) ⚡ plat et incliné, herbeux – 🍴 ⊕ – 🛶 ⛵ – A proximité :
🍽 🛶
15 mai-15 sept. – **R** – Tarif 91 : 🚶 7 🚗 3,50 🔲 3,50 🗲 6 (1A) 8 (2A) 10 (3A)

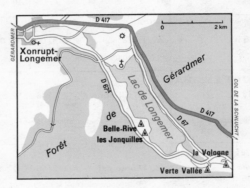

---

## YPORT

**76111** S.-Mar. – 1 141 h.

ᴧᴧᴧ **Municipal la Chênaie,** ℱ 35 27 33 56, sortie SE sur D 104, rte d'Épreville
1,3 ha (65 empl.) ⚡ plat et accidenté, herbeux 🌳🌳 (0,5 ha) – (🍴 ♨ 🌳 mars-
1er nov.) 🔖 ⊕ – 🛶 – A proximité : 🍽
Permanent – **R** – Tarif 91 : 🚶 6,65 🚗 3,15 🔲 3,25 🗲 7,25 (4A) et 1,90 par
amp. suppl.

---

## YZEURES-SUR-CREUSE

**37290** I.-et-L. – 1 747 h.

ᴧᴧᴧ **Municipal Bords de Creuse** ⑊, ℱ 47 94 48 32, sortie S par D 104 rte de
Vicq-sur-Gartempe, près de la Creuse
1,7 ha (130 empl.) plat et peu incliné, herbeux – 🍴 ⇆ ♨ ♿ ⊕ – A proximité :
🍽 ⛵ 🏊
15 juin-15 sept. – **R** – 🚶 6,90 piscine comprise 🔲 6,90 🗲 9

# Lexique
## Lexicon – Lexikon – Woordenlijst

| | | | |
|---|---|---|---|
| **accès difficile** | difficult approach | schwierige Zufahrt | moeilijke toegang |
| **accès direct à** | direct access to... | Zufahrt zu ... | rechtstreekse toegang tot... |
| **accidenté** | uneven, hilly | uneben | heuvelachtig |
| **adhésion** | membership | Beitritt | lidmaatschap |
| **août** | August | August | augustus |
| **après** | after | nach | na |
| **Ascension** | Ascension Day | Himmelfahrt | Hemelvaartsdag |
| **assurance obligatoire** | insurance cover compulsory | Versicherungspflicht | verzekering verplicht |
| **automne** | autumn | Herbst | herfst |
| **avant** | before | vor | voor |
| **avenue (av.)** | avenue | Avenue | laan |
| **avril** | April | April | april |
| **baie** | bay | Bucht | baai |
| **bois, boisé** | wood, wooded | Wald, bewaldet | bebost |
| **bord de...** | shore | Ufer, Rand | aan de oever van... |
| **boulevard (bd)** | boulevard | Boulevard | boulevard |
| **au bourg** | in the town | im Ort | in het dorp |
| **«Cadre agréable»** | pleasant setting | angenehme Umgebung | aangename omgeving |
| **«Cadre sauvage»** | wild setting | ursprüngliche Umgebung | woeste omgeving |
| **carrefour** | crossroads | Kreuzung | kruispunt |
| **château** | castle | Schloß, Burg | kasteel |
| **chemin** | path | Weg | weg |
| **conseillé** | advisable | empfohlen | aanbevolen |
| **cotisation obligatoire** | membership charge obligatory | ein Mitgliedsbeitrag wird verlangt | verplichte bijdrage |
| **en cours d'aménagement, de transformations** | work in progress, rebuilding | wird angelegt, wird umgebaut | in aanbouw, wordt verbouwd |
| **crêperie** | pancake restaurant, stall | Pfannkuchen-Restaurant | pannekoekenhuis |
| **décembre (déc.)** | December | Dezember | december |
| **«Décoration florale»** | floral decoration | Blumenschmuck | bloemversiering |
| **derrière** | behind | hinter | achter |
| **discothèque** | disco | Diskothek | discotheek |
| **à droite** | to the right | nach rechts | naar rechts |
| **église** | church | Kirche | kerk |
| **électricité (élect.)** | electricity | Elektrizität | elektriciteit |
| **entrée** | way in, entrance | Eingang | ingang |
| **«Entrée fleurie»** | flowered entrance | blumengeschmückter Eingang | door bloemen omgeven ingang |
| **étang** | pond, pool | Teich | vijver |
| **été** | summer | Sommer | zomer |
| **exclusivement** | exclusively | ausschließlich | uitsluitend |
| **falaise** | cliff | Steilküste | steile kust |
| **famille** | family | Familie | gezin |
| **fermé** | closed | geschlossen | gesloten |
| **février (fév.)** | February | Februar | februari |
| **forêt** | forest, wood | Wald | bos |

| | | | |
|---|---|---|---|
| garage | parking facilities | üderdachter Abstellplatz | parkeergelegenheid |
| garderie (d'enfants) | children's crèche | Kindergarten | kinderdagverblijf |
| gare (S.N.C.F.) | railway station | Bahnhof | station |
| à gauche | to the left | nach links | naar links |
| gorges | gorges | Schlucht | bergengten |
| goudronné | surfaced road | geteert | geasfalteerd |
| gratuit | free, no charge made | kostenlos | kosteloos |
| gravier | gravel | Kies | grint |
| gravillons | fine gravel | Rollsplitt | steenslag |
| herbeux | grassy | mit Gras bewachsen | grasland |
| hiver | winter | Winter | winter |
| hors saison | out of season | Vor- und Nachsaison | buiten het seizoen |
| île | island | Insel | eiland |
| incliné | sloping | abfallend | hellend |
| indispensable | essential | unbedingt erforderlich | noodzakelijk, onmisbaar |
| intersection | crossroads | Kreuzung | kruispunt |
| janvier (janv.) | January | Januar | januari |
| juillet (juil.) | July | Juli | juli |
| juin | June | Juni | juni |
| lac | lake | (Binnen) See | meer |
| lande | heath | Heide | hei |
| licence obligatoire | camping licence or international camping carnet | Lizenz wird verlangt | vergunning verplicht |
| lieu-dit | spot, site | Flurname, Weiler | oord |
| location annuelle, longue durée | long-term booking (weekend and residential site) | Jahresmiete, langfristige Miete | jaarverhuur, lange termijn verhuur |
| mai | May | Mai | mei |
| mairie | town hall | Bürgermeisteramt | stadhuis |
| mars | March | März | maart |
| matin | morning | Morgen | morgen |
| mer | sea | Meer | zee |
| mineurs non accompagnés non admis | people under 18 must be accompanied by an adult | Minderjährige ohne Begleitung werden nicht zugelassen | minderjarigen zonder geleide niet toegelaten |
| montagne | mountain | Gebirge | gebergte |
| Noël | Christmas | Weihnachten | Kerstmis |
| non clos | open site | nicht eingefriedet | niet omheind |
| novembre (nov.) | November | November | november |
| océan | ocean | Ozean | oceaan |
| octobre (oct.) | October | Oktober | oktober |
| ouverture prévue | opening scheduled | Eröffnung vorgesehen | vermoedelijke opening |
| Pâques | Easter | Ostern | Pasen |
| parcours de santé | fitness trail | Fitneßparcours | trimbaan |
| passage non admis | no touring pitches | kein kurzer Aufenthalt | niet toegankelijk voor kampeerders op doorreis |
| pente | slope | Steigung, Gefälle | helling |
| Pentecôte | Whitsun | Pfingsten | Pinksteren |
| personne (pers.) | person | Person | persoon |
| pierreux | stony | steinig | steenachtig |
| pinède | pine grove | Kiefernwäldchen | dennenbos |
| place (pl.) | square | Platz | plein |
| places disponibles pour le passage | touring pitches available | Plätze für kurzen Aufenthalt vorhanden | plaatsen beschikbaar voor kampeerders op doorreis |

| | | | |
|---|---|---|---|
| places limitées pour le passage | limited number of touring pitches | Plätze für kurzen Aufenthalt in begrenzter Zahl vorhanden | beperkt aantal plaatsen voor kampeerders op doorreis |
| plage | beach | Strand | strand |
| plan d'eau | stretch of water | Wasserfläche | watervlakte |
| plat | flat | eben | vlak |
| plate-forme aménagée | caravan bay equipped with electricity, water and drainage | Plattform mit Strom-, Wasser- und Abwasseranschluß | staanplaats met elektriciteit, watertoe- en afvoer |
| poneys | ponies | Ponys | pony's |
| pont | bridge | Brücke | brug |
| port | port, harbour | Hafen | haven |
| prairie | grassland | Wiese | weide |
| près de... | near | nahe bei ... | bij... |
| presqu'île | peninsula | Halbinsel | schiereiland |
| prévu | projected | geplant | verwacht, gepland |
| printemps | spring | Frühjahr | voorjaar |
| en priorité | giving priority to... | mit Vorrang | voorrangs... |
| à proximité | nearby | in der Nähe von | in de nabijheid |
| quartier | (town) quarter | Stadtteil | wijk |
| Rameaux | Palm Sunday | Palmsonntag | Palmzondag |
| réservé | reserved | reserviert | gereserveerd |
| rive droite, gauche | right, left bank | rechtes, linkes Ufer | rechter, linker oever |
| rivière | river | Fluß | rivier |
| rocailleux | stony | steinig | vol kleine steentjes |
| rocheux | rocky | felsig | rotsachtig |
| route (rte) | road | Landstraße | weg |
| rue (r.) | street | Straße | straat |
| ruisseau | stream | Bach | beek |
| sablonneux | sandy | sandig | zanderig |
| saison | (tourist) season | Reisesaison | seizoen |
| avec sanitaires individuels | with individual sanitary arrangements | mit sanitären Anlagen für jeden Standplatz | met eigen sanitair |
| schéma | local map | Kartenskizze | schema |
| semaine | week | Woche | week |
| septembre (sept.) | September | September | september |
| site | site | Lage | landschap |
| situation | situation | Lage | ligging |
| sortie | way out, exit | Ausgang | uitgang |
| sous-bois | underwood | Unterholz | geboomte |
| à la station | at the filling station | an der Tankstelle | bij het benzinestation |
| supplémentaire (suppl.) | additional | zuzüglich | extra |
| en terrasses | terraced | in Terrassen | terrasvormig |
| tir à l'arc | archery | Bogenschießen | boogschieten |
| toboggan aquatique | water slide | Rutschbahn in Wasser | waterglijbaan |
| torrent | torrent | Wildbach | bergstroom |
| Toussaint | All Saints' Day | Allerheiligen | Allerheiligen |
| tout compris | everything included | alles inbegriffen | alles inbegrepen |
| vacances scolaires (vac. scol.) | school holidays | Ferientermine | schoolvakanties |
| vallonné | undulating | hügelig | heuvelachtig |
| vélos | bicycles | Fahrräder | fietsen |
| verger | orchard | Obstgarten | boomgaard |
| vers | in the direction of | nach (Richtung) | naar (richting) |
| voir | see | sehen, siehe | zien, zie |

**MANUFACTURE FRANÇAISE DES PNEUMATIQUES MICHELIN**

Société en commandite par actions au capital de 2 000 000 000 de francs.

Place des Carmes-Déchaux – 63 Clermont-Ferrand (France)

R.C.S. Clermont-Fd B 855 200 507

© MICHELIN et Cie, propriétaires-éditeurs ; 1992

Dépôt légal : 2-92 – ISBN 2 06 006 129-6

Printed in France – 1-92-170

Impression : MAURY Imprimeur S.A., Malesherbes

*Populations : INSEE – 32e recensement général de la population (1990)*

# CARTES DÉTAILLÉES
## La France en 40 cartes
### 1/200 000

# CARTES RÉGIONALES
## La France en 17 cartes
### 1/200 000